LAROUSSE

DICTIONNAIRE DE POCHE

FRANÇAIS PORTUGAIS

PORTUGAIS FRANÇAIS

LAROUSSE

Réalisé par / Realizado por

LAROUSSE

© **Larousse/HER, 2001**
21, rue du Montparnasse
75283 Paris Cedex 06, France

ISBN 2-03-540045-7
Larousse/HER, Paris

Distributeur exclusif au Québec : Messageries ADP, 1751 Richardson, Montréal (Québec)

LAROUSSE

DICIONÁRIO
DE BOLSO

FRANCÊS
PORTUGUÊS

PORTUGUÊS
FRANCÊS

LAROUSSE

AU LECTEUR

Le LAROUSSE DE POCHE français-portugais, portugais-français a été conçu pour répondre aux besoins du débutant et du voyageur.

Avec plus de 40 000 mots et expressions et plus de 55 000 traductions, ce nouveau dictionnaire présente non seulement le vocabulaire général, mais aussi de nombreuses expressions permettant de déchiffrer panneaux de signalisation ou cartes de restaurant.

Le vocabulaire essentiel est éclairé par de nombreux exemples et des indicateurs de sens précis, une présentation étudiée facilitant la consultation.

À la fois pratique et complet, cet ouvrage est une mine d'informations à emporter partout. «Boa sorte», et n'hésitez pas à nous faire part de vos suggestions.

L'ÉDITEUR

AO LEITOR

O DICIONÁRIO DE BOLSO LAROUSSE francês-português, português-francês foi propositadamente concebido para responder às necessidades de alunos iniciantes e turistas.

Com mais de 40.000 palavras e 55.000 traduções, este novo dicionário apresenta não só o vocabulário de base como também numerosas expressões que permitirão ao turista decifrar sinais de trânsito, letreiros e ementas de restaurantes.

O vocabulário de base mereceu especial atenção : o texto inclui não só numerosos exemplos de uso como também uma grande quantidade de indicadores de sentido que se pretendem claros, precisos e actuais. A apresentação cuidada e atractiva do LAROUSSE DE BOLSO foi estudada de modo a facilitar ao máximo a consulta.

Este dicionário será um instrumento indispensável tanto para os estudos como para as férias. "Bonne chance" e não hesitem em entrar em contacto connosco se tiverem alguma sugestão a fazer.

O EDITOR

ABREVIATURAS ——————— ABRÉVIATIONS

abreviatura	*abrev/abr*	abréviation
adjectivo	*adj*	adjectif
adjectivo feminino	*adj f*	adjectif féminin
adjectivo masculino	*adj m*	adjectif masculin
advérbio	*adv*	adverbe
anatomia	ANAT	anatomie
artigo	*art*	article
automóvel	AUT	automobile
auxiliar	*aux*	auxiliaire
termo belga	*Belg*	belgicisme
português do Brasil	*Br*	brésilianisme
termo canadiano	*Can*	canadianisme
comércio	COM(M)	commerce
comparativo	*comp(ar)*	comparatif
conjunção	*conj*	conjonction
culinária	CULIN	cuisine, art culinaire
desporto	DESP	sport
educação, escola	EDUC	domaine scolaire
interjeição	*excl*	exclamation
substantivo feminino	*f*	nom féminin
familiar	*fam*	familier
figurado	*fig*	figuré
finanças	FIN	finances
formal	*fml*	soutenu
geralmente	*ger/gén*	généralement
gramática	GRAM(M)	grammaire
termo suíço	*Helv*	helvétisme
informática	INFORM	informatique
interjeição	*interj*	exclamation
interrogativo	*interr*	interrogatif
invariável	*inv*	invariable
jurídico	JUR	juridique
substantivo masculino	*m*	nom masculin
matemática	MAT(H)	mathématiques
medicina	MED/MÉD	médecine
substantivo que tem a mesma forma para o masculino e para o feminino	*mf*	nom masculin et féminin
substantivo masculino que tem também uma forma para o feminino	*m, f*	nom masculin et féminin avec une désinence féminine
termos militares	MIL	domaine militaire
música	MÚS/MUS	musique
substantivo	*n*	nom
termos náuticos	NÁUT/NAVIG	navigation
substantivo feminino	*nf*	nom féminin
substantivo masculino	*nm*	nom masculin

substantivo que tem a mesma forma para o masculino e para o feminino	*nmf*	nom masculin et féminin
substantivo masculino que tem também uma forma para o feminino	*nm, f*	nom masculin et féminin avec une désinence féminine
numeral	*num*	numéral
pejorativo	*pej*	péjoratif
plural	*pl*	pluriel
política	POL	politique
português de Portugal	*Port*	portugais du Portugal
particípio passado	*pp*	participe passé
gerúndio	*ppr*	participe présent
preposição	*prep/prép*	préposition
pronome	*pron*	pronom
algo	*qqch*	quelque chose
alguém	*qqn*	quelqu'un
marca registada	®	nom déposé
religião	RELIG	religion
substantivo	*s*	nom
educação, escola	SCOL	domaine scolaire
formal	*sout*	soutenu
sujeito	*suj*	sujet
superlativo	*sup(erl)*	superlatif
termos técnicos	TEC(H)	technologie
televisão	TV	télévision
verbo	*v*	verbe
verbo intransitivo	*vi*	verbe intransitif
verbo impessoal	*v impess / v impers*	verbe impersonnel
verbo pronominal	*vp*	verbe pronominal
verbo transitivo	*vt*	verbe transitif
vulgar	*vulg*	vulgaire
equivalente cultural	≃	équivalent culturel

Na parte português-francês, as abreviaturas *mpl* e *fpl* designam a flexão do masculino plural e do feminino plural sempre que estiverem associadas a um adjectivo ou a um pronome.

Dans la partie portugais-français, les abréviations *mpl* et *fpl* désignent la désinence masculine ou féminine plurielle de l'adjectif ou du pronom lorsqu'elles sont rattachées à ces derniers.

MARCAS REGISTADAS

O símbolo ® indica que a palavra em questão é uma marca registada. Este símbolo, ou a sua eventual ausência, não afecta, no entanto, a situação legal da marca.

NOMS DE MARQUE

Les noms de marque sont désignés dans ce dictionnaire par le symbole ®. Néanmoins, ni ce symbole ni son absence éventuelle ne peuvent être considérés comme susceptibles d'avoir une incidence quelconque sur le statut légal d'une marque.

Transcrição Fonética ——————— Transcription Phonétique

Vogais portuguesas		**Voyelles françaises**
pá, amar	[a]	lac, papillon, âme
ano, fada	[ɐ]	
sé, seta, hera	[ɛ]	bec, aime
ler, mês	[e]	pays, année
arte, vale	[ə]	le, je
ir, sino, hino	[i]	fille, île, système
nota, pó	[ɔ]	
corvo, avô	[o]	drôle, aube, eau
	[ø]	aveu, jeu
	[œ]	peuple, bœuf
azul, tribo	[u]	outil, goût
	[y]	usage, lune

Semivogais		**Semi-voyelles**
sereia, leal	[j]	yeux, lieu
luar, quadro, poema	[w]	ouest, oui
	[ɥ]	lui, nuit

Ditongos		**Diphtongues**
faixa, mais	[ai]	
eis, leite, rei	[ɐi]	
hotéis, pastéis	[ɛi]	
herói, boina	[ɔi]	
coisa, noite	[oi]	
cuidado, azuis, fui	[ui]	
nau, jaula	[au]	
réu, véu	[ɛu]	
deus, seu	[eu]	
riu, saiu, viu	[iu]	

Vogais nasais		**Nasales**
	[ɑ̃]	champ, ennui
maçã, santo	[ɐ̃]	
	[ɛ̃]	timbre, main
lençol, sempre	[ẽ]	
fim, patim	[ĩ]	
onde, com, honra	[õ]	
	[ɔ̃]	ongle, mon
	[œ̃]	parfum, brun
jejum, nunca	[ũ]	

Ditongos nasais		**Diphtongues nasales**
bem, mãe	[ɐ̃i]	
cão, mão	[ɐ̃u]	
Verões, leões	[õi]	
ruim	[ũi]	

Consoantes		**Consonnes**
rubi, lebre	[β]	
brilho, beijo	[b]	bateau, abeille
bica, dique	[k]	coq, quatre, képi
seda, verde	[ð]	

dia, pren**d**a	[d]	**d**alle, ron**de**
fé, **f**ado	[f]	**f**ort, **ph**ysique
jogo, bri**g**a	[ʒ]	
gato, **g**uia	[g]	**g**arder, di**gue**
cisne, an**j**o, **g**elo	[ʒ]	**r**ouge, **j**eune
faro**l**, fi**l**me	[ɫ]	
fe**l**iz, co**l**a, **l**ata	[l]	**l**it, ha**ll**e
fo**lh**a, i**lh**a	[ʎ]	
mar, **m**el	[m]	**m**ât, dra**m**e
novo, na**d**ar	[n]	**n**ager, trô**n**e
li**nh**a, so**nh**o	[ɲ]	a**gn**eau, pei**gn**er
an**c**a, bri**n**co	[ŋ]	parki**ng**
pão, **p**aís	[p]	**p**rendre, gri**ppe**
cu**r**a, a**r**	[r]	a**rr**acher, sab**r**e
rádio, te**rr**a	[R]	
cima, de**ss**e, ca**ç**a	[s]	**c**ela, **s**avant
no**z**, bi**s**, cai**x**a, **ch**á	[ʃ]	**ch**arrue, **sch**éma
la**t**a, por**t**a	[t]	**th**éâtre, **t**emps
a**v**e, **v**ela	[v]	**v**oir, ri**v**e, **w**agon
xeroca**r**, frear	[x]	
bri**s**a, **z**elo	[z]	frai**s**e, **z**éro

O símbolo ['] representa o «h» aspirado francês, por exemplo **hacher** [ʼaʃe].

Le symbole ['] représente le «h» aspiré français, par exemple **hacher** [ʼaʃe].

O símbolo ['] indica a sílaba acentuada em português. Quando existem duas sílabas acentuadas, nomeadamente nos substantivos compostos como **curto-circuito** [ˌkurtusirˈkwitu] ou nos advérbios como **raramente** [ˌʀaʀɐˈmẽntə], o símbolo [ˌ] indica a mais fraca das duas.

Le symbole ['] indique la syllabe accentuée en portugais. Lorsqu'il y a deux accents, notamment dans le cas d'un mot composé comme **curto-cir-cuito** [ˌkurtusirˈkwitu] ou d'un adverbe comme **raramente** [ˌʀaʀɐˈmẽntə], le symbole [ˌ] indique le plus faible des deux.

Todas as entradas, tanto francesas como portuguesas, são seguidas por uma fonética API.

Tous les mots français et portugais sont suivis d'une phonétique API.

As regras de pronúncia correspondem ao português falado em Lisboa. As entradas seguidas pela abreviatura *Br* correspondem ao português falado no Brasil e em especial à pronúncia do Rio de Janeiro.

Les règles de prononciation données sont celles du portugais tel qu'il est parlé à Lisbonne, sauf pour les entrées brésiliennes notées *Br*, pour lesquelles on donne la prononciation du portugais de Rio de Janeiro.

PORTUGAIS DU BRÉSIL

Le portugais du Brésil est sensiblement différent de celui du Portugal. Nous en avons traité les principales variantes lexicales, mais les différences orthographiques et syntaxiques ne figurent pas toutes dans le dictionnaire car elles relèvent de règles générales.

Principales variantes orthographiques

- *gu* et *qu* font *gü* et *qü*.

bilingue (Port)　　　　**bilíngüe** (Br)

- La troisième personne du pluriel du passé simple des verbes en -*ar* perd l'accent aigu qui permet de distinguer cette forme de celle du présent en portugais du Portugal.

andámos (Port)　　　　**andamos** (Br)

- Les consonnes *cc* et *cç* deviennent *c* et *ç*.

accionar (Port)　　　　**acionar** (Br)
direcção (Port)　　　　**direção** (Br)

- En général, les consonnes *ct* deviennent *t*.

actor (Port)　　　　**ator** (Br)
exacto (Port)　　　　**exato** (Br)

- Les consonnes *bt* deviennent *t*.

subtil (Port)　　　　**sutil** (Br)

- Les consonnes *pç* et *pt* deviennent *ç* et *t*.

excepção (Port)　　　　**exceção** (Br)
óptimo (Port)　　　　**ótimo** (Br)

- Les consonnes *mn* deviennent *m*.

indemnização (Port)
indenização (Br)

- Les voyelles *oo* deviennent *ôo*.

zoo (Port)　　　　**zôo** (Br)

- En général, les voyelles *eia* deviennent *éia*.

assembleia (Port)　　　　**assembléia** (Br)
plateia (Port)　　　　**platéia** (Br)

- L'accent aigu devient un accent circonflexe quand il est placé sur un *e* ou sur un *o*.

begónia (Port)　　　　**begônia** (Br)
ténis (Port)　　　　**tênis** (Br)

Principales variantes syntaxiques

- De nombreux substantifs employés au pluriel au Portugal sont employés au singulier au Brésil.

calças *fpl* (Port)　　　　**calça** *f* (Br)
calções *mpl* (Port)　　　　**calção** *m* (Br)
cuecas *fpl* (Port)　　　　**cueca** *f* (Br)
jeans *mpl* (Port)　　　　**jeans** *m* (Br)

- La contraction de la préposition avec l'article ou le pronom est moins fréquente au Brésil qu'au Portugal.

da minha casa (Port)
de minha casa (Br)

no seu lugar (Port)
em seu lugar (Br)

pelos seus pais (Port)
por seus pais (Br)

noutro (Port)
em outro (Br)

- L'utilisation de la préposition varie sensiblement.

pagar uma bebida **a** alguém (Port)
pagar uma bebida **para** alguém (Br)

polvilhar algo **com** açúcar (Port)
polvilhar algo **de** açúcar (Br)

- Le portugais du Brésil utilise le gérondif dans la forme progressive du présent.

estava **a cantar** (Port)
estava **cantando** (Br)

estava **a chover** (Port)
estava **chovendo** (Br)

- En général, les pronoms personnels sont placés devant le verbe dans les phrases affirmatives.

eu chamo-**me** Cristina (Port)
eu **me** chamo Cristina (Br)

ele bateu-**lhe** (Port)
ele **lhe** bateu (Br)

A

a [a] → **avoir**.

A *(abr de* **autoroute***)* A.

à [a] *prép* **1.** *(gén)* a; **penser à qqch** pensar em algo; **donner qqch à qqn** dar algo a alguém; **allons au théâtre** vamos ao teatro; **il est parti à la pêche** ele foi à pesca; **embarquement à 21h30** embarque às 21h30; **au mois d'août** no mês de Agosto; **le musée est à cinq minutes d'ici** o museu fica a cinco minutos daqui; **à jeudi!** até quinta-feira!; **à deux** a dois; **à pied** a pé; **écrire au crayon** escrever a lápis; **à la française** à francesa; **un billet d'entrée à 40F** um ingresso a 40 francos; **j'ai acheté une robe à 100F** comprei um vestido por 100 francos; **être payé à l'heure** ser pago à hora; **100 km à l'heure** 100 Km à hora; **le courrier à poster** a carta a pôr no correio; **maison à vendre** casa à venda; **travail à faire** trabalho para fazer. **2.** *(indique le lieu où l'on est)* em; **j'habite à Paris** moro em Paris; **rester à la maison** ficar em casa; **il y a une piscine à deux kilomètres du village** há uma piscina a dois quilómetros da aldeia. **3.** *(indique un moyen de transport)* de; **une promenade à vélo** um passeio de bicicleta; **un voyage à dos d'âne** uma viagem de burro.

4. *(indique l'appartenance)* de; **cet argent est à moi/à lui/à Isabelle** este dinheiro é meu/dele/da Isabelle; **une amie à moi** uma amiga minha; **à qui sont ces lunettes?** de quem são estes óculos? **5.** *(indique une caractéristique)* de; **le garçon aux yeux bleus** o rapaz de olhos azuis; **un bateau à vapeur** um barco a vapor; **un tissu à fleurs** um tecido florido.

AB *(abr de* **assez bien***)* suficiente.

abaisser [abese] *vt (manette)* abaixar.

abandon [abãdɔ̃] *nm* : **à l'~** ao abandono; **laisser qqch à l'~** deixar algo ao abandono.

abandonné, e [abãdɔne] *adj* abandonado(-da).

abandonner [abãdɔne] *vt* abandonar. ♦ *vi* desistir.

abasourdi, e [abazurdi] *adj (stupéfait)* embasbacado(-da); *(étourdi)* aturdido(-da).

abat-jour [abaʒur] *nm inv* abajur *m.*

abats [aba] *nmpl* miúdos *mpl.*

abattement [abatmã] *nm* abatimento *m*; **~ fiscal** abatimento fiscal.

abattoir [abatwar] *nm* matadouro *m.*

abattre [abatr] *vt* abater.

abattu, e [abaty] *adj (découragé)* abatido(-da).

abbaye [abei] *nf* abadia *f*.

abbé [abe] *nm* abade *m*.

abcès [apsɛ] *nm* abcesso *m*.

abdiquer [abdike] *vt* abdicar de. ♦ *vi (roi)* abdicar; *(abandonner)* desistir.

abdomen [abdɔmɛn] *nm* abdómen *m*.

abdominaux [abdɔmino] *nmpl* abdominais *mpl*; **faire des ~** fazer abdominais.

abeille [abɛj] *nf* abelha *f*.

aberrant, e [abɛrã, ãt] *adj* aberrante.

abîme [abim] *nm* abismo *m*.

abîmer [abime] *vt* estragar.
❏ **s'abîmer** *vp* estragar-se; **s'~ les yeux** estragar a vista.

abject, e [abʒɛkt] *adj* abjecto(-ta).

aboiements [abwamã] *nmpl* latidos *mpl*.

abolir [abɔlir] *vt* abolir.

abominable [abɔminabl] *adj* abominável.

abondance [abɔ̃dãs] *nf* abundância *f*; **en ~** em abundância; **vivre dans l'~** nadar em dinheiro.

abondant, e [abɔ̃dã, ãt] *adj* abundante.

abonné, e [abɔne] *adj & nm, f* assinante; **être ~ à un journal** ser assinante de um jornal.

abonnement [abɔnmã] *nm* assinatura *f (subscrição)*.

abonner [abɔne]: **s'abonner à** *vp + prép (journal)* assinar.

abord [abɔr]: **d'abord** *adv* primeiro.
❏ **abords** *nmpl* arredores *mpl*.

abordable [abɔrdabl] *adj* acessível.

abordage [abɔrdaʒ] *nm (assaut)* abordagem *f*; *(collision)* abalroamento *m*; **à l'~!** ao ataque!

aborder [abɔrde] *vt & vi* abordar.

aboutir [abutir] *vi* dar resultado; **~ à** levar a.

aboyer [abwaje] *vi* ladrar.

abrasif, ive [abrazif, iv] *adj* abrasivo(-va).
❏ **abrasif** *nm* abrasivo *m*.

abrégé [abreʒe] *nm* : **en ~** em resumo.

abréger [abreʒe] *vt* abreviar.

abreuvoir [abrœvwar] *nm* bebedouro *m*.

abréviation [abrevjasjɔ̃] *nf* abreviatura *f*.

abri [abri] *nm* abrigo *m*; **à l'~ de** ao abrigo de.

abricot [abriko] *nm* alperce *m*.

abricotier [abrikɔtje] *nm* alperceiro *m*.

abriter [abrite]: **s'abriter (de)** *vp (+ prép)* abrigar-se (de).

abrupt, e [abrypt] *adj* abrupto(-ta).

abruti, e [abryti] *adj (fam : bête)* parvo(-va); *(assommé)* embrutecido(-da). ♦ *nm, f (fam)* parvo *m (-va f)*.

abrutir [abrytir] *vt (abêtir)* embrutecer; *(accabler)*: **~ qqn de** sobrecarregar alguém de ou com.
❏ **s'abrutir** *vp (s'épuiser)* desgastar-se; *(s'abêtir)* embrutecer-se.

abrutissant, e [abrytisã, ãt] *adj* embrutecedor(-ra).

absence [apsãs] *nf (d'une personne)* ausência *f*; *(manque)* falta *f*.

absent, e [apsã, ãt] *adj & nm, f* ausente.

absenter [apsãte]: **s'absenter** *vp* ausentar-se.

absolu, e [apsɔly] *adj* absoluto(-ta).

absolument [apsɔlymã] *adv (à tout prix)* absolutamente; *(tout à fait)* completamente.

absorbant, e [apsɔrbã, ãt] *adj* absorvente.

absorber [apsɔrbe] *vt* absorver.

abstenir [apstənir]: **s'abstenir** *vp (de voter)* abster-se; **s'~ de faire qqch** abster-se de fazer algo.

abstention [apstãsjɔ̃] *nf* abstenção *f.*

abstenu, e [apstəny] *pp* → **abstenir.**

abstinence [apstinãs] *nf* abstinência *f;* **faire ~** abster-se de comer carne.

abstraction [apstraksjɔ̃] *nf* abstracção *f;* **faire ~ de** abstrair--se de.

abstrait, e [apstrɛ, ɛt] *adj* abstracto(-ta).

absurde [apsyrd] *adj* absurdo(-da).

absurdité [apsyrdite] *nf (illogisme)* absurdo *m; (stupidité)* disparate *m.*

abus [aby] *nm* abuso *m.*

abuser [abyze] *vi* abusar; **~ de** abusar de.

abusif, ive [abyzif, iv] *adj* abusivo(-va); **mère abusive** mãe possessiva.

acabit [akabi] *nm* : **de cet** OU **du même ~** da mesma laia.

acacia [akasja] *nm* acácia *f.*

académicien, enne [akademisjɛ̃, ɛn] *nm, f* membro da Academia francesa de letras.

académie [akademi] *nf (zone administrative)* ≃ direcção *f* regional de educação; **l'Académie française** a Academia francesa de letras.

acajou [akaʒu] *nm (bois)* mogno *m.*

acariâtre [akarjatr] *adj* rabugento(-ta).

accablant, e [akablã, ãt] *adj (nouvelle)* desanimador(-ra); *(soleil)* abrasador(-ra); *(chaleur)* sufo-

cante; *(preuve, témoignage)* decisivo(-va).

accabler [akable] *vt* deitar abaixo; **~ qqn de** *(travail)* sobrecarregar alguém de OU com; *(reproches, injures)* cobrir alguém de.

accalmie [akalmi] *nf* acalmia *f.*

accaparer [akapare] *vt (personne, conversation)* monopolizar.

accéder [aksede]: **accéder à** *v* + *prép (lieu)* aceder a.

accélérateur [akseleratœr] *nm* acelerador *m.*

accélération [akselerasjɔ̃] *nf* aceleração *f.*

accélérer [akselere] *vi* acelerar.

accent [aksã] *nm (intonation)* sotaque *m; (signe graphique)* acento *m;* **mettre l'~ sur** pôr a tónica em; **~ aigu** acento agudo; **~ circonflexe** acento circunflexo; **~ grave** acento grave.

accentuation [aksãtɥasjɔ̃] *nf* acentuação *f.*

accentuer [aksãtɥe] *vt (mot)* acentuar. ❑ **s'accentuer** *vp* acentuar-se.

acceptable [aksɛptabl] *adj* aceitável.

accepter [aksɛpte] *vt* aceitar; **~ de faire qqch** aceitar fazer algo.

acception [aksɛpsjɔ̃] *nf* acepção *f.*

accès [aksɛ] *nm* acesso *m;* **donner ~ à** dar acesso a; **'~ interdit'** 'acesso proibido'; **'~ aux trains'** *acesso às vias de caminhos-de-ferro.*

accessible [aksesibl] *adj* acessível.

accession [aksesjɔ̃] *nf (au pouvoir)*: **~ à** ascensão a; *(à la propriété)* acesso a.

accessoire [akseswar] *nm* acessório *m.*

accident [aksidã] *nm* acidente *m;* **~ de la route** acidente de viação; **~ du travail** acidente de tra-

balho; ~ **de voiture** acidente de carro.
accidenté, e [aksidɑ̃te] *adj* acidentado(-da).
accidentel, elle [aksidɑ̃tɛl] *adj* acidental.
acclamer [aklame] *vt* aclamar.
acclimatation [aklimatasjɔ̃] *nf* aclimatização *f*; ~ **à** aclimatização a.
accolade [akɔlad] *nf (signe graphique)* chaveta *f*.
accommodant, e [akɔmɔdɑ̃, ɑ̃t] *adj* conciliatório(-ria).
accompagnateur, trice [akɔ̃paɲatœr, tris] *nm, f* acompanhante *mf*.
accompagnement [akɔ̃paɲmɑ̃] *nm (MUS)* acompanhamento *m*.
accompagner [akɔ̃paɲe] *vt* acompanhar.
accompli, e [akɔ̃pli] *adj (sportif, ménagère)* perfeito(-ta); *(jeune fille)* prendado(-da).
accomplir [akɔ̃plir] *vt* cumprir.
accord [akɔr] *nm (consentement, pacte)* acordo *m*; *(MUS)* acorde *m*; *(GRAMM)* concordância *f*; **d'~!** está bem!; **se mettre d'~** pôr-se de acordo; **être d'~ avec** estar de acordo com; **être d'~ pour faire qqch** estar de acordo para fazer algo.
accordéon [akɔrdeɔ̃] *nm* acordeão *m*.
accorder [akɔrde] *vt (MUS)* afinar; ~ **qqch à qqn** conceder algo a alguém.
❑ **s'accorder** *vp* concordar; **s'~ bien** *(couleurs, vêtements)* combinar bem.
accoster [akɔste] *vt (personne)* abordar. ◆ *vi* acostar.
accotement [akɔtmɑ̃] *nm* berma *f*.
accouchement [akuʃmɑ̃] *nm* parto *m*.

accoucher [akuʃe] *vi* dar à luz; ~ **de jumeaux** dar à luz gémeos.
accouder [akude]: **s'accouder** *vp* apoiar os cotovelos.
accoudoir [akudwar] *nm* braço *m (de cadeira)*.
accouplement [akupləmɑ̃] *nm* acasalamento *m*.
accoupler [akuple] *vt (réunir)* agrupar; *(animaux)* acasalar.
❑ **s'accoupler** *vp* acasalar.
accourir [akurir] *vi* acorrer.
accouru, e [akury] *pp* → **accourir**.
accoutumer [akutyme]: **s'accoutumer à** *vp + prép* acostumar-se a.
accro *adj (fam)* viciado(-da); ~ **à** viciado em.
accroc [akro] *nm (déchirure)* rasgão *m*.
accrochage [akrɔʃaʒ] *nm (accident)* embate *m*; *(fam : dispute)* pega *f*.
accroche [akrɔʃ] *nf* slogan *m*.
accrocher [akrɔʃe] *vt (remorque)* prender; *(au mur, au portemanteau)* pendurar; *(à un clou)* rasgar; *(heurter)* embater.
❑ **s'accrocher** *vp (fam : persévérer)* agarrar-se; **s'~ à** *(se tenir à)* agarrar-se a.
accroissement [akrwasmɑ̃] *nm* aumento *m*.
accroître [akrwatr] *vt* aumentar.
❑ **s'accroître** *vp* aumentar.
accroupir [akrupir]: **s'accroupir** *vp* acocorar-se.
accu [aky] *nm (fam)* bateria *f*.
accueil [akœj] *nm* recepção *f*.
accueillant, e [akœjɑ̃, ɑ̃t] *adj* acolhedor(-ra).
accueillir [akœjir] *vt (personne)* acolher; *(nouvelle)* receber.
accumulation [akymylasjɔ̃] *nf* acumulação *f*.

accumuler [akymyle] *vt* acumular.

❏ **s'accumuler** *vp* acumular-se.

accusation [akyzasjɔ̃] *nf* acusação *f*.

accusé, e [akyze] *nm, f* réu *m* (ré *f*). ◆ *nm* : ~ **de réception** aviso *m* de recepção.

accuser [akyze] *vt* acusar; ~ **qqn de qqch** acusar alguém de algo; ~ **qqn de faire qqch** acusar alguém de fazer algo.

acerbe [asɛrb] *adj* acerbo(-ba).

acéré, e [asere] *adj* afiado(-da).

acharné, e [aʃarne] *adj* encarniçado(-da).

acharnement [aʃarnəmã] *nm* obstinação *f*; **avec ~** com afinco.

acharner [aʃarne] : **s'acharner** *vp* : **s'~ à faire qqch** obstinar-se a fazer algo; **s'~ sur qqn** andar sempre em cima de alguém.

achat [aʃa] *nm* compra *f*; **faire des ~s** fazer compras.

acheter [aʃte] *vt* comprar; ~ **qqch à qqn** comprar algo para alguém.

acheteur, euse [aʃtœr, øz] *nm, f* comprador *m* (-ra *f*).

achèvement [aʃɛvmã] *nm* conclusão *f*.

achever [aʃve] *vt* (*terminer*) acabar; (*tuer*) acabar com.

❏ **s'achever** *vp* chegar ao fim.

acide [asid] *adj* ácido(-da). ◆ *nm* ácido *m*.

acier [asje] *nm* aço *m*; ~ **inoxydable** aço inoxidável.

acné [akne] *nf* acne *f*.

acolyte [akɔlit] *nm* acólito *m*.

acompte [akɔ̃t] *nm* sinal *m* (*entrada em dinheiro*).

à-côté [akote] (*pl* **à-côtés**) *nm* (*point accessoire*) questão *f* secundária; (*gain d'appoint*) extra *m*.

à-coup, s [aku] *nm* sacão *m*;

par ~s (*travailler*) irregularmente; (*avancer*) aos arranques.

acoustique [akustik] *nf* acústica *f*.

acquéreur [akerœr] *nm* comprador *m*.

acquérir [akerir] *vt* adquirir.

acquiescer [akjese] *vi* (*approuver*) aquiescer; ~ **à qqch** concordar com algo; ~ **d'un signe de tête** dizer sim com a cabeça.

acquis, e [aki, iz] *pp* → **acquérir**.

acquisition [akizisjɔ̃] *nf* aquisição *f*; **faire l'~ de** adquirir.

acquit [aki] *nm* recibo *m*; **pour ~** pago; **par ~ de conscience** para descargo de consciência.

acquitter [akite] *vt* absolver.

❏ **s'acquitter de** *vp + prép* (*dette*) saldar; (*travail*) cumprir.

âcre [akr] *adj* (*odeur*) acre.

acrobate [akrɔbat] *nmf* acrobata *mf*.

acrobatie [akrɔbasi] *nf* acrobacia *f*.

acrylique [akrilik] *nm* acrílico *m*.

acte [akt] *nm* acto *m*; (*de naissance*) certidão *f*; (*de réunion*) acta *f*.

acteur, trice [aktœr, tris] *nm, f* actor *m* (-triz *f*).

actif, ive [aktif, iv] *adj* activo(-va).

action [aksjɔ̃] *nf* acção *f*.

actionnaire [aksjɔnɛr] *nmf* accionista *mf*.

actionner [aksjɔne] *vt* accionar.

active → **actif**.

activer [aktive] *vt* (*feu*) avivar.

❏ **s'activer** *vp* (*se dépêcher*) despachar-se.

activité [aktivite] *nf* actividade *f*.

actrice → **acteur**.

actualiser [aktɥalize] *vt* actualizar.

actualité [aktɥalite] *nf* : **l'~** a actualidade; **d'~** actual.

❑ **actualités** *nfpl* notícias *fpl*.

actuel, elle [aktɥɛl] *adj* actual.

actuellement [aktɥɛlmã] *adv* actualmente.

acupuncture [akypɔ̃ktyr] *nf* acupunctura *f*.

adaptateur [adaptatœr] *nm* *(pour prise de courant)* adaptador *m*.

adaptation [adaptasjɔ̃] *nf* adaptação *f*.

adapter [adapte] *vt* *(pour le cinéma, la télévision)* adaptar; **~ qqch à** adaptar algo a.

❑ **s'adapter** *vp* adaptar-se; **s'~ à** adaptar-se a.

additif [aditif] *nm* aditivo *m*; **'sans ~'** 'sem aditivos'.

addition [adisjɔ̃] *nf (calcul)* adição *f*; *(note)* conta *f*; **faire une ~** fazer uma adição; **payer l'~** pagar a conta; **l'~, s'il vous plaît!** a conta, se faz favor!

additionner [adisjɔne] *vt* adicionar, somar.

❑ **s'additionner** *vp* adicionar-se.

adepte [adɛpt] *nmf* adepto *m* (-ta *f*).

adéquat, e [adekwa, at] *adj* adequado(-da).

adéquation [adekwasjɔ̃] *nf* adequação *f*.

adhérent, e [aderã, ãt] *nm, f* aderente *mf*.

adhérer [adere] *vi* : **~ à** aderir a.

adhésif, ive [adezif, iv] *adj* adesivo(-va).

adhésion [adezjɔ̃] *nf* adesão *f*; **~ à** adesão a.

adieu, x [adjø] *nm* adeus *m*; **~!** adeus!; **faire ses ~x à qqn** despedir-se de alguém.

adjectif [adʒɛktif] *nm* adjectivo *m*.

adjoint, e [adʒwɛ̃, ɛ̃t] *nm, f* adjunto *m* (-ta *f*).

adjonction [adʒɔ̃ksjɔ̃] *nf* adição *f*; **sans ~ de sel/sucre/conservateurs** sem adição de sal/açúcar/conservantes.

adjudant [adʒydã] *nm* ≃ sargento-ajudante *m*.

adjuger [adʒyʒe] *vt (aux enchères)* adjudicar; *(décerner)*: **~ qqch à qqn** atribuir algo a alguém; **adjugé!** vendido!

❑ **s'adjuger** *vp (se réserver)* atribuir-se.

admettre [admɛtr] *vt* admitir.

administrateur, trice [administratœr, tris] *nm, f* administrador *m* (-ra *f*); **~ judiciaire** administrador judicial.

administratif, ive [administratif, iv] *adj* administrativo (-va).

administration [administrasjɔ̃] *nf* administração *f*; **l'Administration** a Administração.

administrer [administre] *vt* administrar.

admirable [admirabl] *adj* admirável.

admirateur, trice [admiratœr, tris] *nm, f* admirador *m* (-ra *f*).

admiratif, ive [admiratif, iv] *adj* admirativo(-va).

admiration [admirasjɔ̃] *nf* admiração *f*.

admirer [admire] *vt* admirar.

admis, e [admi, iz] *pp* → **admettre**.

admissible [admisibl] *adj* *(SCOL)* admitido(-da) à prova oral.

admission [admisjɔ̃] *nf* admissão *f*.

ADN *(abr de* acide désoxyribonucléique*) nm* ADN *m*.

ado [ado] *(fam) (abr de* adolescent*) nmf* adolescente *mf*.

adolescence [adɔlesãs] *nf* adolescência *f*.

adolescent, e [adɔlesɑ̃, ɑ̃t] *nm, f* adolescente *mf*.

adopter [adɔpte] *vt* adoptar.

adoptif, ive [adɔptif, iv] *adj* adoptivo(-va).

adoption [adɔpsjɔ̃] *nf (d'un enfant)* adopção *f*.

adorable [adɔrabl] *adj* adorável.

adorer [adɔre] *vt* adorar.

adosser [adose]: **s'adosser** *vp* : **s'~ à** OU **contre** encostar-se a OU contra.

adoucir [adusir] *vt (linge)* amaciar; *(traits, caractère)* suavizar.

adoucissant, e [adusisɑ̃, ɑ̃t] *adj* suavizante.
❏ **adoucissant** *nm* amaciador *m*.

adresse [adrɛs] *nf (domicile)* morada *f*; *(habileté)* destreza *f*.

adresser [adrese] *vt* dirigir.
❏ **s'adresser à** *vp* + *prép (parler à)* dirigir-se a; *(concerner)* dizer respeito a.

adroit, e [adrwa, at] *adj* hábil.

aduler [adyle] *vt* adular.

adulte [adylt] *nmf* adulto *m* (-ta *f*).

adultère [adyltɛr] *nm* adultério *m*. ◆ *adj* adúltero(-ra).

advenir [advənir] *v impers* : **qu'advient-il de...?** que é feito de...?; **quoi qu'il advienne** aconteça o que acontecer; **advienne que pourra** seja o que Deus quiser.

adverbe [advɛrb] *nm* advérbio *m*.

adversaire [advɛrsɛr] *nmf* adversário *m* (-ria *f*).

adverse [advɛrs] *adj* adversário(-ria).

adversité [advɛrsite] *nf* adversidade *f*.

aération [aerasjɔ̃] *nf* arejamento *m*.

aérer [aere] *vt* arejar.

aérien, enne [aerjɛ̃, ɛn] *adj* aéreo(-rea).

aérobic [aerɔbik] *nm* aeróbica *f*.

aérodrome [aerɔdrom] *nm* aeródromo *m*.

aérodynamique [aerɔdinamik] *adj* aerodinâmico(-ca).

aérogare [aerɔgar] *nf* aerogare *f*.

aéroglisseur [aerɔglisœr] *nm* aerodeslizador *m*.

aérogramme [aerɔgram] *nm* aerograma *m*.

aéronautique [aerɔnotik] *nf* aeronáutica *f*. ◆ *adj* aeronáutico(-ca).

aérophagie [aerɔfaʒi] *nf* aerofagia *f*.

aéroport [aerɔpɔr] *nm* aeroporto *m*.

aérosol [aerɔsɔl] *nm* aerossol *m*.

aérospatial, e, aux [aerɔspasjal, o] *adj* aerospacial.
❏ **aérospatiale** *nf* indústria *f* aerospacial.

affable [afabl] *adj* afável.

affaiblir [afeblir] *vt (rendre faible)* enfraquecer; *(diminuer)* diminuir.
❏ **s'affaiblir** *vp (personne)* debilitar-se; *(vue, lumière)* diminuir; *(son)* baixar.

affaire [afɛr] *nf (entreprise, marché)* negócio *m*; *(question)* assunto *m*; *(scandale)* caso *m*; **avoir ~ à qqn** lidar com alguém; **faire l'~** servir perfeitamente.
❏ **affaires** *nfpl (objets)* coisas *fpl*; **les ~s** *(FIN)* os negócios; **occupe-toi de tes ~s** mete-te na tua vida.

affairé, e [afere] *adj* atarefado(-da).

affaisser [afese]: **s'affaisser** *vp (personne)* abater-se; *(sol)* ceder.

affaler [afale]
❏ **s'affaler** *vp* deixar-se cair.

affamé, e [afame] *adj* esfomeado(-da).

affecté, e [afɛkte] adj afectado(-da).

affecter [afɛkte] vt afectar.

affectif, ive [afɛktif, iv] adj afectivo(-va).

affection [afɛksjɔ̃] nf (sentiment) afecto m, afeição f.

affectueusement [afɛktɥøzmã] adv (tendrement) carinhosamente; (dans une lettre) com carinho.

affectueux, euse [afɛktɥø, øz] adj carinhoso(-osa).

affichage [afiʃaʒ] nm visualização f; '~ interdit' 'é proibido afixar anúncios'.

affiche [afiʃ] nf cartaz m.

afficher [afiʃe] vt (placarder) afixar.

affilée [afile]: **d'affilée** adv de enfiada.

affinité [afinite] nf afinidade f; **avoir des ~s (avec qqn)** ter afinidades (com alguém).

affirmatif, ive [afirmatif, iv] adj (positif) afirmativo(-va); (certain) certo(-ta).
❏ **affirmatif** adv afirmativo.
❏ **affirmative** nf afirmativa f; **dans l'affirmative** em caso afirmativo.

affirmation [afirmasjɔ̃] nf afirmação f.

affirmer [afirme] vt afirmar.
❏ **s'affirmer** vp afirmar-se.

affligé, e [afliʒe] adj (attristé) angustiado(-da); (frappé): **être ~ de** (maladie) sofrer de; (défaut) ter.

affligeant, e [afliʒã, ãt] adj aflitivo(-va).

affluence [aflyɑ̃s] nf afluência f.

affluent [aflyɑ̃] nm afluente m.

affolement [afɔlmã] nm pânico m (Port), afobação f (Br).

affoler [afɔle] vt afligir (Port), afobar (Br).

❏ **s'affoler** vp afligir-se (Port), afobar-se (Br).

affranchir [afrɑ̃ʃir] vt (timbrer) franquiar.

affranchissement [afrɑ̃ʃismã] nm (timbre) franquia f.

affreusement [afrøzmã] adv (extrêmement) horrivelmente.

affreux, euse [afrø, øz] adj horroroso(-osa).

affrontement [afrɔ̃tmã] nm confronto m.

affronter [afrɔ̃te] vt enfrentar.
❏ **s'affronter** vp enfrentar-se.

affût [afy] nm : **être à l'~ (de)** estar à espreita (de).

affûter [afyte] vt afiar.

afin [afɛ̃]: **afin de** prép a fim de.
❏ **afin que** conj para que.

africain, e [afrikɛ̃, ɛn] adj africano(-na).
❏ **Africain, e** nm, f africano m (-na f).

Afrique [afrik] nf: **l'~** a África; **l'~ du Sud** a África do Sul.

agaçant, e [agasɑ̃, ɑ̃t] adj irritante.

agacer [agase] vt irritar.

âge [aʒ] nm idade f; **quel ~ as-tu?** que idade tens?; **une personne d'un certain ~** uma pessoa de uma certa idade.

âgé, e [aʒe] adj idoso(-osa); **les enfants ~s de huit ans** as crianças de oito anos (de idade).

agence [aʒɑ̃s] nf agência f; **~ de voyages** agência de viagens.

agencer [aʒɑ̃se] vt (combiner) montar; (concevoir) aproveitar; (organiser) compor.
❏ **s'agencer** vp (se combiner) montar-se.

agenda [aʒɛ̃da] nm agenda f; **~ électronique** agenda electrónica.

agenouiller [aʒnuje]: **s'agenouiller** vp ajoelhar-se.

agent [aʒɑ̃] nm : **~ (de police)**

agente *mf* (de polícia); **~ de change** corretor *m* (-ra *f*) da Bolsa.

agglomération [aglɔmerasjɔ̃] *nf* aglomeração *f*; **l'~ parisienne** a aglomeração parisiense.

agglutiner [aglytine]
❑ **s'agglutiner** *vp* juntar-se.

aggraver [agrave] *vt* agravar.
❑ **s'aggraver** *vp* agravar-se.

agile [aʒil] *adj* ágil.

agilité [aʒilite] *nf* agilidade *f*.

agir [aʒir] *vi* agir.
❑ **s'agir** *v impers* : **il s'agit de** trata-se de.

agissements [aʒismɑ̃] *nmpl* estratagemas *mpl*.

agitation [aʒitasjɔ̃] *nf* agitação *f*.

agité, e [aʒite] *adj (personne)* irrequieto(-ta); *(sommeil, mer)* agitado(-da).

agiter [aʒite] *vt* agitar.
❑ **s'agiter** *vp (mer)* agitar-se; *(personne)* estar irrequieto(-ta).

agneau, x [aɲo] *nm* cordeiro *m*.

agonie [agɔni] *nf* agonia *f*.

agoniser [agɔnize] *vi* agonizar.

agrafe [agraf] *nf (de bureau)* agrafo *m*; *(de vêtement)* colchete *m*.

agrafer [agrafe] *vt* agrafar.

agrafeuse [agraføz] *nf* agrafador *m*.

agraire [agrɛr] *adj* agrário(-ria).

agrandir [agrɑ̃dir] *vt* aumentar; *(photo)* ampliar.
❑ **s'agrandir** *vp* aumentar.

agrandissement [agrɑ̃dismɑ̃] *nm (photo)* ampliação *f*.

agréable [agreabl] *adj* agradável.

agréé, e *adj* autorizado(-da).

agréer [agree] *vt (sout) (accepter)* aceitar; *(convenir)*: **~ à qqn** aprazer a alguém; **Veuillez ~ mes salutations distinguées** OU l'expression de mes sentiments distingués com os melhores cumprimentos.

agrégation [agregasjɔ̃] *nf concurso para o recrutamento de professores do ensino secundário e universitário.*

agrès [agrɛ] *nmpl* aparelhos *mpl* de ginástica.

agresser [agrese] *vt* agredir.

agresseur [agresœr] *nm* agressor *m* (-ra *f*).

agressif, ive [agresif, iv] *adj* agressivo(-va).

agression [agresjɔ̃] *nf* agressão *f*.

agressivité [agresivite] *nf* agressividade *f*.

agricole [agrikɔl] *adj* agrícola.

agriculteur, trice [agrikyltœr, tris] *nm, f* agricultor *m* (-ra *f*).

agriculture [agrikyltyr] *nf* agricultura *f*.

agripper [agripe] *vt* agarrar.
❑ **s'agripper à** *vp + prép* agarrar-se a.

agronome [agrɔnɔm] *nm* agrónomo *m*.

agrumes [agrym] *nmpl* citrinos *mpl*.

aguets [agɛ]
❑ **aux aguets** *loc adv* : **être/rester aux ~** estar/ficar à espreita.

aguicher [agiʃe] *vt* aliciar.

ah [a] *interj* ah!; **~! ~!** ah! ah!

ahuri, e [ayri] *adj* pasmado(-da).

ahurissant, e [ayrisɑ̃, ɑ̃t] *adj* surpreendente.

ai [ɛ] → **avoir**.

aide [ɛd] *nf* ajuda *f*; **appeler à l'~** pedir ajuda; **à l'~!** acudam!; **à l'~ de** com a ajuda de.

aider [ede] *vt* ajudar; **~ qqn à faire qqch** ajudar alguém a fazer algo.
❑ **s'aider de** *vp + prép* servir-se de.

aide-soignant, **e** [ɛdswaɲɑ̃, ɑ̃t] (*mpl* **aides-soignants**) *nm, f* auxiliar *mf* da acção médica.

aie [ɛ] → **avoir**.

aïe [aj] *excl* ai!

aigle [ɛgl] *nm* águia *f*.

aigre [ɛgr] *adj (goût)* azedo(-da); *(remarque, bruit)* amargo(-ga).

aigre-doux, **douce** [ɛgrədu, dus] (*mpl* **aigres-doux**, *fpl* **aigres-douces**) *adj* agridoce.

aigri, **e** [egri] *adj* amargurado(-da).

aigu, **uë** [egy] *adj* agudo(-da); *(pointu)* bicudo(-da).

aiguillage [egɥijaʒ] *nm (manœuvre)* agulhagem *f*; *(appareil)* agulha *f*.

aiguille [egɥij] *nf* agulha *f*; *(de montre)* ponteiro *m*; ~ **de pin** agulha de pinheiro; ~ **à tricoter** agulha de tricô.

aiguiller [egɥije] *vt (un train)* mudar de linha; *(personne, conversation)* encaminhar.

aiguillette [egɥijɛt] *nf* : ~**s de canard** peitos *mpl* de pato.

aiguiser [egize] *vt* aguçar.

ail [aj] *nm* alho *m*.

aile [ɛl] *nf (d'oiseau, d'avion)* asa *f*; *(de bâtiment)* ala *f*.

aileron [ɛlrɔ̃] *nm (de requin)* barbatana *f*; *(d'avion)* aileron *m*.

ailier [elje] *nm* ponta *m*.

aille [aj] → **aller**.

ailleurs [ajœr] *adv* noutro sítio; **d'**~ aliás.

aimable [ɛmabl] *adj* amável.

aimablement [ɛmabləmɑ̃] *adv* amavelmente.

aimant [ɛmɑ̃] *nm* íman *m*.

aimer [eme] *vt (d'amour)* amar; *(apprécier)* gostar de; ~ **(bien)** **qqch/faire qqch** gostar (muito) de algo/de fazer algo; **j'aimerais prendre du café** gostaria de tomar café; **j'aimerais qu'on**

m'**offre des fleurs** gostaria que me oferecessem flores; ~ **mieux** gostar mais de.

aine [ɛn] *nf* virilha *f*.

aîné, **e** [ene] *adj & nm, f* mais velho(-lha).

ainsi [ɛ̃si] *adv* assim; ~ **que** assim como; **et** ~ **de suite** e assim por diante.

aïoli [ajɔli] *nm* molho de alho com azeite.

air [ɛr] *nm* ar *m*; *(musique)* melodia *f*; **avoir l'**~ **(d'être) malade** ter ar (de estar) doente; **avoir l'**~ **d'un clown** parecer um palhaço; **il a l'**~ **de faire beau** parece que está bom tempo; **en l'**~ *(en haut)* ao ar; **il a fichu sa carrière en l'**~ *(fam)* a carreira dele foi ao ar; **prendre l'**~ tomar ar; ~ **conditionné** ar condicionado.

aire [ɛr] *nf* área *f*; ~ **de jeu** área de jogo; ~ **de repos** área de serviço; ~ **de stationnement** zona *f* de estacionamento.

airelle [ɛrɛl] *nf (Can)* arando *m*.

aisance [ɛzɑ̃s] *nf (facilité)* desembaraço *m*; *(richesse)* abastança *f*.

aise [ɛz] *nf* : **à l'**~ à vontade; **être mal à l'**~ não estar à vontade.

aisé, **e** [eze] *adj (riche)* abastado(-da).

aisément [ezemɑ̃] *adv* com facilidade.

aisselle [ɛsɛl] *nf* axila *f*.

ajourner [aʒurne] *vt* adiar.

ajout [aʒu] *nm* acrescento *m*.

ajouter [aʒute] *vt* : ~ **qqch (à)** acrescentar algo (a); ~ **que** acrescentar que.

ajusté, **e** [aʒyste] *adj* justo(-ta).

ajuster [aʒyste] *vt* ajustar.

alarmant, **e** [alarmɑ̃, ɑ̃t] *adj* alarmante.

alarme [alarm] *nf* alarme *m*; **donner l'**~ dar o alarme.

alarmer [alarme] *vt (inquiéter)* alarmar.

❏ **s'alarmer** *vp* alarmar-se.
albinos [albinos] *adj & nmf* albino(-na).
album [albɔm] *nm* álbum *m*; ~ **(de) photos** álbum de fotografias.
alcool [alkɔl] *nm* álcool *m*; **sans** ~ sem álcool; ~ **à 90⁰** álcool etílico; ~ **à brûler** álcool metílico.
alcoolique [alkɔlik] *nmf* alcoólico *m* (-ca *f*).
alcoolisé, e [alkɔlize] *adj* alcoólico(-ca); **non** ~ não alcoólico.
alcoolisme [alkɔlism] *nm* alcoolismo *m*.
Alcotest® [alkotest] *nm* teste *m* de alcoolemia *(Port)*, teste *m* de dosagem alcoólica *(Br)*.
aléatoire [aleatwar] *adj* aleatório(-ria).
alentours [alãtur] *nmpl* arredores *mpl*; **aux** ~ *(près)* nos arredores; **aux** ~ **de** *(environ)* por volta de.
alerte [alɛrt] *adj* alerta. ◆ *nf* alerta *m*; **donner l'**~ dar o alerta.
alerter [alɛrte] *vt* alertar.
algèbre [alʒɛbr] *nf* álgebra *f*.
Alger [alʒe] *n* Argel.
Algérie [alʒeri] *nf* : **l'**~ a Argélia.
algérien, enne [alʒerjɛ̃, ɛn] *adj* argelino(-na).
❏ **Algérien, enne** *nm, f* argelino *m* (-na *f*).
algues [alg] *nfpl* algas *fpl*.
alibi [alibi] *nm* álibi *m*.
aliéné, e [aljene] *adj & nm,f* alienado(-da).
alignement [aliɲmã] *nm* alinhamento *m*.
aligner [aliɲe] *vt* alinhar.
❏ **s'aligner** *vp* alinhar-se.
aliment [alimã] *nm* alimento *m*.
alimentaire [alimãtɛr] *adj* *(produit, pension)* alimentar; *(den-*

rées, pâtes)* alimentício(-cia); *(travail)* de subsistência.
alimentation [alimãtasjɔ̃] *nf* *(nourriture)* alimentação *f*; *(épicerie)* produtos *mpl* alimentares.
alimenter [alimãte] *vt* *(nourrir)* alimentar; *(approvisionner)* abastecer.
alinéa [alinea] *nm* alínea *f*.
Allah [ala] *nm* Alá *m*.
allaiter [alete] *vt* amamentar.
alléchant, e [aleʃã, ãt] *adj* aliciante.
allécher [aleʃe] *vt* aliciar.
allée [ale] *nf* alameda *f*; ~**s et venues** idas *fpl* e vindas.
allégé, e [aleʒe] *adj* *(aliment)* magro(-gra).
allégorie [alegɔri] *nf* alegoria *f*.
allégresse [alegres] *nf* alegria *f*.
Allemagne [almaɲ] *nf* : **l'**~ a Alemanha.
allemand, e [almã, ãd] *adj* alemão(-ã). ◆ *nm* *(langue)* alemão *m*.
❏ **Allemand, e** *nm, f* alemão *m* (-ã *f*).
aller [ale] *nm* ida *f*; **à l'**~ na ida; ~**(simple)** ida (simples); ~ **et retour** bilhete *m* de ida e volta.
◆ *vi* **1.** *(gén)* ir; ~ **au Portugal** ir a Portugal; **pour** ~ **à la cathédrale, s'il vous plaît?** para ir até à catedral, se faz favor?; ~ **en vacances** ir de férias; **où va ce chemin?** aonde vai dar este caminho?; **l'autoroute va jusqu'à Mâcon** a auto-estrada vai até Mâcon; **comment allez-vous?** como vai?; **(comment) ça va? - ça va** tudo bem? - tudo bem; ~ **bien/mal** ir bem/mal; **j'irai le chercher à la gare** irei buscá-lo à estação; ~ **voir** ir ver; ~ **faire qqch** ir fazer algo.
2. *(convenir)* servir; **ces chaussures ne me vont pas** estes sapatos não me servem; ~ **bien/mal à**

qqn ficar bem/mal a alguém; **le rouge ne lui va pas** o vermelho não lhe fica bem; ~ **avec qqch** combinar com algo.
3. *(dans des expressions)*: **allez!** vamos!; **allons, calmez-vous!** vamos, acalme-se!; **allons, allons, tu ne penses quand même pas ce que tu dis!** ora, ora, não acreditas realmente naquilo que estás a dizer!; **y ~** *(partir)* ir-se embora; *(se décider)* lá ir.
❏ **s'en aller** *vp (partir)* ir-se embora; *(suj: tache)* sair; *(suj: couleur)* desbotar; **allez-vous en!** vá-se embora!

allergie [alɛrʒi] *nf* alergia *f.*

allergique [alɛrʒik] *adj* : **être ~ à** ser alérgico(-ca) a.

aller-retour [aler(ə)tur] *(pl* **allers-retours)** *nm (billet)* bilhete *m* de ida e volta.

alliage [aljaʒ] *nm* liga *f.*

alliance [aljɑ̃s] *nf* aliança *f.*

allié, e [alje] *nm, f* aliado *m* (-da *f).*

allier [alje] *vt (métaux)* ligar; *(fig)* aliar.
❏ **s'allier** *vp* : **s'~ (à)** aliar-se (a).

allô [alo] *excl* estou? *(Port)*, alô? *(Port & Br).*

allocation [alɔkasjɔ̃] *nf* subsídio *m;* **~s familiales** abono *m* de família *(Port),* salário-família *m (Br).*

allocution [alɔkysjɔ̃] *nf* alocução *f.*

allonger [alɔ̃ʒe] *vt (vêtement)* alongar; *(bras, jambes)* esticar.
❏ **s'allonger** *vp (devenir plus long)* alongar-se; *(s'étendre)* estender-se.

allumage [alymaʒ] *nm (AUT)* ignição *f.*

allume-cigares [alymsigar] *nm inv* isqueiro *m (de automóvel).*

allume-gaz [alymgaz] *nm inv* isqueiro *m (de fogão a gás).*

allumer [alyme] *vt (feu, lumière)* acender; *(gaz, radio)* ligar.
❏ **s'allumer** *vp* acender-se.

allumette [alymɛt] *nf* fósforo *m.*

allure [alyr] *nf (apparence)* aspecto *m; (vitesse)* velocidade *f;* **à toute ~** a todo o gás.

allusion [alyzjɔ̃] *nf* alusão *f;* **faire ~ à** fazer alusão a.

alors [alɔr] *adv* então; **~, tu viens?** então, vens ou não?; **ça ~!** essa agora!; **et ~?** *(et ensuite)* e então?; *(pour défier)* e depois?; **~ que** *(pendant que)* enquanto; *(bien que)* apesar de.

alouette [alwɛt] *nf* cotovia *f.*

alourdir [alurdir] *vt* tornar pesado(-da).

aloyau, x [alwajo] *nm* lombo *m* de vaca.

Alpes [alp] *nfpl* : **les ~** os Alpes.

alphabet [alfabɛ] *nm* alfabeto *m.*

alphabétique [alfabetik] *adj* alfabético(-ca); **par ordre ~** por ordem alfabética.

alphabétiser [alfabetize] *vt* alfabetizar.

alpin [alpɛ̃] *adj m* → **ski.**

alpinisme [alpinism] *nm* alpinismo *m.*

alpiniste [alpinist] *nmf* alpinista *mf.*

Alsace [alzas] *nf* : **l'~** a Alsácia.

alter ego [altɛrego] *nm inv* alter ego *m.*

altérer [altere] *vt (détériorer)* alterar; *(fausser)* adulterar.
❏ **s'altérer** *vp* alterar-se.

alternance [altɛrnɑ̃s] *nf* alternância *f;* **en ~** alternadamente.

alternatif [altɛrnatif] *adj m* → **courant.**

alternativement [altɛrnativmɑ̃] *adv* alternadamente.

alterner [altɛrne] *vi* alternar.

altier, **ère** [altje, ɛr] *adj* altivo(-va).

altitude [altityd] *nf* altitude *f*; **à 2 000 m d'~** a 2000 m de altitude.

aluminium [alyminjɔm] *nm* alumínio *m*.

alvéole [alveɔl] *nm* OU *nf* alvéolo *m*.

amabilité [amabilite] *nf* amabilidade *f*.

amadouer [amadwe] *vt* lisonjear.

amaigrissant, e [amegrisã, ãt] *adj* para emagrecer.

amalgame [amalgam] *nm* amálgama *f*; **il ne faut pas faire l' ~ entre ces deux questions** estas duas questões não se podem misturar.

amande [amãd] *nf* amêndoa *f*.

amandier [amãdje] *nm* amendoeira *f*.

amant [amã] *nm* amante *m*.

amarrer [amare] *vt* amarrar.

amas [ama] *nm* montão *m*.

amasser [amase] *vt* amontoar; *(argent)* ajuntar.

amateur [amatœr] *adj & nm* amador(-ra); **être ~ de** ser apreciador(-ra) de.

Amazone [amazɔn] *nm* : **l'~** o Amazonas.

Amazonie [amazɔni] *nf*: **l'~** a Amazónia.

ambassade [ãbasad] *nf* embaixada *f*.

ambassadeur, drice [ãbasadœr, dris] *nm, f* embaixador *m* (-ra *f*).

ambiance [ãbjãs] *nf (atmosphère)* ambiente *m*; *(entrain)* animação *f*; **d'~** *(musique, éclairage)* de ambiente.

ambiant, e [ãbjã, ãt] *adj* ambiente.

ambigu, uë [ãbigy] *adj* ambíguo(-gua).

ambiguïté [ãbigɥite] *nf* ambiguidade *f*; **sans ~** sem ambiguidade.

ambitieux, euse [ãbisjø, øz] *adj* ambicioso(-osa).

ambition [ãbisjɔ̃] *nf* ambição *f*.

ambre [ãbr] *nm* : **~ jaune** âmbar-amarelo *m*; **~ gris** âmbar-cinzento *m*.

ambulance [ãbylãs] *nf* ambulância *f*.

ambulant [ãbylã] *adj* → **marchand**.

âme [am] *nf* alma *f*.

amélioration [ameljɔrasjɔ̃] *nf* melhoramento *m*.

améliorer [ameljɔre] *vt* melhorar.

❏ **s'améliorer** *vp* melhorar.

amen [amɛn] *adv (RELIG)* amén; **dire ~ à qqch** *(fam)* dizer amén a algo.

aménagé, e [amenaʒe] *adj* equipado(-da).

aménagement [amenaʒmã] *nm (d'un lieu)* arrumação *f*; *(programme)* organização *f*; **~ du territoire** ordenamento do território.

aménager [amenaʒe] *vt* instalar.

amende [amãd] *nf* multa *f*.

amendement [amãdmã] *nm (POL)* emenda *f*; *(de la terre)* estrumação *f*.

amener [amne] *vt* trazer; **~ qqn à faire qqch** levar alguém a fazer algo.

amer, **ère** [amɛr] *adj* amargo(-ga).

américain, e [amerikɛ̃, ɛn] *adj* americano(-na).

❏ **Américain, e** *nm, f* americano *m* (-na *f*).

Amérique [amerik] *nf*: **l'~** a América; **l'~ centrale** a América Central; **l' ~ latine** a América Latina; **l'~ du Sud** a América do Sul.

amertume [amɛrtym] *nf (d'un aliment)* azedume *m*; *(tristesse)* amargura *f*.

ameublement [amœbləmã] *nm* mobília *f*.

ami, e [ami] *nm, f (camarade)* amigo *m* (-ga *f*); *(amant)* namorado *m* (-da *f*); **être (très) ~s** ser (muito) amigos.

amiable [amjabl] *adj* amigável; **à l'~** amigável.

amiante [amjãt] *nm* amianto *m*.

amical, e, aux [amikal, o] *adj* amistoso(-osa).

amicalement [amikalmã] *adv* amigavelmente; *(dans une lettre)* com amizade.

amidon [amidɔ̃] *nm* amido *m*.

amincir [amɛ̃sir] *vt* adelgaçar.

amincissant, e [amɛ̃sisɑ̃, ɑ̃t] *adj* adelgaçante.

amitié [amitje] *nf* amizade *f*; **~s** *(dans une lettre)* cumprimentos.

ammoniac [amɔnjak] *nm* amoníaco *m*.

amnésie [amnezi] *nf* amnésia *f*.

amnésique [amnezik] *adj* amnésico(-ca).

amnistie [amnisti] *nf* amnistia *f*.

amoindrir [amwɛ̃drir] *vt (réduire)* diminuir.

❏ **s'amoindrir** *vp* diminuir.

amonceler [amɔ̃sle]: **s'amonceler** *vp* amontoar-se.

amont [amɔ̃] *nm* montante *m*; **en ~ (de)** a montante (de).

amoral, e, aux [amɔral, o] *adj (qui ignore la morale)* amoral; *(débauché)* imoral.

amorcer [amɔrse] *vt* dar início a.

amortir [amɔrtir] *vt (choc, son)* amortecer; *(rentabiliser)* amortizar.

amortisseur [amɔrtisœr] *nm* amortecedor *m*.

amour [amur] *nm* amor *m*; **faire l'~** fazer amor.

amoureux, euse [amurø, øz] *adj* apaixonado(-da). ♦ *nmpl* namorados *mpl*; **être ~ de qqn** estar apaixonado por alguém.

amour-propre [amurprɔpr] *nm* amor-próprio *m*.

amovible [amɔvibl] *adj* amovível.

amphétamine [ɑ̃fetamin] *nf* anfetamina *f*.

amphi [ɑ̃fi] *nm (fam)* anfiteatro *m*.

amphithéâtre [ɑ̃fiteatr] *nm* anfiteatro *m*.

ample [ɑ̃pl] *adj (jupe)* largo(-ga); *(geste)* amplo(-pla).

amplement [ɑ̃pləmã] *adv* largamente.

ampleur [ɑ̃plœr] *nf* amplidão *f*; *(d'un vêtement)* largueza *f*; **prendre toute son ~** atingir o auge.

ampli [ɑ̃pli] *nm (fam)* amplificador *m*.

amplificateur [ɑ̃plifikatœr] *nm (de chaîne hi-fi)* amplificador *m*.

amplifier [ɑ̃plifje] *vt (son)* amplificar; *(phénomène)* ampliar.

amplitude [ɑ̃plityd] *nf* amplitude *f*.

ampoule [ɑ̃pul] *nf (de lampe)* lâmpada *f*; *(de médicament)* ampola *f*; *(cloque)* bolha *f*.

amputation [ɑ̃pytasjɔ̃] *nf* amputação *f*.

amputer [ɑ̃pyte] *vt* amputar; *(texte)* cortar.

amulette [amylɛt] *nf* amuleto *m*.

amusant, e [amyzɑ̃, ɑ̃t] *adj* divertido(-da).

amuse-gueule [amyzgœl] *nm inv* acepipe *m*.

amusement [amyzmã] *nm* divertimento *m*; **avec** ~ com um ar divertido.

amuser [amyze] *vt* divertir.

❏ **s'amuser** *vp* divertir-se; **s'~ à faire qqch** divertir-se a fazer algo.

amygdales [amidal] *nfpl* amígdalas *fpl*.

an [ā] *nm* ano *m*; **il a neuf ~s** ele tem nove anos (de idade); **en l'~ 2000** no ano 2000.

anachronique [anakrɔnik] *adj* anacrónico(-ca).

anachronisme [anakrɔnism] *nm* anacronismo *m*.

anagramme [anagram] *nf* anagrama *m*.

anal, e, aux [anal, o] *adj* anal.

analgésique [analʒezik] *nm* analgésico *m*. ◆ *adj* analgésico(-ca).

analogie [analɔʒi] *nf* analogia *f*.

analogue [analɔg] *adj* análogo(-ga).

analphabète [analfabɛt] *adj* analfabeto(-ta).

analyse [analiz] *nf* análise *f*; ~ **(de sang)** análise (de sangue).

analyser [analize] *vt* analisar.

analyste [analist] *nmf* analista *mf*.

analyste-programmeur, euse [analistprɔgramœr, øz] *(pl* **analystes-programmeurs)** *nmf* analista-programador *m* (-ra *f*).

ananas [anana(s)] *nm* ananás *m*, abacaxi *m*.

anarchie [anarʃi] *nf* anarquia *f*.

anatomie [anatɔmi] *nf* anatomia *f*.

anatomique [anatɔmik] *adj* anatómico(-ca).

ancestral, e, aux [āsɛstral, o] *adj* ancestral.

ancêtre [āsɛtr] *nmf (parent)* antepassado *m* (-da *f*); *(version précédente)* predecessor *m* (-ra *f*).

anchois [āʃwa] *nm* anchova *f*.

ancien, enne [āsjē, ɛn] *adj* antigo(-ga).

ancienneté [āsjɛnte] *nf (dans une entreprise)* antiguidade *f*.

ancre [ākr] *nf* âncora *f*; **jeter l'~** lançar âncora; **lever l'~** levantar âncora.

Andorre [ādɔr] *nf* : **l'~** a Andorra.

andouille [āduj] *nf (CULIN)* chouriço de tripas de porco que se come frio, às rodelas; *(fam* : *imbécile)* palerma *mf*.

andouillette [ādujɛt] *nf* chouriço de tripas de porco que se come quente.

âne [an] *nm (animal)* burro *m*; *(imbécile)* burro *m* (-a *f*).

anéantir [aneātir] *vt* arrasar.

anecdote [anɛkdɔt] *nf* anedota *f*.

anecdotique [anɛkdɔtik] *adj* anedótico(-ca).

anémie [anemi] *nf* anemia *f*.

anémique [anemik] *adj* anémico(-ca).

anémone [anemɔn] *nf* anémona *f*.

ânerie [anri] *nf* asneira *f*.

anesthésie [anɛstezi] *nf* anestesia *f*; **être sous** ~ estar sob anestesia; ~ **générale** anestesia geral; ~ **locale** anestesia local.

anesthésier [anɛstezje] *vt* anestesiar.

anesthésiste [anɛstezist] *nmf* anestesista *mf*.

ange [āʒ] *nm* anjo *m*.

angélique [āʒelik] *adj* angélico(-ca). ◆ *nf* angélica *f*.

angine [āʒin] *nf* anginas *fpl*; ~ **de poitrine** angina de peito.

anglais, e [āglɛ, ɛz] *adj* inglês(-esa). ◆ *nm (langue)* inglês *m*.

❏ **Anglais, e** *nm, f* inglês *m* (-esa *f*).

angle [ɑ̃gl] *nm (coin)* canto *m*; *(de rue)* esquina *f*; *(géométrique)* ângulo *m*; ~ **droit** ângulo recto.

Angleterre [ɑ̃glətɛr] *nf* : l'~ a Inglaterra.

anglophone [ɑ̃glɔfɔn] *adj & nmf* anglófono(-na).

anglo-saxon, onne [ɑ̃glɔsaksɔ̃, ɔn] *adj* anglo-saxónico(-ca).
❏ **Anglo-Saxon, onne** *nm, f* anglo-saxão *m* (-ã *f*).

angoissant, e [ɑ̃gwasɑ̃, ɑ̃t] *adj* angustiante.

angoisse [ɑ̃gwas] *nf* angústia *f*.

angoissé, e [ɑ̃gwase] *adj* angustiado(-da).

Angola [ɑ̃gɔla] *nm* : l'~ Angola.

angora [ɑ̃gɔra] *nm (laine)* angora *m*.

anguille [ɑ̃gij] *nf* enguia *f*; ~**s au vert** *(Belg)* enguias com vinho branco, espinafres e natas.

anguleux, euse [ɑ̃gylø, øz] *adj* anguloso(-osa).

anicroche [anikrɔʃ] *nf (dispute)* pega *f*.

animal, aux [animal, o] *nm* animal *m*; ~ **domestique** animal doméstico.

animateur, trice [animatœr, tris] *nm, f (de club, de groupe)* coordenador *m* (-ra *f*); *(à la radio, la télévision)* apresentador *m* (-ra *f*) *(Port)*, animador *m* (-ra *f*) *(Br)*.

animation [animasjɔ̃] *nf* animação *f*.
❏ **animations** *nfpl* actividades *fpl*.

animé, e [anime] *adj* animado(-da).

animer [anime] *vt* animar.
❏ **s'animer** *vp* animar-se.

animosité [animozite] *nf* animosidade *f*.

anis [ani(s)] *nm* anis *m*.

ankyloser [ɑ̃kiloze] : **s'ankyloser** *vp* : **mes mains se sont ankylosées** tenho as mãos dormentes.

annales [anal] *nfpl* anais *mpl*; **rester dans les** ~ ficar nos anais.

anneau, x [ano] *nm (bague)* anel *m*; *(maillon)* argola *f*.
❏ **anneaux** *nmpl (SPORT)* argolas *fpl*.

année [ane] *nf* ano *m*; ~ **bissextile** ano bissexto; ~ **scolaire** ano lectivo.

année-lumière [anelymjɛr] *nf* ano-luz *m*.

annexe [anɛks] *nf* anexo *m*.

annexer [anɛkse] *vt* anexar; ~ **qqch à** anexar algo a.
❏ **s'annexer** *vp (s'attribuer)* anexar; *(s'ajouter)* : **s'**~ **à** juntar-se a.

annihiler [aniile] *vt* aniquilar.
❏ **s'annihiler** *vp* aniquilar-se.

anniversaire [anivɛrsɛr] *nm* aniversário *m*; ~ **de mariage** aniversário de casamento.

annonce [anɔ̃s] *nf* anúncio *m*; **(petites)** ~**s** (pequenos) anúncios.

annoncer [anɔ̃se] *vt* anunciar.
❏ **s'annoncer** *vp* : **s'**~ **bien** apresentar-se bem.

annonceur [anɔ̃sœr] *nm* anunciante *mf*.

annoter [anɔte] *vt* anotar.

annuaire [anɥɛr] *nm* anuário *m*; ~ **(téléphonique)** lista *f* telefónica; ~ **électronique** lista *f* telefónica electrónica.

annuel, elle [anɥɛl] *adj* anual.

annulaire [anylɛr] *nm* anular *m*.

annulation [anylasjɔ̃] *nf* anulação *f*.

annuler [anyle] *vt* anular.

anodin, e [anɔdɛ̃, in] *adj* anódino(-na).

anomalie [anɔmali] *nf* anomalia *f*.

anonymat [anɔnima] *nm* anonimato *m*; **garder l'**~ manter o anonimato.

anonyme [anɔnim] *adj* anónimo(-ma).

anorak [anɔrak] *nm* anoraque *m*.

anorexie [anɔrɛksi] *nf* anorexia *f*.

anormal, e, aux [anɔrmal, o] *adj* anormal.

ANPE *nf (abr de* Agence nationale pour l'emploi*) agência nacional francesa do emprego*.

anse [ɑ̃s] *nf (poignée)* asa *f*; *(crique)* enseada *f*.

Antarctique [ɑ̃tarktik] *nm* : l'(océan) ~ o (oceano) Antárctico.

antécédent [ɑ̃tesedɑ̃] *nm* antecedente *m*.

antenne [ɑ̃tɛn] *nf* antena *f*; ~ parabolique antena parabólica.

antérieur, e [ɑ̃terjœr] *adj* anterior.

anthologie [ɑ̃tɔlɔʒi] *nf* antologia *f*.

anthropologie [ɑ̃trɔpɔlɔʒi] *nf* antropologia *f*.

anti-âge [ɑ̃tiaʒ] *adj* antienvelhecimento.

antibiotique [ɑ̃tibjɔtik] *nm* antibiótico *m*.

antibrouillard [ɑ̃tibrujar] *nm* farol *m* de nevoeiro.

antibruit [ɑ̃tibrɥi] *adj inv* isolador acústico (isoladora acústica).

anticipé, e [ɑ̃tisipe] *adj* antecipado(-da).

anticiper [ɑ̃tisipe] *vt* antecipar.

anticorps [ɑ̃tikɔr] *nm* anticorpo *m*.

anticyclone [ɑ̃tisiklon] *nm* anticiclone *m*.

antidépresseur [ɑ̃tidepresœr] *nm* antidepressivo *m*. ♦ *adj* antidepressivo(-va).

antidote [ɑ̃tidɔt] *nm* antídoto *m*.

antigel [ɑ̃tiʒɛl] *nm* anticongelante *m*.

antillais, e [ɑ̃tijɛ, ɛz] *adj* antilhano(-na).
❑ **Antillais, e** *nm, f* antilhano *m* (-na *f*).

Antilles [ɑ̃tij] *nfpl* : les ~ as Antilhas.

antilope [ɑ̃tilɔp] *nf* antílope *m*.

antimite [ɑ̃timit] *nm* bola *f* de naftalina.

Antiope [ɑ̃tjɔp] *n sistema francês de videotexto televisivo*.

antipathie [ɑ̃tipati] *nf* antipatia *f*.

antipathique [ɑ̃tipatik] *adj* antipático(-ca).

antipode [ɑ̃tipɔd] *nm* antípoda *m*; **être aux ~s de** ficar nos antípodas de.

antiquaire [ɑ̃tikɛr] *nmf* antiquário *m* (-ria *f*).

antique [ɑ̃tik] *adj* antigo(-ga).

antiquité [ɑ̃tikite] *nf* antiguidade *f*; **l'Antiquité** a Antiguidade.

antirides [ɑ̃tirid] *adj inv* antirugas.

antirouille [ɑ̃tiruj] *adj inv* antiferruginoso(-osa).

antisémite [ɑ̃tisemit] *adj & nmf* anti-semita.

antisémitisme [ɑ̃tisemitism] *nm* anti-semitismo *m*.

antiseptique [ɑ̃tisɛptik] *adj* anti-séptico(-ca).

antithèse [ɑ̃titɛz] *nf* antítese *f*.

antiviral [ɑ̃tiviral] *nm* medicamento *m* antiviral.

antivol [ɑ̃tivɔl] *nm* dispositivo *m* anti-roubo.

anus [anys] *nm* ânus *m*.

anxiété [ɑ̃ksjete] *nf* ansiedade *f*.

anxieux, euse [ɑ̃ksjø, øz] *adj* ansioso(-osa).

AOC *(abr de* appellation d'origine contrôlée*)* ≃ DOC.

août [u(t)] *nm* Agosto *m*; → septembre.

apaiser [apeze] *vt (personne, colère)* apaziguar; *(douleur)* aliviar.

apartheid [apartɛd] *nm* apartheid *m*.

apathique [apatik] *adj* apático(-ca).

apatride [apatrid] *adj & nmf* apátrida.

apercevoir [apɛrsəvwar] *vt* avistar.

❏ **s'apercevoir** *vp* : **s'~ de** aperceber-se de; **s'~ que** aperceber-se que.

aperçu, e [apɛrsy] *pp* → **apercevoir**. ◆ *nm* ideia *f* geral.

apéritif [aperitif] *nm* aperitivo *m*.

apesanteur [apəzãtœr] *nf* ausência *f* de gravidade.

apeuré, e [apøre] *adj* assustado(-da).

aphone [afɔn] *adj* afónico(-ca).

aphrodisiaque [afrɔdizjak] *nm* afrodisíaco *m*. ◆ *adj* afrodisíaco(-ca).

aphte [aft] *nm* afta *f*.

apiculteur, trice [apikyltœr, tris] *nm, f* apicultor *m* (-ra *f*).

apiculture [apikyltyr] *nf* apicultura *f*.

apitoyer [apitwaje] : **s'apitoyer sur** *vp + prép* compadecer-se de.

ap. J-C (*abr de* **après Jésus-Christ**) d. C.

aplanir [aplanir] *vt* aplanar.

aplatir [aplatir] *vt* achatar.

aplomb [aplɔ̃] *nm* (*culot*) descaramento *m*; **d'~** (*vertical*) a prumo.

apocalypse [apɔkalips] *nf* (*RELIG*): **l'Apocalypse** o Apocalipse; (*fig: catastrophe*) apocalipse *m*.

apogée [apɔʒe] *nm* apogeu *m*. ❏ **à l'apogée de** *loc prép* no apogeu de.

apolitique [apɔlitik] *adj & nmf* apolítico(-ca).

apologie [apɔlɔʒi] *nf* apologia *f*;

faire l'~ de qqn/qqch fazer a apologia de alguém/algo.

apostrophe [apɔstrɔf] *nf* apóstrofo *m*; **s** ~ s apóstrofo.

apothéose [apɔteoz] *nf* apoteose *f*.

apôtre [apotr] *nm* apóstolo *m*.

apparaître [aparɛtr] *vi* (*se montrer*) aparecer; (*sembler*) parecer.

appareil [aparɛj] *nm* (*dispositif*) aparelho *m*; (*poste téléphonique*) telefone *m*; **qui est à l'~?** quem é que está ao telefone?; ~ **digestif** aparelho digestivo; ~ **ménager** electrodoméstico *m*; ~ **photo** máquina *f* fotográfica.

appareillage [aparɛjaʒ] *nm* (*équipement*) aparelhagem *f*; (*NAVIG*) largada *f*.

apparemment [aparamã] *adv* aparentemente.

apparence [aparãs] *nf* aparência *f*.

apparent, e [aparã, ãt] *adj* aparente.

apparenter [aparãte] ❏ **s'apparenter** *vp* : **s'~ à qqn** aparentar-se com alguém; **s'~ à qqch** assemelhar-se a algo.

apparition [aparisjɔ̃] *nf* (*arrivée*) aparecimento *m*; (*fantôme*) aparição *f*.

appartement [apartəmã] *nm* apartamento *m*.

appartenir [apartənir] *vi* : ~ **à** pertencer a.

appartenu [apartəny] *pp* → **appartenir**.

apparu, e [apary] *pp* → **apparaître**.

appât [apa] *nm* isca *f*.

appauvrir [apovrir] *vt* empobrecer.

❏ **s'appauvrir** *vp* (*personne*) ficar pobre; (*sol, langue*) empobrecer.

appel [apɛl] *nm* chamada *f*; (*cri*) apelo *m*; **faire l'~** (*SCOL*) fazer a chamada; **faire ~ à** apelar a; **~ de phares** sinal *m* de luzes.

appeler [aple] *vt* chamar; *(au téléphone)* telefonar; **~ à l'aide** pedir ajuda.
❑ **s'appeler** *vp* chamar-se; **comment t'appelles-tu?** como te chamas?; **je m'appelle...** (eu) chamo-me...; **on s'appelle ce soir?** telefono-te esta noite?

appendicite [apɛ̃disit] *nf* apendicite *f*.

appesantir [apəzɑ̃tir]: **s'appesantir sur** *vp + prép* teimar em.

appétissant, e [apetisɑ̃, ɑ̃t] *adj* apetitoso(-osa).

appétit [apeti] *nm* apetite *m*; **avoir de l'~** ter apetite; **bon ~!** bom apetite!

applaudir [aplodir] *vt & vi* aplaudir.

applaudissements [aplodismɑ̃] *nmpl* aplausos *mpl*.

application [aplikasjɔ̃] *nf* aplicação *f*.

applique [aplik] *nf (lampe)* aplique *m*.

appliqué, e [aplike] *adj* aplicado(-da).

appliquer [aplike] *vt* aplicar.
❑ **s'appliquer** *vp* aplicar-se.

appoint [apwɛ̃] *nm* : **faire l'~** *pagar a quantia exacta*; **d'~** *(chauffage, lit)* adicional.

apport [apɔr] *nm (JUR)* bem *m*; *(FIN: culturel)* contribuição *f*; *(initial)* entrada *f*.

apporter [apɔrte] *vt* trazer.

apposer [apoze] *vt (signature)* apor.

appréciable [apresjabl] *adj* apreciável.

appréciation [apresjasjɔ̃] *nf* apreciação *f*.

apprécier [apresje] *vt* apreciar.

appréhender [apreɑ̃de] *vt (craindre)* recear; *(arrêter)* prender; **~ de faire qqch** ter receio de fazer algo.

appréhension [apreɑ̃sjɔ̃] *nf* apreensão *f*.

apprendre [aprɑ̃dr] *vt (étudier)* aprender; *(nouvelle)* saber de; **~ qqch à qqn** *(discipline)* ensinar algo a alguém; *(nouvelle)* informar alguém de algo; **~ à faire qqch** aprender a fazer algo.

apprenti, e [aprɑ̃ti] *nm, f* aprendiz *m*.

apprentissage [aprɑ̃tisaʒ] *nm* aprendizagem *f*.

apprêter [aprete]: **s'apprêter à** *vp + prép* aprontar-se a.

appris, e [apri, iz] *pp* → **apprendre**.

apprivoiser [aprivwaze] *vt* domesticar.

approbation [aprɔbasjɔ̃] *nf* aprovação *f*.

approche [aprɔʃ] *nf (arrivée)* aproximação *f*; *(d'un sujet)* abordagem *f*; **à l'~ de** *(d'un lieu)* ao aproximar-se de; *(d'un événement)* com a aproximação de.
❑ **approches** *nfpl* proximidades *fpl*.

approcher [aprɔʃe] *vt* aproximar. ◆ *vi* aproximar-se; **~ qqch de** aproximar algo de; **~ de** aproximar-se de.
❑ **s'approcher** *vp* aproximar-se; **s'~ de** aproximar-se de.

approfondir [aprɔfɔ̃dir] *vt* aprofundar.

approprié, e [aprɔprije] *adj* apropriado(-da).

approuver [apruve] *vt* aprovar.

approvisionnement [aprɔvizjɔnmɑ̃] *nm* abastecimento *m*.

approvisionner [aprɔvizjɔne]: **s'approvisionner** *vp* : **s'~ (en)** abastecer-se (de).

approximatif, ive [aprɔksimatif, iv] *adj* aproximativo(-va).

approximation [aprɔksimasjɔ̃] *nf* aproximação *f*.

approximativement [aprɔ-ksimativmã] *adv* aproximadamen-te.

appt *(abr de* **appartement***)* apart. *(Port)*, apto *(Br)*.

appui-tête [apɥitɛt] *(pl* **appuis-tête***)* nm apoio *m* de cabeça.

appuyer [apɥije] *vt* apoiar. ◆ *vi* : ~ **sur** carregar em. ❑ **s'appuyer** *vp* : **s'**~ **à** apoiar-se a.

âpre [apr] *adj (goût)* amargo(-ga); *(ton)* ríspido(-da); *(conflit, concurrence)* violento(-ta).

après [aprɛ] *prép* depois de. ◆ *adv (dans le temps)* depois; *(dans l'espace, dans un classement)* a seguir; ~ **avoir fait** depois de ter feito; ~ **tout** afinal; **l'année d'**~ no ano a seguir; **d'**~ **moi** a meu ver.

après-demain [aprɛdəmɛ̃] *adv* depois de amanhã.

après-midi [aprɛmidi] *nm inv* OU *nf inv* tarde *f*; **l'**~ *(tous les jours)* à tarde.

après-rasage, s [aprɛrazaʒ] *nm* after-shave *m (Port)*, loção *f* após-barba *(Br)*.

après-shampooing [aprɛʃã-pwɛ̃] *nm inv* creme *m* amaciador *(Port)*, creme *m* rinse *(Br)*.

après-ski, s [aprɛski] *nm* après-ski *m*.

a priori [apriɔri] *adv* a priori. ◆ *nm inv* a priori *m inv*.

à-propos [aprɔpo] *nm inv* pertinência *f*.

apte [apt] *adj* : ~ **à** apto(-ta) a.

aptitudes [aptityd] *nfpl* aptidões *fpl*.

aquarelle [akwarɛl] *nf* aguarela *f*.

aquarium [akwarjɔm] *nm* aquário *m*.

aquatique [akwatik] *adj* aquático(-ca).

aqueduc [akdyk] *nm* aqueduto *m*.

Aquitaine [akitɛn] *nf* : **l'**~ a Aquitânia.

AR *abr* = **aller-retour**; *(abr de* **accusé de réception***)* AR.

arabe [arab] *adj* árabe. ◆ *nm (langue)* árabe *m*. ❑ **Arabe** *nmf* árabe *mf*.

arabesque [arabɛsk] *nf* arabesco *m*.

Arabie [arabi] *nf* : **l'**~ a Arábia; **l'**~ **Saoudite** a Arábia Saudita.

arachide [araʃid] *nf* amendoim *m*.

araignée [arɛɲe] *nf* aranha *f*.

arbitrage [arbitraʒ] *nm* arbitragem *f*.

arbitraire [arbitrɛr] *adj* arbitrário(-ria).

arbitre [arbitr] *nm* árbitro *m*.

arbitrer [arbitre] *vt* arbitrar.

arboriculture [arbɔrikyltyr] *nf* arboricultura *f*.

arbre [arbr] *nm* árvore *f*; ~ **fruitier** árvore de fruto; ~ **généalogique** árvore genealógica.

arbuste [arbyst] *nm* arbusto *m*.

arc [ark] *nm* arco *m*.

arcade [arkad] *nf* arcada *f*.

arc-bouter [arkbute] : **s'arc-bouter** *vp* apoiar-se.

arc-en-ciel [arkãsjɛl] *(pl* **arcs-en-ciel***)* nm arco-íris *m*.

archaïque [arkaik] *adj* arcaico(-ca).

archange [arkãʒ] *nm* arcanjo *m*.

arche [arʃ] *nf (voûte)* arco *m*.

archéologie [arkeɔlɔʒi] *nf* arqueologia *f*.

archéologie [arkeɔlɔʒi] *nf* arqueológico(-ca).

archéologue [arkeɔlɔg] *nmf* arqueólogo *m* (-ga *f*).

archet [arʃɛ] *nm* arco *m*.

archevêque [arʃəvɛk] *nm* arcebispo *m*.

archipel [arʃipɛl] *nm* arquipélago *m*.

architecte [arʃitɛkt] *nmf* arquitecto *m* (-ta *f*).

architecture [arʃitɛktyr] *nf* arquitectura *f*.

archiver [arʃive] *vt* arquivar.

archives [arʃiv] *nfpl* arquivo *m*.

Arctique [arktik] *nm* : **l'(océan)** ~ o (oceano) Árctico.

ardemment [ardamã] *adv* ardentemente.

ardent, e [ardã, ãt] *adj* ardente.

ardeur [ardœr] *nf* ardor *m*.

ardoise [ardwaz] *nf* ardósia *f*.

ardu, e [ardy] *adj* árduo(-dua).

arènes [arɛn] *nfpl* arena *f*.

arête [arɛt] *nf (de poisson)* espinha *f*; *(angle)* aresta *f*.

argent [arʒã] *nm (métal)* prata *f*; *(monnaie)* dinheiro *m*; ~ **liquide** dinheiro; ~ **de poche** semanada *f*.

argenté, e [arʒãte] *adj* prateado(-da).

argenterie [arʒãtri] *nf* prataria *f*.

argentin, e [arʒãtɛ̃, in] *adj* argentino(-na).

❑ **Argentin, e** *nm, f* argentino *m* (-na *f*).

Argentine [arʒãtin] *nf* : **l'**~ a Argentina.

argile [arʒil] *nf* argila *f*.

argileux, euse [arʒilø, øz] *adj* argiloso(-osa).

argot [argo] *nm* calão *m*.

argotique [argɔtik] *adj* de calão.

argument [argymã] *nm* argumento *m*.

argumenter [argymãte] *vt & vi* argumentar.

argus [argys] *nm* : **l'**~ *publicação que contém os preços de artigos em segunda mão.*

aride [arid] *adj* árido(-da).

aristocratie [aristɔkrasi] *nf* aristocracia *f*.

arithmétique [aritmetik] *nf* aritmética *f*.

armateur [armatœr] *nm* armador *m*.

armature [armatyr] *nf* armação *f*.

arme [arm] *nf* arma *f*; ~ **à feu** arma de fogo.

armé, e [arme] *adj* armado(-da); **être** ~ **de** estar armado com.

armée [arme] *nf* exército *m*.

armement [armǝmã] *nm (armes)* armamento *m*.

Arménie [armeni] *nf* : **l'**~ a Arménia.

armer [arme] *vt* armar; *(appareil photo)* carregar.

armistice [armistis] *nm* armistício *m*.

armoire [armwar] *nf* armário *m*; ~ **à pharmacie** armário de remédios.

armoiries [armwari] *nfpl* armas *fpl* de brasão.

armure [armyr] *nf* armadura *f*.

arnaque [arnak] *nf (fam)* aldrabice *f*.

arnaquer [arnake] *vt (fam)* aldrabar.

aromate [arɔmat] *nm* planta *f* aromática.

aromatique [arɔmatik] *adj* aromático(-ca).

aromatisé, e [arɔmatize] *adj* aromatizado(-da); ~ **à** *(yaourt)* com aroma de.

arôme [arom] *nm* aroma *m*.

arpenter [arpãte] *vt (marcher)* percorrer (a passos largos); *(mesurer)* agrimensar.

arqué, e [arke] *adj* arqueado(-da).

arracher [araʃe] *vt* arrancar; ~ **qqch à qqn** arrancar algo a alguém.

arrangeant, e [arãʒã, ãt] *adj* conciliante.

arrangement [arāʒmā] *nm (disposition)* arrumação *f; (accord)* entendimento *m; (MUS)* arranjo *m*.

arranger [arāʒe] *vt (organiser)* organizar; *(résoudre, réparer)* arranjar; **ça m'arrange** dá-me jeito.
❑ **s'arranger** *vp (se mettre d'accord)* entender-se; *(s'améliorer)* ficar bem; **s'~ pour faire qqch** desenrascar-se para fazer algo.

arrestation [arɛstasjɔ̃] *nf* detenção *f*.

arrêt [arɛ] *nm (interruption)* fim *m; (immobilisation, station)* paragem *f;* '**~ interdit**' 'paragem proibida'; **~ d'autobus** paragem de autocarro *(Port)*, parada *f* de ônibus *(Br);* **~ de travail** *(grève)* paralização *f* laboral; *(pour maladie)* baixa *f;* **sans ~** *(parler, travailler)* sem parar.

arrêté [arete] *nm* liquidação *f;* **~ ministériel** portaria *f*.

arrêter [arete] *vt (interrompre, immobiliser)* deter; *(suspect)* prender. ◆ *vi* parar; **~ de faire qqch** deixar de fazer algo; **arrête de parler!** pára de falar!
❑ **s'arrêter** *vp* parar; **s'~ de faire qqch** parar de fazer algo.

arrhes [ar] *nfpl* entrada *f (em dinheiro)*.

arrière [arjɛr] *adj inv* atrás. ◆ *nm* parte *f* de trás; **à l'~ de** na parte de trás de; **en ~** *(regarder, tomber)* para trás.

arriéré, e [arjere] *adj (péj: démodé)* antiquado(-da).

arrière-boutique, s [arjɛrbutik] *nf* armazém *m (de uma loja)*.

arrière-goût [arjɛrgu] *(pl* **arrière-goûts**) *nm* ressaibo *m*.

arrière-grand-mère [arjɛrgrãmɛr] *(pl* **arrières-grands-mères**) *nf* bisavó *f*.

arrière-grand-père [arjɛr-

grãpɛr] *(pl* **arrières-grands-pères**) *nm* bisavô *m*.

arrière-grands-parents [arjɛrgrãparã] *nmpl* bisavós *mpl*.

arrière-pensée, s [arjɛrpãse] *nf* segunda intenção *f*.

arrière-plan, s [arjɛrplã] *nm* segundo plano *m;* **à l'~** em segundo plano.

arrière-saison, s [arjɛrsɛzɔ̃] *nf* fim *m* de estação.

arrimer [arime] *vt* estivar.

arrivage [arivaʒ] *nm* chegada *f (de mercadorias)*.

arrivée [arive] *nf* chegada *f;* '**~s**' 'chegadas'.

arriver [arive] *vi (train, personne)* chegar; *(se produire)* acontecer. ◆ *v impers* : **il arrive qu'il pleuve en été** pode acontecer que chova no Verão; **il m'arrive d'aller au cinéma** pode acontecer que vá ao cinema; **que t'est-il arrivé?** o que é que te aconteceu?; **~ à (faire) qqch** chegar a (fazer) algo.

arrivisme [arivism] *nm (péj)* arrivismo *m*.

arriviste [arivist] *nmf* arrivista *mf*.

arrogance [arɔgãs] *nf* arrogância *f*.

arrogant, e [arɔgã, ãt] *adj* arrogante.

arrondir [arɔ̃dir] *vt* arredondar.

arrondissement [arɔ̃dismã] *nm* bairro *m*.

---

i ARRONDISSEMENT

Em Paris, Lyon e Marselha, o "arrondissement" (distrito) é uma subdivisão do município que tem o seu próprio presidente da câmara. Há vinte distritos parisienses, dispostos em forma de caracol a

partir do primeiro distrito, situado no centro da cidade. São
geralmente designadas pelo seu
número e a alguns deles estão
associadas características espe-
cíficas. Por exemplo, o 16° (também se escrevem frequentemente os números dos distritos
com algarismos romanos, nomeadamente na indicação das
moradas) evoca a alta burguesia
e o comércio de luxo, enquanto
o 6° é sinónimo de ambiente es-
tudantil, bares e cinemas.

---

arrosage [aroza3] *nm* rega *f*.
arroser [aroze] *vt* regar.
arrosoir [arozwar] *nm* regador
m.
Arrt *abr* = **arrondissement**.
arsenal, aux [arsənal, o] *nm*
arsenal *m*; *(fam : matériel)* catrefada *f*.
arsenic [arsənik] *nm* arsénio *m*.
art [ar] *nm* : **l'~** a arte; **~s plasti-
ques** artes *fpl* plásticas.
artère [artɛr] *nf* artéria *f*.
arthrite [artrit] *nf* artrite *f*.
arthrose [artroz] *nf* artrose *f*.
artichaut [artiʃo] *nm* alcachofra *f*.
article [artikl] *nm* artigo *m*.
articulation [artikylasjɔ̃] *nf* articulação *f*.
articulé, e [artikyle] *adj* arti-
culado(-da).
articuler [artikyle] *vt & vi* arti-
cular.
artifice [artifis] *nm* → **feu**.
artificiel, elle [artifisjɛl] *adj*
artificial.
artillerie [artijri] *nf* artilharia *f*.
artisan [artizɑ̃] *nm* artesão *m*.
artisanal, e, aux [artizanal, o]
adj artesanal.
artisanat [artizana] *nm* artesanato *m*.

artiste [artist] *nmf* artista *mf*.
artistique [artistik] *adj* artís-
tico(-ca).
as¹ [a] → **avoir**.
as² [as] *nm* ás *m*.
AS *(abr de* **association sportive)** *nf* associação *f* desportiva.
asc. *abr* = **ascenseur**.
ascendant [asɑ̃dɑ̃] *nm* ascen-
dente *m*.
ascenseur [asɑ̃sœr] *nm* elevador *m*.
ascension [asɑ̃sjɔ̃] *nf* ascensão
f; **l'Ascension** a Ascensão.
aseptiser [asɛptize] *vt* assepti-
zar.
asiatique [azjatik] *adj* asiá-
tico(-ca).
❑ **Asiatique** *nmf* asiático *m* (-ca
f).
Asie [azi] *nf* : **l'~** a Ásia.
asile [azil] *nm* asilo *m*.
asocial, e, aux [asɔsjal, o] *adj*
associal. ◆ *nm, f* pessoa *f* associal.
aspect [aspɛ] *nm* aspecto *m*.
asperge [aspɛrʒ] *nf* espargo *m*;
~s à la flamande *(Belg)* espargos
com ovos cozidos picados.
asperger [aspɛrʒe] *vt* borrifar.
aspérités [asperite] *nfpl* aspe-
rezas *fpl*.
asphalte [asfalt] *nm* asfalto *m*.
asphyxier [asfiksje] *vt* asfixiar.
❑ **s'asphyxier** *vp* asfixiar-se.
aspirante [aspirɑ̃t] *adj f*
→ **hotte**.
aspirateur [aspiratœr] *nm* aspirador *m*.
aspirer [aspire] *vt* aspirar.
aspirine [aspirin] *nf* aspirina® *f*.
assagir [asaʒir] *vt (personne)* fazer (com) que ganhe juízo; *(passion)* dominar.
❑ **s'assagir** *vp (se calmer)* ganhar
juízo, assentar.
assaillant, e [asajɑ̃, ɑ̃t] *nm, f*
assaltante *mf*.

assaillir [asajir] vt assaltar; ~ qqn de questions bombardear alguém com perguntas.

assainir [asenir] vt (logement, situation) sanear; (eau) purificar.

assaisonnement [asɛzɔnmā] nm tempero m.

assaisonner [asɛzɔne] vt temperar.

assassin [asasē] nm assassino m (-na f).

assassinat [asasina] nm assassínio m.

assassiner [asasine] vt assassinar.

assaut [aso] nm assalto m.

assécher [aseʃe] vt (terre) drenar; (réserve d'eau) esvaziar.
❏ **s'assécher** vp secar.

ASSEDIC, Assedic [asedik] (abr de Association pour l'emploi dans l'industrie et le commerce) nfpl organismo francês que atribui os subsídios de desemprego; **toucher les** ~ receber o subsídio de desemprego.

assemblage [asāblaʒ] nm (ensemble) ajuntamento m.

assemblée [asāble] nf assembleia f; **l'Assemblée (nationale)** a Assembleia nacional francesa, ≈ a Assembleia da República.

assembler [asāble] vt juntar.

assener [asene] vt desferir.

assentiment [asātimā] nm assentimento m; **donner son** ~ **à** dar o seu assentimento a.

asseoir [aswar]: **s'asseoir** vp sentar-se.

assermenté, e [asɛrmāte] adj ajuramentado(-da).

asservir [asɛrvir] vt subjugar.

assez [ase] adv (suffisamment) muito; (plutôt) bastante; **il y a** ~ **de pommes pour faire une tarte** (suffisamment de) há maçãs que cheguem para fazer uma tarte; **en avoir** ~ **(de)** estar farto (de).

assidu, e [asidy] adj assíduo(-dua).

assiduité [asidɥite] nf assiduidade f; **avec** ~ com assiduidade.
❏ **assiduités** nfpl : **poursuivre qqn de ses** ~**s** (péj: sout) insinuar-se junto de alguém.

assiéger [asjeʒe] vt sitiar.

assiette [asjet] nf prato m; ~ **de crudités** prato de legumes crus servido com vinagreta; ~ **creuse** prato de sopa; ~ **à dessert** prato de sobremesa; ~ **plate** prato raso; ~ **valaisanne** (Helv) prato de carnes frias e de queijo típico da região de Valais.

assigner [asiɲe] vt (fonds, tâche): ~ **qqch à qqn** destinar algo para alguém; (affecter): ~ **qqn à** designar alguém para; (JUR): ~ **qqn en justice** citar alguém para comparecer em juízo.

assimiler [asimile] vt (comprendre) assimilar; (comparer): ~ **qqn/ qqch à** associar alguém/algo a.

assis, e [asi, iz] pp → **asseoir**.
◆ adj : **être** ~ estar sentado.

assises [asiz] nfpl : **(cour d')**~ Tribunal m criminal.

assistance [asistãs] nf assistência f.

assistant, e [asistā, āt] nm, f assistente mf; ~**e sociale** assistente social.

assister [asiste] vt assistir; ~ **à** (concert) assistir a; (meurtre) presenciar.

association [asɔsjasjɔ̃] nf associação f.

associé, e [asɔsje] adj associado(-da). ◆ nm, f sócio m (-cia f).

associer [asɔsje] vt associar.
❏ **s'associer** vp : **s'**~ **(à** OU **avec)** associar-se (a).

assombrir [asɔ̃brir] vt escurecer.
❏ **s'assombrir** vp escurecer.

assommer [asɔme] *vt* dar uma pancada na cabeça de.

assorti, e [asɔrti] *adj (en harmonie)* que combina bem; *(varié)* sortido(-da).

assortiment [asɔrtimã] *nm* sortido *m*.

assortir [asɔrtir] *vt (objets)*: ~ qqch à combinar algo com; *(magasin)* abastecer.

❏ **s'assortir** *vp* combinar; **s'~ de** vir acompanhado de.

assoupir [asupir]: **s'assoupir** *vp* adormecer.

assouplir [asuplir] *vt* tornar flexível.

assouplissant [asuplisã] *nm* amaciador *m* (de roupa).

assouplissement [asuplismã] *nm* exercícios *mpl* de flexibilidade.

assouplisseur [asuplisœr] = assouplissant.

assourdir [asurdir] *vt (rendre sourd)* ensurdecer; *(abrutir)* maçar; *(amortir)* abafar.

assourdissant, e [asurdisã, ãt] *adj* ensurdecedor(-ra).

assouvir [asuvir] *vt (sout) (appétit, passions)* saciar; *(curiosité)* matar.

assumer [asyme] *vt* assumir.

assurance [asyrãs] *nf (contrat)* seguro *m*; *(aisance)* segurança *f*; ~ **automobile** seguro automóvel; ~ **tous risques** seguro contra todos os riscos.

assurance-vie [asyrãsvi] *(pl* **assurances-vie)** *nf* seguro *m* de vida.

assuré, e [asyre] *adj (garanti)* assegurado(-da); *(résolu)* seguro(-ra).

assurer [asyre] *vt (maison, voiture)* pôr no seguro; *(fonction, tâche)* estar encarregado(-da) de; **je t'assure que** asseguro-te de que.

❏ **s'assurer** *vp* fazer um seguro;

s'~ contre le vol fazer um seguro contra o roubo; **s'~ de** assegurar-se de; **s'~ que** assegurar-se de que.

astérisque [asterisk] *nm* asterisco *m*.

asthmatique [asmatik] *adj* asmático(-ca).

asthme [asm] *nm* asma *f*.

asticot [astiko] *nm* minhoca *f*.

astiquer [astike] *vt* puxar o lustro a.

astre [astr] *nm* astro *m*.

astreignant, e [astrɛɲã, ãt] *adj* exigente.

astreindre [astrɛ̃dr] *vt* : ~ qqn à qqch sujeitar alguém a algo; ~ qqn à faire qqch obrigar alguém a fazer algo.

❏ **s'astreindre** *vp* : **s'~ à qqch** sujeitar-se a algo; **s'~ à faire qqch** obrigar-se a fazer algo.

astrologie [astrɔlɔʒi] *nf* astrologia *f*.

astrologue [astrɔlɔg] *nmf* astrólogo *m* (-ga *f*).

astronaute [astronot] *nm* astronauta *m*.

astronome [astronɔm] *nmf* astrónomo *m* (-ma *f*).

astronomie [astronɔmi] *nf* astronomia *f*.

astronomique [astronɔmik] *adj* astronómico(-ca).

astuce [astys] *nf* astúcia *f*.

astucieux, euse [astysjø, øz] *adj* astuto(-ta).

atelier [atəlje] *nm (d'usine)* oficina *f*; *(de peintre)* atelier *m*; *(groupe de travail)* grupo *m*.

athée [ate] *adj* ateu (ateia).

athénée [atene] *nm (Belg)* ≃ escola *f* secundária.

Athènes [atɛn] *n* Atenas.

athlète [atlɛt] *nmf* atleta *mf*.

athlétisme [atletism] *nm* atletismo *m*.

Atlantique [atlãtik] *nm* : l'(océan) ~ o (oceano) Atlântico.

atlas [atlas] *nm* atlas *m inv*.

atmosphère [atmɔsfɛr] *nf* atmosfera *f*.

atmosphérique [atmɔsferik] *adj* atmosférico(-ca).

atome [atom] *nm* átomo *m*.

atomique [atɔmik] *adj* atómico(-ca).

atomiseur [atɔmizœr] *nm* atomizador *m*.

atout [atu] *nm* trunfo *m*; ~ **pique** trunfo de espadas.

atroce [atrɔs] *adj* atroz.

atrocité [atrɔsite] *nf* atrocidade *f*.

atrophier [atrɔfje] *vt* atrofiar.
❑ **s'atrophier** *vp* atrofiar-se.

attabler [atable]
❑ **s'attabler** *vp* sentar-se à mesa; **s'~ devant qqch** instalar-se perante algo.

attachant, e [ataʃã, ãt] *adj* amoroso(-osa).

attache [ataʃ] *nf (lien)* atilho *m*.
❑ **attaches** *nfpl (poignets, chevilles)* pulsos *mpl* e jarretes; *(parenté, relations)* laços *mpl*.

attaché-case [ataʃekɛz] *(pl* **attachés-cases)** *nm* pasta *f* (de executivo).

attachement [ataʃmã] *nm* apego *m*.

attacher [ataʃe] *vt* prender. ♦ *vi* agarrar-se; **attachez vos ceintures** apertem os cintos.
❑ **s'attacher** *vp* prender-se; **s'~ à qqn** apegar-se a alguém.

attaquant [atakã] *nm* atacante *m*.

attaque [atak] *nf* ataque *m*.

attaquer [atake] *vt* atacar.
❑ **s'attaquer à** *vp + prép* atirar-se a.

attarder [atarde]: **s'attarder** *vp* demorar-se.

atteindre [atɛ̃dr] *vt* atingir.

atteint, e [atɛ̃, ɛ̃t] *pp* → **atteindre**.

atteinte [atɛ̃t] *nf* → **hors**.

attelage [atlaʒ] *nm (chevaux)* parelha *f*; *(bœufs)* junta *f*; *(arnachement)* atrelagem *f*.

atteler [atle] *vt* atrelar.

attelle [atɛl] *nf* tala *f*.

attendre [atãdr] *vt (personne, événement)* esperar; *(espérer)* estar à espera de. ♦ *vi* esperar; ~ **un enfant** estar à espera de bebé; ~ **que** estar à espera de que; ~ **qqch de** esperar algo de.
❑ **s'attendre à** *vp + prép* estar à espera de.

attendrir [atãdrir] *vt* enternecer.

attendrissant, e [atãdrisã, ãt] *adj* enternecedor(-ra).

attentat [atãta] *nm* atentado *m*; ~ **à la bombe** atentado à bomba.

attente [atãt] *nf* espera *f*; **en** ~ em suspenso.

attenter [atãte]
❑ **attenter à** *v + prép* atentar contra.

attentif, ive [atãtif, iv] *adj* atento(-ta).

attention [atãsjɔ̃] *nf* atenção *f*; ~! cuidado!; **faire** ~ **(à)** *(se concentrer)* prestar atenção (a); *(être prudent)* ter cuidado (com).

attentionné, e [atãsjɔne] *adj* atencioso(-osa).

attentivement [atãtivmã] *adv* com atenção.

atténuer [atenɥe] *vt* atenuar.

atterrir [aterir] *vi* aterrar.

atterrissage [aterisaʒ] *nm* aterragem *f*; **à l'**~ no momento da aterragem.

attestation [atɛstasjɔ̃] *nf* atestado *m*.

attester [atɛste] *vt* atestar; ~ **que** *(certifier)* atestar que.

attirail [atiraj] *nm* tralha *f.*

attirance [atirɑ̃s] *nf* atracção *f*; **avoir** OU **éprouver de l'~ pour qqn/qqch** sentir-se atraído por alguém/algo.

attirant, e [atirɑ̃, ɑ̃t] *adj* atraente.

attirer [atire] *vt* atrair; **~ l'attention de qqn** atrair a atenção de alguém.
❏ **s'attirer** *vp* : **s'~ des ennuis** arranjar problemas.

attiser [atize] *vt (feu)* atiçar.

attitré, e [atitre] *adj (agréé)* titular; *(habituel)* habitual.

attitude [atityd] *nf* atitude *f.*

attraction [atraksjɔ̃] *nf* atracção *f.*

attrait [atrɛ] *nm* atractivo *m.*

attrape-nigaud, s [atrapnigo] *nm* marosca *f (Port)*, conto-do-vigário *m (Br).*

attraper [atrape] *vt* apanhar.

attrayant, e [atrɛjɑ̃, ɑ̃t] *adj* atractivo(-va).

attribuer [atribɥe] *vt* : **~ qqch à qqn** atribuir algo a alguém.

attrister [atriste] *vt* entristecer.
❏ **s'attrister** *vp* ficar triste.

attroupement [atrupmɑ̃] *nm* tropel *m.*

attrouper [atrupe]
❏ **s'attrouper** *vp* juntar-se.

au [o] = **à + le, → à.**

aubaine [obɛn] *nf* sorte *f.*

aube [ob] *nf* alvorada *f*; **à l'~** pela alvorada.

auberge [obɛrʒ] *nf* pousada *f*; **~ de jeunesse** pousada da juventude.

aubergine [obɛrʒin] *nf* beringela *f.*

aubergiste [obɛrʒist] *nmf* estalajadeiro *m* (-ra *f*).

auburn [obœrn] *adj inv (cheveux)* castanho avermelhado.

aucun, e [okœ̃, yn] *adj* nenhum(-ma). ◆ *pron* nenhum(-ma); **sans ~ doute** sem dúvida alguma; **~e idée!** não faço ideia!; **~ des deux** nenhum dos dois; **~ d'entre nous** nenhum de nós.

audace [odas] *nf* audácia *f.*

audacieux, euse [odasjø, øz] *adj* audacioso(-osa).

au-delà [odəla] *adv* mais além; **~ de** para além de.

au-dessous [odsu] *adv (dans l'espace)* por baixo; *(dans une hiérarchie)* abaixo; **~ de** *(dans l'espace)* por baixo de; *(dans une hiérarchie)* abaixo de.

au-dessus [odəsy] *adv (dans l'espace)* por cima; *(dans une hiérarchie)* acima; **~ de** *(dans l'espace)* por cima de; *(dans une hiérarchie)* acima de; **~ de 1 000 F** acima de 1000 francos.

audience [odjɑ̃s] *nf* audiência *f.*

Audimat® [odimat] *nm* índice *m* de audiência.

audionumérique [odjɔnymerik] *adj* audiodigital.

audiovisuel, elle [odjɔvizɥɛl] *adj* audiovisual.

audit [odit] *nm* auditoria *f.*

auditeur, trice [oditœr, tris] *nm, f* ouvinte *mf.*

audition [odisjɔ̃] *nf* audição *f.*

auditoire [oditwar] *nm* auditório *m.*

auditorium [oditɔrjɔm] *nm* auditório *m (sala).*

auge [oʒ] *nf* gamela *f (de porcos).*

augmentation [ogmɑ̃tasjɔ̃] *nf* aumento *m*; **~ (de salaire)** aumento (de salário); **en ~** a aumentar.

augmenter [ogmɑ̃te] *vt & vi* aumentar.

augure [ogyr] *nm* augúrio *m*; **c'est de bon/mauvais ~** é um bom/mau augúrio.

aujourd'hui [oʒurdɥi] *adv*

hoje; *(à notre époque)* hoje em dia; **d'~** de hoje.

auparavant [oparavã] *adv* *(d'abord)* antes de mais; *(avant)* antes.

auprès [oprɛ]: **auprès de** *prép* junto de.

auquel [okɛl] = **à + lequel,** → **lequel**.

aura, etc → **avoir**.

auréole [oreɔl] *nf (tache)* mancha *f*.

auriculaire [orikylɛr] *adj* auricular. ♦ *nm* dedo *m* auricular.

aurore [orɔr] *nf* aurora *f*.

ausculter [oskylte] *vt* auscultar.

aussi [osi] *adv* **1.** *(également)* também; **j'ai faim! -moi ~!** tenho fome! - eu também!
2. *(introduit une comparaison)*: **~... que** tanto OU tão... como; **il fait ~ chaud qu'à Lisbonne** está tanto calor como em Lisboa; **il est ~ intelligent que son frère** ele é tão inteligente como o irmão.
3. *(à ce point)* tão; **je n'ai jamais rien vu d'~ beau** nunca vi nada tão bonito.
♦ *conj (par conséquent)* por isso.

aussitôt [osito] *adv* logo; **~ que** assim que.

austère [ostɛr] *adj* austero(-ra).

austérité [osterite] *nf* austeridade *f*.

austral, e [ostral] *(pl* **australs** OU **austraux** [ostro]) *adj* austral.

Australie [ostrali] *nf*: **l'~** a Austrália.

australien, enne [ostraljɛ̃, ɛn] *adj* australiano(-na).

autant [otã] *adv* **1.** *(exprime la comparaison)*: **~ que** tanto quanto; **l'aller simple coûte presque ~ que l'aller et retour** a ida simples custa quase tanto quanto a ida e volta; **~ de... que**

tanto... quanto; **~ de femmes que d'hommes** tantas mulheres quanto homens.
2. *(exprime l'intensité)*: **je ne savais pas qu'il pleuvait ~ ici** não sabia que aqui chovia tanto; **~ de...** tanto...; **~ de choses** tantas coisas.
3. *(il vaut mieux)*: **~ partir demain** é melhor partir amanhã.
4. *(dans des expressions)*: **j'aime ~...** prefiro...; **d'~ que** até porque; **d'~mieux que** tanto mais que; **pour ~ que je sache** que eu saiba.

autarcie [otarsi] *nf* autarcia *f*.

autel [otɛl] *nm* altar *m*.

auteur [otœr] *nm* autor *m* (-ra *f*).

authentique [otãtik] *adj* autêntico(-ca).

autisme [otism] *nm* autismo *m*.

auto [oto] *nf* automóvel *m*; **~s tamponneuses** carrinhos *mpl* de choque.

autobiographie [otɔbjɔgrafi] *nf* autobiografia *f*.

autobronzant, e [otɔbrɔ̃zã, ãt] *adj* autobronzeador(-ra). ❑ **autobronzant** *nm* leite *m* autobronzeador.

autobus [otɔbys] *nm* autocarro *m (Port)*, ônibus *m (Br)*.

autocar [otɔkar] *nm* autocarro *m*.

autochtone [otɔktɔn] *adj & nmf* autóctone.

autocollant [otɔkɔlã] *nm* autocolante *m*.

autocouchette(s) [otɔkuʃet] *adj inv* : **train ~** comboio com couchettes que também transporta carros.

autocritique [otɔkritik] *nf* autocrítica *f*.

autocuiseur [otɔkɥizœr] *nm* panela *f* de pressão.

autodéfense [otɔdefãs] *nf* autodefesa *f*.

autodidacte [otɔdidakt] *adj & nmf* autodidacta.

auto-école, s [otɔekɔl] *nf* escola *f* de condução.

autofocus [otɔfɔkys] *adj* com focagem automática. ◆ *nm máquina fotográfica com focagem automática.*

autographe [otɔgraf] *nm* autógrafo *m*.

automate [otɔmat] *nm* autómato *m*.

automatique [otɔmatik] *adj* automático(-ca).

automatiser [otɔmatize] *vt* automatizar.

automatisme [otɔmatism] *nm* automatismo *m*.

automne [otɔn] *nm* Outono *m*; **en ~** no Outono.

automobile [otɔmɔbil] *adj* automóvel.

automobiliste [otɔmɔbilist] *nmf* automobilista *mf*.

autonettoyant, e [otɔnɛtwajɑ̃, ɑ̃t] *adj* com painel de autolimpeza.

autonome [otɔnɔm] *adj* autónomo(-ma).

autonomie [otɔnɔmi] *nf (indépendance)* autonomia *f*.

autopsie [otɔpsi] *nf* autópsia *f*.

autoradio [otɔradjo] *nm* autorádio *m*.

autorisation [otɔrizasjɔ̃] *nf* autorização *f*.

autoriser [otɔrize] *vt* autorizar; **~ qqn à faire qqch** autorizar alguém a fazer algo.

autoritaire [otɔritɛr] *adj* autoritário(-ria).

autorité [otɔrite] *nf* autoridade *f*; **les ~s** as autoridades.

autoroute [otɔrut] *nf* autoestrada *f*; **~ à péage** auto-estrada com portagem.

auto-stop [otɔstɔp] *nm* boleia *f* *(Port)*, carona *f (Br)*; **faire de l'~** pedir boleia *(Port)*, pedir carona *(Br)*.

autour [otur] *adv* à volta; **tout ~** em toda a volta; **~ de** *(dans l'espace)* à volta de; *(environ)* por volta de.

autre [otr] *adj* outro (outra); **j'aimerais essayer une ~ couleur** gostaria de experimentar outra cor; **une ~ bouteille d'eau minérale, s'il vous plaît** outra garrafa de água mineral, se faz favor; **il n'y a rien d'~ à voir ici** não há mais nada para ver aqui; **veux-tu quelque chose d'~?** queres mais alguma coisa?; **les deux ~s** os outros dois; **les ~s passagers sont priés de descendre de l'appareil** pede-se aos demais passageiros que desçam do avião; **~ part** a outro lado; **d'~ part** por outro lado.
◆ *pron* outro (outra); **l'~** o outro (a outra); **un ~** um outro; **il ne se soucie pas des ~s** ele não se preocupa com os outros; **d'une minute à l'~** de um minuto para o outro; **entre ~s** entre outras coisas; **j'aime les bons vins, entre ~s ceux de Bordeaux** gosto dos bons vinhos, entre outros os de Bordéus; → **un**.

autrefois [otrəfwa] *adv* outrora.

autrement [otrəmɑ̃] *adv (différemment)* doutra maneira; *(sinon)* senão; **~ dit** ou seja.

Autriche [otriʃ] *nf* : **l'~** a Áustria.

autrichien, enne [otriʃjɛ̃, ɛn] *adj* austríaco(-ca).
❏ **Autrichien, enne** *nm, f* austríaco *m* (-ca *f*).

autruche [otryʃ] *nf* avestruz *f*.

autrui [otrɥi] *pron* outrem.

auvent [ovɑ̃] *nm* alpendre *m*.

Auvergne [ovɛrɲ] *nf* → **bleu**.

aux [o] = **à + les**, → **à**.

auxiliaire [oksiljɛr] *nmf* auxiliar *mf*. ◆ *nm (GRAMM)* auxiliar *m*.

auxquelles [okɛl] = **à** + **lesquelles**, → **lequel**.

auxquels [okɛl] = **à** + **lesquels**, → **lequel**.

av. *(abr de avenue)* av.

avachi, e [avaʃi] *adj (canapé, chaussures)* achatado(-da); *(personne)* abatido(-da).

aval [aval] *nm (d'un cours d'eau)* jusante *f*; **en** ~ **(de)** a jusante (de).

avalanche [avalãʃ] *nf* avalanche *f*.

avaler [avale] *vt* engolir.

avance [avãs] *nf (progression)* avanço *m*; *(prêt)* adiantamento *m*; **à l'**~, **d'**~ desde já; **en** ~ adiantado(-da).

avancement [avãsmã] *nm (développement)* avanço *m*; *(promotion)* promoção *f*.

avancer [avãse] *vt (rapprocher)* avançar; *(anticiper, prêter)* adiantar. ◆ *vi* avançar; *(montre, pendule)* adiantar; ~ **de cinq minutes** adiantar cinco minutos.
❏ **s'avancer** *vp (se rapprocher)* avançar; *(partir devant)* ir à frente.

avant [avã] *prép* antes de. ◆ *adv* antes. ◆ *nm* frente *f*; *(SPORT)* avançado *m*. ◆ *adj inv* da frente; ~ **de faire qqch** antes de fazer algo; ~ **que** antes que; ~ **tout** *(surtout)* acima de tudo; *(d'abord)* antes de mais; **l'année d'**~ no ano anterior; **en** ~ *(tomber)* para a frente; *(partir)* à frente.

avantage [avãtaʒ] *nm* vantagem *f*.

avantager [avãtaʒe] *vt* beneficiar.

avantageux, euse [avãtaʒø, øz] *adj* vantajoso(-osa).

avant-bras [avãbra] *nm inv* antebraço *m*.

avant-centre [avãsãtr] *(pl avants-centres)* *nm* avançado-centro *m*.

avant-dernier, ière, s [avãdɛrnje, ɛr] *adj* & *nm, f* penúltimo (-ma).

avant-garde [avãgard] *(pl avant-gardes)* *nf* vanguarda *f*; **d'** ~ de vanguarda.

avant-goût [avãgu] *(pl avant-goûts)* *nm* antegosto *m*.

avant-hier [avãtjɛr] *adv* anteontem.

avant-première, s [avãprəmjɛr] *nf* anteestreia *f*.

avant-projet [avãprɔʒɛ] *(pl avant-projets)* *nm* anteprojecto *m*.

avant-propos [avãprɔpo] *nm inv* prefácio *m*.

avant-veille [avãvɛj] *(pl avant-veilles)* *nf* antevéspera *f*.

avare [avar] *adj* & *nmf* avarento(-ta).

avarice [avaris] *nf* avareza *f*.

avarie [avari] *nf* avaria *f*.

avarié, e [avarie] *adj* estragado(-da).

avec [avɛk] *prép* com; ~ **élégance** com elegância; **et** ~ **ça?** e mais?

avenir [avnir] *nm* futuro *m*; **à l'**~ de hoje em diante; **d'**~ de futuro.

aventure [avãtyr] *nf* aventura *f*; *(amoureuse)* caso *m*.

aventurer [avãtyre]: **s'aventurer** *vp* aventurar-se.

aventureux, euse [avãtyrø, øz] *adj (personne, caractère)* aventureiro(-ra); *(projet)* arriscado(-da).

aventurier, ère [avãtyrje, ɛr] *nm, f* aventureiro *m* (-ra *f*).

avenue [avny] *nf* avenida *f*.

avérer [avere]: **s'avérer** *vp* revelar-se.

averse [avɛrs] *nf* aguaceiro *m*.

aversion [avɛrsjõ] *nf* aversão *f*; **avoir de l'**~ **pour qqch/qqn** ter aversão a algo/alguém.

avertir [avɛrtir] *vt* avisar; ~ **qqn de qqch** avisar alguém de algo.

avertissement [avɛrtismã] *nm* aviso *m*; *(SCOL) reprimenda escolar que precede sanção.*

aveu, x [avø] *nm* confissão *f*.

aveugle [avœgl] *adj & nmf* cego(-ga).

aveuglément [avœglemã] *adv* cegamente.

aveugler [avœgle] *vt* cegar.

aveuglette [avœglɛt]: **à l'aveuglette** *adv* às cegas.

aviateur [avjatœr] *nm* aviador *m*.

aviation [avjasjɔ̃] *nf* aviação *f*.

avide [avid] *adj* ávido(-da); ~ **de** ávido de.

avidité [avidite] *nf* avidez *f*.

avilir [avilir] *vt* aviltar.
❑ **s'avilir** *vp* aviltar-se.

avion [avjɔ̃] *nm* avião *m*; ~ **à réaction** avião a jacto; **'par ~'** 'por avião'.

aviron [avirɔ̃] *nm* remo *m*.

avis [avi] *nm* *(opinion)* opinião *f*; *(information)* aviso *m*; **changer d' ~** mudar de opinião; **à mon ~** na minha opinião; ~ **de réception** aviso de recepção.

avisé, e [avize] *adj* sensato(-ta).

aviser [avize] *vt* : ~ **qqn de qqch** informar alguém de algo. ♦ *vi* decidir.
❑ **s'aviser** *vp* *(s'apercevoir)*: **s'~ de** aperceber-se de; *(oser)*: **s'~ de faire qqch** ter a ousadia de fazer algo; **s'~ que** aperceber-se que.

aviver [avive] *vt* avivar.

av. J-C *(abr de* **avant Jésus-Christ***)* a. C.

avocat [avɔka] *nm* *(homme de loi)* advogado *m* (-da *f*); *(fruit)* abacate *m*.

avoine [avwan] *nf* aveia *f*.

avoir [avwar] *vt* **1.** *(gén)* ter; **j'ai deux frères et une sœur** tenho dois irmãos e uma irmã; ~ **les cheveux bruns** ter cabelo castanho; ~ **de l'ambition** ser ambicioso; **quel âge as-tu?** quantos anos tens?; **j'ai 13 ans** tenho 13 anos; **il a eu 14 sur 20 en dictée** ele teve 14 no ditado; ~ **des remords** ter remorsos; ~ **à faire qqch** ter de fazer algo; **vous n'avez qu'à remplir ce formulaire** só tem de preencher este formulário; **j'ai à faire** tenho que fazer.

2. *(examen)*: **ça y est, j'ai mon bac!** pronto, passei no exame do 12° ano!; **il a eu son permis du premier coup** ele tirou a carta de condução logo da primeira vez.

3. *(fam : duper)* enganar; **je t'ai bien eu!** enganei-te!; **se faire ~** ser enganado; **200F pour un repas, je me suis vraiment fait ~!** 200 francos por uma refeição, enganaram-me bem!

4. *(dans des expressions)*: **vous en avez encore pour longtemps?** ainda vai demorar muito?; **nous en avons eu pour 200 F** ficou-nos por 200 francos.

♦ *v aux* : **j'ai terminé** acabei; **hier nous avons visité le château** ontem visitámos o castelo; **j'aurai fini ce travail la semaine prochaine** na semana que vem terei terminado este trabalho.

❑ **il y a** *v impers* há; **il y a un problème** há um problema; **y a-t-il des toilettes ici?** há casas de banho por aqui?; **qu'est-ce-qu'il y a?** o que é que se passa?; **il n'y a qu'à revenir demain** só resta voltar amanhã; **il y a trois ans** há três anos; **il y a plusieurs années que nous venons ici** vimos aqui há vários anos.

avoisinant, e [avwazinã, ãt] *adj* vizinho(-nha); **qqch d'~** algo do género.

avortement [avɔrtəmã] *nm* aborto *m*.

avorter [avɔʀte] *vi* abortar.
avorton [avɔʀtɔ̃] *nm* aborto *m*.
avouer [avwe] *vt* confessar.
avril [avʀil] *nm* Abril *m*; **le premier ~** ≃ o dia das mentiras;
→ **septembre**.

---

i PREMIER AVRIL

O dia um de Abril é aquele em que toda a gente se põe a pregar partidas aos outros. As partidas difundidas pela imprensa e pela televisão são sempre particularmente esperadas. Por tradição, as crianças colam peixes de papel nas costas de outras crianças e até de transeuntes, sem que estes o saibam.

---

axe [aks] *nm (pivot)* eixo *m*; *(routier, ferroviaire) importante via de comunicação*; **~ rouge** *via onde é especialmente proibido parar*.
axer [akse] *vt* : **~ qqch sur/ autour de** centrar algo em/à volta de.
ayant [ejɑ̃] *ppr* → **avoir**.
ayons [ejɔ̃] → **avoir**.
azimut [azimyt]
❑ **tous azimuts** *loc adv* um pouco por todo o lado.
azote [azɔt] *nm* azoto *m*.
Azur [azyʀ] *n* → **côte**.

B

B *(abr de* **bien***)* bem.
BA *(abr de* **bonne action***) nf (fam)* boa acção *f.*
baba [baba] *nm* : ~ **au rhum** *bolo esponjoso embebido em rum.*
babines [babin] *nfpl* beiços *mpl.*
babiole [babjɔl] *nf* bugiganga *f.*
bâbord [babɔr] *nm* bombordo *m;* **à** ~ a bombordo.
babouin [babwɛ̃] *nm* babuíno *m.*
baby-foot [babifut] *nm inv* matraquilhos *mpl (Port),* pebolim *m (Br).*
baby-sitter, s [bebisitœr] *nmf* baby-sitter *f (Port),* babá *f (Br).*
baby-sitting [bebisitiŋ] *(pl* **baby-sittings***) nm* : **faire du** ~ tomar conta de crianças.
bac [bak] *nm (récipient)* tina *f; (bateau)* barca *f; (fam) (abr de* **baccalauréat***)* = baccalauréat.
baccalauréat [bakalɔrea] *nm exame final do ensino secundário francês.*

ℹ️ BACCALAURÉAT

O "baccalauréat" é o certificado oficial de conclusão dos estudos secundários. A este exame submetem-se os alunos de "terminale" (último ano do ensino secundário) e a sua obtenção dá acesso à universidade e a certas escolas superiores. Apesar de ser pluridisciplinar, este diploma determina uma certa orientação profissional em função do grupo de disciplinas dominantes, isto é, letras, ciências, especialidades técnicas, línguas ou artes.

---

bâche [baʃ] *nf* toldo *m.*
bachelier, ère [baʃəlje, ɛr] *nm, f detentor do certificado oficial de conclusão dos estudos secundários em França.*
bâcler [bakle] *vt (fam)* atabalhoar.
bacon [bekɔn] *nm* bacon *m.*
bactérie [bakteri] *nf* bactéria *f.*
badaud, e [bado, od] *nm, f* basbaque *mf.*
badge [badʒ] *nm* crachá *m; (d'identité)* cartão *m* de identificação.
badigeonner [badiʒɔne] *vt (mur)* pincelar.
badiner [badine] *vi (sout)* brincar; **ne pas** ~ **avec qqch** não brincar com algo.
badminton [badmintɔn] *nm* badminton *m.*
BAFA [bafa] *(abr de* **brevet**

d'aptitude aux fonctions d'animation) *nm certificado atribuído a coordenadores de grupos de jovens.*

baffe [baf] *nf (fam)* tabefe *m.*

baffle [bafl] *nm* coluna *f (de aparelhagem).*

bafouiller [bafuje] *vi* tartamudear.

bagage [bagaʒ] *nm* bagagem *f;* ~s bagagens; ~ **à main** bagagem de mão.

bagarre [bagar] *nf* briga *f.*

bagarrer [bagare]: **se bagarrer** *vp* zaragatear.

bagarreur, euse [bagarœr, øz] *adj* zaragateiro(-ra).

bagatelle [bagatɛl] *nf (gén)* bagatela *f; (somme d'argent)*: **la** ~ **de** a módica quantia de; *(fam : sexe)*: **la** ~ marmelada *f.*

bagnard [baɲar] *nm* forçado *m.*

bagne [baɲ] *nm (prison)* campo *m* de trabalhos forçados; *(sentence)* trabalhos *mpl* forçados; *(fig: situation)* tortura *f.*

bagnes [baɲ] *nm (Helv) queijo de vaca utilizado sobretudo na fondue.*

bagnole [baɲɔl] *nf (fam)* carro *m.*

bague [bag] *nf* anel *m.*

baguette [bagɛt] *nf (tige)* vara *f; (de chef d'orchestre)* batuta *f; (chinoise)* pauzinho *m; (pain)* ≈ cacete *m*, baguete *f;* ~ **magique** varinha *f* de condão.

bahut [bay] *nm (buffet)* aparador *m; (coffre)* baú *m; (fam : lycée)* escola *f.*

baie [bɛ] *nf (fruit)* baga *f; (golfe)* baía *f; (fenêtre)* vão *m;* ~ **vitrée** vidraça *f.*

baignade [bɛɲad] *nf* banho *m;* '~ **interdite'** 'é proibido tomar banho'.

baigner [beɲe] *vt (bébé)* dar banho a; *(suj: sueur, larmes)* banhar.
♦ *vi :* ~ **dans** mergulhar em.

□ **se baigner** *vp* tomar banho.

baigneur, euse [bɛɲœr, øz] *nm, f* banhista *mf.*

□ **baigneur** *nm* boneca *f* (de plástico).

baignoire [bɛɲwar] *nf* banheira *f.*

bail [baj] *(pl* **baux** [bo]*) nm* contrato *m* de arrendamento.

bâillement [bajmã] *nm* bocejo *m.*

bâiller [baje] *vi (personne)* bocejar; *(chaussure)* estar descolado(-da); *(vêtement)* estar descaído(-da).

bâillon [bajɔ̃] *nm* mordaça *f.*

bâillonner [bajɔne] *vt* amordaçar.

bain [bɛ̃] *nm* banho *m;* **prendre un** ~ tomar um banho; **prendre un** ~ **de soleil** tomar um banho de sol; **grand** ~ piscina *f* para adultos; **petit** ~ piscina *f* para crianças.

bain-marie [bɛ̃mari] *nm* banho-maria *m.*

baïonnette [bajɔnɛt] *nf (arme)* baioneta *f; (d'ampoule)* casquilho *m* de encaixar.

baiser [beze] *nm* beijo *m.*

baisse [bɛs] *nf* baixa *f;* **en** ~ a baixar.

baisser [bese] *vt & vi* baixar.
□ **se baisser** *vp* baixar-se.

bajoues *nfpl* faceira *f.*

bal [bal] *nm* baile *m.*

balade [balad] *nf* passeata *f.*

balader [balade]: **se balader** *vp* passear.

baladeur [baladœr] *nm* walkman® *m.*

balafre [balafr] *nf* cicatriz *f (no rosto).*

balai [balɛ] *nm (pour nettoyer)* vassoura *f; (d'essuie-glace)* escova *f.*

balai-brosse [balɛbrɔs] *(pl*

balais-brosses) *nm* escova *f* do chão.

balance [balãs] *nf* balança *f*.
❏ **Balance** *nf* Balança *f*.

balancer [balãse] *vt* abanar; *(fam : jeter)* deitar fora.
❏ **se balancer** *vp* baloiçar-se.

balancier [balãsje] *nm (de pendule)* pêndulo *m*.

balançoire [balãswar] *nf* baloiço *m (Port)*, gangorra *f (Br)*.

balayer [baleje] *vt* varrer.

balayette [balɛjɛt] *nf* minivassoura *f*.

balayeur [balɛjœr] *nm* varredor *m (Port)*, gari *m (Br)*.

balbutier [balbysje] *vi* balbuciar.

balcon [balkɔ̃] *nm (terrasse)* varanda *f*; *(au théâtre)* balcão *m*.

baleine [balɛn] *nf (animal)* baleia *f*; *(de parapluie)* vareta *f*.

balise [baliz] *nf* baliza *f*.

baliser [balize] *vt* balizar.

balivernes [balivɛrn] *nfpl* tretas *fpl*.

Balkans [balkã] *nmpl* : **les** ~ os Balcãs.

ballade [balad] *nf* balada *f*.

ballant, e [balã, ãt] *adj* : **les bras** ~s de braços pendentes.

balle [bal] *nf (SPORT)* bola *f*; *(d'arme à feu)* bala *f*; *(fam : franc)* ≃ pau *m*; ~ **à blanc** tiro *m* de pólvora seca.

ballerine [balrin] *nf (chaussure)* sabrina *f*; *(danseuse)* bailarina *f*.

ballet [balɛ] *nm* ballet *m*.

ballon [balɔ̃] *nm* balão *m*; *(SPORT)* bola *f*.

ballonné, e [balɔne] *adj* inchado(-da).

ballotter [balɔte] *vi* bambolear.

balnéaire [balneɛr] *adj* → **station**.

balte [balt] *adj* báltico(-ca); **les pays Baltes** os países bálticos.

baluchon [balyʃɔ̃] *nm* trouxa *f*; **faire son** ~ *(fam : fig)* fazer a trouxa.

balustrade [balystrad] *nf* balaustrada *f*.

bambin [bãbɛ̃] *nm* miúdo *m*.

bambou [bãbu] *nm* bambu *m*.

banal, e [banal] *adj* banal.

banalisé, e [banalize] *adj* : **véhicule** ~, **voiture** ~**e** carro da polícia sem identificação.

banalité [banalite] *nf* banalidade *f*; **échanger des** ~**s** trocar trivialidades.

banane [banan] *nf (fruit)* banana *f*; *(porte-monnaie)* bolsa de cintura.

bananier, ère [bananje, ɛr] *adj* das bananas.
❏ **bananier** *nm (arbre)* bananeira *f*; *(cargo)* navio que transporta bananas.

banc [bã] *nm (siège)* banco *m*; *(de poissons)* cardume *m*; ~ **public** banco público; ~ **de sable** banco de areia.

bancaire [bãkɛr] *adj* bancário(-ria).

bancal, e [bãkal] *adj* coxo(-xa).

bandage [bãdaʒ] *nm* ligadura *f (Port)*, atadura *f (Br)*.

bande [bãd] *nf (de tissu, de papier)* tira *f*; *(pansement)* ligadura *f*; *(groupe)* banda *f*; ~ **d'arrêt d'urgence** faixa *f* de paragem de urgência; ~ **dessinée** banda desenhada *(Port)*, revista *f* em quadrinhos *(Br)*; ~ **magnétique** fita *f* magnética; ~ **originale** banda sonora original *(Port)*, trilha *f* sonora original *(Br)*.

bande-annonce [bãdanɔ̃s] *(pl* **bandes-annonces)** *nf* trailer *m*.

bandeau, x [bãdo] *nm (dans les cheveux)* fita *f*; *(sur les yeux)* venda *f*.

bander [bãde] *vt (yeux)* vendar; *(blessure)* pôr uma ligadura em.

banderole [bɑ̃drɔl] *nf* bandeirola *f.*

bande-son [bɑ̃dsɔ̃] *nf* banda *f* sonora.

bandit [bɑ̃di] *nm* bandido *m* (-da *f*).

bandoulière [bɑ̃duljɛr] *nf* bandoleira *f*; **en ~** a tiracolo.

banjo [bɑ̃dʒo] *nm* banjo *m.*

banlieue [bɑ̃ljø] *nf* subúrbio *m*; **les ~s** os subúrbios.

banlieusard, e [bɑ̃ljøzar, ard] *nm, f* habitante *mf* dos subúrbios.

bannir [banir] *vt* banir; **~ qqch de** banir algo de.

banque [bɑ̃k] *nf (agence)* banco *m.*

banqueroute [bɑ̃krut] *nf (faillite)* bancarrota *f*; *(fig: échec)* fracasso *m.*

banquet [bɑ̃kɛ] *nm* banquete *m.*

banquette [bɑ̃kɛt] *nf (de voiture)* banco *m*; *(de restaurant)* banqueta *f.*

banquier [bɑ̃kje] *nm (financier)* banqueiro *m*; *(employé)* bancário *m.*

banquise [bɑ̃kiz] *nf* banquisa *f.*

baptême [batɛm] *nm (sacrement)* baptismo *m*; *(réception)* baptizado *m*; **~ de l'air** baptismo do ar.

baptiser [batize] *vt* baptizar.

bar [bar] *nm (café)* bar *m*; *(comptoir)* balcão *m*; **~ à café** *(Helv)* bar onde não são servidas bebidas alcoólicas.

baraque [barak] *nf (de jardin)* casinha *f*; *(de fête foraine)* barraca *f*; *(fam : maison)* casa *f.*

baraqué, e [barake] *adj (fam)* entroncado(-da).

baratin [baratɛ̃] *nm (fam)* conversa *f* fiada.

baratiner [baratine] *(fam) vt* levar na conversa. ◆ *vi* ter lábia.

barbare [barbar] *adj* bárbaro(-ra).

barbarie [barbari] *nf* barbárie *f.*
❑ **Barbarie** *n* → **orgue**.

barbe [barb] *nf* barba *f*; **~ à papa** algodão *m* doce.

barbecue [barbəkju] *nm (gril)* grelhador *m*; *(repas)* churrasco *m.*

barbelé [barbəle] *nm* : **(fil de fer) ~** arame *m* farpado.

barbiturique [barbityrik] *nm* barbitúrico *m.*

barboter [barbɔte] *vi* chafurdar.

barbouillé, e [barbuje] *adj (malade)*: **être ~** estar enjoado.

barbouiller [barbuje] *vt* borrar.

barbu [barby] *adj m* barbudo.

barder [barde] *vt (CULIN)* lardear; **être bardé de qqch** *(fig)* estar cheio de algo. ◆ *vi (fam)* : **ça va ~** a coisa vai ficar feia.

barème [barɛm] *nm* tabela *f.*

baril [baril] *nm* barril *m.*

bariolé, e [barjɔle] *adj* sarapintado(-da).

barman [barman] *nm* barman *m.*

baromètre [barɔmɛtr] *nm* barómetro *m.*

baron, onne [barɔ̃, ɔn] *nm, f* barão *m* (-ronesa *f*).

baroque [barɔk] *adj* barroco(-ca). ◆ *nm* : **le ~** o barroco.

barque [bark] *nf* barca *f.*

barquette [barkɛt] *nf (tartelette)* pequeno biscoito em forma de barquito; *(récipient)* embalagem *f.*

barrage [baraʒ] *nm* barragem *f*; **~ de police** barragem de polícia.

barre [bar] *nf* barra *f*; *(NAVIG)* roda *f* do leme.

barreau, x [baro] *nm (de prison)* barra *f*; *(de chaise)* travessa *f.*

barrer [bare] *vt (rue, route)* barrar; *(mot, phrase)* riscar; *(NAVIG)* manobrar a roda do leme de.

barrette [barɛt] *nf (à cheveux)* travessão *m.*

barricade [barikad] *nf* barricada *f.*

barricader [barikade] *vt (porte)* trancar; *(rue)* barricar.

❏ **se barricader** *vp* trancar-se.

barrière [barjɛr] *nf* barreira *f.*

bar-tabac [bartaba] *(pl* **bars-tabacs)** *nm* bar onde também se vendem selos e tabaco.

baryton [baritɔ̃] *nm* barítono *m.*

bas, basse [ba, bas] *adj* baixo(-xa); *(MUS)* grave. ◆ *nm (partie inférieure)* parte *f* de baixo; *(vêtement)* meia *f.* ◆ *adv* baixo; **en ~** em baixo; **en ~ de** em baixo de.

bas-côté, s [bakote] *nm (de la route)* berma *f.*

bascule [baskyl] *nf (pour peser)* balança *f; (jeu)* baloiço *m.*

basculer [baskyle] *vt (appel)* passar. ◆ *vi* tombar.

base [baz] *nf* base *f;* **à ~ de** à base de; **de ~ de** base; **~ de données** base de dados.

baser [baze] *vt :* ~ qqch sur basear algo em.

❏ **se baser sur** *vp + prép* basear-se em.

bas-fond [bafɔ̃] *(pl* **bas-fonds)** *nm* baixio *m.*

❏ **bas-fonds** *nmpl (de la société)* ralé *f; (quartiers pauvres)* bairro *m* pobre.

basilic [bazilik] *nm* manjericão *m.*

basilique [bazilik] *nf* basílica *f.*

basket [baskɛt] *nm* OU *nf (chaussure)* ténis *mpl.*

basket(-ball) [baskɛt(bol)] *nm* basquetebol *m.*

basquaise [baskɛz] *adj* → **poulet.**

basque [bask] *adj* basco(-ca). ◆ *nm (langue)* basco *m.*

❏ **Basque** *nmf* basco *m* (-ca *f).*

basse → **bas.**

basse-cour [baskur] *(pl* **basses-cours)** *nf* capoeira *f.*

bassement [basmã] *adv (de façon mesquine)* : **être ~ intéressé** ter interesses baixos; *(sans noblesse)* : **il nous a dénoncés ~** foi muito baixo da parte dele ter-nos denunciado.

bassin [basɛ̃] *nm (plan d'eau)* tanque *m; (ANAT)* bacia *f;* **le Bassin parisien** a Bacia parisiense; **grand ~** piscina *f* para adultos; **petit ~** piscina *f* para crianças.

bassine [basin] *nf* bacia *f.*

bassiste [basist] *nmf* baixista *mf.*

Bastille [bastij] *nf* : **l'opéra ~** a ópera da Bastilha.

bastion [bastjɔ̃] *nm* bastião *m.*

baston [bastɔ̃] *nf (fam)* pancada *f* da grossa.

bataille [bataj] *nf* batalha *f.*

batailleur, euse [batajœr, øz] *adj* batalhador(-ra).

bataillon [batajɔ̃] *nm* batalhão *m.*

bâtard, e [batar, ard] *nm, f (chien)* rafeiro *m* (-ra *f) (Port),* vira-lata *m (Br).*

bateau, x [bato] *nm* barco *m; (sur le trottoir)* inclinação do passeio frente às saídas de viaturas; **~ de pêche** barco de pesca; **~ à voiles** barco à vela.

bateau-mouche [batomuʃ] *(pl* **bateaux-mouches)** *nm* barco que passeia turistas pelo rio Sena.

batifoler [batifɔle] *vi (jouer)* estar na galhofa; *(flirter)* namoriscar.

bâtiment [batimã] *nm* edifício *m;* **le ~** *(activité)* a construção civil.

bâtir [batir] *vt* edificar.

bâtisse [batis] *nf* casarão *m.*

bâton [batɔ̃] *nm* pau *m;* **~ de craie** giz *m.*

bâtonnet [batɔnɛ] *nm* pauzinho *m*; ~ **de glace** gelado *m* (Port), picolé *m* (Br).

batracien [batrasjɛ̃] *nm* batráquio *m*.

battant [batɑ̃] *nm* (d'une porte) batente *m*.

battement [batmɑ̃] *nm* (coup) bater *m*; (intervalle) intervalo *m*; (de cœur) batida *f*.

batterie [batri] *nf* bateria *f*; ~ **de cuisine** trem *m* de cozinha.

batteur, euse [batœr, øz] *nm, f* (MUS) baterista *mf*. ◆ *nm* (mélangeur) batedeira *f*.

battre [batr] *vt* (frapper) bater; (vaincre) vencer. ◆ *vi* bater; ~ **des œufs en neige** bater as claras em castelo; ~ **la mesure** marcar o compasso; ~ **des mains** bater palmas. ❏ **se battre** *vp* : **se** ~ **(avec qqn)** lutar (com alguém).

baume [bom] *nm* bálsamo *m*.

baux [bo] → **bail**.

bavard, e [bavar, ard] *adj & nm, f* tagarela.

bavardage [bavardaʒ] *nm* tagarelice *f*.

bavarder [bavarde] *vi* tagarelar.

bavarois [bavarwa] *nm* (CULIN) sobremesa fria à base de gelatina, creme inglês e mousse de frutas.

bave [bav] *nf* baba *f*.

baver [bave] *vi* babar; **en** ~ (fam) suar.

bavette [bavɛt] *nf* (CULIN) filete de lombo de vaca.

baveux, euse [bavø, øz] *adj* (omelette) mal passado(-da).

bavoir [bavwar] *nm* babete *m*.

bavure [bavyr] *nf* (tache) borrão *m*; (erreur) erro *m*.

bazar [bazar] *nm* (magasin) bazar *m*; (fam : lieu en désordre) espelunca *f*.

bazarder [bazarde] *vt* (fam) deitar fora.

BCBG *adj* (abr de **bon chic bon genre**) beto(-ta).

Bd (abr de **boulevard**) Al.

BD *nf* (fam) gibi *m* (Br), = **bande dessinée**.

béant, e [beɑ̃, ɑ̃t] *adj* escancarado(-da).

béat, e [bea, at] *adj* aparvalhado(-da).

beau, belle [bo, bɛl] (*m* **bel** [bɛl], devant voyelle ou h muet *mpl* **beaux** [bo]) *adj* lindo(-da); (iron: mauvais) belo(-la). ◆ *adv* : **il fait** ~ está bom tempo; **j'ai** ~ **essayer...** por mais que tente...; **c'est du** ~ **travail!** (iron) bonito serviço!; **un** ~ **jour** um belo dia.

beaucoup [boku] *adv* (aimer, manger) muito; **il a lu** ~ **de livres** ele leu muitos livros; ~ **plus cher** muito mais caro; **elle fait** ~ **plus de fautes qu'avant** ela dá muito mais erros do que antes.

beauf [bof] *nm* (péj: fam) piroso *m*.

beau-fils [bofis] (*pl* **beaux-fils**) *nm* (fils du conjoint) enteado *m*; (gendre) genro *m*.

beau-frère [bofrɛr] (*pl* **beaux-frères**) *nm* cunhado *m*.

beau-père [bopɛr] (*pl* **beaux-pères**) *nm* (père du conjoint) sogro *m*; (conjoint de la mère) padrasto *m*.

beauté [bote] *nf* (qualité) beleza *f*; (femme) beldade *f*.

beaux-arts [bozar] *nmpl* belas-artes *fpl*. ❏ **Beaux-Arts** *nmpl* : **les Beaux-Arts** escola de belas-artes em Paris.

beaux-parents [boparɑ̃] *nmpl* sogros *mpl*.

bébé [bebe] *nm* bebé *m*.

bébé-éprouvette [bebe-epruvɛt] (*pl* **bébés-éprouvette**) *nm* bebé *m* proveta.

bec [bɛk] *nm* bico *m*; ~ **verseur** bico de vazar.

bec-de-lièvre [bɛkdəljɛvr] (*pl* **becs-de-lièvre**) *nm* lábio *m* leporino.

béchamel [beʃamɛl] *nf* : **(sauce)** ~ (molho) bechamel *m*.

bêche [bɛʃ] *nf* enxada *f*.

bêcher [beʃe] *vt* cavar.

bedaine [bədɛn] *nf (fam)* pança *f*.

bée [be] *adj f* : **bouche** ~ boquiaberto(-ta).

bégayer [begeje] *vi* gaguejar.

bégonia [begɔnja] *nm* begónia *f*.

bègue [bɛg] *adj & nmf* gago(-ga).

beige [bɛʒ] *adj & nm* bege.

beigne [bɛɲ] *nm (Can)* ≃ sonho *m (pastel)*.

beignet [bɛɲɛ] *nm (salé)* pastel *m*; *(sucré)* ≃ sonho *m*, filhó *f*.

bel → **beau**.

bêler [bele] *vi* balir.

belette [bəlɛt] *nf* doninha *f*.

belge [bɛlʒ] *adj* belga.

❑ **Belge** *nmf* belga *mf*.

Belgique [bɛlʒik] *nf* : **la** ~ a Bélgica.

bélier [belje] *nm* carneiro *m*.

❑ **Bélier** *nm* Carneiro *m (Port)*, Áries *m (Br)*.

belle-famille [bɛlfamij] (*pl* **belles-familles**) *nf* família *f* dos sogros.

belle-fille [bɛlfij] (*pl* **belles-filles**) *nf (fille du conjoint)* enteada *f*; *(conjointe du fils)* nora *f*.

Belle-Hélène [bɛlelɛn] *adj* → **poire**.

belle-mère [bɛlmɛr] (*pl* **belles-mères**) *nf (mère du conjoint)* sogra *f*; *(conjointe du père)* madrasta *f*.

belle-sœur [bɛlsœr] (*pl* **belles-sœurs**) *nf* cunhada *f*.

belligérant, e [beliʒerã, ãt] *adj & nm* beligerante.

belliqueux, euse [belikø, øz] *adj (guerrier)* belicoso(-osa); *(peu-ple)* guerreiro(-ra); *(humeur)* agressivo(-va).

belote [bəlɔt] *nf* bisca *f*.

bémol [bemɔl] *adj & nm* bemol.

bénédiction [benediksjɔ̃] *nf* bênção *f*; **c'est une** ~! louvado seja Deus!; **donner sa** ~ **à** *(fig: une personne)* dar a sua bênção a; *(un projet)* aprovar.

bénéfice [benefis] *nm (FIN)* lucro *m*; *(avantage)* benefício *m*.

bénéficiaire [benefisjɛr] *adj (marge)* de benefício. ◆ *nmf* beneficiário *m* (-ria *f*).

bénéficier [benefisje]: **bénéficier de** *v* + *prép* beneficiar de.

bénéfique [benefik] *adj* benéfico(-ca).

Benelux [benelyks] *nm* : **le** ~ o Benelux.

bénévole [benevɔl] *adj* benévolo(-la).

bénin, igne [benɛ̃, iɲ] *adj* benigno(-gna).

bénir [benir] *vt (foule)* abençoar; *(pain)* benzer.

bénite [benit] *adj f* → **eau**.

bénitier [benitje] *nm* pia *f* de água benta.

benjamin, e [bɛ̃ʒamɛ̃, in] *nm, f* mais novo *m* (mais nova *f*).

benne [bɛn] *nf* contentor *m*.

BEP *nm (abr de* **brevet d'études professionnelles***) certificado de estudos profissionais.*

béquille [bekij] *nf (MÉD)* muleta *f*; *(de vélo, de moto)* descanso *m*.

berceau, x [bɛrso] *nm (d'enfant)* berço *m*.

bercer [bɛrse] *vt (un enfant)* embalar.

berceuse [bɛrsøz] *nf (chanson)* canção *f* de embalar.

Bercy [bɛrsi] *n* : **(le palais omnisports de Paris)** ~ *grande sala parisiense para desporto e concertos.*

béret [bɛrɛ] *nm* boina *f*.

berge

berge [bɛrʒ] nf margem f.

berger, ère [bɛrʒe, ɛr] nm, f pastor m (-ra f); ~ **allemand** pastor alemão.

bergerie [bɛrʒəri] nf curral m.

berlingot [bɛrlɛ̃go] nm (bonbon) caramelo de forma triangular; (de lait, de Javel) embalagem de plástico flexível.

berlue [bɛrly] nf : **avoir la ~** estar com visões.

bermuda [bɛrmyda] nm bermudas fpl.

berner [bɛrne] vt enganar.

besogne [bəzɔɲ] nf tarefa f.

besoin [bəzwɛ̃] nm necessidade f; **avoir ~ de (faire) qqch** precisar de (fazer) algo; **faire ses ~s** fazer as necessidades.

bestial, e, aux [bɛstjal, o] adj animalesco(-ca).

bestiole [bɛstjɔl] nf animalejo m.

best-seller, s [bɛstselœr] nm best-seller m.

bétail [betaj] nm gado m.

bête [bɛt] adj parvo(-va). ◆ nf bicho m.

bêtement [bɛtmɑ̃] adv estupidamente.

bêtise [betiz] nf (acte, parole) parvoíce f (Port), besteira f (Br); (défaut) parvoíce f.

béton [betɔ̃] nm betão m.

bette [bɛt] nf acelga f.

betterave [betrav] nf beterraba f.

beugler [bøgle] vi (bovin) mugir; (fig: péj: personne) berrar.

beur [bœr] nmf pessoa de origem magrebina nascida em França.

beurre [bœr] nm manteiga f.

beurrer [bœre] vt (tartine) barrar com manteiga; (plat) untar.

beuverie [bœvri] nf beberete m.

biais [bjɛ] nm : **en ~** em viés; **par le ~ de** por meio de.

biaiser [bjeze] vi estar com rodeios.

bibelot [biblo] nm bibelot m.

biberon [bibrɔ̃] nm biberão m (Port), mamadeira f (Br); **donner le ~ à** dar o biberão a (Port), dar a mamadeira a (Br).

Bible [bibl] nf : **la ~** a Bíblia.

bibliographie [biblijɔgrafi] nf bibliografia f.

bibliothécaire [biblijɔtekɛr] nmf bibliotecário m (-ria f).

bibliothèque [biblijɔtɛk] nf biblioteca f.

bicarbonate [bikarbɔnat] nm bicarbonato m; ~ **de soude** bicarbonato de sódio.

biceps [bisɛps] nm bíceps m inv.

biche [biʃ] nf corça f.

bicyclette [bisiklɛt] nf bicicleta f.

bidet [bidɛ] nm bidé m.

bidon [bidɔ̃] nm bidão m. ◆ adj inv (fam) : **c'est du ~** isso é uma treta.

bidonville [bidɔ̃vil] nm bairro m da lata (Port), favela f (Br).

Biélorussie [bjelɔrysi] nf : **la ~** a Bielorrússia.

bien [bjɛ̃] (compar & superl **mieux** [mjø]) adv **1.** (de façon satisfaisante) bem; **avez-vous ~ dormi?** dormiu bem?
2. (beaucoup, très) muito; **une personne ~ sympathique** uma pessoa muito simpática; **je me suis ~ amusé pendant ces vacances** diverti-me muito durante estas férias; **j'espère ~ que...** espero bem que...; **c'est une ~ triste histoire** (ela) é bem triste, esta história; **~ mieux/plus** bem melhor/mais.
3. (au moins): **cela fait ~ deux mois qu'il n'a pas plu** já não chove há uns bons dois meses.
4. (effectivement) bem; **c'est ~ ce qu'il me semblait** bem me pare-

cia; **c'est ~ ce que je disais** é mesmo o que eu dizia; **mais oui, c'est ~ lui!** sim sim, é mesmo ele! **5.** *(dans des expressions)*: **~ des gens** muita gente; **il a ~ de la chance** ele tem muita sorte; **(c'est) ~ fait (pour toi)!** (foi) bem feito!; **nous ferions ~ de réserver à l'avance** faríamos bem em reservar com antecedência.
♦ *adj inv* **1.** *(devoir, travail)* bom (boa).
2. *(beau)* bonito(-ta).
3. *(moralement)*: **c'est une fille ~** é uma rapariga honesta; **c'est ~, ce que tu as fait pour lui** é admirável o que fizeste por ele; **j'ai trouvé son attitude très ~ dans cette affaire** achei muito correcta a sua atitude neste caso.
4. *(convenable)*: **ça fait ~** fica bem; **des gens ~** gente de boa posição social.
5. *(en bonne santé, à l'aise)* bem; **être/se sentir ~** andar/sentir-se bem.
♦ *excl* muito bem!
♦ *nm* bem *m*; **c'est pour ton ~** é para teu bem; **dire du ~ de** dizer bem de; **faire du ~ à qqn** fazer bem a alguém.
❏ **biens** *nmpl (richesse)* bens *mpl*.
bien-être [bjɛ̃nɛtr] *nm* bem-estar *m*.
bienfaisant, e [bjɛ̃fəzɑ̃, ɑ̃t] *adj* benéfico(-ca).
bienfaiteur, trice [bjɛ̃fɛtœr, tris] *nm, f* benfeitor *m* (-ra *f*).
bien-fondé [bjɛ̃fɔ̃de] *(pl* **bien-fondés)** *nm (JUR)* conformidade *f*; *(pertinence)* fundamento *m*.
bienheureux, euse [bjɛ̃nørø, øz] *adj & nm,f* bem-aventurado(-da).
bientôt [bjɛ̃to] *adv* daqui a pouco tempo; **à ~!** até logo!
bienveillant, e [bjɛ̃vɛjɑ̃, ɑ̃t] *adj* benevolente.
bienvenu, e [bjɛ̃v(ə)ny] *adj* bem vindo(-da).

bienvenue [bjɛ̃v(ə)ny] *nf*: **~!** bem vindo(-da)!; **souhaiter la ~ à qqn** dar as boas vindas a alguém.
bière [bjɛr] *nf* cerveja *f*.
bifteck [biftɛk] *nm* bife *m (Port)*, bisteca *f (Br)*.
bifurcation [bifyrkasjɔ̃] *nf* bifurcação *f*.
bifurquer [bifyrke] *vi (route)* bifurcar; *(voiture)* virar.
bigamie [bigami] *nf* bigamia *f*.
Bige® [biʒ] *adj inv*: **billet ~** *bilhete de comboio para estudantes que lhes permite circular pela Europa a um preço reduzido.*
bigorneau, x [bigɔrno] *nm* caramujo *m*.
bigoudi [bigudi] *nm* rolo *m* para o cabelo.
bijou, x [biʒu] *nm* jóia *f*; *(fig)* maravilha *f*.
bijouterie [biʒutri] *nf* joalharia *f*.
bijoutier, ère [biʒutje, ɛr] *nm, f* ourives *mf inv*.
Bikini® [bikini] *nm* biquíni *m*.
bilan [bilɑ̃] *nm* balanço *m*; **faire le ~ (de)** fazer o balanço (de).
bilatéral, e, aux [bilateral, o] *adj* bilateral.
bile [bil] *nf* bílis *f*; **déverser sa ~** *(fig)* despejar o mau humor; **se faire de la ~** *(fam : fig)* arreliar-se.
bilingue [bilɛ̃g] *adj* bilingue.
billard [bijar] *nm* bilhar *m*.
bille [bij] *nf (petite boule)* esfera *f*; *(pour jouer)* berlinde *m*.
billet [bijɛ] *nm (de transport)* bilhete *m (Port)*, passagem *f (Br)*; *(de spectacle)* bilhete *m (Port)*, ingresso *m (Br)*; **~ (de banque)** nota *f*; **~ aller et retour** bilhete de ida e volta.
billetterie [bijɛtri] *nf* bilheteira *f*; **~ automatique** *(de billets de train)* bilheteira automática; *(de billets de banque)* multibanco *m*.

bimensuel, elle [bimãsчɛl] *adj* bimensal.

binaire [binɛr] *adj* binário(-ria).

bio [bjo] *adj inv* biológico(-ca).

biochimie [bjoʃimi] *nf* bioquímica *f*.

biodégradable [bjodegradabl] *adj* biodegradável.

biographie [bjografi] *nf* biografia *f*.

biologie [bjolɔʒi] *nf* biologia *f*.

biologique [bjolɔʒik] *adj* biológico(-ca).

biorythme [bjoritm] *nm* biorritmo *m*.

bis [bis] *excl* bis! ♦ *adv* bis; **6 ~ 6** b.

biscornu, e [biskɔrny] *adj (objet)* de forma irregular; *(idée)* estrambólico(-ca).

biscotte [biskɔt] *nf* tosta *f*.

biscuit [biskчi] *nm* biscoito *m*; **~ salé** aperitivo *m*.

bise [biz] *nf (baiser)* beijo *m*; *(vent)* nortada *f*; **faire une ~ à qqn** dar um beijo a alguém; **grosses ~s** *(dans une lettre)* beijinhos.

bison [bizɔ̃] *nm* bisonte *m*; **Bison Futé** organismo de informação rodoviária.

ℹ️ BISON FUTÉ

Sistema criado em 1975 que visa facilitar as condições de tráfego nos dias de grande movimento, nomeadamente no início e no fim das épocas de férias. Indica os horários e os itinerários a evitar. Propõe estradas menos movimentadas, chamadas "itinéraires bis", indicadas por setas verdes.

---

bisou [bizu] *nm (fam)* beijinho *m*.

bisque [bisk] *nf sopa espessa de marisco com natas*.

bissextile [bisɛkstil] *adj* → **année**.

bistouri [bisturi] *nm* bisturi *m*.

bistro(t) [bistro] *nm* bar *m (Port)*, botequim *m (Br)*.

bit [bit] *nm* bit *m*.

bitume [bitym] *nm* alcatrão *m*.

bivouac [bivwak] *nm* bivaque *m*.

bizarre [bizar] *adj* bizarro(-a).

bizutage [bizytaʒ] *nm práticas académicas aplicadas aos caloiros*, ≈ praxe *f*.

blabla, bla-bla [blabla] *nm inv (fam)* blablablá *m*.

black-out [blakawt] *nm (panne de courant)* corte *m* de electricidade; *(censure)*: **faire le ~ sur qqch** manter-se silencioso sobre algo.

blafard, e [blafar, ard] *adj (visage)* descorado(-da); *(lumière)* baço(-ça).

blague [blag] *nf (histoire drôle)* anedota *f*; *(mensonge)* peta *f*; *(farce)* partida *f*; **sans ~!** a sério?

blaguer [blage] *vi* estar a brincar.

blagueur, euse [blagœr, øz] *(fam) adj & nm,f* brincalhão(-lhona).

blaireau [blɛro] *nm (animal)* texugo *m*; *(de rasage)* pincel *m* da barba.

blâme [blam] *nm (désapprobation)* censura *f*; *(sanction)* repreenda *f*.

blâmer [blame] *vt* censurar.

blanc, blanche [blã, blãʃ] *adj* branco(-ca); *(vierge)* em branco. ♦ *nm (couleur)* branco *m*; *(espace)* espaço *m* em branco; *(vin)* vinho *m* branco; **à ~** *(chauffer)* até ficar branco; *(tirer)* com um tiro de pólvora seca; **~ cassé** branco sujo; **~ d'œuf** clara *f* do ovo; **~ de poulet** peito *m* de frango. ❏ **Blanc, Blanche** *nm, f* branco *m* (-ca *f*).

blancheur [blɑ̃ʃœr] *nf* brancura
f.

blanchiment [blɑ̃ʃimɑ̃] *nm* : ~
d'argent branqueamento OU lavagem de dinheiro.

blanchir [blɑ̃ʃir] *vt (mur)* caiar;
(linge) lavar; *(argent)* branquear.
♦ *vi (cheveux)* ficar grisalho.

blanchisserie [blɑ̃ʃisri] *nf* lavandaria *f*.

blanquette [blɑ̃kɛt] *nf (plat)*
guisado de vitela, cordeiro ou frango
com molho de vinho branco; *(vin)* vi-
nho branco espumoso; ~ **de veau**
guisado de vitela com molho de vinho
branco.

blasé, **e** [blaze] *adj*
enjoado(-da).

blason [blazɔ̃] *nm* brasão *m*.

blasphème [blasfɛm] *nm* blasfémia *f*.

blasphémer [blasfeme] *vt & vi*
blasfemar.

blatte [blat] *nf* barata *f*.

blazer [blazɛr] *nm* blazer *m*.

blé [ble] *nm* trigo *m*; ~ **d'Inde**
(Can) milho *m*.

blême [blɛm] *adj* macilento(-ta).

blessant, **e** [blɛsɑ̃, ɑ̃t] *adj* que
magoa.

blessé, **e** [blese] *nm, f* ferido *m*.

blesser [blese] *vt (physiquement)*
ferir *(Port)*, machucar *(Br)*; *(vexer)*
magoar.

❏ **se blesser** *vp* magoar-se; **se** ~
à la main aleijar-se na mão.

blessure [blesyr] *nf* ferida *f*
(Port), machucado *m (Br)*.

blette [blɛt] = **bette**.

bleu, **e** [blø] *adj* azul; *(steak)*
mal passado(-da). ♦ *nm (couleur)*
azul *m*; *(hématome)* nódoa *f*
negra; ~ **(d'Auvergne)** *queijo azul*
da região de Auvergne; ~ **ciel** azul-
celeste *m*; ~ **marine** azul-
marinho *m*; ~ **de travail** fato-
macaco *m*.

bleuet [bløɛ] *nm* centáurea-azul
f; *(Can)* murtinho *m*.

blindé, **e** [blɛ̃de] *adj* blin-
dado(-da).

blinder [blɛ̃de] *vt (renforcer)*
blindar; *(fam : fig: endurcir)* endurecer.

❏ **se blinder** *vp (fam : fig: s'en-*
durcir) ficar insensível.

blizzard [blizar] *nm* blizzard *m*,
vento glacial acompanhado de tem-
pestades de neve.

bloc [blɔk] *nm* bloco *m*; **à** ~ ao
máximo; **en** ~ *(acheter)* por atacado; *(nier)* tudo.

blocage [blɔkaʒ] *nm (des prix,*
des salaires) congelamento *m*;
(psychologique) bloqueio *m*.

bloc-notes [blɔknɔt] *(pl blocs-*
notes) *nm* bloco *m* de notas.

blocus [blɔkys] *nm* bloqueio *m*.

blond, **e** [blɔ̃, blɔ̃d] *adj*
louro(-ra).

blonde [blɔ̃d] *nf* cigarro *m*
louro; **(bière)** ~ cerveja *f* branca.

bloquer [blɔke] *vt* bloquear;
(prix, salaires) congelar.

blottir [blɔtir]: **se blottir** *vp*
encolher-se.

blouse [bluz] *nf (d'élève, de mé-*
decin) bata *f*; *(chemisier)* blusa *f*.

blouson [bluzɔ̃] *nm* blusão *m*.

blues [bluz] *nm* blues *m inv*.

bluff [blœf] *nm* bluff *m*.

boat people [botpipɔl] *nmpl*
boat people *mpl*.

bob [bɔb] *nm* chapéu *m* de pano.

bobard [bɔbar] *nm (fam : men-*
songe) balela *f*.

bobine [bɔbin] *nf (de fil)* carro *m*
de linhas; *(de film)* bobina *f*.

bobsleigh [bɔbslɛg] *nm* bobsleigh *m*.

bocal, **aux** [bɔkal, o] *nm (de*
conserves) frasco *m*; *(à poissons)*
aquário *m*.

body [bɔdi] *nm* body *m*.

body-building [bɔdibildiŋ]
nm musculação *f*.

bœuf [bœf pl bø] *nm (animal)* boi *m*; *(CULIN)* carne *f* de vaca; ~ **bourguignon** *carne de vaca estufada com vinho tinto e toucinho.*

bof [bɔf] *excl* hã!

bohème [bɔɛm] *adj & nmf* boémio(-mia).

bohémien, enne [bɔemjɛ̃, ɛn] *nm, f* cigano *m* (-na *f*).

boire [bwar] *vt (avaler)* beber; *(absorber)* absorver. ♦ *vi* beber; ~ **un coup** beber um copo.

bois [bwa] *nm (matière)* madeira *f*; *(de chauffage)* lenha *f*; *(forêt)* bosque *m*. ♦ *nmpl (d'un cerf)* armação *f*.

boisé, e [bwaze] *adj* arborizado(-da).

boiser [bwaze] *vt* arborizar.

boiseries [bwazri] *nfpl* revestimento *m* de madeira.

boisson [bwasɔ̃] *nf* bebida *f*; **la** ~ *(alcool)* a bebida.

boîte [bwat] *nf* caixa *f*; ~ **d'allumettes** caixa de fósforos; ~ **de conserve** lata *f* de conserva; ~ **aux lettres** caixa do correio; ~ **(de nuit)** discoteca *f (Port)*, boate *f (Br)*; ~ **à outils** caixa de ferramentas; ~ **postale** apartado *m*; ~ **de vitesses** caixa de velocidades.

boiter [bwate] *vi* coxear.

boiteux, euse [bwatø, øz] *adj* coxo(-xa).

boîtier [bwatje] *nm (de montre, de cassette)* caixa *f*; *(d'appareil photo)* corpo *m*.

bol [bɔl] *nm* tigela *f*.

bolet [bɔlɛ] *nm* boleto *m (cogumelo).*

bolide [bɔlid] *nm* bólide *m*.

Bolivie [bɔlivi] *nf*: **la** ~ a Bolívia.

bombardement [bɔ̃bardəmɑ̃] *nm* bombardeamento *m*.

bombarder [bɔ̃barde] *vt* bombardear; ~ **qqn de questions** bombardear alguém com perguntas.

bombe [bɔ̃b] *nf (arme)* bomba *f*; *(vaporisateur)* spray *m*; ~ **atomique** bomba atómica.

bon, bonne [bɔ̃, bɔn] *(compar & superl* **meilleur** [mɛjœr]*) adj* **1.** *(gén)* bom (boa); **nous avons passé de très bonnes vacances** passámos umas férias muito boas; **connaissez-vous un ~ garagiste dans les environs?** conhece um bom mecânico nos arredores?; **être ~ en qqch** ser bom em algo; **c'est ~ pour la santé** é bom para a saúde; **il n'est ~ à rien** ele não vale nada; **c'est ~ à savoir** é bom saber; **votre carte d'autobus n'est plus bonne** o seu passe de autocarro já não é válido; **bonne année!** bom ano!; **bonnes vacances!** boas férias! **2.** *(correct)* certo (certa); **est-ce le ~ numéro?** é o número certo? **3.** *(en intensif)* e tanto; **ça fait une bonne heure** faz uma hora e tanto; **ça fait deux ~s kilos** pesa dois quilos e tanto. **4.** *(dans des expressions)*: ~! *(d'accord)* está bem!; *(pour conclure)* bem!; **ah ~?** ah é?; **c'est ~!** *(soit)* está bem!; **pour de ~** de vez.

♦ *adv*: **il fait ~** está bom tempo; **sentir ~** cheirar bem; **tenir ~** resistir.

♦ *nm (formulaire)* cupão *m*; *(en cadeau)* vale *m*; ~ **de commande** ordem *f* de encomenda; ~ **de livraison** nota *f* de entrega.

bonbon [bɔ̃bɔ̃] *nm* rebuçado *m*.

bonbonne [bɔ̃bɔn] *nf (de gaz)* botija *f*.

bond [bɔ̃] *nm* salto *m*.

bondé, e [bɔ̃de] *adj* a abarrotar.

bondir [bɔ̃dir] *vi (sauter)* saltar; *(fig: réagir)* pular.

bonheur [bɔnœr] *nm (état)* felicidade *f*; *(chance, plaisir)* alegria *f*.

bonhomme [bɔnɔm] *(pl* **bonshommes** [bɔ̃zɔm]*) nm (fam: homme)* homenzinho *m*; *(si-*

lhouette) boneco *m*; ~ **de neige** boneco de neve.

bonjour [bɔ̃ʒur] *excl* bom dia!; **dire** ~ **à qqn** dizer bom dia a alguém.

bonne *adj* → **bon**. ♦ *nf* criada *f*.

bonnet [bɔnɛ] *nm* gorro *m*; ~ **de bain** touca *f* de banho.

bonsoir [bɔ̃swar] *excl* boa noite!; **dire** ~ **à qqn** dizer boa noite a alguém.

bonté [bɔ̃te] *nf* bondade *f*.

bonus [bɔnys] *nm* bónus *m*.

bord [bɔr] *nm* borda *f*; **à** ~ **(de)** a bordo (de); **au** ~ **(de)** à beira (de); **au** ~ **de la mer** à beira-mar.

bordeaux [bɔrdo] *adj inv (couleur)* cor-de-vinho, bordeaux. ♦ *nm (vin)* bordéus *m*; *(couleur)* cor-de-vinho *f*, bordeaux *m*.

bordel [bɔrdɛl] *nm (vulg) (maison close)* bordel *m*; *(désordre)* bandalheira *f*.

bordelaise [bɔrdəlɛz] *adj f* → **entrecôte**.

border [bɔrde] *vt (longer)* ladear; *(enfant)* aconchegar a roupa de; **bordé de** ladeado de.

bordereau [bɔrdəro] *nm* justificativa *f*.

bordure [bɔrdyr] *nf (bord)* rebordo *m*; *(liséré)* orla *f*; **en** ~ **de** na orla de.

borgne [bɔrɲ] *adj* zarolho(-lha).

borne [bɔrn] *nf* marco *m*; **dépasser les** ~**s** *(fig)* passar dos limites.

borné, e [bɔrne] *adj* tacanho (-nha).

borner [bɔrne] *vt (limiter)* demarcar; *(restreindre)* moderar. ❏ **se borner à** *vp + prép* limitar-se a.

Bosnie [bɔsni] *nf* : **la** ~ a Bósnia.

bosquet [bɔskɛ] *nm* pequeno bosque *m*.

bosse [bɔs] *nf (saillie)* bossa *f*; *(au front)* galo *m*; *(sur le dos)* corcunda *f*.

bosser [bɔse] *vi (fam)* dar no duro.

bossu, e [bɔsy] *adj* corcunda.

botanique [bɔtanik] *adj* botânico(-ca). ♦ *nf* botânica *f*.

botte [bɔt] *nf (chaussure)* bota *f*; *(de légumes, foin)* molho *m*.

Bottin® [bɔtɛ̃] *nm* lista *f* telefónica.

bottine [bɔtin] *nf* botim *m*.

bouc [buk] *nm (animal)* bode *m*; *(barbe)* barbicha *f*.

boucan [bukɑ̃] *nm (fam)* vasqueiro *m*.

bouche [buʃ] *nf* boca *f*; ~ **d'égout** boca de esgoto; ~ **de métro** entrada *f* de metro.

bouché, e [buʃe] *adj (obstrué)* entupido(-da); *(en bouteille)* engarrafado(-da); *(fam : obtus)* burro(-a).

bouchée [buʃe] *nf (morceau)* bocado *m*; *(au chocolat)* guloseima *coberta com chocolate*; ~ **à la reine** *vol-au-vent recheado com carne branca*.

boucher[1] [buʃe] *vt* tapar; *(évier)* entupir; *(passage)* bloquear.

boucher[2], **ère** [buʃe, ɛr] *nm, f* talhante *mf (Port)*, açougueiro *m* (-ra *f*) *(Br)*.

boucherie [buʃri] *nf* talho *m* *(Port)*, açougue *m* *(Br)*.

bouchon [buʃɔ̃] *nm (de bouteille)* rolha *f*; *(de pot)* tampa *f*; *(embouteillage)* engarrafamento *m*; *(de pêche)* bóia *f*.

boucle [bukl] *nf (de cheveux)* caracol *m*; *(de fil)* volta *f*; *(de ceinture)* fivela *f*; *(circuit)* curva *f* fechada; ~ **d'oreille** brinco *m*.

bouclé, e [bukle] *adj* encaracolado(-da).

boucler [bukle] *vt (valise)* fechar; *(ceinture)* apertar; *(fam : enfermer)* trancar. ♦ *vi (cheveux)* encaracolar.

bouclier [buklije] *nm* escudo *m*.

bouddhiste [budist] *adj & nmf* budista.

bouder [bude] *vi* amuar.

boudin [budɛ̃] *nm* rolo *m*; ~ **blanc** *morcela com carne branca, servida sobretudo no Natal*, ≃ farinheira *f*; ~ **noir** morcela *f*.

boue [bu] *nf* lama *f*.

bouée [bwe] *nf* bóia *f*; ~ **de sauvetage** bóia salva-vidas.

boueux, euse [buø, øz] *adj* enlameado(-da) *(Port)*, barrento(-ta) *(Br)*.

bouffant, e [bufã, ãt] *adj (manches)* em balão.

bouffe [buf] *nf (fam)* comida *f*.

bouffée [bufe] *nf (d'air)* lufada *f*; *(de tabac)* baforada *f*; **avoir des ~s de chaleur** ter calores; **avoir une ~ d'angoisse** sentir uma angústia.

bouffer [bufe] *vi* ter muito volume; **faire ~** *(cheveux, chemise)* dar volume a. ◆ *vt (fam)* comer.

bouffi, e [bufi] *adj* inchado(-da).

bougeoir [buʒwar] *nm* palmatória *f (castiçal)*.

bougeotte [buʒɔt] *nf*: **avoir la ~** *(fam)* ter bichos-carpinteiros.

bouger [buʒe] *vt* mexer. ◆ *vi (remuer, agir)* mexer-se; *(changer)* mudar.

bougie [buʒi] *nf* vela *f*.

bougonner [bugɔne] *vt* dizer por entre dentes. ◆ *vi* falar por entre dentes.

bouillabaisse [bujabɛs] *nf* ≃ caldeirada *f*.

bouillant, e [bujã, ãt] *adj* a ferver.

bouillie [buji] *nf (pour bébé)* papa *f*; *(pâte)* papa *f (Port)*, angu *m (Br)*.

bouillir [bujir] *vi (liquide)* ferver; *(aliment)* cozer; *(fig: personne)* estar a ferver.

bouilloire [bujwar] *nf* chaleira *f*.

bouillon [bujɔ̃] *nm* caldo *m*.

bouillonner [bujɔne] *vi* borbulhar.

bouillotte [bujɔt] *nf* botija *f* de água quente.

boulanger, ère [bulãʒe, ɛr] *nm, f* padeiro *m* (-ra *f*).

boulangerie [bulãʒri] *nf* padaria *f*.

boule [bul] *nf* bola *f*; *(de pétanque)* ≃ chinquilho *m*; ~ **de Bâle** *(Helv)* salsichão servido com molho vinagreta; **jouer aux ~s** ≃ jogar ao chinquilho.

bouleau [bulo] *nm* bétula *f*.

bouledogue [buldɔg] *nm* buldogue *m*.

boulet [bulɛ] *nm* bala *f*.

boulette [bulɛt] *nf* bolinha *f*; ~ **de viande** almôndega *f*.

boulevard [bulvar] *nm* alameda *f*; **les grands ~s** *alamedas parisienses que vão da praça da Madeleine à République*.

bouleversant, e [bulvɛrsã, ãt] *adj* transtornador(-ra).

bouleversement [bulvɛrsəmã] *nm* reviravolta *f*; *(émotion)* transtorno *m*.

bouleverser [bulvɛrse] *vt* transtornar.

boulimie [bulimi] *nf* bulimia *f*; **être pris d'une ~ de qqch** *(fig)* não parar de fazer algo.

boulon [bulɔ̃] *nm* parafuso *m* com porca.

boulot [bulo] *nm (fam)* trabalho *m*.

boum [bum] *nf (fam)* festa *f*.

bouquet [bukɛ] *nm (de fleurs)* ramo *m*; *(crevette)* gamba *f*; *(d'un vin)* aroma *f*.

bouquin [bukɛ̃] *nm (fam)* livro *m*.

bouquiner [bukine] *(fam) vt & vi* ler.

bouquiniste [bukinist] *nmf* alfarrabista *mf*.

bourbeux, euse [burbø, øz] *adj* pantanoso(-osa).

bourbier [burbje] *nm (lieu)* lamaçal *m*; *(fig: situation)* embrulhada *f*.

bourde [burd] *nf (baliverne)* treta *f*; *(erreur)* borrada *f*.

bourdon [burdɔ̃] *nm* zângão *m*.

bourdonnement [burdɔnmɑ̃] *nm (d'insecte)* zumbido *m*; *(de moteur)* ruído *m*; *(de voix)* burburinho *m*; **avoir des ~s d'oreilles** ter um zumbido nos ouvidos.

bourdonner [burdɔne] *vi* zumbir.

bourgeois, e [burʒwa, az] *adj & nm, f* burguês(-esa).

bourgeoisie [burʒwazi] *nf* burguesia *f*.

bourgeon [burʒɔ̃] *nm* rebento *m*.

bourgeonner [burʒɔne] *vi* rebentar.

Bourgogne [burgɔɲ] *nf*: **la ~** a Borgonha.

bourguignon, onne [burgiɲɔ̃, ɔn] *adj →* **bœuf; fondue**.

bourrasque [burask] *nf* borrasca *f*.

bourratif, ive [buratif, iv] *adj* que empanturra.

bourré, e [bure] *adj (plein)* cheio (cheia); *(vulg : ivre)* com os copos; **~ de** cheio de.

bourreau, x [buro] *nm* carrasco *m*.

bourrelet [burlɛ] *nm (isolant)* fita *f* adesiva isoladora; *(de graisse)* pneu *m*.

bourrer [bure] *vt (gén)* encher; *(fam : caler l'estomac)* empanturrar; *(fam : gaver)*: **~ qqn de** empanturrar alguém de OU com.
❏ **se bourrer** *vp (fam) (se gaver)*: **se ~ de** empanturrar-se de OU com; *(se soûler)* enfrascar-se.

bourrique [burik] *nf (ânesse)* burra *f*; *(fam : personne)* casmurro *m* (-a *f*); **faire tourner qqn en ~** *(fig)* derreter os miolos a alguém.

bourru, e [bury] *adj* carrancudo(-da).

bourse [burs] *nf* bolsa *f*; **la Bourse** a Bolsa.

boursier, ère [bursje, ɛr] *adj (étudiant)* bolseiro(-ra); *(transaction)* bolsista.

boursouflé, e [bursufle] *adj* inchado(-da).

bousculade [buskylad] *nf* empurrão *m*.

bousculer [buskyle] *vt (heurter)* empurrar; *(fig: presser)* apressar.

bouse [buz] *nf*: **~ (de vache)** bosta *f* (de vaca).

bousiller [buzije] *vt (fam) (bâcler)* atabalhoar; *(abîmer)* espatifar.

boussole [busɔl] *nf* bússola *f*.

bout [bu] *nm (des doigts, d'un objet)* ponta *f*; *(de la rue, du couloir)* fundo *m*; *(morceau)* bocado *m*; **au ~ de** *(dans l'espace)* no fundo de; *(à la fin de)* ao fim de; *(après)* ao cabo de; **être à ~** não aguentar mais.

boutade [butad] *nf* piada *f*.

boute-en-train [butɑ̃trɛ̃] *nm inv* brincalhão *m* (-lhona *f*).

bouteille [butɛj] *nf* garrafa *f*; **~ de gaz** garrafa de gás; **~ d'oxygène** garrafa de oxigénio.

boutique [butik] *nf* loja *f*; **~ franche** OU **hors taxes** loja dutyfree.

bouton [butɔ̃] *nm* botão *m*; *(sur la peau)* borbulha *f*.

bouton-d'or [butɔ̃dɔr] *(pl* **boutons-d'or)** *nm* botão-de-ouro *m*.

boutonner [butɔne] *vt* abotoar.

boutonnière [butɔnjɛr] *nf* casa *f* do botão.

bouture [butyr] *nf* estaca *f* (de planta).

bovin, e [bɔvɛ̃, in] *adj* bovino(-na).

❑ **bovin** *nm* bovino *m*.

bowling [buliŋ] *nm* bowling *m*.

box [bɔks] *nm inv (garage)* garagem *f* privada; *(d'écurie)* coxia *f*.

boxe [bɔks] *nf* boxe *m*, pugilismo *m*.

boxer [bɔksɛr] *nm* boxer *m*.

boxeur [bɔksœr] *nm* pugilista *m*.

boyau, x [bwajo] *nm (de roue)* câmara-de-ar *f*.

❑ **boyaux** *nmpl (ANAT)* tripas *fpl*.

boycotter [bɔjkɔte] *vt* boicotar.

BP *(abr de* **boîte postale***)* apartado *m*.

bracelet [braslɛ] *nm (bijou)* pulseira *f*; *(de montre)* bracelete *f*.

bracelet-montre [braslɛmɔ̃tr] *(pl* **bracelets-montres***)* *nm* relógio *m* de pulso.

braconner [brakɔne] *vi* caçar furtivamente.

braconnier [brakɔnje] *nm* caçador *m* furtivo.

brader [brade] *vt* liquidar; **'on brade'** 'liquidação total'.

braderie [bradri] *nf* liquidação *f*.

braguette [bragɛt] *nf* braguilha *f*.

braille [braj] *nm* braille *m*.

braillement [brajmã] *nm (péj)* berro *m*.

brailler [braje] *vi (fam)* berrar.

braire [brɛr] *vi (âne)* zurrar; *(fam : brailler)* berrar.

braise [brɛz] *nf* brasa *f*.

bramer [brame] *vi* bramar.

brancard [brãkar] *nm* maca *f*.

brancardier, ère [brãkardje, ɛr] *nm, f* maqueiro *m* (-ra *f*).

branchages [brãʃaʒ] *nmpl* ramagem *f*.

branche [brãʃ] *nf* ramo *m*; *(de lunettes)* haste *f*.

branché, e [brãʃe] *adj (à une prise)* ligado(-da); *(à corrente); (à un réseau)* ligado(-da); *(fam : à la mode)* in.

branchement [brãʃmã] *nm* conexão *f*.

brancher [brãʃe] *vt* ligar *(à corrente)*.

branchies [brãʃi] *nfpl* guelras *fpl*.

brandade [brãdad] *nf*: ~ **(de morue)** ≃ bacalhau *m* à Zé do Pipo.

brandir [brãdir] *vt* agitar.

branlant, e [brãlã, ãt] *adj* a abanar.

braquage [brakaʒ] *nm (AUT)*: **le ~ est difficile** virar tudo é difícil; *(attaque)* assalto *m* à mão armada.

braquer [brake] *vi (automobiliste)* virar tudo. ◆ *vt (diriger)* apontar; ~ **qqch sur** apontar algo a.

❑ **se braquer** *vp* obstinar-se.

bras [bra] *nm* braço *m*; ~ **de mer** braço de mar.

brasier [brazje] *nm* inferno *m* de chamas.

bras-le-corps [bralkɔr]

❑ **à bras-le-corps** *loc adv* pela cintura.

brassard [brasar] *nm* braçadeira *f*.

brasse [bras] *nf* bruços *mpl*.

brasser [brase] *vt (remuer)* remexer; *(bière)* fabricar; *(affaires, argent)* lidar com.

brasserie [brasri] *nf* cervejaria *f*.

brassière [brasjɛr] *nf (pour bébé)* camisola interior para bebé; *(Can: soutien-gorge)* soutien *m*.

bravade [bravad] *nf* bravata *f*.

brave [brav] *adj* valente; **il est ~** é boa pessoa.

braver [brave] *vt (défier)* desafiar; *(mépriser)* desprezar; *(ignorer)* desrespeitar.

bravo [bravo] *excl* bravo!

bravoure [bravur] *nf* valentia *f*.

break [brɛk] *nm* carrinha *f*.

brebis [brǝbi] *nf* ovelha *f*.

brèche [brɛʃ] *nf* brecha *f*.

bredouille [brǝduj] *adj* : **être** OU **rentrer** ~ voltar com as mãos a abanar.

bredouiller [brǝduje] *vi* tartamudear.

bref, brève [brɛf, brɛv] *adj* breve. ♦ *adv* enfim.

Brésil [brezil] *nm* : **le** ~ o Brasil.

brésilien, enne [breziljɛ̃, ɛn] *adj* brasileiro(-ra).
❏ **Brésilien, enne** *nm, f* brasileiro *m* (-ra *f*).

Bretagne [brǝtaɲ] *nf* : **la** ~ a Bretanha.

bretelle [brǝtɛl] *nf (de vêtement)* alça *f*; *(d'autoroute)* ramal *m* de acesso.
❏ **bretelles** *nfpl* suspensórios *mpl*.

breton, onne [brǝtɔ̃, ɔn] *adj* bretão(-ã). ♦ *nm (langue)* bretão *m*.
❏ **Breton, onne** *nm, f* bretão *m* (-ã *f*).

brève → **bref**.

brevet [brǝvɛ] *nm (diplôme)* diploma *m*; *(de pilote)* brevet *m*; *(d'invention)* patente *f*; ~ **(des collèges)** *diploma de fim do ensino obrigatório*, ≃ diploma do 9º ano.

breveter [brǝvte] *vt* registar a patente de; **faire** ~ **qqch** registar a patente de algo.

bribes [brib] *nfpl (de conversation)* fragmentos *mpl*.

bric-à-brac [brikabrak] *nm inv* bricabraque *m*.

bricolage [brikɔlaʒ] *nm* bricolage *f*; **faire du** ~ bricolar.

bricole [brikɔl] *nf* coisita *f*.

bricoler [brikɔle] *vt* arranjar. ♦ *vi* bricolar.

bricoleur, euse [brikɔlœr, øz] *nm, f* amador *m* (-ra *f*) de bricolage.

bride [brid] *nf* rédea *f*.

bridé, e [bride] *adj* : **avoir les yeux ~s** ter os olhos achinesados.

bridge [bridʒ] *nm (jeu)* bridge *m*; *(appareil dentaire)* prótese *f* fixa.

brie [bri] *nm* queijo *m* Brie.

brièvement [brijɛvmã] *adv* sucintamente, em poucas palavras.

brigade [brigad] *nf* brigada *f*.

brigand [brigã] *nm* bandido *m* (-da *f*).

briguer [brige] *vt (sout)* ambicionar.

brillamment [brijamã] *adv* brilhantemente.

brillant, e [brijã, ãt] *adj* brilhante. ♦ *nm (diamant)* brilhante *m*.

briller [brije] *vi* brilhar.

brimer [brime] *vt* lixar.

brin [brɛ̃] *nm (de laine)* fio *m*; ~ **d'herbe** ervinha *f*; ~ **de muguet** raminho *m* de lírios-do-vale.

brindille [brɛ̃dij] *nf* graveto *m*.

brio [brijo] *nm* brio *m*; **avec** ~ brilhantemente.

brioche [brijɔʃ] *nf* brioche *m*.

brique [brik] *nf (d'argile)* tijolo *m*; *(de lait, de jus de fruit)* pacote *m*.

briquer [brike] *vt (fam)* esfregar.

briquet [brikɛ] *nm* isqueiro *m*.

brise [briz] *nf* brisa *f*.

brise-glace [brizglas] *nm inv* quebra-gelo *m*.

brise-lames [brizlam] *nm inv* quebra-mar *m*.

briser [brize] *vt* quebrar.

bristol [bristɔl] *nm* cartolina *f*.

britannique [britanik] *adj* britânico(-ca).

❏ **Britannique** *nmf* britânico *m* (-ca *f*).

brocante [brɔkãt] *nf* loja *f* de velharias.

brocanteur [brɔkãtœr] *nm* antiquário *m*.

broche [brɔʃ] *nf (bijou)* broche *m*; *(CULIN)* espeto *m*.

brochet [brɔʃɛ] *nm* lúcio *m*.

brochette [brɔʃɛt] *nf (plat)* espetada *f (Port)*, churrasquinho *m (Br)*.

brochure [brɔʃyr] *nf* brochura *f*.

brocoli [brɔkɔli] *nm* brócolos *mpl*.

broder [brɔde] *vt* bordar.

broderie [brɔdri] *nf* bordado *m*.

bronches [brɔ̃ʃ] *nfpl* brônquios *mpl*.

bronchite [brɔ̃ʃit] *nf* bronquite *f*.

bronzage [brɔ̃zaʒ] *nm* bronzeado *m*.

bronze [brɔ̃z] *nm* bronze *m*.

bronzé, e [brɔ̃ze] *adj* bronzeado(-da).

bronzer [brɔ̃ze] *vi* bronzear; **se faire ~** bronzear-se.

brosse [brɔs] *nf (pour nettoyer)* escova *f*; **en ~** à escovinha; **~ à cheveux** escova de cabelo; **~ à dents** escova de dentes.

brosser [brɔse] *vt* escovar; **se ~ les dents** escovar os dentes.

brouette [bruɛt] *nf* carro *m* de mão.

brouhaha [bruaa] *nm* zumzum *m*.

brouillard [brujar] *nm* nevoeiro *m*.

brouille [bruj] *nf* zanga *f*.

brouillé [bruje] *adj m* → œuf.

brouiller [bruje] *vt (idées)* baralhar; *(liquide, vue)* turvar.
❏ **se brouiller** *vp (se fâcher)* zan-

gar-se; *(idées)* ficar baralhado(-da); *(vue)* turvar-se.

brouillon [brujɔ̃] *nm* rascunho *m*.

broussailles [brusaj] *nfpl* mato *m*.

brousse [brus] *nf* mata *f*.

brouter [brute] *vt* pastar.

broutille [brutij] *nf* ninharia *f*.

broyer [brwaje] *vt* moer.

bru [bry] *nf (sout)* nora *f*.

brucelles [brysɛl] *nfpl (Helv)* pinça *f*.

brugnon [brynɔ̃] *nm* pêssego *m* careca.

bruine [brɥin] *nf* chuva *f* miudinha *(Port)*, garoa *f (Br)*.

bruit [brɥi] *nm (son)* ruído *m*; *(vacarme)* barulho *m*; **faire du ~** fazer barulho.

bruitage [brɥitaʒ] *nm* efeitos *mpl* sonoros.

brûlant, e [brylã, ãt] *adj (liquide)* a escaldar; *(aliment)* a ferver; *(soleil)* escaldante.

brûlé [bryle] *nm* : **ça sent le ~** cheira a queimado.

brûle-pourpoint [brylpurpwɛ̃] : **à brûle-pourpoint** *adv* de chofre.

brûler [bryle] *vt (carboniser)* queimar; *(irriter)* fazer arder. ◆ *vi (flamber)* arder; *(chauffer)* queimar; **~ un feu rouge** passar com o semáforo vermelho.
❏ **se brûler** *vp* queimar-se; **se ~ la main** queimar-se na mão.

brûlure [brylyr] *nf (blessure)* queimadura *f*; *(sensation)* ardor *m*; **~s d'estomac** azia *f*.

brume [brym] *nf* bruma *f*.

brumeux, euse [brymø, øz] *adj* nebuloso(-osa).

brun, e [brœ̃, bryn] *adj (personne)* moreno(-na); *(cheveux)* preto(-ta); *(tabac)* escuro(-ra).

brune [bryn] *nf* cigarro *m* de tabaco escuro; **(bière)** ~ cerveja *f* preta.

brunir [brynir] *vt (peau)* queimar; *(cheveux, bois)* escurecer; *(métal)* brunir. ◆ *vi (peau)* queimar-se; *(cheveux, bois)* escurecer.

Brushing® [brœʃiŋ] *nm* brushing *m*.

brusque [brysk] *adj* brusco(-ca).

brusquement [bryskəmã] *adv* bruscamente.

brusquer [bryske] *vt (événement)* precipitar; *(personne)* tratar de uma maneira brusca.

brut, e [bryt] *adj* bruto(-ta); *(cidre, champagne)* seco(-ca).

brutal, e, aux [brytal, o] *adj* brutal; *(personne)* bruto(-ta).

brutaliser [brytalize] *vt* brutalizar.

brutalité [brytalite] *nf (violence)* brutalidade *f*; *(soudaineté)* brusquidão *f*.

brute [bryt] *nf* bruto *m* (-ta *f*).

Bruxelles [bry(k)sɛl] *n* Bruxelas.

bruyant, e [bruijã, ãt] *adj* barulhento(-ta); *(moteur)* ruidoso(-osa).

bruyère [brujɛr] *nf* urze *f*.

BTS *nm (abr de* **brevet de technicien supérieur)** *diploma de técnico superior.*

bu, e [by] *pp* → **boire.**

buanderie [byãdri] *nf (Can)* lavandaria *f*.

Bucarest [bykarɛst] *n* Bucareste.

buccal, e, aux [bykal, o] *adj* bucal; *(voie)* oral.

bûche [byʃ] *nf* cavaca *f*; ~ **de Noël** tronco *m* de Natal.

bûcher[1] [byʃe] *nm (supplice)* fogueira *f*; *(funéraire)* pira *f*.

bûcher[2] [byʃe] *vt & vi (fam)* estar a marrar.

bûcheron [byʃrɔ̃] *nm* lenhador *m*.

bucolique [bykɔlik] *adj* bucólico(-ca).

Budapest [bydapɛst] *n* Budapeste.

budget [bydʒɛ] *nm* orçamento *m*.

budgétaire [bydʒetɛr] *adj* orçamental.

buée [bɥe] *nf* vapor *m* de água.

buffet [byfɛ] *nm (meuble)* aparador *m*; *(repas)* bufete *m*; *(de gare)* cafetaria *f*; ~ **froid** bufete de pratos frios.

buffle [byfl] *nm* búfalo *m*.

building [bildiŋ] *nm* arranha-céus *m inv*.

buisson [bɥisɔ̃] *nm* arvoredo *m*.

buissonnière [bɥisɔnjɛr] *adj f* → **école.**

bulbe [bylb] *nm* bolbo *m*.

Bulgarie [bylgari] *nf* : **la** ~ a Bulgária.

bulldozer [byldozɛr] *nm* bulldozer *m*.

bulle [byl] *nf (de gaz)* bolha *f*; *(de savon)* bola *f*; **faire des** ~**s** *(avec un chewing-gum)* fazer balões; *(de savon)* fazer bolas de sabão.

bulletin [byltɛ̃] *nm (papier)* impresso *m*; *(d'informations)* boletim *m*; *(SCOL)* ficha *f* de informação; ~ **météorologique** boletim meteorológico; ~ **de salaire** folha *f* de salário; ~ **de vote** boletim de voto.

bulletin-réponse [byltɛ̃repɔ̃s] *(pl* **bulletins-réponse)** *nm* cupão *m*.

bungalow [bœ̃galo] *nm* bangaló *m*.

bureau [byro] *nm* escritório *m*; *(meuble)* secretária *f*; ~ **de change** agência *f* de câmbio *(Port)*, casa *f* de câmbio *(Br)*; ~ **de poste** estação *f* de correios *(Port)*, agência *f* de correios *(Br)*; ~ **de tabac** tabacaria *f*.

bureaucrate [byrokrat] *nmf* *(péj)* burocrata *mf*.

bureaucratie [byrokrasi] *nf* *(péj) (pouvoir)* burocracia *f*; *(fonctionnaires)* funcionalismo *m* (público).

bureautique [byrotik] *nf* burótica *f*.

buriné, e [byrine] *adj* burilado(-da); *(fig: visage, traits)* marcado(-da).

burlesque [byrlɛsk] *adj* burlesco(-ca).

bus [bys] *nm* autocarro *m (em cidade)*.

buste [byst] *nm (partie du corps)* tronco *m*; *(statue)* busto *m*.

bustier [bystje] *nm* top *m*.

but [byt] *nm (intention)* objectivo *m*; *(destination)* fim *m*; *(SPORT: point)* golo *m*; **les ~s** *(SPORT: zone)* as balizas; **dans le ~ de** com o fim de.

butane [bytan] *nm* gás *m* butano.

buté, e [byte] *adj* casmurro(-a).

buter [byte] *vi* : ~ **sur** OU **contre** *(objet)* tropeçar em; *(difficulté)* deparar com.
❑ **se buter** *vp* obstinar-se.

butin [bytɛ̃] *nm* espólio *m*.

butiner [bytine] *vt & vi* andar de flor em flor a colher o pólen.

butte [byt] *nf* outeiro *m*.

buvard [byvar] *nm* mata-borrão *m*.

buvette [byvɛt] *nf* bar *m*.

C

c' → ce.

ça [sa] *pron (pour désigner)* isto; *(objet lointain)* isso; ~ **n'est pas facile** isso não é fácil; ~ **va? - ~ va!** tudo bem? - tudo bem!; **comment ~?** como assim?; **c'est ~** é isso mesmo.

cabane [kaban] *nf* cabana *f*.

cabaret [kabaʀɛ] *nm* cabaré *m*.

cabillaud [kabijo] *nm* bacalhau *m* fresco.

cabine [kabin] *nf (de bateau)* camarote *m*; *(de téléphérique)* cabine *f*; *(sur la plage)* barraca *f*; ~ **de douche** cabine de duche; ~ **d'essayage** cabine de provas; ~ **(de pilotage)** cabine (de pilotagem); ~ **(téléphonique)** cabine (telefónica).

cabinet [kabinɛ] *nm (d'avocat)* escritório *m*; *(de médecin)* consultório *m*; ~ **de toilette** casa *f* de banho *(Port)*, banheiro *m (Br)*. ❏ **cabinets** *nmpl* casa *f* de banho *(Port)*, privada *f (Br)*.

câble [kabl] *nm* cabo *m*; **(télévision par)** ~ televisão por cabo.

câblé, e [kable] *adj* que tem televisão por cabo.

cabosser [kabɔse] *vt* amolgar.

cabotage [kabɔtaʒ] *nm* cabotagem *f*.

cabrer [kabʀe].
❏ **se cabrer** *vp (cheval, avion)* empinar-se; *(fig: personne)* ofender-se.

cabri [kabri] *nm* cabrito *m*.

cabriole [kabrijɔl] *nf* cambalhota *f*.

caca [kaka] *nm* : **faire ~** *(fam)* fazer cocó.

cacah(o)uète [kakawɛt] *nf* amendoim *m*.

cacao [kakao] *nm* cacau *m*.

cachalot [kaʃalo] *nm* cachalote *m*.

cache-cache [kaʃkaʃ] *nm inv* : **jouer à** ~ jogar às escondidas.

cachemire [kaʃmir] *nm* caxemira *f*.

cache-nez [kaʃne] *nm inv* écharpe *f*.

cache-pot [kaʃpo] *nm inv* vaso *m* decorativo.

cacher [kaʃe] *vt* esconder; *(vue, soleil)* tapar.
❏ **se cacher** *vp* esconder-se.

cachet [kaʃɛ] *nm (comprimé)* comprimido *m*; *(tampon)* carimbo *m*; *(allure)* cunho *m*.

cacheter [kaʃte] *vt (lettre, enveloppe)* fechar; *(bouteille)* lacrar.

cachette [kaʃɛt] *nf* esconderijo *m*; **en** ~ às escondidas.

cachot [kaʃo] *nm* solitária *f*.

cachotterie [kaʃɔtri] *nf* segredinhos *mpl*; **faire des** ~s **(à qqn)** andar com segredinhos (com alguém).

cachottier, **ère** [kaʃɔtje, ɛr] *adj* que anda com segredinhos.

cacophonie [kakɔfɔni] *nf* cacofonia *f*.

cactus [kaktys] *nm* cacto *m*.

cadastre [kadastr] *nm* cadastro *m*.

cadavre [kadavr] *nm* cadáver *m*; **un ~ d'animal** um animal morto.

Caddie® [kadi] *nm* carrinho *m* (de supermercado).

cadeau, **x** [kado] *nm* prenda *f*; **faire un ~ à qqn** dar uma prenda a alguém; **faire ~ de qqch à qqn** presentear alguém com algo.

cadenas [kadna] *nm* cadeado *m*.

cadenasser [kadnase] *vt* fechar com cadeado.

❏ **se cadenasser** *vp* trancar-se.

cadence [kadɑ̃s] *nf* cadência *f*; **en ~** cadenciadamente.

cadet, **ette** [kadɛ, ɛt] *adj* mais novo (mais nova). ◆ *nm, f* mais novo *m*, mais nova *f (Port)*, caçula *mf (Br)*.

cadran [kadrɑ̃] *nm (de montre, de tableau de bord)* mostrador *m*; **~ solaire** relógio *m* de sol.

cadre [kadr] *nm (bordure)* moldura *f*; *(tableau)* quadro *m*; *(décor)* sítio *m*; *(d'une entreprise)* executivo *m* (-va *f*); *(de vélo)* quadro *m* *(de bicicleta)*; **dans le ~ de** *(fig)* no âmbito de.

cadrer [kadre] *vi* condizer; **ne pas ~ avec qqch** não condizer com algo. ◆ *vt (une photo)* enquadrar.

caduc [kadyk] *adj* caduco(-ca).

cafard [kafar] *nm* barata *f*; **avoir le ~** *(fam)* estar em baixo.

café [kafe] *nm* café *m*; *(au café)* bica *f (Port)*, cafezinho *m (Br)*; **~ crème** OU **au lait** café com leite,

≃ galão *m (Port)*, pingado *m (Br)*; **~ épicé** *(Helv)* café com cravo e canela; **~ liégeois** gelado de café com natas; **~ noir** café simples.

ℹ️ CAFÉ

E stabelecimento público que dá geralmente para a rua, com terraços ou amplas vidraças, em que são servidas bebidas, sandes e refeições rápidas. Alguns deles - sobretudo em Paris - estiveram estreitamente ligados à vida política, cultural ou literária de uma determinada época. Nestes bares o café é consumido de diversas maneiras. Existe, por exemplo, o "café-crème", ao qual se adiciona leite quente; o "café noisette", ligeiramente misturado com leite e o "express" ou "expresso", mais forte, que só se bebe em chávenas pequenas. Ao pequeno-almoço serve-se tradicionalmente um "grand crème", comumente chamado "café au lait", acompanhado de pão com manteiga ou de croissants.

caféine [kafein] *nf* cafeína *f*; **sans ~** sem cafeína.

cafétéria [kafeterja] *nf* cafetaria *f*.

café-théâtre [kafeteatr] *(pl* **cafés-théâtres)** *nm* café-teatro *m*.

cafetière [kaftjɛr] *nf* cafeteira *f*.

cafouiller [kafuje] *vi (fam : personne)* meter os pés pelas mãos; *(moteur)* falhar.

cage [kaʒ] *nf (à oiseau)* gaiola *f*; *(aux fauves)* jaula *f*; *(SPORT)* baliza *f*; **~ d'escalier** escadas *f*.

cageot [kaʒo] *nm (caisse)* caixa *f* (da fruta); *(péj: femme)* canastrão *m*.

cagibi [kaʒibi] *nm* cubículo *m*.

cagnotte [kaɲɔt] *nf (caisse commune)* fundo *m* comum; *(au loto)* jackpot *m*; *(aux cartes)* bolo *m*; *(économies)* pé-de-meia *m*.

cagoule [kagul] *nf (d'enfant)* gorro *m* capuz; *(de gangster)*: **porter une ~** estar embuçado(-da).

cahier [kaje] *nm* caderno *m*; **~ de brouillon** caderno de rascunho; **~ de textes** *caderno onde os alunos da escola primária anotam os trabalhos de casa.*

cahute [kayt] *nf* choça *f*.

caille [kaj] *nf* codorniz *f*.

cailler [kaje] *vi (lait)* coalhar; *(sang)* coagular.

caillot [kajo] *nm* coágulo *m*.

caillou, x [kaju] *nm* pedra *f*.

caïman [kaimã] *nm* caimão *m*.

caisse [kɛs] *nf* caixa *f*; **~ (enregistreuse)** caixa (registadora); **~ d'épargne** caixa de poupança; **~ rapide** caixa-expresso *f*.

caissier, ère [kesje, ɛr] *nm, f* operador *m* (-ra *f*) de caixa.

cajoler [kaʒɔle] *vt* mimar.

cajou [kaʒu] *nm* → **noix**.

cake [kɛk] *nm* bolo *m* inglês.

calamars *nmpl* lulas *fpl*.

calamité [kalamite] *nf* calamidade *f*; **~ naturelle** catástrofe *f* natural.

calanque [kalɑ̃k] *nf* cala *f*.

calcaire [kalkɛr] *nm* calcário *m*.
♦ *adj* calcário(-ria).

calciné, e [kalsine] *adj* calcinado(-da).

calciner [kalsine] *vt* calcinar.

calcium [kalsjɔm] *nm* cálcio *m*.

calcul [kalkyl] *nm* cálculo *m*; *(MÉD)* pedra *f*; **~ mental** cálculo mental.

calculateur, trice [kalkylatœr, tris] *adj & nm,f (péj)* calculista *mf*.
❑ **calculatrice** *nf* calculadora *f*.

calculer [kalkyle] *vt* calcular.

calculette [kalkylɛt] *nf* calculadora *f* de bolso.

cale [kal] *nf* calço *m*.

calé, e [kale] *adj (fam : doué)* bom (boa); **il est très ~** é um sabichão.

caleçon [kalsɔ̃] *nm (sous-vêtement)* boxer *m*; *(pantalon)* calças *fpl* justas.

calembour [kalɑ̃bur] *nm* trocadilho *m*.

calendrier [kalɑ̃drije] *nm* calendário *m*.

cale-pied, s [kalpje] *nm* gancho *m* de pedal.

calepin [kalpɛ̃] *nm* canhenho *m*.

caler [kale] *vt (stabiliser)* calçar.
♦ *vi (voiture, moteur)* ir abaixo; *(fam : à table)* estar cheio (cheia).

calfeutrer [kalføtre] *vt* calafetar.
❑ **se calfeutrer** *vp* : **se ~ chez soi** meter-se em casa.

calibre [kalibr] *nm* calibre *m*; **de gros ~** de grande calibre.

califourchon [kalifurʃɔ̃]: **à califourchon sur** *prép* às cavalitas em.

câlin [kalɛ̃] *nm* mimo *m*; **faire un ~ à qqn** dar mimos a alguém.

calmant [kalmɑ̃] *nm* calmante *m*.

calmars [kalmar] = **calamars**.

calme [kalm] *adj* calmo(-ma).
♦ *nm* calma *f*; **du ~!** calma!

calmer [kalme] *vt (douleur)* aliviar; *(personne)* acalmar.
❑ **se calmer** *vp (personne)* acalmar-se; *(tempête)* amainar; *(douleur)* aliviar.

calomnie [kalɔmni] *nf* calúnia *f*.

calorie [kalɔri] *nf* caloria *f*.

calorique [kalɔrik] *adj* calórico(-ca).

calotte [kalɔt] *nf (bonnet)* solidéu *m*; *(fam : gifle)* tabefe *m*.

❑ **calotte crânienne** *nf* calota *f* craniana.

❑ **calotte glaciaire** *nf* calota *f* polar.

calque [kalk] *nm* : **(papier-)~** papel *m* vegetal.

calquer [kalke] *vt (reproduire)* decalcar; *(imiter)* copiar; *(traduire littéralement)*: ~ **de** OU **sur** ser um decalque de; ~ **qqch sur** imitar algo.

calvados [kalvados] *nm aguardente de maçã.*

calvaire [kalvεr] *nm* calvário *m*.

calvitie [kalvisi] *nf* calvície *f*.

camarade [kamarad] *nmf* colega *mf*; ~ **de classe** colega de turma.

Cambodge [kãbɔdʒ] *nm* : **le ~** o Camboja.

cambouis [kãbwi] *nm* óleo *m*.

cambré, e [kãbre] *adj* arqueado(-da).

cambriolage [kãbrijɔlaʒ] *nm* assalto *m*.

cambrioler [kãbrijɔle] *vt* assaltar.

cambrioleur [kãbrijɔlœr] *nm* assaltante *m*.

caméléon [kameleõ] *nm* camaleão *m*.

camélia [kamelja] *nm* camélia *f*.

camelote [kamlɔt] *nf (péj)* porcaria *f*.

camembert [kamãbεr] *nm* camembert *m*.

caméra [kamera] *nf* câmara *f*.

cameraman [kameraman] *(pl* **cameramen** [kameramεn] OU **cameramans)** *nm* operador *m* (-ra *f*) de câmara.

Caméscope® [kameskɔp] *nm* câmara *f* de vídeo *(Port)*, filmadora *f (Br)*.

camion [kamjõ] *nm* camião *m*.

camion-citerne [kamjõsitεrn] *(pl* **camions-citernes)** *nm* camião-cisterna *m*.

camionnette [kamjɔnεt] *nf* carrinha *f*.

camionneur [kamjɔnœr] *nm (chauffeur)* camionista *m*.

camisole [kamizɔl]
❑ **camisole de force** *nf* camisa--de-forças *f*.

camomille [kamɔmij] *nf (plante)* camomila *f*; *(tisane)* chá *m* de camomila.

camouflage [kamuflaʒ] *nm* camuflagem *f*.

camp [kã] *nm (tentes)* acampamento *m*; *(de joueurs, de sportifs)* campo *m*; ~ **de vacances** campo de férias; **faire un ~ (de vacances)** ir para um campo de férias.

campagnard, e [kãpaɲar, ard] *adj (de la campagne)* rural; *(rustique)* rústico(-ca). ◆ *nm, f* camponês *m* (-esa *f*).

campagne [kãpaɲ] *nf (champs)* campo *m*; *(électorale, publicitaire)* campanha *f*.

campement [kãpmã] *nm* acampamento *m*.

camper [kãpe] *vi* acampar.

campeur, euse [kãpœr, øz] *nm, f* campista *mf*.

camping [kãpiŋ] *nm (terrain)* parque *m* de campismo; *(activité)* campismo *m*; **faire du ~** fazer campismo; ~ **sauvage** campismo selvagem.

camping-car, s [kãpiŋkar] *nm* roulotte *f*.

Camping-Gaz® [kãpiŋgaz] *nm inv* Camping-Gaz® *m*.

Canada [kanada] *nm* : **le ~** o Canadá.

canadien, enne [kanadjẽ, εn] *adj* canadiano(-na).
❑ **Canadien, enne** *nm, f* canadiano *m* (-na *f*).

canadienne [kanadjεn] *nf (veste)* samarra *f*; *(tente)* canadiana *f*.

canaille [kanaj] *adj* maroto(-ta). ◆ *nf* canalha *m*.

canal, aux [kanal, o] *nm* canal *m*; **Canal +** *canal de televisão privado sujeito a assinatura.*

canalisation [kanalizasjɔ̃] *nf* canalização *f*.

canaliser [kanalize] *vt* canalizar.

canapé [kanape] *nm* canapé *m*; ~ **convertible** sofá-cama *m*.

canapé-lit [kanapeli] *(pl* **canapés-lits**) *nm* sofá-cama *m*.

canard [kanar] *nm (animal)* pato *m*; *(sucre)* torrão de açúcar que se molha no café; ~ **laqué** *prato chinês à base de pato macerado em mel e assado;* ~ **à l'orange** pato com laranja.

canari [kanari] *nm* canário *m*.

cancer [kɑ̃sɛr] *nm* cancro *m*; **Cancer** Caranguejo *m (Port)*, Câncer *m (Br)*.

cancéreux, euse [kɑ̃serø, øz] *adj* canceroso(-osa).

cancérigène [kɑ̃seriʒɛn] *adj* cancerígeno(-na).

cancérologue [kɑ̃serɔlɔg] *nmf* oncologista *mf*.

cancre [kɑ̃kr] *nm (fam)* cábula *mf*.

candidat, e [kɑ̃dida, at] *nm, f* candidato *m* (-ta *f*).

candidature [kɑ̃didatyr] *nf* candidatura *f*; **poser sa ~ (à)** apresentar a sua candidatura (a).

candide [kɑ̃did] *adj* cândido(-da).

caneton [kantɔ̃] *nm* patinho *m*.

canette [kanɛt] *nf (bouteille)* garrafa *f*; *(boîte)* lata *f*.

canevas [kanva] *nm (en couture)* talagarça *f*; *(plan)* esqueleto *m*.

caniche [kaniʃ] *nm* caniche *m*.

canicule [kanikyl] *nf* canícula *f*.

canif [kanif] *nm* canivete *m*.

canine [kanin] *nf* dente *m* canino.

caniveau, x [kanivo] *nm* valeta *f*.

canne [kan] *nf* bengala *f*; ~ **à pêche** cana de pesca *(Port)*, vara *f* de pescar *(Br)*.

canneberge [kanəbɛrʒ] *nm (Can)* arando *m*.

cannelle [kanɛl] *nf* canela *f*.

cannelloni(s) [kanelɔni] *nmpl* canelones *mpl*.

cannette [kanɛt] = **canette**.

cannibale [kanibal] *adj & nmf* canibal.

canoë [kanɔe] *nm* canoagem *f*; **faire du ~** fazer canoagem.

canoë-kayak [kanɔekajak] *(pl* **canoës-kayaks**) *nm* kayak *m*; **faire du ~** fazer canoagem.

canon [kanɔ̃] *nm (arme)* canhão *m*; *(d'une arme à feu)* cano *m*; **chanter en ~** cantar em cânone.

canoniser [kanɔnize] *vt* canonizar.

canot [kano] *nm* bote *m*; ~ **pneumatique** bote pneumático; ~ **de sauvetage** bote salva-vidas.

cantal [kɑ̃tal] *nm* queijo *m* cantal.

cantatrice [kɑ̃tatris] *nf* cantora *f* de ópera.

cantine [kɑ̃tin] *nf (restaurant)* cantina *f*.

cantique [kɑ̃tik] *nm* cântico *m*.

canton [kɑ̃tɔ̃] *nm (en France)* ≃ freguesia *f*; *(en Suisse)* cantão *m*.

---

i CANTON

A Suíça é uma confederação de 23 estados chamados cantões, dos quais três estão subdivididos em semicantões. Cada cantão dispõe de poder executivo e legislativo próprios, mas certos âmbitos, tais como política externa, alfândega, moeda e correio dependem exclusivamente do governo federal.

cantonais [kɑ̃tɔnɛ] *adj m* → **riz**.

canular [kanylar] *nm* logro *m*.

caoutchouc [kautʃu] *nm* borracha *f*.

cap [kap] *nm (pointe de terre)* cabo *m*; *(NAVIG)* rumo *m*; **mettre le ~ sur** tomar o rumo de, rumar a.

CAP *nm (abr de Certificat d'aptitude professionnelle)* diploma concedido aos alunos que optam pela via profissional.

capable [kapabl] *adj* capaz; **être ~ de faire qqch** ser capaz de fazer algo.

capacités [kapasite] *nfpl* capacidades *fpl*.

cape [kap] *nf* capa *f*.

CAPES, Capes [kapɛs] *(abr de Certificat d'aptitude au professorat de l'enseignement du second degré) nm certificado de aptidão pedagógica para o ensino secundário.*

capillaire [kapilɛr] *adj* capilar. ◆ *nm (fougère)* avenca *f*; *(vaisseau)* vaso *m* capilar.

capitaine [kapitɛn] *nm* capitão *m* (-ã *f*).

capital, e, aux [kapital, o] *adj & nm* capital.

capitale [kapital] *nf (ville)* capital *f*; *(lettre)* maiúscula *f*.

capitalisme [kapitalism] *nm* capitalismo *m*.

capitonné, e [kapitɔne] *adj* acolchoado(-da).

capituler [kapityle] *vi* capitular; **~ devant qqn/qqch** capitular perante alguém/algo.

caporal, aux [kapɔral, o] *nm* cabo *m*.

capot [kapo] *nm* capô *m*.

capote [kapɔt] *nf (AUT)* capota *f*.

capoter [kapɔte] *vi (Can: fam)* passar-se dos carretos.

câpre [kapr] *nf* alcaparra *f*.

caprice [kapris] *nm (colère)* birra *f*; *(envie)* capricho *m*; **faire un ~** fazer uma birra.

capricieux, euse [kaprisjø, øz] *adj* caprichoso(-osa).

Capricorne [kaprikɔrn] *nm* Capricórnio *m*.

capsule [kapsyl] *nf (de bouteille)* cápsula *f*; **~ spatiale** cápsula espacial.

capter [kapte] *vt (station de radio)* apanhar.

captivant, e [kaptivɑ̃, ɑ̃t] *adj* cativante.

captiver [kaptive] *vt* cativar.

captivité [kaptivite] *nf* cativeiro *m*; **en ~** *(animal)* em cativeiro.

capturer [kaptyre] *vt* capturar.

capuche [kapyʃ] *nf* capuz *m*.

capuchon [kapyʃɔ̃] *nm (d'une veste)* capuz *m*; *(d'un stylo)* tampa *f*.

caquelon [kaklɔ̃] *nm (Helv)* recipiente de barro ou metal no qual se prepara a fondue.

car¹ [kar] *conj* pois.

car² [kar] *nm* autocarro *m (entre cidades)*.

carabine [karabin] *nf* carabina *f*.

caractère [karaktɛr] *nm* carácter *m*; *(tempérament)* feitio *m*; **avoir du ~** *(personne)* ter personalidade; *(maison)* ter estilo; **avoir bon ~** ter bom feitio; **avoir mauvais ~** ter mau feitio; **~s d'imprimerie** caracteres *mpl* de imprensa *(Port)*, letras *fpl* de fôrma *(Br)*.

caractériser [karakterize] *vt* caracterizar.

❏ **se caractériser** *vp* : **se ~ par** caracterizar-se por.

caractéristique [karakteristik] *nf* característica *f*. ◆ *adj* : **~ de** característico(-ca) de.

carafe [karaf] *nf* garrafa *f*.

Caraïbes [karaib] *nfpl* : **les ~** as Caraíbas.

carambolage [karãbɔlaʒ] *nm (fam)* choque *m*.

caramel [karamɛl] *nm* caramelo *m*.

carapace [karapas] *nf* carapaça *f*.

carat [kara] *nm* quilate *m*; 18 ~s 18 quilates.

caravane [karavan] *nf* caravana *f*.

caravelle [karavɛl] *nf* caravela *f*.

carbonade [karbɔnad] *nf* : ~s flamandes *(Helv) ensopado de carne de vaca guisada com cerveja*.

carbone [karbɔn] *nm* carbono *m*; **(papier)** ~ papel *m* químico.

carboniser [karbɔnize] *vt (consumer)* carbonizar; *(laisser brûler)* esturrar.

carburant [karbyrã] *nm* carburante *m*.

carburateur [karbyratœr] *nm* carburador *m*.

carcasse [karkas] *nf (d'animal)* carcaça *f*; *(de voiture)* carroçaria *f*.

cardiaque [kardjak] *adj* cardíaco(-ca).

cardigan [kardigã] *nm* casaco *m* de lã.

cardinal, e, aux [kardinal, o] *adj (nombre)* cardinal; *(point)* cardeal; *(principal)* principal.
❏ **cardinal** *nm (RELIG)* cardeal *m*; *(nombre)* numeral *m* cardinal.

cardinaux [kardino] *adj mpl* → **point**.

cardiologue [kardjolɔg] *nmf* cardiologista *mf*.

carême [karɛm] *nm (RELIG)* Quaresma *f*; *(jeûne)* abstinência *f*.

carence [karãs] *nf* carência *f*; ~ **en** carência de.

caresse [karɛs] *nf* carícia *f*.

caresser [karese] *vt* acariciar.

cargaison [kargɛzɔ̃] *nf* carregamento *m*.

cargo [kargo] *nm* cargueiro *m*.

caricature [karikatyr] *nf (dessin)* caricatura *f*.

carie [kari] *nf* cárie *f*.

carillon [karijɔ̃] *nm* carrilhão *m*.

carlingue [karlɛ̃g] *nf* carlinga *f*.

carnage [karnaʒ] *nm* carnificina *f*.

carnaval [karnaval] *nm* Carnaval *m*.

ℹ️ CARNAVAL

Este período festivo, que vai do Dia de Reis até à quarta-feira de cinzas, é comemorado em certas cidades com desfiles de carros alegóricos e de pessoas mascaradas. O mais célebre é o de Nice, famoso pelos seus carros enfeitados com flores. Na Bélgica, a cidade de Binge é famosa pelos seus gigantes, chamados "gilles".

---

carnet [karnɛ] *nm (cahier)* caderno *m*; *(de tickets)* módulo *m*; *(de timbres)* carteira *f*; ~ **d'adresses** livro *m* de moradas; ~ **de chèques** livro *m* de cheques *(Port)*, talão *m* de cheques *(Br)*; ~ **de notes** ≃ ficha *f* de informação.

carnivore [karnivɔr] *adj & nm* carnívoro(-ra).

carnotzet [karnɔtze] *nm (Helv) local onde se servem pratos à base de queijo, como a raclette*.

carotte [karɔt] *nf* cenoura *f*.

carpe [karp] *nf* carpa *f*.

carpette [karpɛt] *nf* tapete *m*.

carré, e [kare] *adj* quadrado(-da). ◆ *nm (forme géométrique)* quadrado *m*; *(de chocolat)* rectângulo *m*; *(d'agneau, de porc)* carré *m*; **deux mètres ~s** dois metros quadrados; **deux au** ~ dois ao quadrado.

carreau, x [karo] *nm (vitre)* vidraça *f*; *(sur le sol)* ladrilho *m*; *(sur les murs)* azulejo *m*; *(carré)* quadrado *m*; *(aux cartes)* ouros *mpl*; **à ~x** aos quadrados; *(tissu)* de xadrez.

carrefour [karfur] *nm* cruzamento *m*.

carrelage [karlaʒ] *nm* tijoleira *f*.

carrément [karemɑ̃] *adv (franchement)* francamente; *(très)* mesmo.

carrière [karjɛr] *nf (de pierre)* pedreira *f*; *(profession)* carreira *f*; **faire ~ dans qqch** fazer carreira em algo.

carriole [karjɔl] *nf* carroça *f* pequena.

carrossable [karɔsabl] *adj* circulável.

carrosse [karɔs] *nm* coche *m*.

carrosserie [karɔsri] *nf* carroçaria *f*.

carrure [karyr] *nf* largura *f* de ombros.

cartable [kartabl] *nm* pasta *f* escolar.

carte [kart] *nf (à jouer)* carta *f*; *(document officiel)* cartão *m*; *(plan)* mapa *m*; *(de restaurant)* ementa *f*; **à la ~** à lista; **~ bancaire** cartão bancário; **Carte Bleue**® ≃ cartão multibanco; **~ de crédit** cartão de crédito; **~ d'embarquement** cartão de embarque; **~ grise** livrete *m*; **~ (nationale) d'identité** bilhete *m* de identidade *(Port)*, carteira *f* de identidade *(Br)*; **Carte Orange** ≃ passe *m* social; **~ postale** postal *m (Port)*, cartão postal *(Br)*; **~ téléphonique** OU **de téléphone** Credifone® *m*, cartão telefónico; **~ de visite** cartão de visita.

CARTE (NATIONALE) D'IDENTITÉ

D ocumento oficial de identidade, do qual consta a morada, o estado civil, uma breve descrição do aspecto físico e uma fotografia do titular. Este bilhete de identidade é concedido a todas as pessoas de nacionalidade francesa. É obrigatório para todos os cidadãos maiores de idade e deve ser apresentado sempre que a polícia fizer um controlo de identidade, na rua, nos transportes públicos, etc. É também necessário aquando de deslocamentos no interior da União Europeia e pode ser exigido pelos comerciantes quando se paga com cheque.

---

cartilage [kartilaʒ] *nm* cartilagem *f*.

cartomancien, enne [kartɔmɑ̃sjɛ̃, ɛn] *nm, f* cartomante *mf*.

carton [kartɔ̃] *nm* cartão *m*; *(boîte)* caixote *m* de papelão.

cartonné, e [kartɔne] *adj* de cartão; *(livre)* encadernado(-da).

carton-pâte [kartɔ̃pat] *(pl* **cartons-pâtes)** *nm* pasta *f* de cartão.

cartouche [kartuʃ] *nf (munition)* cartucho *m*; *(d'encre)* recarga *f*; *(de cigarettes)* embalagem *f*.

cas [ka] *nm* caso *m*; **au ~ où** no caso de; **dans ce ~** nesse caso; **en ~ de** em caso de; **en tout ~** em todo o caso.

cascade [kaskad] *nf (chute d'eau)* cascata *f*; *(au cinéma)* cena *f* perigosa.

cascadeur, euse [kaskadœr, øz] *nm, f* duplo *m*.

case [kaz] *nf (de damier, de mots croisés)* casa *f*; *(de meuble)* escaninho *m*; *(hutte)* choupana *f*.

caser [kaze] *vt (placer)* enfiar; *(fam : trouver un emploi pour)* conseguir um emprego para; *(fam : marier)* arrumar.
❏ **se caser** *vp (fam) (trouver un emploi)* arranjar emprego; *(se marier)* arrumar-se.

caserne [kazɛrn] *nf* caserna *f*; ~ **des pompiers** quartel *m* dos bombeiros.

cash [kaʃ] *nm* dinheiro *m*; **payer** ~ pagar a dinheiro.

casier [kazje] *nm* cacifo *m*; ~ **à bouteilles** garrafeira *f*; ~ **judiciaire** registo *m* criminal.

casino [kazino] *nm* casino *m*.

casque [kask] *nm (de moto, d'ouvrier, de soldat)* capacete *m*; *(écouteurs)* auscultadores *mpl*.

casquette [kaskɛt] *nf* boné *m*.

casse [kas] *nm (fam)* assalto *m*.
♦ *nf (action de casser)* cacos *mpl*; *(fam : violence)* barulho *m*; *(de voitures)* ferro-velho *m*; *(en typographie)* caixa *f*; **haut/bas de** ~ caixa alta/baixa.

casse-cou [kasku] *nmf inv* temerário *m* (-ria *f*).

casse-croûte [kaskrut] *nm inv* bucha *f*.

casse-noix [kasnwa] *nm inv* quebra-nozes *m inv*.

casse-pieds [kaspje] *(fam) adj inv & nmf inv* chato(-ta).

casser [kase] *vt* partir; ~ **les oreilles à qqn** *(fam)* dar cabo dos ouvidos a alguém; ~ **les pieds à qqn** *(fam)* chatear o juízo a alguém.
❏ **se casser** *vp* partir-se; **se ~ le bras** partir o braço; **se ~ la figure** *(fam)* dar um trambolhão.

casserole [kasrɔl] *nf* panela *f*.

casse-tête [kastɛt] *nm inv* quebra-cabeças *m inv*.

cassette [kasɛt] *nf* cassete *f*; ~ **vidéo** cassete de vídeo *(Port)*, fita *f* (de vídeo) *(Br)*.

cassis [kasis] *nm* cássis *m*.

cassoulet [kasulɛ] *nm* ≃ feijoada *f*.

cassure [kasyr] *nf (brisure)* fenda *f*; *(fig: rupture)* ruptura *f*.

casting [kastiŋ] *nm (gén)* audição *f*; *(d'un film)* distribuição *f* de papéis; **aller à un** ~ ir a uma audição.

castor [kastɔr] *nm* castor *m*.

cataclysme [kataklism] *nm* cataclismo *m*.

catalogue [katalɔg] *nm* catálogo *m*.

cataloguer [katalɔge] *vt* catalogar; ~ **qqn comme** *(péj)* classificar alguém de.

catalytique [katalitik] *adj* catalítico(-ca).

catamaran [katamarɑ̃] *nm* catamarã *m*.

cataracte [katarakt] *nf* catarata *f*.

catastrophe [katastrɔf] *nf* catástrofe *f*.

catastrophé, e [katastrɔfe] *adj* preocupadíssimo(-ma).

catastrophique [katastrɔfik] *adj* catastrófico(-ca).

catch [katʃ] *nm* luta *f* livre.

catéchisme [kateʃism] *nm* catequese *f*.

catégorie [kategɔri] *nf* categoria *f*.

catégorique [kategɔrik] *adj* categórico(-ca).

cathédrale [katedral] *nf* catedral *f*.

catholicisme [katɔlisism] *nm* catolicismo *m*.

catholique [katɔlik] *adj & nmf* católico(-ca).

catimini [katimini]
❏ **en catimini** *loc adv* à socapa.

cauchemar [koʃmar] *nm* pesadelo *m*.

cause [koz] *nf* causa *f*; **'fermé**

pour ~ de...' 'fechado para...'; **à ~ de** por causa de.

causer [koze] *vt (provoquer)* causar. ♦ *vi (parler)* conversar.

cautériser [koterize] *vt* cauterizar.

caution [kosjɔ̃] *nf (paiement)* caução *f*; *(personne)* fiador *m* (-ra *f*).

cautionner [kosjɔne] *vt (JUR: se porter garant)* caucionar; *(fig: appuyer)* apoiar.

cavalerie [kavalri] *nf* cavalaria *f*.

cavalier, ère [kavalje, ɛr] *nm, f (à cheval)* cavaleiro *m* (-ra *f*); *(partenaire)* par *m*. ♦ *nm (aux échecs)* cavalo *m*.

cave [kav] *nf* cave *f*.

caverne [kavɛrn] *nf* caverna *f*.

caviar [kavjar] *nm* caviar *m*.

cavité [kavite] *nf* cavidade *f*.

CB *abr* = **Carte Bleue®**.

CCP *(abr de* **compte chèque postal***) nm* conta corrente aberta nos Correios em França.

CD *nm (abr de* **Compact Disc®***)* CD *m*.

CDD *(abr de* **contrat à durée déterminée***) nm* : **elle est en ~** ela tem um contrato a termo certo.

CDI *nm (abr de* **centre de documentation et d'information***)* biblioteca de uma escola secundária.

CD-I *nm (abr de* **Compact Disc® interactif***)* CD-i *m*.

CD-ROM [sederɔm] *nm* CD--ROM *m*.

ce *(f* **cette** [sɛt], *pl* **ces** [se]*) adj* **1.** *(proche dans l'espace ou dans le temps)* este (esta); **cette nuit** esta noite; **c'est ce lundi ou celui d'après?** é nesta segunda-feira ou na outra?
2. *(éloigné dans l'espace ou dans le temps)* esse (essa); **donne-moi ~ livre** dá-me esse livro.

3. *(très éloigné dans l'espace ou dans le temps)* aquele (aquela); **cette année-là** naquele ano.

♦ *pron* **1.** *(pour mettre en valeur)*: **c'est mon frère** é o meu irmão; **c'est moi!** sou eu!; **~ sont mes chaussettes** são as minhas meias; **c'est votre collègue qui m'a renseigné** foi o seu colega que me informou.
2. *(dans des interrogations)*: **est-~ bien là?** é mesmo aqui?; **qui est-~?** quem é?
3. *(avec un relatif)*: **~ que tu voudras** o que tu quiseres; **~ qui nous intéresse, ce sont les paysages** o que nos interessa, são as paisagens; **~ dont vous aurez besoin en camping** aquilo de que precisará no campismo.
4. *(en intensif)*: **~ qu'il fait chaud!** que calor que está!

CE *nm (abr de* **cours élémentaire***)*: **~1** ≈ segunda classe *f* (da escola primária); **~2** ≈ terceira classe *f* (da escola primária).

ceci [səsi] *pron* isto; **~ veut dire que** isto quer dizer que.

cécité [sesite] *nf* cegueira *f*.

céder [sede] *vt (laisser)* ceder. ♦ *vi (ne pas résister)* ceder; *(casser)* partir; **'cédez le passage'** 'ceder a passagem'; **~ à** ceder a.

CEDEX [sedeks] *nm* CODEX *m*.

cédille [sedij] *nf* cedilha *f*; **c ~ c** cedilha.

cèdre [sɛdr] *nm* cedro *m*.

CEE *nf (abr de* **Communauté économique européenne***)* CEE *f*.

CEI *nf (abr de* **Communauté d'États indépendants***)* CEI *f*.

ceinture [sɛ̃tyr] *nf* cintura *f*; *(accessoire)* cinto *m*; **~ de sécurité** cinto de segurança.

ceinturon [sɛ̃tyrɔ̃] *nm* cinturão *m*.

cela [səla] *pron dém* isso; **~ ne**

fait rien não faz mal; **comment ~?** como assim?; **c'est ~** *(c'est exact)* é isso.

célèbre [selɛbr] *adj* célebre.

célébrer [selebre] *vt* celebrar.

célébrité [selebrite] *nf* celebridade *f*.

céleri [sɛlri] *nm* aipo *m*; **~ rémoulade** *aipo ralado servido frio com maionese.*

céleste [selɛst] *adj* celeste.

célibataire [selibatɛr] *adj & nmf* solteiro(-ra).

celle → celui.

celle-ci → celui-ci.

celle-là → celui-là.

Cellophane® [selɔfan] *nf* celofane *m*; **sous ~** envolvido em celofane.

cellulaire [selylɛr] *adj* celular.

cellule [selyl] *nf* célula *f*; *(cachot)* cela *f*.

cellulite [selylit] *nf* celulite *f*.

celui [səlɥi] *(f* **celle** [sɛl], *mpl* **ceux** [sø]) *pron* aquele(-ela); **~ de devant** o da frente; **~ de Pierre** o do Pedro; **~ qui part à 13 h 30** aquele que parte às 13 h 30; **ceux dont je t'ai parlé** aqueles de que te falei.

celui-ci [səlɥisi] *(f* **celle-ci** [sɛlsi], *mpl* **ceux-ci** [søsi]) *pron (dans l'espace)* este (esta); *(dont on vient de parler)* este (essa).

celui-là [səlɥila] *(f* **celle-là** [sɛlla], *mpl* **ceux-là** [søla]) *pron* aquele(-ela).

cendre [sãdr] *nf* cinza *f*.

cendrier [sãdrije] *nm* cinzeiro *m*.

censé, e [sãse] *adj* : **il est ~ être à Paris** ele devia estar em Paris; **elle n'est pas censée le savoir** ela não deve sabê-lo.

censure [sãsyr] *nf* censura *f*.

censurer [sãsyre] *vt* censurar.

cent [sã] *num* cem; **pour ~** por cento; → six.

centaine [sãtɛn] *nf* : **une ~ (de)** uma centena (de).

centenaire [sãtnɛr] *adj & nmf* centenário(-ria). ♦ *nm* centenário *m*.

centième [sãtjɛm] *num* centésimo; → **sixième**.

centilitre [sãtilitr] *nm* centilitro *m*.

centime [sãtim] *nm* cêntimo *m*, ≃ centavo *m*.

centimètre [sãtimɛtr] *nm* centímetro *m*.

central, e, aux [sãtral, o] *adj* central.

centrale [sãtral] *nf* central *f*; **~ nucléaire** central nuclear *(Port)*, usina *f* nuclear *(Br)*.

centraliser [sãtralize] *vt* centralizar.

centre [sãtr] *nm* centro *m*; *(point essentiel)* cerne *m*; **~ aéré** *centro de actividades ao ar livre para crianças*; **~ commercial** centro comercial.

centrer [sãtre] *vt* centrar.

centre-ville [sãtrəvil] *(pl* **centres-villes**) *nm* centro *m* da cidade.

centrifugeuse [sãtrifyʒøz] *nf* centrifugadora *f*.

centuple [sãtypl] *nm* cêntuplo *m*; **au ~** cem vezes mais.

cèpe [sɛp] *nm* boleto *m (cogumelo)*.

cependant [səpãdã] *conj* no entanto.

céramique [seramik] *nf* cerâmica *f*.

cercle [sɛrkl] *nm* círculo *m*.

cercueil [sɛrkœj] *nm* caixão *m*.

céréale [sereal] *nf* cereal *m*; **des ~s** cereais *mpl*.

cérémonie [seremɔni] *nf* cerimónia *f*.

cerf [sɛr] *nm* cervo *m*.

cerfeuil [sɛrfœj] *nm* cerefólio *m*.

cerf-volant [sɛrvɔlɑ̃] (*pl* **cerfs-volants**) *nm* papagaio *m (Port)*, pipa *f (Br)*.

cerise [səriz] *nf* cereja *f*.

cerisier [sərisje] *nm* cerejeira *f*.

cerner [sɛrne] *vt (ville, ennemi)* cercar; *(fig: problème)* delimitar.

cernes [sɛrn] *nmpl* olheiras *fpl*.

certain, e [sɛrtɛ̃, ɛn] *adj & pron* certo(-ta); **être ~ de (faire) qqch** estar certo de (fazer) algo; **être ~ que** estar certo de que; **un ~ temps** um certo tempo; **un ~ Jean** um chamado João. ❏ **certains, certaines** *adj & pron* alguns(-mas); **~s pensent que...** certas pessoas pensam que...

certainement [sɛrtɛnmɑ̃] *adv (probablement)* certamente; *(bien sûr)* com certeza.

certes [sɛrt] *adv (bien sûr)* decerto; *(il est vrai que)* é verdade que.

certificat [sɛrtifika] *nm* certificado *m*; **~ médical** atestado *m* médico; **~ de scolarité** certificado *m* de escolaridade.

certifier [sɛrtifje] *vt* certificar; **certifié conforme à l'original** autenticado conforme o original.

certitude [sɛrtityd] *nf* certeza *f*.

cerveau, x [sɛrvo] *nm* cérebro *m*.

cervelas [sɛrvəla] *nm* espécie de salpicão.

cervelle [sɛrvɛl] *nf* miolos *mpl*.

cervical, e, aux [sɛrvikal, o] *adj* cervical; **(vertèbre) ~e** vértebra cervical.

ces → **ce**.

CES *nm (abr de* **collège d'enseignement secondaire***) antigo nome dado às escolas preparatórias.*

césarienne [sezarjɛn] *nf* cesariana *f*.

césars [sezar] *nmpl prémio cinematográfico*, césares *mpl*.

---

i **CÉSARS**

A entrega dos césares é a versão francesa dos óscares norte-americanos. Desde 1976, todos os anos, no mês de Março, os profissionais da indústria cinematográfica francesa escolhem o melhor filme francês, o melhor filme estrangeiro, o melhor realizador, actor, etc. O nome "césar" provém do próprio nome do escultor dos troféus que são entregues aos vencedores.

---

cesse [sɛs]: **sans cesse** *adv* sem cessar.

cesser [sese] *vi* cessar; **~ de faire qqch** cessar de fazer algo.

cessez-le-feu [seselfø] *nm inv* cessar-fogo *m*.

cession [sɛsjɔ̃] *nf* cessão *f*; *(d'un bail)* trespasse *m*.

c'est-à-dire [setadir] *adv* quer dizer.

cet → **ce**.

cétacé [setase] *nm* cetáceo *m*.

cette → **ce**.

ceux → **celui**.

ceux-ci → **celui-ci**.

ceux-là → **celui-là**.

Cf. *(abr de* **confer***)* Cf.

chacun, e [ʃakœ̃, yn] *pron (chaque personne)* cada um (cada uma); *(tout le monde)* cada qual; **~ pour soi** cada um por si.

chagrin [ʃagrɛ̃] *nm* desgosto *m*; **avoir du ~** estar triste.

chahut [ʃay] *nm* chinfrim *m*; **faire du ~** fazer chinfrim.

chahuter [ʃayte] *vt* gozar com.

chaîne [ʃɛn] *nf (suite de maillons)* corrente *f; (bijou)* fio *m; (suite)* série *f; (de télévision)* canal *m; (d'hôtels, de restaurants)* cadeia *f;* **à la ~** em cadeia; **~ (hi-fi)** aparelhagem *f* (de som); **~ laser** aparelhagem laser; **~ de montagnes** cordilheira *f.*
❑ **chaînes** *nfpl (de voiture)* correntes *fpl.*

chaînon [ʃɛnɔ̃] *nm* elo *m;* **~ manquant** elo que falta.

chair [ʃɛr] *nf (d'animal)* carne *f.*
♦ *adj (couleur)* de pele; **~ à saucisse** carne picada; **en ~ et en os** em carne e osso; **avoir la ~ de poule** ficar com pele de galinha.

chaise [ʃɛz] *nf* cadeira *f;* **~ longue** espreguiçadeira *f.*

châle [ʃal] *nm* xaile *m.*

chalet [ʃalɛ] *nm (de bois)* chalé *m; (Can: maison de campagne)* casa *f* de campo.

chaleur [ʃalœr] *nf* calor *m.*

chaleureux, euse [ʃalœrø, øz] *adj* caloroso(-osa).

chaloupe [ʃalup] *nf (Can)* barca *f.*

chalumeau, x [ʃalymo] *nm* maçarico *m.*

chalutier [ʃalytje] *nm* arrastão *m.*

chamailler [ʃamaje]: **se chamailler** *vp* brigar.

chamailler [ʃamaje]
❑ **se chamailler** *vp (fam)* bulhar.

chambre [ʃɑ̃br] *nf:* **~ (à coucher)** quarto *m* (de dormir); **~ à air** câmara-de-ar *f;* **~ d'amis** quarto de hóspedes; **Chambre des députés** Câmara *f* dos deputados; **~ double** quarto duplo; **~ simple** quarto individual.

chameau, x [ʃamo] *nm* camelo *m.*

chamois [ʃamwa] *nm → peau.*

champ [ʃɑ̃] *nm* campo *m (Port)*, roça *f (Br);* **~ de bataille** campo de batalha; **~ de courses** hipódromo *m.*

champagne [ʃɑ̃paɲ] *nm* champanhe *m.*

i CHAMPAGNE

Vinho branco espumante (também existe champagne rosé), produzido na região do mesmo nome, no nordeste da França. Bebida de grande renome, é imprescindível em todos os acontecimentos familiares importantes ou em comemorações oficiais. Também pode ser tomado como aperitivo, puro ou com licor de cássis, tornando-se, neste caso, um "kyr royal".

champêtre [ʃɑ̃pɛtr] *adj* campestre.

champignon [ʃɑ̃piɲɔ̃] *nm* cogumelo *m;* **~s à la grecque** cogumelos à grega; **~ de Paris** champignon *m.*

champion, onne [ʃɑ̃pjɔ̃, ɔn] *nm, f* campeão *m* (-ã *f*).

championnat [ʃɑ̃pjɔna] *nm* campeonato *m.*

chance [ʃɑ̃s] *nf (sort favorable)* sorte *f; (probabilité)* hipótese *f;* **avoir de la ~** ter sorte; **avoir des ~s de faire qqch** ter hipóteses de fazer algo; **bonne ~!** boa sorte!

chanceler [ʃɑ̃sle] *vi* cambalear.

chancelier [ʃɑ̃səlje] *nm* chanceler *m.*

chanceux, euse [ʃɑ̃sø, øz] *adj* sortudo(-da).

chandail [ʃɑ̃daj] *nm* camisola *f* de lã.

Chandeleur [ʃɑ̃dlœr] *nf:* **la ~** a festa das Candeias.

i CHANDELEUR

A "Chandeleur" é cele-brada no dia dois de Fevereiro. Nesta ocasião, preparam-se crepes numa frigideira cujo cabo é segurado com uma só mão, já que a outra contém uma moeda. Segundo a tradição popular, o ano será próspero se se conseguir lançar o crepe para cima de modo a virá-lo, e apanhá-lo de novo com a frigideira, sem o deixar cair ao chão.

chandelier [ʃãdəlje] *nm* castiçal *m*.

chandelle [ʃãdɛl] *nf* vela *f*.

change [ʃãʒ] *nm (taux)* câmbio *m*.

changement [ʃãʒmã] *nm* mudança *f*; ~ **de vitesse** alavanca *f* das mudanças.

changer [ʃãʒe] *vt* mudar; *(argent)* trocar; *(bébé)* mudar a fralda de. ◆ *vi* mudar; ~ **des francs en dollars** trocar francos em dólares; ~ **de** mudar de.
❏ **se changer** *vp (s'habiller)* trocar de roupa; **se** ~ **en** transformar-se em.

chanson [ʃãsõ] *nf* canção *f*.

chansonnier, ère [ʃãsɔnje, ɛr] *nm, f* cançonetista *mf*.

chant [ʃã] *nm* canto *m*.

chantage [ʃãtaʒ] *nm* chantagem *f*.

chanter [ʃãte] *vt & vi* cantar.

chanteur, euse [ʃãtœr, øz] *nm, f* cantor *m* (-ra *f*).

chantier [ʃãtje] *nm* obra *f*.

chantilly [ʃãtiji] *nf* : **(crème)** ~ chantilly *m*.

chantonner [ʃãtɔne] *vi* cantarolar.

chaos [kao] *nm* caos *m*.

chaotique [kaɔtik] *adj* caótico(-ca).

chapeau, x [ʃapo] *nm* chapéu *m*; ~ **de paille** chapéu de palha.

chapelet [ʃaplɛ] *nm (RELIG)* rosário *m*; *(succession)* enfiada *f*.

chapelle [ʃapɛl] *nf* capela *f*.

chapelure [ʃaplyr] *nf* pão *m* ralado.

chapiteau, x [ʃapito] *nm (de cirque)* capitel *m*.

chapitre [ʃapitr] *nm* capítulo *m*.

chapon [ʃapõ] *nm* capão *m*.

chaque [ʃak] *adj* cada; ~ **mercredi** todas as quartas-feiras.

char [ʃar] *nm (de carnaval)* carro *m* alegórico; *(Can: voiture)* carro *m*; ~ **(d'assaut)** tanque *m*; ~ **à voile** *prancha com rodas propulsada por uma vela.*

charabia [ʃarabja] *nm (fam)* algaraviada *f*.

charade [ʃarad] *nf* charada *f*.

charbon [ʃarbõ] *nm* carvão *m*.

charcuterie [ʃarkytri] *nf (aliments)* charcutaria *f (Port)*, frios *mpl (Br)*; *(magasin)* charcutaria *f (Port)*, casa *f* de frios *(Br)*.

charcutier, ère [ʃarkytje, ɛr] *nm, f* salsicheiro *m* (-ra *f*).

chardon [ʃardõ] *nm* cardo *m*.

charge [ʃarʒ] *nf (cargaison)* carga *f*; *(fig: gêne)* fardo *m*; *(responsabilité)* cargo *m*; **prendre qqch en** ~ *(frais)* assumir algo; *(dossier)* encarregar-se de algo.
❏ **charges** *nfpl (d'un appartement)* condomínio *m*.

chargé, e [ʃarʒe] *adj* pesado(-da); *(encombré, couvert)* carregado(-da); *(occupé)* cheio (cheia). ◆ *nm, f* encarregado *m* (-da *f*); **(être)** ~ **de** *(encombré)* (estar) carregado com OU de; *(responsable)* (estar) carregado de.

chargement [ʃarʒəmã] *nm* carregamento *m*.

charger [ʃarʒe] *vt (gén)* carregar; *(appareil photo)* pôr o rolo em; ~ **qqn de faire qqch** encarregar alguém de fazer algo.

❏ **se charger de** *vp + prép* encarregar-se de.

chargeur [ʃarʒœr] *nm* carregador *m*.

chariot [ʃarjo] *nm (charrette)* carrinho *m*; *(au supermarché)* carrinho *m* (de supermercado); *(de machine à écrire)* carreto *m*.

charisme [karism] *nm* carisma *m*.

charitable [ʃaritabl] *adj* caridoso(-osa).

charité [ʃarite] *nf* caridade *f*; **demander la** ~ pedir esmola.

charlatan [ʃarlatã] *nm (péj)* charlatão *m*.

charlotte [ʃarlɔt] *nf* charlota *f*.

charmant, e [ʃarmã, ãt] *adj* encantador(-ra).

charme [ʃarm] *nm* encanto *m*.

charmer [ʃarme] *vt* encantar.

charmeur, euse [ʃarmœr, øz] *adj* encantador(-ra). ◆ *nm, f* sedutor *m* (-ra *f*).

❏ **charmeur de serpents** *nm* encantador *m* de serpentes.

charnel, elle [ʃarnɛl] *adj* carnal.

charnier [ʃarnje] *nm* vala *f* comum.

charnière [ʃarnjɛr] *nf* charneira *f*.

charnu, e [ʃarny] *adj* carnudo(-da).

charogne [ʃarɔɲ] *nf* carcaça *f*.

charpente [ʃarpãt] *nf* vigamento *m*.

charpentier [ʃarpãtje] *nm* carpinteiro *m*.

charrette [ʃarɛt] *nf* carroça *f*.

charrue [ʃary] *nf* arado *m*.

charte [ʃart] *nf* carta *f*.

charter [ʃartɛr] *nm* : **(vol)** ~ (voo) charter *m*.

chas [ʃa] *nm* buraco *m* da agulha.

chasse [ʃas] *nf* caça *f*; **aller à la** ~ ir à caça; **tirer la** ~ **(d'eau)** puxar o autoclismo.

chassé-croisé [ʃasekrwaze] *(pl* **chassés-croisés)** *nm* vaivém *m*; **le** ~ **des vacanciers** os veraneantes que se cruzam na estrada.

chasselas [ʃasla] *nm (Helv) casta de vinhos brancos.*

chasse-neige [ʃasnɛʒ] *nm inv (véhicule)* limpa-neves *m inv*; *(au ski) posição de esquiador na qual os esquis convergem.*

chasser [ʃase] *vt (animal)* caçar; *(personne)* mandar embora. ◆ *vi* caçar; ~ **qqn de** mandar alguém embora de.

chasseur [ʃasœr] *nm* caçador *m*.

châssis [ʃasi] *nm (de voiture)* chassis *m inv*; *(de fenêtre)* caixilho *m*.

chaste [ʃast] *adj* casto(-ta).

chat, chatte [ʃa, ʃat] *nm, f* gato *m* (-ta *f*); **avoir un** ~ **dans la gorge** ter pigarro.

châtaigne [ʃatɛɲ] *nf* castanha *f*.

châtaignier [ʃatɛɲe] *nm* castanheiro *m*.

châtain [ʃatɛ̃] *adj* castanho(-nha).

château, x [ʃato] *nm* castelo *m*; ~ **d'eau** depósito *m* de água; ~ **fort** castelo.

---

i CHÂTEAUX DE LA LOIRE

Assim se designa o conjunto de moradias reais ou senhoriais construídas no vale do rio Loire, no centro-oeste de França, entre os séculos XVI e XVII, em que predomina, naturalmente, o estilo renascentista. Os principais castelos são Chambord, mandado construir por Francisco I; Chenonceaux, construído sobre arcos que mergulham no rio Cher, e Azay-le-Rideau, situado numa ilhota do rio Indre.

---

châtiment [ʃatimã] *nm* castigo *m*; ~ **corporel** castigo corporal.

chaton [ʃatɔ̃] *nm* gatinho *m* (-nha *f*).

chatouiller [ʃatuje] *vt* fazer cócegas.

chatouilleux, euse [ʃatujø, øz] *adj* que tem cócegas.

chatte → **chat**.

chaud, e [ʃo, ʃod] *adj* quente. ◆ *nm* : **rester au** ~ ficar no quentinho; **il fait** ~ está calor; **avoir** ~ ter calor; **tenir** ~ agasalhar.

chaudière [ʃodjɛr] *nf* caldeira *f*.

chaudron [ʃodrɔ̃] *nm* caldeirão *m*.

chaudronnée [ʃodrɔne] *nf (Can) caldo com diversos peixes do mar*, ≃ caldeirada *f*.

chauffage [ʃofaʒ] *nm* aquecimento *m*; ~ **central** aquecimento central.

chauffant, e [ʃofã, ãt] *adj* que aquece; *(plaque, couverture)* eléctrico(-ca).

chauffante [ʃofãt] *adj f* → **plaque**.

chauffard [ʃofar] *nm* : **c'est un** ~ conduz como um doido.

chauffe-eau [ʃofo] *nm inv (à gaz)* esquentador *m*; *(électrique)* cilindro *m*, termo-acumulador *m*.

chauffer [ʃofe] *vt & vi* aquecer.

chauffeur [ʃofœr] *nm* motorista *mf*; ~ **de taxi** motorista de táxi.

chaumière [ʃomjɛr] *nf casa com telhado de colmo*.

chaussée [ʃose] *nf* pavimento *m*; '~ **déformée**' 'piso em mau estado'.

chausse-pied, s [ʃospje] *nm* calçadeira *f*.

chausser [ʃose] *vi* : ~ **du 38** calçar 38.
❏ **se chausser** *vp* calçar-se.

chaussette [ʃosɛt] *nf* meia *f*.

chausson [ʃosɔ̃] *nm (pantoufle)* pantufa *f*; *(CULIN)* empada *f* (doce); ~ **aux pommes** *empada de maçã*; ~**s de danse** sapatos *mpl* de bailarina.

chaussure [ʃosyr] *nf* sapato *m*; ~**s de marche** botas *fpl* (de montanha).

chauve [ʃov] *adj* careca.

chauve-souris [ʃovsuri] *(pl* **chauves-souris)** *nf* morcego *m*.

chauvin, e [ʃovɛ̃, in] *adj* chauvinista.

chaux [ʃo] *nf* cal *f*; **blanchi à la** ~ caiado.

chavirer [ʃavire] *vi* voltar-se.

chef [ʃɛf] *nm (directeur)* chefe *m*; *(cuisinier)* chefe *m* cozinheiro; ~ **d'entreprise** empresário *m* (-ria *f*); ~ **d'État** chefe de Estado; ~ **de gare** chefe-de-estação *m*; ~ **d'orchestre** maestro *m*.

chef-d'œuvre [ʃɛdœvr] *(pl* **chefs-d'œuvre)** *nm* obra-prima *f*.

chef-lieu [ʃɛfljø] *(pl* **chefs-lieux)** *nm* capital duma divisão administrativa.

chemin [ʃəmɛ̃] *nm* caminho *m*; **en** ~ a caminho.

chemin de fer [ʃ(ə)mɛ̃dfɛr] *(pl* **chemins de fer)** *nm* caminho-de-ferro *m* (Port), estrada *f* de ferro, ferrovia *f (Br)*.

cheminée [ʃəmine] *nf* chaminé *f*.

cheminement [ʃəminmã] *nm (de marcheurs)* avanço *m*; *(des eaux)* progressão *f*; *(fig: d'une idée, de la pensée)* desenvolvimento *m*.

cheminer [ʃəmine] *vi (marcher)* caminhar; *(fig: évoluer)* progredir.

cheminot [ʃəmino] *nm* ferroviário *m*.

chemise [ʃəmiz] *nf (vêtement)* camisa *f; (en carton)* capa *f;* ~ **de nuit** camisa de dormir.

chemisette [ʃəmizɛt] *nf (d'homme, d'enfant)* camiseta *f; (de femme)* blusa *f* de manga curta.

chemisier [ʃəmizje] *nm* camiseiro *m.*

chêne [ʃɛn] *nm* carvalho *m.*

chenil [ʃənil] *nm (pour chiens)* canil *m; (Helv: objets sans valeur)* bugiganga *f.*

chenille [ʃənij] *nf* lagarta *f.*

chèque [ʃɛk] *nm* cheque *m;* ~ **barré** cheque cruzado; ~ **en blanc** cheque em branco; ~ **sans provision** cheque sem cobertura; ~ **de voyage** cheque de viagem.

Chèque-Restaurant® [ʃɛk-rɛstɔrɑ̃] *(pl* **Chèques-Restaurant)** *nm* ticket-restaurante *m.*

chéquier [ʃekje] *nm* livro *m* de cheques.

cher, **chère** [ʃɛr] *adj* caro(-ra); ~ **Monsieur/Laurent** caro senhor/Laurent; **coûter** ~ custar caro.

chercher [ʃɛrʃe] *vt (objet, personne)* procurar; *(provoquer)* provocar; **aller** ~ **qqch/qqn** ir buscar algo/alguém.

❑ **chercher à : chercher à faire qqch** tentar fazer algo.

chercheur, **euse** [ʃɛrʃœr, øz] *nm, f* pesquisador *m* (-ra *f*).

chéri, **e** [ʃeri] *adj* querido(-da).

◆ *nm, f :* **mon** ~, **ma** ~**e** meu querido, minha querida.

chétif, **ive** [ʃetif, iv] *adj* enfezado(-da).

cheval, **aux** [ʃəval, o] *nm* cavalo *m;* **monter à** ~ montar a cavalo; **faire du** ~ andar a cavalo; **à** ~ **sur** *(chaise, branche)* a cavalo em, escarranchado(-da) em; *(lieux, périodes)* entre.

chevalet [ʃəvalɛ] *nm* cavalete *m.*

chevalier [ʃəvalje] *nm* cavaleiro *m.*

chevaucher [ʃevoʃe] *vt* estar escarranchado(-da) em.

❑ **se chevaucher** *vp* sobrepor-se.

chevelu, **e** [ʃəvly] *adj* cabeludo(-da).

chevelure [ʃəvlyr] *nf* cabeleira *f.*

chevet [ʃəvɛ] *nm* → **lampe, table.**

cheveu, **x** [ʃəvø] *nm* cabelo *m.*

❑ **cheveux** *nmpl* cabelo *m.*

cheville [ʃəvij] *nf (ANAT)* tornozelo *m; (en plastique)* cavilha *f.*

chèvre [ʃɛvr] *nf* cabra *f.*

chevreau, **x** [ʃəvro] *nm (animal)* cabrito *m; (peau)* pele *f* de cabrito.

chèvrefeuille [ʃɛvrəfœj] *nm* madressilva *f.*

chevreuil [ʃəvrœj] *nm* veado *m.*

chevronné, **e** [ʃəvrɔne] *adj* experiente.

chewing-gum, **s** [ʃwiŋɡɔm] *nm* pastilha *f* elástica *(Port)*, chiclete *m (Br).*

chez [ʃe] *prép* em casa de; *(dans le caractère de)* em; ~ **moi** em minha casa; **aller** ~ **le dentiste** ir ao dentista.

chic [ʃik] *adj* chique.

chiche [ʃiʃ] *adj m* → **pois.**

chicon [ʃikɔ̃] *nm (Belg)* endívia *f.*

chicorée [ʃikɔre] *nf* chicória *f.*

chien, **chienne** [ʃjɛ̃, ʃjɛn] *nm, f* cão *m* (cadela *f*).

chiffon [ʃifɔ̃] *nm* farrapo *m;* ~ **(à poussière)** pano *m* (do pó).

chiffonné, **e** [ʃifɔne] *adj (tissu)* engelhado(-da); *(contrarié)* aborrecido(-da); *(fatigué)* abatido(-da).

chiffonner [ʃifɔne] *vt* amarrotar.

chiffre [ʃifr] *nm (MATH)* número *m; (montant)* valor *m.*

chiffrer [ʃifre] *vt (évaluer)* calcular; *(numéroter)* numerar; *(message)* codificar. ◆ *vi* sair caro.
❏ **se chiffrer** *vp* : se ~ à x francs elevar-se a x francos.

chignon [ʃiɲɔ̃] *nm* carrapito *m*.

Chili [ʃili] *nm* : **le ~** o Chile.

chimère [ʃimɛr] *nf* quimera *f*.

chimie [ʃimi] *nf* química *f*.

chimiothérapie [ʃimjɔterapi] *nf* quimioterapia *f*.

chimique [ʃimik] *adj* químico(-ca).

chimiste [ʃimist] *nmf* químico *m* (-ca *f*).

chimpanzé [ʃɛ̃pɑ̃ze] *nm* chimpanzé *m*.

Chine [ʃin] *nf* : **la ~** a China.

chinois, e [ʃinwa, az] *adj* chinês(-esa). ◆ *nm (langue)* chinês *m*.
❏ **Chinois, e** *nm, f* chinês *m* (-esa *f*).

chiot [ʃjo] *nm* cachorro *m* (-a *f*).

chipie [ʃipi] *nf (fam)* queixinhas *mf inv*.

chipolata [ʃipɔlata] *nf* salsicha *f* fresca.

chips [ʃips] *nfpl* batatas *fpl* fritas *(de pacote)*.

chirurgie [ʃiryrʒi] *nf* cirurgia *f*; **~ esthétique** cirurgia estética.

chirurgien, enne [ʃiryrʒjɛ̃, ɛn] *nm, f* cirurgião *m* (-ã *f*).

chlore [klɔr] *nm* cloro *m*.

chloroforme [klɔrɔfɔrm] *nm* clorofórmio *m*.

chlorophylle [klɔrɔfil] *nf* clorofila *f*.

choc [ʃɔk] *nm* choque *m*.

chocolat [ʃɔkɔla] *nm (friandise)* chocolate *m*; *(boisson)* leite *m* com chocolate; **~ blanc** chocolate branco; **~ au lait** chocolate de leite; **~ liégeois** *gelado de chocolate com natas*; **~ noir** chocolate preto.

chocolatier [ʃɔkɔlatje] *nm* loja *f* de chocolates.

chœsels [tʃuzœl] *nmpl (Belg)* ensopado de carnes e miúdos guisados em cerveja.

chœur [kœr] *nm* coro *m*; **en ~** em coro.

choisir [ʃwazir] *vt* escolher.

choix [ʃwa] *nm* escolha *f*; **avoir le ~** ter liberdade de escolha; **au ~** à escolha; **de premier/second ~** de primeira/segunda categoria.

choléra [kɔlera] *nm* cólera *f (doença)*.

cholestérol [kɔlɛsterɔl] *nm* colesterol *m*.

chômage [ʃomaʒ] *nm* desemprego *m*; **être au ~** estar desempregado(-da).

chômer [ʃome] *vt* não trabalhar. ◆ *vi* estar desempregado(-da); **ne pas ~** *(fam)* não ter mãos a medir.

chômeur, euse [ʃomœr, øz] *nm, f* desempregado *m* (-da *f*).

chope [ʃɔp] *nf* caneca *f*.

choquant, e [ʃɔkɑ̃, ɑ̃t] *adj* chocante.

choquer [ʃɔke] *vt* chocar.

chorale [kɔral] *nf* coral *m*.

chorégraphie [kɔregrafi] *nf* coreografia *f*.

choriste [kɔrist] *nmf* corista *mf*.

chose [ʃoz] *nf* coisa *f*.

chou, x [ʃu] *nm* couve *f*; **~ de Bruxelles** couve-de-Bruxelas *f*; **~ à la crème** *espécie de bolo fofo recheado com creme*; **~ rouge** couve roxa.

chouchou, oute [ʃuʃu, ut] *nm, f (fam)* menino-bonito *m* (menina-bonita *f*). ◆ *nm* elástico *m* para o cabelo.

choucroute [ʃukrut] *nf* : **~ (garnie)** *chucrute acompanhada de carne de porco e batatas cozidas*.

chouette [ʃwɛt] *nf* coruja *f*. ◆ *adj (fam)* porreiro(-ra).

chou-fleur [ʃuflœr] *(pl* **choux-fleurs)** *nm* couve-flor *f*.

choyer [ʃwaje] *vt (sout)* acarinhar.

chrétien, enne [kretjɛ̃, ɛn] *adj & nm, f* cristão(-ã).

christianisme [kristjanism] *nm* cristianismo *m*.

chromé, e [krome] *adj* cromado(-da).

chromes [krom] *nmpl* acessórios *mpl* cromados *(de um veículo)*.

chromosome [krɔmɔzom] *nm* cromossoma *m*.

chronique [krɔnik] *adj* crónico(-ca). ◆ *nf* crónica *f*.

chronologie [krɔnɔlɔʒi] *nf* cronologia *f*.

chronologique [krɔnɔlɔʒik] *adj* cronológico(-ca).

chronomètre [krɔnɔmɛtr] *nm* cronómetro *m*.

chronométrer [krɔnɔmetre] *vt* cronometrar.

chrysalide [krizalid] *nf* crisálida *f*.

chrysanthème [krizɑ̃tɛm] *nm* crisântemo *m*.

CHU *nm (abr de* centre hospitalo-universitaire*)* hospital *m* universitário.

chuchotement [ʃyʃɔtmɑ̃] *nm* cochicho *m*.

chuchoter [ʃyʃɔte] *vt & vi* cochichar.

chut [ʃyt] *excl* chiu!

chute [ʃyt] *nf* queda *f*; ~ **d'eau** queda de água; ~ **de neige** queda de neve.

ci [si] *adv* : **ce livre-~** este livro aqui; **ces jours-~** estes últimos dias.

cible [sibl] *nf* alvo *m*.

ciboulette [sibulɛt] *nf* cebolinho *m (Port)*, cebolinha *f (Br)*.

cicatrice [sikatris] *nf* cicatriz *f*.

cicatriser [sikatrize] *vi* cicatrizar.

ci-dessous [sidəsu] *loc adv* mais abaixo.

ci-dessus [sidəsy] *loc adv* acima.

cidre [sidr] *nm* sidra *f*.

Cie *(abr de* compagnie*)* Cⁱᵃ.

ciel [sjɛl] *nm* céu *m*; *(paradis)* (pl **cieux**) céu *m*.

cierge [sjɛrʒ] *nm* círio *m*.

cieux [sjø] → **ciel**.

cigale [sigal] *nf* cigarra *f*.

cigare [sigar] *nm* charuto *m*.

cigarette [sigarɛt] *nf* cigarro *m*; ~ **filtre** cigarro com filtro; ~ **russe** palito *m* de champanhe.

cigogne [sigɔɲ] *nf* cegonha *f*.

ci-joint, e [siʒwɛ̃, ɛ̃t] *adj* anexo(-xa). ◆ *adv* em anexo.

cil [sil] *nm* pestana *f*.

cime [sim] *nf* cimo *m*.

ciment [simɑ̃] *nm* cimento *m*.

cimenter [simɑ̃te] *vt* cimentar.

cimetière [simtjɛr] *nm* cemitério *m*.

cinéaste [sineast] *nmf* cineasta *mf*.

ciné-club, s [sineklœb] *nm* cine-clube *m*.

cinéma [sinema] *nm* cinema *m*.

cinémathèque [sinematɛk] *nf* cinemateca *f*.

cinématographique [sinematɔgrafik] *adj* cinematográfico (-ca).

cinéphile [sinefil] *nmf* cinéfilo *m* (-la *f*).

cinglé, e [sɛ̃gle] *adj & nm, f (fam)* chanfrado(-da).

cinq [sɛ̃k] *num* cinco; → **six**.

cinquantaine [sɛ̃kɑ̃tɛn] *nf* : **une ~ (de)** cerca de cinquenta; **avoir la ~** ter cerca de cinquenta anos.

cinquante [sɛ̃kɑ̃t] *num* cinquenta; → **six**.

cinquantième [sɛ̃kɑ̃tjɛm] *num* quinquagésimo(-ma); → **sixième**.

cinquième [sɛ̃kjɛm] *num* quinto(-ta). ♦ *nf (SCOL)* ≈ sétimo ano *m* do ensino básico; *(vitesse)* quinta *f*; → **sixième**.

cintre [sɛ̃tr] *nm* cabide *m*.

cintré, **e** [sɛ̃tre] *adj* cintado(-da).

cipâte [sipat] *nm (Can)* torta com camadas de batata e de carne.

cirage [siraʒ] *nm* graxa *f*.

circoncision [sirkɔ̃sizjɔ̃] *nf* circuncisão *f*.

circonférence [sirkɔ̃ferɑ̃s] *nf* circunferência *f*.

circonflexe [sirkɔ̃flɛks] *adj* → **accent**.

circonstance [sirkɔ̃stɑ̃s] *nf (gén)* circunstância *f*; *(occasion)* ocasião *f*; **de ~** adequado(-da) às circunstâncias; **~s atténuantes** circunstâncias atenuantes.

circuit [sirkɥi] *nm (piste automobile)* autódromo *m*; *(trajet)* percurso *m*; *(électrique)* circuito *m*; **~ touristique** circuito turístico.

circulaire [sirkylɛr] *adj & nf* circular.

circulation [sirkylasjɔ̃] *nf* circulação *f*.

circuler [sirkyle] *vi* circular; *(électricité)* passar.

cire [sir] *nf* cera *f*.

ciré [sire] *nm* impermeável *m*.

cirer [sire] *vt (parquet)* encerar; *(chaussure)* engraxar.

cirque [sirk] *nm* circo *m*.

cirrhose [siroz] *nf* cirrose *f*.

ciseaux [sizo] *nmpl* : **(une paire de) ~** uma tesoura.

ciseler [sizle] *vt* cinzelar.

citadelle [sitadɛl] *nf* cidadela *f*.

citadin, **e** [sitadɛ̃, in] *nm, f* citadino *m* (-na *f*).

citation [sitasjɔ̃] *nf* citação *f*.

cité [site] *nf (ville)* cidade *f*; *(groupe d'immeubles)* bairro *m*; **~ universitaire** cidade universitária.

citer [site] *vt* citar.

citerne [sitɛrn] *nf* cisterna *f*.

citoyen, **enne** [sitwajɛ̃, ɛn] *nm, f* cidadão *m* (-ã *f*).

citron [sitrɔ̃] *nm* limão *m*; **~ vert** lima *f (Port)*, limão-galego *m (Br)*.

citronnade [sitrɔnad] *nf* limonada *f*.

citronnier [sitrɔnje] *nm* limoeiro *m*.

citrouille [sitruj] *nf* abóbora *f*.

civet [sivɛ] *nm estufado de carne marinada em vinho tinto.*

civière [sivjɛr] *nf* maca *f*.

civil, **e** [sivil] *adj* civil. ♦ *nm* civil *m*; **en ~** à paisana.

civilisation [sivilizasjɔ̃] *nf* civilização *f*.

civilisé, **e** [sivilize] *adj* civilizado(-da).

civique [sivik] *adj* cívico(-ca).

cl *(abr de* **centilitre)** cl.

clafoutis [klafuti] *nm espécie de pudim com frutas.*

clair, **e** [klɛr] *adj* claro(-ra); *(pur)* límpido(-da). ♦ *adv* claro. ♦ *nm* : **~ de lune** luar *m*.

clairement [klɛrmɑ̃] *adv* claramente.

clairière [klɛrjɛr] *nf* clareira *f*.

clairon [klɛrɔ̃] *nm* clarim *m*.

clairsemé, **e** [klɛrsəme] *adj* ralo(-la).

clairvoyant, **e** [klɛrvwajɑ̃, ɑ̃t] *adj* sagaz.

clameur [klamœr] *nf* clamor *m*.

clan [klɑ̃] *nm* clã *m*.

clandestin, **e** [klɑ̃dɛstɛ̃, in] *adj* clandestino(-na).

clandestinité [klɑ̃dɛstinite] *nf* clandestinidade *f*; **dans la ~** na clandestinidade.

clapier [klapje] *nm* coelheira *f*.

claquage [klakaʒ] *nm* distensão *f* muscular.

claque [klak] *nf* estalada *f*.

claquement [klakmã] *nm* estalo *m*.

claquer [klake] *vt (porte)* bater com. ◆ *vi (volet, porte)* bater; ~ **des dents** bater os dentes; ~ **des doigts** estalar os dedos.

❑ **se claquer** *vp* : se ~ **un muscle** ter uma distensão muscular.

claquettes [klakɛt] *nfpl (chaussures)* sapatos *mpl* de sapateado; *(danse)* sapateado *m*.

clarifier [klarifje] *vt* esclarecer.

clarinette [klarinɛt] *nf* clarinete *m*.

clarté [klarte] *nf (lumière)* claridade *f*; *(d'un raisonnement)* clareza *f*.

classe [klas] *nf (groupe d'élèves)* turma *f*; *(salle)* sala *f* (de aula); *(TRANSP: élégance)* classe *f*; **aller en** ~ ir para as aulas; **première** ~ primeira classe; ~ **affaires** classe executiva; ~ **de mer** *colónia escolar na praia*; ~ **de neige** *colónia escolar na montanha*; ~ **touriste** classe económica; ~ **verte** *colónia escolar no campo*.

CLASSE VERTE/DE NEIGE/DE MER

Estes termos designam estadias de uma ou duas semanas nas montanhas, à beira-mar ou no campo, feitas por grupos de alunos acompanhados pelos respectivos professores. Organizam-se, para além de actividades desportivas, passeios que permitem às crianças descobrirem o meio ambiente e se relacionarem com os habitantes da região.

---

classement [klasmã] *nm (rangement)* arrumação *f*; *(sportif)* classificação *f*.

classer [klase] *vt (dossiers)* arrumar; *(grouper)* classificar.

❑ **se classer** *vp* : se ~ **premier** classificar-se em primeiro lugar.

classeur [klasœr] *nm* capa *f*.

classification [klasifikasjõ] *nf* classificação *f*.

classique [klasik] *adj* clássico(-ca).

clause [kloz] *nf* cláusula *f*.

claustrophobie [klostrɔfɔbi] *nf* claustrofobia *f*.

clavecin [klavsɛ̃] *nm* cravo *m* *(instrumento)*.

clavicule [klavikyl] *nf* clavícula *f*.

clavier [klavje] *nm* teclado *m*.

clé [kle] *nf (de porte, de voiture)* chave *f*; *(outil)* chave-de-fendas *f*; **fermer qqch à** ~ fechar algo à chave; ~ **anglaise** OU **à molette** chave-inglesa *f*; ~ **de contact** chave-de-ignição *f*.

clef [kle] = **clé**.

clément, e [klemã, ãt] *adj* clemente.

clémentine [klemãtin] *nf* clementina *f (Port)*, mexerica *f (Br)*.

clergé [klɛrʒe] *nm* clero *m*.

cliché [kliʃe] *nm (négatif)* negativo *m*; *(photo)* fotografia *f*; *(idée banale)* cliché *m*.

client, e [klijã, ãt] *nm, f* cliente *mf*.

clientèle [klijãtɛl] *nf* clientela *f*.

cligner [kliɲe] *vi* : ~ **des yeux** piscar os olhos.

clignotant [kliɲɔtã] *nm* pisca-pisca *m*.

clignoter [kliɲɔte] *vi* piscar.

climat [klima] *nm* clima *m*.

climatisation [klimatizasjõ] *nf* climatização *f*.

climatisé, e [klimatize] *adj* climatizado(-da).

clin d'œil [klɛ̃dœj] *nm* : **faire un** ~ **à qqn** piscar o olho a alguém; **en un** ~ num piscar de olhos.

clinique [klinik] *nf* clínica *f*.

clip [klip] *nm (boucle d'oreille)* brinco *m* de mola; *(film)* clipe *m*.

cliquer [klike] *vi* clicar.

clitoris [klitɔris] *nm* clítoris *m*.

clivage [klivaʒ] *nm* clivagem *f*.

clochard, e [klɔʃar, ard] *nm, f* vagabundo *m* (-da *f*).

cloche [klɔʃ] *nf* sino *m*; **~ à fromage** queijeira *f*.

cloche-pied [klɔʃpje]: **à cloche-pied** *adv* ao pé coxinho.

clocher [klɔʃe] *nm* campanário *m*.

clochette [klɔʃɛt] *nf* campainha *f*.

cloison [klwazɔ̃] *nf* tabique *m*.

cloisonner [klwazɔne] *vt (pièce, maison)* dividir com tabiques; *(fig: fonctions, services)* compartimentar.

cloître [klwatr] *nm* claustro *m*.

cloporte [klɔpɔrt] *nm* bicho-de-conta *m*.

cloque [klɔk] *nf* bolha *f*.

clore [klɔr] *vt (sout: porte, yeux)* fechar; *(terrain)* vedar; *(compte, débat)* encerrar.

clos, e [klo, kloz] *adj (fermé)* fechado(-da); *(terminé)* encerrado(-da). ❑ **clos** *nm (terrain)* cerrado *m*; *(vignoble)* vinhedo *m*.

clôture [klotyr] *nf (barrière)* vedação *f*.

clôturer [klotyre] *vt (champ, jardin)* vedar.

clou [klu] *nm* prego *m*; **~ de girofle** cravinho *m*. ❑ **clous** *nmpl (passage piétons)* passadeira *f*.

clouer [klue] *vt* pregar.

clouté [klute] *adj m* → **passage**.

clown [klun] *nm* palhaço *m*.

club [klœb] *nm* clube *m*.

cm *(abr de* **centimètre***)* cm.

CM *nm (abr de* **cours moyen***)*: **~1** ≃ terceira classe *f* (do ensino primário); **~2** ≃ quarta classe *f* (do ensino primário).

coaguler [kɔagyle] *vi* coagular.

coalition [kɔalisjɔ̃] *nf* coligação *f*.

cobaye [kɔbaj] *nm* cobaia *f*.

cobra [kɔbra] *nm* cobra-capelo *f*.

Coca(-Cola)® [kɔka(kɔla)] *nm inv* Coca-Cola® *f*.

cocaïne [kɔkain] *nf* cocaína *f*.

cocasse [kɔkas] *adj* cómico(-ca).

coccinelle [kɔksinɛl] *nf* joaninha *f*.

coccyx [kɔksis] *nm* cóccix *m inv*.

cocher [kɔʃe] *vt* marcar com uma cruz.

cochon, onne [kɔʃɔ̃, ɔn] *nm, f (fam : péj: personne sale)* porco *m* (-ca *f*). ◆ *nm* porco *m*; **~ d'Inde** porco da Índia.

cochonnerie [kɔʃɔnri] *nf (fam)* porcaria *f*; *(fig: obscénité)* indecência *f*.

cocktail [kɔktɛl] *nm* cocktail *m*.

coco [kɔko] *nm* → **noix**.

cocon [kɔkɔ̃] *nm* casulo *m*.

cocorico [kɔkɔriko] *nm* cocorocó *m*.

cocotier [kɔkɔtje] *nm* coqueiro *m*.

cocotte [kɔkɔt] *nf* panela *f*; **~ en papier** galinha *f* de papel.

Cocotte-Minute® [kɔkɔtminyt] *(pl* **Cocottes-Minute***)* *nf* panela *f* de pressão.

cocu, e [kɔky] *(fam) nm, f* corno *m*. ◆ *adj* cornudo.

code [kɔd] *nm* código *m*; **~ confidentiel** código de acesso; **~ postal** código postal; **~ de la route** código da estrada. ❑ **codes** *nmpl (AUT)* médios *mpl*.

i **CODE POSTAL**

Na indicação de uma morada, os cinco algarismos do código postal precedem o nome da cidade. Os dois primeiros algarismos indicam o departamento em que a cidade se encontra. Nas cidades divididas em "arrondissements", estes correspondem aos dois últimos algarismos. Certas empresas ou organismos importantes possuem um código especial denominado "Cédex" (Codex).

codé, e [kɔde] *adj* codificado(-da).

code-barres [kɔdbar] (*pl* **codes-barres**) *nm* código *m* de barras.

coefficient [kɔefisjã] *nm* coeficiente *m*.

cœur [kœr] *nm (ANAT: gentillesse)* coração *m; (centre)* centro *m; (aux cartes)* copas *fpl;* **avoir bon ~** ter bom coração; **de bon ~** de boa vontade; **par ~** de cor; **~ d'artichaut** coração de alcachofra; **~ de palmier** palmito *m*.

coffre [kɔfr] *nm (de voiture)* porta-bagagens *m inv; (malle)* mala *f*.

coffre-fort [kɔfrəfɔr] (*pl* **coffres-forts**) *nm* cofre-forte *m*.

coffret [kɔfrɛ] *nm* estojo *m*.

cognac [kɔɲak] *nm* conhaque *m*.

cogner [kɔɲe] *vi* bater.
❑ **se cogner** *vp* bater; **se ~ la tête** bater com a cabeça.

cohabiter [kɔabite] *vi* coabitar.

cohérence [kɔerãs] *nf* coerência *f*.

cohérent, e [kɔerã, ãt] *adj* coerente.

cohésion [kɔezjõ] *nf* coesão *f*.

cohue [kɔy] *nf* barafunda *f*.

coiffer [kwafe] *vt* pentear; **être coiffé de** usar (na cabeça).
❑ **se coiffer** *vp* pentear-se.

coiffeur, euse [kwafœr, øz] *nm, f* cabeleireiro *m* (-ra *f*).

coiffure [kwafyr] *nf* penteado *m*.

coin [kwɛ̃] *nm* canto *m;* **au ~ de** no canto de; **dans le ~** *(dans les environs)* por aqui.

coincer [kwɛ̃se] *vt* entalar.
❑ **se coincer** *vp* ficar entalado(-da); **se ~ le doigt** entalar o dedo.

coïncidence [kɔɛ̃sidãs] *nf* coincidência *f*.

coïncider [kɔɛ̃side] *vi* coincidir.

coing [kwɛ̃] *nm* marmelo *m*.

col [kɔl] *nm (de vêtement)* gola *f; (en montagne)* colo *m;* **~ roulé** gola alta; **~ en pointe** OU **en V** decote *m* em bico.

colère [kɔlɛr] *nf* raiva *f;* **être en ~ (contre qqn)** estar com raiva (contra alguém); **se mettre en ~** irritar-se.

coléreux, euse [kɔlerø, øz] *adj* colérico(-ca).

colimaçon [kɔlimasõ]
❑ **en colimaçon** *loc adv :* **escalier en ~** escada de caracol.

colin [kɔlɛ̃] *nm* pescada *f*.

colique [kɔlik] *nf* cólica *f*.

colis [kɔli] *nm :* **~ (postal)** encomenda *f* (postal).

collaborateur, trice [kɔlabɔratœr, tris] *nm, f (employé)* colaborador *m* (-ra *f*); *(péj: avec l'ennemi)* colaboracionista *mf*.

collaboration [kɔlabɔrasjõ] *nf* colaboração *f*.

collaborer [kɔlabɔre] *vi* colaborar; **~ à qqch** colaborar em algo.

collant, e [kɔlã, ãt] *adj (adhésif)* colante; *(étroit)* justo(-ta). ◆ *nm* collants *mpl*.

colle [kɔl] *nf (pâte)* cola *f; (devi-*

nette) adivinha *f*; *(SCOL: retenue)* castigo *m*.

collecte [kɔlɛkt] *nf* colecta *f*.

collectif, ive [kɔlɛktif, iv] *adj* colectivo(-va).

collection [kɔlɛksjɔ̃] *nf* colecção *f*.

collectionner [kɔlɛksjɔne] *vt* coleccionar.

collectionneur, euse [kɔlɛksjɔnœr, øz] *nm, f* coleccionador *m* (-ra *f*).

collectivité [kɔlɛktivite] *nf* colectividade *f*; **les ~s locales** as colectividades locais.

collège [kɔlɛʒ] *nm* escola *f* preparatória.

collégien, enne [kɔleʒjɛ̃, ɛn] *nm, f* aluno *m* (-na *f*).

collègue [kɔlɛg] *nmf* colega *mf*.

coller [kɔle] *vt (faire adhérer)* colar; *(fam : donner)* pregar; *(SCOL: punir)* castigar.

collier [kɔlje] *nm (bijou)* colar *m*; *(de chien)* coleira *f*.

colline [kɔlin] *nf* colina *f*.

collision [kɔlizjɔ̃] *nf* colisão *f*.

colloque [kɔlɔk] *nm* colóquio *m*.

colmater [kɔlmate] *vt* colmatar.

Cologne [kɔlɔɲ] *n* → **eau**.

colombe [kɔlɔ̃b] *nf* pomba *f*.

Colombie [kɔlɔ̃bi] *nf*: **la ~** a Colômbia.

colonel [kɔlɔnɛl] *nm* coronel *m*.

colonial, e, aux [kɔlɔnjal, o] *adj* colonial.

colonialisme [kɔlɔnjalism] *nm* colonialismo *m*.

colonie [kɔlɔni] *nf* colónia *f*; **~ de vacances** colónia de férias.

colonne [kɔlɔn] *nf* coluna *f*; **~ vertébrale** coluna vertebral.

colorant [kɔlɔrɑ̃] *nm* corante *m*; **'sans ~s'** 'sem corantes'.

colorer [kɔlɔre] *vt* colorir;

coloré de qqch *(fig)* marcado por algo.

❏ **se colorer** *vp*: **se ~ de** *(fig)* marcar-se por.

colorier [kɔlɔrje] *vt* colorir.

coloris [kɔlɔri] *nm* colorido *m*.

colossal, e, aux [kɔlɔsal, o] *adj* colossal.

colporter [kɔlpɔrte] *vt (une marchandise)* vender pelas ruas *(Port)*, mascatear *(Br)*; *(une information)* espalhar.

❏ **se colporter** *vp* espalhar-se.

coma [kɔma] *nm* coma *m*; **être dans le ~** estar em coma.

comateux, euse [kɔmatø, øz] *adj* comatoso(-osa).

combat [kɔ̃ba] *nm* combate *m*.

combattant [kɔ̃batɑ̃] *nm* combatente *m*; **ancien ~** antigo combatente.

combattre [kɔ̃batr] *vt (ennemi)* combater; *(maladie, idées)* lutar contra. ◆ *vi (contre un ennemi)* combater; *(contre la maladie, des idées)* lutar.

combien [kɔ̃bjɛ̃] *adv*: **~ de** quanto(-ta); **~ ça coûte?** quanto custa?

combinaison [kɔ̃binɛzɔ̃] *nf* combinação *f*; *(de motard, skieur)* fato *m*; **~ de plongée** fato de mergulhador.

combine [kɔ̃bin] *nf (fam)* truque *m*.

combiné [kɔ̃bine] *nm*: **~ (téléphonique)** auscultador *m*.

combiner [kɔ̃bine] *vt* combinar.

comble [kɔ̃bl] *nm*: **c'est un ~!** é o cúmulo!; **le ~ de** o cúmulo de.

combler [kɔ̃ble] *vt (boucher)* tapar; *(satisfaire)* satisfazer.

combustible [kɔ̃bystibl] *nm* combustível *m*.

comédie [kɔmedi] *nf (film, pièce de théâtre)* comédia *f*; *(fam : caprice)* fita *f*; **jouer la ~** fazer fita; **~ musicale** comédia musical.

comédien, enne [kɔmedjɛ̃, ɛn] *nm, f (acteur)* actor *m* (-triz *f*); *(hypocrite)* fiteiro *m* (-ra *f*).

comestible [kɔmɛstibl] *adj* comestível.

comète [kɔmɛt] *nf* cometa *m*; **tirer des plans sur la ~** *(fig)* construir castelos no ar.

comique [kɔmik] *adj* cómico(-ca).

comité [kɔmite] *nm* comité *m*; **~ d'entreprise** ≃ casa *f* do pessoal.

commandant [kɔmãdã] *nm* comandante *m*.

commande [kɔmãd] *nf* comando *m*; *(COMM: achat)* encomenda *f*; **les ~s** *(d'un avion)* os comandos.

commander [kɔmãde] *vt (diriger)* comandar; *(dans un bar)* mandar vir; *(acheter)* encomendar; *(TECH)* accionar; **~ à qqn de faire qqch** mandar alguém fazer algo.

commanditaire [kɔmãditɛr] *nm (bailleur de fonds)* patrocinador *m* (-ra *f*); *(associé)* comanditário *m* (-ria *f*). ◆ *adj* comanditário(-ria).

commando [kɔmãdo] *nm* comando *m (forças especiais)*.

comme [kɔm] *conj* **1.** *(gén)* como; **elle est blonde, ~ sa mère** ela é loura como a mãe; **~ si rien ne s'était passé** como se nada tivesse acontecido; **~ vous voudrez** como queira; **~ il faut** *(correctement)* como deve ser; *(convenable)* decente; **les villes fortifiées ~ Carcassonne** as cidades fortificadas como Carcassonne; **qu'est-ce que vous avez ~ desserts?** o que é que há como sobremesa?; **~ vous n'arriviez pas, nous sommes passés à table** como não chegavam, começámos a comer. **2.** *(dans des expressions):* **~ ça** assim; **~ ci ~ ça** *(fam)* assim assim; **~ tout** *(fam : très)* extremamente.

◆ *adv (marque l'intensité)* como; **vous savez ~ il est difficile de se loger ici** sabe como é difícil alojar-se cá; **~ c'est grand!** que grande!

commémorer [kɔmemɔre] *vt* comemorar.

commencement [kɔmãsmã] *nm* começo *m*.

commencer [kɔmãse] *vt & vi* começar; **~ à faire qqch** começar a fazer algo; **~ par qqch** começar por algo; **~ par faire qqch** começar por fazer algo.

comment [kɔmã] *adv* como; **~?** *(pour faire répéter)* como?; **~ tu t'appelles?** como te chamas?; **~ allez-vous?** como está?

commentaire [kɔmãtɛr] *nm* comentário *m*; *(d'un match)* relato *m*; **~ de texte** comentário de texto.

commentateur, trice [kɔmãtatœr, tris] *nm, f* comentador *m* (-ra *f*); **~ sportif** comentador desportivo.

commenter [kɔmãte] *vt* comentar.

commérage [kɔmeraʒ] *nm* bisbilhotice *f*.

commerçant, e [kɔmɛrsã, ãt] *adj* comercial. ◆ *nm, f* comerciante *mf*.

commerce [kɔmɛrs] *nm (activité)* comércio *m*; *(boutique)* loja *f*; **dans le ~** nas lojas.

commercial, e, aux [kɔmɛrsjal, o] *adj* comercial.

commercialiser [kɔmɛrsjalize] *vt* comercializar.

commettre [kɔmɛtr] *vt* cometer.

commis, e [kɔmi, iz] *pp* → **commettre**.

commissaire [kɔmisɛr] *nm* : **~ (de police)** comissário *m* (de polícia).

commissaire-priseur [kɔmizɛrprizœr] (pl **commissaires-priseurs**) nm avaliador m (-ra f) oficial.

commissariat [kɔmisarja] nm : ~ **(de police)** esquadra f (Port), delegacia f (de polícia) (Br).

commission [kɔmisjɔ̃] nf comissão f; (message) recado m. ❑ **commissions** nfpl (courses) compras fpl; **faire les ~s** fazer as compras.

commode [kɔmɔd] adj cómodo(-da). ◆ nf (meuble) cómoda f.

commun, e [kɔmœ̃, yn] adj comum; **mettre qqch en ~** reunir algo.

communal, e, aux [kɔmynal, o] adj ≃ de freguesia.

communauté [kɔmynote] nf comunidade f; **la Communauté économique européenne** a Comunidade Económica Europeia.

commune [kɔmyn] nf ≃ freguesia f.

communication [kɔmynikasjɔ̃] nf comunicação f; ~ **(téléphonique)** ligação f (telefónica).

communier [kɔmynje] vi comungar.

communion [kɔmynjɔ̃] nf comunhão f.

communiqué [kɔmynike] nm comunicado m.

communiquer [kɔmynike] vt & vi comunicar.

communisme [kɔmynism] nm comunismo m.

communiste [kɔmynist] adj & nmf comunista.

compact, e [kɔ̃pakt] adj compacto(-ta). ◆ nm : **(disque)** ~ compacto m.

Compact Disc®, s [kɔ̃paktdisk] nm CD m.

compagne [kɔ̃paɲ] nf (camarade) colega f; (dans un couple) companheira f.

compagnie [kɔ̃paɲi] nf companhia f; **en ~ de** em companhia de; **tenir ~ à** fazer companhia a; ~ **aérienne** companhia de aviação.

compagnon [kɔ̃paɲɔ̃] nm companheiro m.

comparable [kɔ̃parabl] adj comparável; ~ **à** comparável a.

comparaison [kɔ̃parɛzɔ̃] nf comparação f.

comparaître [kɔ̃parɛtr] vi comparecer.

comparer [kɔ̃pare] vt comparar; ~ **qqch à** OU **avec** comparar algo a OU com.

compartiment [kɔ̃partimɑ̃] nm compartimento m; ~ **fumeurs** compartimento para fumadores; ~ **non-fumeurs** compartimento para não-fumadores.

compas [kɔ̃pa] nm (MATH) compasso m; (boussole) bússola f.

compatible [kɔ̃patibl] adj compatível.

compatir [kɔ̃patir] vi compadecer.

compatriote [kɔ̃patrijɔt] nmf compatriota mf.

compensation [kɔ̃pɑ̃sasjɔ̃] nf compensação f.

compensé, e [kɔ̃pɑ̃se] adj em cunha.

compenser [kɔ̃pɑ̃se] vt compensar.

compère [kɔ̃pɛr] nm comparsa m.

compétence [kɔ̃petɑ̃s] nf competência f.

compétent, e [kɔ̃petɑ̃, ɑ̃t] adj competente.

compétitif, ive [kɔ̃petitif, iv] adj competitivo(-va).

compétition [kɔ̃petisjɔ̃] nf competição f.

complainte [kɔ̃plɛ̃t] nf queixa f.

complément [kɔ̃plemɑ̃] nm complemento m.

complémentaire [kɔ̃plemã-tɛr] *adj* complementar.

complet, **ète** [kɔ̃plɛ, ɛt] *adj* *(entier)* completo(-ta); *(plein)* cheio (cheia); *(aliment)* integral; **'complet'** *(parking)* 'completo'; *(théâtre)* 'esgotado'.

complètement [kɔ̃plɛtmã] *adv* completamente.

compléter [kɔ̃plete] *vt* completar.

❑ **se compléter** *vp* completar-se.

complexe [kɔ̃plɛks] *adj* complexo(-xa). ◆ *nm* complexo *m*.

complexé, **e** [kɔ̃plɛkse] *adj* complexado(-da).

complication [kɔ̃plikasjɔ̃] *nf* complicação *f*.

❑ **complications** *nfpl* *(MÉD)* complicações *fpl*.

complice [kɔ̃plis] *adj & nmf* cúmplice.

complicité [kɔ̃plisite] *nf* cumplicidade *f*.

compliment [kɔ̃plimã] *nm* elogio *m*; **faire un ~ à qqn** fazer um elogio a alguém.

complimenter [kɔ̃plimãte] *vt* congratular.

compliqué, **e** [kɔ̃plike] *adj* complicado(-da).

compliquer [kɔ̃plike] *vt* complicar.

❑ **se compliquer** *vp* complicar-se.

complot [kɔ̃plo] *nm* conspiração *f*.

comploter [kɔ̃plɔte] *vt & vi* conspirar.

comportement [kɔ̃pɔrtəmã] *nm* comportamento *m*.

comporter [kɔ̃pɔrte] *vt* comportar.

❑ **se comporter** *vp* comportar-se.

composant, **e** [kɔ̃pozã, ãt] *adj* componente.

❑ **composant** *nm* componente *m*.

❑ **composante** *nf* componente *f*.

composer [kɔ̃poze] *vt* compor; *(bouquet)* fazer; *(code, numéro)* marcar *(Port)*, discar *(Br)*; **composé de** composto de OU por.

❑ **se composer de** *vp + prép* compor-se de.

compositeur, **trice** [kɔ̃pozitœr, tris] *nm, f* compositor *m* (-ra *f*).

composition [kɔ̃pozisjɔ̃] *nf* composição *f*.

composter [kɔ̃pɔste] *vt* obliterar; **'compostez votre billet'** 'validação de bilhetes'.

compote [kɔ̃pɔt] *nf* compota *f*; **~ de pommes** compota de maçã.

compréhensible [kɔ̃preãsibl] *adj* compreensível.

compréhensif, **ive** [kɔ̃preãsif, iv] *adj* compreensivo(-va).

compréhension [kɔ̃preãsjɔ̃] *nf* compreensão *f*.

comprendre [kɔ̃prãdr] *vt* compreender.

❑ **se comprendre** *vp* *(personnes)* compreender-se; **ça se comprend** é compreensível.

compresse [kɔ̃prɛs] *nf* compressa *f*.

comprimé [kɔ̃prime] *nm* comprimido *m*.

comprimer [kɔ̃prime] *vt* comprimir.

compris, **e** [kɔ̃pri, iz] *pp* → **comprendre**. ◆ *adj (inclus)* incluído(-da); **non ~** não incluído; **tout ~** ao todo; **y ~** inclusive.

compromettre [kɔ̃prɔmɛtr] *vt* comprometer.

compromis, **e** [kɔ̃prɔmi, iz] *pp* → **compromettre**. ◆ *nm* compromisso *m*.

comptabilité [kɔ̃tabilite] *nf* contabilidade *f*.

comptable [kɔ̃tabl] *nmf* contabilista *mf*.

comptant [kɔ̃tɑ̃] *adv* : **payer ~** pagar a pronto.

compte [kɔ̃t] *nm* conta *f*; **se rendre ~ de** dar-se conta de; **se rendre ~ que** dar-se conta que; **~ postal** conta bancária aberta nos Correios em França; **en fin de ~** afinal de contas; **tout ~ fait** feitas as contas.

❑ **comptes** *nmpl* contas *fpl*; **faire ses ~s** fazer as contas.

compte-chèques [kɔ̃tʃɛk] (*pl* **comptes-chèques**) *nm* conta *f* corrente.

compte-gouttes [kɔ̃tgut] *nm inv* conta-gotas *m inv*.

compter [kɔ̃te] *vt (calculer)* contar; *(inclure)* contar com. ◆ *vi* contar; **~ faire qqch** contar fazer algo.

❑ **compter sur** *v* + *prép* contar com.

compte-rendu [kɔ̃trɑ̃dy] (*pl* **comptes-rendus**) *nm* relatório *m*.

compteur [kɔ̃tœr] *nm* contador *m*; **~ (kilométrique)** conta-quilómetros *m inv*; **~ (de vitesse)** velocímetro *m*.

comptine [kɔ̃tin] *nf* canção *f* infantil.

comptoir [kɔ̃twar] *nm* balcão *m*.

comte, esse [kɔ̃t, kɔ̃tɛs] *nm, f* conde *m* (-dessa *f*).

concave [kɔ̃kav] *adj* côncavo(-va).

concéder [kɔ̃sede] *vt* conceder; **~ qqch à qqn** conceder algo a alguém; **~ que** admitir que.

concentration [kɔ̃sɑ̃trasjɔ̃] *nf* concentração *f*.

concentré, e [kɔ̃sɑ̃tre] *adj* concentrado(-da). ◆ *nm* : **~ de tomate** polpa *f* de tomate.

concentrer [kɔ̃sɑ̃tre] *vt* concentrar.

❑ **se concentrer (sur)** *vp (+ prép)* concentrar-se em.

concept [kɔ̃sɛpt] *nm* conceito *m*.

conception [kɔ̃sɛpsjɔ̃] *nf* concepção *f*.

concerner [kɔ̃sɛrne] *vt* dizer respeito a.

concert [kɔ̃sɛr] *nm* concerto *m*.

concertation [kɔ̃sɛrtasjɔ̃] *nf* concertação *f*.

concerter [kɔ̃sɛrte] *vt* preparar.

❑ **se concerter** *vp* pôr-se de acordo.

concessionnaire [kɔ̃sesjɔnɛr] *nm* concessionário *m*.

concevoir [kɔ̃səvwar] *vt* conceber.

concierge [kɔ̃sjɛrʒ] *nmf* porteiro *m* (-ra *f*) *(Port)*, zelador *m* (-ra *f*) *(Br)*.

concilier [kɔ̃silje] *vt* conciliar; **son honnêteté lui a concilié l'opinion publique** a sua honestidade valeu-lhe o apoio da opinião pública; **~ qqch et** OU **avec qqch** conciliar algo com algo.

❑ **se concilier** *vp* : **se ~ qqn** cair nas boas graças de alguém; **se ~ qqch** conseguir algo.

concis, e [kɔ̃si, iz] *adj* conciso(-sa).

concision [kɔ̃sizjɔ̃] *nf* concisão *f*.

concluant, e [kɔ̃klyɑ̃, ɑ̃t] *adj* concludente.

conclure [kɔ̃klyr] *vt* concluir.

conclusion [kɔ̃klyzjɔ̃] *nf* conclusão *f*.

concombre [kɔ̃kɔ̃br] *nm* pepino *m*.

concordance [kɔ̃kɔrdɑ̃s] *nf* concordância *f*; **~ des temps** concordância *f* temporal.

concorder [kɔ̃kɔrde] *vi* coincidir.

concourir [kɔ̃kurir] *vi* concorrer.

81   **confier**

❑ **concourir à** *v* + *prép* contribuir para.

concours [kɔ̃kur] *nm* concurso *m*; ~ **de circonstances** circunstâncias *fpl*.

concret, ète [kɔ̃krɛ, ɛt] *adj* concreto(-ta).

concrétiser [kɔ̃kretize] *vt* concretizar.

❑ **se concrétiser** *vp* concretizar-se.

concubinage [kɔ̃kybinaʒ] *nm* concubinato *m*.

concurrence [kɔ̃kyrɑ̃s] *nf* concorrência *f*.

concurrent, e [kɔ̃kyrɑ̃, ɑ̃t] *nm, f* concorrente *mf*.

condamnation [kɔ̃danasjɔ̃] *nf* condenação *f*.

condamné, e [kɔ̃dane] *adj & nm, f* condenado(-da).

condamner [kɔ̃dane] *vt (accusé)* condenar; *(porte, fenêtre)* tapar; ~ **qqn à** condenar alguém a.

condensateur [kɔ̃dɑ̃satœr] *nm* condensador *m*.

condensation [kɔ̃dɑ̃sasjɔ̃] *nf* condensação *f*.

condensé, e [kɔ̃dɑ̃se] *adj* condensado(-da).

condenser [kɔ̃dɑ̃se] *vt* condensar.

❑ **se condenser** *vp* condensar-se.

condiment [kɔ̃dimɑ̃] *nm* condimento *m*.

condition [kɔ̃disjɔ̃] *nf* condição *f*; **à ~ de** com a condição de; **à ~ que** desde que.

conditionné [kɔ̃disjɔne] *adj m* → **air**.

conditionnel [kɔ̃disjɔnɛl] *nm* condicional *m*.

condoléances [kɔ̃dɔleɑ̃s] *nfpl* pêsames *mpl*; **présenter ses ~ à qqn** dar os pêsames a alguém.

conducteur, trice [kɔ̃dyktœr, tris] *nm, f* condutor *m* (-ra *f*).

conduire [kɔ̃dɥir] *vt (véhicule)* conduzir; *(accompagner)* acompanhar; *(guider)* levar. ♦ *vi (automobiliste)* conduzir; *(chemin, couloir)* ir dar a.

❑ **se conduire** *vp* conduzir-se.

conduit, e [kɔ̃dɥi, it] *pp* → **conduire**.

conduite [kɔ̃dɥit] *nf (attitude)* comportamento *m*; *(tuyau)* conduta *f*; ~ **à gauche** condução *f* pela esquerda.

cône [kon] *nm (figure géométrique)* cone *m*; *(glace)* corneto *m*.

confection [kɔ̃fɛksjɔ̃] *nf* confecção *f*.

confectionner [kɔ̃fɛksjɔne] *vt* confeccionar.

confédération [kɔ̃federasjɔ̃] *nf* confederação *f*.

conférence [kɔ̃ferɑ̃s] *nf* conferência *f*.

conférencier, ère [kɔ̃ferɑ̃sje, ɛr] *nm, f* conferencista *mf*.

confesser [kɔ̃fese] *vt* confessar.

❑ **se confesser** *vp* confessar-se.

confession [kɔ̃fesjɔ̃] *nf* confissão *f*.

confettis [kɔ̃feti] *nmpl* papelinhos *mpl* (de Carnaval).

confiance [kɔ̃fjɑ̃s] *nf* confiança *f*; **avoir ~ en** ter confiança em; **faire ~ à** confiar em.

confiant, e [kɔ̃fjɑ̃, ɑ̃t] *adj* confiante.

confidence [kɔ̃fidɑ̃s] *nf* confidência *f*; **faire des ~s à qqn** fazer confidências a alguém.

confident, e [kɔ̃fidɑ̃, ɑ̃t] *nm, f* confidente *mf*.

confidentiel, elle [kɔ̃fidɑ̃sjɛl] *adj* confidencial.

confier [kɔ̃fje] *vt* confiar; ~ **qqch à qqn** confiar algo a alguém.

❑ **se confier (à)** *vp (+ prép)* abrir-se (com).

confins [kɔ̃fɛ̃]
❏ **aux confins de** *loc prép* nos confins de.

confirmation [kɔ̃firmasjɔ̃] *nf* confirmação *f*.

confirmer [kɔ̃firme] *vt* confirmar.
❏ **se confirmer** *vp* confirmar-se.

confiserie [kɔ̃fizri] *nf (sucreries)* doçaria *f*; *(magasin)* confeitaria *f*.

confiseur, euse [kɔ̃fizœr, øz] *nm, f* confeiteiro *m* (-ra *f*).

confisquer [kɔ̃fiske] *vt* tirar.

confit [kɔ̃fi] *adj m* → **fruit**.
♦ *nm* : ~ **de canard/d'oie** *conservas de pato ou de ganso cozidos na própria gordura*.

confiture [kɔ̃fityr] *nf* doce *m* *(Port)*, geléia *f* *(Br)*.

conflit [kɔ̃fli] *nm* conflito *m*.

confondre [kɔ̃fɔ̃dr] *vt* confundir.

conforme [kɔ̃fɔrm] *adj* conforme; ~ **à** em conformidade com.

conformément [kɔ̃fɔrmemã]: **conformément à** *prép* de acordo com.

conformiste [kɔ̃fɔrmist] *adj & nmf* conformista.

confort [kɔ̃fɔr] *nm* conforto *m*; **'tout ~'** com todas as condições.

confortable [kɔ̃fɔrtabl] *adj* confortável.

confrère [kɔ̃frɛr] *nm* colega *m*.

confrontation [kɔ̃frɔ̃tasjɔ̃] *nf* confrontação *f*.

confronter [kɔ̃frɔ̃te] *vt* confrontar.

confus, e [kɔ̃fy, yz] *adj (compliqué)* confuso(-sa); *(embarrassé)* embaraçado(-da).

confusion [kɔ̃fyzjɔ̃] *nf* confusão *f*; *(honte)* embaraço *m*.

congé [kɔ̃ʒe] *nm* férias *fpl*; **être en ~** estar de férias; ~ **(de) maladie** baixa *f* médica; ~**s payés** férias pagas.

congélateur [kɔ̃ʒelatœr] *nm* congelador *m* *(Port)*, freezer *m* *(Br)*; *(bahut)* arca *f* frigorífica.

congeler [kɔ̃ʒle] *vt* congelar.

congénital, e, aux [kɔ̃ʒenital, o] *adj* congénito(-ta).

congère [kɔ̃ʒɛr] *nf* montículo *m* de neve.

congestion [kɔ̃ʒɛstjɔ̃] *nf (MÉD)* congestão *f*.

congolais [kɔ̃gɔlɛ] *nm* bolo *m* de coco.

congrégation [kɔ̃gregasjɔ̃] *nf* congregação *f*.

congrès [kɔ̃grɛ] *nm* congresso *m*.

conifère [kɔnifɛr] *nm* conífera *f*.

conjecture [kɔ̃ʒɛktyr] *nf* conjectura *f*; **se perdre en ~s** perder-se em conjecturas.

conjoint [kɔ̃ʒwɛ̃] *nm* cônjuge *mf*.

conjonction [kɔ̃ʒɔ̃ksjɔ̃] *nf* conjunção *f*.

conjonctivite [kɔ̃ʒɔ̃ktivit] *nf* conjuntivite *f*.

conjoncture [kɔ̃ʒɔ̃ktyr] *nf* conjuntura *f*.

conjugaison [kɔ̃ʒygezɔ̃] *nf* conjugação *f*.

conjugal, e, aux [kɔ̃ʒygal, o] *adj* conjugal.

conjuguer [kɔ̃ʒyge] *vt (verbe)* conjugar.

connaissance [kɔnɛsɑ̃s] *nf (savoir)* conhecimento *m*; *(relation)* conhecido *m* (-da *f*); **avoir des ~s en qqch** ter conhecimentos de algo; **faire la ~ de qqn** travar conhecimento com alguém; **perdre ~** perder os sentidos.

connaisseur, euse [kɔnɛsœr, øz] *nm, f* conhecedor *m* (-ra *f*).

connaître [kɔnɛtr] *vt* conhecer; *(leçon, adresse)* saber.
❏ **s'y connaître (en)** *vp (+ prép)* ser entendido(-da) em.

connecter [kɔnɛkte] *vt* ligar.

connexion [kɔnɛksjɔ̃] nf conexão f.

connu, e [kɔny] pp → **connaître.** ♦ adj conhecido(-da).

conquérant, e [kɔ̃kerɑ̃, ɑ̃t] adj & nm,f conquistador(-ra).

conquérir [kɔ̃kerir] vt conquistar.

conquête [kɔ̃kɛt] nf conquista f.

conquis, e [kɔ̃ki, iz] pp → **conquérir.**

consacrer [kɔ̃sakre] vt consagrar; ~ qqch à consagrar algo a. ❑ **se consacrer à** vp + prép consagrar-se a.

consciemment [kɔ̃sjamɑ̃] adv conscientemente.

conscience [kɔ̃sjɑ̃s] nf consciência f; **avoir ~ de qqch** ter consciência de algo; **prendre ~ de qqch** tomar consciência de algo; **avoir mauvaise ~** ter a consciência pesada.

consciencieux, euse [kɔ̃sjɑ̃sjø, øz] adj conscencioso(-osa).

conscient, e [kɔ̃sjɑ̃, ɑ̃t] adj consciente; **être ~ de qqch** ter consciência de algo.

consécration [kɔ̃sekrasjɔ̃] nf consagração f.

consécutif, ive [kɔ̃sekytif, iv] adj consecutivo(-va); ~ **à** consecutivo a.

conseil [kɔ̃sɛj] nm conselho m; **demander ~ à qqn** pedir conselho a alguém.

conseiller¹ [kɔ̃seje] vt aconselhar; ~ **qqch à qqn** aconselhar algo a alguém; ~ **à qqn de faire qqch** aconselhar alguém a fazer algo.

conseiller², ère [kɔ̃seje, ɛr] nm, f conselheiro m (-ra f); ~ **d'orientation** orientador m vocacional.

consentir [kɔ̃sɑ̃tir] vt (accorder): ~ **qqch à qqn** conceder algo a alguém; (sout: accepter): ~ **que qqn fasse qqch** consentir que alguém faça algo. ♦ vi (accepter): ~ **(à)** consentir (em que).

conséquence [kɔ̃sekɑ̃s] nf consequência f.

conséquent [kɔ̃sekɑ̃]: **par conséquent** adv por consequinte.

conservateur [kɔ̃sɛrvatœr] nm conservante m.

conservation [kɔ̃sɛrvasjɔ̃] nf conservação f.

conservatoire [kɔ̃sɛrvatwar] nm conservatório m.

conserve [kɔ̃sɛrv] nf (boîte) conserva f.

conserver [kɔ̃sɛrve] vt conservar.

considérable [kɔ̃siderabl] adj considerável.

considération [kɔ̃siderasjɔ̃] nf consideração f; **prendre qqn/qqch en ~** tomar alguém/algo em consideração.

considérer [kɔ̃sidere] vt considerar; ~ **que** considerar que; **il le considère comme un ami** considera-o um amigo; **je considère ce roman comme un chef-d'œuvre** considero este romance uma obra-prima.

consigne [kɔ̃siɲ] nf (de gare) depósito m de bagagem; (instructions) instruções fpl; ~ **automatique** cacifo m.

consigné, e [kɔ̃siɲe] adj com depósito.

consistance [kɔ̃sistɑ̃s] nf consistência f.

consistant, e [kɔ̃sistɑ̃, ɑ̃t] adj consistente.

consister [kɔ̃siste] vi consistir; ~ **à faire qqch** consistir em fazer algo; ~ **en** consistir em.

consœur [kɔ̃sœr] nf colega f.

consolation [kɔ̃sɔlasjɔ̃] nf consolação f.

console [kɔ̃sɔl] *nf* consola *f*; ~ **de jeux** consola de jogos.
consoler [kɔ̃sɔle] *vt* consolar.
consolider [kɔ̃sɔlide] *vt* consolidar.
consommateur, trice [kɔ̃sɔmatœr, tris] *nm, f (acheteur)* consumidor *m* (-ra *f*); *(dans un bar)* cliente *mf*.
consommation [kɔ̃sɔmasjɔ̃] *nf* consumo *m*.
consommé [kɔ̃sɔme] *nm* consomé *m*.
consommer [kɔ̃sɔme] *vt* consumir; '**à ~ avant le...**' 'consumir de preferência antes de...'
consonne [kɔ̃sɔn] *nf* consoante *f*.
conspiration [kɔ̃spirasjɔ̃] *nf* conspiração *f*; ~ **contre qqn/qqch** conspiração contra alguém/algo.
constamment [kɔ̃stamɑ̃] *adv* constantemente.
constant, e [kɔ̃stɑ̃, ɑ̃t] *adj* constante.
constat [kɔ̃sta] *nm (d'accident)*: ~ **(à l'amiable)** declaração *f* amigável de acidente automóvel.
constatation [kɔ̃statasjɔ̃] *nf* constatação *f*.
constater [kɔ̃state] *vt* constatar.
constellation [kɔ̃stelasjɔ̃] *nf* constelação *f*.
consterné, e [kɔ̃stɛrne] *adj* consternado(-da).
consterner [kɔ̃stɛrne] *vt* consternar.
constipé, e [kɔ̃stipe] *adj* : **être ~** estar com prisão de ventre.
constituer [kɔ̃stitɥe] *vt* constituir; **constitué de** constituído por.
constitution [kɔ̃stitysjɔ̃] *nf* constituição *f*.
constitutionnel, elle [kɔ̃stitysjɔnɛl] *adj* constitucional.

constructeur, trice [kɔ̃stryktœr, tris] *adj* construtor (-ra). ♦ *nm, f (gén)* construtor *m*; *(de pièces détachées)* fabricante *m*.
construction [kɔ̃stryksjɔ̃] *nf (d'une maison, d'un bateau)* construção *f*; *(bâtiment)* construção *f*.
construire [kɔ̃strɥir] *vt* construir.
construit, e [kɔ̃strɥi, it] *pp* → **construire**.
consul [kɔ̃syl] *nm* cônsul *m*.
consulat [kɔ̃syla] *nm* consulado *m*.
consultation [kɔ̃syltasjɔ̃] *nf* consulta *f*.
consulter [kɔ̃sylte] *vt* consultar.
contact [kɔ̃takt] *nm* contacto *m*; *(d'un moteur)* ignição *f*; **couper le ~** desligar a ignição; **entrer en ~ avec** *(heurter)* ir contra; *(entrer en relation)* entrar em contacto com; **mettre le ~** ligar a ignição.
contacter [kɔ̃takte] *vt* contactar.
contagieux, euse [kɔ̃taʒjø, øz] *adj (maladie)* contagioso(-osa); *(rire)* contagiante.
contaminer [kɔ̃tamine] *vt* contaminar.
conte [kɔ̃t] *nm* conto *m*; ~ **de fées** conto de fadas.
contemplation [kɔ̃tɑ̃plasjɔ̃] *nf* contemplação *f*; **rester en ~ devant qqch/qqn** ficar a contemplar algo/alguém.
contempler [kɔ̃tɑ̃ple] *vt* contemplar.
contemporain, e [kɔ̃tɑ̃pɔrɛ̃, ɛn] *adj* contemporâneo(-nea).
contenance [kɔ̃tnɑ̃s] *nf (capacité)* capacidade *f*; *(attitude)* postura *f*; **perdre ~** perder a compostura.
contenir [kɔ̃tnir] *vt* conter.
content, e [kɔ̃tɑ̃, ɑ̃t] *adj* contente; **être ~ de qqch** estar

contente com algo; **être ~ de faire qqch** estar contente por fazer algo.

contenter [kɔ̃tɑ̃te] *vt* contentar.

❏ **se contenter de** *vp + prép* contentar-se com; **se ~ de qqch** contentar-se com algo; **se ~ de faire qqch** contentar-se em fazer algo.

contentieux [kɔ̃tɑ̃sjø] *nm* contencioso *m*.

contenu, e [kɔ̃tny] *pp* → **contenir**. ◆ *nm* conteúdo *m*.

contestation [kɔ̃tɛstasjɔ̃] *nf* contestação *f*.

contester [kɔ̃tɛste] *vt* contestar.

contexte [kɔ̃tɛkst] *nm* contexto *m*.

contigu, uë [kɔ̃tigy] *adj* contíguo(-gua); **(être) ~ à** (ser) contíguo a.

continent [kɔ̃tinɑ̃] *nm* continente *m*.

continental, e, aux [kɔ̃tinɑ̃tal, o] *adj* continental.

continu, e [kɔ̃tiny] *adj* contínuo(-nua).

continuel, elle [kɔ̃tinɥɛl] *adj* constante.

continuellement [kɔ̃tinɥɛlmɑ̃] *adv* constantemente.

continuer [kɔ̃tinɥe] *vt & vi* continuar; **~ à** OU **de faire qqch** continuar a fazer algo.

continuité [kɔ̃tinɥite] *nf* continuidade *f*.

contorsionner [kɔ̃tɔrsjɔne]
❏ **se contorsionner** *vp* contorcer-se.

contour [kɔ̃tur] *nm* contorno *m*.

contourner [kɔ̃turne] *vt* contornar.

contraceptif, ive [kɔ̃trasɛptif, iv] *adj* contraceptivo(-va). ◆ *nm* contraceptivo *m*.

contraception [kɔ̃trasɛpsjɔ̃] *nf* contracepção *f*.

contracter [kɔ̃trakte] *vt* contrair; *(assurance)* fazer.

contradiction [kɔ̃tradiksjɔ̃] *nf* contradição *f*.

contradictoire [kɔ̃tradiktwar] *adj* contraditório(-ria).

contraignant, e [kɔ̃trɛɲɑ̃, ɑ̃t] *adj* constrangedor(-ra).

contraindre [kɔ̃trɛ̃dr] *vt* obrigar; **~ qqn à faire qqch** obrigar alguém a fazer algo.

contrainte [kɔ̃trɛ̃t] *nf (obligation)* limitação *f*; *(embarras)* constrangimento *m*; *(TECH)* pressão *f*.

contraire [kɔ̃trɛr] *nm* contrário *m*. ◆ *adj* contrário(-ria); **~ à** contrário a; **au ~** pelo contrário.

contrairement [kɔ̃trɛrmɑ̃]: **contrairement à** *prép* contrariamente a.

contrarier [kɔ̃trarje] *vt* contrariar.

contrariété [kɔ̃trarjete] *nf* contrariedade *f*.

contraste [kɔ̃trast] *nm* contraste *m*.

contrat [kɔ̃tra] *nm* contrato *m*.

contravention [kɔ̃travɑ̃sjɔ̃] *nf* multa *f*.

contre [kɔ̃tr] *prép* contra; **un sirop ~ la toux** um xarope para a tosse; **par ~** pelo contrário.

contre-attaque, s [kɔ̃tratak] *nf* contra-ataque *m*.

contrebande [kɔ̃trəbɑ̃d] *nf* contrabando *m*; **passer qqch en ~** contrabandear algo.

contrebas [kɔ̃trəba]
❏ **en contrebas** *loc adv* em baixo.
❏ **en contrebas de** *loc prép* : **en ~ de qqch** na parte de baixo de algo.

contrebasse [kɔ̃trəbas] *nf* contrabaixo *m*.

contrecarrer [kɔ̃trəkare] *vt* opor-se a.

contrecœur [kɔ̃trəkœr]: **à contrecœur** adv de má vontade.

contrecoup [kɔ̃trəku] nm consequência f.

contre-courant [kɔ̃trəkurɑ̃] ❑ **à contre-courant** loc adv contra a corrente.
❑ **à contre-courant de** loc prép : **aller à ~ de qqch** ir contra algo.

contredire [kɔ̃trədir] vt contradizer.

contre-exemple [kɔ̃trɛgzɑ̃pl] (pl **contre-exemples**) nm exemplo m contrário.

contrefaçon [kɔ̃trəfasɔ̃] nf falsificação f.

contre-indication, s [kɔ̃trɛ̃dikasjɔ̃] nf contra-indicação f.

contre-jour [kɔ̃trəʒur]: **à contre-jour** adv em contraluz.

contrepartie [kɔ̃trəparti] nf contrapartida f; **en ~** em contrapartida.

contre-pied [kɔ̃trəpje] nm inv : **prendre le ~ de qqch** fazer exactamente o contrário de algo.

contreplaqué [kɔ̃trəplake] nm contraplacado m.

contrepoids [kɔ̃trəpwa] nm contrapeso m.

contrepoison [kɔ̃trəpwazɔ̃] nm contraveneno m.

contrer [kɔ̃tre] vt opor-se a; (délinquance) tentar acabar com.

contresens [kɔ̃trəsɑ̃s] nm contra-senso m; **à ~** em contramão.

contretemps [kɔ̃trətɑ̃] nm contratempo m.

contribuable [kɔ̃tribɥabl] nmf contribuinte mf.

contribuer [kɔ̃tribɥe]: **contribuer à** v + prép contribuir para.

contribution [kɔ̃tribysjɔ̃] nf contribuição f; **~ à** contribuição para; **mettre qqn à ~** pôr alguém a trabalhar.
❑ **contributions** nfpl contribuições fpl; **~s directes/indirectes** impostos directos/indirectos.

contrôle [kɔ̃trol] nm controlo m; (SCOL) teste m; **~ aérien** controlo aéreo; **~ d'identité** controlo de identidade.

contrôler [kɔ̃trole] vt controlar.

contrôleur [kɔ̃trolœr] nm revisor m; **~ aérien** controlador m aéreo.

contrordre [kɔ̃trɔrdr] nm contra-ordem f.

controverse [kɔ̃trɔvɛrs] nf controvérsia f.

controversé, e [kɔ̃trɔvɛrse] adj controverso(-sa).

contumace [kɔ̃tymas] nf : **être condamné par ~** ser condenado à revelia.

contusion [kɔ̃tyzjɔ̃] nf contusão f.

convaincant, e [kɔ̃vɛ̃kɑ̃, ɑ̃t] adj convincente.

convaincre [kɔ̃vɛ̃kr] vt convencer; **~ qqn de qqch** convencer alguém de algo; **~ qqn de faire qqch** convencer alguém a fazer algo.

convalescence [kɔ̃valesɑ̃s] nf convalescência f.

convenable [kɔ̃vnabl] adj conveniente.

convenance [kɔ̃vnɑ̃s] nf (disponibilité) conveniência f; (affinité) afinidade f.
❑ **convenances** nfpl conveniências fpl; **à ma/sa ~** à minha/sua conveniência.

convenir [kɔ̃vnir]: **convenir à** v + prép convir a.

convention [kɔ̃vɑ̃sjɔ̃] nf convenção f; **~ collective** convenção colectiva.

conventionné, e [kɔ̃vɑ̃sjɔne] adj ligado à Segurança Social por uma convenção de tarifas.

convenu, e [kɔ̃vny] pp → **convenir**.

converger [kɔ̃vɛrʒe] *vi* convergir.

conversation [kɔ̃vɛrsasjɔ̃] *nf* conversa *f*.

convertible [kɔ̃vɛrtibl] *adj* → canapé.

convertir [kɔ̃vɛrtir] *vt* converter.

❏ **se convertir** *vp* : **se ~ à** converter-se a; **~ qqn à** converter alguém a; **~ en** converter em.

convexe [kɔ̃vɛks] *adj* convexo(-xa).

conviction [kɔ̃viksjɔ̃] *nf* convicção *f*; **avoir la ~ que** ter a convicção de que.

❏ **convictions** *nfpl* convicções *fpl*.

convier [kɔ̃vje] *vt* : **~ qqn à** convidar alguém para.

convive [kɔ̃viv] *nmf* conviva *mf*.

convivial, e, aux [kɔ̃vivjal, o] *adj (réunion, assemblée)* convivial; *(INFORM)* de fácil utilização.

convocation [kɔ̃vɔkasjɔ̃] *nf* convocação *f*.

convoi [kɔ̃vwa] *nm* coluna *f*.

convoiter [kɔ̃vwate] *vt* cobiçar.

convoquer [kɔ̃vɔke] *vt* convocar.

convulsion [kɔ̃vylsjɔ̃] *nf* convulsão *f*.

coopération [kɔɔperasjɔ̃] *nf* cooperação *f*.

coopérer [kɔɔpere] *vi* cooperar; **~ à qqch** cooperar em algo.

coordonné, e [kɔɔrdɔne] *adj* combinado(-da).

coordonnées [kɔɔrdɔne] *nfpl* : **laissez-moi vos ~** deixe-me a sua morada e o seu número de telefone.

coordonner [kɔɔrdɔne] *vt* coordenar.

copain, copine *nm, f (fam : ami)* amigo *m* (-ga *f*); *(petit ami)* namorado *m* (-da *f*).

copie [kɔpi] *nf (reproduction)* cópia *f*; *(devoir)* trabalho *m* de casa; *(feuille)* folha *f*.

copier [kɔpje] *vt* copiar; **~ (qqch) sur qqn** copiar (algo) por alguém.

copieux, euse [kɔpjø, øz] *adj* copioso(-osa).

copilote [kɔpilɔt] *nm* co-piloto *m*.

copine → copain.

coproduction [kɔprɔdyksjɔ̃] *nf* co-produção *f*.

copropriété [kɔprɔprijete] *nf* co-propriedade *f*.

coq [kɔk] *nm* galo *m*; **~ au vin** *frango com vinho tinto*.

coque [kɔk] *nf (de bateau)* casco *m*; *(coquillage)* berbigão *m*.

coquelet [kɔklɛ] *nm* galo *m* novo *(Port)*, galeto *m (Br)*.

coquelicot [kɔkliko] *nm* papoila *f*.

coqueluche [kɔklyʃ] *nf (MÉD)* tosse *f* convulsa.

coquet, ette [kɔkɛ, ɛt] *adj* janota.

coquetier [kɔktje] *nm* oveiro *m*.

coquetterie [kɔkɛtri] *nf* coquetismo *m*.

coquillage [kɔkijaʒ] *nm (crustacé)* marisco *m*; *(coquille)* concha *f*.

coquille [kɔkij] *nf (d'œuf, de noix)* casca *f*; *(de mollusque)* concha *f*; **~ Saint-Jacques** vieira *f*.

coquillettes [kɔkijɛt] *nfpl* cotovelinhos *mpl*.

coquin, e [kɔkɛ̃, in] *adj (enfant)* maroto(-ta).

cor [kɔr] *nm (instrument)* trompa *f*; *(MÉD)* calo *m*.

corail, aux [kɔraj, o] *nm* coral *m*; *(train)* **Corail** ≃ comboio *m* alfa.

Coran [kɔrɑ̃] *nm* Alcorão *m*.

corbeau, x [kɔrbo] *nm* corvo *m*.

corbeille [kɔrbɛj] *nf* cesto *m*; ~ **à papiers** cesto dos papéis.

corbillard [kɔrbijar] *nm* carro *m* fúnebre.

corde [kɔrd] *nf* corda *f*; ~ **à linge** corda da roupa; ~ **à sauter** corda de saltar; ~**s vocales** cordas vocais.

cordial, e, aux [kɔrdjal, o] *adj* cordial.

cordon [kɔrdɔ̃] *nm (petite corde)* cordão *m*; *(électrique)* fio *m*.

cordon-bleu [kɔrdɔ̃blø] *(pl* **cordons-bleus)** *nm* mestre-cozinheiro *m*.

cordonnerie [kɔrdɔnri] *nf*: **aller à la** ~ ir ao sapateiro.

cordonnier [kɔrdɔnje] *nm* sapateiro *m*.

Corée [kɔre] *nf* Coreia *f*.

coriace [kɔrjas] *adj* duro(-ra).

coriandre [kɔrjɑ̃dr] *nf* coentro *m*.

cormoran [kɔrmɔrɑ̃] *nm* alcatraz *m*.

corne [kɔrn] *nf (d'animal)* corno *m*; *(matière)* osso *m*.

corneille [kɔrnɛj] *nf* gralha *f*.

cornet [kɔrnɛ] *nm (de glace)* cone *m*; *(de frites)* cartucho *m*.

cornettes [kɔrnɛt] *nfpl (Helv)* massa *f* de pontinhas.

corniche [kɔrniʃ] *nf (falaise)* saliência *f*; *(route)* estrada *f* à beira de precipícios; *(moulure)* cornija *f*.

cornichon [kɔrniʃɔ̃] *nm* pepino *m* de conserva.

corporel, elle [kɔrpɔrɛl] *adj (besoins, exercice)* físico(-ca); *(odeur)* corporal; *(JUR)* corpóreo(-rea).

corps [kɔr] *nm* corpo *m*; *(élément, substance)* substância *f*.

corpulent, e [kɔrpylɑ̃, ɑ̃t] *adj* corpulento(-ta).

correct, e [kɔrɛkt] *adj* correcto(-ta).

correcteur, trice [kɔrɛktœr, tris] *adj* corrector(-ra). ◆ *nm, f (d'examen)* corrector *m* (-ra *f*); *(dans l'édition)* revisor *m* (-ra *f*).

correction [kɔrɛksjɔ̃] *nf* correcção *f*; *(punition)* castigo *m*.

correspondance [kɔrɛspɔ̃dɑ̃s] *nf* correspondência *f*; *(train, métro)* correspondência *f (Port)*, baldeação *f (Br)*; **par** ~ por correspondência.

correspondant, e [kɔrɛspɔ̃dɑ̃, ɑ̃t] *adj* correspondente. ◆ *nm, f (à qui on écrit)* correspondente *mf*; *(au téléphone)* interlocutor *m* (-ra *f*).

correspondre [kɔrɛspɔ̃dr] *vi (coïncider)* corresponder; *(écrire)* corresponder-se; ~ **à** corresponder a.

corrida [kɔrida] *nf* tourada *f*.

corridor [kɔridɔr] *nm* corredor *m*.

corrigé [kɔriʒe] *nm* solução *f*.

corriger [kɔriʒe] *vt (erreur, examen)* corrigir; *(défaut)* emendar. ☐ **se corriger** *vp* corrigir-se.

corroborer [kɔrɔbɔre] *vt* corroborar.

corrompre [kɔrɔ̃pr] *vt (soudoyer)* subornar; *(dépraver)* corromper; *(gâter)* estragar.

corrosif, ive [kɔrozif, iv] *adj* corrosivo(-va).

corrosion [kɔrozjɔ̃] *nf* corrosão *f*.

corruption [kɔrypsjɔ̃] *nf* corrupção *f*; ~ **de fonctionnaire** corrupção de funcionários.

corsage [kɔrsaʒ] *nm* corpete *m*.

corse [kɔrs] *adj* corso(-sa). ☐ **Corse** *nmf* corso *m* (-sa *f*). ◆ *nf*: **la Corse** a Córsega.

corsé, e [kɔrse] *adj* forte; *(vin)* encorpado(-da).

cortège [kɔrtɛʒ] *nm* cortejo *m*.

corvée [kɔrve] nf chatice f.

cosmétique [kɔsmetik] nm cosmético m. ◆ adj cosmético(-ca).

cosmique [kɔsmik] adj cósmico(-ca).

cosmonaute [kɔsmɔnot] nmf cosmonauta mf.

cosmopolite [kɔsmɔpɔlit] adj cosmopolita.

cossu, e [kɔsy] adj ricamente decorado(-da).

Costa Rica [kɔstarika] nm : **le ~** a Costa Rica.

costaud [kɔsto] adj (fam : musclé) entroncado(-da); (solide) sólido(-da).

costume [kɔstym] nm (d'homme) fato m; (de théâtre, de déguisement) trajo m.

cotation [kɔtasjɔ̃] nf cotação f; **~ en Bourse** cotação na Bolsa.

côte [kot] nf (pente) encosta f; (ANAT) costela f; (d'agneau, de porc, etc) costeleta f; (bord de mer) costa f; **~ à ~** lado a lado; **la Côte d'Azur** a Costa Azul (francesa).

côté [kote] nm lado m; **de quel ~ dois-je aller?** para que lado devo ir?; **à ~** ao lado; **à ~ de** ao lado de; **de l'autre ~ (de)** do outro lado (de); **de ~** de lado; **mettre qqch de ~** pôr algo de lado.

Côte-d'Ivoire [cotdivwar] nf : **la ~** a Costa do Marfim.

côtelé [kotle] adj m → **velours**.

côtelette [kotlɛt] nf costeleta f.

côtier, ère [kotje, ɛr] adj costeiro(-ra).

cotisation [kɔtizasjɔ̃] nf quota f.

❏ **cotisations** nfpl descontos mpl.

cotiser [kɔtize] vi (à un club, un parti) pagar uma quota; (à la Sécurité sociale) descontar; (participer) contribuir.

❏ **se cotiser** vp cotizar-se.

coton [kɔtɔ̃] nm algodão m; **~ (hydrophile)** algodão (hidrófilo).

Coton-Tige® [kɔtɔ̃tiʒ] (pl **Cotons-Tiges**) nm cotonete m.

côtoyer [kotwaje] vt (fréquenter) dar-se com; (longer) costear.

cou [ku] nm pescoço m.

couchage [kuʃaʒ] nm → **sac**.

couchant [kuʃɑ̃] adj m → **soleil**.

couche [kuʃ] nf (épaisseur) camada f; (de bébé) fralda f.

couche-culotte [kuʃkylɔt] (pl **couches-culottes**) nf fralda f descartável.

coucher [kuʃe] vt deitar. ◆ vi (dormir) dormir; **être couché** estar deitado; **~ avec qqn** (fam) dormir com alguém.

❏ **se coucher** vp (personne) deitar-se; (soleil) pôr-se.

couchette [kuʃɛt] nf cama f, couchette f.

coucou [kuku] nm (oiseau) cuco m; (horloge) relógio m de cuco. ◆ excl cucu!

coude [kud] nm (ANAT) cotovelo m; (courbe) curva f.

cou-de-pied [kudpje] (pl **cous-de-pied**) nm peito m do pé.

coudre [kudr] vt & vi coser.

couette [kwɛt] nf (édredon) edredão m.

❏ **couettes** nfpl (coiffure) puxos mpl.

couffin [kufɛ̃] nm (cabas) seira f; (berceau) alcofa f.

cougnou [kuɲu] nm (Belg) brioche com a forma do Menino Jesus comido no Natal.

couler [kule] vi (liquide, rivière) correr; (bateau) afundar-se. ◆ vt (bateau) afundar.

couleur [kulœr] nf (teinte) cor f; (de cartes) naipe m; **de quelle ~ est...?** de que cor é...?

couleuvre [kulœvr] nf cobra f.

coulis [kuli] nm puré de legumes, de fruta ou de mariscos.

coulisser [kulise] *vi* deslizar.

coulisses [kulis] *nfpl* bastidores *mpl*.

couloir [kulwar] *nm (d'appartement)* corredor *m*; *(de bus)* corredor *m* de circulação.

coup [ku] *nm* **1.** *(choc physique)* pancada *f*; **donner un ~ à qqn** dar uma pancada a alguém; **donner un ~ de coude à qqn** dar uma cotovelada a alguém; **~ de couteau** facada *f*; **~ de feu** tiro *m*; **~ de pied** pontapé *m*; **~ de poing** murro *m*. **2.** *(avec un instrument)*: **passer un ~ de balai** dar uma varredela; **~ de marteau** martelada *f*; **~ de peigne** penteadela *f*; **~ de crayon** traço *m*. **3.** *(choc moral, action malhonnête)* golpe *m*; **~ dur** *(fam)* aborrecimento *m*; **ça m'a fait un ~ au cœur** aquilo foi um choque para mim; **faire un ~ à qqn** pregar um golpe baixo a alguém. **4.** *(bruit)*: **il y a eu un ~ sec** houve um estampido; **~ de sonnette** toque *m* (de campainha); **les douze ~s de minuit** as doze badaladas da meia-noite. **5.** *(à la porte)* pancada *f*. **6.** *(aux échecs)* jogada *f*. **7.** *(en sport)* lance *m*; **~ franc** *(au football)* livre *m*; *(au rugby)* golpe *m* livre. **8.** *(fam : fois)* vez *f*; **du premier ~** à primeira; **d'un (seul) ~** *(en une fois)* de uma só vez; *(soudainement)* de repente; **j'ai tout bu d'un (seul) ~** bebi tudo de um (só) trago; **ça marche à tous les ~s** funciona sempre. **9.** *(dans des expressions)*: **~ de chance** golpe de sorte; **~ de fil** OU **de téléphone** chamada *f* telefónica; **donner un ~ de main à qqn** dar uma mão a alguém; **jeter un ~ d'œil (à)** dar uma olhadela (a); **~ de soleil** queimadura *f* (solar); **~**

de foudre amor *m* à primeira vista; **~ de vent** rajada *f* de vento; **passer en ~ de vent** fazer uma visita rápida; **boire un ~** *(fam)* beber um copo; **du ~, ...** resultado, ...; **tenir le ~** aguentar; **valoir le ~** *(fam)* valer a pena.

coupable [kupabl] *adj & nmf* culpado(-da); **~ de qqch** culpado de algo.

coupant, e [kupã, ãt] *adj* cortante.

coupe [kup] *nf* taça *f*; *(de cheveux, de vêtements)* corte *m*; **à la ~** *(fromage, etc)* à fatia.

coupe-ongles [kupɔ̃gl] *nm inv* corta-unhas *m inv*.

coupe-papier [kuppapje] *nm inv* corta-papel *m*.

couper [kupe] *vt & vi* cortar; **~ la route à qqn** cortar a estrada a alguém.

❏ **se couper** *vp* cortar-se; **se ~ le doigt** cortar-se no dedo.

couple [kupl] *nm* casal *m*.

couplet [kuplɛ] *nm* estrofe *f*.

coupole [kupɔl] *nf* cúpula *f*.

coupon [kupɔ̃] *nm (reste de tissu)* retalho *m*; *(rouleau d'étoffe)* peça *f*; *(FIN)* cupão *m*; *(billet)* senha *f*.

coupure [kupyr] *nf* corte *m*; **~ de courant** corte de electricidade; **~ de journal** recorte *m* de jornal.

couque [kuk] *nf (Belg) (biscuit)* bolacha *f*; *(pain d'épices)* pão-de-mel *m*; *(brioche)* brioche *m*.

cour [kur] *nf (d'immeuble, de ferme)* pátio *m*; *(tribunal)* tribunal *m*; *(d'un roi)* corte *f*; **~ (de récréation)** recreio *m*.

courage [kuraʒ] *nm* coragem *f*; **bon ~!** coragem!

courageux, euse [kuraʒø, øz] *adj* corajoso(-osa).

couramment [kuramã] *adv (fréquemment)* frequentemente; *(parler)* fluentemente.

courant, **e** [kurã, ãt] *adj (fré-quent)* comum. ♦ *nm* corrente *f*; **être au ~ (de)** estar ao corrente (de); **~ d'air** corrente de ar; **~ alternatif** corrente alterna; **~ continu** corrente contínua.

courbaturé, **e** [kurbatyre] *adj* partido(-da).

courbatures [kurbatyr] *nfpl* dores *fpl* musculares.

courbe [kurb] *adj* curvo(-va). ♦ *nf (ligne arrondie)* curva *f*.

courber [kurbe] *vt (plier)* curvar; *(pencher)* dobrar.

coureur, **euse** [kurœr, øz] *nm, f* corredor *m* (-ra *f*); **~ automobile** corredor de automóveis; **~ cycliste** ciclista *mf*; **~ à pied** corredor.

courge [kurʒ] *nf* abóbora *f*.

courgette [kurʒɛt] *nf* courgette *f*, abobrinha *f*.

courir [kurir] *vt & vi* correr.

couronne [kurɔn] *nf* coroa *f*; *(de fleurs)* coroa *f* de flores.

couronner [kurɔne] *vt (roi)* coroar; *(fig: récompenser)* laurear; **être couronné de succès** ser coroado de sucesso.

courrier [kurje] *nm* correio *m*.

courroie [kurwa] *nf* correia *f*.

cours [kur] *nm (leçon)* aula *f*; *(d'une monnaie, d'une marchandise)* cotação *f*; **au ~ de** ao longo de; **en ~** em curso; **~ d'eau** curso *m* de água.

course [kurs] *nf* corrida *f*; *(démarche)* volta *f*. ❑ **courses** *nfpl (achats)* compras *fpl*; **faire les ~s** fazer as compras.

coursier, **ère** [kursje, ɛr] *nm, f* estafeta *mf*.

court, **e** [kur, kurt] *adj* curto(-ta). ♦ *nm (de tennis)* campo *m* de ténis *(Port)*, quadra *f* de ténis *(Br)*. ♦ *adv* : **des cheveux coupés ~** cabelo cortado curto; **s'habiller ~** vestir saias curtas; **être à ~ de** estar com falta de.

court-bouillon [kurbujɔ̃] *(pl* **courts-bouillons)** *nm* caldo *m*.

court-circuit [kursirkɥi] *(pl* **courts-circuits)** *nm* curto-circuito *m*.

courtier, **ère** [kurtje, ɛr] *nm, f* corretor *m* (-ra *f*).

court-métrage [kurmetraʒ] *(pl* **courts-métrages)** *nm* curta-metragem *f*.

courtois, **e** [kurtwa, az] *adj* cortês.

courtoisie [kurtwazi] *nf* cortesia *f*.

couru, **e** [kury] *pp* → **courir**.

couscous [kuskus] *nm* cuscuz *m*.

cousin, **e** [kuzɛ̃, in] *nm, f* primo *m* (-ma *f*); **~ germain** primo direito.

coussin [kusɛ̃] *nm* almofada *f*.

cousu, **e** [kuzy] *pp* → **coudre**.

coût [ku] *nm* custo *m*.

couteau, **x** [kuto] *nm* faca *f*.

coûter [kute] *vt & vi* custar; **combien ça coûte?** quanto custa?

coûteux, **euse** [kutø, øz] *adj* dispendioso(-osa).

coutume [kutym] *nf* costume *m*.

couture [kutyr] *nf* costura *f*.

couturier, **ère** [kutyrje, ɛr] *nm, f* costureiro *m* (-ra *f*); **grand ~** grande costureiro.

couvée [kuve] *nf* ninhada *f*.

couvent [kuvã] *nm* convento *m*.

couver [kuve] *vt & vi* chocar.

couvercle [kuvɛrkl] *nm (de casserole)* testo *m*; *(de bocal)* tampa *f*.

couvert, **e** [kuver, ɛrt] *pp* → **couvrir**. ♦ *nm* talher *m*. ♦ *adj (ciel)* encoberto(-ta); *(marché, parking)* coberto(-ta); *(vêtu)* agasalhado(-da); **bien ~** bem agasalhado; **~ de** coberto de; **mettre le ~** pôr a mesa.

couverture [kuvɛrtyr] *nf (de lit)* cobertor *m; (de livre)* capa *f.*

couveuse [kuvøz] *nf (pour bébés)* incubadora *f; (poule)* galinha *f* choca; *(pour œufs)* chocadeira *f.*

couvre-feu [kuvrəfø] *(pl* **couvre-feux)** *nm* recolher *m* obrigatório.

couvrir [kuvrir] *vt (mettre un couvercle sur)* tapar; *(livre, cahier)* forrar; ~ qqch de encher algo de. ❏ se couvrir *vp (ciel)* encobrir-se; *(s'habiller)* agasalhar-se; se ~ de cobrir-se de.

cow-boy, s [kobɔj] *nm* cow-boy *m.*

CP *nm (abr de* **cours préparatoire)** ≃ pré-primária *f.*

crabe [krab] *nm* caranguejo *m.*

crachat [kraʃa] *nm* escarro *m.*

cracher [kraʃe] *vi* cuspir. ◆ *vt* deitar fora.

crachin [kraʃɛ̃] *nm* chuva *f* molha tolos OU molha parvos.

craie [krɛ] *nf (matière)* greda-branca *f; (pour écrire au tableau)* giz *m.*

craindre [krɛ̃dr] *vt (redouter)* temer; *(être sensible à)* ser sensível a; **je crains de ne pouvoir venir** receio não poder vir.

craint, e [krɛ̃, ɛ̃t] *pp* → **craindre.**

crainte [krɛ̃t] *nf* receio *m;* **de ~ que** com receio de que.

craintif, ive [krɛ̃tif, iv] *adj* receoso(-osa).

cramique [kramik] *nm (Belg) brioche com passas.*

crampe [krɑ̃p] *nf* cãibra *f.*

cramponner [krɑ̃pɔne]: **se cramponner (à)** *vp (+ prép)* agarrar-se (a).

crampons [krɑ̃pɔ̃] *nmpl (de foot, de rugby)* pitões *mpl.*

cran [krɑ̃] *nm (de ceinture)* furo *m; (entaille)* corte *m; (fam : courage)* peito *m;* **(couteau à)** ~ **d'arrêt** navalha *f* de ponta em mola.

crâne [kran] *nm* crânio *m.*

crâner [krane] *vi (fam)* armar-se.

crânien, enne [kranjɛ̃, ɛn] *adj* craniano(-na).

crapaud [krapo] *nm* sapo *m.*

crapule [krapyl] *nf* crápula *m.*

craquement [krakmɑ̃] *nm* estalido *m.*

craquer [krake] *vi (faire un bruit)* estalar; *(casser)* rachar; *(nerveusement)* ir-se abaixo. ◆ *vt (allumette)* acender.

crasse [kras] *nf* sujidade *f.*

crasseux, euse [krasø, øz] *adj* sebento(-ta).

cratère [kratɛr] *nm* cratera *f.*

cravache [kravaʃ] *nf* pingalim *m.*

cravate [kravat] *nf* gravata *f.*

crawl [krol] *nm* crawl *m.*

crayon [krɛjɔ̃] *nm* lápis *m;* ~ **de couleur** lápis de cor.

créancier, ère [kreɑ̃sje, ɛr] *nm, f* credor *m* (-ra *f*).

créateur, trice [kreatœr, tris] *adj & nm, f* criador(-ra).

créatif, ive [kreatif, iv] *adj* criativo(-va).

création [kreasjɔ̃] *nf* criação *f.*

créature [kreatyr] *nf* criatura *f.*

crèche [krɛʃ] *nf (garderie)* infantário *m; (RELIG)* presépio *m.*

crédible [kredibl] *adj* credível.

crédit [kredi] *nm* crédito *m;* **acheter qqch à** ~ comprar algo a prestações.

créditer [kredite] *vt* creditar.

créditeur, trice [kreditœr, tris] *adj & nm, f* credor(-ra).

crédule [kredyl] *adj* crédulo(-la).

créer [kree] *vt* criar.

crémaillère [kremajɛr] *nf :* **pendre la** ~ *festejar a instalação em casa nova.*

crème [krɛm] *nf* creme *m;* ~ **an-**

glaise *creme à base de leite e ovos;* ~ **caramel** leite-creme *m;* ~ **fraîche** natas *fpl (Port),* creme *m* de leite *(Br);* ~ **glacée** gelado *m;* ~ **pâtissière** creme de pasteleiro.

crémerie [kremri] *nf* leitaria *f.*

crémeux, euse [kremø, øz] *adj* cremoso(-osa).

créneau, x [kreno] *nm :* **faire un** ~ estacionar entre dois veículos.

❏ **créneaux** *nmpl (de château)* ameias *fpl.*

créole [kreɔl] *nm (langue)* crioulo *m.* ◆ *adj* crioulo(-la).

❏ **créoles** *nfpl* argolas *fpl (brincos).*

crêpe [krɛp] *nf* crepe *m;* ~ **bretonne** *crepe que quando é salgado é frequentemente feito com farinha de trigo-sarraceno.*

crêperie [krɛpri] *nf restaurante cuja especialidade são os crepes.*

crépi [krepi] *nm* reboco *m.*

crépiter [krepite] *vi* crepitar.

crépu, e [krepy] *adj* crespo(-pa).

crépuscule [krepyskyl] *nm* crepúsculo *m;* **au** ~ ao crepúsculo.

cresson [kresɔ̃] *nm* agrião *m.*

Crète [krɛt] *nf :* **la** ~ Creta.

crête [krɛt] *nf (de montagne)* cume *m; (de coq)* crista *f.*

crétin, e [kretɛ̃, in] *(fam) adj & nm, f* cretino(-na).

cretons [krətɔ̃] *nmpl (Can)* paté de porco.

creuser [krøze] *vt* escavar; **ça creuse!** isto dá fome!

❏ **se creuser** *vp :* **se** ~ **la tête** OU **la cervelle** dar voltas à cabeça OU ao miolo.

creux, creuse [krø, krøz] *adj* oco (oca). ◆ *nm* cavidade *f.*

crevaison [krəvɛzɔ̃] *nf* furo *m.*

crevant, e [krəvɑ̃, ɑ̃t] *adj (fam)* estafante.

crevasse [krəvas] *nf* fenda *f.*

crevé, e [krəve] *adj (fam)* estafado(-da).

crever [krəve] *vt (percer)* furar; *(fam : fatiguer)* estafar. ◆ *vi (exploser)* rebentar; *(avoir une crevaison)* ter um furo; *(fam : mourir)* esticar o pernil.

crevette [krəvɛt] *nf* gamba *f; (petite)* camarão *m;* ~ **grise** camarão-negro *m;* ~ **rose** camarão-rosa *m.*

cri [kri] *nm* grito *m;* **pousser un** ~ dar um grito.

criard, e [krijar, ard] *adj (voix)* esganiçado(-da); *(couleur)* berrante.

criblé, e [krible] *adj :* ~ **de** *(troué de)* crivado de; *(parsemé de)* cheio de; **être** ~ **de dettes** estar crivado de dívidas.

cric [krik] *nm* macaco *m (ferramenta).*

cricket [krikɛt] *nm* críquete *m.*

crier [krije] *vt & vi* gritar.

crime [krim] *nm* crime *m.*

criminel, elle [kriminɛl] *nm, f* criminoso *m* (-osa *f).*

crinière [krinjɛr] *nf (de lion)* juba *f.*

crique [krik] *nf* enseada *f.*

criquet [krikɛ] *nm* gafanhoto *m.*

crise [kriz] *nf* crise *f; (de rire)* ataque *m;* ~ **cardiaque** ataque cardíaco; ~ **de foie** crise de fígado; ~ **de nerfs** crise de nervos.

crispé, e [krispe] *adj (personne, sourire)* crispado(-da); *(poing)* fechado(-da).

crisper [krispe] *vt (contracter)* crispar; *(agacer)* irritar.

❏ **se crisper** *vp (se contracter)* crispar-se; *(s'irriter)* ficar crispado(-da).

crisser [krise] *vi* chiar.

cristal, aux [kristal, o] *nm* cristal *m.*

cristallin, e [kristalɛ̃, in] *adj* cristalino(-na).

❑ **cristallin** *nm* cristalino *m*.

critère [kritɛr] *nm* critério *m*.

critique [kritik] *adj & nmf* crítico(-ca). ◆ *nf* crítica *f*.

critiquer [kritike] *vt* criticar.

croasser [krɔase] *vi* crocitar.

Croatie [krɔasi] *nf* : **la** ~ a Croácia.

croc [kro] *nm* presa *f (dente)*.

croche [krɔʃ] *nf* colcheia *f*.

croche-pied, **s** [krɔʃpje] *nm* : **faire un** ~ **à qqn** passar uma rasteira a alguém.

crochet [krɔʃɛ] *nm (pour accrocher)* gancho *m*; *(tricot)* croché *m*; *(fig: détour)* desvio *m*.

crochu, **e** [krɔʃy] *adj* adunco(-ca).

crocodile [krɔkɔdil] *nm* crocodilo *m*.

croire [krwar] *vt (personne, histoire)* acreditar em; *(penser)* achar. ◆ *vi* : ~ **à** acreditar em; ~ **en** acreditar em.

❑ **se croire** *vp* : **il se croit intelligent** ele julga-se inteligente; **on se croirait au Moyen Âge** até parece que estamos na Idade Média.

croisade [krwazad] *nf* cruzada *f*.

croisement [krwazmã] *nm* cruzamento *m*.

croiser [krwaze] *vt* cruzar; *(personne)* cruzar-se com.

❑ **se croiser** *vp* cruzar-se; **j'ai croisé son regard** os nossos olhares cruzaram-se.

croisière [krwazjɛr] *nf* cruzeiro *m*.

croissance [krwasãs] *nf* crescimento *m*.

croissant [krwasã] *nm (pâtisserie)* croissant *m*; *(de lune)* meia-lua *f*.

croître [krwatr] *vi* crescer.

croix [krwa] *nf* cruz *f*; **en** ~ em forma de cruz.

Croix-Rouge [krwaruʒ] *nf* : **la** ~ a Cruz Vermelha.

croque-madame [krɔkmadam] *nm inv* tosta mista com ovo estrelado.

croque-monsieur [krɔkməsjø] *nm inv* tosta mista.

croque-mort [krɔkmɔr] *(pl* **croque-morts)** *nm (fam)* cangalheiro *m*.

croquer [krɔke] *vt (manger)* trincar. ◆ *vi (craquer)* estalar.

croquette [krɔkɛt] *nf* croquete *m*; ~**s pour chiens** biscoitos *mpl* para cães.

croquis [krɔki] *nm* esboço *m*; **faire un** ~ fazer um esboço.

cross [krɔs] *nm inv (à pied)* corrida *f*; *(à moto)* motocross *m*; *(discipline)* corta-mato *m*.

crotte [krɔt] *nf* excremento *m*.

crottin [krɔtɛ̃] *nm (d'animal)* esterco *m*; *(fromage)* pequeno queijo de cabra que pode ser servido quente.

crouler [krule] *vi (être surchargé)* : ~ **sous le poids** abater com o peso; *(s'effondrer)* vir abaixo; ~ **sous le travail** *(fig)* estar com trabalho até ao pescoço.

croupir [krupir] *vi* estagnar.

croustade [krustad] *nf* empada *f*.

croustillant, **e** [krustijã, ãt] *adj* estaladiço(-ça).

croûte [krut] *nf* crosta *f*; *(de pain)* côdea *f*; ~ **au fromage** *(Helv)* fatia de pão com queijo gratinado e vinho branco.

croûton [krutɔ̃] *nm (pain frit)* pedaço *m* de pão frito; *(extrémité du pain)* ponta *f* do pão.

croyance [krwajãs] *nf* crença *f*.

croyant, **e** [krwajã, ãt] *adj* crente.

CRS *nm* ≃ polícia *f* de choque.

cru, **e** [kry] *pp* → **croire**. ◆ *adj* cru (crua). ◆ *nm (vin)* colheita *f*.

cruauté [kryote] *nf* crueldade *f*.

crucial, e, aux [krysjal, o] *adj* crucial.

crudités [krydite] *nfpl* legumes *mpl* crus.

crue [kry] *nf* cheia *f*; **être en ~** estar a encher.

cruel, elle [kryɛl] *adj* cruel.

crustacés [krystase] *nmpl* crustáceos *mpl*.

Cuba [kyba] *n* Cuba.

cube [kyb] *nm* cubo *m*; **mètre ~** metro *m* cúbico.

cueillette [kœjɛt] *nf* colheita *f*.

cueillir [kœjir] *vt* colher.

cuiller [kɥijer] = **cuillère**.

cuillère [kɥijer] *nf* colher *f*; **~ à café, petite ~** colher de chá, colherzinha *f*; **~ à soupe** colher de sopa.

cuillerée [kɥijere] *nf* colherada *f*.

cuir [kɥir] *nm* couro *m*.

cuire [kɥir] *vt & vi* cozer; **faire ~** cozer.

cuisine [kɥizin] *nf* cozinha *f*; **faire la ~** cozinhar.

cuisiner [kɥizine] *vt & vi* cozinhar.

cuisinier, ère [kɥizinje, ɛr] *nm, f* cozinheiro *m* (-ra *f*).

cuisinière [kɥizinjer] *nf (fourneau)* fogão *m*; → **cuisinier**.

cuisse [kɥis] *nf (ANAT)* coxa *f*; *(de volaille)* perna *f*; **~s de grenouille** coxas de rã.

cuisson [kɥisɔ̃] *nf* cozedura *f*.

cuit, e [kɥi, kɥit] *adj* cozido(-da); **bien ~** bem cozido.

cuivre [kɥivr] *nm (métal)* cobre *m*.

cul [ky] *nm (vulg)* cu *m*.

culasse [kylas] *nf* → **joint**.

cul-de-sac [kydsak] *(pl culs-de-sac)* *nm (voie)* beco *m* sem saída; *(fam : fig: projet)* buraco *m* sem saída.

culinaire [kylinɛr] *adj* culinário(-ria).

culminer [kylmine] *vi (surplomber)* elevar-se; **~ à** *(s'élever à)* elevar-se a; *(fig)* ascender a.

culot [kylo] *nm (fam : toupet)* lata *f*; *(fond)* fundo *m* metálico; *(dépôt)* sarro *m*; **avoir le ~ de faire qqch** *(fam)* ter a lata de fazer algo; **avoir du ~** *(fam)* ter lata.

culotte [kylɔt] *nf* cuecas *fpl (de senhora)*; **~ de cheval** *(vêtement)* calções *mpl* de montar.

culpabilité [kylpabilite] *nf* culpa *f*.

culte [kylt] *nm* culto *m*.

cultivateur, trice [kyltivatœr, tris] *nm, f* cultivador *m* (-ra *f*).

cultivé, e [kyltive] *adj (plante, terre)* cultivado(-da); *(fig: personne)* culto(-ta).

cultiver [kyltive] *vt* cultivar.
❏ **se cultiver** *vp* cultivar-se.

culture [kyltyr] *nf* cultura *f*.
❏ **cultures** *nfpl* terras *fpl* de cultivo.

culturel, elle [kyltyrɛl] *adj* cultural.

cumin [kymɛ̃] *nm* cominho *m*.

cumul [kymyl] *nm* acumulação *f*.

cumuler [kymyle] *vt* acumular.

cupide [kypid] *adj* cúpido(-da).

cure [kyr] *nf* cura *f*; *(du curé)* curato *m*; **~ d'amaigrissement** cura de emagrecimento; **~ de désintoxication** cura de desintoxicação; **~ de sommeil** cura de sono; **~ thermale** cura termal.

curé [kyre] *nm* padre *m*.

cure-dents [kyrdɑ̃] *nm inv* palito *m*.

curieux, euse [kyrjø, øz] *adj* curioso(-osa). ♦ *nmpl (spectateurs)* curiosos *mpl*.

curiosité [kyrjozite] *nf* curiosidade *f*.

curry [kyri] *nm* caril *m*.
cutanée [kytane] *adj f* → **éruption**.
cuve [kyv] *nf* cuba *f*.
cuvette [kyvɛt] *nf* bacia *f*.
CV *nm (abr de* **curriculum vitae***)* c.v. *m*; *(AUT) (abr de* **cheval***)* cv.
cyanure [sjanyr] *nm* cianeto *m*.
cyclable [siklabl] *adj* → **piste**.
cycle [sikl] *nm* ciclo *m*.
cyclique [siklik] *adj* cíclico(-ca).

cyclisme [siklism] *nm* ciclismo *m*.
cycliste [siklist] *adj* de ciclismo. ◆ *nmf* ciclista *mf*. ◆ *nm (short)* calções *mpl* de ciclista.
cyclone [siklon] *nm* ciclone *m*.
cygne [siɲ] *nm* cisne *m*.
cylindre [silɛ̃dr] *nm* cilindro *m*.
cymbale [sɛ̃bal] *nf* címbalo *m*.
cynique [sinik] *adj* cínico(-ca).
cyprès [siprɛ] *nm* cipreste *m*.

D

DAB [dab] *nm (abr de distributeur automatique de billets)* MB *m*.

dactylo [daktilo] *nf (secrétaire)* dactilógrafa *f*.

daigner [deɲe] *vi* : ~ **faire qqch** dignar-se a fazer algo; **ne pas ~ faire qqch** não se dignar a fazer algo.

daim [dɛ̃] *nm (animal)* gamo *m*; *(peau)* camurça *f*.

dalle [dal] *nf* laje *f*.

daltonien, enne [daltɔnjɛ̃, ɛn] *adj & nm, f* daltónico(-ca).

dame [dam] *nf (femme)* senhora *f*; *(aux cartes)* dama *f*.
❏ **dames** *nfpl (jeu)* damas *fpl*.

damier [damje] *nm (de dames)* tabuleiro *m*.

dandiner [dɑ̃dine]
❏ **se dandiner** *vp* bambolear-se.

Danemark [danmark] *nm* : **le ~** a Dinamarca.

danger [dɑ̃ʒe] *nm* perigo *m*; **être en ~** estar em perigo.

dangereux, euse [dɑ̃ʒrø, øz] *adj* perigoso(-osa).

danois, e [danwa, az] *adj* dinamarquês(-esa). ◆ *nm (langue)* dinamarquês *m*.
❏ **Danois, e** *nm, f* dinamarquês *m* (-esa *f*).

dans [dɑ̃] *prép* **1.** *(gén)* em; **je vis ~ le sud de la France** vivo no sul de França; **nous allons en vacances ~ les Alpes** vamos de férias para os Alpes; **vous allez ~ la mauvaise direction** vai na direcção errada; **lancer le ballon ~ les buts** atirar a bola à baliza; **~ ma jeunesse** na minha juventude.
2. *(indique la provenance)* de; **choisissez un dessert ~ notre sélection du jour** escolha uma sobremesa da nossa selecção do dia.
3. *(indique le moment à venir)* dentro de; **~ combien de temps arrivons-nous?** chegamos dentro de quanto tempo?; **le spectacle commence ~ cinq minutes** o espectáculo começa dentro de cinco minutos.
4. *(indique une approximation)* : **ça doit coûter ~ les 200 F** deve custar cerca de 200 francos.

danse [dɑ̃s] *nf* : **la ~** a dança; **une ~** uma dança; **~ classique/moderne** dança clássica/moderna.

danser [dɑ̃se] *vt & vi* dançar.

danseur, euse [dɑ̃sœr, øz] *nm, f (de salon)* dançarino *m* (-na *f*); *(classique)* bailarino *m* (-na *f*).

dard [dar] *nm* ferrão *m*.

darne [darn] *nf* posta *f* (de peixe).

date [dat] *nf* data *f*; **~ limite**

data limite; '~ **limite de consommation'** 'data limite de consumo'; '~ **limite de vente'** data limite de venda; ~ **de naissance** data de nascimento.

dater [date] *vt & vi* datar; ~ **de** datar de.

datte [dat] *nf* tâmara *f*.

dattier [datje] *nm* tamareira *f*.

daube [dob] *nf* : **(bœuf en)** ~ *carne de vaca estufada em vinho.*

dauphin [dofɛ̃] *nm (animal)* golfinho *m*.

dauphine [dofin] *nf* → **pomme.**

dauphinois [dofinwa] *adj m* → **gratin.**

daurade [dɔrad] *nf* dourada *f*.

davantage [davãtaʒ] *adv* mais; ~ **de** mais.

de [də] *prép* **1.** *(gén)* de; **la porte du salon** a porta da sala; **le frère** ~ **Pierre** o irmão do Pierre; **d'où êtes-vous? - ~ Bordeaux** de onde é? - de Bordéus; ~ **Paris à Tokyo** de Paris a Tóquio; ~ **la mi-août à début septembre** de meados de Agosto ao início de Setembro; **une statue ~ pierre** uma estátua de pedra; **des billets ~ 100 F** notas de 100 francos; **l'avion ~ 7 h 20** o avião das 7 h 20; **un jeune homme ~ 25 ans** um rapaz de 25 anos; **parler ~ qqch** falar de algo; **arrêter ~ faire qqch** deixar de fazer algo; **une bouteille d'eau minérale** uma garrafa de água mineral; **plusieurs ~ ces œuvres sont des copies** muitas destas obras são cópias; **la moitié du temps/~ nos clients** metade do tempo/dos nossos clientes; **le meilleur ~ nous tous** o melhor de nós todos; **je meurs ~ faim!** estou a morrer de fome! **2.** *(indique le moyen, la manière)* com; **saluer qqn d'un mouvement de tête** cumprimentar alguém com um aceno de cabeça;

regarder **qqn du coin de l'œil** olhar para alguém pelo canto do olho; **d'un air distrait** com um ar distraído.

◆ *art* : **je voudrais du vin/du lait** queria vinho/leite; **ils n'ont pas d'enfants** eles não têm filhos.

dé [de] *nm* dado *m*; ~ **(à coudre)** dedal *m*.

dealer¹ [dilœr] *nm* passador *m* *(de droga).*

dealer² [dile] *vt (fam)* passar *(droga).*

déballer [debale] *vt (affaires)* desempacotar; *(cadeau)* desembrulhar.

débandade [debãdad] *nf* debandada *f*.

débarbouiller [debarbuje]: **se débarbouiller** *vp* lavar (a cara).

débardeur [debardœr] *nm* camisola *f* de alças.

débarquement [debarkəmã] *nm* desembarque *m*.

débarquer [debarke] *vt & vi* desembarcar.

débarras [debara] *nm* arrecadação *f*; **bon ~!** bons ventos o levem!

débarrasser [debarase] *vt (désencombrer)* limpar; *(table)* levantar *(Port)*, tirar *(Br)*; ~ **qqn de qqch** *(vêtement, paquets)* arrumar algo de alguém.

❏ **se débarrasser de** *vp + prép* *(vêtement, paquets)* arrumar; *(travail)* ver-se livre de; *(personne)* desembaraçar-se de.

débat [deba] *nm* debate *m*.

débattre [debatr] *vt & vi* debater; ~ **(de) qqch** debater algo. ❏ **se débattre** *vp* debater-se.

débauche [deboʃ] *nf* deboche *m*; **une ~ de qqch** *(fig)* um festival de algo.

débaucher [deboʃe] *vt (corrompre)* debochar; *(licencier)* despedir; *(déconcentrer)* distrair.

débile [debil] *nmf* débil *mf* mental. ◆ *adj (fam : idiot)* estúpido(-da).

débit [debi] *nm* débito *m.*

débiter [debite] *vt (compte)* debitar; *(arbre)* cortar; *(péj: banalité)* despejar.

débiteur, trice [debitœr, tris] *adj* devedor(-ra).

déblayer [debleje] *vt* desobstruir.

débloquer [deblɔke] *vt* desbloquear.

déboires [debwar] *nmpl* dissabor *m.*

déboiser [debwaze] *vt* desflorestar.

❑ **se déboiser** *vp* ficar desarborizado(-da).

déboîter [debwate] *vt* desencaixar. ◆ *vi* sair da fila.

❑ **se déboîter** *vp* : **se ~ l'épaule** deslocar o ombro.

débordé, e [deborde] *adj* : **être ~ (de travail)** estar sobrecarregado (de trabalho).

déborder [debɔrde] *vi* transbordar.

débouché [debuʃe] *nm* saída *f.*

déboucher [debuʃe] *vt (bouteille)* desarrolhar; *(nez, tuyau)* desentupir.

❑ **déboucher sur** *v + prép (rue)* ir dar a; *(négociations)* levar a.

débourser [deburse] *vt* desembolsar.

debout [dəbu] *adv (sur ses pieds)* em pé; *(verticalement, réveillé)* de pé; **se mettre ~** pôr-se de pé; **tenir ~** ficar de pé.

déboutonner [debutɔne] *vt* desabotoar.

débraillé, e [debraje] *adj* desleixado(-da).

débrancher [debrãʃe] *vt* desligar.

débrayer [debreje] *vi* desembraiar.

débris [debri] *nmpl* cacos *mpl.*

débrouillard, e [debrujar, ard] *adj & nm, f (fam)* desenrascado(-da).

débrouiller [debruje]: **se débrouiller** *vp* desenrascar-se; **se ~ pour faire qqch** desenrascar-se para fazer algo.

débroussailler [debrusaje] *vt* desbravar.

début [deby] *nm* começo *m*; **au ~ (de)** no começo (de).

débutant, e [debytã, ãt] *nm, f* principiante *mf.*

débuter [debyte] *vi* começar; *(acteur)* estrear-se.

décacheter [dekaʃte] *vt* abrir.

décadence [dekadãs] *nf* decadência *f.*

décaféiné, e [dekafeine] *adj* descafeinado(-da).

décalage [dekalaʒ] *nm* diferença *f*; **~ horaire** diferença horária.

décalcomanie [dekalkɔmani] *nf* decalcomania *f.*

décaler [dekale] *vt (dans l'espace)* deslocar; *(avancer)* antecipar; *(retarder)* adiar.

décalquer [dekalke] *vt* decalcar.

décamper [dekãpe] *vi* fugir a sete pés.

décapant [dekapã] *nm* decapante *m.*

décaper [dekape] *vt* decapar.

décapiter [dekapite] *vt* decapitar.

décapotable [dekapɔtabl] *nf* : **(voiture) ~** (carro) descapotável *m.*

décapsuler [dekapsyle] *vt* abrir.

décapsuleur [dekapsylœr] *nm* abre-cápsulas *m inv.*

décédé, e [desede] *adj* falecido(-da).

décéder [desede] *vi (sout)* falecer.

déceler [desle] *vt (repérer)* detectar; *(révéler)* revelar.

décembre [desãbr] *nm* Dezembro *m*; → **septembre**.

décemment [desamã] *adv (convenablement)* decentemente; *(raisonnablement)*: **je ne peux ~ pas l'accuser** não é decente da minha parte acusá-lo.

décence [desãs] *nf* decência *f*.

décennie [deseni] *nf* decénio *m*.

décent, e [desã, ãt] *adj* decente.

décentralisation [desãtralizasjõ] *nf* descentralização *f*.

déception [desɛpsjõ] *nf* decepção *f*.

décerner [desɛrne] *vt (prix)* outorgar.

décès [desɛ] *nm* falecimento *m*.

décevant, e [desvã, ãt] *adj* decepcionante.

décevoir [desəvwar] *vt* decepcionar.

déchaîné, e [deʃene] *adj (mer)* encapelado(-da); *(vent)* forte; *(passions)* desenfreado(-da); *(personne)* eléctrico(-ca).

déchaîner [deʃene] *vt* desencadear.

❑ **se déchaîner** *vp (personne)* soltar-se; *(colère, tempête)* desencadear-se.

déchanter [deʃãte] *vi* desencantar-se.

décharge [deʃarʒ] *nf (d'ordures)* lixeira *f*; *(électrique)* descarga *f*.

décharger [deʃarʒe] *vt* descarregar.

déchausser [deʃose] *vt* descalçar.

❑ **se déchausser** *vp (personne)* descalçar-se; *(dent)* descarnar.

déchéance [deʃeãs] *nf (déclin)* decadência *f*; *(d'un souverain)* deposição *f*; *(d'un droit)* prescrição *f*.

déchets [deʃɛ] *nmpl* resíduos *mpl*.

déchiffrer [deʃifre] *vt* decifrar.

déchiqueter [deʃikte] *vt* estilhaçar.

déchirant, e [deʃirã, ãt] *adj* dilacerante.

déchirer [deʃire] *vt* rasgar.

❑ **se déchirer** *vp* rasgar-se.

déchirure [deʃiryr] *nf* rasgão *m*; **~ musculaire** distensão *f* muscular.

déci [desi] *nm (Helv)* copo de vinho de *10 cl*.

décibel [desibɛl] *nm* decibel *m*.

décidé, e [deside] *adj* decidido(-da); **c'est ~** está decidido.

décidément [desidemã] *adv* decididamente.

décider [deside] *vt* decidir; **~ qqn (à faire qqch)** convencer alguém (a fazer algo); **~ de faire qqch** decidir fazer algo.

❑ **se décider** *vp* decidir-se; **se ~ à faire qqch** decidir-se a fazer algo.

décimal, e, aux [desimal, o] *adj* decimal.

décimer [desime] *vt* dizimar.

décisif, ive [desizif, iv] *adj* decisivo(-va).

décision [desizjõ] *nf* decisão *f*.

déclamer [deklame] *vt* declamar.

déclaration [deklarasjõ] *nf (orale)* declaração *f*; *(de vol, de perte)* participação *f*; **~ d'impôts** declaração de impostos.

déclarer [deklare] *vt* declarar; **rien à ~** nada a declarar.

❑ **se déclarer** *vp (se déclencher)* declarar-se.

déclencher [deklãʃe] *vt* accionar.

déclic [deklik] *nm (bruit)* estalido *m*; *(fig: illumination)* luz *f*.

déclin [deklẽ] *nm (diminution)*

decréscimo *m*; *(de popularité, civilisation)* declínio *m*; *(du jour)* crepúsculo *m*.

décliner [dekline] *vi (santé, jour)* declinar; *(quantité)* decrescer. ◆ *vt (GRAMM)* declinar; *(énoncer)* enumerar; *(sout: refuser)* declinar; ~ **une invitation** declinar um convite; ~ **toute responsabilité** declinar toda e qualquer responsabilidade.
❏ **se décliner** *vp* declinar-se.

décoction [dekɔksjɔ̃] *nf* decocção *f*.

décoder [dekɔde] *vt* descodificar.

décoiffer [dekwafe] *vt* despentear.

décollage [dekɔlaʒ] *nm* descolagem *f*.

décollé, e [dekɔle] *adj* descolado(-da); **oreilles ~es** orelhas de abano.

décoller [dekɔle] *vt & vi* descolar.
❏ **se décoller** *vp* descolar-se.

décolleté, e [dekɔlte] *adj* decotado(-da). ◆ *nm* decote *m*.

décolorer [dekɔlɔre] *vt* descolorar.

décombres [dekɔ̃br] *nmpl* escombros *mpl*.

décommander [dekɔmɑ̃de] *vt* desmarcar.
❏ **se décommander** *vp* desistir.

décomposé, e [dekɔ̃poze] *adj (pourri)* decomposto(-osta); *(personne)* desfigurado(-da).

décomposer [dekɔ̃poze] *vt* : ~ **qqch en** decompor algo em.
❏ **se décomposer** *vp (pourrir)* decompor-se.

décompresser [dekɔ̃prese] *vt & vi (fam)* descomprimir.

décompte [dekɔ̃t] *nm* desconto *m*; **faire le ~ de qqch** contar algo.

déconcentrer [dekɔ̃sɑ̃tre]: **se**

déconcentrer *vp* desconcentrar-se.

déconcerter [dekɔ̃sɛrte] *vt* desconcertar.

décongeler [dekɔ̃ʒle] *vt* descongelar.

déconnecter [dekɔnɛkte] *vt* desligar; **être déconnecté** *(fam)* estar por fora.
❏ **se déconnecter** *vp* desconectar-se.

déconseiller [dekɔ̃seje] *vt* : ~ **qqch à qqn** desaconselhar algo a alguém; ~ **à qqn de faire qqch** desaconselhar alguém de fazer algo.

décontenancer [dekɔ̃tnɑ̃se] *vt* embaraçar.
❏ **se décontenancer** *vp* desmanchar-se.

décontracté, e [dekɔ̃trakte] *adj* descontraído(-da).

décor [dekɔr] *nm (paysage)* paisagem *f*; *(de théâtre)* cenário *m*; *(d'une pièce)* decoração *f*.

décorateur, trice [dekɔratœr, tris] *nm, f* decorador *m* (-ra *f*).

décoratif, ive [dekɔratif, iv] *adj* decorativo(-va).

décoration [dekɔrasjɔ̃] *nf (d'une pièce)* decoração *f*; *(médaille)* condecoração *f*.

décorer [dekɔre] *vt (pièce, objet)* decorar; *(soldat)* condecorar.

décortiquer [dekɔrtike] *vt (noix, crabe)* descascar; *(fig: texte)* esmiuçar.

découcher [dekuʃe] *vi* dormir fora de casa.

découdre [dekudr] *vt* descoser.
❏ **se découdre** *vp* descoser-se.

découler [dekule]: **découler de** *v + prép* resultar de.

découpage [dekupaʒ] *nm (action, jeu)* recorte *m*; *(administratif)* divisão *f*; *(d'un film)* guião *m* técnico; *(d'un texte)* divisão *f* em partes.

découper [dekupe] vt (gâteau) cortar; (viande) trinchar; (images, photos) recortar.

découragé, e [dekuraʒe] adj desencorajado(-da).

découragement [dekuraʒmã] nm desânimo m.

décourager [dekuraʒe] vt desencorajar.

❑ **se décourager** vp desencorajar-se.

décousu, e [dekuzy] adj (vêtement, ourlet) descosido(-da); (raisonnement, conversation) desconexo(-xa).

découvert, e [dekuvɛr, ɛrt] pp → **découvrir**. ◆ nm saldo m negativo.

découverte [dekuvɛrt] nf descoberta f.

découvrir [dekuvrir] vt descobrir.

❑ **se découvrir** vp descobrir-se.

décret [dekrɛ] nm decreto m.

décréter [dekrete] vt : ~ **(que)** decretar (que).

décrire [dekrir] vt descrever.

décrocher [dekrɔʃe] vt tirar; ~ **(le téléphone)** levantar (o auscultador).

❑ **se décrocher** vp cair.

décrue [dekry] nf baixa f (do nível das águas).

décrypter [dekripte] vt decifrar.

déçu, e [desy] pp → **décevoir**. ◆ adj desiludido(-da).

décupler [dekyple] vt & vi decuplicar.

dédaigner [dedɛɲe] vt (mépriser) desdenhar.

dédaigneux, euse [dedɛɲø, øz] adj desdenhoso(-osa).

dédain [dedɛ̃] nm desdém m.

dédale [dedal] nm (labyrinthe) dédalo m; (fig: confusion) labirinto m.

dedans [dədã] adv dentro. ◆ nm interior m; **en** ~ dentro.

dédicace [dedikas] nf dedicatória f.

dédicacer [dedikase] vt : ~ **qqch à qqn** dedicar algo a alguém.

dédier [dedje] vt : ~ **qqch à qqn** dedicar algo a alguém.

dédommagement [dedɔmaʒmã] nm (indemnité) indemnização f; (compensation) compensação f.

dédommager [dedɔmaʒe] vt indemnizar.

déduction [dedyksjɔ̃] nf (soustraction) subtracção f; (conclusion) dedução f.

déduire [dedɥir] vt : ~ **qqch (de)** (soustraire) subtrair algo (de); (conclure) deduzir algo (de).

déduit, e [dedɥi, it] pp → **déduire**.

déesse [deɛs] nf deusa f.

défaillance [defajãs] nf (incapacité) falha f; (malaise) desfalecimento m; ~ **cardiaque** colapso m cardíaco.

défaillant, e [defajã, ãt] adj deficiente.

défaillir [defajir] vi (s'évanouir) desfalecer; (sout: mémoire) falhar.

défaire [defɛr] vt desfazer.

❑ **se défaire** vp desfazer-se.

défait, e [defɛ, ɛt] pp → **défaire**.

défaite [defɛt] nf derrota f.

défaitiste [defetist] adj & nmf derrotista mf.

défaut [defo] nm defeito m; **à** ~ **de** na falta de.

défavorable [defavɔrabl] adj desfavorável.

défavoriser [defavɔrize] vt desfavorecer.

défection [defɛksjɔ̃] nf (absence) ausência f; (abandon) deserção f.

défectueux, euse [defɛktɥø, øz] adj defeituoso(-osa).

défendre [defãdr] *vt* defender;
~ **qqch à qqn** proibir algo a
alguém; ~ **à qqn de faire qqch**
proibir alguém de fazer algo.
❑ **se défendre** *vp* defender-se.
défense [defãs] *nf* defesa *f*;
prendre la ~ de qqn tomar a defesa de alguém; **'~ de déposer
des ordures'** 'proibido vazar
lixo'; **'~ d'entrer'** 'proibida a entrada'.

_i_ LA DÉFENSE

Bairro de intensa actividade
económica construído no
oeste de Paris, durante os
anos 1960-1970, em que predo-
minam edifícios de escritórios.
A sua arquitectura futurista ca-
racteriza-se por enormes torres
de vidro. Encontra-se também
aí "la Grande Arche" (o Grande
Arco), versão ultramoderna e de
cor branca do Arco do Triunfo,
situado no prolongamento dos
Campos Elíseos.

---

défenseur [defãsœr] *nm* defensor *m* (-ra *f*).
défensif, ive [defãsif, iv] *adj*
defensivo(-va).
❑ **défensive** *nf* : **être sur la défensive** estar na defensiva.
déferlement [defɛrləmã] *nm*
(de vagues) rebentação *f*; *(fig:
d'enthousiasme)* explosão *f*; *(de
gens)* irrupção *f*.
défi [defi] *nm* desafio *m*; **lancer
un ~ à qqn** lançar um desafio a
alguém.
défiance [defjãs] *nf* desconfiança *f*.
déficit [defisit] *nm* défice *m*.
déficitaire [defisitɛr] *adj* defi-
citário(-ria).
défier [defje] *vt* desafiar; ~ **qqn
de faire qqch** desafiar alguém a
fazer algo.

défigurer [defigyre] *vt* desfigurar.
défilé [defile] *nm (de mode, du
14-Juillet)* desfile *m*; *(gorges)* desfiladeiro *m*.
défiler [defile] *vi* desfilar.
défini, e [defini] *adj* defi-
nido(-da).
définir [definir] *vt* definir.
définitif, ive [definitif, iv] *adj*
definitivo(-va); **en définitive** afinal.
définition [definisjɔ̃] *nf* definição *f*.
définitivement [definitivmã]
adv definitivamente.
défiscaliser [defiskalize] *vt*
isentar de impostos.
déflation [deflasjɔ̃] *nf* deflação
f.
défoncer [defɔ̃se] *vt (porte, voiture)* arrombar; *(route)* deteriorar;
(terrain) cavar fundo.
déformation [defɔrmasjɔ̃] *nf*
deformação *f*; ~ **professionnelle**
deformação profissional.
déformé, e [defɔrme] *adj (vêtement)* deformado(-da); *(route)* em
mau estado.
déformer [defɔrme] *vt* deformar.
défouler [defule]: **se défouler**
vp desopilar.
défraîchi, e [defreʃi] *adj* des-
botado(-da).
défrayer [defreje] *vt* custear; ~
la chronique ser notícia.
défricher [defriʃe] *vt* desbravar.
défunt, e [defœ̃, œ̃t] *adj (décédé)* finado(-da); *(sout: fig: disparu)* fanado(-da). ♦ *nm, f* de-
funto *m* (-ta *f*).
dégager [degaʒe] *vt (déblayer)*
desobstruir; *(odeur)* exalar; *(fumée)* deitar; ~ **qqn/qqch de** tirar
alguém/algo de.
❑ **se dégager** *vp (se libérer)*
libertar-se; *(ciel)* desanuviar-se; **se**

~ **de** *(se libérer de)* desembaraçar-se de; *(odeur)* exalar; *(fumée)* sair de.

dégainer [degene] *vt* sacar de. ◆ *vi* sacar da pistola.

dégarni, e [degarni] *adj* calvo(-va).

dégâts [dega] *nmpl* estragos *mpl*; **faire des** ~ fazer estragos.

dégel [deʒɛl] *nm* degelo *m*.

dégeler [deʒle] *vt (atmosphère)* descontrair. ◆ *vi (lac)* degelar; *(surgelé)* descongelar.

dégénérer [deʒenere] *vi* degenerar.

dégivrage [deʒivraʒ] *nm* limpeza *f* do gelo.

dégivrer [deʒivre] *vt (parebrise)* limpar o gelo de; *(réfrigérateur)* descongelar.

dégivreur [deʒivrœr] *nm* desembaciador *m*.

dégonfler [degɔ̃fle] *vt* esvaziar. ❏ **se dégonfler** *vp* esvaziar-se; *(fam)* acobardar-se.

dégouliner [deguline] *vi* pingar.

dégourdi, e [degurdi] *adj* desembaraçado(-da).

dégourdir [degurdir]: **se dégourdir** *vp*: **se** ~ **les jambes** desentorpecer as pernas.

dégoût [degu] *nm* nojo *m*.

dégoûtant, e [degutã, ãt] *adj* nojento(-ta).

dégoûter [degute] *vt* meter nojo a; ~ **qqn de** fazer com que alguém fique com aversão a; **être dégoûté de** ficar com aversão a.

dégrader [degrade] *vt* degradar; *(destituer)* desgraduar; *(avilir)* rebaixar. ❏ **se dégrader** *vp (se détériorer, empirer)* degradar-se; *(s'avilir)* rebaixar-se.

dégrafer [degrafe] *vt (papiers)* desagrafar; *(vêtement)* desacolchetar.

degré [dəgre] *nm* grau *m*.

dégressif, ive [degresif, iv] *adj* degressivo(-va).

dégringoler [degrɛ̃gɔle] *vi* desabar.

déguerpir [degɛrpir] *vi* pôr-se a andar.

dégueulasse [degœlas] *adj (fam)* nojento(-ta).

dégueuler [degœle] *vi (fam)* vomitar.

déguisement [degizmã] *nm* disfarce *m*.

déguiser [degize] *vt* disfarçar. ❏ **se déguiser** *vp* disfarçar-se; **se** ~ **en** disfarçar-se de.

dégustation [degystasjɔ̃] *nf* prova *f*.

déguster [degyste] *vt (goûter)* provar.

dehors [dəɔr] *adv* fora. ◆ *nm* exterior *m*; **jeter** OU **mettre qqn** ~ pôr alguém na rua; **en** ~ para fora; **en** ~ **de** *(à l'extérieur de)* fora de; *(sauf)* fora.

déjà [deʒa] *adv* já.

déjeuner [deʒœne] *nm (à midi)* almoço *m*; *(petit déjeuner)* pequeno-almoço *m*. ◆ *vi (à midi)* almoçar; *(le matin)* tomar o pequeno-almoço.

déjouer [deʒwe] *vt* fazer abortar.

délabré, e [delabre] *adj* degradado(-da).

délacer [delase] *vt* desatar.

délai [delɛ] *nm* prazo *m*.

délaisser [delese] *vt (abandonner)* abandonar; *(négliger)* desleixar.

délasser [delase] *vt* descansar.

délation [delasjɔ̃] *nf* delação *f*.

délavé, e [delave] *adj* desbotado(-da).

délayer [deleje] *vt* diluir.

Delco® [dɛlko] *nm* distribuidor *m*.

délecter [delɛkte]
❑ **se délecter** *vp* : se ~ de qqch
deleitar-se com algo.
délégation [delegasjɔ̃] *nf* dele-
gação *f*.
délégué, e [delege] *nm, f* delegado *m* (-da *f*).
délibération [deliberasjɔ̃] *nf*
deliberação *f*.
❑ **délibérations** *nfpl* delibera-
ções *fpl*.
délibéré, e [delibere] *adj* deli-
berado(-da).
délibérément [deliberemã]
adv deliberadamente.
délicat, e [delika, at] *adj* deli-
cado(-da); *(exigeant)* difícil.
délicatement [delikatmã] *adv*
delicadamente.
délicatesse [delikatɛs] *nf* delicadeza *f*.
délice [delis] *nm (régal)* delícia *f*;
(plaisir) deleite *m*.
❑ **délices** *nfpl* delícias *fpl*.
délicieux, euse [delisjø, øz]
adj delicioso(-osa).
délimiter [delimite] *vt* delimitar.
délinquance [delɛ̃kɑ̃s] *nf* delinquência *f*; ~ **juvénile** delinquência juvenil.
délinquant, e [delɛ̃kɑ̃, ɑ̃t] *nm,
f* delinquente *mf*.
délire [delir] *nm* delírio *m*; **en ~**
em delírio.
délirer [delire] *vi* delirar.
délit [deli] *nm* delito *m*.
délivrance [delivrɑ̃s] *nf (libération)* libertação *f*; *(soulagement)*
alívio *m*.
délivrer [delivre] *vt (prisonnier)*
soltar; *(autorisation, reçu)* entregar.
déloger [delɔʒe] *vt* desalojar.
déloyal, e, aux [delwajal, o]
adj desleal.
delta [dɛlta] *nm (de rivière)* delta
m.

deltaplane [dɛltaplan] *nm* asa-
delta *f*.
déluge [delyʒ] *nm* dilúvio *m*.
déluré, e [delyre] *adj (malin)*
espevitado(-da); *(péj: dévergondé)*
atrevido(-da).
démagogie [demagɔʒi] *nf* de-
magogia *f*.
demain [dəmɛ̃] *adv* amanhã; **à
~!** até amanhã!; **~ matin/soir**
amanhã de manhã/à noite.
demande [dəmɑ̃d] *nf (réclamation)* pedido *m*; *(formulaire)* requerimento *m*; **'~s d'emploi'** pe-
didos de emprego.
demandé, e [dəmɑ̃de] *adj* pro-
curado(-da); **être très ~** *(article)*
ter muita procura; *(personne)* ser
muito solicitado.
demander [dəmɑ̃de] *vt (interroger sur)* perguntar; *(exiger)*
pedir; *(nécessiter)* precisar; ~ **qqch
à qqn** *(interroger)* perguntar algo a
alguém; *(exiger)* pedir algo a
alguém; ~ **à qqn de faire qqch**
pedir a alguém que faça algo.
❑ **se demander** *vp* perguntar-se.
demandeur, euse [dəmɑ̃-
dœr, øz] *nm, f* : ~ **d'emploi** desempregado *m*.
démangeaison [demɑ̃ʒezɔ̃] *nf*
comichão *f*; **avoir des ~s** ter
comichão.
démanger [demɑ̃ʒe] *vt* fazer
comichão.
démaquillant [demakijɑ̃] *nm
(pour les yeux)* desmaquilhante *m*;
(pour le visage) leite *m* de limpeza.
démaquiller [demakije] *vt* des-
maquilhar.
❑ **se démaquiller** *vp* desmaqui-
lhar-se.
démarche [demarʃ] *nf (allure)*
modo *m* de andar; *(administrative)* trâmites *mpl*; **faire des ~s
pour...** dar passos para...
démarrage [demaraʒ] *nm* arranque *m*.

démarrer [demare] vi (partir) arrancar; (commencer) começar.

démarreur [demarœr] nm motor m de arranque.

démasquer [demaske] vt desmascarar.

démêlant, e [demɛlã, ãt] adj amaciador(-ra).
❏ **démêlant** nm creme m amaciador.

démêlé [demele] nm altercação f; **avoir des ~s avec la justice** ter problemas com a justiça.

démêler [demele] vt desemaranhar.

déménagement [demena-ʒmã] nm mudança f de casa.

déménager [demenaʒe] vi mudar de casa. ◆ vt mudar de sítio.

déménageur [demenaʒœr] nm (patron) empresa f de mudanças; (employé) empregado m (-da f) da empresa de mudanças.

démence [demãs] nf demência f.

démener [demne]: **se démener** vp (bouger) agitar-se; (faire des efforts) esforçar-se.

dément, e [demã, ãt] adj demente; (fam) incrível.

démenti [demãti] nm desmentido m; **apporter un ~ à qqch** desmentir algo.

démentir [demãtir] vt desmentir.

démesuré, e [deməzyre] adj desmedido(-da).

démettre [demɛtr] vt (MÉD) deslocar; (destituer): **~ qqn de ses fonctions** demitir alguém das suas funções.
❏ **se démettre** vp: **se ~ qqch** deslocar algo.

demeurant [dəmœrã]: **au demeurant** adv não obstante.

demeure [dəmœr] nf mansão f.

demeurer [dəmœre] vi (sout: habiter) residir; (rester) ficar.

demi, e [dəmi] adj meio (meia). ◆ nm imperial f; **cinq heures et ~e** cinco (horas) e meia; **un ~-kilo de** meio quilo de; **à ~ fermé** entreaberto.

demi-cercle [dəmisɛrkl] (pl **demi-cercles**) nm semicírculo m; **en ~** em semicírculo.

demi-finale, s [dəmifinal] nf meia-final f.

demi-frère, s [dəmifrɛr] nm meio-irmão m.

demi-heure, s [dəmijœr] nf meia hora f.

démilitariser [demilitarize] vt desmilitarizar.

demi-litre [dəmilitr] (pl **demi-litres**) nm meio litro m.

déminer [demine] vt desminar.

demi-pension, s [dəmipãsjɔ̃] nf (à l'hôtel) meia-pensão f; (à l'école) semi-internato m.

demi-pensionnaire, s [dəmipãsjɔner] nmf semi-interno m (-na f).

démis, e [demi, iz] pp → **démettre**.

demi-saison, s [dəmisɛzɔ̃] nf: **de ~** de meia estação.

demi-sœur, s [dəmisœr] nf meia-irmã f.

démission [demisjɔ̃] nf demissão f; **donner sa ~** apresentar a demissão.

démissionner [demisjone] vi demitir-se.

demi-tarif, s [dəmitarif] nm meio-bilhete m.

demi-tour, s [dəmitur] nm meia volta f; **faire ~** dar meia volta.

démocratie [demɔkrasi] nf democracia f.

démocratique [demɔkratik] adj democrático(-ca).

démodé, e [demɔde] adj fora de moda.

démographie [demɔgrafi] nf demografia f.

demoiselle [dəmwazɛl] *nf* menina *f*; ~ **d'honneur** dama *f* de honor.

démolir [demɔlir] *vt* demolir.

démolition [demɔlisjɔ̃] *nf* demolição *f*; **en** ~ em demolição.

démon [demɔ̃] *nm (RELIG)* demónio *m*; *(enfant)* diabrete *m*.

démonstratif, ive [demɔ̃stratif, iv] *adj* demonstrativo(-va).

démonstration [demɔ̃strasjɔ̃] *nf* demonstração *f*.

démonter [demɔ̃te] *vt* desmontar.

démontrer [demɔ̃tre] *vt* demonstrar.

démoralisant, e [demɔralizɑ̃, ɑ̃t] *adj* desmoralizador(-ra).

démoraliser [demɔralize] *vt* desmoralizar.

démordre [demɔrdr] *vi* : **ne pas en** ~ não dar o braço a torcer.

démouler [demule] *vt (gâteau)* desenformar.

démuni, e [demyni] *adj (pauvre)* desprovido(-da).

dénaturer [denatyre] *vt (propos, faits)* deturpar; *(goût)* alterar.

dénicher [deniʃe] *vt (trouver)* desencantar.

dénigrer [denigre] *vt* denegrir.

dénivellation [denivɛlasjɔ̃] *nf* desnível *m*.

dénombrer [denɔ̃bre] *vt* contar; *(habitants)* recensear.

dénoncer [denɔ̃se] *vt (coupable)* denunciar.

dénoter [denɔte] *vt* denotar.

dénouement [denumɑ̃] *nm* desenlace *m*.

dénouer [denwe] *vt* desfazer.

dénoyauter [denwajote] *vt* descaroçar.

denrée [dɑ̃re] *nf* género *m* (alimentício).

dense [dɑ̃s] *adj* denso(-sa).

densité [dɑ̃site] *nf* densidade *f*;

~ **de population** densidade populacional; **double/haute** ~ dupla/alta densidade.

dent [dɑ̃] *nf* dente *m*; ~ **de lait** dente de leite; ~ **de sagesse** dente do siso.

dentaire [dɑ̃tɛr] *adj* dentário(-ria).

dentelle [dɑ̃tɛl] *nf* renda *f*.

dentier [dɑ̃tje] *nm* dentadura *f* postiça.

dentifrice [dɑ̃tifris] *nm* pasta *f* de dentes.

dentiste [dɑ̃tist] *nmf* dentista *mf*.

dentition [dɑ̃tisjɔ̃] *nf* dentição *f*.

dénuder [denyde] *vt (dos, épaules)* descobrir; *(fil, os)* descarnar. ❑ **se dénuder** *vp* desnudar-se.

dénuement [denymɑ̃] *nm* : **vivre dans le** ~ viver desprovido de tudo.

Denver [dɑ̃vɛr] *n* → **sabot**.

déodorant [deɔdɔrɑ̃] *nm* desodorizante *m*.

déontologie [deɔ̃tɔlɔʒi] *nf* deontologia *f*.

dépannage [depanaʒ] *nm* conserto *m*; **service de** ~ serviço de reboque.

dépanner [depane] *vt (voiture, appareil ménager)* consertar; *(fig: aider)* fazer um jeito a.

dépanneur [depanœr] *nm* mecânico *m*; *(Can: épicerie)* mercearia *aberta fora de horas.*

dépanneuse [depanøz] *nf* reboque *m*.

dépareillé, e [depareje] *adj (service)* incompleto(-ta); *(gant, chaussette)* solto(-ta).

départ [depar] *nm* partida *f*; **au** ~ no início; '~**s**' 'partidas'.

départager [departaʒe] *vt* desempatar.

département [departəmɑ̃] *nm*

(division administrative) ≃ distrito *m*; *(service)* repartição *f*.

départementale [departəmãtal] *nf* : **(route)** ~ ≃ estrada *f* distrital.

dépassé, e [depase] *adj* ultrapassado(-da).

dépassement [depasmã] *nm* *(sur la route)* ultrapassagem *f*.

dépasser [depase] *vt* ultrapassar; *(passer devant)* passar diante de. ◆ *vi* ultrapassar.

dépaysment [depeizmã] *nm* mudança *f* (de ares).

dépayser [depeize] *vt* *(changer de cadre)* proporcionar uma mudança de ares; *(désorienter)* desorientar.

❑ **se dépayser** *vp* mudar de ares.

dépêche [depɛʃ] *nf* despacho *m*; ~ **diplomatique** despacho diplomático.

dépêcher [depeʃe]: **se dépêcher** *vp* despachar-se; **se ~ de faire qqch** despachar-se a fazer algo.

dépendance [depãdãs] *nf* dependência *f*.

❑ **dépendances** *nfpl* dependências *fpl*.

dépendre [depãdr] *vi* : ~ **de** depender de; **ça dépend** depende.

dépens [depã]: **aux dépens de** *prép* às custas de.

dépense [depãs] *nf* despesa *f*.

dépenser [depãse] *vt* gastar.

❑ **se dépenser** *vp* *(physiquement)* desgastar-se.

dépensier, ère [depãsje, ɛr] *adj* gastador(-ra).

dépérir [deperir] *vi* definhar; *(affaire)* decair.

dépêtrer [depetre]: **se dépêtrer de** *vp* + *prép* livrar-se de.

déphasé, e [defaze] *adj* desfasado(-da).

dépistage [depistaʒ] *nm* rastreio *m*.

dépit [depi] *nm* despeito *m*; **en ~ de** apesar de.

dépité, e [depite] *adj* despeitado(-da).

déplacement [deplasmã] *nm* deslocação *f*; **en ~** em viagem.

déplacer [deplase] *vt* *(objet)* deslocar; *(rendez-vous)* adiar.

❑ **se déplacer** *vp* deslocar-se.

déplaire [deplɛr]: **déplaire à** *v* + *prép* : **ça me déplaît** isto desagrada-me.

déplaisant, e [deplɛzã, ãt] *adj* desagradável.

dépliant [deplijã] *nm* folheto *m*.

déplier [deplije] *vt* *(papier)* desdobrar; *(chaise)* abrir.

❑ **se déplier** *vp* abrir-se.

déploiement [deplwamã] *nm* desdobramento *m*; *(d'une aile)* abertura *f*; **faire un grand ~ de...** demonstrar bastante...

déplorable [deplɔrabl] *adj* deplorável.

déployer [deplwaje] *vt* *(ailes, carte)* abrir.

déportation [depɔrtasjɔ̃] *nf* deportação *f*; **en ~** durante a sua deportação.

déporter [depɔrte] *vt* *(prisonnier)* deportar; *(dévier)* desviar.

déposer [depoze] *vt* *(poser)* pôr; *(un paquet, en voiture)* deixar; *(argent)* depositar.

❑ **se déposer** *vp* depositar-se.

dépositaire [depozitɛr] *nm* depositário *m*.

déposition [depozisjɔ̃] *nf* depoimento *m*.

dépôt [depo] *nm* depósito *m*; *(de bus)* estação *f*.

dépotoir [depɔtwar] *nm* lixeira *f*.

dépouille [depuj] *nf* *(peau)* pele *f*; *(corps humain)* despojos *mpl*; ~

mortelle despojos OU restos mortais.

dépouiller [depuje] vt despojar.

dépourvu, e [depurvy] adj : ~ **de** desprovido de; **prendre qqn au** ~ apanhar alguém de surpresa.

dépoussiérer [depusjere] vt (nettoyer) limpar o pó de; (fig: rajeunir) limpar as teias de aranha de.

dépressif, ive [depresif, iv] adj depressivo(-va).

dépression [depresjɔ̃] nf depressão f; ~ **(nerveuse)** depressão nervosa.

déprimant, e [deprimɑ̃, ɑ̃t] adj deprimente.

déprimé, e [deprime] adj deprimido(-da).

déprimer [deprime] vt deprimir. ◆ vi andar deprimido(-da).

depuis [dəpɥi] prép desde. ◆ adv desde então; **je travaille ici** ~ **trois ans** trabalho aqui há três anos; ~ **quand est-il marié?** desde quando é que ele é casado?; ~ **que** desde que.

député [depyte] nm deputado m.

déraciner [derasine] vt arrancar pela raiz.

dérailler [deraje] vi (train) descarrilar.

dérailleur [derajœr] nm carrete m.

dérangement [derɑ̃ʒmɑ̃] nm (gêne) incómodo m; **en** ~ avariado(-da).

déranger [derɑ̃ʒe] vt (gêner) incomodar; (objets, affaires) desordenar; **ça vous dérange si...?** incomoda-o se...?

❏ **se déranger** vp incomodar-se.

dérapage [derapaʒ] nm derrapagem f.

déraper [derape] vi (voiture)

derrapar; (personne, lame) escorregar.

dérégler [deregle] vt desregular.

❏ **se dérégler** vp desregular-se.

dérision [derizjɔ̃] nf escárnio m; **tourner qqch en** ~ meter algo a ridículo.

dérisoire [derizwar] adj irrisório(-ria).

dérive [deriv] nf deriva f; **aller à la** ~ andar à deriva.

dériver [derive] vi andar à deriva.

dermatologue [dɛrmatɔlɔg] nmf dermatologista mf.

dernier, ère [dɛrnje, ɛr] adj & nm, f último(-ma); **la semaine dernière** a semana passada; **en** ~ por último; **arriver en** ~ chegar em último lugar.

dernièrement [dɛrnjɛrmɑ̃] adv ultimamente.

dérober [derɔbe] vt (sout) furtar.

❏ **se dérober** vp (personne): **se** ~ **à qqch** furtar-se a algo; (sol) fugir debaixo dos pés.

dérogation [derɔgasjɔ̃] nf licença f.

déroulement [derulmɑ̃] nm (bobine) desenrolamento m; (fig: d'événement) desenrolar m.

dérouler [derule] vt desenrolar.

❏ **se dérouler** vp desenrolar-se.

dérouter [derute] vt (surprendre) desconcertar; (dévier) despistar.

derrière [dɛrjɛr] prép & adv atrás. ◆ nm (partie arrière) traseira f; (fesses) traseiro m; **de** ~ de trás.

des [de] = **de + les**, → **de, un**.

dès [dɛ] prép desde; ~ **que** logo que.

désabusé, e [dezabyze] adj desiludido(-da).

désaccord [dezakɔr] nm desacordo m; **être en** ~ **avec** estar em desacordo com.

désaccordé, e [dezakɔrde] *adj*
desafinado(-da).
désaffecté, e [dezafɛkte] *adj*
abandonado(-da).
désagréable [dezagreabl] *adj*
desagradável.
désaltérer [dezaltere]: **se
désaltérer** *vp* beber.
désamorcer [dezamɔrse] *vt*
(une arme) desactivar; *(fig: un
complot)* desmantelar.
désappointé, e [dezapwɛte]
adj desapontado(-da).
désapprouver [dezapruve] *vt*
desaprovar.
désarçonner [dezarsɔne] *vt*
atirar ao chão; *(fig)* atrapalhar.
désarmant, e [dezarmɑ̃, ɑ̃t]
adj que desarma.
désarmement [dezarməmɑ̃]
nm desarmamento *m*.
désarmer [dezarme] *vt (malfaiteur)* desarmar.
désarroi [dezarwa] *nm* aflição
f.
désastre [dezastr] *nm* desastre
m.
désastreux, euse [dezastrø,
øz] *adj* desastroso(-osa).
désavantage [dezavɑ̃taʒ] *nm*
desvantagem *f*.
désavantager [dezavɑ̃taʒe] *vt*
prejudicar.
désavantageux, euse
[dezavɑ̃taʒø, øz] *adj* desvanta-
joso(-osa).
descendant, e [desɑ̃dɑ̃, ɑ̃t]
nm, f descendente *mf*.
descendre [desɑ̃dr] *vt (aux
avoir) (rue, escalier)* descer; *(transporter)* levar (para baixo). ♦ *vi
(aux être)* descer; ~ **de** *(voiture,
vélo)* descer de; *(ancêtres)* descender de.
descente [desɑ̃t] *nf* descida *f*; ~
de lit tapete *m* de quarto.
descriptif, ive [dɛskriptif, iv]
adj descritivo(-va).

❑ **descriptif** *nm* nota *f* descritiva.
description [dɛskripsjɔ̃] *nf*
descrição *f*.
désemparé, e [dezɑ̃pare] *adj*
desamparado(-da).
désenfler [dezɑ̃fle] *vi* desinchar.
déséquilibre [dezekilibr] *nm*
desequilíbrio *m*; **en** ~ em desequilíbrio.
déséquilibré, e [dezekilibre]
nm, f desequilibrado *m* (-da *f*).
déséquilibrer [dezekilibre] *vt*
desequilibrar.
désert, e [dezɛr, ɛrt] *adj*
deserto(-ta). ♦ *nm* deserto *m*.
déserter [dezɛrte] *vi* desertar.
déserteur [dezɛrtœr] *nm* de-
sertor *m*.
désertique [dezɛrtik] *adj*
desértico(-ca).
désespéré, e [dezɛspere] *adj*
desesperado(-da).
désespérer [dezɛspere] *vt (décourager)* desesperar; *(perdre
espoir)*: ~ **que qqch arrive** perder
a esperança de que algo
aconteça. ♦ *vi* desesperar; ~ **de
qqn/qqch** *(sout)* perder a esperança em alguém/algo; ~ **de faire
qqch** perder a esperança de fazer
algo.
❑ **se désespérer** *vp* desesperar.
désespoir [dezɛspwar] *nm* desespero *m*.
déshabiller [dezabije] *vt* despir.
❑ **se déshabiller** *vp* despir-se.
désherbant [dezɛrbɑ̃] *nm* herbicida *m*.
désherber [dezɛrbe] *vt arrancar
as ervas daninhas de*.
déshérité, e [dezerite] *adj
(privé d'héritage)* deserdado(-da);
(pauvre) desfavorecido(-da).
♦ *nm, f (pauvre)* desfavorecido *m*
(-da *f*).
déshériter [dezerite] *vt* deser-
dar.

déshonneur [dezɔnœr] *nm* desonra *f*.

déshonorer [dezɔnɔre] *vt* desonrar.

déshydraté, e [dezidrate] *adj* *(aliment)* liofilizado(-da); *(fig: assoiffé)* desidratado(-da).

déshydrater [dezidrate] *vt* desidratar.

❏ **se déshydrater** *vp* desidratar-se.

désigner [deziɲe] *vt* designar.

désillusion [dezilyzjɔ̃] *nf* desilusão *f*.

désinfectant [dezɛ̃fɛktɑ̃] *nm* desinfectante *m*.

désinfecter [dezɛ̃fɛkte] *vt* desinfectar.

désintégrer [dezɛ̃tegre] *vt* desintegrar.

❏ **se désintégrer** *vp* desintegrar-se.

désintéressé, e [dezɛ̃terese] *adj* desinteressado(-da).

désintéresser [dezɛ̃terese]: **se désintéresser de** *vp + prép* desinteressar-se de.

désintoxication [dezɛ̃tɔksikasjɔ̃] *nf* desintoxicação *f*.

désinvolte [dezɛ̃vɔlt] *adj* desenvolto(-olta).

désinvolture [dezɛ̃vɔltyr] *nf* desenvoltura *f*; **avec ~** com desenvoltura.

désir [dezir] *nm* desejo *m*.

désirer [dezire] *vt* desejar; **vous désirez?** o que deseja?; **laisser à ~** deixar a desejar.

désister [deziste]
❏ **se désister** *vp* desistir.

désobéir [dezɔbeir] *vi* desobedecer; **~ à** desobedecer a.

désobéissant, e [dezɔbeisɑ̃, ɑ̃t] *adj* desobediente.

désobligeant, e [dezɔbliʒɑ̃, ɑ̃t] *adj* indelicado(-da).

désodorisant [dezɔdɔrizɑ̃] *nm* purificador *m* do ar.

désœuvré, e [dezœvre] *adj* : **se sentir ~** sentir-se um inútil.

désolant, e [dezɔlɑ̃, ɑ̃t] *adj* desolador(-ra).

désolé, e [dezɔle] *adj (personne, sourire)* desolado(-da); *(paysage)* desolador(-ra); **je suis ~ de ne pas pouvoir venir** lamento não poder vir.

désopilant, e [dezɔpilɑ̃, ɑ̃t] *adj* hilariante.

désordonné, e [dezɔrdɔne] *adj* desordenado(-da).

désordre [dezɔrdr] *nm* desordem *f*; **être en ~** estar em desordem.

désorienté, e [dezɔrjɑ̃te] *adj (déconcerté)* desorientado(-da).

désormais [dezɔrmɛ] *adv* daqui em diante.

désosser [dezɔse] *vt (viande)* desossar; *(fig: voiture, mécanisme)* desmontar.

despote [dɛspɔt] *nm* déspota *m*. ♦ *adj* despótico(-ca).

desquelles [dekɛl] = **de + lesquelles**, → **lequel**.

desquels [dekɛl] = **de + lesquels**, → **lequel**.

DESS *(abr de* diplôme d'études supérieures spécialisées*) nm diploma de pós-gradua-ção.*

dessaler [desale] *vt* : **faire ~** pôr de molho. ♦ *vi (fam : NAVIG: chavirer)* virar-se.

dessécher [deseʃe] *vt* secar.
❏ **se dessécher** *vp* secar.

desserrer [desere] *vt (vis, ceinture)* desapertar; *(dents)* descerrar; *(poing)* abrir; *(frein)* destravar.

dessert [desɛr] *nm* sobremesa *f*.

desservir [desɛrvir] *vt (ville, gare)* servir; *(table)* levantar; *(nuire à)* prejudicar.

dessin [desɛ̃] *nm* desenho *m*; **~ animé** desenho animado.

dessinateur, trice [desinatœr, tris] *nm, f* desenhador *m* (-ra *f*).

dessiner [desine] *vt* desenhar.

dessous [dəsu] *adv* por baixo. ◆ *nm* parte *f* de baixo; **les voisins du ~** os vizinhos de baixo; **en ~** em baixo; **en ~ de** abaixo de.

dessous-de-plat [dəsudpla] *nm inv* base *f*.

dessus [dəsy] *adv* em cima. ◆ *nm* parte *f* de cima; **les voisins du ~** os vizinhos de cima; **avoir le ~** ficar por cima.

dessus-de-lit [dəsydli] *nm inv* colcha *f*.

destin [dɛstɛ̃] *nm* destino *m*; **le ~** o destino.

destinataire [dɛstinatɛr] *nmf* destinatário *m* (-ria *f*).

destination [dɛstinasjɔ̃] *nf* destino *m*; **arriver à ~** chegar ao destino; **à ~ de** com destino a.

destiné, e [dɛstine] *adj* : **être ~ à qqn** estar dirigido a alguém; **être ~ à qqn/qqch** ser destinado a alguém/algo; **être ~ à faire qqch** estar destinado para fazer algo.

destinée [dɛstine] *nf* destino *m*.

destiner [dɛstine] *vt (consacrer)*: **~ qqch à qqn/qqch** destinar algo para alguém/algo; *(vouer)*: **~ qqn à qqch** destinar alguém para algo. ❏ **se destiner** *vp* : **se ~ à** destinar-se a.

destituer [dɛstitɥe] *vt* destituir.

destruction [dɛstryksjɔ̃] *nf* destruição *f*.

désuet, ète [dezɥɛ, ɛt] *adj* que está em desuso.

détachable [detaʃabl] *adj* destacável.

détachant [detaʃɑ̃] *nm* tiranódoas *m inv (Port)*, tiramanchas *m inv (Br)*.

détacher [detaʃe] *vt* soltar; *(ceinture)* desapertar; *(découper)*

recortar; *(nettoyer)* tirar as nódoas de. ❏ **se détacher** *vp* desprender-se; **se ~ de qqn** separar-se de alguém.

détail [detaj] *nm* pormenor *m*; **au ~** a retalho; **en ~** em pormenor.

détaillant [detajɑ̃] *nm* retalhista *mf*.

détaillé, e [detaje] *adj (récit)* pormenorizado(-da); *(facture)* detalhado(-da).

détaler [detale] *vi* fugir.

détartrant [detartrɑ̃] *nm* antitártaro *m*.

détaxe [detaks] *nf (suppression)* supressão *f* de uma taxa; *(ristourne)* redução *f* de uma taxa.

détaxé, e [detakse] *adj* freetax.

détecter [detɛkte] *vt* detectar.

détecteur, trice [detɛktœr, tris] *adj* que detecta. ❏ **détecteur** *nm* detector *m*; **~ de fumée** detector de fumo.

détective [detɛktiv] *nm* detective *mf*.

déteindre [detɛ̃dr] *vi* desbotar; **~ sur** tingir.

déteint, e [detɛ̃, ɛ̃t] *pp* → **déteindre**.

détendre [detɑ̃dr] *vt (corde, élastique)* esticar; *(personne, atmosphère)* descontrair. ❏ **se détendre** *vp (corde, élastique)* esticar-se; *(se décontracter)* descontrair-se.

détendu, e [detɑ̃dy] *adj (décontracté)* descontraído(-da).

détenir [detnir] *vt (fortune, secret, record)* possuir; *(poder)* deter.

détente [detɑ̃t] *nf* distensão *f*; *(repos)* descanso *m*; *(POL)* desanuviamento *m*; **être dur à la ~** *(fig)* ser de compreensão lenta.

détention [detɑ̃sjɔ̃] *nf* deten-

ção f; ~ **préventive** prisão f pre-
ventiva.
détenu, **e** [detny] pp → **détenir**. ♦ nm, f detido m (-da f).
détergent [detɛrʒã] nm detergente m.
détérioration [deterjɔrasjɔ̃] nf
deterioração f.
détériorer [deterjɔre] vt deteriorar.
❏ **se détériorer** vp deteriorar-se.
détermination [detɛrminasjɔ̃]
nf determinação f.
déterminé, **e** [detɛrmine] adj
determinado(-da).
déterminer [detɛrmine] vt
determinar; ~ **qqn à faire qqch**
incitar alguém a fazer algo.
déterrer [detɛre] vt desenterrar.
détestable [detɛstabl] adj
detestável.
détester [detɛste] vt detestar.
détonateur [detɔnatœr] nm
detonador m.
détonation [detɔnasjɔ̃] nf detonação f.
détour [detur] nm : **faire un ~**
fazer um desvio.
détournement [deturnəmã]
nm desvio m; ~ **d'avion** desvio de
um avião; ~ **de mineur** desvio de
menores.
détourner [deturne] vt desviar; ~ **qqn de** desviar alguém de.
❏ **se détourner** vp desviar-se;
se ~ de desinteressar-se de.
détraqué, **e** [detrake] adj
escangalhado(-da); (fam) doi-
do(-da).
détresse [detrɛs] nf (sentiment)
aflição f; (situation) miséria f; **en ~**
(bateau, avion) em perigo.
détriment [detrimã]
❏ **au détriment de** loc prép em
detrimento de.
détritus [detrity(s)] nmpl detritos mpl.

détroit [detrwa] nm estreito m.
détromper [detrɔ̃pe] vt desenganar.
❏ **se détromper** vp desenga-
nar-se; **détrompez-vous** aí é que
você se engana.
détrôner [detrone] vt destro-
nar.
détruire [detrɥir] vt destruir.
détruit, **e** [detrɥi, it] pp
→ **détruire**.
dette [dɛt] nf dívida f.
DEUG [dœg] nm diploma que se
obtém depois de dois anos de estudos
universitários, ≃ Bacharelato m.
deuil [dœj] nm luto m; **être en ~**
estar de luto.
deux [dø] num dois (duas); **à ~** a
dois; ~ **points** dois pontos; → **six**.
deuxième [døzjɛm] num
segundo(-da); → **sixième**.
deux-pièces [døpjɛs] nm
(maillot de bain) biquíni m;
(appartement) ≃ T2 m.
deux-roues [døru] nm veículo
m de duas rodas.
dévaler [devale] vt descer a
correr. ♦ vi resvalar.
dévaliser [devalize] vt roubar.
dévaloriser [devalɔrize] vt
desvalorizar.
❏ **se dévaloriser** vp desvalorizar-se.
dévaluer [devalɥe] vt & vi desvalorizar.
❏ **se dévaluer** vp desvalorizar-se.
devancer [dəvãse] vt preceder.
devant [dəvã] prép diante de.
♦ adv à frente. ♦ nm frente f; **de ~**
da frente; (sens) ~ **derrière** ao
contrário.
devanture [dəvãtyr] nf montra
f.
dévaster [devaste] vt devastar.
développement [devlɔpmã]
nm (physique, économique) desen-

volvimento m; (de photos) revelação f.

développer [devlɔpe] vt desenvolver; (photo) revelar; **faire ~ des photos** mandar revelar fotografias.

❏ **se développer** vp desenvolver-se.

devenir [dəvnir] vi tornar-se.

devenu, e [dəvny] pp → **devenir**.

dévergondé, e [devɛrgɔ̃de] adj & nm, f desavergonhado(-da).

déverser [devɛrse] vt despejar.

❏ **se déverser** vp (couler) desaguar; (tomber) entornar-se.

déviation [devjasjɔ̃] nf desvio m.

dévier [devje] vt desviar.

deviner [dəvine] vt (imaginer) adivinhar; (apercevoir) entrever.

devinette [dəvinɛt] nf adivinha f; **jouer aux ~s** fazer adivinhas.

devis [dəvi] nm orçamento m.

dévisager [devizaʒe] vt encarar (olhar).

devise [dəviz] nf divisa f.

deviser [dəvize] vt (Helv) orçar.

dévisser [devise] vt (vis) desaparafusar; (couvercle) desenroscar.

dévitaliser [devitalize] vt desvitalizar.

dévoiler [devwale] vt (secret, intentions) desvendar.

devoir [dəvwar] vt **1.** (gén) dever; ~ **qqch à qqn** dever algo a alguém; **vous devriez essayer le ski nautique** deveria experimentar o esqui aquático; **j'aurais dû/je n'aurais pas dû l'écouter** eu deveria tê-lo/eu não deveria tê-lo escutado; **ça doit coûter cher** deve custar muito dinheiro; **le temps devrait s'améliorer cette semaine** o tempo deveria melhorar esta semana; **nous devions partir hier, mais...** deveríamos ter partido ontem, mas...

2. (exprime l'obligation): ~ **faire qqch** ter de fazer algo.

♦ nm dever m; ~ **sur table** exame m.

❏ **devoirs** nmpl (SCOL) deveres mpl; **faire ses ~s** fazer os deveres; **~s de vacances** trabalhos mpl de casa para as férias.

dévolu [devɔly] nm : **jeter son ~ sur qqn/qqch** deitar olho (comprido) a alguém/algo.

dévorer [devɔre] vt devorar.

dévoué, e [devwe] adj dedicado(-da).

dévouement [devumɑ̃] nm dedicação f.

dévouer [devwe]: **se dévouer** vp dedicar-se; **se ~ pour faire qqch** oferecer-se para fazer algo.

devra etc → **devoir**.

dextérité [dɛksterite] nf destreza f; **avec ~** com destreza.

diabète [djabɛt] nm diabetes f inv.

diabétique [djabetik] adj diabético(-ca).

diable [djabl] nm diabo m.

diabolique [djabɔlik] adj diabólico(-ca).

diabolo [djabɔlo] nm (boisson) gasosa com xarope; ~ **menthe** gasosa com xarope de menta.

diadème [djadɛm] nm diadema f.

diagnostic [djagnɔstik] nm diagnóstico m.

diagnostiquer [djagnɔstike] vt diagnosticar.

diagonal, e, aux [djagɔnal, o] adj diagonal.

❏ **diagonale** nf diagonal f; **en ~e** em diagonal; **lire en ~e** ler na diagonal.

dialecte [djalɛkt] nm dialecto m.

dialogue [djalɔg] nm diálogo m.

dialoguer [djalɔge] vi dialogar.

diamant [djamɑ̃] nm (pierre)

diamante *m*; *(d'un électrophone)* agulha *f*.

diamètre [djamɛtr] *nm* diâmetro *m*.

diapositive [djapozitiv] *nf* diapositivo *m*.

diarrhée [djare] *nf* diarreia *f*.

dictateur [diktatœr] *nm* ditador *m* (-ra *f*).

dictature [diktatyr] *nf* ditadura *f*.

dictée [dikte] *nf* ditado *m*.

dicter [dikte] *vt* ditar.

dictionnaire [diksjɔnɛr] *nm* dicionário *m*.

dicton [diktɔ̃] *nm* ditado *m* *(provérbio)*.

diesel [djezɛl] *nm* *(moteur)* motor *m* a gasóleo; *(voiture)* carro *m* a gasóleo. ◆ *adj* a gasóleo.

diététique [djetetik] *adj* dietético(-ca).

dieu, x [djø] *nm* deus *m*.
❏ **Dieu** *nm* Deus *m*; **mon Dieu!** meu Deus!

diffamation [difamasjɔ̃] *nf* difamação *f*.

différé, e [difere] *adj* diferido(-da). ◆ *nm* programa *m* transmitido em diferido; **en ~** em diferido.

différence [diferɑ̃s] *nf* diferença *f*.

différencier [diferɑ̃sje] *vt* : **~ qqch de** diferenciar algo de.
❏ **se différencier** *vp* : **se ~ de** ser diferente de.

différent, e [diferɑ̃, ɑ̃t] *adj* diferente; **~ de** diferente de.
❏ **différents, es** *adj* vários(-rias).

différer [difere] *vt & vi* diferir; **~ de** diferir de.

difficile [difisil] *adj* difícil.

difficilement [difisilmɑ̃] *adv* dificilmente.

difficulté [difikylte] *nf* dificuldade *f*; **avoir des ~s à faire qqch**

ter dificuldades em fazer algo; **en ~** em dificuldade.

difforme [difɔrm] *adj* disforme.

diffuser [difyze] *vt* difundir.

diffusion [difyzjɔ̃] *nf* difusão *f*.

digérer [diʒere] *vt* digerir.

digeste [diʒɛst] *adj* fácil de digerir.

digestif, ive [diʒɛstif, iv] *adj* digestivo(-va). ◆ *nm* digestivo *m*.

digestion [diʒɛstjɔ̃] *nf* digestão *f*.

Digicode® [diʒikɔd] *nm* *código numérico que permite aceder a um prédio*.

digital, e, aux [diʒital, o] *adj* digital.

digne [diɲ] *adj* digno(-gna); **~ de** digno de.

dignité [diɲite] *nf* dignidade *f*; **se draper dans sa ~** *(fig)* refugiar-se na sua dignidade.

digue [dig] *nf* dique *m*.

dilapider [dilapide] *vt* delapidar.

dilater [dilate] *vt* dilatar.
❏ **se dilater** *vp* dilatar-se.

dilemme [dilɛm] *nm* dilema *m*.

diluer [dilɥe] *vt* diluir.

dimanche [dimɑ̃ʃ] *nm* domingo *m*; → **samedi**.

dimension [dimɑ̃sjɔ̃] *nf* dimensão *f*.

diminuer [diminɥe] *vt & vi* diminuir.

diminutif [diminytif] *nm* diminutivo *m*.

diminution [diminysjɔ̃] *nf* diminuição *f*.

dinde [dɛ̃d] *nf* perua *f*; **~ aux marrons** peru *m* com castanhas.

dindon [dɛ̃dɔ̃] *nm* peru *m*; **être le ~ de la farce** *(fig)* ser o bobo da festa.

dîner [dine] *nm* *(repas du soir)* jantar *m*; *(repas du midi)* almoço *m.* ◆ *vi (le soir)* jantar; *(le midi)* almoçar.

dingue [dɛ̃g] *(fam) adj (fou)* chanfrado(-da); *(incroyable)* louco(-ca). ◆ *nmf* chanfrado *m* (-da *f*).

diplomate [diplɔmat] *adj & nmf* diplomata. ◆ *nm* pudim de bolacha com licores, frutos secos e creme inglês.

diplomatie [diplɔmasi] *nf* diplomacia *f*.

diplôme [diplom] *nm* diploma *m*.

dire [dir] *vt* **1.** *(gén)* dizer; ~ **la vérité** dizer a verdade; ~ **à qqn que/pourquoi** dizer a alguém que/porque é que; **comment dit-on « de rien » en anglais?** como se diz "de nada" em inglês?; **on ne dit pas..., on dit...** não se diz..., diz-se...; **on dit que...** diz-se que...; ~ **à qqn de faire qqch** dizer a alguém que faça algo; **qu'est-ce que vous en dites?** o que é que me diz?; **que dirais-tu de...?** o que me dirias de...?; **on dirait un champ de bataille** parece um campo de batalha; ~ **que j'étais à 2 mètres du président** quando penso que estava a 2 metros do presidente. **2.** *(dans des expressions)*: **à vrai ~, ...** para dizer a verdade, ...; **ça ne me dit rien** não me diz nada; **cela dit, ...** mesmo assim, ...; **dis donc!** caramba!; *(au fait)* olha lá...; **disons...** digamos...
❏ **se dire** *vp* dizer para consigo; **je me suis dit...** disse para comigo...

direct, e [dirɛkt] *adj* directo(-ta). ◆ *nm* : **en ~ (de)** em directo (de).

directement [dirɛktəmɑ̃] *adv* directamente.

directeur, trice [dirɛktœr, tris] *nm, f* director *m* (-ra *f*).

direction [dirɛksjɔ̃] *nf* direcção

f; **en ~ de** na direcção de; **'toutes ~s'** 'outras direcções'.

directive [dirɛktiv] *nf* directiva *f*.

dirigeant, e [diriʒɑ̃, ɑ̃t] *nm, f* dirigente *mf*.

diriger [diriʒe] *vt* dirigir; ~ **qqch sur** dirigir algo a.
❏ **se diriger vers** *vp + prép* dirigir-se para.

dis [di] → **dire**.

discerner [disɛrne] *vt* discernir.

disciple [disipl] *nm* discípulo *m*.

discipline [disiplin] *nf* disciplina *f*.

discipliné, e [disipline] *adj* disciplinado(-da).

disc-jockey, s [diskʒɔkɛ] *nm* disc-jóquei *mf*.

disco [disko] *nf (fam) local onde se podem requisitar discos.*

discorde [diskɔrd] *nf* discórdia *f*.

discothèque [diskɔtɛk] *nf* discoteca *f*.

discours [diskur] *nm* discurso *m*.

discréditer [diskredite] *vt* desacreditar.
❏ **se discréditer** *vp* desacreditar-se.

discret, ète [diskrɛ, ɛt] *adj* discreto(-ta).

discrètement [diskrɛtmɑ̃] *adv* discretamente.

discrétion [diskresjɔ̃] *nf* discrição *f*.

discrimination [diskriminasjɔ̃] *nf* discriminação *f*.

discriminatoire [diskriminatwar] *adj* discriminatório(-ria).

discussion [diskysjɔ̃] *nf* conversa *f*.

discutable [diskytabl] *adj* discutível.

discuter [diskyte] *vi (parler)* conversar; *(protester)* discutir; ~

de qqch (avec qqn) converser sobre algo (com alguém).

dise [diz] → **dire**.

disgrâce [disgras] *nf* desgraça *f (desfavor)*; **tomber en ~** cair em desgraça.

disjoncteur [disʒɔ̃ktœr] *nm* disjuntor *m*.

disloquer [dislɔke] *vt (membre)* deslocar; *(machine)* desarticular; *(fig: démembrer)* desagregar.
❑ **se disloquer** *vp* deslocar-se; *(fig: empirer)* desagregar-se.

disons [dizɔ̃] → **dire**.

disparaître [disparɛtr] *vi* desaparecer.

disparité [disparite] *nf* disparidade *f*.

disparition [disparisjɔ̃] *nf* desaparecimento *m*; *(d'une espèce)* extinção *f*.

disparu, e [dispary] *pp* → **disparaître**. ◆ *nm, f* desaparecido *m* (-da *f*).

dispatcher [dispatʃe] *vt* repartir; *(courrier)* distribuir.

dispensaire [dispɑ̃sɛr] *nm* dispensário *m*.

dispense [dispɑ̃s] *nf* dispensa *f*.

dispenser [dispɑ̃se] *vt* : **~ qqn de qqch** dispensar alguém de algo.

disperser [dispɛrse] *vt* dispersar.

disponible [dispɔnibl] *adj* disponível.

disposé, e [dispoze] *adj* : **être ~ à faire qqch** estar disposto a fazer algo.

disposer [dispoze] *vt* dispor.
❑ **disposer de** *v + prép* dispor de.
❑ **se disposer à** *vp + prép* dispor-se a.

dispositif [dispozitif] *nm* dispositivo *m*.

disposition [dispozisjɔ̃] *nf* disposição *f*; **prendre ses ~s** tomar

providências; **à la ~ de qqn** à disposição de alguém.

disproportionné, e [disprɔpɔrsjɔne] *adj* desproporcionado(-da).

dispute [dispyt] *nf* disputa *f*.

disputer [dispyte] *vt* disputar.
❑ **se disputer** *vp* discutir; *(enfants)* brigar.

disquaire [diskɛr] *nmf* vendedor *m* (-ra *f*) de discos.

disqualification [diskalifikasjɔ̃] *nf* desclassificação *f*.

disqualifier [diskalifje] *vt* desclassificar.

disque [disk] *nm* disco *m*; **~ laser** disco laser; **~ dur** disco duro.

disquette [diskɛt] *nf* disquete *f*.

dissemblable [disɑ̃blabl] *adj* dissemelhante.

disséminer [disemine] *vt* disseminar.

disséquer [diseke] *vt* dissecar.

dissertation [disɛrtasjɔ̃] *nf* dissertação *f*.

dissident, e [disidɑ̃, ɑ̃t] *adj & nm, f* dissidente.

dissimuler [disimyle] *vt* dissimular.

dissipé, e [disipe] *adj* distraído(-da).

dissiper [disipe]: **se dissiper** *vp (brouillard)* dissipar-se; *(élève)* distrair-se.

dissocier [disɔsje] *vt* dissociar.

dissolvant [disɔlvɑ̃] *nm (à peinture)* dissolvente *m*; *(à ongles)* acetona *f*.

dissoudre [disudr] *vt* dissolver.

dissous, oute [disu, ut] *pp* → **dissoudre**.

dissuader [disɥade] *vt* : **~ qqn de faire qqch** dissuadir alguém de fazer algo.

dissuasion [disɥazjɔ̃] *nf* dissuasão *f*.

distance [distãs] *nf* distância *f*; **à une ~ de 20 km, à 20 km de ~** a uma distância de 20 km, a 20 km de distância; **à ~** à distância.

distancer [distãse] *vt* distanciar.

distant, e [distã, ãt] *adj (éloigné)*: **~ de 10 KM** que fica a 10 Km; *(froid)* distante.

distiller [distile] *vt & vi* destilar.

distinct, e [distɛ̃, ɛ̃kt] *adj* distinto(-ta).

distinctement [distɛ̃ktəmã] *adv* distintamente.

distinction [distɛ̃ksjɔ̃] *nf*: **faire une ~ entre** fazer uma distinção entre.

distingué, e [distɛ̃ge] *adj* distinto(-ta).

distinguer [distɛ̃ge] *vt* distinguir.

☐ **se distinguer de** *vp + prép* distinguir-se de.

distraction [distraksjɔ̃] *nf* distracção *f*.

distraire [distrɛr] *vt* distrair.

☐ **se distraire** *vp* distrair-se.

distrait, e [distrɛ, ɛt] *pp* → **distraire.** ◆ *adj* distraído(-da).

distribuer [distribɥe] *vt* distribuir.

distributeur [distribytœr] *nm (de boissons)* máquina *f* de bebidas; *(de billets de train)* máquina *f* de bilhetes de comboio; *(de cigarettes)* máquina *f* de cigarros; **~ (automatique) de billets** caixa *m* automático multibanco.

distribution [distribysjɔ̃] *nf (de prix)* entrega *f*; *(de rôles, du courrier)* distribuição *f*.

dit, e [di, dit] *pp* → **dire.**

dites [dit] → **dire.**

divaguer [divage] *vi* divagar.

divan [divã] *nm* divã *m*.

diverger [divɛrʒe] *vi* divergir.

divers, es [divɛr, ɛrs] *adj (variés)* diversos(-sas); *(plusieurs)* vários(-rias).

diversifier [divɛrsifje] *vt* diversificar.

☐ **se diversifier** *vp* diversificar-se.

diversion [divɛrsjɔ̃] *nf* diversão *f*; **créer une OU faire ~** criar uma diversão.

diversité [divɛrsite] *nf* diversidade *f*.

divertir [divɛrtir] *vt* divertir.

☐ **se divertir** *vp* divertir-se.

divertissement [divɛrtismã] *nm* divertimento *m*.

divin, e [divɛ̃, in] *adj* divino(-na).

divinité [divinite] *nf* divindade *f*.

diviser [divize] *vt* dividir.

division [divizjɔ̃] *nf* divisão *f*.

divorce [divɔrs] *nm* divórcio *m*.

divorcé, e [divɔrse] *adj & nm, f* divorciado(-da).

divorcer [divɔrse] *vi* divorciar-se.

divulguer [divylge] *vt* divulgar.

dix [dis] *num* dez; → **six.**

dix-huit [dizɥit] *num* dezoito; → **six.**

dix-huitième [dizɥitjɛm] *num* décimo oitavo (décima oitava); → **sixième.**

dixième [dizjɛm] *num* décimo (décima); → **sixième.**

dix-neuf [diznœf] *num* dezanove; → **six.**

dix-neuvième [diznœvjɛm] *num* décimo nono (décima nona); → **sixième.**

dix-sept [disɛt] *num* dezassete; → **six.**

dix-septième [disɛtjɛm] *num* décimo sétimo (décima sétima); → **sixième.**

dizaine [dizɛn] *nf*: **une ~ (de)** uma dezena (de).

DJ [didʒi] *nm (abr de* disc-jockey*)* DJ *mf.*

docile [dɔsil] *adj* dócil.

docks [dɔk] *nmpl* docas *fpl.*

docteur [dɔktœr] *nm* doutor *m* (-ra *f*).

doctrine [dɔktrin] *nf* doutrina *f.*

document [dɔkymā] *nm* documento *m.*

documentaire [dɔkymātɛr] *nm* documentário *m.*

documentaliste [dɔkymātalist] *nmf* documentalista *mf.*

documentation [dɔkymātasjɔ̃] *nf* documentação *f.*

documenter [dɔkymāte] *vt (un exposé)* documentar; *(une personne)* fornecer documentação a. ❑ **se documenter** *vp* documentar-se.

dodo [dodo] *nm* oó *m;* **faire** ~ fazer oó.

dodu, e [dɔdy] *adj (gras)* gordo(-da); *(fam : grassouillet)* gorducho(-cha).

dogme [dɔgm] *nm* dogma *m.*

doigt [dwa] *nm* dedo *m;* ~ **de pied** dedo (do pé); **être à deux ~s de** estar prestes a.

dois [dwa] → **devoir.**

doive *etc* [dwav] → **devoir.**

dollar [dɔlar] *nm* dólar *m.*

domaine [dɔmɛn] *nm (propriété)* domínio *m; (secteur)* área *f.*

dôme [dom] *nm (toit)* cúpula *f.*

domestique [dɔmestik] *adj* doméstico(-ca). ◆ *nmf* criado *m* (-da *f*).

domicile [dɔmisil] *nm* domicílio *m;* **à** ~ ao domicílio.

domicilié, e [dɔmisilje] *adj* domiciliado(-da).

domination [dɔminasjɔ̃] *nf (autorité)* dominação *f; (influence)* domínio *m.*

dominer [dɔmine] *vt & vi* dominar.

dominos [dɔmino] *nmpl* dominó *m.*

dommage [dɔmaʒ] *nm :* **(quel)** ~! (que) pena!; **c'est** ~ **de...** é pena...; **c'est** ~ **que** é pena que. ❑ **dommages** *nmpl* danos *mpl.*

dompter [dɔ̃te] *vt* domar.

dompteur, euse [dɔ̃tœr, øz] *nm, f* domador *m* (-ra *f*).

DOM-TOM [dɔmtɔm] *nmpl departamentos e territórios ultramarinos franceses.*

---

i **DOM-TOM**

Os DOM (departamentos ultramarinos) são formados pelas ilhas da Martinica, Guadalupe, Reunião e São Pedro e Miquelon. Estes territórios e a sua população são administrados do mesmo modo que os departamentos da metrópole. Os TOM (territórios ultramarinos) são constituídos pela Nova Caledónia, Wallis e Futuna, Polinésia, territórios austrais e antárcticos, assim como pela ilha de Mayotte. A sua administração é mais autónoma do que a dos DOM.

don [dɔ̃] *nm* dom *m.*

donation [dɔnasjɔ̃] *nf* doação *f.*

donc [dɔ̃k] *conj (par conséquent)* por isso; *(pour reprendre)* pois; **viens** ~! vem lá!

donjon [dɔ̃ʒɔ̃] *nm* torre *f* de menagem.

donné, e [dɔne] *adj* dado(-da); **c'est pas** ~ *(fam)* não é nada barato. ❑ **étant donné que** *loc conj* dado que.

données [dɔne] *nfpl* dados *mpl.*

donner [dɔne] *vt* dar; ~ **qqch à qqn** dar algo a alguém; ~ **à man-**

ger à qqn dar de comer a alguém; **~ chaud** dar calor; **~ soif** dar sede.
❏ **donner sur** v + prép dar para.

dont [dɔ̃] pron relatif **1.** (complément du verbe): **la région ~ je parle est très montagneuse** a região da qual falo é bastante montanhosa; **c'est le camping ~ on nous a parlé** é o parque de campismo de que nos falaram; **je n'aime pas la façon ~ il nous regarde** não gosto da maneira como ele nos olha; **ce n'est pas l'endroit ~ j'avais rêvé** não é o sítio com que tinha sonhado. **2.** (complément de l'adjectif) com que; **le travail ~ je suis le plus satisfait...** o trabalho com que estou mais satisfeito...; **l'établissement ~ ils sont responsables** o estabelecimento pelo qual eles são responsáveis. **3.** (complément d'un nom de personne) do qual (da qual); **un homme ~ on m'a parlé** um homem do qual me falaram. **4.** (complément du nom, exprime l'appartenance) cujo (cuja); **c'est un pays ~ la principale industrie est le tourisme** é um país cuja principal indústria é o turismo. **5.** (parmi lesquels) dos quais (das quais); **nous avons passé plusieurs jours au Portugal, ~ trois à la plage** passámos vários dias em Portugal, três dos quais na praia; **certaines personnes, ~ moi, pensent que...** algumas pessoas, de entre as quais eu, pensam que...

dopage [dɔpaʒ] nm doping m.
doper [dɔpe] vt dopar.
❏ **se doper** vp dopar-se.
doré, e [dɔre] adj dourado(-da); (aliment) tostado(-da). ◆ nm (Can) lúcio m.
dorénavant [dɔrenavɑ̃] adv doravante.

dorin [dɔrɛ̃] nm (Helv) nome genérico dos vinhos brancos do cantão de Vaud.
dorloter [dɔrlɔte] vt mimar.
dormir [dɔrmir] vi dormir.
dortoir [dɔrtwar] nm dormitório m.
dorure [dɔryr] nf (ornement) dourado m; (processus) douramento m.
dos [do] nm costas fpl; (d'une feuille) verso m; **au ~ (de)** no verso (de); **de ~ (à)** de costas (para).
dosage [dozaʒ] nm dosagem f.
dos-d'âne [dodan] nm lomba f.
dose [doz] nf dose f.
doser [doze] vt dosear.
dossard [dɔsar] nm número m (na camisola do desportista).
dossier [dɔsje] nm (d'un siège) costas fpl; (documents) dossier m.
doté, e [dɔte] adj : **~ de** dotado com.
douane [dwan] nf alfândega f.
douanier [dwanje] nm guarda-fiscal m (Port), fiscal m de alfândega (Br).
doublage [dublaʒ] nm dobragem f.
double [dubl] adj dobro. ◆ nm (copie) cópia f; (partie de tennis) pares mpl. ◆ adv a dobrar; **le ~ (de)** o dobro (de); **avoir qqch en ~** ter dois exemplares de algo; **mettre qqch en ~** pôr dois exemplares de algo.
doublé, e [duble] adj (vêtement) forrado(-da); (film) dobrado(-da).
doubler [duble] vt (multiplier) duplicar; (vêtement) forrar; (AUT) ultrapassar; (film) dobrar. ◆ vi (augmenter) duplicar; (AUT) ultrapassar.
doublure [dublyr] nf (d'un vêtement) forro m.
douce → **doux**.

doucement [dusmã] *adv (bas)* baixinho; *(lentement)* devagar.

douceur [dusœr] *nf* suavidade *f*; *(gentillesse)* doçura *f*; **en ~** devagar.

douche [duʃ] *nf* duche *m*; **prendre une ~** tomar um duche; *(fig)* apanhar uma molha.

doucher [duʃe]: **se doucher** *vp* tomar um duche.

doudoune [dudun] *nf* blusão *m* de penas.

doué, e [dwe] *adj* dotado(-da); **être ~ pour OU en qqch** ter jeito para algo.

douille [duj] *nf (d'une ampoule)* casquilho *m*; *(d'une cartouche)* cartucho *m (invólucro)*; *(d'un cylindre)* encaixe *m*.

douillet, ette [dujɛ, ɛt] *adj (personne)* medricas; *(lit)* fofo(-fa).

douleur [dulœr] *nf* dor *f*.

douloureux, euse [dulurø, øz] *adj (opération, souvenir)* doloroso(-osa); *(partie du corps)* dorido(-da).

doute [dut] *nm* dúvida *f*; **avoir un ~ (sur)** ter uma dúvida (sobre); **sans ~** sem dúvida.

douter [dute] *vt* : **douter ~ que** duvidar de que.
❏ **douter de** *v + prép* duvidar de.
❏ **se douter** *vp* : **se ~ de** suspeitar de; **se ~ que** suspeitar que.

douteux, euse [dutø, øz] *adj* duvidoso(-osa).

doux, douce [du, dus] *adj* doce; *(au toucher)* macio(-cia); *(temps)* ameno(-na).

douzaine [duzɛn] *nf* : **une ~ (de)** *(douze)* uma dúzia (de); *(environ douze)* uma dezena (de).

douze [duz] *num* doze; → **six**.

douzième [duzjɛm] *num* décimo segundo (décima segunda); → **sixième**.

doyen, enne [dwajɛ̃, ɛn] *nm, f* decano *m*.

draconien, enne [drakɔnjɛ̃, ɛn] *adj* draconiano(-na).

dragée [draʒe] *nf* amêndoa *f (confeito)*.

dragon [dragɔ̃] *nm (animal)* dragão *m*.

draguer [drage] *vt (fam : personne)* engatar *(Port)*, paquerar *(Br)*.

dragueur, euse [dragœr, øz] *nm, f (fam)* engatatão *m* (-tona *f*).
❏ **dragueur de mines** *nm* draga-minas *m inv*.

drainer [drene] *vt (terrain, plaie)* drenar; *(fig: capitaux, main-d'œuvre)* atrair.

dramatique [dramatik] *adj* dramático(-ca). ◆ *nf* obra dramática difundida na televisão ou na rádio.

dramatiser [dramatize] *vt* dramatizar.

dramaturge [dramatyrʒ] *nmf* dramaturgo *m* (-ga *f*).

drame [dram] *nm* drama *m*.

drap [dra] *nm* lençol *m*.

drapeau, x [drapo] *nm* bandeira *f*.

drap-housse [draus] *(pl* **draps-housses)** *nm* lençol-capa *m*.

dresser [drese] *vt (mettre debout)* erguer; *(animal)* domesticar; *(plan, procès-verbal)* levantar.
❏ **se dresser** *vp* erguer-se.

dribbler [drible] *vi & vt* driblar.

drogue [drɔg] *nf* : **la ~** a droga.

drogué, e [drɔge] *nm, f* drogado *m* (-da *f*).

droguer [drɔge]: **se droguer** *vp* drogar-se.

droguerie [drɔgri] *nf* drogaria *f*.

droit, e [drwa, drwat] *adj* direito(-ta); *(sans détour)* recto(-ta). ◆ *adv* a direito. ◆ *nm* direito *m*; **~ sur lui** direito a ele; **tout ~** em frente; **~s d'inscription**

propinas *fpl*; **le** ~ o direito; **avoir le** ~ **de faire qqch** ter o direito de fazer algo; **avoir** ~ **à qqch** ter direito a algo.

droite [drwat] *nf*: **la** ~ a direita; **à** ~ **(de)** à direita (de); **de** ~ da direita.

droitier, ère [drwatje, ɛr] *adj* destro(-tra).

drôle [drol] *adj (amusant)* engraçado(-da); *(bizarre)* esquisito(-ta); **un** ~ **de bonhomme** um homem esquisito.

drôlement [drolmɑ̃] *adv (fam)* mesmo.

dromadaire [drɔmadɛr] *nm* dromedário *m*.

drugstore [drœgstɔr] *nm centro comercial que vende sobretudo produtos de beleza, medicamentos e jornais.*

du [dy] = **de + le**, → **de**.

dû, due [dy] *pp* → **devoir**.

duc, duchesse [dyk, dyʃɛs] *nm, f* duque *m* (-quesa *f*).

duel [dɥɛl] *nm* duelo *m*.

duffle-coat, s [dœfəlkot] *nm* canadiana *f*.

dûment [dymɑ̃] *adv* devidamente.

dune [dyn] *nf* duna *f*.

duo [dɥo] *nm* duo *m*.

dupe [dyp] *adj* trouxa. ◆ *nf* trouxa *mf*; **être/ne pas être** ~ ser/não ser trouxa.

duplex [dyplɛks] *nm* dúplex *m inv*.

duplicata [dyplikata] *nm* duplicado *m*.

dupliquer [dyplike] *vt* duplicar.

duquel [dykɛl] = **de + lequel**, → **lequel**.

dur, e [dyr] *adj* duro(-ra); *(difficile)* difícil. ◆ *adv (travailler)* arduamente; *(frapper)* com força.

durant [dyrɑ̃] *prép* durante.

durcir [dyrsir] *vi* endurecer. ❏ **se durcir** *vp* endurecer.

durée [dyre] *nf* duração *f*.

durement [dyrmɑ̃] *adv (violemment)* violentamente; *(péniblement)* duramente; *(sévèrement)* de uma maneira dura.

durer [dyre] *vi* durar.

dureté [dyrte] *nf* dureza *f*.

duvet [dyvɛ] *nm (plumes)* penugem *f*; *(sac de couchage)* saco-cama *m*.

dynamique [dinamik] *adj* dinâmico(-ca).

dynamisme [dinamism] *nm* dinamismo *m*.

dynamite [dinamit] *nf* dinamite *f*.

dynamo [dinamo] *nf* dínamo *m*.

dynastie [dinasti] *nf* dinastia *f*.

dyslexique [dislɛksik] *adj* disléxico(-ca).

E

E *(abr de est)* E.

eau, **x** [o] *nf* água *f*; ~ **bénite**
água benta; ~ **de Cologne** água-
-de-colónia *f*; ~ **gazeuse** água
com gás; ~ **minérale** água mineral; ~ **oxygénée** água oxigenada;
~ **potable/non potable** água po-
tável/não potável; ~ **plate** água
sem gás; ~ **du robinet** água da
torneira; ~ **de toilette** eau *f* de
toilette.

eau-de-vie [odvi] *(pl* **eaux-de-
vie)** *nf* aguardente *f*.

ébahi, **e** [ebai] *adj* atónito(-ta).

ébats [eba] *nmpl (sout)* folia *f*; ~
amoureux jogos *mpl* amorosos.

ébauche [eboʃ] *nf* esboço *m*.

ébaucher [eboʃe] *vt* esboçar.

ébène [ebɛn] *nf* ébano *m*.

ébéniste [ebenist] *nm* marce-
neiro *m*.

éberlué, **e** [ebɛrlɥe] *adj* pas-
mado(-da).

éblouir [ebluir] *vt (aveugler)*
ofuscar; *(charmer)* deslumbrar.

éblouissant, **e** [ebluisā, āt] *adj*
(aveuglant) ofuscante; *(admirable)*
deslumbrante.

éborgner [ebɔrɲe] *vt* : ~ **qqn**
deixar alguém zarolho(-lha).

éboueur [ebwœr] *nm* homem
m do lixo.

ébouillanter [ebujāte] *vt (brûler)* escaldar.

éboulement [ebulmā] *nm* desmoronamento *m*.

éboulis [ebuli] *nm (rochers)*
monte *m* de pedras; *(terre)* monte
m de terra.

ébouriffé, **e** [eburife] *adj*
esguedelhado(-da).

ébrécher [ebreʃe] *vt* rachar.

ébriété [ebrijete] *nf* embriaguez
f.

ébrouer [ebrue]: **s'ébrouer** *vp*
(se secouer) sacudir-se.

ébruiter [ebrɥite] *vt* divulgar.

ébullition [ebylisjɔ̃] *nf* ebulição
f; **porter qqch à** ~ levar algo à
ebulição.

écaille [ekaj] *nf (de poisson)* escama *f*; *(d'huître)* concha *f*; *(matière)* tartaruga *f*.

écailler [ekaje] *vt* escamar.
❑ **s'écailler** *vp* descascar.

écarlate [ekarlat] *adj (tissu)*
escarlate; *(visage)* vermelho(-lha).

écarquiller [ekarkije] *vt* : ~ **les
yeux** arregalar os olhos.

écart [ekar] *nm (distance)* distância *f*; *(différence)* diferença *f*;
faire un ~ desviar-se; **à l'**~ **(de)**
(loin) desviado (de); *(agitation, affaire)* afastado (de); **grand** ~ es-
pargata *f*.

écarter [ekarte] *vt* afastar; *(ouvrir)* abrir.

ecchymose [ekimoz] *nf* equi-
mose *f*.

écervelé, e [esɛrvəle] *adj & nm, f* estouvado(-da).

échafaud [eʃafo] *nm* cadafalso *m*.

échafaudage [eʃafodaʒ] *nm* andaime *m*.

échalote [eʃalɔt] *nf* chalota *f*.

échancré, e [eʃãkre] *adj* cavado(-da).

échange [eʃãʒ] *nm (troc)* troca *f*; *(SCOL)* intercâmbio *m*; *(au tennis)* passe *m*; **en ~ (de)** em troca (de).

échanger [eʃãʒe] *vt* trocar; **~ qqch contre** trocar algo por.

échangeur [eʃãʒœr] *nm* trevo *m (em auto-estrada)*.

échantillon [eʃãtijõ] *nm* amostra *f*.

échappatoire [eʃapatwar] *nf* escapatória *f*.

échappement [eʃapmã] *nm* → **pot**.

échapper [eʃape]: **échapper à** *v + prép* escapar a; **ça m'a échappé** escapou-me; **ça m'a échappé des mains** escapou-me das mãos.
❑ **s'échapper** *vp* escapar-se; **s'~ de** escapar-se de.

écharde [eʃard] *nf* farpa *f*.

écharpe [eʃarp] *nf (cache-nez)* écharpe *f*; **en ~** a tiracolo.

échasse [eʃas] *nf (de berger)* andas *fpl*; *(oiseau)* alcaravão *m*; *(fam : jambe)* perna *f* alta.

échassier [eʃasje] *nm* pernalta *f*.

échauffement [eʃofmã] *nm (sportif)* aquecimento *m*.

échauffer [eʃofe]: **s'échauffer** *vp (sportif)* fazer o aquecimento.

échéance [eʃeãs] *nf* vencimento *m*; **à longue ~** a longo prazo; **à courte** OU **brève ~** a curto prazo.

échéant [eʃeã] *adj* : **le cas ~** se for esse o caso.

échec [eʃɛk] *nm* fracasso *m*; **~!** xeque!; **~ et mat!** xeque-mate!

❑ **échecs** *nmpl* xadrez *m*.

échelle [eʃɛl] *nf (pour grimper)* escada *f*; *(sur une carte)* escala *f*; **faire la courte ~ à qqn** ajudar alguém a subir com as mãos.

échelon [eʃlõ] *nm (d'échelle)* degrau *m*; *(grade)* escalão *m*.

échelonner [eʃlɔne] *vt* escalonar.
❑ **s'échelonner** *vp* escalonar-se.

échevelé, e [eʃəvle] *adj* desgrenhado(-da).

échine [eʃin] *nf* lombo *m*.

échiquier [eʃikje] *nm* tabuleiro *m* de xadrez.

écho [eko] *nm* eco *m*.

échographie [ekografi] *nf* ecografia *f*.

échouer [eʃwe] *vi* falhar.
❑ **s'échouer** *vp* encalhar.

éclabousser [eklabuse] *vt* salpicar.

éclaboussure [eklabusyr] *nf* salpico *m*.

éclair [eklɛr] *nm (d'orage)* relâmpago *m*; *(gâteau)* éclair *m*.

éclairage [eklɛraʒ] *nm* iluminação *f*.

éclaircie [eklɛrsi] *nf* aberta *f*.

éclaircir [eklɛrsir] *vt* clarear.
❑ **s'éclaircir** *vp (ciel)* clarear; *(fig: mystère)* esclarecer-se.

éclaircissement [eklɛrsismã] *nm (explication)* esclarecimento *m*.

éclairer [eklere] *vt (pièce)* iluminar; *(à la bougie)* alumiar; *(fig: personne)* esclarecer.
❑ **s'éclairer** *vp (visage)* iluminar-se; *(fig: mystère)* esclarecer-se.

éclaireur, euse [eklɛrœr, øz] *nm, f (scout)* batedor *m* (-ra *f*); **partir en ~** *(fig)* abrir o caminho.

éclat [ekla] *nm (de verre)* vidro *m*; *(d'une lumière)* clarão *m*; **~s de rire** gargalhadas *fpl*; **~s de voix** gritaria *f*.

éclatant, e [eklatã, ãt] *adj* deslumbrante.

éclater [eklate] *vi* rebentar; ~ **de rire** estoirar de riso; ~ **en sanglots** desatar a chorar.

éclectique [eklεktik] *adj* ecléctico(-ca).

éclipse [eklips] *nf* eclipse *m*.

éclipser [eklipse] *vt* eclipsar.
☐ **s'éclipser** *vp* (*fam : s'esquiver*) eclipsar-se.

éclore [eklɔr] *vi* (*fleur*) desabrochar; (*œuf*) eclodir.

éclosion [eklozjɔ̃] *nf* eclosão *f*.

écluse [eklyz] *nf* comporta *f*.

écœurant, e [ekœrɑ̃, ɑ̃t] *adj* (*aliment*) enjoativo(-va); (*spectacle, comportement*) chocante.

écœurer [ekœre] *vt* enjoar.

école [ekɔl] *nf* escola *f*; **aller à l'** ~ ir à escola; **faire l'~ buissonnière** fazer gazeta.

écolier, ère [ekɔlje, εr] *nm, f* aluno *m* (-na *f*).

écologie [ekɔlɔʒi] *nf* ecologia *f*.

écologique [ekɔlɔʒik] *adj* ecológico(-ca).

écologiste [ekɔlɔʒist] *nmf* ecologista *mf*.

économie [ekɔnɔmi] *nf* economia *f*.
☐ **économies** *nfpl* economias *fpl*; **faire des ~s** fazer economias.

économique [ekɔnɔmik] *adj* económico(-ca).

économiser [ekɔnɔmize] *vt* economizar.

économiste [ekɔnɔmist] *nmf* economista *mf*.

écoper [ekɔpe] *vt* (*NAVIG*) despejar a água de; (*fam : d'une sanction*): ~ **de** apanhar com. ◆ *vi* (*fam*) pagar as favas.

écorce [ekɔrs] *nf* casca *f*.

écorcher [ekɔrʃe]: **s'écorcher** *vp* esfolar-se; **s'~ le genou** esfolar o joelho.

écorchure [ekɔrʃyr] *nf* esfoladela *f*.

écossais, e [ekɔsε, εz] *adj* escocês(-esa).
☐ **Écossais, e** *nm, f* escocês *m* (-esa *f*).

Écosse [ekɔs] *nf*: **l'~** a Escócia.

écosser [ekɔse] *vt* descascar.

écosystème [ekɔsistεm] *nm* ecossistema *m*.

écouler [ekule]: **s'écouler** *vp* (*temps*) passar; (*liquide*) escorrer.

écouter [ekute] *vt* ouvir.

écouteur [ekutœr] *nm* auscultador *m*; ~**s** auscultadores *mpl*.

écran [ekrɑ̃] *nm* (*de cinéma, de télévision*) ecrã *m*; (*de fumée, d'arbres*) cortina *f*; (**crème**) ~ **total** creme *m* ecrã total; **le grand** ~ o grande ecrã; **le petit** ~ o pequeno ecrã.

écrasant, e [ekrazɑ̃, ɑ̃t] *adj* esmagador(-ra).

écraser [ekraze] *vt* (*aplatir*) pisar; (*une personne*) atropelar; (*un animal*) esborrachar; (*vaincre*) derrotar; **se faire** ~ ser atropelado(-da).
☐ **s'écraser** *vp* despenhar-se.

écrémé, e [ekreme] *adj* magro(-gra); **demi-~** meio-gordo.

écrevisse [ekrəvis] *nf* lagostim *m*.

écrier [ekrije]: **s'écrier** *vp* exclamar.

écrin [ekrɛ̃] *nm* guarda-jóias *m inv*.

écrire [ekrir] *vt & vi* escrever; ~ **à qqn** escrever a alguém.
☐ **s'écrire** *vp* (*correspondre*) corresponder-se; (*s'épeler*) escrever-se.

écrit, e [ekri, it] *pp* → **écrire**.
◆ *nm*: **par** ~ por escrito.

écriteau, x [ekrito] *nm* letreiro *m*.

écriture [ekrityr] *nf* escrita *f*.

écrivain [ekrivɛ̃] *nm* escritor *m* (-ra *f*).

écrou [ekru] *nm* porca *f* (*peça*).

écrouer [ekrue] vt encarcerar.

écrouler [ekrule]: **s'écrouler** vp *(mur)* desabar; *(coureur)* sucumbir.

écru, e [ekry] adj *(couleur)* cru.

ÉCU [eky] nm *(monnaie européenne)* ECU m.

écueil [ekœj] nm escolho m.

écuelle [ekɥɛl] nf gamela f.

écume [ekym] nf espuma f.

écumoire [ekymwar] nf escumadeira f.

écureuil [ekyrœj] nm esquilo m.

écurie [ekyri] nf cavalariça f.

écusson [ekysɔ̃] nm emblema m.

eczéma [ɛgzema] nm eczema m.

édenté, e [edɑ̃te] adj desdentado(-da).

EDF *(abr de* **Electricité de France)** nf ≃ EDP f.

édifice [edifis] nm edifício m.

édifier [edifje] vt *(bâtir)* edificar; *(une théorie)* elaborar; *(sout: renseigner)* elucidar.

Édimbourg [edɛ̃bur] n Edimburgo.

éditer [edite] vt editar.

éditeur, trice [editœr, tris] nmf editor m (-ra f).

édition [edisjɔ̃] nf edição f.

éditorial, aux [editɔrjal, o] nm editorial m.

édredon [edrədɔ̃] nm edredão m.

éducateur, trice [edykatœr, tris] adj & nm, f educador(-ra); ~ **spécialisé** educador especializado.

éducatif, ive [edykatif, iv] adj educativo(-va).

éducation [edykasjɔ̃] nf educação f; ~ **physique** educação física.

édulcorant [edylkɔrɑ̃] nm : ~ **(de synthèse)** adoçante m.

éduquer [edyke] vt educar.

effacé, e [efase] adj apagado(-da).

effacer [efase] vt *(tableau, mot)* apagar; *(bande magnétique, chanson)* desgravar.
❑ **s'effacer** vp apagar-se.

effaceur [efasœr] nm *caneta de feltro que apaga tinta.*

effarant, e [efarɑ̃, ɑ̃t] adj assombroso(-osa).

effaroucher [efaruʃe] vt *(effrayer)* espantar; *(intimider)* amedrontar.

effectif [efɛktif] nm efectivo m.

effectivement [efɛktivmɑ̃] adv *(réellement)* realmente; *(en effet)* efectivamente.

effectuer [efɛktɥe] vt efectuar.

efféminé, e [efemine] adj efeminado(-da).

effervescent, e [efɛrvesɑ̃, ɑ̃t] adj efervescente.

effet [efɛ] nm efeito m; **faire de l'~** fazer efeito; **en ~** com efeito.

efficace [efikas] adj *(médicament, mesure)* eficaz; *(personne, travail)* eficiente.

efficacité [efikasite] nf *(d'une mesure)* eficácia f; *(d'une personne)* eficiência f.

effigie [efiʒi] nf efígie f.

effilé, e [efile] adj *(frange)* escadeado(-da); *(doigts)* esguio(-guia).

effilocher [efilɔʃe]: **s'effilocher** vp desfiar-se.

effleurer [eflœre] vt tocar ao de leve.

effluve [eflyv] nm eflúvio m.

effondrement [efɔ̃drəmɑ̃] nm *(écroulement)* desabamento m; *(abattement)* desfalecimento m; *(fig: chute)* queda f.

effondrer [efɔ̃dre]: **s'effondrer** vp *(mur)* desmoronar-se; *(personne)* definhar; *(fig: moralement)* ir-se abaixo.

efforcer [efɔrse]: **s'efforcer de** vp + prép esforçar-se por.

effort [efɔr] nm esforço m; **faire**

des ~s (pour faire qqch) fazer um esforço (para fazer algo).

effraction [efraksjɔ̃] nf arrombamento m.

effrayant, e [efrɛjɑ̃, ɑ̃t] adj assustador(-ra).

effrayer [efreje] vt assustar.

effréné, e [efrene] adj desenfreado(-da).

effriter [efrite]: **s'effriter** vp esboroar-se.

effroi [efrwa] nm pavor m.

effronté, e [efrɔ̃te] adj & nm, f descarado(-da).

effroyable [efrwajabl] adj pavoroso(-osa).

effusion [efyzjɔ̃] nf efusão f; **sans ~ de sang** sem derramamento de sangue.

égal, e, aux [egal, o] adj (identique) igual; (régulier) uniforme; **ça m'est ~** tanto me faz; **~ à** igual a.

également [egalmɑ̃] adv (aussi) igualmente.

égaler [egale] vt (MATH) ser; (être à la hauteur de) igualar.

égaliser [egalize] vt (cheveux) aparar; (sol) nivelar. ◆ vi (SPORT) empatar.

égalité [egalite] nf (des citoyens) igualdade f; (au tennis) empate m; **être à ~** estar empatado(-da).

égard [egar] nm : **à l'~ de** com respeito a.

égarer [egare] vt extraviar.

❑ **s'égarer** vp (se perdre) extraviar-se; (sortir du sujet) desviar-se do assunto.

égayer [egeje] vt alegrar.

égide [eʒid] nf égide f; **sous l'~ de** sob a égide de.

église [egliz] nf igreja f; **l'Église** a Igreja.

égocentrique [egɔsɑ̃trik] adj & nmf egocêntrico(-ca).

égoïsme [egɔism] nm egoísmo m.

égoïste [egɔist] adj & nmf egoísta.

égorger [egɔrʒe] vt degolar.

égosiller [egɔzije]

❑ **s'égosiller** vp esganiçar-se.

égouts [egu] nmpl esgotos mpl.

égoutter [egute] vt escorrer.

égouttoir [egutwar] nm (à légumes) coador m; (à vaisselle) escorredor m.

égratigner [egratiɲe] vt arranhar.

❑ **s'égratigner** vp arranhar-se; **s'~ le genou** arranhar o joelho.

égratignure [egratiɲyr] nf arranhão m.

égrener [egrəne] vt (maïs) debulhar; (raisin) esbagoar.

Égypte [eʒipt] nf: **l'~** o Egipto.

égyptien, enne [eʒipsjɛ̃, ɛn] adj egípcio(-cia).

eh [e] excl ei!; **~ bien** ora bem.

éjaculation [eʒakylasjɔ̃] nf ejaculação f; **~ précoce** ejaculação precoce.

éjectable [eʒɛktabl] adj ejectável.

élaboré, e [elabɔre] adj elaborado(-da).

élaguer [elage] vt (arbre) podar; (fig: texte) encurtar.

élan [elɑ̃] nm impulso m; **prendre de l'~** ganhar impulso.

élancé, e [elɑ̃se] adj esguio(-guia).

élancer [elɑ̃se]: **s'élancer** vp lançar-se.

élargir [elarʒir] vt alargar; (connaissances) aumentar.

❑ **s'élargir** vp (route, vêtement) alargar-se; (connaissances) aumentar.

élastique [elastik] adj elástico(-ca). ◆ nm elástico m.

électeur, trice [elɛktœr, tris] nm, f eleitor m (-ra f).

élections [elɛksjɔ̃] nfpl eleições fpl.

électoral, e, aux [elɛktɔral, o] *adj* eleitoral.

électricien [elɛktrisjɛ̃] *nm* electricista *m*.

électricité [elɛktrisite] *nf* electricidade *f*; ~ **statique** electricidade estática.

électrique [elɛktrik] *adj* eléctrico(-ca).

électrocardiogramme [elɛktrɔkardjɔgram] *nm* electrocardiograma *m*.

électrochoc [elɛktrɔʃɔk] *nm* electrochoque *m*.

électrocuter [elɛktrɔkyte]: **s'électrocuter** *vp* electrocutar-se.

électrode [elɛktrɔd] *nf* eléctrodo *m*.

électroencéphalogramme [elɛktrɔɑ̃sefalɔgram] *nm* electroencefalograma *m*.

électrogène [elɛktrɔʒɛn] *adj* electrogéneo(-nea).

électroménager [elɛktrɔmenaʒe] *nm* electrodoméstico *m*.

électron [elɛktrɔ̃] *nm* electrão *m*.

électronicien, enne [elɛktrɔnisjɛ̃, ɛn] *nm, f* especialista *mf* em electrónica.

électronique [elɛktrɔnik] *adj* electrónico(-ca). ◆ *nf* electrónica *f*.

électrophone [elɛktrɔfɔn] *nm* gira-discos *m inv*.

électuaire [elɛktuɛr] *nm (Helv)* geleia *f*.

élégance [elegɑ̃s] *nf* elegância *f*.

élégant, e [elegɑ̃, ɑ̃t] *adj* elegante.

élément [elemɑ̃] *nm* elemento *m*; *(de cuisine)* móvel *m*.

élémentaire [elemɑ̃tɛr] *adj* elementar.

éléphant [elefɑ̃] *nm* elefante *m*.

élevage [elvaʒ] *nm* criação *f*.

élevé, e [ɛlve] *adj* elevado(-da); **bien** ~ bem-educado; **mal** ~ mal-educado.

élève [elɛv] *nmf* aluno *m* (-na *f*).

élever [ɛlve] *vt* criar; *(niveau, voix)* levantar.
❑ **s'élever** *vp* elevar-se; **s'**~ **à** elevar-se a.

éleveur, euse [ɛlvœr, øz] *nm, f* criador *m* (-ra *f*).

éligible [eliʒibl] *adj* elegível.

élimination [eliminasjɔ̃] *nf* eliminação *f*; **procéder par** ~ proceder por exclusão de partes.

éliminatoire [eliminatwar] *adj* eliminatório(-ria). ◆ *nf* eliminatória *f*.

éliminer [elimine] *vt & vi* eliminar.

élire [elir] *vt* eleger.

élite [elit] *nf* elite *f*; **d'**~ de elite.

élitiste [elitist] *adj* elitista.

elle [ɛl] *pron* ela; ~**-même** ela própria.
❑ **elles** *pron* elas; ~**s-mêmes** elas próprias.

ellipse [elips] *nf* elipse *f*.

élocution [elɔkysjɔ̃] *nf* elocução *f*.

éloge [elɔʒ] *nm* elogio *m*; **faire l'** ~ **de qqn/qqch** elogiar alguém/algo; **couvrir qqn d'**~**s** cobrir alguém de elogios.

éloigné, e [elwaɲe] *adj* afastado(-da); ~ **de** *(loin de)* afastado de; *(différent de)* diferente de.

éloigner [elwaɲe] *vt* afastar.
❑ **s'éloigner (de)** *vp (+ prép)* afastar-se (de).

élongation [elɔ̃gasjɔ̃] *nf* distensão *f*.

éloquent, e [elɔkɑ̃, ɑ̃t] *adj* eloquente.

élu, e [ely] *pp* → **élire**. ◆ *nm, f* eleito *m* (-ta *f*).

élucider [elyside] *vt* elucidar.

élucubration [elykybrasjɔ̃] *nf (gén pl) (péj)* lucubração *f*.

éluder [elyde] *vt* evitar.

Élysée [elize] *nm* : **(le palais de) l'~** (o palácio do) Eliseu, *residência do Presidente da República francesa.*

émail [emaj, o] *nm* esmalte *m*.
❏ **émaux** *nmpl* bijutaria *f* esmaltada.

émanation [emanasjɔ̃] *nf* emanação *f*.

émanciper [emɑ̃sipe] *vt* emancipar.
❏ **s'émanciper** *vp (se libérer)* emancipar-se; *(fam : se dévergonder)* sair da casca.

émaner [emane] *vi* emanar.

emballage [ɑ̃balaʒ] *nm* embalagem *f*.

emballer [ɑ̃bale] *vt (paquet)* embalar; *(cadeau)* embrulhar; *(fam : enthousiasmer)* entusiasmar.

embarcadère [ɑ̃barkadɛr] *nm* embarcadouro *m*.

embarcation [ɑ̃barkasjɔ̃] *nf* embarcação *f*.

embardée [ɑ̃barde] *nf* guinada *f*; **faire une ~** dar uma guinada.

embargo [ɑ̃bargo] *nm* embargo *m*.

embarquement [ɑ̃barkəmɑ̃] *nm* embarque *m*; **'~ immédiat'** 'embarque imediato'.

embarquer [ɑ̃barke] *vt* embarcar; *(fam)* ficar com. ◆ *vi* embarcar.
❏ **s'embarquer** *vp* embarcar; **s' ~ dans** meter-se em.

embarras [ɑ̃bara] *nm* embaraço *m*; **mettre qqn dans l'~** embaraçar alguém.

embarrassant, e [ɑ̃barasɑ̃, ɑ̃t] *adj* embaraçoso(-osa).

embarrasser [ɑ̃barase] *vt (encombrer)* atravancar; *(gêner)* embaraçar.
❏ **s'embarrasser de** *vp + prép* atravancar-se de.

embaucher [ɑ̃boʃe] *vt* empregar.

embaumer [ɑ̃bome] *vt (un cadavre)* embalsamar; *(parfumer)* perfumar. ◆ *vi (sentir)* exalar um perfume a.

embellir [ɑ̃belir] *vt* embelezar.
◆ *vi* ficar mais bonito(-ta).

embêtant, e [ɑ̃bɛtɑ̃, ɑ̃t] *adj* aborrecido(-da).

embêtement [ɑ̃bɛtmɑ̃] *nm (fam)* chatice *f*.

embêter [ɑ̃bɛte] *vt* aborrecer.
❏ **s'embêter** *vp* aborrecer-se.

emblée [ɑ̃ble]
❏ **d'emblée** *loc adv* logo.

emblème [ɑ̃blɛm] *nm* emblema *m*.

emboîter [ɑ̃bwate] *vt* encaixar.
❏ **s'emboîter** *vp* encaixar-se.

embonpoint [ɑ̃bɔ̃pwɛ̃] *nm* gordura *f*; **prendre de l'~** engordar.

embouché, e [ɑ̃buʃe] *adj (fam)* : **mal ~** com mau feitio.

embouchure [ɑ̃buʃyr] *nf* foz *f*.

embourber [ɑ̃burbe]:
s'embourber *vp* atolar-se.

embout [ɑ̃bu] *nm* ponteira *f*.

embouteillage [ɑ̃butɛjaʒ] *nm* engarrafamento *m*.

emboutir [ɑ̃butir] *vt (voiture)* chocar com; *(TECH)* bater.

embranchement [ɑ̃brɑ̃ʃmɑ̃] *nm (carrefour)* entroncamento *m*; *(d'autoroute)* ramal *m*.

embraser [ɑ̃braze] *vt (incendier)* incendiar; *(sout: éclairer)* iluminar; *(fig: sout: d'amour)* inflamar.
❏ **s'embraser** *vp (prendre feu)* incendiar-se; *(sout: s'éclairer)* iluminar-se; *(fig: sout: d'amour)* inflamar-se.

embrasser [ɑ̃brase] *vt* beijar.
❏ **s'embrasser** *vp* beijar-se.

embrasure [ɑ̃brazyr] *nf* vão *m*.

embrayage [ɑ̃brɛjaʒ] *nm* embraiagem *f*.

embrayer [ɑ̃brɛje] *vi* carregar na embraiagem.

embrouiller [ãbruje] vt (fil, cheveux) emaranhar; (histoire, idées, personne) baralhar.
❏ **s'embrouiller** vp baralhar-se.

embruns [ãbrœ̃] nmpl salpicos mpl (das vagas).

embryon [ãbrijɔ̃] nm embrião m.

embûche [ãbyʃ] nf armadilha f.

embuer [ãbɥe] vt (vitre) embaciar; **yeux embués de larmes** com os olhos rasos de água.

embuscade [ãbyskad] nf emboscada f.

éméché, e [emeʃe] adj tocado(-da).

émeraude [emrod] nf esmeralda f. ◆ adj inv verde-esmeralda.

émerger [emɛrʒe] vi emergir.

émérite [emerit] adj emérito(-ta).

émerveillé, e [emɛrveje] adj maravilhado(-da).

émerveiller [emɛrveje] vt maravilhar.
❏ **s'émerveiller** vp maravilhar-se; **s'~ de** maravilhar-se com.

émetteur [emetœr] nm emissor m.

émettre [emɛtr] vt emitir.

émeute [emøt] nf motim m.

émietter [emjete] vt esmigalhar.

émigrer [emigre] vi emigrar.

émincé [emɛ̃se] nm fatias finas; **~ de veau à la zurichoise** (Helv) guisado de vitela com natas e vinho branco.

éminent, e [eminã, ãt] adj eminente.

émir [emir] nm emir m.

émis, e [emi, iz] pp → émettre.

émissaire [emisɛr] nm emissário m. ◆ adj : **bouc ~** bode expiatório.

émission [emisjɔ̃] nf programa m.

emmagasiner [ãmagazine] vt armazenar.

emmailloter [ãmajɔte] vt (bébé) pôr a fralda a; (membre blessé) enfaixar.

emmanchure [ãmãʃyr] nf cava f (de manga).

emmêler [ãmele] vt emaranhar.
❏ **s'emmêler** vp (fil, cheveux) ficar embrulhado(-da); (souvenirs, dates) misturar-se.

emménager [ãmenaʒe] vi instalar-se (numa nova habitação).

emmener [ãmne] vt levar.

emmental [emɛtal] nm queijo m emmental.

emmerder [ãmɛrde] vt (fam) chatear.
❏ **s'emmerder** vp (fam) chatear-se.

emmitoufler [ãmitufle]: **s'emmitoufler** vp agasalhar-se.

émotif, ive [emɔtif, iv] adj emotivo(-va).

émotion [emosjɔ̃] nf emoção f.

émouvant, e [emuvã, ãt] adj comovente.

émouvoir [emuvwar] vt comover.

empaillé, e [ãpaje] adj empalhado(-da).

empailler [ãpaje] vt empalhar.

empaler [ãpale] vt : **~ qqn sur qqch** empalar alguém em algo.
❏ **s'empaler** vp : **s'~ sur qqch** ficar empalado(-da) em algo.

empaqueter [ãpakte] vt empacotar.

emparer [ãpare]: **s'emparer de** vp + prép apoderar-se de.

empêchement [ãpɛʃmã] nm impedimento m; **avoir un ~** ter um impedimento.

empêcher [ãpeʃe] vt impedir; **~ qqn/qqch de faire qqch** impedir alguém/algo de fazer algo; **(il) n'empêche que** no entanto.

❏ **s'empêcher de** *vp* + *prép* deixar de.

empereur [ɑ̃prœr] *nm* imperador *m*.

empester [ɑ̃pɛste] *vt* empestar.
◆ *vi* feder.

empêtrer [ɑ̃petre]: **s'empêtrer dans** *vp* + *prép* enredar-se em.

emphase [ɑ̃faz] *nf* (*péj*) ênfase *f*.

empiéter [ɑ̃pjete] *vi* : ~ **sur qqch** (*territoire*) invadir algo; (*ligne*) pisar algo; (*fig: liberté*) usurpar parte de algo.

empiffrer [ɑ̃pifre]: **s'empiffrer (de)** *vp* (+ *prép*) (*fam*) empanturrar-se (de).

empiler [ɑ̃pile] *vt* empilhar.
❏ **s'empiler** *vp* amontoar-se.

empire [ɑ̃pir] *nm* império *m*.

empirer [ɑ̃pire] *vi* piorar.

emplacement [ɑ̃plasmɑ̃] *nm* (*endroit*) local *m*; (*de parking*) lugar *m*; '~ **réservé**' 'reservado'.

emplette [ɑ̃plɛt] *nf* (*gén pl*) compra *f*; **faire des ~s** fazer umas compritas.

emploi [ɑ̃plwa] *nm* emprego *m*; **l'~** o emprego; ~ **du temps** horário *m*.

employé, e [ɑ̃plwaje] *nm, f* empregado *m* (-da *f*); ~ **de bureau** empregado de escritório.

employer [ɑ̃plwaje] *vt* empregar.

employeur, euse [ɑ̃plwajœr, øz] *nm, f* patrão *m* (-troa *f*).

empocher [ɑ̃pɔʃe] *vt* (*fam*) embolsar.

empoigner [ɑ̃pwaɲe] *vt* empunhar.

empoisonnement [ɑ̃pwazɔnmɑ̃] *nm* envenenamento *m*.

empoisonner [ɑ̃pwazɔne] *vt* envenenar.

emporté, e [ɑ̃pɔrte] *adj* arrebatado(-da).

emporter [ɑ̃pɔrte] *vt* levar; **à** ~ para levar; **l'~ sur** levar vantagem sobre.
❏ **s'emporter** *vp* descontrolar-se.

empoté, e [ɑ̃pɔte] (*fam*) *adj & nm, f* atado(-da).

empreinte [ɑ̃prɛ̃t] *nf* (*de pas*) pegada *f*; (*de pneu*) marca *f*; ~**s digitales** impressões *fpl* digitais.

empresser [ɑ̃prese]: **s'empresser** *vp* : **s'~ de faire qqch** apressar-se a fazer algo.

emprise [ɑ̃priz] *nf* influência *f*; **sous l'~ de** sob a influência de.

emprisonner [ɑ̃prizɔne] *vt* aprisionar.

emprunt [ɑ̃prœ̃] *nm* empréstimo *m*.

emprunter [ɑ̃prœ̃te] *vt* (*argent, objet*) pedir emprestado(-da); (*itinéraire*) ir por; ~ **qqch à qqn** pedir algo emprestado a alguém.

ému, e [emy] *pp* → **émouvoir**.
◆ *adj* comovido(-da).

émulsion [emylsjɔ̃] *nf* emulsão *f*.

en [ɑ̃] *prép* **1.** (*gén*) em; ~ **été/1995** no Verão/em 1995; **être** ~ **classe** estar na sala de aula; **habiter** ~ **Angleterre** morar na Inglaterra; ~ **dix minutes** em dez minutos.
2. (*indique le lieu où l'on va*) a; **aller** ~ **ville/~ Dordogne** ir à cidade/à Dordonha; **aller** ~ **Irlande/~ France** ir à Irlanda/a França.
3. (*désigne la matière*) de; **un pull** ~ **laine** um casaco de lã.
4. (*indique l'état*): **être** ~ **vacances** estar de férias; **s'habiller** ~ **noir** vestir-se de preto; **combien ça fait** ~ **francs?** quanto custa em francos?; **ça se dit « custard »** ~ **anglais** diz-se "custard" em inglês; **« ~ réparation »** para consertar.

5. *(indique le moyen)* de; **voyager ~ avion/voiture** viajar de avião/de carro.

6. *(pour désigner la taille)*: **auriez-vous celles-ci ~ 38/~ plus petit?** teria o número 38 destas?/um número mais pequeno?; **nous avons ce modèle ~ taille s** temos este modelo em tamanho s.

7. *(devant un participe présent)*: **~ arrivant à Paris** ao chegar a Paris; **partir ~ courant** partir a correr; **on ne parle pas ~ mangeant!** não se fala quando se come!

♦ *pron* **1.** *(object indirect)*: **n'en parlons plus** não falemos mais nisso; **je vous ~ remercie** agradeço-lhe por isso; **j'~ rêve la nuit** sonho com isso à noite.

2. *(avec un indéfini)*: **~ reprendrez-vous?** quer mais?

3. *(indique la provenance)*: **j'~ viens** venho de lá.

4. *(complément du nom)*: **je suis parti en vacances et j' ~ garde un excellent souvenir** estive de férias e tenho uma excelente lembrança delas.

5. *(complément de l'adjectif)*: **les escargots? il ~ est fou** os caracóis? é doido por eles; **elle est bien ta maison! - ma foi, j'~ suis assez fier** a tua casa é bonita! - na verdade, estou muito contente com ela.

encadrement [ākadrəmā] *nm (de tableau)* moldura *f*; *(de porte)* guarnição *f*; *(de personnes)* enquadramento *m*; *(du crédit, des prix)* controlo *m*.

encadrer [ākadre] *vt* emoldurar.

encaisser [ākese] *vt (argent)* receber; *(fam : coups)* apanhar; *(fam : critique, insulte)* engolir; *(mettre en caisse)* encaixotar; **~ un chèque** levantar um cheque; **ne pas pouvoir ~ qqn** *(fam : fig)* não ir com a cara de alguém.

encart [ākar] *nm folheto que se insere numa publicação*; **~ publicitaire** folheto publicitário.

encastrer [ākastre] *vt* embutir.

enceinte [āsɛ̃t] *adj f* grávida.
♦ *nf (haut-parleur)* coluna *f (Port)*, caixa *f* de som *(Br)*; *(d'une ville)* muralha *f*.

encens [āsā] *nm* incenso *m*.

encenser [āsāse] *vt (fig: flatter)* enaltecer; *(brûler de l'encens dans)* queimar incenso em.

encercler [āsɛrkle] *vt (personne, ville)* cercar; *(mot)* rodear.

enchaînement [āʃɛnmā] *nm* encadeamento *m*.

enchaîner [āʃene] *vt (attacher)* acorrentar; *(idées, phrases)* encadear.
❏ **s'enchaîner** *vp* encadear-se.

enchanté, e [āʃāte] *adj* encantado(-da); **~ (de faire votre connaissance)!** prazer em conhecê-lo!

enchanter [āʃāte] *vt* encantar.

enchères [āʃɛr] *nfpl* leilão *m*; **vendre qqch aux ~** leiloar algo.

enclave [āklav] *nf* enclave *m*.

enclencher [āklāʃe] *vt* desencadear.

enclin, e [āklɛ̃, in] *adj* : **(être) ~ à qqch/à faire qqch** (ser) propenso a algo/a fazer algo.

enclos [āklo] *nm* recinto *m*.

enclume [āklym] *nf* bigorna *f*.

encoche [ākɔʃ] *nf* corte *m*.

encoignure [ākɔɲyr, ākwaɲyr] *nf (coin)* canto *m*; *(meuble)* cantoneira *f*.

encolure [ākɔlyr] *nf (de vêtement)* colarinho *m*.

encombrant, e [ākɔ̃brā, āt] *adj* que ocupa muito espaço.

encombrements [ākɔ̃brəmā] *nmpl* engarrafamentos *mpl*.

encombrer [ākɔ̃bre] *vt (gêner)* estorvar; **encombré de** atravancado de.

encontre [ākɔ̃tr]
❏ **à l'encontre de** *loc prép* contra; **aller à l'~ de** ir contra.

encore [ākɔr] *adv* **1.** *(gén)* ainda; **il reste ~ une centaine de kilomètres** ainda faltam cem quilómetros; **pas ~** ainda não; **c'est ~ plus cher ici** aqui é ainda mais caro.
2. *(de nouveau)* outra vez; **j'ai ~ oublié mes clefs!** esqueci-me outra vez das chaves!; **~ une fois** outra vez.
3. *(en plus)* mais; **~ un peu de légumes?** um pouco mais de legumes?; **reste ~ un peu** fica mais um pouco.

encouragement [ākuraʒmā] *nm* encorajamento *m*.

encourager [ākuraʒe] *vt* encorajar; **~ qqn à faire qqch** encorajar alguém a fazer algo.

encourir [ākurir] *vt (sout)* incorrer em.

encrasser [ākrase] *vt* sujar.

encre [ākr] *nf* tinta *f*; **~ de Chine** tinta da China.

encyclopédie [āsiklɔpedi] *nf* enciclopédia *f*.

encyclopédique [āsiklɔpedik] *adj* enciclopédico(-ca).

endetter [ādete]: **s'endetter** *vp* endividar-se.

endiablé, e [ādjable] *adj* endiabrado(-da).

endiguer [ādige] *vt (un fleuve)* represar; *(fig: réprimer)* refrear.

endive [ādiv] *nf* endívia *f*.

endoctriner [ādɔktrine] *vt* doutrinar.

endolori, e [ādɔlɔri] *adj* dolorido(-da).

endommager [ādɔmaʒe] *vt* danificar.

endormi, e [ādɔrmi] *adj* adormecido(-da).

endormir [ādɔrmir] *vt* adormecer.

❏ **s'endormir** *vp* adormecer.

endosser [ādose] *vt (vêtement)* vestir; *(JUR; FIN)* endossar; *(fig: responsabilité)* tomar.

endroit [ādrwa] *nm (lieu)* sítio *m*; *(côté)* direito *m*; **à l'~ do** direito.

enduire [āduir] *vt (couvrir)*: **~ qqch de** untar algo com.
❏ **s'enduire** *vp*: **s'~ de** untar-se com.

enduit [ādui] *nm* reboco *m*.

endurance [ādyrās] *nf* resistência *f*.

endurant, e [ādyrā, āt] *adj* resistente.

endurcir [ādyrsir]: **s'endurcir** *vp* endurecer-se.

endurer [ādyre] *vt* aguentar.

énergie [enɛrʒi] *nf* energia *f*.

énergique [enɛrʒik] *adj* enérgico(-ca).

énergumène [enɛrgymɛn] *nmf* energúmeno *m*.

énerver [enɛrve] *vt* enervar.
❏ **s'énerver** *vp* enervar-se.

enfance [āfās] *nf* infância *f*.

enfant [āfā] *nmf (jeune)* criança *f*; *(descendant)* filho *m* (-lha *f*); **~ de chœur** menino *m* de coro.

enfantin, e [āfātē, in] *adj* infantil.

enfer [āfer] *nm* inferno *m*.

enfermer [āferme] *vt* fechar.

enfiler [āfile] *vt* enfiar.

enfin [āfē] *adv (finalement)* enfim; *(en dernier)* por fim.

enflammer [āflame]: **s'enflammer** *vp* inflamar-se.

enfler [āfle] *vi* inchar.

enfoncer [āfɔ̃se] *vt (clou)* pregar; *(porte)* arrombar; *(aile de voiture)* amolgar.
❏ **s'enfoncer** *vp*: **s'~ dans** *(bateau)* afundar-se em; *(forêt, ville)* adentrar-se por.

enfouir [āfwir] *vt* enterrar.

enfourcher [ãfurʃe] vt montar em.

enfourner [ãfurne] vt enfornar.

enfreindre [ãfrɛ̃dr] vt infringir.

enfreint, e [ãfrɛ̃, ɛ̃t] pp → enfreindre.

enfuir [ãfɥir]: **s'enfuir** vp fugir.

enfumé, e [ãfyme] adj cheio (cheia) de fumo.

enfumer [ãfyme] vt encher de fumo.

engagement [ãgaʒmã] nm (promesse) compromisso m; (SPORT) lançamento m.

engager [ãgaʒe] vt (salarié, domestique) contratar; (conversation, négociations) entabular. ❑ **s'engager** vp alistar-se; **s'~ à faire qqch** comprometer-se a fazer algo; **s'~ dans** meter-se por.

engelure [ãʒlyr] nf frieira f.

engendrer [ãʒãdre] vt (sout: procréer) engendrar; (fig: produire) dar origem a.

engin [ãʒɛ̃] nm engenho m.

englober [ãglɔbe] vt englobar.

engloutir [ãglutir] vt (nourriture) tragar; (submerger) submergir.

engouement [ãgumã] nm entusiasmo m.

engouffrer [ãgufre]: **s'engouffrer dans** vp + prép (personne) enfiar-se em; (vent, eau) meter-se por.

engourdi, e [ãgurdi] adj entorpecido(-da).

engrais [ãgrɛ] nm adubo m.

engraisser [ãgrɛse] vt & vi engordar.

engrenage [ãgrənaʒ] nm engrenagem f.

engueuler [ãgœle] vt (fam) dar um raspanete a; **se faire ~** levar um raspanete. ❑ **s'engueuler** vp (fam) berrar um com o outro.

énième, nième [ɛnjɛm] adj (fam) milésimo(-ma).

énigmatique [enigmatik] adj enigmático(-ca).

énigme [enigm] nf enigma m.

enivrer [ãnivre] vt embriagar. ❑ **s'enivrer** vp : **s'~ de (qqch)** embriagar-se (com).

enjambée [ãʒãbe] nf passada f; **à grandes ~s** a passos largos.

enjamber [ãʒãbe] vt (flaque, fossé) passar por cima de; (suj: pont) atravessar.

enjeu [ãʒø] nm o que está em jogo.

enjoindre [ãʒwɛ̃dr] vt (sout): **~ à qqn de faire qqch** ordenar a alguém que faça algo.

enjoliver [ãʒɔlive] vt embelezar.

enjoliveur [ãʒɔlivœr] nm tampão m (de roda de automóvel).

enjoué, e [ãʒwe] adj jovial.

enlacer [ãlase] vt (personne) abraçar; (entourer) pôr os braços à volta de. ❑ **s'enlacer** vp abraçar-se.

enlaidir [ãledir] vt desfear.

enlèvement [ãlɛvmã] nm rapto m.

enlever [ãlve] vt tirar; (kidnapper) raptar. ❑ **s'enlever** vp sair.

enliser [ãlize]: **s'enliser** vp atolar-se.

enneigé, e [ãneʒe] adj coberto(-ta) de neve.

ennemi, e [ɛnmi] nm, f inimigo m (-ga f).

ennui [ãnɥi] nm (lassitude) tédio m; (problème) aborrecimento m; **avoir des ~s** ter aborrecimentos.

ennuyé, e [ãnɥije] adj aborrecido(-da).

ennuyer [ãnɥije] vt aborrecer. ❑ **s'ennuyer** vp aborrecer-se.

ennuyeux, euse [ãnɥijø, øz]

adj (lassant) maçador(-ra); *(contrariant)* aborrecido(-da).

énorme [enɔrm] *adj* enorme.

énormément [enɔrmemã] *adv* muito; ~ **d'argent** muito dinheiro; ~ **de monde** muita gente.

enquête [ãkɛt] *nf (policière)* investigação *f*; *(sondage)* inquérito *m*.

enquêter [ãkete] *vi* : ~ **(sur)** investigar.

enragé, e [ãraʒe] *adj* raivoso(-osa); **il est** ~ **de football** é doido por futebol.

enrager [ãraʒe] *vi* enraivecer; **faire** ~ **qqn** enraivecer alguém.

enrayer [ãrɛje] *vt* parar.
❑ **s'enrayer** *vp (arme)* encravar.

enregistrement [ãrəʒistrəmã] *nm* gravação *f*; ~ **des bagages** check-in.

enregistrer [ãrəʒistre] *vt (disque, cassette, données)* gravar; *(par écrit)* registar; *(bagages)* fazer o check-in.

enrhumé, e [ãryme] *adj* constipado(-da).

enrhumer [ãryme]: **s'enrhumer** *vp* constipar-se.

enrichir [ãriʃir] *vt* enriquecer.
❑ **s'enrichir** *vp* enriquecer.

enrobé, e [ãrɔbe] *adj* : ~ **de** coberto de.

enrôler [ãrole] *vt* recrutar.
❑ **s'enrôler** *vp* alistar-se.

enroué, e [ãrwe] *adj* rouco(-ca).

enrouler [ãrule] *vt* enrolar.
❑ **s'enrouler** *vp* enrolar-se; **s'~ autour de** enrolar-se à volta de.

ensabler [ãsable] *vt (un bateau)* encalhar; *(terrain)* cobrir de areia.
❑ **s'ensabler** *vp* cobrir-se de areia; *(véhicule)* atolar-se (na areia); *(bateau)* encalhar.

enseignant, e [ãsɛɲã, ãt] *nm, f* professor *m* (-ra *f*).

enseigne [ãsɛɲ] *nf* letreiro *m*; ~ **lumineuse** letreiro luminoso.

enseignement [ãsɛɲmã] *nm* ensino *m*.

enseigner [ãsɛɲe] *vt & vi* ensinar; ~ **qqch à qqn** ensinar algo a alguém.

ensemble [ãsãbl] *adv* : **ils travaillent** ~ eles trabalham juntos; **elles jouent** ~ elas brincam juntas. ♦ *nm* conjunto *m*; **l'~ de** o conjunto de; **dans l'~** no conjunto.

ensevelir [ãsəvlir] *vt* sepultar.

ensoleillé, e [ãsɔleje] *adj* soalheiro(-ra).

ensoleillement [ãsɔlɛjmã] *nm* : **heures/jours d'~** horas/dias de sol.

ensorceler [ãsɔrsəle] *vt* enfeitiçar.

ensuite [ãsɥit] *adv (plus tard)* em seguida; *(plus loin)* depois.

ensuivre [ãsɥivr]:
❑ **s'ensuivre** *vp* : **il s'en est suivit...** daí resultou...; **et tout ce qui s'ensuit** e tudo o mais.
❑ **il s'ensuit que** *v impers* daí que.

entaille [ãtaj] *nf (fente)* entalha *f*; *(blessure)* golpe *m*.

entailler [ãtaje] *vt* fazer um golpe profundo em.
❑ **s'entailler** *vp* : **s'~ le doigt/la main** fazer um golpe profundo no dedo/na mão.

entamer [ãtame] *vt (pain, bouteille)* encetar; *(discussion)* entabular.

entartrer [ãtartre] *vt* cobrir de tártaro.
❑ **s'entartrer** *vp* cobrir-se de tártaro.

entasser [ãtase] *vt (mettre en tas)* amontoar; *(serrer)* apertar.
❑ **s'entasser** *vp* apertar.

entendre [ãtãdr] *vt* ouvir; ~ **dire que** ouvir dizer que; ~ **parler de** ouvir falar de.
❑ **s'entendre** *vp* entender-se; **s'**

~ **bien avec qqn** entender-se bem com alguém.

entendu, e [ātādy] *adj* combinado(-da); **(c'est) ~!** (está) combinado!; **bien ~** com certeza.

entente [ātāt] *nf* entendimento *m*.

entériner [āterine] *vt* ratificar.

enterrement [ātɛrmā] *nm* enterro *m*.

enterrer [ātere] *vt* enterrar.

en-tête, s [ātɛt] *nm* cabeçalho *m*; **papier à ~** papel timbrado.

entêté, e [ātete] *adj* cabeçudo(-da). ◆ *nm, f* cabeça-dura *mf*.

entêter [ātete]: **s'entêter** *vp* obstinar-se; **s'~ à faire qqch** obstinar-se a fazer algo.

enthousiasme [ātuzjasm] *nm* entusiasmo *m*.

enthousiasmer [ātuzjasme] *vt* entusiasmar.

❏ **s'enthousiasmer pour** *vp + prép* entusiasmar-se por.

enthousiaste [ātuzjast] *adj* entusiasta.

enticher [ātiʃe] ❏ **s'enticher** *vp* : **s'~ de qqch/qqn** ficar obcecado(-da) com algo/alguém.

entier, ère [ātje, ɛr] *adj* inteiro(-ra); *(lait)* gordo(-da); **dans le monde ~** no mundo inteiro; **pendant des journées entières** durante dias a fio; **en ~** por inteiro.

entièrement [ātjɛrmā] *adv* inteiramente.

entité [ātite] *nf* entidade *f*.

entonner [ātɔne] *vt* entoar.

entonnoir [ātɔnwar] *nm* funil *m*.

entorse [ātɔrs] *nf* entorse *f*; **se faire une ~** torcer o tornozelo.

entortiller [ātɔrtije] *vt* torcer.

entourage [āturaʒ] *nm* meio *m*.

entourer [āture] *vt* cercar; **entouré de** cercado por.

entracte [ātrakt] *nm* intervalo *m* *(no teatro ou no cinema)*.

entraide [ātrɛd] *nf* entreajuda *f*.

entraider [ātrede]: **s'entraider** *vp* entreajudar-se.

entrailles [ātraj] *nfpl* entranhas *fpl*.

entrain [ātrɛ̃] *nm* : **avec ~** com vigor; **plein d'~** cheio de vigor.

entraînant, e [ātrɛnā, āt] *adj* mexido(-da).

entraînement [ātrɛnmā] *nm* treino *m*.

entraîner [ātrene] *vt* *(emporter, emmener)* arrastar; *(provoquer)* provocar; *(SPORT)* treinar.

❏ **s'entraîner** *vp* treinar-se; **s'~ à faire qqch** treinar-se a fazer algo.

entraîneur, euse [ātrɛnœr, øz] *nm, f* treinador *m* (-ra *f*).

entrave [ātrav] *nf* entrave *m*.

entraver [ātrave] *vt* entravar.

entre [ātr] *prép* entre; **~ amis** entre amigos; **l'un d'~ nous** um de nós.

entrebâiller [ātrəbaje] *vt* entreabrir.

entrechoquer [ātrəʃɔke]: **s'entrechoquer** *vp* bater um no outro.

entrecôte [ātrəkot] *nf* bife *m* do acém; **~ à la bordelaise** *bife com molho de vinho tinto*.

entrée [ātre] *nf* entrada *f*; **'~ gratuite'** 'entrada grátis'; **'~ interdite'** 'entrada proibida'; **'~ libre'** 'entrada livre'.

entrefaites [ātrəfɛt] *nfpl* : **sur ces ~** e nisto.

entrejambe [ātrəʒāb] *nm* entrepernas *m inv*.

entremets [ātrəmɛ] *nm* sobremesa *f (de colher)*.

entreposer [ātrəpoze] *vt* armazenar.

entrepôt [ɑ̃trəpo] *nm* armazém *m*.

entreprendre [ɑ̃trəprɑ̃dr] *vt* empreender.

entrepreneur [ɑ̃trəprənœr] *nm* empreiteiro *m*.

entrepris, e [ɑ̃trəpri, iz] *pp* → **entreprendre**.

entreprise [ɑ̃trəpriz] *nf* empresa *f*.

entrer [ɑ̃tre] *vi (aux être)* entrar. ♦ *vt (aux avoir)* entrar; **entrez!** entre!; ~ **dans** *(pièce)* entrar em; *(foncer dans)* chocar com.

entre-temps [ɑ̃trətɑ̃] *adv* entretanto.

entretenir [ɑ̃trətnir] *vt (maison)* manter; *(plante)* cuidar de. ❑ **s'entretenir** *vp* : **s'~ (de qqch) avec qqn** tratar (de algo) com alguém.

entretenu, e [ɑ̃trətny] *pp* → **entretenir**.

entretien [ɑ̃trətjɛ̃] *nm (d'un vêtement, d'une machine)* manutenção *f*; *(conversation)* conversa *f*.

entre-tuer [ɑ̃trətɥe] ❑ **s'entre-tuer** *vp* matar-se um ao outro.

entrevoir [ɑ̃trəvwar] *vt* entrever. ❑ **s'entrevoir** *vp* entrever-se.

entrevue [ɑ̃trəvy] *nf* entrevista *f*.

entrouvert, e [ɑ̃truvɛr, ɛrt] *adj* entreaberto(-ta).

entrouvrir [ɑ̃truvrir] *vt* entreabrir. ❑ **s'entrouvrir** *vp* entreabrir-se.

énumération [enymerasjɔ̃] *nf (liste)* enumeração *f*.

énumérer [enymere] *vt* enumerar.

envahir [ɑ̃vair] *vt* invadir.

envahissant, e [ɑ̃vaisɑ̃, ɑ̃t] *adj* invasor(-ra).

envahisseur [ɑ̃vaisœr] *nm* invasor *m*.

enveloppe [ɑ̃vlɔp] *nf* envelope *m*.

envelopper [ɑ̃vlɔpe] *vt* envolver.

envenimer [ɑ̃vnime] *vt (blessure)* infectar; *(fig: querelle)* envenenar. ❑ **s'envenimer** *vp (s'infecter)* infectar-se; *(fig: se détériorer)* ficar envenenado(-da).

envergure [ɑ̃vɛrgyr] *nf* envergadura *f*.

envers [ɑ̃vɛr] *prép* para com. ♦ *nm* verso *m*; **à l'~** ao contrário.

envie [ɑ̃vi] *nf (désir)* vontade *f*; *(jalousie)* inveja *f*; **avoir ~ de qqch** ter vontade de algo; **avoir ~ de faire qqch** ter vontade de fazer algo.

envier [ɑ̃vje] *vt* invejar.

envieux, euse [ɑ̃vjø, øz] *adj & nm, f* invejoso(-osa).

environ [ɑ̃virɔ̃] *adv* cerca de. ❑ **environs** *nmpl* arredores *mpl*; **aux ~s de** *(heure, nombre)* por volta de; *(lieu)* nos arredores de; **dans les ~s** nos arredores.

environnant, e [ɑ̃virɔnɑ̃, ɑ̃t] *adj* circunvizinho(-nha).

environnement [ɑ̃virɔnmɑ̃] *nm* ambiente *m*.

envisager [ɑ̃vizaʒe] *vt (considérer)* considerar; *(prévoir)* contar; ~ **de faire qqch** contar fazer algo.

envoi [ɑ̃vwa] *nm (colis)* envio *m*.

envol [ɑ̃vɔl] *nm (d'un oiseau)* voo *m*; *(d'un avion)* descolagem *f*; **prendre son ~** levantar voo.

envoler [ɑ̃vɔle]: **s'envoler** *vp (oiseau, avion)* levantar voo; *(feuilles)* voar.

envoûter [ɑ̃vute] *vt* enfeitiçar.

envoyé, e [ɑ̃vwaje] *nm, f* enviado *m* (-da *f*); ~ **spécial** enviado especial.

envoyer [ɑ̃vwaje] *vt* mandar; *(balle, objet)* atirar.

épagneul [epaɲœl] *nm* épagneul *m*.

épais, aisse [epɛ, ɛs] *adj (large)* grosso(-ossa); *(dense)* espesso(-a).

épaisseur [epɛsœr] *nf* espessura *f*.

épaissir [epesir] *vi* engrossar.
❑ **s'épaissir** *vp (brouillard)* adensar-se.

épancher [epɑ̃ʃe]
❑ **s'épancher** *vp* desabafar.

épanoui, e [epanwi] *adj (expression)* radiante; *(fleur)* viçoso(-osa); *(corps)* desenvolvido(-da).

épanouir [epanwir]: **s'épanouir** *vp (fleur)* desabrochar; *(visage)* alegrar-se.

épargne [eparɲ] *nf* poupança *f*.

épargner [eparɲe] *vt* poupar; ~ **qqch à qqn** poupar algo a alguém.

éparpiller [eparpije] *vt* espalhar.
❑ **s'éparpiller** *vp* espalhar-se.

épars, e [epar, ars] *adj (sout)* disperso(-sa).

épatant, e [epatɑ̃, ɑ̃t] *adj* espantoso(-osa).

épater [epate] *vt* espantar.

épaule [epol] *nf* ombro *m*; ~ **d'agneau** pá *f* de borrego.

épauler [epole] *vt (une personne)* apoiar; *(un fusil)* encostar ao ombro.

épaulette [epolɛt] *nf (décoration)* patente *f*; *(rembourrage)* ombreira *f (de vestido)*.

épave [epav] *nf* destroços *mpl*.

épée [epe] *nf* espada *f*.

épeler [eple] *vt* soletrar.

éperon [eprɔ̃] *nm* espora *f*.

éphémère [efemɛr] *adj* efémero(-ra). ◆ *nm* efemérida *f*.

épi [epi] *nm (de blé, de maïs)* espiga *f*; *(de cheveux)* redemoinho *m*.

épice [epis] *nf* especiaria *f*.

épicé, e [epise] *adj* condimentado(-da).

épicer [epise] *vt (plat)* temperar; *(récit)* apimentar.

épicerie [episri] *nf (denrées)* produtos *mpl* alimentares; *(magasin)* mercearia *f (Port)*, quitanda *f (Br)*; ~ **fine** loja de produtos alimentares de qualidade superior.

épicier, ère [episje, ɛr] *nm, f* merceeiro *m* (-ra *f*).

épidémie [epidemi] *nf* epidemia *f*.

épiderme [epidɛrm] *nm* epiderme *f*.

épier [epje] *vt* espiar.

épilepsie [epilɛpsi] *nf* epilepsia *f*.

épiler [epile] *vt* depilar.

épiloguer [epilɔge] *vi* : ~ **sur** continuar a discutir sobre.

épinards [epinar] *nmpl* espinafres *mpl*.

épine [epin] *nf* espinho *m*.

épineux, euse [epinø, øz] *adj* espinhoso(-osa).

épingle [epɛ̃gl] *nf* alfinete *m*; ~ **à cheveux** gancho *m* do cabelo; ~ **à nourrice** alfinete-de-ama *m*.

épingler [epɛ̃gle] *vt* prender com alfinete.

épique [epik] *adj* épico(-ca).

épisode [epizɔd] *nm* episódio *m*.

épisodique [epizɔdik] *adj* episódico(-ca).

épithète [epitɛt] *adj* adjunto adnominal. ◆ *nf* epíteto *m*.

éploré, e [eplɔre] *adj* choroso(-osa).

épluche-légumes [eplyʃlegym] *nm inv* descascador *m* de legumes.

éplucher [eplyʃe] *vt* descascar.

épluchures [eplyʃyr] *nfpl* cascas *fpl*.

éponge [epɔ̃ʒ] *nf* esponja *f*.

éponger [epɔ̃ʒe] *vt* enxugar.

épopée [epɔpe] *nf* epopeia *f*.

époque [epɔk] *nf* época *f*.

épouse → **époux**.

épouser [epuze] *vt* casar com.

épousseter [epuste] *vt* limpar o pó de.

époustouflant, e [epustuflã, ãt] *adj (fam)* espantoso(-osa).

épouvantable [epuvãtabl] *adj* pavoroso(-osa).

épouvantail [epuvãtaj] *nm* espantalho *m*.

épouvante [epuvãt] *nf* → **film**.

épouvanter [epuvãte] *vt* apavorar.

époux, épouse [epu, epuz] *nm, f* esposo *m* (-sa *f*).

éprendre [eprãdr]
❏ **s'éprendre** *vp* : **s'~ de qqn** enamorar-se de alguém.

épreuve [eprœv] *nf* prova *f*.

éprouvant, e [epruvã, ãt] *adj* penoso(-osa).

éprouver [epruve] *vt (ressentir)* sentir; *(faire souffrir)* afectar.

éprouvette [epruvɛt] *nf* proveta *f*.

EPS *nf (abr de* **éducation physique et sportive)** educação *f* física.

épuisant, e [epɥizã, ãt] *adj* esgotante.

épuisé, e [epɥize] *adj (fatigué)* exausto(-ta); *(livre)* esgotado(-da).

épuisement [epɥizmã] *nm* esgotamento *m*; **jusqu'à ~ des stocks** até ao esgotamento dos stocks.

épuiser [epɥize] *vt (fatiguer)* extenuar; *(ressources)* esgotar.

épuisette [epɥizɛt] *nf (filet)* rede-fole *f*; *(à crevettes)* camaroeiro *m*.

équateur [ekwatœr] *nm* equador *m*.

équation [ekwasjɔ̃] *nf* equação *f*.

équatorial, e, aux [ekwatɔrjal, o] *adj* equatorial.

équerre [ekɛr] *nf* esquadro *m*.

équestre [ekɛstr] *adj* equestre.

équilatéral, e, aux [ekɥilateral, o] *adj* equilateral.

équilibre [ekilibr] *nm* equilíbrio *m*; **en ~** em equilíbrio; **perdre l'~** perder o equilíbrio.

équilibré, e [ekilibre] *adj* equilibrado(-da).

équilibrer [ekilibre] *vt* equilibrar.
❏ **s'équilibrer** *vp* equilibrar-se.

équilibriste [ekilibrist] *nmf* equilibrista *mf*.

équipage [ekipaʒ] *nm* tripulação *f*.

équipe [ekip] *nf (sportive)* equipa *f (Port)*, time *m (Br)*; *(de travail)* equipa *f*.

équipement [ekipmã] *nm* equipamento *m*.

équiper [ekipe] *vt* equipar.
❏ **s'équiper (de)** *vp (+ prép)* equipar-se (com).

équipier, ère [ekipje, ɛr] *nm, f (SPORT)* parceiro *m* (-ra *f*); *(NAVIG)* tripulante *mf*.

équitable [ekitabl] *adj* equitativo(-va).

équitation [ekitasjɔ̃] *nf* equitação *f*; **faire de l'~** fazer equitação.

équité [ekite] *nf* equidade *f*.

équivalent, e [ekivalã, ãt] *adj* equivalente. ◆ *nm* equivalente *m*.

équivaloir [ekivalwar] *vi* : **ça équivaut à (faire)...** equivale a (fazer)...

équivalu [ekivaly] *pp* → **équivaloir**.

équivoque [ekivɔk] *adj* equívoco(-ca). ◆ *nf* equívoco *m*; **sans ~** inequívoco(-ca).

érable [erabl] *nm* bordo *m*.

éradiquer [eradike] *vt* erradicar.

érafler [erafle] *vt* arranhar.

éraflure [eraflyr] *nf* arranhadela *f*.

éraillé, e [eraje] *adj* rouco(-ca).
ère [ɛr] *nf* era *f*.
érection [erɛksjɔ̃] *nf* erecção *f*; **en ~** em erecção.
éreintant, e [erɛ̃tã, ãt] *adj* extenuante.
éreinté, e [erɛ̃te] *adj* extenuado(-da).
ériger [eriʒe] *vt* erigir; **~ qqn en qqch** *(fig)* fazer passar alguém por algo.
❑ **s'ériger** *vp*: **s'~ en** arvorar-se em.
ermite [ɛrmit] *nm* ermita *mf*.
érogène [erɔʒɛn] *adj* erógeno(-na).
érosion [erozjɔ̃] *nf* erosão *f*.
érotique [erɔtik] *adj* erótico(-ca).
erreur [erœr] *nf* erro *m*; **faire une ~** fazer um erro.
ersatz [ɛrzats] *nm* sucedâneo *m*.
érudit, e [erydi, it] *adj & nm, f* erudito(-ta).
éruption [erypsjɔ̃] *nf* erupção *f*; **~ cutanée** erupção cutânea.
es [ɛ] → **être**.
escabeau, x [ɛskabo] *nm* pequeno escadote *m*.
escalade [ɛskalad] *nf* escalada *f*.
escalader [ɛskalade] *vt (mur)* trepar; *(montagne)* escalar.
Escalator® [ɛskalatɔr] *nm* escadas *fpl* rolantes.
escale [ɛskal] *nf* escala *f*; **faire ~ (à)** fazer escala (em); **vol sans ~** voo sem escala.
escalier [ɛskalje] *nm* escada *f*; **les ~s** as escadas; **~ roulant** escadas rolantes.
escalope [ɛskalɔp] *nf* escalope *m*.
escamotable [ɛskamɔtabl] *adj* retráctil.
escapade [ɛskapad] *nf* escapadela *f*.
escargot [ɛskargo] *nm* caracol *m*.

escarpé, e [ɛskarpe] *adj* escarpado(-da).
escarpin [ɛskarpɛ̃] *nm* sapato *m* de salto alto.
escavèche [ɛskavɛʃ] *nm (Belg)* *peixe frito com molho escabeche*.
escient [esjã] *nm*: **parler à bon/mauvais ~** dizer algo conveniente/inconveniente.
esclaffer [ɛsklafe]: **s'esclaffer** *vp* rir às gargalhadas.
esclandre [ɛsklãdr] *nm (sout)* escândalo *m*; **faire un ~** fazer um escândalo.
esclavage [ɛsklavaʒ] *nm (système)* escravatura *f*; *(obligation)* escravidão *f*.
esclave [ɛsklav] *nmf* escravo *m* (-va *f*).
escompte [ɛskɔ̃t] *nm* desconto *m*.
escorte [ɛskɔrt] *nf* escolta *f*.
escorter [ɛskɔrte] *vt* escoltar.
escrime [ɛskrim] *nf* esgrima *f*.
escroc [ɛskro] *nm* vigarista *mf*.
escroquer [ɛskrɔke] *vt* vigarizar; **~ qqch à qqn** extorquir algo a alguém.
escroquerie [ɛskrɔkri] *nf (vol)* burla *f*; *(fig: abus)* vigarice *f*.
espace [ɛspas] *nm* espaço *m*; **en l'~ de** no espaço de; **~ verts** espaços verdes; **~ fumeurs/non-fumeurs** espaço para fumadores/para não-fumadores.
espacer [ɛspase] *vt* espaçar.
espadon [ɛspadɔ̃] *nm* espadarte *m*.
espadrille [ɛspadrij] *nf* alpercata *f*.
Espagne [ɛspaɲ] *nf*: **l'~** a Espanha.
espagnol, e [ɛspaɲɔl] *adj* espanhol(-la). ◆ *nm (langue)* espanhol *m*.
❑ **Espagnol, e** *nm, f* espanhol *m* (-la *f*).

espèce [ɛspɛs] *nf* espécie *f*; **une ~ de** uma espécie de; **~ d'imbécile!** parvalhão!
❏ **espèces** *nfpl* dinheiro *m*; **en ~s** a dinheiro.

espérer [ɛspere] *vt* esperar; **~ faire (qqch)** esperar fazer (algo); **j'espère (bien)!** espero (bem) que sim!

espiègle [ɛspjɛgl] *adj* travesso(-a).

espion, ionne [ɛspjɔ̃, ɔn] *nm, f* espião *m* (-ã *f*).

espionnage [ɛspjɔnaʒ] *nm* espionagem *f*; **film/roman d'~** filme/livro de espionagem.

espionner [ɛspjɔne] *vt* espionar.

esplanade [ɛsplanad] *nf* esplanada *f*.

espoir [ɛspwar] *nm* esperança *f*.

esprit [ɛspri] *nm* (*pensée, fantôme*) espírito *m*; (*humour*) graça *f*; (*caractère*) génio *m*.

Esquimau, aude, x [ɛskimo, od] *nm, f* esquimó *mf*.
❏ **Esquimau**® *nm* esquimó *m*.

esquinter [ɛskɛ̃te] *vt* (*fam*) (*abîmer*) dar cabo de; (*blesser*) esmurrar.

esquisse [ɛskis] *nf* esboço *m*.

esquisser [ɛskise] *vt* esboçar.

esquiver [ɛskive] *vt* esquivar.
❏ **s'esquiver** *vp* esquivar-se.

essai [ɛsɛ] *nm* ensaio *m*; (*tentative*) tentativa *f*.

essaim [ɛsɛ̃] *nm* enxame *m*.

essayage [ɛsɛjaʒ] *nm* → **cabine**.

essayer [ɛsɛje] *vt* experimentar; (*tenter*) tentar; **~ de faire qqch** tentar fazer algo.

essence [ɛsɑ̃s] *nf* gasolina *f*; **~ sans plomb** gasolina sem chumbo.

essentiel, elle [ɛsɑ̃sjɛl] *adj* essencial. ◆ *nm* : **l'~** o essencial.

esseulé, e [ɛsœle] *adj* (*sout*) só.

essieu, x [ɛsjø] *nm* eixo *m*.

essor [ɛsɔr] *nm* (*développement*) desenvolvimento *m*; (*envol*) voo *m*; **en plein ~** em pleno desenvolvimento; **prendre son ~** levantar voo; (*fig*) desenvolver-se.

essorage [ɛsɔraʒ] *nm* centrifugação *f*.

essorer [ɛsɔre] *vt* enxugar.

essoufflé, e [esufle] *adj* sem fôlego.

essuie-glace, s [ɛsɥiglas] *nm* limpa-pára-brisas *m inv* (*Port*), limpador *m* de pára-brisas (*Br*).

essuie-mains [ɛsɥimɛ̃] *nm inv* toalha *f* (*para as mãos*).

essuie-tout [ɛsɥitu] *nm inv* papel *m* de cozinha.

essuyer [ɛsɥije] *vt* limpar.
❏ **s'essuyer** *vp* limpar-se; **s'~ les mains** limpar as mãos.

est¹ [ɛ] → **être**.

est² [ɛst] *adj inv & nm inv* este; **à l'~ (de)** a leste (de); **l'Est** (*les pays de l'Est*) o Leste; (*l'Est de la France*) o Leste da França.

estampe [ɛstɑ̃p] *nf* estampa *f*.

est-ce que [ɛskə] *adv* : **est-ce qu'il est là?** ele está?; **est-ce qu'il sera là?** será que ele estará lá?; **~ tu as mangé?** já comeste?; **comment ~ ça s'est passé?** como é que aconteceu?

esthète [ɛstɛt] *adj & nmf* esteta.

esthéticienne [ɛstetisjɛn] *nf* esteticista *f*.

esthétique [ɛstetik] *adj* estético(-ca).

estimation [ɛstimasjɔ̃] *nf* estimação *f*.

estime [ɛstim] *nf* estima *f*; **avoir de l'~ pour qqn** ter estima por alguém.

estimer [ɛstime] *vt* estimar; **~ que** estimar que.

estivant, e [ɛstivɑ̃, ɑ̃t] *nm, f* veranista *mf*.

estomac [ɛstɔma] *nm* estômago *m*.

estomper [ɛstɔpe] *vt (contour)* esbater; *(douleur)* atenuar.
❏ **s'estomper** *vp (contour)* esbater-se; *(douleur)* atenuar-se.

estrade [ɛstrad] *nf* estrado *m*.

estragon [ɛstragɔ̃] *nm* estragão *m*.

estropié, e [ɛstrɔpje] *adj & nm, f* estropiado(-da).

estuaire [ɛstɥɛr] *nm* estuário *m*.

esturgeon [ɛstyrʒɔ̃] *nm* esturjão *m*.

et [e] *conj* e; ~ **après?** e depois?; **je l'aime bien, ~ toi?** eu gosto dele, e tu?; **vingt ~ un** vinte e um.

étable [etabl] *nf* estábulo *m*.

établi [etabli] *nm* banca *f* de trabalho.

établir [etablir] *vt* estabelecer.
❏ **s'établir** *vp* estabelecer-se; *(emménager)* instalar-se.

établissement [etablismã] *nm (organisme)* estabelecimento *m*; ~ **scolaire** estabelecimento escolar.

étage [etaʒ] *nm (d'un bâtiment)* andar *m*; *(couche)* camada *f*; **au premier** ~ no primeiro andar; **à l'** ~ no andar de cima.

étagère [etaʒɛr] *nf (planche)* prateleira *f*; *(meuble)* estante *f*.

étain [etɛ̃] *nm* estanho *m*.

étais [etɛ] → **être**.

étal [etal] *nm (sur les marchés)* banca *f*.

étalage [etalaʒ] *nm (vitrine)* montra *f*.

étalagiste [etalaʒist] *nmf* decorador *m* (-ra *f*) de montras.

étaler [etale] *vt (nappe, carte)* estender; *(beurre, confiture)* barrar; *(paiements)* repartir; *(connaissances, richesse)* ostentar.
❏ **s'étaler** *vp (se répartir)* estender-se.

étalon [etalɔ̃] *nm (cheval)* garanhão *m*; *(mesure)* estalão *m*.

étanche [etɑ̃ʃ] *adj* estanque.

étang [etɑ̃] *nm* lago *m*.

étant [etɑ̃] *ppr* → **être**.

étape [etap] *nf (période)* etapa *f*; *(lieu)* paragem *f*; **faire ~ à** parar em.

état [eta] *nm* estado *m*; **en ~ (de marche)** pronto a funcionar; **en bon** ~ em bom estado; **en mauvais** ~ em mau estado; ~ **civil** *(d'une personne)* estado civil; ~ **d'esprit** estado de espírito.
❏ **État** *nm* Estado *m*.

état-major [etamaʒɔr] *(pl* **états-majors**) *nm* estado-maior *m*.

États-Unis [etazyni] *nmpl* : **les** ~ os Estados Unidos.

étau, x [eto] *nm* torno *m*.

étayer [eteje] *vt (mur, plafond)* escorar; *(fig: démonstration)* apoiar.

etc *(abr de* **et cetera)** etc.

et cetera [ɛtsetera] *adv* et caetera.

été[1] [ete] *pp* → **être**.

été[2] [ete] *nm* Verão *m*; **en ~** no Verão.

éteindre [etɛ̃dr] *vt* apagar.
❏ **s'éteindre** *vp* apagar-se.

éteint, e [etɛ̃, ɛ̃t] *pp* → **éteindre**.

étendard [etɑ̃dar] *nm* estandarte *m*.

étendre [etɑ̃dr] *vt* estender.
❏ **s'étendre** *vp* estender-se.

étendu, e [etɑ̃dy] *adj (grand)* extenso(-sa).

étendue [etɑ̃dy] *nf (surface)* extensão *f*; *(fig: importance)* alcance *m*.

éternel, elle [etɛrnɛl] *adj* eterno(-na).

éterniser [etɛrnize] *vt* eternizar.
❏ **s'éterniser** *vp (se prolonger)* eternizar-se; *(fam : rester)* ficar a criar raízes.

éternité [etɛrnite] *nf* eternidade *f*; **cela fait une ~ que...** há uma eternidade que...

éternuement [etɛrnymɑ̃] *nm* espirro *m*.

éternuer [etɛrnɥe] *vi* espirrar.

êtes [ɛt] → **être**.

éther [etɛr] *nm* éter *m*.

éthique [etik] *nf* ética *f*. ◆ *adj* ético(-ca).

ethnie [ɛtni] *nf* etnia *f*.

ethnologie [ɛtnɔlɔʒi] *nf* etnologia *f*.

étinceler [etɛ̃sle] *vi* cintilar.

étincelle [etɛ̃sɛl] *nf* faísca *f*.

étiqueter [etikte] *vt* (*produit*) etiquetar; (*fig: péj: personne*) rotular.

étiquette [etikɛt] *nf* etiqueta *f*.

étirer [etire] *vt* esticar.
❏ **s'étirer** *vp* (*personne*) espreguiçar-se.

étoffe [etɔf] *nf* estofo *m*.

étoffer [etɔfe] *vt* dar corpo a.
❏ **s'étoffer** *vp* ganhar corpo.

étoile [etwal] *nf* estrela *f*; **hôtel deux/trois ~s** hotel de duas/três estrelas; **dormir à la belle ~** dormir ao relento; **~ de mer** estrela-do-mar *f*.

étoilé, e [etwale] *adj* estrelado(-da).

étonnant, e [etɔnɑ̃, ɑ̃t] *adj* espantoso(-osa).

étonné, e [etɔne] *adj* admirado(-da).

étonnement [etɔnmɑ̃] *nm* admiração *f*; **au grand ~ de** para grande admiração de.

étonner [etɔne] *vt* admirar; **ça m'étonnerait (que)** seria de admirar (que); **tu m'étonnes!** (*fam*) a quem o dizes!
❏ **s'étonner** *vp* : **s'~ que** admirar-se que.

étouffant, e [etufɑ̃, ɑ̃t] *adj* sufocante.

étouffée [etufe]
❏ **à l'étouffée** *loc adv* : **faire cuire à l'~** estufar.

étouffer [etufe] *vt* (*personne, animal*) sufocar; (*bruit*) abafar.
◆ *vi* sufocar.
❏ **s'étouffer** *vp* sufocar.

étourderie [eturdəri] *nf* descuido *m*; **faire une ~** descuidar-se.

étourdi, e [eturdi] *adj* (*distrait*) descuidado(-da).

étourdir [eturdir] *vt* (*assommer*) aturdir; (*donner le vertige à*) estontear.

étourdissement [eturdismɑ̃] *nm* tontura *f*.

étrange [etrɑ̃ʒ] *adj* estranho(-nha).

étranger, ère [etrɑ̃ʒe, ɛr] *adj* (*ville, coutume*) estrangeiro(-ra); (*inconnu*) estranho(-nha). ◆ *nm, f* (*d'un autre pays*) estrangeiro *m* (-ra *f*); (*inconnu*) estranho *m* (-nha *f*). ◆ *nm* : **à l'~** no estrangeiro.

étrangler [etrɑ̃gle] *vt* estrangular.
❏ **s'étrangler** *vp* engasgar-se.

être [ɛtr] *vi* **1.** (*pour décrire, indiquer l'origine*) ser; **il est très sympa** ele é muito simpático; **je suis architecte** eu sou arquitecto; **d'où êtes-vous?** de onde é você? **2.** (*pour désigner une situation, un état*) estar; **nous serons à Naples/à la maison à partir de demain** estaremos em Nápoles/em casa a partir de amanhã; **~ content/en forme** estar contente/em forma. **3.** (*pour donner la date*): **quel jour sommes-nous?** que dia é hoje?; **c'est jeudi** é quinta-feira; **nous sommes le 26 août 1995** estamos a 26 de Agosto de 1995. **4.** (*aller*): **j'ai été trois fois en Écosse** estive três vezes na Escócia. **5.** (*pour exprimer l'appartenance*):

~ **à qqn** ser de alguém; **cette voiture est à vous?** este carro é seu?; **c'est à Daniel** é do Daniel.

♦ *v impers* **1.** *(pour désigner le moment)*: **il est 8 h** são oito horas; **il est tard** é tarde.

2. *(avec un adjectif ou un participe passé)*: **il est difficile de savoir si...** é difícil saber se...; **il est recommandé de réserver à l'avance** é recomendável reservar com antecedência.

♦ *v aux* **1.** *(pour former le passé composé)*: **nous sommes partis hier** partimos ontem; **je suis née en 1976** nasci em 1976; **tu t'es coiffé?** tu penteaste-te?

2. *(pour former le passif)* ser; **le train a été retardé** o comboio foi retardado.

♦ *nm (créature)* ser *m*; ~ **humain** ser humano.

étreindre [etrɛ̃dr] *vt (serrer, embrasser)* abraçar; *(fig: tenailler)* apertar.

❏ **s'étreindre** *vp* abraçar-se.

étreinte [etrɛ̃t] *nf (enlacement)* abraço *m*; *(pression)* aperto *m*.

étrenner [etrene] *vt* estrear.

étrennes [etrɛn] *nfpl (pour les enfants)* prenda *f*; *(pour la concierge)* broas *fpl* de Natal.

étrier [etrije] *nm* estribo *m*.

étriper [etripe] *vt (animal)* estripar; *(fam : tuer)* apertar o pescoço a.

❏ **s'étriper** *vp (fam)* matar-se.

étriqué, e [etrike] *adj (veste)* apertado(-da); *(appartement)* exíguo(-gua); *(mesquin)* limitado(-da).

étroit, e [etrwa, at] *adj (rue, siège)* estreito(-ta); *(vêtement)* apertado(-da); **être ~ d'esprit** ter vista curta; **être à l'~** estar apertado.

étude [etyd] *nf* estudo *m*; *(salle d'école)* sala *f* de estudo; *(de notaire)* cartório *m*.

❏ **études** *nfpl* estudos *mpl*; **faire des ~s** tirar um curso (de).

étudiant, e [etydjã, ãt] *adj & nm, f* estudante.

étudier [etydje] *vt & vi* estudar.

étui [etɥi] *nm* estojo *m*.

étuve [etyv] *nf* estufa *f*.

étymologie [etimɔlɔʒi] *nf* etimologia *f*.

eu, e [y] *pp* → **avoir**.

eucalyptus [økaliptys] *nm* eucalipto *m*.

euh [ø] *excl* hum!

euphémisme [øfemism] *nm* eufemismo *m*; **par ~** eufemisticamente.

euphorie [øfɔri] *nf* euforia *f*.

eurochèque [ørɔʃɛk] *nm* Eurocheque® *m*.

eurodevise [ørɔdəviz] *nf* eurodivisa *f*.

Europe [ørɔp] *nf*: **l'~** a Europa; **l'~ de l'Est** a Europa de Leste.

européen, enne [ørɔpeɛ̃, ɛn] *adj* europeu(-peia).

❏ **Européen, enne** *nm, f* europeu *m* (-peia *f*).

euthanasie [øtanazi] *nf* eutanásia *f*.

eux [ø] *pron* eles; ~-**mêmes** eles próprios.

évacuer [evakɥe] *vt* evacuar.

évader [evade]

❏ **s'évader** *vp*: **s'~ (de)** evadir-se (de).

évaluation [evalɥasjɔ̃] *nf* avaliação *f*.

évaluer [evalɥe] *vt* avaliar.

évangéliser [evãʒelize] *vt* evangelizar.

évangile [evãʒil] *nm (RELIG)* Evangelho *m*; *(fig: référence)* Bíblia *f*.

❏ **Évangile** *nm (livre)* Evangelho *m*; **l'Évangile selon Saint Jean** o Evangelho segundo São João.

évanouir [evanwir]: **s'éva-**

nouir *vp (avoir un malaise)* desmaiar; *(disparaître)* esvanecer.

évaporer [evapɔre]: **s'évaporer** *vp* evaporar-se.

évasé, e [evaze] *adj* com roda.

évasif, ive [evazif, iv] *adj* evasivo(-va).

évasion [evazjɔ̃] *nf* evasão *f*.

éveil [evɛj] *nm (du dormeur)* acordar *m*; *(de l'intelligence, de l'amour)* despertar *m*; **en ~** alerta.

éveillé, e [eveje] *adj (vif)* esperto(-ta).

éveiller [eveje] *vt* despertar.
❏ **s'éveiller** *vp (sensibilité, curiosité)* despertar.

événement [evɛnmã] *nm* acontecimento *m*.

éventail [evãtaj] *nm* leque *m*.

éventrer [evãtre] *vt (personne, animal)* esventrar; *(mur)* abrir um buraco em; *(sac)* rasgar.

éventualité [evãtɥalite] *nf* eventualidade *f*; **parer à toute ~** estar preparado para qualquer eventualidade.

éventuel, elle [evãtɥɛl] *adj* eventual.

éventuellement [evãtɥɛlmã] *adv* eventualmente.

évêque [evɛk] *nm* bispo *m*.

évertuer [evɛrtɥe]
❏ **s'évertuer** *vp* : **s'~ à faire qqch** esforçar-se por fazer algo.

évidemment [evidamã] *adv* evidentemente.

évidence [evidãs] *nf* evidência *f*; **à l'~** como é óbvio; **mettre en ~** pôr em sítio bem visível; *(fig: souligner)* evidenciar; **se rendre à l'~** enfrentar a realidade.

évident, e [evidã, ãt] *adj* evidente; **c'est pas ~!** *(pas facile)* não é nada fácil!

évider [evide] *vt* tirar o interior a.

évier [evje] *nm* lava-louça *m*.

évincer [evɛ̃se] *vt* : **~ qqn (de)** excluir alguém (de).

évitement [evitmã] *nm (Belg)* desvio *m*.

éviter [evite] *vt* evitar; **~ qqch à qqn** evitar algo a alguém; **~ de faire qqch** evitar fazer algo.

évocateur, trice [evɔkatœr, tris] *adj (suggestif)* evocativo(-va); *(geste, regard)* significativo(-va); **~ de qqch** que evoca algo.

évolué, e [evɔlɥe] *adj* evoluído(-da).

évoluer [evɔlɥe] *vi* evoluir.

évolution [evɔlysjɔ̃] *nf* evolução *f*.

évoquer [evɔke] *vt* evocar.

ex- [ɛks] *préf* ex-.

exacerber [ɛgzasɛrbe] *vt* exacerbar.

exact, e [ɛgzakt] *adj* exacto(-ta); *(heure)* certo(-ta); *(ponctuel)* pontual; **c'est ~** está certo.

exactement [ɛgzaktəmã] *adv* exactamente.

exactitude [ɛgzaktityd] *nf (précision)* exactidão *f*; *(ponctualité)* pontualidade *f*.

ex aequo [ɛgzeko] *adj inv* ex aequo.

exagération [ɛgzaʒerasjɔ̃] *nf* exagero *m*.

exagéré [ɛgzaʒere], **e** *adj* exagerado(-da).

exagérer [ɛgzaʒere] *vt & vi* exagerar.

exalté [ɛgzalte], **e** *adj* exaltado(-da).

examen [ɛgzamɛ̃] *nm* exame *m*; **~ blanc** simulação de exame não classificado.

examinateur, trice [ɛgzaminatœr, tris] *nm, f* examinador *m* (-ra *f*).

examiner [ɛgzamine] *vt* examinar.

exaspérer [ɛgzaspere] *vt* exasperar.

exaucer [εgzose] *vt* atender a, ouvir.

excédent [εksedã] *nm* excedente *m*; ~ **de bagages** excesso *m* de bagagens.

excéder [εksede] *vt (dépasser)* exceder; *(énerver)* exasperar.

excellence [εkselãs] *nf* excelência *f*; **par** ~ por excelência.
❏ **Excellence** *nf* : **son Excellence** Sua Excelência.

excellent, e [εkselã, ãt] *adj* excelente.

excentré [εksãtre] *adj* : **c'est très** ~ fica muito afastado do centro.

excentrique [εksãtrik] *adj* excêntrico(-ca).

excepté [εksεpte] *prép* excepto.

exception [εksεpsjõ] *nf* excepção *f*; **faire une** ~ fazer uma excepção; **à l'** ~ **de** com excepção de; **sans** ~ sem excepção.

exceptionnel, elle [εksεpsjɔnεl] *adj* excepcional.

excès [εksε] *nm* excesso *m*.
♦ *nmpl* : **faire des** ~ cometer excessos; ~ **de vitesse** excesso de velocidade.

excessif, ive [εksesif, iv] *adj* excessivo(-va).

excitant, e [εksitã, ãt] *adj (projet, idée)* excitante. ♦ *nm* excitante *m*.

excitation [εksitasjõ] *nf* excitação *f*.

exciter [εksite] *vt* excitar.

exclamation [εksklamasjõ] *nf* exclamação *f*.

exclamer [εksklame] : **s'exclamer** *vp* exclamar.

exclure [εksklyr] *vt* excluir.

exclusif, ive [εksklyzif, iv] *adj (droit, interview)* exclusivo(-va); *(personne)* exclusivista.

exclusion [εksklyzjõ] *nf* exclusão *f*; **à l'~ de** excluindo.

exclusivement [εksklyzivmã] *adv (uniquement)* exclusivamente; *(non inclus)* exclusive.

exclusivité [εksklyzivite] *nf (d'un film)* exclusividade *f*; *(d'une interview)* exclusivo *m*; **en** ~ em exclusivo.

excommunier [εkskɔmynje] *vt* excomungar.

excrément [εkskremã] *nm (gén pl)* excremento *m*.

excroissance [εkskrwasãs] *nf* excrescência *f*.

excursion [εkskyrsjõ] *nf* excursão *f*.

excuse [εkskyz] *nf (prétexte)* desculpa *f*.
❏ **excuses** *nfpl* : **faire des ~s à qqn** pedir desculpa a alguém.

excuser [εkskyze] *vt* desculpar; **excusez-moi** desculpe.
❏ **s'excuser** *vp* desculpar-se; **s'~ de faire qqch** pedir desculpa por fazer algo; **il s'est excusé de son retard** ele pediu desculpa pelo atraso.

exécrable [εgzekrabl] *adj* abominável.

exécuter [εgzekyte] *vt* executar.

exécutif, ive [εgzekytif, iv] *adj* executivo(-va).
❏ **exécutif** *nm* executivo *m*.

exécution [εgzekysjõ] *nf (meurtre)* execução *f*.

exemplaire [εgzãplεr] *nm* exemplar *m*.

exemple [εgzãpl] *nm* exemplo *m*; **par** ~ por exemplo.

exempté, e [εgzãte] *adj* dispensado(-da); **être** ~ **de** ser dispensado de.

exercer [εgzεrse] *vt* exercer; *(voix, mémoire)* exercitar.
❏ **s'exercer** *vp* exercitar-se; **s'~ à faire qqch** exercitar-se a fazer algo.

exercice [εgzεrsis] *nm* exercício *m*; **faire de l'~** fazer exercício.

exhaustif, ive [ɛgzostif, iv] *adj* exaustivo(-va).

exhiber [ɛgzibe] *vt (péj)* exibir.
❑ **s'exhiber** *vp (péj)* exibir-se.

exhibitionniste [ɛgzibisjɔnist] *nmf* exibicionista *mf*.

exhorter [ɛgzɔrte] *vt* : ~ **qqn à qqch/à faire qqch** exortar alguém a algo/a fazer algo.

exhumer [ɛgzyme] *vt (cadavre)* exumar; *(trésor)* desenterrar; *(fig: passé)* desenterrar.

exigeant, e [ɛgziʒɑ̃, ɑ̃t] *adj* exigente.

exigence [ɛgziʒɑ̃s] *nf* exigência *f*.

exiger [ɛgziʒe] *vt* exigir.

exigu, ë [ɛgzigy] *adj* exíguo(-gua).

exil [ɛgzil] *nm* exílio *m*; **en** ~ no exílio.

exiler [ɛgzile]: **s'exiler** *vp* exilar-se.

existence [ɛgzistɑ̃s] *nf* existência *f*.

exister [ɛgziste] *vi* existir; **il existe plusieurs possibilités** *(il y a)* existem várias possibilidades.

exode [ɛgzɔd] *nm* êxodo *m*; ~ **rural** êxodo rural.

exonération [ɛgzɔnerasjɔ̃] *nf* isenção *f*.

exorbitant, e [ɛgzɔrbitɑ̃, ɑ̃t] *adj* exorbitante.

exorciser [ɛgzɔrsize] *vt* exorcizar.

exotique [ɛgzɔtik] *adj* exótico(-ca).

expansif, ive [ɛkspɑ̃sif, iv] *adj* expansivo(-va).

expansion [ɛkspɑ̃sjɔ̃] *nf* expansão *f*.

expatrier [ɛkspatrije]: **s'expatrier** *vp* expatriar-se.

expédier [ɛkspedje] *vt (envoyer)* expedir; *(péj: bâcler)* despachar.

expéditeur, trice [ɛkspeditœr, tris] *nm, f* remetente *mf*.

expéditif, ive [ɛkspeditif, iv] *adj* expedito(-ta).

expédition [ɛkspedisjɔ̃] *nf* expedição *f*.

expérience [ɛksperjɑ̃s] *nf* experiência *f*; ~ **(professionnelle)** experiência (profissional).

expérimental, e, aux [ɛksperimɑ̃tal, o] *adj* experimental.

expérimenté, e [ɛksperimɑ̃te] *adj* experiente.

expert [ɛkspɛr] *nm* perito *m* (-ta *f*); ~ **en** perito(-ta) em.

expert-comptable [ɛkspɛrkɔ̃tabl] *(pl* **experts-comptables)** *nm* contabilista *mf*.

expertise [ɛkspɛrtiz] *nf* peritagem *f*.

expertiser [ɛkspɛrtize] *vt* avaliar.

expiration [ɛkspirasjɔ̃] *nf* expiração *f*.

expirer [ɛkspire] *vi* expirar.

explicatif, ive [ɛksplikatif, iv] *adj* explicativo(-va).

explication [ɛksplikasjɔ̃] *nf* explicação *f*; ~ **de texte** explicação de texto.

explicite [ɛksplisit] *adj* explícito(-ta).

expliquer [ɛksplike] *vt* explicar; ~ **qqch à qqn** explicar algo a alguém.
❑ **s'expliquer** *vp* justificar-se; *(se disputer)* ter uma altercação.

exploit [ɛksplwa] *nm* façanha *f*.

exploitant, e [ɛksplwatɑ̃, ɑ̃t] *nm, f* explorador *m* (-ra *f*); ~ **agricole** explorador agrícola.

exploitation [ɛksplwatasjɔ̃] *nf* exploração *f*; ~ **(agricole)** exploração (agrícola) *(Port)*, fazenda *f* *(Br)*.

exploiter [ɛksplwate] *vt* explorar.

explorateur, trice [ɛksplɔratœr, tris] *nm, f* explorador *m* (-ra *f*).

exploration [ɛksplɔrasjɔ̃] *nf* (*découverte*) exploração *f*.

explorer [ɛksplɔre] *vt* explorar.

exploser [ɛksploze] *vi* explodir.

explosif, ive [ɛksplozif, iv] *adj* (*situation*) explosivo(-va). ♦ *nm* explosivo *m*.

explosion [ɛksplozjɔ̃] *nf* explosão *f*.

exportateur, trice [ɛkspɔrtatœr, tris] *adj & nm, f* exportador(-ra).

exportation [ɛkspɔrtasjɔ̃] *nf* exportação *f*.

exporter [ɛkspɔrte] *vt* exportar.

exposant, e [ɛkspozɑ̃, ɑ̃t] *nm, f* expositor *m* (-ra *f*).
❑ **exposant** *nm* expoente *m*.

exposé, e [ɛkspoze] *adj* exposto(-ta). ♦ *nm* exposição *f* oral; ~ **au sud** orientado para o sul; **bien** ~ bem orientado.

exposer [ɛkspoze] *vt* expor; ~ **qqn/qqch à qqch** expor alguém/ algo a algo.
❑ **s'exposer à** *vp + prép* expor-se a.

exposition [ɛkspozisjɔ̃] *nf* exposição *f*.

exprès[1] [ɛksprɛs] *adj inv* urgente. ♦ *nm* : **par** ~ ≃ por correio expresso.

exprès[2] [ɛksprɛ] *adv* de propósito; **faire** ~ **de faire qqch** fazer algo de propósito.

express [ɛksprɛs] *nm* (*café*) expresso; (*train*) ~ comboio *m* rápido.

expressément [ɛksprɛsemɑ̃] *adv* expressamente.

expressif, ive [ɛkspresif, iv] *adj* expressivo(-va).

expression [ɛksprɛsjɔ̃] *nf* expressão *f*; ~ **écrite/orale** expressão escrita/oral.

expresso [ɛkspreso] *nm* bica *f* (*Port*), cafezinho *m* (*Br*).

exprimer [ɛksprime] *vt* (*idée, sentiment*) exprimir.
❑ **s'exprimer** *vp* (*parler*) exprimir-se.

exproprier [ɛksprɔprije] *vt* expropriar.

expulser [ɛkspylse] *vt* expulsar.

exquis, e [ɛkski, iz] *adj* requintado(-da).

extasier [ɛkstazje]
❑ **s'extasier** *vp* extasiar-se; **s'~ devant qqn/qqch** extasiar-se com algo/alguém.

extensible [ɛkstɑ̃sibl] *adj* (*vêtement*) extensível.

exténué, e [ɛkstenye] *adj* extenuado(-da).

extérieur, e [ɛksterjœr] *adj* (*escalier, boulevard*) exterior; (*commerce, politique*) externo(-na); (*gentillesse, calme*) por fora. ♦ *nm* exterior *m*; **à l'~** (*dehors*) lá fora; (*SPORT*) fora; **à l'~ de** fora de.

extérioriser [ɛksterjɔrize] *vt* exteriorizar.

exterminer [ɛkstɛrmine] *vt* exterminar.

externe [ɛkstɛrn] *adj & nmf* externo(-na).

extincteur [ɛkstɛ̃ktœr] *nm* extintor *m*.

extinction [ɛkstɛ̃ksjɔ̃] *nf* : **avoir une** ~ **de voix** perder a voz.

extirper [ɛkstirpe] *vt* (*mal, erreur*): ~ (**de**) extirpar (de); (*plante, réponse*) arrancar (de); (*blessé*) tirar (de).
❑ **s'extirper** *vp* : **s'~ de** tirar-se de.

extorquer [ɛkstɔrke] *vt* : ~ **qqch à qqn** (*de l'argent*) extorquir algo a alguém; (*des aveux*) arrancar algo a alguém.

extra [ɛkstra] *adj inv* (*qualité*) extra; (*fam : formidable*) extraordinário(-ria). ♦ *préf* (*très*) extra.

extradition [ɛkstradisjɔ̃] *nf* extradição *f*.

extraire [ɛkstrɛr] *vt* extrair; ~ **qqch de** extrair algo de; ~ **qqn de** tirar alguém de.

extrait [ɛkstrɛ] *nm (MUS)* excerto *m*; *(de compte, de livre, de film)* extracto *m*.

extraordinaire [ɛkstraɔrdinɛr] *adj* extraordinário(-ria).

extrapoler [ɛkstrapɔle] *vt & vi* extrapolar.

extraterrestre [ɛkstratɛrɛstr] *adj & nmf* extraterrestre.

extravagant, **e** [ɛkstravagɑ̃, ɑ̃t] *adj* extravagante.

extraverti, **e** [ɛkstravɛrti] *adj & nm, f* extrovertido(-da).

extrême [ɛkstrɛm] *adj* extremo(-ma). ♦ *nm* extremo *m*; **l'Extrême-Orient** o Extremo Oriente.

extrêmement [ɛkstrɛmmɑ̃] *adv* extremamente.

extrémiste [ɛkstremist] *adj & nmf* extremista.

extrémité [ɛkstremite] *nf* extremidade *f*.

exubérant, **e** [ɛgzyberɑ̃, ɑ̃t] *adj* exuberante.

exulter [ɛgzylte] *vi* exultar.

F

F *(abr de* **franc**, *de* **Fahrenheit)** F.

fable [fabl] *nf* fábula *f*.

fabricant [fabrikã] *nm* fabricante *m*.

fabrication [fabrikasjɔ̃] *nf* fabricação *f*.

fabriquer [fabrike] *vt* fabricar; **mais qu'est-ce que tu fabriques?** *(fam)* mas o que é que andas a fazer?

fabuleux, euse [fabylø, øz] *adj* fabuloso(-osa).

fac [fak] *nf (fam)* faculdade *f*.

façade [fasad] *nf* fachada *f*.

face [fas] *nf* lado *m*; *(visage)* rosto *m*; **faire ~ à** *(être devant)* ficar em frente a; *(affronter)* fazer frente a; **de ~** de frente; **en ~ (de)** em frente (a); **~ à ~** cara a cara.

face-à-face [fasafas] *nm inv* frente a frente *m*.

facétie [fasesi] *nf* gracejo *m*.

facette [fasɛt] *nf* faceta *f*.

fâché, e [faʃe] *adj* zangado(-da).

fâcher [faʃe] *vt* zangar.

❏ **se fâcher** *vp* zangar-se; **se ~ avec/contre qqn** zangar-se com alguém.

fâcheux, euse [faʃø, øz] *adj* lamentável.

facile [fasil] *adj* fácil; *(personne)* dócil.

facilement [fasilmã] *adv (aisé-* *ment)* facilmente; *(au moins)* pelo mènos.

facilité [fasilite] *nf* facilidade *f*.

❏ **facilités** *nfpl* : **~s de paiement** facilidades *fpl* de pagamento.

faciliter [fasilite] *vt* facilitar.

façon [fasɔ̃] *nf* modo *m*; **de ~ (à ce) que** de modo a ou que; **de toute ~** de qualquer modo; **non merci, sans ~** muito obrigado, mas não.

❏ **façons** *nfpl* modos *mpl*; **faire des ~s** fazer cerimónia.

facteur, trice [faktœr, tris] *nm, f* carteiro *m*. ◆ *nm* factor *m*.

factice [faktis] *adj* factício(-cia).

facture [faktyr] *nf* factura *f*.

facturer [faktyre] *vt* facturar.

facturette [faktyrɛt]· *nf* recibo *m*, *recibo que se guarda quando se efectua um pagamento com cartão de crédito.*

facultatif, ive [fakyltatif, iv] *adj* facultativo(-va).

faculté [fakylte] *nf* faculdade *f*.

fade [fad] *adj (aliment)* insosso(-ossa); *(couleur)* apagado(-da).

fagot [fago] *nm* feixe *m* de lenha.

fagoté, e [fagɔte] *adj (fam)* arranjado(-da).

faible [fɛbl] *adj* fraco(-ca). ◆ *nm* : **avoir un ~ pour** ter um fraquinho por.

faiblement [fɛbləmɑ̃] *adv* (*crier, appeler*) baixinho; (*augmenter*) ligeiramente.

faiblesse [fɛblɛs] *nf* fraqueza *f*.

faiblir [feblir] *vi* enfraquecer.

faïence [fajɑ̃s] *nf* faiança *f*.

faille [faj] *nf* falha *f*.

faillir [fajir] *vi* : **il a failli tomber** por pouco caía.

faillite [fajit] *nf* falência *f*; **faire ~** falir, ir à falência.

faim [fɛ̃] *nf* fome *f*; **avoir ~** ter fome.

fainéant, e [feneɑ̃, ɑ̃t] *adj & nm, f* mandrião(-driona).

faire [fɛr] *vt* **1.** (*gén*) fazer; **c'est lui qui a fait cette chanson?** foi ele que compôs esta canção?; **~ les comptes** fazer as contas; **~ une promenade** dar um passeio; **~ un rêve** ter um sonho; **~ son lit** fazer a cama; **~ la vaisselle** lavar a louça; **~ les carreaux** limpar os vidros; **que faites-vous comme métier?** qual é a sua profissão?

2. (*sport, musique, discipline*): **~ des études** estudar; **je fais de l'aérobic tous les soirs** pratico aeróbica todas as noites; **~ du piano** tocar piano.

3. (*provoquer*): **~ mal à qqn** magoar alguém; **~ de la peine à qqn** causar tristeza a alguém; **ma jambe me fait horriblement mal** a minha perna dói-me terrivelmente; **~ sensation** causar sensação; **ça ne lui fait rien du tout** não produz efeito nenhum nele.

4. (*imiter*): **~ l'imbécile** fazer-se de parvo; **~ celui qui ne comprend pas** fingir que não compreende.

5. (*parcourir*) percorrer; **nous avons fait 150 km en deux heures** percorremos 150 km em duas horas; **~ du 150 (à l'heure)** andar a 150 km por hora.

6. (*avec des mesures*): **les pièces font 3 m de haut** as divisões medem 3 m de altura; **ça fait plus de 2 kg** pesa mais de dois kg; **je fais 1,68 m** meço 1,68 m; **je fais du 40** calço o 40.

7. (*MATH*): **10 et 3 font 13** 10 mais 3, são 13.

8. (*dire*) dizer.

9. (*dans des expressions*): **ça ne fait rien** não tem importância; **ne ~ que** (*faire sans cesse*) não parar de; (*faire seulement*) não fazer mais do que; **qu'est-ce que ça peut te ~?** o que tens tu a ver com isso?; **qu'est-ce que j'ai fait de mes clefs?** o que é que eu fiz das minhas chaves?

◆ *vi* **1.** (*agir*) fazer; **vas-y, mais fais vite** anda lá, mas despacha-te; **vous feriez mieux de...** seria melhor que...; **faites comme chez vous** faça como se estivesse em sua casa.

2. (*avoir l'air*): **~ jeune/vieux** parecer jovem/velho.

◆ *v impers* **1.** (*climat, température*): **il fait chaud/-2°C** está calor/estão 2 graus negativos.

2. (*exprime la durée*): **ça fait trois jours que nous avons quitté Rouen** já saímos de Rouen há três dias; **ça fait longtemps que je n'ai pas eu de ses nouvelles** já não tenho notícias dele há muito tempo; **ça fait dix ans que j'habite ici** já moro aqui há 10 anos.

◆ *v aux* **1.** (*indique que l'on provoque une action*): **~ reculer les passants** fazer com que os transeuntes recuem; **une histoire à ~ dresser les cheveux sur la tête** uma história de pôr os cabelos em pé; **~ tomber qqch** deixar cair algo.

2. (*indique que l'on commande une action*) mandar; **~ nettoyer un vêtement** mandar limpar uma peça de roupa; **~ repeindre la maison** mandar pintar outra vez a casa.

♦ *v substitut* fazer; **on lui a conseillé de réserver mais il ne l'a pas fait** ele foi aconselhado a reservar, mas não o fez.
❑ **se faire** *vp* **1.** *(être convenable, à la mode)*: **ça se fait** *(c'est convenable)* isso faz-se; *(c'est à la mode)* está na moda; **ça ne se fait pas** *(ce n'est pas convenable)* isso não se faz; *(ce n'est pas à la mode)* não se usa.
2. *(avoir, provoquer)*: **se ~ des amis** fazer amigos; **se ~ mal** magoar-se; **se ~ du souci** preocupar-se; **se ~ des illusions** ter ilusões.
3. *(avec un infinitif)* ser; **se ~ opérer** ser operado; **je me suis fait arrêter par la police** fui preso pela polícia; **se ~ ~ um costume sur mesure** mandar fazer um fato sob medida.
4. *(devenir)*: **se ~ beau** pôr-se bonito; **se ~ vieux** tornar-se velho; **il se fait tard** faz-se tarde.
5. *(dans des expressions)*: **comment se fait-il que...?** como é possível que...?; **ne pas s'en ~** não se preocupar.
❑ **se faire à** *vp + prep (s'habituer à)*: **il s'est très bien fait à sa nouvelle vie** ele acostumou-se muito bem à sua nova vida; **je n'arrive pas à me ~ à son sens de l'humour** não consigo acostumar-me com o seu sentido de humor.
faire-part [fɛrpar] *nm inv (annonce)* participação *f*; *(invitation)* convite *m*.
fais [fɛ] → **faire**.
faisable [fəzabl] *adj* viável.
faisan [fəzɑ̃] *nm* faisão *m*.
faisant [fəzɑ̃] *ppr* → **faire**.
faisceau [fɛso] *nm* feixe *m*; **~ lumineux** feixe luminoso.
faisons [fəzɔ̃] → **faire**.
fait, e [fɛ, fɛt] *pp* → **faire**. ♦ *adj (réalisé)* feito(-ta); *(fromage)* amanteigado(-da). ♦ *nm* feito *m*;

(c'est) bien ~! (é) bem feito!; **~s divers** rubrica de um jornal composta por pequenas notícias insólitas; **au ~** a propósito; **du ~ de** por causa de; **en ~** de facto; **prendre qqn sur le ~** apanhar alguém em flagrante.
faites [fɛt] → **faire**.
fait-tout [fɛtu] *nm inv* caçarola *f*.
falaise [falɛz] *nf* falésia *f*.
fallacieux, euse [falasjø, øz] *adj* falacioso(-osa).
falloir [falwar] *v impers* : **il faut du courage pour faire ça** é preciso coragem para fazer isso; **il faut y aller** OU **que nous y allions** temos de ir embora; **il me faut deux kilos d'oranges** preciso de dois quilos de laranjas; **il me faut y retourner** tenho de lá voltar.
fallu [faly] *pp* → **falloir**.
falsifier [falsifje] *vt* falsificar.
famé, e [fame] *adj* : **mal ~** malafamado.
fameux, euse [famø, øz] *adj (célèbre)* famoso(-osa); *(très bon)* delicioso(-osa).
familial, e, aux [familjal, o] *adj* familiar.
familiariser [familjarize] *vt* : **~ qqn avec qqch** familiarizar alguém com algo.
❑ **se familiariser** *vp* : **se ~ avec qqch** familiarizar-se com algo.
familiarité [familjarite] *nf* familiaridade *f*.
familier, ère [familje, ɛr] *adj* familiar; *(impertinent)* insolente.
famille [famij] *nf* família *f*; **en ~** em família.
famine [famin] *nf* fome *f*; **crier ~** *(fig)* queixar-se da miséria.
fan [fan] *nmf (fam)* fã *mf*.
fanatique [fanatik] *adj & nmf* fanático(-ca).
fanatisme [fanatism] *nm* fanatismo *m*.

fané, e [fane] *adj (fleur)* murcho(-cha); *(couleur, tissu)* desbotado(-da).

faner [fane]: **se faner** *vp* murchar.

fanfare [fɑ̃far] *nf* fanfarra *f*.

fanfaron, onne [fɑ̃farɔ̃, ɔn] *adj* fanfarrão(-rrona).

fantaisie [fɑ̃tezi] *nf* fantasia *f*; **bijou ~** jóia de fantasia.

fantaisiste [fɑ̃tezist] *adj & nmf* fantasista.

fantastique [fɑ̃tastik] *adj* fantástico(-ca).

fantôme [fɑ̃tom] *nm* fantasma *m*.

faon [fɑ̃] *nm* enho *m*.

far [far] *nm* : **~ breton** *bolo de manteiga com ameixas pretas.*

farce [fars] *nf (plaisanterie)* partida *f*; *(CULIN)* recheio *m*; **faire une ~ à qqn** pregar uma partida a alguém.

farceur, euse [farsœr, øz] *nm, f* brincalhão *m* (-lhona *f*).

farci, e [farsi] *adj* recheado(-da).

fard [far] *nm* : **~ à joues** blush *m*; **~ à paupières** sombra *f*.

fardeau, x [fardo] *nm* fardo *m*.

farder [farde] *vt (visage)* pintar; *(vérité)* dissimular.
❏ **se farder** *vp* pintar-se.

farfelu, e [farfəly] *adj* extravagante.

farfouiller [farfuje] *vi (fam)* remexer.

farine [farin] *nf* farinha *f*.

farouche [faruʃ] *adj (animal, enfant)* bravio(-via); *(haine, lutte)* selvagem.

fascicule [fasikyl] *nm* fascículo *m*.

fascinant, e [fasinɑ̃, ɑ̃t] *adj* fascinante.

fasciner [fasine] *vt* fascinar.

fascisme [faʃism] *nm* fascismo *m*.

fasse *etc* → **faire**.

faste [fast] *nm* fausto *m*. ◆ *adj* : **jour ~** dia favorável.

fastidieux, euse [fastidjø, øz] *adj* fastidioso(-osa).

fatal, e [fatal] *adj* fatal.

fatalement [fatalmɑ̃] *adv* fatalmente.

fataliste [fatalist] *adj* fatalista.

fatalité [fatalite] *nf* fatalidade *f*.

fatigant, e [fatigɑ̃, ɑ̃t] *adj (activité)* cansativo(-va); *(personne)* aborrecido(-da).

fatigue [fatig] *nf* cansaço *m*.

fatigué, e [fatige] *adj* cansado(-da); **être ~ de (faire) qqch** estar cansado de (fazer) algo.

fatiguer [fatige] *vt* cansar.
❏ **se fatiguer** *vp* cansar-se; **se ~ à faire qqch** cansar-se a fazer algo.

faubourg [fobur] *nm* arredores *mpl*.

fauché, e [foʃe] *adj (fam)* teso(-sa).

faucher [foʃe] *vt (blé)* ceifar; *(piéton, cycliste)* atropelar; *(fam : voler)* fanar.

faucille [fosij] *nf* foice *f*.

faucon [fokɔ̃] *nm* falcão *m*.

faudra [fodra] → **falloir**.

faufiler [fofile]: **se faufiler** *vp* esgueirar-se.

faune [fon] *nf* fauna *f*.

faussaire [fosɛr] *nmf* falsificador *m* (-ra *f*).

fausse → **faux**.

fausser [fose] *vt (résultat)* falsear; *(clef, mécanisme)* entortar.

faut [fo] → **falloir**.

faute [fot] *nf (erreur)* falta *f*; *(responsabilité)* culpa *f*; **c'est (de) ma ~** a culpa é minha; **~ de** por falta de.

fauteuil [fotœj] *nm (siège)* poltrona *f*; *(de cinéma, de théâtre)* assento *m*; **~ à bascule** cadeira *f* de baloiço; ~ **roulant** cadeira f de rodas.

fautif, ive [fotif, iv] adj (coupable) culpado(-da); (erroné) errado(-da); (défectueux) deficiente. ◆ nm, f culpado m (-da f).

fauve [fov] nm fera f.

faux, fausse [fo, fos] adj falso(-sa). ◆ adv : **chanter ~** desafinar; **fausse note** nota desafinada; **~ numéro** número errado.

faux-filet, s [fofilɛ] nm bife m da vazia (Port), contrafilé m (Br).

faux-fuyant [fofɥijā] (pl faux-fuyants) nm evasiva f.

faveur [favœr] nf favor m; **en ~ de** a favor de.

favorable [favɔrabl] adj favorável; **être ~ à** ser favorável a.

favori, ite [favɔri, it] adj favorito(-ta).

favoriser [favɔrize] vt favorecer.

fax [faks] nm fax m.

faxer [fakse] vt enviar por fax.

fébrile [febril] adj febril.

fécond, e [fekɔ̃, ɔ̃d] adj fecundo(-da); **(être) ~ en qqch** (estar) recheado de algo.

fécondation [fekɔ̃dasjɔ̃] nf fecundação f; **~ in vitro** fecundação in vitro.

féculent [fekylā] nm hidrato m de carbono.

fédéral, e, aux [federal, o] adj (Helv) federal.

fédération [federasjɔ̃] nf federação f.

fée [fe] nf fada f.

féerique [fe(e)rik] adj feérico(-ca).

feignant, e [fɛɲā, āt] adj (fam) mandrião(-driona).

feindre [fɛ̃dr] vt fingir; **elle feint de ne pas entendre** ela finge não ouvir ou que não está a ouvir.

feinte [fɛ̃t] nf fingimento m; (au football) finta f.

fêlé, e [fele] adj (fendu) rachado(-da); (fam : fou): **être ~** ter um parafuso a menos.

fêler [fele]: **se fêler** vp rachar-se.

félicitations [felisitasjɔ̃] nfpl parabéns mpl.

féliciter [felisite] vt felicitar.

félin [felɛ̃] nm felino m.

fêlure [felyr] nf racha f.

femelle [fəmɛl] nf fêmea f.

féminin, e [feminɛ̃, in] adj feminino(-na).

féministe [feminist] adj & nmf feminista.

féminité [feminite] nf feminidade f.

femme [fam] nf mulher f; **~ de chambre** (d'un hôtel) empregada f de quarto; **~ de ménage** mulher a dias; **bonne ~** (fam) mulherzinha f.

fémur [femyr] nm fémur m.

fendant [fādā] nm (Helv) vinho branco da região de Valais.

fendre [fādr] vt rachar.

fenêtre [fənɛtr] nf janela f.

fenouil [fənuj] nm (plante) funcho m; (condiment) erva-doce f.

fente [fāt] nf fenda f.

féodal, e, aux [feɔdal, o] adj feudal.

fer [fɛr] nm ferro m; **~ à cheval** ferradura f; **~ forgé** ferro forjado; **~ à repasser** ferro de engomar.

fera etc → **faire**.

féra [fera] nm (Helv) peixe fino do Lago Leman.

fer-blanc [fɛrblā] nm folha-de-flandres f.

férié [ferje] adj m → **jour**.

ferme [fɛrm] adj firme. ◆ nf quinta f (Port), fazenda f (Br); **~ auberge** quinta que também oferece serviços de hospedagem.

fermé, e [fɛrme] adj fechado(-da).

fermement [fɛrməmɑ̃] *adv* com firmeza.

fermentation [fɛrmɑ̃tasjɔ̃] *nf* fermentação *f.*

fermenter [fɛrmɑ̃te] *vi* fermentar.

fermer [fɛrme] *vt* fechar; *(électricité, radio)* apagar. ◆ *vi* fechar; ~ **qqch à clef** fechar algo à chave; **ça ne ferme pas** não fecha. ❑ **se fermer** *vp* fechar-se.

fermeté [fɛrməte] *nf* firmeza *f.*

fermeture [fɛrmətyr] *nf (d'un magasin)* encerramento *m; (mécanisme)* fecho *m;* '**~ annuelle**' 'encerramento anual'; ~ **Éclair**® fecho *m (Port),* zíper *m (Br).*

fermier, ère [fɛrmje, ɛr] *nm, f* agricultor *m* (-ra *f) (Port),* fazendeiro *m* (-ra *f) (Br).*

fermoir [fɛrmwar] *nm* fecho *m.*

féroce [feʀɔs] *adj* feroz.

ferraille [feʀaj] *nf* ferro-velho *m.*

ferrée [feʀe] *adj f → voie.*

ferroviaire [feʀɔvjɛr] *adj* ferroviário(-ria).

ferry [feʀi] *(pl ferries) nm* ferry *m.*

fertile [fɛrtil] *adj* fértil.

fertilité [fɛrtilite] *nf* fertilidade *f.*

féru, e [feʀy] *adj (sout):* **être ~ de qqch** ter uma paixão por algo.

fervent, e [fɛrvɑ̃, ɑ̃t] *adj (chrétien, démocrate)* fervoroso(-osa); *(amoureux)* ardente.

ferveur [fɛrvœr] *nf* fervor *m.*

fesse [fɛs] *nf* nádega *f.* ❑ **fesses** *nfpl* nádegas *fpl (Port),* bunda *f (Br).*

fessée [fese] *nf* palmada *f (Port),* tapa *f (Br).*

festin [fɛstɛ̃] *nm* festim *m.*

festival [fɛstival] *nm* festival *m.*

ⅰ FESTIVAL D'AVIGNON

Criado em 1947 por Jean Vilar, este festival realiza-se todos os anos na cidade de Avignon (no sudeste da França) e nos seus arredores. Além de grandes espectáculos de teatro e de dança, que mais tarde serão apresentados no resto do país, a cidade também acolhe numerosos espectáculos de rua mais informais.

ⅰ FESTIVAL DE CANNES

Este festival internacional de cinema realiza-se todos os anos durante o mês de Maio. Um júri composto por ilustres representantes do mundo do espectáculo atribui vários prémios, tais como o da interpretação, o da realização, etc. O prémio de maior prestígio é a Palma de Ouro, atribuída ao melhor filme do festival.

---

festivités [fɛstivite] *nfpl* festividades *fpl.*

fêtard, e [fɛtar, ard] *nm, f* pândego *m* (-ga *f).*

fête [fɛt] *nf* festa *f; (jour du saint) dia de festa do santo cujo nome se possui;* **faire la ~** festejar; **bonne ~!** parabéns!; ~ **foraine** feira *f* popular; ~ **des Mères** dia *m* da Mãe; **la ~ de la Musique** *festa consagrada à música, que se realiza no dia 21 de Junho, em França;* ~ **nationale** feriado *m* nacional; ~ **des Pères** dia *m* do Pai. ❑ **fêtes** *nfpl :* **les ~s (de fin d'année)** as festas (do Ano Novo).

ⓘ FÊTE

Segundo a tradição, deseja-se "bonne fête" às pessoas cujo nome coincide com o do santo do dia.

ⓘ FÊTE DE LA MUSIQUE

Esta manifestação cultural foi criada no início dos anos oitenta para fomentar a difusão da música em França. Na noite de 21 de Junho, qualquer orquestra ou músico, inclusive amadores, podem actuar nas ruas. Todos os espectáculos são gratuitos.

---

fêter [fete] *vt* festejar.

fétiche [fetiʃ] *nm* fetiche *m*.

fétide [fetid] *adj* fétido(-da).

fétu [fety] *nm* : ~ **(de paille)** palhinha *f*.

feu, x [fø] *nm (flammes)* fogo *m*; *(de véhicule, de circulation)* luz *f*; **avez-vous du ~?** tem lume?; **faire du ~** acender uma fogueira; **mettre le ~ à** pôr fogo a; **à ~ doux** em lume brando; **~ d'artifice** fogo-de-artifício *m*; **~ de camp** fogueira *f*; **~ rouge** luz vermelha; **~x arrière** luzes de trás; **~x de croisement** luzes médias OU de cruzamento; **~x de recul** faróis *mpl* de marcha atrás; **~x de signalisation** OU **tricolores** semáforos *mpl*; **au ~!** fogo!; **en ~** a arder.

feuillage [fœjaʒ] *nm* folhagem *f*.

feuille [fœj] *nf* folha *f*; ~ **morte** folha seca.

feuilleté, e [fœjte] *adj* → **pâte**. ◆ *nm* folhado *m*.

feuilleter [fœjte] *vt* folhear.

feuilleton [fœjtɔ̃] *nm* telenovela *f*.

feutre [føtr] *nm (stylo)* caneta *f* de feltro; *(chapeau)* chapéu *m* de feltro.

feutré, e [føtre] *adj (tricot)* feltrante; *(bruit, pas)* abafado(-da); *(bourrelet)* guarnecido(-da) com feltro.

feutrine [føtrin] *nf* papel *m* de veludo.

fève [fɛv] *nf* fava *f*.

février [fevrije] *nm* Fevereiro *m*; → **septembre**.

FF *(abr de* **franc français***)* FF.

fiable [fjabl] *adj (machine)* fiável; *(personne)* de confiança.

fiançailles [fjɑ̃saj] *nfpl* noivado *m*.

fiancé, e [fjɑ̃se] *nm, f* noivo *m* (-va *f*).

fiancer [fjɑ̃se]: **se fiancer** *vp* ficar noivo(-va).

fibre [fibr] *nf* fibra *f*.

ficeler [fisle] *vt* atar.

ficelle [fisɛl] *nf (corde)* cordel *m* (Port), barbante *m* (Br); *(pain)* espécie de cacete muito fino.

fiche [fiʃ] *nf (de carton, de papier)* ficha *f*; *(TECH)* tomada *f*; ~ **de paie** recibo *m* de vencimento.

ficher [fiʃe] *vt (renseignement, suspect)* fichar; *(planter)* cravar; *(fam : faire)* fazer; *(fam : mettre)* pregar; **mais qu'est-ce qu'il fiche?** *(fam)* mas o que é que ele anda a fazer?; **fiche-moi la paix!** *(fam)* deixa-me em paz!; ~ **le camp** *(fam)* pirar-se. ❑ **se ficher de** *vp + prép (fam)* estar a gozar com; **je m'en fiche** *(fam)* estou-me nas tintas.

fichier [fiʃje] *nm* ficheiro *m*.

fichu, e [fiʃy] *adj (fam)* : **c'est ~** *(raté)* está tudo estragado; *(cassé, abîmé)* está estragado; **être bien ~** ser bem feito; **être mal ~** estar adoentado.

fictif, ive [fiktif, iv] *adj* fictício(-cia).

fiction [fiksjɔ̃] *nf* ficção *f*.

fidèle [fidɛl] *adj* fiel.

fidéliser [fidelize] *vt* fidelizar.

fidélité [fidelite] *nf* fidelidade *f*.

fief [fjɛf] *nm (féodal)* feudo *m*; *(fig: électoral)* baluarte *m*.

fier[1], **fière** [fjɛr] *adj* orgulhoso(-osa); **être ~ de** estar orgulhoso de.

fier[2] [fje]: **fier** *vp* + *prép* : **se fier à** fiar-se em.

fierté [fjɛrte] *nf* orgulho *m*.

fièvre [fjɛvr] *nf* febre *f*; **avoir de la ~** ter febre.

fiévreux, euse [fjevrø, øz] *adj* febril.

fig. *(abr de* **figure)** fig.

figé, e [fiʒe] *adj (sauce)* coalhado(-da); *(personne)* petrificado(-da).

figer [fiʒe]: **se figer** *vp (sauce)* espessar; *(huile)* coalhar; *(personne)* ficar petrificado(-da).

fignoler [fiɲɔle] *vt* aprimorar.

figue [fig] *nf* figo *m*.

figuier [figje] *nm* figueira *f*.

figurant, e [figyrɑ̃, ɑ̃t] *nm, f* figurante *mf*.

figure [figyr] *nf (visage)* rosto *m*; *(schéma)* figura *f*.

figuré, e [figyre] *adj* figurado(-da).

❏ **figuré** *nm* : **au ~** no sentido figurado.

figurer [figyre] *vi* constar.

❏ **se figurer** *vp* : **se ~ que** imaginar que.

figurine [figyrin] *nf* figurinha *f*.

fil [fil] *nm (du téléphone)* fio *m*; *(à coudre)* linha *f*; **~ de fer** arame *m*.

filament [filamɑ̃] *nm* filamento *m*.

filandreux, euse [filɑ̃drø, øz] *adj (viande)* com nervos.

filature [filatyr] *nf (usine)* fábrica *f* de fiação; *(fabrication)* fiação *f*; *(poursuite)*: **prendre qqn en ~** seguir alguém de perto.

file [fil] *nf* fila *f*; **~ (d'attente)** fila (de espera); **à la ~** em fila; **en ~ (indienne)** em fila (indiana).

filer [file] *vt* romper. ◆ *vi (aller vite)* ir-se embora; *(fam : partir)* cavar; **~ qqch à qqn** *(fam)* passar algo a alguém.

filet [filɛ] *nm (de pêche, au tennis)* rede *f*; *(de poisson, de bœuf)* filete *m*; *(d'eau)* fio *m*; **~ américain** *(Belg)* bife *m* tártaro; **~ à bagages** porta-bagagens *m inv*; **~ mignon** lombo *m* de vaca.

filial, e, aux [filjal, o] *adj* filial.

❏ **filiale** *nf* filial *f*.

filière [filjɛr] *nf* área *f*.

filiforme [filifɔrm] *adj* filiforme.

fille [fij] *nf (enfant)* menina *f*; *(femme)* rapariga *f*; *(descendante)* filha *f*.

fillette [fijɛt] *nf* menina *f*.

filleul, e [fijœl] *nm, f* afilhado *m* (-da *f*).

film [film] *nm (de cinéma, de télévision)* filme *m*; *(plastique)* película *f* aderente; **~ d'horreur** OU **d'épouvante** filme de terror; **~ vidéo** vídeo *m*.

filmer [filme] *vt* filmar.

filon [filɔ̃] *nm (de mine)* filão *m*; *(fam : fig: situation lucrative)* mina *f* de ouro.

fils [fis] *nm* filho *m*.

filtre [filtr] *nm* filtro *m*.

filtrer [filtre] *vt* filtrar.

fin, e [fɛ̃, fin] *adj* fino(-na). ◆ *nf* fim *m*; **~ juillet** no fim de Julho; **à la ~ (de)** no fim (de).

final, e, als OU **aux** [final, o] *adj* final.

finale [final] *nf* final *f*.

finalement [finalmɑ̃] *adv* finalmente; *(en définitive)* afinal.

finaliste [finalist] *nmf* finalista *mf*.

finalité [finalite] *nf* finalidade *f*.

finance [finãs] *nf* : **la ~** as finanças; **les ~s** as finanças.

financement [finãsmã] *nm* financiamento *m*.

financer [finãse] *vt* financiar.

financier, ère [finãsje, ɛr] *adj* financeiro(-ra). ◆ *nm* (*gâteau*) pequeno bolo de amêndoas e frutas cristalizadas; **sauce financière** molho de vinho da madeira e essência de trufas.

finesse [finɛs] *nf* fineza *f*.

finir [finir] *vt & vi* acabar; **~ bien** acabar bem; **~ de faire qqch** acabar de fazer algo; **~ par faire qqch** acabar por fazer algo.

finition [finisjɔ̃] *nf* acabamento *m*.

finlandais, e [fɛ̃lãdɛ, ɛz] *adj* finlandês(-esa). ◆ *nm* = **finnois**. ❏ **Finlandais, e** *nm, f* finlandês *m* (-esa *f*).

Finlande [fɛ̃lãd] *nf* : **la ~** a Finlândia.

finnois [finwa] *nm* finlandês *m*.

fioriture [fjɔrityr] *nf* floreado *m*.

fioul [fjul] *nm* fuel *m*.

firmament [firmamã] *nm* (*sout*) firmamento *m*.

firme [firm] *nf* firma *f*.

fisc [fisk] *nm* fisco *m*.

fiscal, e, aux [fiskal, o] *adj* fiscal.

fiscalité [fiskalite] *nf* fiscalidade *f*.

fissure [fisyr] *nf* (*dans un mur*) fissura *f*.

fissurer [fisyre]: **se fissurer** *vp* rachar.

fixation [fiksasjɔ̃] *nf* (*de ski*) fixador *m*; **faire une ~ sur qqch** ter uma fixação por algo.

fixe [fiks] *adj* fixo(-xa).

fixer [fikse] *vt* fixar.

flacon [flakɔ̃] *nm* frasco *m*.

flageolet [flaʒɔlɛ] *nm* feijão *m* branco.

flagrant, e [flagrã, ãt] *adj* flagrante; **(en) ~ délit** (em) flagrante delito.

flair [flɛr] *nm* (*d'un chien*) faro *m*; **avoir du ~** (*fig*: *de l'intuition*) ter faro.

flairer [flɛre] *vt* (*sentir*) farejar; (*fig*: *deviner*) pressentir.

flamand, e [flamã, ãd] *adj* flamengo(-ga). ◆ *nm* (*langue*) flamengo *m*.

flambant, e [flãbã, ãt] *adj* : **~ neuf** (*fig*) novinho em folha.

flambé, e [flãbe] *adj* flamejado(-da).

flambeau, x [flãbo] *nm* archote *m*; **se passer le ~** (*fig*) passar o testemunho.

flamber [flãbe] *vi* (*brûler*) arder; (*CULIN*) flamejar.

flamboyant, e [flãbwajã, ãt] *adj* (*ciel, regard*) brilhante; (*style*) flamejante.

flamiche [flamiʃ] *nf* (*Belg*) tarte de alhos franceses ou queijo.

flamme [flam] *nf* chama *f*; **en ~s** em chamas.

flan [flã] *nm* pudim *m* flan.

flanc [flã] *nm* flanco *m*.

flancher [flãʃe] *vi* (*fam*) ir-se abaixo; (*mémoire*) falhar.

flanelle [flanɛl] *nf* flanela *f*.

flâner [flane] *vi* deambular.

flanquer [flãke] *vt* (*entourer*) flanquear; (*fam* : *gifle*) assentar; (*dehors, par terre*) atirar.

flaque [flak] *nf* poça *f*.

flash [flaʃ] *nm* (*d'appareil photo*) flash *m*; (*d'information*) notícia *f* de última hora.

flash-back [flaʃbak] *nm inv* flash-back *m*.

flasher [flaʃe] *vi* (*fam*) : **~ sur qqch/qqn** ficar apanhadinho(-nha) por algo/alguém; **faire ~ qqn** virar a cabeça a alguém.

flasque [flask] *adj* flácido(-da). ◆ *nf* garrafinha *f*.

flatter [flate] *vt* lisonjear.

flatteur, euse [flatœr, øz] *adj (élogieux)* lisonjeiro(-ra); *(qui embellit)* favorecido(-da). ◆ *nm, f* lisonjeador *m* (-ra *f*).

fléau, x [fleo] *nm (catastrophe)* flagelo *m*.

flèche [flɛʃ] *nf (signe)* seta *f*; *(d'arc)* flecha *f*.

fléchette [fleʃɛt] *nf* dardo *m*.

fléchir [fleʃir] *vt & vi* dobrar.

flegme [flɛgm] *nm* fleuma *f*.

flemmard, e [flɛmar, ard] *nm, f (fam)* mandrião *m* (-driona *f*).

flemme [flɛm] *nf (fam)* preguiça *f*; **avoir la ~ (de faire qqch)** ter preguiça (de fazer algo).

flétri, e [fletri] *adj* murcho(-cha).

flétrir [fletrir] *vt* murchar.
❏ **se flétrir** *vp (fleur)* murchar; *(fig: visage)* encher-se de rugas.

fleur [flœr] *nf* flor *f*; **~ d'oranger** *(CULIN)* flor de laranjeira; **à ~s** às flores; **en ~(s)** em flor.

fleuri, e [flœri] *adj* florido(-da).

fleurir [flœrir] *vi* florir.

fleuriste [flœrist] *nmf* florista *mf*.

fleuron [flœrɔ̃] *nm (ornement)* florão *m*; *(fig: joyau)* peça *f* mais preciosa.

fleuve [flœv] *nm* rio *m*.

flexible [flɛksibl] *adj* flexível.

flic [flik] *nm (fam)* chui *m*.

flinguer [flɛ̃ge] *vt (fam) (tuer)* dar um tiro em; *(casser)* espatifar.
❏ **se flinguer** *vp (fam)* dar um tiro nos miolos.

flipper [flipœr] *nm* flippers *mpl*.

flirter [flœrte] *vi* namoriscar.

flocon [flɔkɔ̃] *nm* : **~ de neige** floco *m* de neve; **~s d'avoine** flocos *mpl* de aveia.

flop [flɔp] *nm* fiasco *m*.

flore [flɔr] *nf* flora *f*.

florissant, e [flɔrisã, ãt] *adj*

(santé) perfeito(-ta); *(économie)* florescente.

flot [flo] *nm (de sang)* fluxo *m*; *(de paroles)* chorrilho *m*.

flottante [flɔtãt] *adj f* → **île**.

flotte [flɔt] *nf (de navires)* frota *f*; *(fam : pluie)* chuva *f*; *(fam : eau)* água *f*.

flottement [flɔtmã] *nm (relâchement)* desleixo *m*; *(indécision)* hesitação *f*; *(de drapeau, monnaie)* flutuação *f*.

flotter [flɔte] *vi (sur l'eau)* flutuar; *(au vent)* esvoaçar.

flotteur [flɔtœr] *nm (de pêche)* bóia *f*; *(d'hydravion)* flutuador *m*.

flou, e [flu] *adj (photo)* desfocado(-da); *(idée, souvenir)* impreciso(-sa).

flouer [flue] *vt* enganar.

fluctuer [flyktɥe] *vi* variar.

fluet, ette [flyɛ, ɛt] *adj (personne)* franzino(-na); *(voix)* fino(-na).

fluide [flɥid] *adj* fluido(-da). ◆ *nm* fluido *m*.

fluo [flyo] *adj inv* fluorescente.

fluor [flyɔr] *nm* flúor *m*.

fluorescent, e [flyɔresã, ãt] *adj* fluorescente.

flûte [flyt] *nf (pain)* espécie de cacete delgado; *(verre)* copo *m* de champanhe. ◆ *excl* ora bolas!; **~ (à bec)** flauta *f* de Bizel.

flûtiste [flytist] *nmf* flautista *mf*.

fluvial, e, aux [flyvjal, o] *adj* fluvial.

flux [fly] *nm* fluxo *m*; **le ~ et le reflux** o fluxo e o refluxo; **un ~ de qqch** *(paroles, etc)* um chorrilho de algo.

FM *nf* FM *f*.

FNAC [fnak] *nf* cadeia de lojas que vendem livros, discos, aparelhagens, etc.

fœtus [fetys] *nm* feto *m*.

foi [fwa] *nf* fé *f*; **bonne/mauvaise ~** boa/má fé.

foie [fwa] *nm* fígado *m*; **~ gras** foie-gras *m*, *paté de fígado de pato ou de ganso*; **~ de veau** fígado de vitela.

foin [fwɛ̃] *nm* feno *m*.

foire [fwar] *nf* feira *f*.

fois [fwa] *nf* vez *f*; **une/deux/trois ~ (par jour)** uma/duas/três vezes (por dia); **3 ~ 2** 3 vezes 2; **à la ~** ao mesmo tempo; **des ~** às vezes; **une ~ que** assim que; **une ~ pour toutes** de uma vez por todas.

folie [fɔli] *nf* loucura *f*; **faire une ~** cometer uma loucura.

folklore [fɔlklɔr] *nm* folclore *m*.

folklorique [fɔlklɔrik] *adj* folclórico(-ca).

folle → **fou**.

follement [fɔlmɑ̃] *adv (déraisonnablement)* loucamente; *(excessivement)* extremamente.

foncé, e [fɔ̃se] *adj* escuro(-ra).

foncer [fɔ̃se] *vi (s'assombrir)* escurecer; *(fam : aller vite)* açapar; **~ dans** chocar com; **~ sur** atirar-se a.

foncier, ère [fɔ̃sje, ɛr] *adj (impôt)* predial; *(fondamental)* inato(-ta).

foncièrement [fɔ̃sjɛrmɑ̃] *adv* por natureza.

fonction [fɔ̃ksjɔ̃] *nf* função *f*; **la ~ publique** a função pública; **en ~ de** em função de.

fonctionnaire [fɔ̃ksjɔnɛr] *nmf* funcionário *m* (-ria *f*).

fonctionnel, elle [fɔ̃ksjɔnɛl] *adj (pratique)* funcional.

fonctionnement [fɔ̃ksjɔnmɑ̃] *nm* funcionamento *m*.

fonctionner [fɔ̃ksjɔne] *vi* funcionar; **faire ~ qqch** pôr algo a funcionar.

fond [fɔ̃] *nm* fundo *m*; *(d'une photo, d'un tableau)* plano *m* de fundo; **au ~, dans le ~** no fundo; **au ~ de** no fundo de; **à ~** *(respirer)* fundo; *(pousser)* com força; *(rouler)* a todo o gás; **~ d'artichaut** fundo de alcachofra; **~ de teint** base *f*.

fondamental, e, aux [fɔ̃damɑ̃tal, o] *adj* fundamental.

fondant, e [fɔ̃dɑ̃, ɑ̃t] *adj* tenro(-ra). ♦ *nm* : **~ au chocolat** *bolo de chocolate de consistência macia*.

fondateur, trice [fɔ̃datœr, tris] *nmf* fundador *m* (-ra *f*).

fondation [fɔ̃dasjɔ̃] *nf* fundação *f*.
❏ **fondations** *nfpl* alicerces *mpl*.

fondé, e [fɔ̃de] *adj (justifié)* fundado(-da); **être ~ à faire qqch** *(autorisé)* estar autorizado a fazer algo.
❏ **fondé de pouvoir** *nm* procurador *m* (-ra *f*).

fondement [fɔ̃dmɑ̃] *nm* fundamento *m*; **sans ~** sem fundamento.

fonder [fɔ̃de] *vt* fundar.
❏ **se fonder sur** *vp + prép* basear-se em.

fondre [fɔ̃dr] *vi* derreter; **~ en larmes** desfazer-se em lágrimas.

fonds [fɔ̃] *nmpl* fundos *mpl*.

fondue [fɔ̃dy] *nf* : **~ bourguignonne** fondue *f* de carne; **~ parmesan** *queijo fundido contendo parmesão que é de seguida panado e frito*; **~ savoyarde** fondue *f* de queijo.

font [fɔ̃] → **faire**.

fontaine [fɔ̃tɛn] *nf* fonte *f*.

fonte [fɔ̃t] *nf (métal)* ferro *m* fundido; *(des neiges)* degelo *m*.

foot(ball) [fut(bol)] *nm* futebol *m*.

footballeur [futbolœr] *nm* futebolista *mf*.

footing [futiŋ] *nm* jogging *m*; **faire un ~** fazer jogging.

forage [fɔraʒ] *nm* perfuração *f*.

forain, e [fɔrɛ̃, ɛn] *adj* → **fête**.
♦ *nm* feirante *mf*.

force [fɔrs] *nf* força *f*; **~s** forças
fpl; **de ~** à força; **à ~ de crier, il
n'a plus de voix** tanto gritou que
perdeu a voz.

forcément [fɔrsemã] *adv* for-
çosamente; **pas ~** não necessaria-
mente.

forcer [fɔrse] *vt* forçar. ♦ *vi
(faire un effort physique)* esforçar-se; *(sur une serrure, en ap-
puyant)* forçar; **~ qqn à faire qqch**
forçar alguém a fazer algo.
❏ **se forcer** *vp* : **se ~ (à faire
qqch)** forçar-se (a fazer algo).

forêt [fɔrɛ] *nf* floresta *f*.

forêt-noire [fɔrɛnwar] *(pl
forêts-noires) nf* bolo de chocolate
com natas e cerejas, floresta *f*
negra.

forfait [fɔrfɛ] *nm* taxa *f* fixa;
déclarer ~ desistir.

forfaitaire [fɔrfetɛr] *adj*
fixo(-xa).

forgé [fɔrʒe] *adj m* → **fer**.

forger [fɔrʒe] *vt* forjar.

forgeron [fɔrʒərɔ̃] *nm* ferreiro
m.

formaliser [fɔrmalize] *vt* for-
malizar.
❏ **se formaliser** *vp* : **se ~ (de
qqch)** ofender-se (com algo).

formalité [fɔrmalite] *nf* formalidade *f*; **les ~s d'usage** as forma-
lidades habituais.

format [fɔrma] *nm* formato *m*.

formatage [fɔrmataʒ] *nm* for-
matação *f*.

formater [fɔrmate] *vt* formatar.

formateur, trice [fɔrmatœr,
tris] *adj & nm, f* formador(-ra).

formation [fɔrmasjɔ̃] *nf* formação *f*.

forme [fɔrm] *nf* forma *f*; **en ~ de**
em forma de; **être en (pleine) ~**
estar em (grande) forma.

formel, elle [fɔrmɛl] *adj* formal.

former [fɔrme] *vt* formar.
❏ **se former** *vp* formar-se.

Formica® [fɔrmika] *nm* fórmica
f.

formidable [fɔrmidabl] *adj*
formidável.

formulaire [fɔrmylɛr] *nm* formulário *m*.

formule [fɔrmyl] *nf (équation)*
fórmula *f*; *(de restaurant)* ementa
f.

formuler [fɔrmyle] *vt* formular.

fort, e [fɔr, fɔrt] *adj* forte; *(doué)*
bom (boa). ♦ *adv (parler)* alto;
(pousser) com força; **~ en maths**
ser bom em matemática; **sentir ~**
ter um cheiro forte.

forteresse [fɔrtərɛs] *nf* fortaleza *f*.

fortifiant, e [fɔrtifjã, ãt] *adj*
fortificante.
❏ **fortifiant** *nm* fortificante *m*.

fortifications [fɔrtifikasjɔ̃]
nfpl fortificações *fpl*.

fortifier [fɔrtifje] *vt (ville,
église)* fortificar; *(suj: médicament)*
fortalecer.

fortiori [fɔrsjɔri]
❏ **a fortiori** *loc adv* com mais
razão.

fortuit, e [fɔrtɥi, it] *adj* for-
tuito(-ta).

fortune [fɔrtyn] *nf* fortuna *f*;
faire ~ fazer fortuna.

forum [fɔrɔm] *nm* fórum *m*.

fosse [fos] *nf* fossa *f*; *(tombe)*
cova *f*.

fossé [fose] *nm* fosso *m*.

fossette [fosɛt] *nf* covinha *f*.

fossile [fosil] *nm* fóssil *m*.

fou, folle [fu, fɔl] *adj (dément)*
doido(-da); *(extraordinaire)*
louco(-ca). ♦ *nm, f* doido *m* (-da
f). ♦ *nm (aux échecs)* bispo *m*;
(avoir le) ~ rire (ter um) ataque
de riso.

foudre [fudr] *nf* faísca *f*.

foudroyant, e [fudrwajã, ãt] *adj* fulminante.

foudroyer [fudrwaje] *vt* fulminar.

fouet [fwɛ] *nm (lanière)* chicote *m*; *(CULIN)* batedor *m* de varas; **de plein ~** com toda a força.

fouetter [fwete] *vt (frapper)* chicotear; *(CULIN)* bater.

fougère [fuʒɛr] *nf* feto *m*.

fougue [fug] *nf* fogosidade *f*.

fouille [fuj] *nf* revista *f (busca)*.
❏ **fouilles** *nfpl* escavações *fpl*.

fouiller [fuje] *vt* revistar. ♦ *vi* : **~ dans** mexer em.

fouillis [fuji] *nm* barafunda *f*.

fouine [fwin] *nf* fuinha *f*.

fouiner [fwine] *vi* bisbilhotar.

foulard [fular] *nm* lenço *m* de cabeça.

foule [ful] *nf* multidão *f*.

foulée [fule] *nf* pernada *f*; **dans la ~** *(fig)* de caminho.

fouler [fule]: **se fouler** *vp* : **se ~ la cheville** torcer o tornozelo.

foulure [fulyr] *nf* entorse *f*.

four [fur] *nm* forno *m*.

fourbe [furb] *(sout) adj* traiçoeiro(-ra).

fourche [furʃ] *nf (instrument)* forquilha *f*; *(carrefour)* bifurcação *f*; *(Belg: temps libre)* tempo *m* livre.

fourchette [furʃɛt] *nf (pour manger)* garfo *m*; *(de prix)* tabela *f*.

fourchu, e [furʃy] *adj (cheveux)* espigado(-da).

fourgon [furgɔ̃] *nm (camion)* carrinha *f*; *(wagon)* furgão *m*.

fourgonnette [furgɔnɛt] *nf* furgoneta *f*.

fourmi [furmi] *nf* formiga *f*; **avoir des ~s dans les jambes** estar com formigueiro nas pernas.

fourmilière [furmiljɛr] *nf* formigueiro *m*.

fournaise [furnɛz] *nf (fig)* forno *m*.

fourneau, x [furno] *nm* forno *m*.

fournée [furne] *nf* fornada *f*.

fournir [furnir] *vt (marchandises, preuve, argument)* fornecer; *(effort)* fazer; **~ qqch à qqn** fornecer algo a alguém; **~ qqn en qqch** abastecer alguém de algo.

fournisseur, euse [furnisœr, øz] *nm, f* fornecedor *m* (-ra *f*).

fournitures [furnityr] *nfpl* material *m*.

fourré, e [fure] *adj (vêtement)* forrado(-da); *(CULIN)* recheado(-da).

fourreau [furo] *nm (d'épée)* bainha *f*; *(fig: robe)* vestido de noite *justo ao corpo*.

fourrer [fure] *vt* rechear; *(fam)* enfiar.
❏ **se fourrer** *vp (fam)* enfiar-se.

fourre-tout [furtu] *nm inv (sac)* saco *m*.

fourrière [furjɛr] *nf (pour voitures)* parque *m* de viaturas rebocadas; *(pour animaux)* canil *m* municipal.

fourrure [furyr] *nf (peau)* pele *f*; *(vêtement)* casaco *m* de peles.

fourvoyer [furvwaje]
❏ **se fourvoyer** *vp (sout) (s'égarer)* enganar-se no caminho; *(se tromper)* estar a ir pelo mau caminho.

foutre [futr] *vt (fam) (mettre)* pôr; *(donner)*: **il lui a foutu une baffe** espetou-lhe uma bofetada; *(faire)*: **ne rien ~ de la journée** não mexer uma palha todo o santo dia; **~ qqn dehors** OU **à la porte** pôr alguém no olho da rua.
❏ **se foutre** *vp (fam) (se mettre)* meter-se; *(se moquer de)*: **se ~ de qqn/qqch** gozar com alguém/algo; *(ignorer)*: **je m'en fous** quero lá saber.

foutu, **e** [futy] adj (fam) (caractère) maldito(-ta); (conçu, perdu): **bien ~** bem feito(-ta); (gâché) estragado(-da); **il est ~** ele está tramado; **c'est ~** é tarde demais.

foyer [fwaje] nm (d'une cheminée) lareira f; (domicile) lar m; (pour délinquants) casa f de correcção; (pour travailleurs) casa f; (pour étudiants) residência f; **femme/mère au ~** doméstica f.

fracas [fraka] nm estrondo m.

fracasser [frakase]: **se fracasser** vp despedaçar-se.

fraction [fraksjɔ̃] nf fracção f.

fracture [fraktyr] nf fractura f.

fracturer [fraktyre] vt arrombar.

❑ **se fracturer** vp : **se ~ le crâne** ter um traumatismo craniano.

fragile [fraʒil] adj frágil.

fragiliser [fraʒilize] vt debilitar.

fragment [fragmã] nm fragmento m.

fraîche → frais.

fraîcheur [frefœr] nf frescura f.

frais, **fraîche** [frɛ, freʃ] adj fresco(-ca). ◆ nmpl despesas fpl, gastos mpl. ◆ nm : **mettre qqch au ~** pôr algo ao fresco; **prendre le ~** tomar ar fresco; **il fait ~** está fresco; **'servir ~'** (boissons) 'servir fresco'; (plats) 'servir frio'.

fraise [frez] nf morango m.

fraisier [frezje] nm (plante) morangueiro m; (gâteau) bolo leve com kirsh, camadas de creme e morangos.

framboise [frãbwaz] nf framboesa f.

framboisier [frãbwazje] nm (plante) framboeseiro m; (gâteau) bolo m de framboesa.

franc, **franche** adj franco(-ca). ◆ nm franco m; ~ **belge** franco belga; ~ **suisse** franco suíço.

français, **e** [frãsɛ, ɛs] adj francês(-esa). ◆ nm (langue) francês m.

❑ **Français**, **e** nm, f francês m (-esa f).

France [frãs] nf: **la ~** a França; **~ 2** canal televisivo estatal; **~ 3** canal televisivo estatal com programas regionais; **~ Télécom** companhia nacional francesa de telecomunicações, ≃ Portugal Telecom.

franche → franc.

franchement [frãʃmã] adv (honnêtement) francamente; (très) realmente.

franchir [frãʃir] vt transpor.

franchise [frãʃiz] nf (honnêteté) franqueza f; (d'assurance, de location automobile) franquia f.

franc-jeu [frãʒø] nm : **jouer ~** fazer jogo limpo.

franc-maçonnerie [frãmasɔnri] (pl franc-maçonneries) nf franco-maçonaria f.

francophone [frãkɔfɔn] adj francófono(-na).

francophonie [frãkɔfɔni] nf francofonia f.

franc-parler [frãparle] (pl francs-parlers) nm : **avoir son ~** falar sem rodeios.

frange [frãʒ] nf franja f; **à ~s** com franjas.

frangipane [frãʒipan] nf (crème) creme m de amêndoa; (gâteau) bolo de massa folhada recheado com creme de amêndoa.

franquette [frãkɛt]: **à la bonne franquette** adv sem cerimónia.

frappant, **e** [frapã, ãt] adj (ressemblance) impressionante.

frappé, **e** [frape] (frais) gelado(-da).

frapper [frape] vt bater; (impressionner) marcar; (suj: maladie, catastrophe) abater-se sobre. ◆ vi bater; ~ **(à la porte)** bater (à porta); ~ **dans ses mains** bater palmas.

frasques [frask] nfpl loucuras fpl.

fraternité [fratɛrnite] *nf* fraternidade *f*.

fraude [frod] *nf* fraude *f*; **passer qqch en** ~ fazer contrabando de algo.

frauder [frode] *vt* defraudar. ◆ *vi* cometer uma fraude.

frayer [frɛje] *vi (sout: fréquenter)*: ~ **avec qqn** dar-se com alguém.

❑ **se frayer** *vp*: **se** ~ **un chemin (à travers)** abrir caminho (através de).

frayeur [frɛjœr] *nf* terror *m*.

fredonner [frədɔne] *vt* trautear.

freezer [frizœr] *nm* congelador *m*.

frein [frɛ̃] *nm* travão *m*; ~ **à main** travão de mão.

freinage [frɛnaʒ] *nm* travagem *f*.

freiner [frene] *vt & vi* travar *(Port)*, frear *(Br)*.

frelaté, e [frəlate] *adj* adulterado(-da).

frêle [frɛl] *adj (construction, personne)* frágil; *(fig: espoir, voix)* fraco(-ca).

frelon [frəlɔ̃] *nm* vespão *m*.

frémir [fremir] *vi* bulir.

frêne [frɛn] *nm* freixo *m*.

fréquence [frekɑ̃s] *nf* frequência *f*.

fréquent, e [frekɑ̃, ɑ̃t] *adj* frequente.

fréquentation [frekɑ̃tasjɔ̃] *nf (d'un endroit)* frequentação *f*; *(d'une personne)* companhia *f*.

❑ **fréquentations** *nfpl (relations)* companhias *fpl*; **avoir de mauvaises** ~**s** andar com más companhias.

fréquenté, e [frekɑ̃te] *adj* frequentado(-da); **très/peu** ~ muito/pouco frequentado; **mal** ~ mal frequentado.

fréquenter [frekɑ̃te] *vt* frequentar.

frère [frɛr] *nm* irmão *m*.

fresque [frɛsk] *nf* fresco *m (Port)*, afresco *m (Br)*.

fret [frɛ] *nm* frete *m*.

frétiller [fretije] *vi (poisson)* estar aos saltos; *(queue d'un chien)* abanar; *(fig: personne)*: ~ **de joie** pular de alegria.

friable [frijabl] *adj* friável.

friand [frijɑ̃] *nm* pastel *m* recheado.

friandise [frijɑ̃diz] *nf* guloseima *f*.

fric [frik] *nm (fam)* massa *f (Port)*, grana *f (Br)*.

fricassée [frikase] *nf* fricassé *m*.

friche [friʃ] *nf* baldio *m*; **en** ~ *(champ)* baldio; *(fig: intelligence, capacités)* desaproveitado(-da).

frictionner [friksjɔne] *vt* friccionar.

Frigidaire® [friʒidɛr] *nm* frigorífico *m (Port)*, geladeira *f (Br)*.

frigide [friʒid] *adj* frígido(-da).

frigo [frigo] *nm (fam)* frigorífico *m*.

frigorifié, e [frigɔrifje] *adj (fam)* enregelado(-da).

frileux, euse [frilø, øz] *adj* friorento(-ta).

frimer [frime] *vi (fam)* armar-se em bom.

frimeur, euse [frimœr, øz] *nm, f*: **être un vrai** ~ estar sempre a armar-se em bom.

fringale [frɛ̃gal] *nf (fam)* larica *f*.

fripé, e [fripe] *adj* engelhado(-da).

fripes [frip] *nfpl*: **les** ~ a roupa em segunda mão.

fripouille [fripuj] *nf (fam)* patife *m*.

frire [frir] *vt* fritar. ◆ *vi* fritar; **faire** ~ fritar.

frise [friz] *nf* friso *m*.

frisé, e [frize] *adj (cheveux)* frisado(-da); *(pessoa)* de cabelo frisado.

frisée [frize] *nf* alface *f* frisada.

friser [frize] *vi* frisar; ~ **naturellement** ter o cabelo frisado.

frisson [frisɔ̃] *nm* arrepio *m*; **avoir des ~s** arrepiar-se.

frissonner [frisɔne] *vi* arrepiar-se.

frit, e [fri, frit] *pp* → **frire**. ◆ *adj* frito(-ta).

frites [frit] *nfpl* : **(pommes) ~** batatas *fpl* fritas.

friteuse [fritøz] *nf* fritadeira *f*.

friture [frityr] *nf (huile)* óleo *m* para fritar; *(poissons)* pequenos peixes fritos; *(parasites)* zumbido *m*.

frivole [frivɔl] *adj* frívolo(-la).

froid, e [frwa, frwad] *adj* frio (fria). ◆ *nm* frio *m*. ◆ *adv* : **avoir ~** ter frio; **il fait ~** está frio; **prendre ~** apanhar frio.

froidement [frwadmã] *adv* friamente.

froisser [frwase] *vt (papier, tissu)* amarrotar; *(fig: vexer)* magoar.

❏ **se froisser** *vp (vêtement)* amarrotar-se; *(fig: se vexer)* ofender-se.

frôler [frole] *vt* roçar.

fromage [frɔmaʒ] *nm* queijo *m*; **~ blanc** *queijo fresco com natas comido à sobremesa*; **~ de tête** *paté de cabeça de porco com geleia*.

---

i FROMAGE

Existem cerca de 350 variedades de queijo em França. Distinguem-se as massas moles, como o "camembert", o "brie" e o "pont-l'évêque"; as massas prensadas, que incluem o "tomme" e o "comté"; os queijos azuis, como o "roquefort" e o "bleu de Bresse"; os queijos de cabra ou ovelha e, por último, o queijo

fresco. O queijo é geralmente consumido após as refeições, entre a salada de alface e a sobremesa, com pão e às vezes com vinho tinto.

---

fromager, ère [frɔmaʒe, ɛr] *adj* do queijo. ◆ *nm, f* queijeiro *m* (-ra *f*).

fronce [frɔ̃s] *nf* prega *f*.

froncer [frɔ̃se] *vt* franzir; **~ les sourcils** franzir as sobrancelhas.

fronde [frɔ̃d] *nf* fisga *f*.

front [frɔ̃] *nm (ANAT)* testa *f*; *(des combats)* frente *f*; **de ~** *(de face)* de frente; *(côte à côte)* lado a lado; *(en même temps)* simultaneamente.

frontal, e, aux [frɔ̃tal, o] *adj* frontal.

frontalier, ère [frɔ̃talje, ɛr] *adj* fronteiriço(-ça). ◆ *nm, f* habitante *mf* de uma região fronteiriça.

frontière [frɔ̃tjɛr] *nf* fronteira *f*.

frottement [frɔtmã] *nm* fricção *f*.

frotter [frɔte] *vt (tache, meuble)* esfregar; *(allumette)* riscar. ◆ *vi* esfregar.

fruit [frɥi] *nm* fruto *m*; **~ de la passion** maracujá *m*; **~s confits** frutas cristalizadas; **~s de mer** marisco *m*; **~s secs** frutos secos.

fruité, e [frɥite] *adj (alcool)* com sabor a fruta; *(parfum)* com cheiro a fruta.

fruitier [frɥitje] *adj m* → **arbre**.

frustrer [frystre] *vt (décevoir)* frustrar; **~ qqn de qqch** privar alguém de algo.

fugace [fygas] *adj* fugaz.

fugitif, ive [fyʒitif, iv] *adj & nm, f* fugitivo(-va).

fugue [fyg] *nf* : **faire une ~** fugir de casa.

fuir [fɥir] *vi (s'échapper)* fugir; *(robinet, eau)* pingar.

fuite [fɥit] *nf* fuga *f*; **être en ~**

andar fugido; **prendre la ~** pôr-se em fuga.

fulgurant, e [fylgyrã, ãt] *adj* fulgurante.

fulminer [fylmine] *vi (personne)* invectivar; *(CHIM)* explodir. ◆ *vt (sout)* invectivar; **~ contre qqn** invectivar contra alguém.

fumé, e [fyme] *adj (CULIN)* defumado(-da); *(verre)* fumado(-da).

fumée [fyme] *nf* fumo *m (Port)*, fumaça *f (Br)*.

fumer [fyme] *vt (cigarette)* fumar. ◆ *vi (personne)* fumar; *(liquide)* fumegar.

fumeur, euse [fymœr, øz] *nm, f* fumador *m* (-ra *f*) *(Port)*, fumante *mf (Br)*.

fumier [fymje] *nm* estrume *m*.

fumiste [fymist] *nmf (fam : paresseux)* mandrião *m* (-driona *f*); *(pas sérieux)* baldas *mf inv*.

fumoir [fymwar] *nm (pour fumeur)* sala *f* reservada aos fumadores; *(pour poisson)* defumadouro *m*.

funambule [fynãbyl] *nmf* funâmbulo *m*.

funèbre [fynɛbr] *adj* → **pompe**.

funérailles [fyneraj] *nfpl (sout)* exéquias *fpl*.

funeste [fynɛst] *adj* funesto(-ta).

funiculaire [fynikylɛr] *nm* funicular *m*.

fur [fyr]: **au fur et à mesure** *adv* à medida; **au ~ et à mesure que** à medida que.

fureter [fyrte] *vi* farejar *(bisbilhotar)*.

fureur [fyrœr] *nf* furor *m*; **faire ~** fazer furor.

furieux, euse [fyrjø, øz] *adj* furioso(-osa).

furoncle [fyrɔ̃kl] *nm* furúnculo *m*.

furtif, ive [fyrtif, iv] *adj* furtivo(-va).

fusain [fyzɛ̃] *nm (crayon)* carvão *m*; *(dessin)* desenho *m* a carvão; *(arbre)* evónimo *m*.

fuseau, x [fyzo] *nm (pantalon)* calças *fpl* fuseau; **~ horaire** fuso *m* horário.

fusée [fyze] *nf (spatiale)* foguetão *m*; *(de feu d'artifice)* foguete *m*.

fuselé, e [fyzle] *adj* afusado(-da).

fuser [fyze] *vi (rires)* irromper de todos os lados; *(applaudissements)* chover.

fusible [fyzibl] *nm* fusível *m*.

fusil [fyzi] *nm* espingarda *f*.

fusillade [fyzijad] *nf* fuzilada *f*.

fusiller [fyzije] *vt* fuzilar; **~ qqn du regard** fulminar alguém com o olhar.

fusion [fyzjɔ̃] *nf* fusão *f*; *(fig: communion)* comunhão *f*; **en ~** em fusão.

fusionner [fyzjɔne] *vt* fundir. ◆ *vi* fundir-se; **~ avec** fundir-se com.

futé, e [fyte] *adj* esperto(-ta).

futile [fytil] *adj* fútil.

futur, e [fytyr] *adj* futuro(-ra). ◆ *nm* futuro *m*.

futuriste [fytyrist] *adj* futurista.

fuyant, e [fɥijã, ãt] *adj (perspective)* fugente; *(front)* recuado(-da); *(regard)* fugidio(-dia).

fuyard, e [fɥijar, ard] *adj & nm, f* fugitivo(-va).

G

gabarit [gabari] *nm* gabarito *m*.
Gabon [gabɔ̃] *nm* : **le ~** o Gabão.
gâcher [gaʃe] *vt (détruire)* estragar; *(gaspiller)* desperdiçar.
gâchette [gaʃɛt] *nf (détente)* gatilho *m*.
gâchis [gaʃi] *nm (gaspillage)* desperdício *m*.
gadget [gadʒɛt] *nm (objet)* coisita *f*; *(invention)* engenhoca *f*.
gadoue [gadu] *nf (fam)* lama *f*.
gaffe [gaf] *nf*: **faire une ~** cometer uma gafe; **faire ~ (à) (fam)** ter cuidado com.
gaffer [gafe] *vi (fam)* meter água.
gag [gag] *nm (effet)* partida *f*; *(plaisanterie)* piada *f*.
gage [gaʒ] *nm (dans un jeu)* castigo *m*; *(assurance, preuve)* prova *f*.
gageure [gaʒyr] *nf (sout)* desafio *m*.
gagnant, e [gaɲɑ̃, ɑ̃t] *adj* premiado(-da). ◆ *nm, f* vencedor *m* (-ra *f*).
gagne-pain [gaɲpɛ̃] *nm inv* ganha-pão *m*.
gagner [gaɲe] *vt* ganhar; *(atteindre)* chegar a. ◆ *vi* ganhar; **(bien) ~ sa vie** ganhar (bem) a vida.
gai, e [gɛ] *adj* alegre.
gaiement [gemɑ̃] *adv* alegremente.

gaieté [gete] *nf* alegria *f*.
gain [gɛ̃] *nm* ganho *m*.
❑ **gains** *nmpl* ganhos *mpl*.
gaine [gɛn] *nf (étui)* estojo *m*; *(sous-vêtement)* cinta *f*.
gala [gala] *nm* gala *f*.
galant [galɑ̃] *adj m* galante.
galanterie [galɑ̃tri] *nf (courtoisie)* galantaria *f*; *(flatterie)* galanteio *m*.
galaxie [galaksi] *nf* galáxia *f*.
gale [gal] *nf* sarna *f*.
galerie [galri] *nf (passage couvert)* galeria *f*; *(à bagages)* grade *f*; **~ (d'art)** galeria (de arte); **~ marchande** centro *m* comercial.
galet [galɛ] *nm* seixo *m*.
galette [galɛt] *nf (gâteau)* tarte *f*; *(crêpe)* crepe espesso de farinha de sarraceno; **~ bretonne** bolacha com muita manteiga; **~ des Rois** tarte recheada com massa de amêndoa, ≃ bolo-rei *m*.

---

i GALETTE DES ROIS

Tarte de massa folhada, geralmente recheada com frangipana, que se come durante a Epifania ou Dia de Reis (6 de Janeiro) e que contém uma pequena figura de porcelana, a "fève". A pessoa que descobre a "fève" no pedaço de tarte que lhe coube torna-se o rei ou a rainha do dia e deve usar uma coroa de papelão dourado que é vendida juntamente com a tarte.

galipette [galipɛt] *nf (fam)* cambalhota *f*; **faire des ~s** dar cambalhotas.

Galles [gal] *n* → **pays**.

gallois, e [galwa, az] *adj* galês(-esa).
❏ **Gallois, e** *nm, f* galês *m* (-esa *f*).

galon [galɔ̃] *nm* galão *m*.

galop [galo] *nm* : **aller/partir au ~** ir/partir a galope.

galoper [galɔpe] *vi (cheval)* galopar; *(personne)* correr.

galvauder [galvode] *vt (réputation)* manchar; *(talent)* gastar; *(expression)* usar demasiado.

gambader [gɑ̃bade] *vi* dar cambalhotas.

gambas [gɑ̃bas] *nfpl* gambas *fpl*.

gamelle [gamɛl] *nf* lancheira *f*.

gamin, e [gamɛ̃, in] *nm, f (fam)* miúdo *m* (-da *f*).

gamme [gam] *nf (MUS)* escala *f*; *(choix)* gama *f*.

ganglion [gɑ̃glijɔ̃] *nm* gânglio *m*.

gangrène [gɑ̃grɛn] *nf* gangrena *f*.

gangster [gɑ̃gstɛr] *nm* gangster *m*.

gant [gɑ̃] *nm* luva *f*; **~ de toilette** luva de banho.

garage [garaʒ] *nm (d'une maison)* garagem *f*; *(de réparation)* oficina *f*.

garagiste [garaʒist] *nm (propriétaire)* dono *m* da oficina; *(mécanicien)* mecânico *m*.

garantie [garɑ̃ti] *nf* garantia *f*; **(bon de) ~** garantia; **appareil sous ~** aparelho com garantia.

garantir [garɑ̃tir] *vt* garantir; **~ qqch à qqn** garantir algo a alguém; **~ à qqn que** garantir a alguém que.

garçon [garsɔ̃] *nm (enfant)* menino *m*; *(jeune homme)* rapaz *m*; **~ (de café)** empregado *m* (de café).

garçonnet [garsɔnɛ] *nm* rapazinho *m*.

garçonnière [garsɔnjɛr] *nf* pequeno apartamento para encontros amorosos.

garde[1] [gard] *nm* guarda *m*; **~ du corps** guarda-costas *m inv*.

garde[2] [gard] *nf* guarda *f*; *(d'un endroit)* vigilância *f*; **monter la ~** montar a guarda; **mettre qqn en ~ (contre)** prevenir alguém (contra); **prendre ~ (à)** ter cuidado com; **prendre ~ de ne pas faire qqch** ter cuidado em não fazer algo; **de ~** de serviço.

garde-à-vous [gardavu] *nm inv* sentido *m*; **se mettre au ~** pôr-se em sentido.

garde-barrière [gard(ə)barjɛr] *(pl* **gardes-barrière(s))** *nmf* guarda-barreira *mf*.

garde-boue [gardəbu] *nm inv* guarda-lamas *m inv*.

garde-chasse [gardəʃas] *(pl* **gardes-chasse(s))** *nm* guarda-florestal *m*; *(de propriété privée)* guarda *m* da caça.

garde-fou, s [gardəfu] *nm* guardas *fpl*.

garder [garde] *vt* guardar; *(aliment)* conservar; *(enfant, malade)* tomar conta de; *(lieu, prisonnier)* vigiar.
❏ **se garder** *vp* conservar-se.

garderie [gardəri] *nf* infantário *m*.

garde-robe, s [gardərɔb] *nf* guarda-roupa *m*.

gardien, enne [gardjɛ̃, ɛn] *nm,*

f guarda *m*; *(d'immeuble)* porteiro *m* (-ra *f*); ~ **de but** guarda-redes *m inv (Port)*, goleiro *m (Br)*; ~ **de nuit** guarda-nocturno *m*.

gare [gar] *nf* estação *f*. ◆ *excl* : ~ **à toi!** tem cuidado!; **entrer en** ~ entrar na estação; ~ **maritime** gare *f* marítima; ~ **routière** estação rodoviária.

garer [gare] *vt* estacionar.
❑ **se garer** *vp* estacionar.

gargariser [gargarize]
❑ **se gargariser** *vp* gargarejar; **se** ~ **de qqch** *(fig: péj)* deleitar-se com algo.

gargouille [garguj] *nf* gárgula *f*.

gargouiller [garguje] *vi (tuyau)* gorgolejar; *(estomac)* roncar.

garnement [garnəmã] *nm* peste *f*.

garni, e [garni] *adj (plat)* guarnecido(-da).

garnir [garnir] *vt* : ~ **qqch de** *(équiper)* equipar algo com; *(décorer)* guarnecer algo com.

garniture [garnityr] *nf (légumes)* acompanhamento *m*; *(décoration)* enfeite *m*.

garrot [garo] *nm (pansement, torture)* garrote *m*; *(d'un cheval)* cernelha *f*.

gars [ga] *nm (fam)* tipo *m*.

gas-oil [gazɔjl] *nm* = **gazole**.

gaspillage [gaspijaʒ] *nm* desperdício *m*.

gaspiller [gaspije] *vt* desperdiçar.

gastro-entérite [gastrɔãterit] *(pl* **gastro-entérites)** *nf* gastroenterite *f*.

gastronomie [gastrɔnɔmi] *nf* gastronomia *f*.

gastronomique [gastrɔnɔmik] *adj* gastronómico(-ca).

gâté, e [gate] *adj (enfant)* mimado(-da); *(fruit, dent)* estragado(-da).

gâteau, x [gato] *nm* bolo *m*; ~

marbré bolo mármore; ~ **sec** bolacha *f*.

gâter [gate] *vt* mimar.
❑ **se gâter** *vp (fruit, dent)* estragar-se; *(temps, situation)* deteriorar-se.

gâteux, euse [gatø, øz] *adj* caquéctico(-ca).

gauche [goʃ] *adj (main, côté)* esquerdo(-da); *(maladroit)* desajeitado(-da). ◆ *nf* : **la** ~ a esquerda; **à** ~ **(de)** à esquerda (de); **de** ~ *(du côté gauche)* da esquerda; *(POL)* de esquerda.

gaucher, ère [goʃe, ɛr] *adj* canhoto(-ota).

gauchiste [goʃist] *adj & nmf* esquerdista.

gaufre [gofr] *nf* gofre *m*.

gaufrette [gofrɛt] *nf* bolacha *f* baunilha.

gaulliste [golist] *adj & nmf* gaulista.

gaver [gave] *vt* : ~ **qqn de qqch** empanturrar alguém com algo.
❑ **se gaver de** *vp + prép* empanturrar-se de.

gaz [gaz] *nm inv* gás *m*.

gaze [gaz] *nf (pour pansements)* gaze *f*.

gazelle [gazɛl] *nf* gazela *f*.

gazette [gazɛt] *nf (Belg)* pastel de damasco ou maçã.

gazeux, euse [gazø, øz] *adj* com gás.

gazinière [gazinjɛr] *nf* fogão *m* a gás.

gazoduc [gazɔdyk] *nm* gasoduto *m*.

gazole [gazɔl] *nm* gasóleo *m*.

gazon [gazɔ̃] *nm (herbe)* relva *f*; *(terrain)* relvado *m*.

gazouiller [gazuje] *vi (oiseau)* chilrear; *(bébé)* palrar.

GB *(abr de* **Grande-Bretagne)** GB.

geai [ʒɛ] *nm* gaio *m*.

géant, e [ʒeã, ãt] *adj & nm, f* gigante.

geindre [ʒɛ̃dr] *vi (gémir)* gemer; *(péj: pleurnicher)* lamuriar-se.

gel [ʒɛl] *nm (glace)* gelo *m*; *(baisse des températures)* geada *f*; *(pour cheveux, dentifrice)* gel *m*.

gélatine [ʒelatin] *nf* gelatina *f*.

gelée [ʒəle] *nf (glace)* geada *f*; *(de fruits)* geleia *f*; **en ~** em geleia.

geler [ʒəle] *vt & vi* gelar; **il gèle** está a cair geada.

gélule [ʒelyl] *nf* gélula *f*.

Gémeaux [ʒemo] *nmpl* Gémeos *mpl*.

gémir [ʒemir] *vi* gemer.

gémissement [ʒemismã] *nm* gemido *m*.

gênant, e [ʒenã, ãt] *adj (qui met mal à l'aise)* embaraçoso(-osa); *(incommode)* aborrecido(-da); **être ~** *(encombrant)* estar a estorvar.

gencive [ʒãsiv] *nf* gengiva *f*.

gendarme [ʒãdarm] *nm* guarda *m*.

gendarmerie [ʒãdarməri] *nf (gendarmes)* ≃ Guarda *f* Nacional Republicana; *(bureau)* posto *m* da guarda.

gendre [ʒãdr] *nm* genro *m*.

gène [ʒɛn] *nm* gene *m*.

gêne [ʒɛn] *nf (physique)* dificuldade *f*; *(embarras)* embaraço *m*.

généalogie [ʒenealɔʒi] *nf* genealogia *f*.

généalogique [ʒenealɔʒik] *adj* → **arbre**.

gêner [ʒene] *vt (déranger)* incomodar; *(encombrer)* estorvar; *(embarrasser)* embaraçar; **ça vous gêne si...?** incomoda-o se...?
❏ **se gêner** *vp*: **il ne se gêne pas (pour)** não está com cerimónias (para).

général, e, aux [ʒeneral, o] *adj* geral. ◆ *nm* general *m*; **en ~** em geral.

généralement [ʒeneralmã] *adv* geralmente.

généralisation [ʒeneralizasjɔ̃] *nf* generalização *f*.

généraliser [ʒeneralize] *vt* generalizar.
❏ **se généraliser** *vp* generalizar-se; *(infection)* alastrar-se.

généraliste [ʒeneralist] *nm*: **(médecin) ~** clínico *m* geral.

généralité [ʒeneralite] *nf* generalidade *f*.
❏ **généralités** *nfpl* generalidades *fpl*.

génération [ʒenerasjɔ̃] *nf* geração *f*.

générer [ʒenere] *vt* gerar.

généreux, euse [ʒenerø, øz] *adj* generoso(-osa).

générique [ʒenerik] *nm* genérico *m*.

générosité [ʒenerɔzite] *nf* generosidade *f*.

genèse [ʒənɛz] *nf* génese *f*.
❏ **Genèse** *nf*: **la Genèse** o Génesis.

genêt [ʒənɛ] *nm* giesta *f*.

génétique [ʒenetik] *adj* genético(-ca).

Genève [ʒənɛv] *n* Genebra.

génial, e, aux [ʒenjal, o] *adj (brillant)* genial; *(fam : excellent)* fantástico(-ca).

génie [ʒeni] *nm (don)* talento *m*; *(personne)* génio *m*.

génisse [ʒenis] *nf* vitela *f*.

génital, e, aux [ʒenital, o] *adj* genital.

génitif [ʒenitif] *nm* genitivo *m*.

génocide [ʒenɔsid] *nm* genocídio *m*.

génoise [ʒenwaz] *nf massa leve para bolos*.

genou, x [ʒənu] *nm* joelho *m*; **être à ~x** estar ajoelhado; **se mettre à ~x** ajoelhar-se.

genouillère [ʒənujɛr] *nf* joelheira *f*.

genre [ʒãr] *nm* género *m*; **un ~ de** uma espécie de.

gens [ʒã] *nmpl* pessoas *fpl*.

gentil, ille [ʒãti, ij] *adj (aimable)* gentil; *(sage)* sossegado(-da).

gentillesse [ʒãtijɛs] *nf* gentileza *f*.

gentiment [ʒãtimã] *adv (aimablement)* amavelmente; *(sagement)* sossegadamente; *(Helv: tranquillement)* tranquilamente.

géographe [ʒeɔgraf] *nmf* geógrafo *m* (-fa *f*).

géographie [ʒeɔgrafi] *nf* geografia *f*.

géologie [ʒeɔlɔʒi] *nf* geologia *f*.

géologue [ʒeɔlɔg] *nmf* geólogo *m* (-ga *f*).

géomètre [ʒeɔmɛtr] *nmf (spécialiste de géométrie)* geómetra *mf*; *(technicien)* topógrafo *m* (-fa *f*).

géométrie [ʒeɔmetri] *nf* geometria *f*.

gérance [ʒerãs] *nf* gerência *f*.

géranium [ʒeranjɔm] *nm* sardinheira *f*; *(famille)* gerânio *m*.

gérant, e [ʒerã, ãt] *nm, f* gerente *mf*.

gerbe [ʒɛrb] *nf (de blé)* molho *m*; *(d'étincelles)* girândola *f*; *(de fleurs)* ramo *m*.

gercé, e [ʒɛrse] *adj* gretado(-da).

gerçure [ʒɛrsyr] *nf (des lèvres)* cieiro *m*; *(des mains)* frieira *f*.

gérer [ʒere] *vt* gerir.

germain, e [ʒɛrmɛ̃, ɛn] *adj* → **cousin**.

germe [ʒɛrm] *nm (de pomme de terre, d'oignon)* grelo *m*; *(de maladie)* germe *m*.

germer [ʒɛrme] *vi (plante)* rebentar; *(pomme de terre)* grelar.

gésier [ʒezje] *nm* moela *f*.

gestation [ʒɛstasjɔ̃] *nf* gestação *f*; **en ~** *(fig: projet)* em fase de elaboração.

geste [ʒɛst] *nm* gesto *m*.

gesticuler [ʒɛstikyle] *vi* gesticular.

gestion [ʒɛstjɔ̃] *nf* gestão *f*.

ghetto [gɛto] *nm* gueto *m*.

gibelotte [ʒiblɔt] *nf* ensopado de coelho com vinho branco, toucinho, cebolinhas e cogumelos.

gibier [ʒibje] *nm* caça *f*.

giboulée [ʒibule] *nf* aguaceiro *m*.

gicler [ʒikle] *vi* esguichar.

gifle [ʒifl] *nf* bofetada *f (Port)*, tapa *m (Br)*.

gifler [ʒifle] *vt* esbofetear.

gigantesque [ʒigãtɛsk] *adj* gigantesco(-ca).

gigolo [ʒigɔlo] *nm* gigolo *m*.

gigot [ʒigo] *nm* perna *f (de carneiro)*.

gigoter [ʒigɔte] *vi* espernear; **arrête de ~!** está quieto!

gilet [ʒilɛ] *nm (pull)* casaco *m*; *(sans manches)* colete *m*; **~ de sauvetage** colete salva-vidas.

gin [dʒin] *nm* gim *m*.

gingembre [ʒɛ̃ʒãbr] *nm* gengibre *m*.

girafe [ʒiraf] *nf* girafa *f*.

giratoire [ʒiratwar] *adj* → **sens**.

girofle [ʒirɔfl] *nm* → **clou**.

girouette [ʒirwɛt] *nf* catavento *m*.

gisement [ʒizmã] *nm* jazigo *m*.

gitan, e [ʒitã, an] *nm, f* cigano *m* (-na *f*).

gîte [ʒit] *nm (de bœuf)* chambão *m*; **~ d'étape** estalagem *f*; **~ (rural)** casa *f* de turismo rural.

ⓘ GÎTE RURAL

Vivenda privada situada numa zona rural e destinada a receber turistas. Mobilada e independente, este tipo de vivenda pode geralmente abrigar famílias ou grupos inteiros. Há várias categorias de vivendas e os preços variam.

---

givre [ʒivr] *nm* geada *f*.

givré, e [ʒivre] *adj* coberto(-ta) de geada; **orange ~e** casca de laranja inteira recheada com gelado.

glace [glas] *nf (eau gelée)* gelo *m*; *(crème glacée)* gelado *m*; *(miroir)* espelho *m*; *(vitre)* vidraça *f*; *(de voiture)* vidro *m*.

glacé, e [glase] *adj* gelado(-da).

glacer [glase] *vt* gelar; *(intimider)* estarrecer.

glacial, e, s OU **aux** [glasjal, o] *adj* glacial.

glacier [glasje] *nm (de montagne)* glaciar *m*; *(marchand)* gelataria *f*.

glacière [glasjɛr] *nf* geleira *f* isotérmica.

glaçon [glasɔ̃] *nm* cubo *m* de gelo.

glaïeul [glajœl] *nm* gladíolo *m*.

glaire [glɛr] *nf* muco *m*.

glaise [glɛz] *nf* barro *m*.

gland [glɑ̃] *nm* bolota *f*.

glande [glɑ̃d] *nf* glândula *f*.

glaner [glane] *vt (aux champs)*: **~ du blé** respigar; *(fig: informations)* recolher.

glapir [glapir] *vi* ganir.

glas [gla] *nm* dobre *m*; **sonner le ~** dobrar os sinos.

glauque [glok] *adj (eau, yeux)* esverdeado(-da); *(fam : air, regard)* sinistro(-tra); *(fam : ambiance)* sórdido(-da).

glissade [glisad] *nf* escorregadela *f*.

glissant, e [glisɑ̃, ɑ̃t] *adj* escorregadio(-dia).

glissement [glismɑ̃] *nm (action)* deslizamento *m*; *(fig: déplacement)* desvio *m*; **~ de sens** alteração *f* de sentido; **~ de terrain** desabamento *m* de terra.

glisser [glise] *vt* deslizar. ◆ *vi (en patinant)* deslizar; *(déraper, être glissant)* escorregar.
❑ **se glisser** *vp* penetrar.

glissière [glisjɛr] *nf* corrediça *f*; **à ~** corrediço(-ça); **~ de sécurité** guarda *f* de segurança.

global, e, aux [glɔbal, o] *adj* global.

globalement [glɔbalmɑ̃] *adv* globalmente.

globe [glɔb] *nm* globo *m*; **le ~ (terrestre)** o globo (terrestre).

globule [glɔbyl] *nm* glóbulo *m*; **~ blanc/rouge** glóbulo branco/vermelho.

gloire [glwar] *nf* glória *f*.

glorieux, euse [glɔrjø, øz] *adj* glorioso(-osa).

glossaire [glɔsɛr] *nm* glossário *m*.

gloussement [glusmɑ̃] *nm (de poule)* cacarejo *m*; *(rire)* risinho *m*.

glousser [gluse] *vi* cacarejar.

glouton, onne [glutɔ̃, ɔn] *adj* glutão *m* (-tona *f*).

gluant, e [glyɑ̃, ɑ̃t] *adj* viscoso(-osa).

glucide [glysid] *nm* glucídio *m*.

glycine [glisin] *nf* glicínia *f*.

GO *(abr de* **grandes ondes**) LW.

goal [gol] *nm* guarda-redes *m inv*.

gobelet [gɔblɛ] *nm* copo *m*.

gober [gɔbe] *vt* engolir.

goéland [gɔelɑ̃] *nm* gaivota *f*.

goinfre [gwɛ̃fr] *nmf* comilão *m* (-lona *f*).

golf [gɔlf] *nm (sport)* golfe *m*; *(terrain)* campo *m* de golfe; **~ miniature** mini-golfe *m*.

golfe [gɔlf] *nm* golfo *m*.

gomme [gɔm] *nf (à effacer)* borracha *f*.

gommer [gɔme] *vt (effacer)* apagar.

gond [gɔ̃] *nm* dobradiça *f*.

gondole [gɔ̃dɔl] *nf* gôndola *f*.
gondoler [gɔ̃dɔle]: **se gondoler** *vp (se déformer)* arquear-se.
gonflé, e [gɔ̃fle] *adj (enflé)* inchado(-da); *(fam : audacieux)* descarado(-da).
gonfler [gɔ̃fle] *vt* encher. ◆ *vi (partie du corps)* inchar; *(pâte)* levedar.
gong [gɔ̃g] *nm* gongo *m*.
gorge [gɔrʒ] *nf (ANAT)* garganta *f*; *(gouffre)* desfiladeiro *m*.
gorgée [gɔrʒe] *nf* gole *m*.
gorger [gɔrʒe] *vt (gaver)*: ~ **qqn de qqch** empanturrar alguém com algo; *(remplir)*: ~ **qqch de qqch** saturar algo com algo.
❏ **se gorger** *vp*: **se** ~ **de qqch** *(se gaver)* empanturrar-se com algo; *(se remplir)* saturar-se com algo.
gorille [gɔrij] *nm* gorila *m*.
gosier [gozje] *nm* goela *f*.
gosse [gɔs] *nmf (fam)* puto *m (Port)*, moleque *m (Br)*.
gothique [gɔtik] *adj* gótico(-ca).
gouache [gwaʃ] *nf* guache *m*.
goudron [gudrɔ̃] *nm* alcatrão *m*.
goudronner [gudrɔne] *vt* alcatroar.
gouffre [gufr] *nm* abismo *m*.
goujat [guʒa] *nm* grosseirão *m*.
goulot [gulo] *nm* gargalo *m*; **boire au** ~ beber pelo gargalo.
goulu, e [guly] *adj & nm, f* glutão(-tona).
gourd, e [gur, gurd] *adj* dormente.
gourde [gurd] *nf* cantil *m*.
gourdin [gurdɛ̃] *nm* cacete *m*.
gourmand, e [gurmã, ãd] *adj* guloso(-osa).
gourmandise [gurmãdiz] *nf* gulosice *f*; **des ~s** guloseimas *fpl*.
gourmet [gurmɛ] *nm* gastrónomo *m*.
gourmette [gurmɛt] *nf* pulseira *f*.

gousse [gus] *nf*: ~ **d'ail** dente *m* de alho; ~ **de vanille** vagem *f* de baunilha.
goût [gu] *nm* gosto *m*; **avoir bon** ~ *(aliment)* saber bem; *(personne)* ter bom gosto.
goûter [gute] *nm* lanche *m*. ◆ *vt* provar. ◆ *vi* lanchar; ~ **à qqch** provar algo.
goutte [gut] *nf* gota *f*; ~ **à** ~ gota a gota.
❏ **gouttes** *nfpl* gotas *fpl*.
goutte-à-goutte [gutagut] *nm inv* sistema *m* de soro.
gouttelette [gutlɛt] *nf* gotinha *f*.
gouttière [gutjɛr] *nf* caleira *f*.
gouvernail [guvɛrnaj] *nm* leme *m*.
gouvernement [guvɛrnəmã] *nm* governo *m*.
gouverner [guvɛrne] *vt* governar.
gouverneur [guvɛrnœr] *nm* governador *m*.
grâce [gras] *nf* graça *f*.
❏ **grâce à** *prép* graças a.
gracier [grasje] *vt* agraciar.
gracieusement [grasjøzmã] *adv (avec grâce)* graciosamente; *(gratuitement)* de graça.
gracieux, euse [grasjø] *adj* gracioso(-osa).
grade [grad] *nm* grau *m*.
gradins [gradɛ̃] *nmpl* bancadas *fpl (Port)*, arquibancada *f (Br)*.
gradué, e [gradɥe] *adj (verre, règle)* graduado(-da); *(Belg: diplômé)* diplomado(-da).
graduel, elle [gradɥɛl] *adj* gradual.
graffiti(s) [grafiti] *nmpl* grafito *m*.
grain [grɛ̃] *nm* grão *m*; *(de poussière)* partícula *f*; *(de raisin)* bago *m*; ~ **de beauté** sinal *m*.
graine [grɛn] *nf* semente *f*.

graisse [grɛs] *nf (matière grasse)* gordura *f; (bourrelets)* banha *f; (lubrifiant)* lubrificante *m.*

graisser [grese] *vt* olear.

graisseux, euse [grɛsø, øz] *adj* engordurado(-da).

grammaire [gramɛr] *nf* gramática *f.*

grammatical, e, aux [gramatikal, o] *adj* gramatical.

gramme [gram] *nm* grama *m.*

grand, e [grã, grãd] *adj* grande; *(en taille)* alto(-ta). ◆ *adv* : ~ ouvert aberto de par em par; il est ~ temps de já é tempo de; ~ frère irmão mais velho; ~ magasin loja *f;* ~e surface hipermercado *m;* les ~es vacances as férias grandes.

grand-chose [grãʃoz] *pron* : ce n'est pas ~ não é grande coisa.

Grande-Bretagne [grãdbrətaɲ] *nf* : la ~ a Grã-Bretanha.

grandeur [grãdœr] *nf (taille)* tamanho *m; (importance)* grandeza *f;* ~ nature de tamanho natural.

grandir [grãdir] *vi (en taille)* crescer; *(en importance)* aumentar.

grand-mère [grãmɛr] *(pl* grands-mères) *nf* avó *f.*

grand-père [grãpɛr] *(pl* grands-pères) *nm* avô *m.*

grand-rue, s [grãry] *nf* rua *f* principal.

grands-parents [grãparã] *nmpl* avós *mpl.*

grange [grãʒ] *nf* palheiro *m.*

granit(e) [granit] *nm* granito *m.*

granulé [granyle] *nm* grânulo *m (medicamento).*

granuleux, euse [granylø, øz] *adj* granuloso(-osa).

graphique [grafik] *nm* gráfico *m.*

graphologie [grafɔlɔʒi] *nf* grafologia *f.*

grappe [grap] *nf* cacho *m.*

grappiller [grapije] *vt (cueillir)* colher aqui e acolá; *(fig: prendre)* recolher aqui e acolá. ◆ *vi (fig)* ir buscar a.

grappin [grapɛ̃] *nm* : elle lui a mis le ~ dessus *(fig: péj)* ela deitou-lhe a mão.

gras, grasse [gra, gras] *adj (aliment)* gorduroso(-osa); *(taché)* engordurado(-da); *(cheveux)* oleoso(-osa); *(personne, crème)* gordo(-da). ◆ *nm (graisse)* gordura *f; (caractères d'imprimerie)*: en ~ em negrito; faire la grasse matinée levantar-se tarde.

gras-double, s [gradubl] *nm* dobrada *f.*

gratifier [gratifje] *vt* gratificar; ~ qqn de qqch gratificar alguém com algo.

gratin [gratɛ̃] *nm* : ~ de pommes de terre batatas *fpl* gratinadas; ~ dauphinois *batatas gratinadas com natas ou leite.*

gratiné, e [gratine] *adj (CULIN)* gratinado(-da); *(fam : difficile)* puxado(-da); *(fam : remarquable)*: comme imbécile, il est ~! é cá um imbecil!; *(fam : grivois)* picante.

❏ **gratinée** *nf sopa de cebola com queijo gratinado.*

gratiner [gratine] *vi* : faire ~ qqch gratinar algo.

gratis [gratis] *adv* grátis.

gratitude [gratityd] *nf* gratidão *f.*

gratte-ciel [gratsjɛl] *nm inv* arranha-céus *m inv.*

gratter [grate] *vt (peau)* coçar; *(peinture, tache)* raspar; *(suj: vêtement)* fazer comichão.

❏ **se gratter** *vp* coçar-se.

gratuit, e [gratɥi, it] *adj* gratuito(-ta).

gratuitement [gratɥitmã] *adv* gratuitamente.

gravats [grava] *nmpl* entulho *m*.

grave [grav] *adj* grave; *(visage)* sério(-ria).

gravement [gravmã] *adv* gravemente.

graver [grave] *vt* gravar.

gravier [gravje] *nm* cascalho *m*.

gravillon [gravijõ] *nm* cascalho *m* miúdo.

gravir [gravir] *vt* trepar.

gravité [gravite] *nf* gravidade *f*.

graviter [gravite] *vi* gravitar; ~ **dans** gravitar em; ~ **autour de qqn/qqch** gravitar à volta de alguém/algo.

gravure [gravyr] *nf* gravura *f*.

gré [gre] *nm* : **de mon plein** ~ de minha livre vontade; **de** ~ **ou de force** quer queira quer não; **bon** ~ **mal** ~ a bem ou a mal.

grec, grecque [grɛk] *adj* grego(-ga). ◆ *nm (langue)* grego *m*.

❑ **Grec, Grecque** *nm, f* grego *m* (-ga *f*).

Grèce [grɛs] *nf*: **la** ~ a Grécia.

greffe [grɛf] *nf* transplante *m*.

greffer [grɛfe] *vt* transplantar.

greffier [grɛfje] *nm* escrivão *m*.

grêle [grɛl] *nf* granizo *m*.

grêler [grele] *v impers* : **il grêle** está a cair granizo.

grêlon [grɛlõ] *nm* pedra *f (de granizo)*.

grelot [grəlo] *nm* guizo *m*.

grelotter [grələte] *vi* tiritar.

grenade [grənad] *nf (fruit)* romã *f*; *(arme)* granada *f*.

grenadine [grənadin] *nf* xarope *m* de romã.

grenat [grəna] *adj inv* grená.

grenier [grənje] *nm* sótão *m*.

grenouille [grənuj] *nf* rã *f*.

grésiller [grezije] *vi (huile)* crepitar; *(radio)* zumbir.

grève [grɛv] *nf* greve *f*; **être/se**

mettre en ~ estar/entrar em greve; ~ **de la faim** greve de fome.

grever [grəve] *vt* sobrecarregar; ~ **qqch de** sobrecarregar algo com.

gréviste [grevist] *nmf* grevista *mf*.

gribouillage [gribujaʒ] *nm* gatafunho *m*.

gribouiller [gribuje] *vt* gatafunhar.

grief [grijɛf] *nm* razão *f* de queixa; **faire** ~ **à qqn de qqch** censurar alguém por causa de algo.

grièvement [grijɛvmã] *adv* gravemente.

griffe [grif] *nf (de chat, de chien)* unha *f*; *(d'aigle)* garra *f*; *(Belg: éraflure)* arranhadela *f*.

griffer [grife] *vt* arranhar.

griffonner [grifɔne] *vt* rabiscar.

grignoter [griɲɔte] *vt* petiscar.

gril [gril] *nm* grelha *f*.

grillade [grijad] *nf* grelhado *m*.

grillage [grijaʒ] *nm* rede *f*.

grille [grij] *nf* grelha *f*; *(d'un jardin)* cancela *f*; *(tableau)* tabela *f*.

grillé, e [grije] *adj (ampoule)* fundido(-da).

grille-pain [grijpɛ̃] *nm inv* torradeira *f*.

griller [grije] *vt* grelhar; *(pain)* torrar; ~ **un feu rouge** *(fam)* passar com o vermelho aceso.

grillon [grijõ] *nm* grilo *m*.

grimace [grimas] *nf* careta *f*; **faire des ~s** fazer caretas.

grimpant, e [grɛ̃pã, ãt] *adj* trepadeira *adj f*.

grimper [grɛ̃pe] *vt & vi* subir; ~ **aux arbres** trepar às árvores.

grincement [grɛ̃smã] *nm* rangido *m*.

grincer [grɛ̃se] *vi* ranger.

grincheux, euse [grɛ̃ʃø, øz] *adj* rabugento(-ta).

griotte [grijɔt] *nf* ginja *f*.

grippe [grip] *nf* gripe *f*; **avoir la ~** estar com gripe.

grippé, e [gripe] *adj* engripado(-da).

gripper [gripe] *vi (un mécanisme)* gripar; *(fig: un processus)* emperrar.

❏ **se gripper** *vp (se bloquer)* gripar; *(fig: mal fonctionner)* bloquear-se.

gris, e [gri, griz] *adj (couleur)* cinzento(-ta); *(cheveux)* grisalho(-lha); *(ciel, temps)* encoberto(-ta). ◆ *nm* cinzento *m*.

grisonner [grizɔne] *vi* começar a ficar grisalho(-lha).

grive [griv] *nf* tordo *m*.

grivois, e [grivwa, az] *adj* picante.

Groenland [grɔɛnlɑ̃d] *nm* : **le ~** a Gronelândia.

grog [grɔg] *nm* grogue *m*.

grognement [grɔɲmɑ̃] *nm (de personne)* resmungo *m*; *(du cochon)* grunhido *m*.

grogner [grɔɲe] *vi (cochon)* grunhir; *(chien)* rosnar; *(personne)* resmungar.

grognon, onne [grɔɲɔ̃, ɔn] *adj* resmungão *m* (-gona *f*).

groin [grwɛ̃] *nm* focinho *m*.

grommeler [grɔmle] *vi* falar por entre dentes. ◆ *vt* dizer por entre dentes.

grondement [grɔ̃dmɑ̃] *nm* estrondo *m*.

gronder [grɔ̃de] *vt* ralhar a. ◆ *vi (tonnerre)* ressoar; **je me suis fait ~ par ma mère** a minha mãe ralhou-me.

groom [grum] *nm* groom *m*.

gros, grosse *adj (en taille)* gordo(-da); *(important)* importante; *(épais)* espesso(-a). ◆ *adv (écrire)* em letras grandes; *(gagner)* muito. ◆ *nm* : **en ~** *(environ)* por alto; *(COMM)* por atacado; **le**

~ lot a sorte grande; **~ mot** palavrão *m*; **~ titre** manchete *f*.

groseille [grozɛj] *nf* groselha *f*; **~ à maquereau** groselha espinhosa.

grosse → **gros**.

grossesse [grosɛs] *nf* gravidez *f*.

grosseur [grosœr] *nf (épaisseur)* grossura *f*; *(MÉD)* caroço *m*.

grossier, ère [grosje, ɛr] *adj (impoli)* grosseiro(-ra); *(approximatif)* aproximado(-da); *(erreur)* crasso(-a).

grossièrement [grosjɛrmɑ̃] *adv (sommairement)* por alto; *(vulgairement)* grosseiramente.

grossièreté [grosjɛrte] *nf (d'une personne, de paroles)* grosseria *f*; *(parole)* asneira *f*.

grossir [grosir] *vt* aumentar. ◆ *vi* engordar.

grossiste [grosist] *nmf* grossista *mf*.

grosso modo [grosomodo] *adv* grosso modo.

grotesque [grɔtɛsk] *adj* grotesco(-ca).

grotte [grɔt] *nf* gruta *f*.

grouiller [gruje]: **grouiller de** *v* + *prép* fervilhar de.

groupe [grup] *nm* grupo *m*; **en ~** em grupo; **~ sanguin** grupo sanguíneo.

grouper [grupe] *vt* agrupar.
❏ **se grouper** *vp* agrupar-se.

gruau [gryo] *nm (Can) papa de flocos de aveia*.

grue [gry] *nf (de chantier)* grua *f*.

grumeau, x [grymo] *nm* grumo *m*.

gruyère [gryjɛr] *nm* queijo *m* gruyère.

Guadeloupe [gwadlup] *nf* : **la ~** a Guadalupe.

guadeloupéen, enne [gwadlupeɛ̃, ɛn] *adj* guadalupense.

Guatemala [gwatemala] *nm* : **le ~ a** Guatemala.

guédille [gedij] *nm (Can) sandes de frango ou ovos.*

guenille [gənij] *nf* farrapo *m*.

guenon [gən5] *nf* macaca *f*.

guépard [gepar] *nm* lobo-tigre *m*.

guêpe [gɛp] *nf* vespa *f (Port)*, marimbondo *m (Br)*.

guêpier [gepje] *nm* vespeiro *m*; **aller se fourrer dans un ~** *(fig)* ir-se meter num ninho de vespas.

guère [gɛr] *adv* : **elle ne mange ~** ela não come quase nada.

guéridon [gerid5] *nm* mesa *f* de pé-de-galo.

guérilla [gerija] *nf* guerrilha *f*.

guérir [gerir] *vt & vi* curar.

guérison [geriz5] *nf* cura *f*.

guerre [gɛr] *nf* guerra *f*; **être en ~** estar em guerra; **~ mondiale** guerra mundial.

guerrier [gerje] *nm* guerreiro *m*.

guet [gɛ] *nm* : **faire le ~** estar de guarda.

guet-apens [gɛtapã] *(pl* **guets-apens)** *nm* ratoeira *f*; **tomber dans un ~** cair numa ratoeira.

guetter [gete] *vt* espreitar.

gueule [gœl] *nf (d'animal)* boca *f*; *(vulg : visage)* focinho *m*; **avoir la ~ de bois** *(fam)* estar com uma ressaca.

gueuler [gœle] *vi (vulg)* berrar.

gueuze [gøz] *nf (Belg)* gueuse *f, cerveja forte com fermentação dupla.*

gui [gi] *nm* visco *m*.

guichet [giʃɛ] *nm* guiché *m*; **~ automatique (de banque)** caixa *m* automático multibanco.

guichetier, ère [giʃtje, ɛr] *nm, f* funcionário *m* (-ria *f*).

guide [gid] *nmf* guia *mf*. ♦ *nm* guia *m*; **~ touristique** guia turístico.

guider [gide] *vt* guiar.

guidon [gid5] *nm* guiador *m*.

guignol [giɲɔl] *nm* fantoches *mpl*.

guillemets [gijmɛ] *nmpl* aspas *fpl*; **entre ~** entre aspas.

guilleret, ette [gijrɛ, ɛt] *adj* alegre.

guillotine [gijɔtin] *nf* guilhotina *f*.

guimauve [gimov] *nf doce feito de raiz de alteia com gelatina ou goma arábica.*

guindé, e [gɛde] *adj* afectado(-da).

guirlande [girlãd] *nf (de Noël)* fita *f*; *(de fleurs)* grinalda *f*.

guise [giz] *nf* : **en ~ de** à laia de.

guitare [gitar] *nf* guitarra *f (Port)*, violão *m (Br)*; **~ électrique** guitarra eléctrica.

guitariste [gitarist] *nmf* guitarrista *mf*.

Guyane [gɥijan] *nf* : **la ~ (française)** a Guiana (francesa).

gymnase [ʒimnaz] *nm* ginásio *m*.

gymnastique [ʒimnastik] *nf* ginástica *f*; **faire de la ~** fazer ginástica.

gynécologue [ʒinekɔlɔg] *nmf* ginecologista *mf*.

gyrophare [ʒirɔfar] *nm* luz *f* rotativa.

H

habile [abil] *adj (manuellement)* hábil; *(intellectuellement)* esperto(-ta).

habileté [abilte] *nf (manuelle)* habilidade *f*; *(intellectuelle)* esperteza *f*.

habillé, e [abije] *adj (personne)* vestido(-da); *(tenue)* elegante.

habillement [abijmɑ̃] *nm (couture)* vestuário *m*.

habiller [abije] *vt (personne)* vestir; *(meuble)* cobrir.

❏ **s'habiller** *vp (mettre des vêtements)* vestir-se; *(élégamment)* vestir-se a rigor; **s'~ bien/mal** vestir-se bem/mal.

habitant, e [abitɑ̃, ɑ̃t] *nm, f* habitante *mf*; *(Can)* camponês *m* (-esa *f*); **loger chez l'~** ficar em casa de uma família.

habitation [abitasjɔ̃] *nf* habitação *f*.

habiter [abite] *vt* morar em. ♦ *vi* morar.

habits [abi] *nmpl* roupa *f*.

habitude [abityd] *nf* hábito *m*; **avoir l'~ de faire qqch** ter o hábito de fazer algo; **d'~** de costume; **comme d'~** como de costume.

habitué, e [abitye] *nm, f* cliente *mf* habitual.

habituel, elle [abityɛl] *adj* habitual.

habituellement [abityɛlmɑ̃] *adv* habitualmente.

habituer [abitye] *vt* : **~ qqn à (faire) qqch** habituar alguém a (fazer) algo; **être habitué à (faire) qqch** estar habituado a (fazer) algo.

❏ **s'habituer à** *vp + prép* : **s'~ à (faire) qqch** habituar-se a (fazer) algo.

hache ['aʃ] *nf* machado *m*.

hacher ['aʃe] *vt* picar.

hachis ['aʃi] *nm* picado *m*; **~ Parmentier** ≃ empadão *m* de carne.

hachoir ['aʃwar] *nm (lame)* picador *m* de meia-lua; *(électrique)* picadora *f*.

hachures ['aʃyr] *nfpl* tracejado *m*.

haddock ['adɔk] *nm* arenque *m* fumado.

haie ['ɛ] *nf (d'arbustes)* sebe *f*; *(SPORT)* barreiras *fpl*.

haine ['ɛn] *nf* ódio *m*.

haïr ['air] *vt* odiar.

Haïti [aiti] *n* Haiti.

hâle ['al] *nm* bronzeado *m*.

hâlé, e ['ale] *adj* ligeiramente bronzeado(-da).

haleine [alɛn] *nf* hálito *m*.

haleter ['alte] *vi* arquejar.

hall ['ol] *nm (d'une maison)* hall *m (Port)*, saguão *m (Br)*; *(d'une gare)* átrio *m*.

halle ['al] *nf* mercado *m*.

hallucination [alysinasjɔ̃] *nf* alucinação *f*.

halo ['alo] *nm (de lumière)* halo *m*; *(fig: de gloire)* auréola *f*.

halogène [alɔʒɛn] *nm* : **(lampe)** ~ candeeiro *m* de halogéneo.

halte ['alt] *nf* paragem *f*; **faire** ~ fazer uma paragem.

halte-garderie ['altgardəri] *(pl* **haltes-garderies)** *nf espécie de creche que abriga crianças durante o dia por curtos espaços de tempo*.

haltère [altɛr] *nm* haltere *m*.

hamac ['amak] *nm* rede *f (de dormir)*.

hamburger ['ãburgœr] *nm* hambúrguer *m*.

hameau, x ['amo] *nm* casal *m (povoação)*.

hameçon [amsɔ̃] *nm* anzol *m*.

hamster ['amstɛr] *nm* hámster *m*.

hanche ['ãʃ] *nf* anca *f*.

handball ['ãdbal] *nm* andebol *m*.

handicap ['ãdikap] *nm (infirmité)* deficiência *f*; *(désavantage)* desvantagem *f*.

handicapé, e ['ãdikape] *adj (infirme)* deficiente; *(désavantagé)* prejudicado(-da). ◆ *nm, f* deficiente *mf*.

hangar ['ãgar] *nm* hangar *m*.

hanneton ['antɔ̃] *nm* besouro *m*.

hanté, e ['ãte] *adj* assombrado(-da).

hanter ['ãte] *vt (fantôme)* assombrar; *(fig: obséder)* perseguir; *(fam : fréquenter)* andar por.

happer ['ape] *vt* apanhar; *(suj:animal)* abocanhar.

harceler ['arsəle] *vt* assediar.

hardi, e ['ardi] *adj* ousado(-da).

harem ['arɛm] *nm* harém *m*.

hareng ['arã] *nm* arenque *m*; ~ **saur** arenque defumado.

hargne ['arɲ] *nf* rabugice *f*.

hargneux, euse ['arɲø, øz] *adj* enraivecido(-da).

haricot ['ariko] *nm* feijão *m*; ~ **blanc** feijão branco; ~ **vert** feijão-verde *m*.

harmonica [armɔnika] *nm* harmónica *f*.

harmonie [armɔni] *nf* harmonia *f*.

harmonieux, euse [armɔnjø, øz] *adj* harmonioso(-osa).

harmoniser [armɔnize] *vt* harmonizar.

harnacher ['arnaʃe] *vt* arrear.

harnais ['arnɛ] *nm (d'alpiniste)* equipamento *m*; *(de cheval)* arreios *mpl*.

harpe ['arp] *nf* harpa *f*.

harpon ['arpɔ̃] *nm* arpão *m*.

hasard ['azar] *nm* acaso *m*; **au** ~ ao acaso; **à tout...?** ~ será que por acaso...?; **par** ~ por acaso.

hasarder ['azarde] *vt* arriscar. ❏ **se hasarder** *vp* arriscar-se; **se** ~ **à faire qqch** arriscar-se a fazer algo.

hasardeux, euse ['azardø, øz] *adj* arriscado(-da).

haschisch ['aʃiʃ] *nm* haxixe *m*.

hâte ['at] *nf* pressa *f*; **à la** ~, **en** ~ à pressa; **sans** ~ sem pressa; **avoir** ~ **de faire qqch** ter pressa de fazer algo.

hâter ['ate] *vt* apressar. ❏ **se hâter** *vp (se dépêcher)* apressar-se; **se** ~ **de faire qqch** apressar-se a fazer algo.

hausse ['os] *nf* subida *f*; **être en** ~ estar a subir.

hausser ['ose] *vt (ton)* elevar; *(prix)* subir; ~ **les épaules** encolher os ombros.

haut, e ['o, 'ot] *adj* alto(-ta). ◆ *nm* parte *f* de cima. ◆ *adv* alto; **tout** ~ em voz alta; ~ **la main** por muitos; **de** ~ **en bas** de alto a baixo; **en** ~ em cima; **en** ~ **de** em cima de; **la pièce fait 3 m de ~** o compartimento tem 3 metros de altura; **avoir des ~s et des bas** ter altos e baixos.

hautain, e ['otɛ̃, ɛn] *adj* altivo(-va).

hautbois ['obwa] *nm* oboé *m*.

haut de gamme [odgam] *loc adj* de topo de gama. ◆ *nm inv* topo *m* de gama.

haute-fidélité ['otfidelite] *nf* alta-fidelidade *f*.

hauteur ['otœr] *nf (taille)* altura *f*; *(altitude)* altitude *f*; *(colline)* elevação *f*; **être à la ~** estar à altura.

haut-le-cœur ['olkœr] *nm inv* náusea *f*.

haut-parleur, s ['oparlœr] *nm* altifalante *m (Port)*, alto-falante *m (Br)*.

hebdomadaire [ɛbdɔmadɛr] *adj* semanal. ◆ *nm* semanário *m*.

hébergement [ebɛrʒəmã] *nm* alojamento *m*.

héberger [ebɛrʒe] *vt* alojar.

hécatombe [ekatɔ̃b] *nf* hecatombe *f*.

hectare [ɛktar] *nm* hectare *m*.

hégémonie [eʒemɔni] *nf* hegemonia *f*.

hein ['ɛ̃] *excl (fam)* : **tu ne lui diras pas, ~?** tu não lhe vais dizer,vais?; **~?** *(pour faire répéter)* hã?; *(de surprise)* ah!

hélas ['elas] *excl* infelizmente!

héler ['ele] *vt* chamar.

hélice [elis] *nf* hélice *f*.

hélicoptère [elikɔptɛr] *nm* helicóptero *m*.

héliport [elipɔr] *nm* heliporto *m*.

helvétique [ɛlvetik] *adj* helvético(-ca).

hématome [ematom] *nm* hematoma *m*.

hémisphère [emisfɛr] *nm* hemisfério *m*; **l'~ Nord/Sud** o hemisfério Norte/Sul.

hémophile [emɔfil] *adj & nmf* hemofílico(-ca).

hémorragie [emɔraʒi] *nf* hemorragia *f*.

hémorroïdes [emɔrɔid] *nfpl* hemorróidas *fpl*.

hennir ['enir] *vi* relinchar.

hennissement ['enismã] *nm* relincho *m*.

hépatite [epatit] *nf* hepatite *f*.

herbe [ɛrb] *nf* erva *f*; **fines ~s** ervas aromáticas; **mauvaises ~s** ervas daninhas.

herboriste [ɛrbɔrist] *nmf* ervanário *m*.

héréditaire [eredilɛr] *adj* hereditário(-ria).

hérésie [erezi] *nf* heresia *f*.

hérisser ['erise]: **se hérisser** *vp* eriçar-se.

hérisson ['erisɔ̃] *nm* ouriço-cacheiro *m*.

héritage [eritaʒ] *nm* herança *f*.

hériter [erite] *vt* herdar.
❏ **hériter de** *v + prép* : **~ de qqch** herdar algo; **~ de qqn** receber uma herança de alguém.

héritier, ère [eritje, ɛr] *nm, f* herdeiro *m* (-ra *f*).

hermétique [ɛrmetik] *adj* hermético(-ca).

hernie ['ɛrni] *nf* hérnia *f*.

héroïne [erɔin] *nf (drogue)* heroína *f*; → **héros**.

héroïque [erɔik] *adj* heróico(-ca).

héroïsme [erɔism] *nm* heroísmo *m*.

héron ['erɔ̃] *nm* garça *f* real.

héros, héroïne ['ero, erɔin] *nm, f* herói *m* (heroína *f*).

herve [ɛrv] *nm (Belg)* queijo mole de vaca da região de Liège.

hésitation [ezitasjɔ̃] *nf* hesitação *f*.

hésiter [ezite] *vi* hesitar; **~ à faire qqch** hesitar em fazer algo.

hétéroclite [eterɔklit] *adj* variado(-da).

hétérogène [eterɔʒɛn] *adj* heterogéneo(-nea).

hétérosexuel, elle [eterɔsɛksɥɛl] *adj & nm, f* heterossexual.

hêtre ['ɛtr] *nm* faia *f*.

heure [œr] *nf* hora *f*; **quelle ~ est-il? - il est quatre ~s** que horas são? - são quatro horas; **il est trois ~s vingt** são três e vinte; **à quelle ~ part le train? - à deux ~s** a que horas parte o comboio? - às duas horas; **c'est l'~ de...** são horas de...; **de bonne ~** cedo; **être à l'~** *(personne, train)* chegar a horas; *(montre)* estar certo; **~s de bureau** horário *m* de trabalho; **~s d'ouverture** período *m* de funcionamento; **~s de pointe** horas de ponta *(Port)*, rush *m (Br)*.

heureusement [œrøzmã] *adv* felizmente.

heureux, euse [œrø, øz] *adj* feliz.

heurt ['œr] *nm (choc)* pancada *f*; *(désaccord, friction)* desavença *f*; **se dérouler sans ~s** correr bem.

heurter ['œrte] *vt (frapper)* embater em; *(vexer)* chocar.

❒ **se heurter à** *vp + prép* deparar com.

hexagonal, e, aux [ɛgzagɔnal, o] *adj (français)* francês(-esa).

hexagone [ɛgzagɔn] *nm* hexágono *m*; **l'Hexagone** a França.

hiberner [ibɛrne] *vi* hibernar.

hibou, x ['ibu] *nm* mocho *m*.

hideux, euse ['idø, øz] *adj* hediondo(-da).

hier [ijɛr] *adv* ontem; **~ après-midi** ontem à tarde.

hiérarchie ['jerarʃi] *nf* hierarquia *f*.

hiéroglyphes ['jerɔglif] *nmpl* hieróglifos *mpl*.

hi-fi ['ifi] *nf inv* aparelhagens *fpl* de alta fidelidade.

hilarant, e [ilarã, ãt] *adj* hilariante.

hilare [ilar] *adj* : **être ~** rir a bom rir.

hindou, e [ɛ̃du] *adj & nm, f* hindu.

hippodrome [ipɔdrom] *nm* hipódromo *m*.

hippopotame [ipɔpɔtam] *nm* hipopótamo *m*.

hirondelle [irɔ̃dɛl] *nf* andorinha *f*.

hirsute [irsyt] *adj* hirsuto(-ta).

hisser ['ise] *vt* içar.

histoire [istwar] *nf (passé, récit)* história *f*; *(mensonge)* mentira *f*; **faire des ~s** criar problemas; **~ drôle** piada *f*.

historique [istɔrik] *adj* histórico(-ca).

hit-parade, s ['itparad] *nm* top *m*.

hiver [ivɛr] *nm* Inverno *m*; **en ~** no Inverno.

HLM *nm inv* ou *nf inv* ≃ habitação *f* a custos controlados.

hobby, s ou **ies** ['ɔbi] *nm* hobby *m*.

hochepot ['ɔʃpo] *nm (Belg)* cozido à flamenga.

hocher ['ɔʃe] *vt* : **~ la tête** *(pour accepter)* anuir; *(pour refuser)* abanar a cabeça.

hochet ['ɔʃɛ] *nm* guizo *m*.

hockey ['ɔkɛ] *nm* hóquei *m*; **~ sur glace** hóquei sobre o gelo.

hold-up ['ɔldœp] *nm inv* assalto *m* à mão armada.

hollandais, e ['ɔlãdɛ, ɛz] *adj* holandês(-esa). ◆ *nm (langue)* holandês *m*.

❒ **Hollandais, e** *nm, f* holandês *m* (-esa *f*).

hollande ['ɔlãd] *nm* queijo *m* holandês.

Hollande ['ɔlãd] *nf* : **la ~** a Holanda.

holocauste [ɔlɔkost] *nm* holocausto *m*.

homard ['ɔmar] *nm* lavagante *m*; ~ **à l'américaine** *lavagante com molho de vinho branco, conhaque e tomates*; ~ **Thermidor** *carne de lavagante grelhada servida com a carapaça*.

homéopathe [ɔmeɔpat] *adj & nmf* homeopata.

homéopathie [ɔmeɔpati] *nf* homeopatia *f*.

homicide [ɔmisid] *nm* homicídio *m*. ◆ *adj* homicida; ~ **volontaire/involontaire** homicídio voluntário/involuntário.

hommage [ɔmaʒ] *nm* : **en** ~ **à** em homenagem a; **rendre** ~ **à** prestar homenagem a.

homme [ɔm] *nm* homem *m*; ~ **d'affaires** homem de negócios; ~ **politique** político *m*.

homogène [ɔmɔʒɛn] *adj* homogéneo(-nea).

homologue [ɔmɔlɔg] *nm* homólogo *m*. ◆ *adj* homólogo(-ga).

homonyme [ɔmɔnim] *nm* homónimo *m*.

homosexuel, elle [ɔmɔsɛksɥɛl] *adj & nm, f* homossexual.

Hongrie ['ɔ̃gri] *nf* : **la** ~ a Hungria.

honnête [ɔnɛt] *adj (personne)* honesto(-ta); *(salaire, résultats)* decente.

honnêtement [ɔnɛtmɑ̃] *adv* honestamente.

honnêteté [ɔnɛtte] *nf* honestidade *f*.

honneur [ɔnœr] *nm* honra *f*; **en l'**~ **de** em honra de; **faire** ~ **à** *(repas)* fazer honras a.

honorable [ɔnɔrabl] *adj (acte, résultat)* honroso(-osa); *(personne)* honrado(-da); **notre** ~ **directeur** o nosso excelentíssimo director.

honoraires [ɔnɔrɛr] *nmpl* honorários *mpl*.

honorer [ɔnɔre] *vt* honrar; *(gratifier)*: ~ **qqn de qqch** honrar alguém com algo.

❑ **s'honorer** *vp* : **s'**~ **de** ter a honra de.

honte ['ɔ̃t] *nf* vergonha *f*; **avoir** ~ **(de)** ter vergonha (de); **faire** ~ **à qqn** envergonhar alguém.

honteux, euse ['ɔ̃tø, øz] *adj (personne, air)* envergonhado(-da); *(affaire)* vergonhoso(-osa).

hôpital, aux [ɔpital, o] *nm* hospital *m*.

hoquet ['ɔkɛ] *nm* : **avoir le** ~ estar com soluços.

horaire [ɔrɛr] *nm* horário *m*; '~**s d'ouverture'** 'período de funcionamento'.

horizon [ɔrizɔ̃] *nm* horizonte *m*; **à l'**~ no horizonte.

horizontal, e, aux [ɔrizɔ̃tal, o] *adj* horizontal.

horloge [ɔrlɔʒ] *nf* relógio *m*; **l'**~ **parlante** o serviço horário.

horloger, ère [ɔrlɔʒe, ɛr] *nm, f* relojoeiro *m*.

horlogerie [ɔrlɔʒri] *nf* relojoaria *f*.

hormis ['ɔrmi] *prép (sout)* excepto, salvo.

hormone [ɔrmɔn] *nf* hormona *f*.

horodateur [ɔrɔdatœr] *nm* parquímetro *m*.

horoscope [ɔrɔskɔp] *nm* horóscopo *m*.

horreur [ɔrœr] *nf* horror *m*; **quelle** ~**!** que horror!; **avoir** ~ **de (faire) qqch** detestar (fazer) algo.

horrible [ɔribl] *adj* horrível.

horriblement [ɔribləmɑ̃] *adv* horrivelmente.

horrifié, e [ɔrifje] *adj* horrorizado(-da).

horrifier [ɔrifje] *vt* horrorizar.

horripiler [ɔripile] *vt* exasperar.

hors ['ɔr] *prép* : ~ **de** fora de; ~ **jeu** fora de jogo; ~ **saison** fora de época; '~ **service'** 'fora de serviço'; *(en panne)* 'avariado'; ~ **taxes** *(prix)* sem IVA; ~ **d'atteinte**, ~ **de portée** fora de alcance; ~ **d'haleine** sem fôlego; ~ **de prix** excessivamente caro; ~ **de question** fora de questão; **être** ~ **de soi** estar fora de si; **être** ~ **sujet** fugir ao tema; ~ **d'usage** fora de serviço.

hors-bord ['ɔrbɔr] *nm inv* lancha *f* com motor de fora da borda.

hors-d'œuvre ['ɔrdɛvr] *nm inv* entrada *f*.

hors-la-loi ['ɔrlalwa] *nm inv* fora-da-lei *m*.

hortensia [ɔrtɑ̃sja] *nm* hortênsia *f*.

horticulture [ɔrtikyltyr] *nf* horticultura *f*.

hospice [ɔspis] *nm* asilo *m*.

hospitalier, ère [ɔspitalje, ɛr] *adj (accueillant)* hospitaleiro(-ra); *(des hopitaux)* hospitalar.

hospitaliser [ɔspitalize] *vt* hospitalizar.

hospitalité [ɔspitalite] *nf* hospitalidade *f*.

hostie [ɔsti] *nf* hóstia *f*.

hostile [ɔstil] *adj* hostil.

hostilité [ɔstilite] *nf* hostilidade *f*.

hot dog, s ['ɔtdɔg] *nm* cachorro *m* quente.

hôte, hôtesse [ot, otɛs] *nm, f* anfitrião *m* (-ã *f*). ♦ *nm (qui est reçu)* hóspede *mf*.

hôtel [otɛl] *nm (auberge)* hotel *m*; *(château)* palacete *m*; ~ **de ville** câmara *f* municipal.

hôtellerie [otɛlri] *nf (hôtel)* hospedaria *f*; *(activité)* hotelaria *f*.

hôtesse [otɛs] *nf (d'accueil)* recepcionista *f*; ~ **de l'air** hospedeira *f* (de bordo) *(Port)*, aeromoça *f (Br)*.

hotte ['ɔt] *nf (panier)* cesto *m*; ~ **(aspirante)** exaustor *m*.

houille ['uj] *nf* hulha *f*.

houle ['ul] *nf* ondulação *f*.

houlette ['ulɛt] *nf (sout)*: **sous la ~ de qqn** sob a direcção de alguém.

hourra ['ura] *excl* hurra!

houspiller ['uspije] *vt* repreender.

housse ['us] *nf* capa *f*; ~ **de couette** capa de edredão.

houx ['u] *nm* azevinho *m*.

hovercraft [ɔvœrkraft] *nm* hovercraft *m*.

HT *adj (abr de* **hors taxes***)* s/ IVA.

hublot ['yblo] *nm (de bateau)* vigia *f*; *(d'avion)* janela *f*.

huées ['ɥe] *nfpl* apupos *mpl*.

huer ['ɥe] *vt* apupar.

huile [ɥil] *nf* óleo *m*; ~ **d'arachide** óleo de amendoim; ~ **d'olive** azeite *m*; ~ **solaire** óleo bronzeador *(Port)*, óleo de bronzear *(Br)*.

huiler [ɥile] *vt (mécanisme)* olear; *(moule)* untar.

huileux, euse [ɥilø, øz] *adj* oleoso(-osa).

huissier [ɥisje] *nm* oficial *m* de diligências.

huit ['ɥit] *num* oito; → **six**.

huitaine ['ɥitɛn] *nf* : **une ~ (de jours)** cerca de oito (dias).

huitième ['ɥitjɛm] *num* oitavo(-va); → **sixième**.

huître [ɥitr] *nf* ostra *f*.

humain, e [ymɛ̃, ɛn] *adj* humano(-na). ♦ *nm* humano *m*.

humanitaire [ymanitɛr] *adj* humanitário(-ria).

humanité [ymanite] *nf* humanidade *f*.

humble [œ̃bl] *adj* humilde.

humecter [ymɛkte] *vt* humedecer.

humeur [ymœr] *nf* humor *m*; **être de bonne/mauvaise ~** estar de bom humor/mau humor.

humide [ymid] *adj* húmido(-da).

humidificateur [ymidifikatœr] *nm* humidificador *m*.

humidité [ymidite] *nf* humidade *f*.

humiliant, e [ymiljã, ãt] *adj* humilhante.

humiliation [ymiljasjɔ̃] *nf* humilhação *f*.

humilier [ymilje] *vt* humilhar.

humoristique [ymɔristik] *adj* humorístico(-ca).

humour [ymur] *nm* humor *m*; **avoir de l'~** ter sentido de humor.

huppé, e ['ype] *adj* da alta roda.

hurlement ['yrləmã] *nm (de chien)* uivo *m*; *(de personne)* berro *m*.

hurler ['yrle] *vi (chien)* uivar; *(personne)* berrar; *(vent)* assobiar.

hutte ['yt] *nf* cabana *f*.

hybride [ibrid] *adj & nmf* híbrido(-da).

hydratant, e [idratã, ãt] *adj* hidratante.

hydrater [idrate] *vt* hidratar.

hydraulique [idrolik] *adj* hidráulico(-ca). ◆ *nf* hidráulica *f*.

hydravion [idravjɔ̃] *nm* hidroavião *m*.

hydrocarbure [idrɔkarbyr] *nm* hidrocarboneto *m*.

hydroélectrique [idrɔelɛktrik] *adj* hidroeléctrico(-ca).

hydrogène [idrɔʒɛn] *nm* hidrogénio *m*.

hydrophile [idrɔfil] *adj* → **coton**.

hyène [jɛn] *nf* hiena *f*.

hygiène [iʒjɛn] *nf* higiene *f*.

hygiénique [iʒjenik] *adj* higiénico(-ca).

hymne [imn] *nm (religieux)* cântico *m*; **~ national** hino *m* nacional.

hyper- *préf (fam)* : **~ sympa** super simpático.

hypermarché [ipɛrmarʃe] *nm* hipermercado *m*.

hypermétrope [ipɛrmetrɔp] *adj & nmf* hipermetrope.

hypertension [ipɛrtãsjɔ̃] *nf* hipertensão *f (Port)*, pressão *f* alta *(Br)*.

hypnotiser [ipnɔtize] *vt* hipnotizar.

hypocondriaque [ipɔkɔ̃drijak] *adj & nmf* hipocondríaco(-ca).

hypocrisie [ipɔkrizi] *nf* hipocrisia *f*.

hypocrite [ipɔkrit] *adj & nmf* hipócrita.

hypoglycémie [ipɔglisemi] *nf* hipoglicemia *f*.

hypotension [ipɔtãsjɔ̃] *nf* tensão *f* arterial baixa; **faire de l'~** ter a tensão arterial baixa.

hypothèque [ipɔtɛk] *nf* hipoteca *f*.

hypothéquer [ipɔteke] *vt* hipotecar; *(fig: l'avenir)* comprometer.

hypothèse [ipɔtɛz] *nf* hipótese *f*.

hystérique [isterik] *adj* histérico(-ca).

I

iceberg [ajsbɛrg] *nm* icebergue *m*.

ici [isi] *adv* aqui; **d'~ là** daqui até lá; **d'~ peu** daqui a pouco; **par ~** por aqui.

icône [ikon] *nf* ícone *m*.

idéal, e, aux [ideal, o] *adj* ideal. ♦ *nm* ideal *m*; **l'~, ce serait...** o ideal seria...

idéaliste [idealist] *adj & nmf* idealista.

idée [ide] *nf* ideia *f*; **avoir une ~ de** ter uma ideia de.

identifier [idãtifje] *vt* identificar.
❑ **s'identifier à** *vp + prép* identificar-se com.

identique [idãtik] *adj* : **~ (à)** idêntico(-ca) (a).

identité [idãtite] *nf* identidade *f*.

idéologie [ideɔlɔʒi] *nf* ideologia *f*.

idiomatique [idjɔmatik] *adj* idiomático(-ca).

idiot, e [idjo, ɔt] *adj & nm, f* idiota.

idiotie [idjɔsi] *nf* idiotice *f*.

idole [idɔl] *nf* ídolo *m*.

idylle [idil] *nf* idílio *m*.

idyllique [idilik] *adj* idílico(-ca).

igloo [iglu] *nm* iglu *m*.

ignoble [iɲɔbl] *adj* ignóbil.

ignorance [iɲɔrãs] *nf* ignorância *f*; **dans l'~ de qqch** na ignorância de algo.

ignorant, e [iɲɔrã, ãt] *adj & nm, f* ignorante.

ignorer [iɲɔre] *vt* ignorar.

il [il] *pron* ele; **il pleut** está a chover.
❑ **ils** *pron* eles.

île [il] *nf* ilha *f*; **~ flottante** ilhas *fpl* flutuantes; **l'~ Maurice** a ilha Maurícia; **les ~s Anglo-Normandes** as ilhas Anglo-Normandas.

Ile-de-France [ildəfrãs] *nf* região de Paris.

illégal, e, aux [ilegal, o] *adj* ilegal.

illégalité [ilegalite] *nf* ilegalidade *f*; **dans l'~** na ilegalidade.

illégitime [ileʒitim] *adj (union, enfant)* ilegítimo(-ma); *(crainte, prétention)* infundado(-da).

illettré, e [iletre] *adj & nm, f* analfabeto(-ta).

illicite [ilisit] *adj* ilícito(-ta).

illimité, e [ilimite] *adj* ilimitado(-da).

illisible [ilizibl] *adj* ilegível.

illogique [ilɔʒik] *adj* ilógico(-ca).

illuminer [ilymine] *vt* iluminar.
❑ **s'illuminer** *vp* iluminar-se.

illusion [ilyzjɔ̃] *nf* ilusão *f*; **se faire des ~s** iludir-se.

illusionniste [ilyzjɔnist] *nmf* ilusionista *mf*.

illusoire [ilyzwar] *adj* ilusório(-ria).

illustration [ilystrasjɔ̃] *nf* ilustração *f*.

illustre [ilystr] *adj* ilustre.

illustré, e [ilystre] *adj* ilustrado(-da). ◆ *nm* jornal *m* ilustrado.

illustrer [ilystre] *vt* ilustrar.

îlot [ilo] *nm* ilhéu *m*.

ils → il.

image [imaʒ] *nf* imagem *f*.

imaginaire [imaʒinɛr] *adj* imaginário(-ria).

imagination [imaʒinasjɔ̃] *nf* imaginação *f*; **avoir de l'~** ter imaginação.

imaginer [imaʒine] *vt* imaginar.
❏ **s'imaginer** *vp (soi-même)* imaginar-se; *(scène, personne)* imaginar; **s'~ que** imaginar que.

imbattable [ɛ̃batabl] *adj* imbatível.

imbécile [ɛ̃besil] *nmf* imbecil *mf*.

imberbe [ɛ̃bɛrb] *adj* imberbe.

imbiber [ɛ̃bibe] *vt* : **~ qqch de** embeber algo em.

imbroglio [ɛ̃brɔglijo] *nm* imbróglio *m*.

imbu, e [ɛ̃by] *adj* : **être ~ de qqch** estar imbuído de algo; **être ~ de soi-même** ser convencido.

imbuvable [ɛ̃byvabl] *adj* intragável *(bebida)*.

imitateur, trice [imitatœr, tris] *nm, f* imitador *m* (-ra *f*).

imitation [imitasjɔ̃] *nf* imitação *f*; **~ cuir** imitação de couro.

imiter [imite] *vt* imitar.

immangeable [ɛ̃mɑ̃ʒabl] *adj* intragável *(comida)*.

immatriculation [imatrikylasjɔ̃] *nf* matrícula *f*.

immédiat, e [imedja, at] *adj* imediato(-ta).

immédiatement [imedjatmɑ̃] *adv* imediatamente.

immense [imɑ̃s] *adj* imenso(-sa).

immergé, e [imɛrʒe] *adj* imerso(-sa).

immeuble [imœbl] *nm* prédio *m*.

immigration [imigrasjɔ̃] *nf* imigração *f*.

immigré, e [imigre] *adj* imigrado(-da). ◆ *nm, f* imigrante *mf*.

imminent, e [iminɑ̃, ɑ̃t] *adj* iminente.

immiscer [imise]
❏ **s'immiscer** *vp* : **s'~ dans qqch** imiscuir-se em algo.

immobile [imɔbil] *adj* imóvel.

immobilier, ère [imɔbilje, ɛr] *adj* imobiliário(-ria). ◆ *nm* : **l'~** o sector imobiliário.

immobiliser [imɔbilize] *vt* imobilizar.

immonde [imɔ̃d] *adj* imundo(-da).

immoral, e, aux [imɔral, o] *adj* imoral.

immortaliser [imɔrtalize] *vt* imortalizar.

immortel, elle [imɔrtɛl] *adj* imortal.

immuable [imɥabl] *adj* imutável.

immuniser [imynize] *vt* imunizar.

immunité [imynite] *nf* imunidade *f*; **~ diplomatique/parlementaire** imunidade diplomática/parlamentar.

impact [ɛ̃pakt] *nm* impacto *m*.

impair, e [ɛ̃pɛr] *adj* ímpar.

imparable [ɛ̃parabl] *adj (coup)* imparável; *(argument)* irrefutável.

impardonnable [ɛ̃pardɔnabl] *adj* imperdoável.

imparfait, e [ɛ̃parfɛ, ɛt] *adj* imperfeito(-ta). ◆ *nm* imperfeito *m*.

impartial, e, aux [ɛ̃parsjal, o] *adj* imparcial.

impasse [ɛ̃pas] *nf* beco *m* sem saída; **faire une ~ sur qqch** não estudar algo.

impassible [ɛ̃pasibl] *adj* impassível.

impatience [ɛ̃pasjɑ̃s] *nf* impaciência *f*.

impatient, e [ɛ̃pasjɑ̃, ɑ̃t] *adj* impaciente; **être ~ de faire qqch** estar impaciente por fazer algo.

impatienter [ɛ̃pasjɑ̃te]: **s'impatienter** *vp* impacientar-se.

impeccable [ɛ̃pekabl] *adj* impecável.

impensable [ɛ̃pɑ̃sabl] *adj* impensável.

imper [ɛ̃pɛr] *nm* impermeável *m*.

impératif, ive [ɛ̃peratif, iv] *adj* imperativo(-va). ◆ *nm (GRAM)* imperativo *m*.

impératrice [ɛ̃peratris] *nf* imperatriz *f*.

imperceptible [ɛ̃pɛrsɛptibl] *adj* imperceptível.

imperfection [ɛ̃pɛrfɛksjɔ̃] *nf* imperfeição *f*.

impérial, e, aux [ɛ̃perjal, o] *adj* imperial.

impérialisme [ɛ̃perjalism] *nm (d'un État)* imperialismo *m*; *(fig: domination)* império *m*.

imperméabiliser [ɛ̃pɛrmeabilize] *vt* impermeabilizar.

imperméable [ɛ̃pɛrmeabl] *adj & nm* impermeável.

impersonnel, elle [ɛ̃pɛrsɔnɛl] *adj (neutre)* impessoal.

impertinent, e [ɛ̃pɛrtinɑ̃, ɑ̃t] *adj* impertinente.

imperturbable [ɛ̃pɛrtyrbabl] *adj* imperturbável.

impétueux, euse [ɛ̃petɥø, øz] *adj* impetuoso(-osa).

impitoyable [ɛ̃pitwajabl] *adj* impiedoso(-osa).

implacable [ɛ̃plakabl] *adj* implacável.

implanter [ɛ̃plɑ̃te] *vt* implantar.

❒ **s'implanter** *vp* implantar-se.

implication [ɛ̃plikasjɔ̃] *nf*: ~ **(dans)** implicação *f* (em).

❒ **implications** *nfpl* implicações *fpl*.

implicite [ɛ̃plisit] *adj* implícito(-ta).

impliquer [ɛ̃plike] *vt (entraîner)* implicar; ~ **qqn dans** implicar alguém em.

❒ **s'impliquer dans** *vp + prép* implicar-se em.

implorer [ɛ̃plɔre] *vt* implorar.

impoli, e [ɛ̃pɔli] *adj* mal-educado(-da).

impopulaire [ɛ̃pɔpylɛr] *adj* impopular.

import [ɛ̃pɔr] *nm (Belg)* montante *m*.

importance [ɛ̃pɔrtɑ̃s] *nf* importância *f*.

important, e [ɛ̃pɔrtɑ̃, ɑ̃t] *adj* importante.

importation [ɛ̃pɔrtasjɔ̃] *nf* importação *f*.

importer [ɛ̃pɔrte] *vt & vi* importar; **peu importe** pouco importa; **n'importe comment** *(mal)* de qualquer maneira; **n'importe quel** qualquer; **n'importe qui** qualquer pessoa.

importuner [ɛ̃pɔrtyne] *vt* importunar.

imposable [ɛ̃pozabl] *adj* tributável.

imposant, e [ɛ̃pozɑ̃, ɑ̃t] *adj* imponente.

imposer [ɛ̃poze] *vt* tributar; ~ **qqch à qqn** impor algo a alguém.

❒ **s'imposer** *vp* impor-se.

impossible [ɛ̃pɔsibl] *adj* impossível; **il est ~ que** é impossível que; **il est ~ de faire qqch** é impossível fazer algo.

imposteur [ɛ̃pɔstœr] *nm* impostor *m* (-ra *f*).

impôt [ɛ̃po] *nm* imposto *m*.

impotent, e [ɛ̃pɔtɑ̃, ɑ̃t] *adj & nm, f* inválido(-da).

impraticable [ɛ̃pratikabl] *adj* intransitável.

imprécis, e [ɛ̃presi, iz] *adj* impreciso(-sa).

imprégner [ɛ̃preɲe] *vt* impregnar; **~ qqch de** impregnar algo de.

❑ **s'imprégner de** *vp* impregnar-se de.

imprésario [ɛ̃presarjo] *nm* empresário *m (agente)*.

impression [ɛ̃presjɔ̃] *nf* impressão *f*; **avoir l'~ que** ter a impressão de que; **avoir l'~ de faire qqch** ter a impressão de fazer algo.

impressionnant, e [ɛ̃presjɔnɑ̃, ɑ̃t] *adj* impressionante.

impressionner [ɛ̃presjɔne] *vt* impressionar.

impressionnisme [ɛ̃presjɔnism] *nm* impressionismo *m*.

imprévisible [ɛ̃previzibl] *adj* imprevisível.

imprévu, e [ɛ̃prevy] *adj* imprevisto(-ta). ◆ *nm* : **sauf ~** j'arriverai à 18h salvo algo em contrário, chegarei às 18h.

imprimante [ɛ̃primɑ̃t] *nf* impressora *f*.

imprimé, e [ɛ̃prime] *adj* estampado(-da). ◆ *nm* impresso *m*; *(publicitaire)* folheto *m*.

imprimer [ɛ̃prime] *vt* imprimir.

imprimerie [ɛ̃primri] *nf (métier)* imprensa *f*; *(lieu)* tipografia *f*.

impromptu, e [ɛ̃prɔ̃pty] *adj* improvisado(-da).

❑ **impromptu** *adv* de improviso.

imprononçable [ɛ̃prɔnɔ̃sabl] *adj* impronunciável.

impropre [ɛ̃prɔpr] *adj* impróprio(-pria); **~ à** impróprio para.

improviser [ɛ̃prɔvize] *vt & vi* improvisar.

improviste [ɛ̃prɔvist]: **à l'improviste** *adv* de improviso.

imprudence [ɛ̃prydɑ̃s] *nf* imprudência *f*.

imprudent, e [ɛ̃prydɑ̃, ɑ̃t] *adj* imprudente.

impudique [ɛ̃pydik] *adj* impudico(-ca).

impuissant, e [ɛ̃pɥisɑ̃, ɑ̃t] *adj (sans recours)* impotente.

impulsif, ive [ɛ̃pylsif, iv] *adj* impulsivo(-va).

impulsion [ɛ̃pylsjɔ̃] *nf* impulso *m*; **sous l'~ de** *(effet)* impulsionado por; **sous l'~ de qqn** *(influence)* impulsionado por alguém.

impunément [ɛ̃pynemɑ̃] *adv* impunemente.

impunité [ɛ̃pynite] *nf* impunidade *f*; **en toute ~** impunemente.

impureté [ɛ̃pyrte] *nf* impureza *f*.

imputer [ɛ̃pyte] *vt* : **~ qqch à qqn/qqch** imputar algo a alguém/algo.

inabordable [inabɔrdabl] *adj (prix)* inacessível.

inacceptable [inaksɛptabl] *adj* inaceitável.

inaccessible [inaksesibl] *adj* inacessível.

inachevé, e [inaʃve] *adj* inacabado(-da).

inactif, ive [inaktif, iv] *adj* inactivo(-va).

inaction [inaksjɔ̃] *nf* inacção *f*.

inadapté, e [inadapte] *adj (personne)* inadaptado(-da); *(objet)* inadequado(-da).

inadmissible [inadmisibl] *adj* inadmissível.

inadvertance [inadvɛrtãs] *nf (sout)* inadvertência *f;* **par ~** por inadvertência.

inaliénable [inaljenabl] *adj* inalienável.

inanimé, e [inanime] *adj* inanimado(-da).

inanition [inanisjɔ̃] *nf :* **tomber/mourir d'~** desfalecer/morrer de inanição.

inaperçu, e [inapɛrsy] *adj :* **passer ~** passar despercebido.

inapte [inapt] *adj* inapto(-ta); **~ à faire qqch** inapto para fazer algo; **~ à qqch** inapto para algo.

inattaquable [inatakabl] *adj (imprenable, irréprochable)* inatacável; *(irréfutable)* incontestável.

inattendu, e [inatãdy] *adj* inesperado(-da).

inattention [inatãsjɔ̃] *nf* distracção *f;* **faute d'~** erro *m* de distracção.

inaudible [inodibl] *adj* inaudível.

inauguration [inogyrasjɔ̃] *nf* inauguração *f.*

inaugurer [inogyre] *vt* inaugurar.

inavouable [inavwabl] *adj* inconfessável.

incalculable [ɛ̃kalkylabl] *adj* incalculável.

incandescent, e [ɛ̃kãdesã, ãt] *adj* incandescente.

incantation [ɛ̃kãtasjɔ̃] *nf* encantamento *m.*

incapable [ɛ̃kapabl] *nmf* incapaz *mf.* ◆ *adj :* **être ~ de faire qqch** ser incapaz de fazer algo.

incapacité [ɛ̃kapasite] *nf* incapacidade *f;* **être dans l'~ de faire qqch** estar na incapacidade de fazer algo.

incarcération [ɛ̃karserasjɔ̃] *nf* encarceramento *m.*

incarner [ɛ̃karne] *vt* encarnar.

incartade [ɛ̃kartad] *nf* descambadela *f.*

incassable [ɛ̃kasabl] *adj* inquebrável.

incendie [ɛ̃sãdi] *nm* incêndio *m.*

incendier [ɛ̃sãdje] *vt* incendiar.

incertain, e [ɛ̃sɛrtɛ̃, ɛn] *adj* incerto(-ta).

incertitude [ɛ̃sɛrtityd] *nf* incerteza *f.*

incessamment [ɛ̃sesamã] *adv* brevemente.

incessant, e [ɛ̃sesã, ãt] *adj* incessante.

inceste [ɛ̃sɛst] *nm* incesto *m.*

inchangé, e [ɛ̃ʃãʒe] *adj* inalterado(-da).

incident [ɛ̃sidã] *nm* incidente *m.*

incinérer [ɛ̃sinere] *vt* incinerar.

inciser [ɛ̃size] *vt* fazer uma incisão em.

incisif, ive [ɛ̃sizif, iv] *adj* incisivo(-va).

❑ **incisive** *nf* incisivo *m.*

inciter [ɛ̃site] *vt :* **~ qqn à faire qqch** incitar alguém a fazer algo.

inclinable [ɛ̃klinabl] *adj* reclinável.

incliné, e [ɛ̃kline] *adj* inclinado(-da).

incliner [ɛ̃kline] *vt* inclinar.

❑ **s'incliner** *vp* inclinar-se; **s'~ devant** inclinar-se perante.

inclure [ɛ̃klyr] *vt* incluir.

inclus, e [ɛ̃kly, yz] *pp* → **inclure.** ◆ *adj* incluído(-da); **jusqu'au 15 ~** até ao dia quinze inclusive.

incognito [ɛ̃kɔnito] *adv* incógnito(-ta). ◆ *nm* incógnito *m;* **garder l'~** ficar incógnito(-ta).

incohérent, e [ɛ̃kɔerã, ãt] *adj* incoerente.

incollable [ɛ̃kɔlabl] *adj (riz)* que fica solto; *(fam : qui sait tout)* imbatível.

incolore [ɛ̃kɔlɔr] *adj* incolor.

incomber [ɛ̃kɔ̃be] *vi* : ~ **à qqn** incumbir a alguém.

incommoder [ɛ̃kɔmɔde] *vt* incomodar.

incomparable [ɛ̃kɔ̃parabl] *adj* incomparável.

incompatible [ɛ̃kɔ̃patibl] *adj* incompatível.

incompétent, e [ɛ̃kɔ̃petã, ãt] *adj* incompetente.

incomplet, ète [ɛ̃kɔ̃plɛ, ɛt] *adj* incompleto(-ta).

incompréhensible [ɛ̃kɔ̃preãsibl] *adj* incompreensível.

incompris, e [ɛ̃kɔ̃pri, iz] *adj & nm, f* incompreendido(-da).

inconcevable [ɛ̃kɔ̃svabl] *adj* inconcebível.

inconditionnel, elle [ɛ̃kɔ̃disjɔnɛl] *nm, f* : **un ~ de** um apaixonado por.

incongru, e [ɛ̃kɔ̃gry] *adj* incôngruo(-grua).

inconnu, e [ɛ̃kɔny] *adj & nm, f* desconhecido(-da). ◆ *nm* : **l'~** o desconhecido.

inconsciemment [ɛ̃kɔ̃sjamã] *adv* inconscientemente.

inconscient, e [ɛ̃kɔ̃sjã, ãt] *adj* inconsciente. ◆ *nm* : **l'~** o inconsciente.

inconsidéré, e [ɛ̃kɔ̃sidere] *adj (propos, geste)* irreflectido(-da); *(usage)* imoderado(-da).

inconsolable [ɛ̃kɔ̃sɔlabl] *adj* inconsolável.

incontestable [ɛ̃kɔ̃tɛstabl] *adj* incontestável.

incontinent, e [ɛ̃kɔ̃tinã, ãt] *adj & nm, f* incontinente.

incontournable [ɛ̃kɔ̃turnabl] *adj* inelutável.

incontrôlable [ɛ̃kɔ̃trɔlabl] *adj* incontrolável; *(activités)* que não pode ser controlado(-da).

inconvénient [ɛ̃kɔ̃venjã] *nm* inconveniente *m*.

incorporer [ɛ̃kɔrpɔre] *vt* misturar; ~ **qqch à** misturar algo com.

incorrect, e [ɛ̃kɔrɛkt] *adj* incorrecto(-ta).

incorrection [ɛ̃kɔrɛksjɔ̃] *nf* incorrecção *f*.

incorrigible [ɛ̃kɔriʒibl] *adj* incorrigível.

incorruptible [ɛ̃kɔryptibl] *adj* incorruptível.

incrédule [ɛ̃kredyl] *adj* incrédulo(-la).

increvable [ɛ̃krəvabl] *adj (ballon)* que não rebenta; *(pneu)* que não fura; *(fam : fig: mécanisme)* a toda a prova; *(fam : fig: personne)* que tem muita genica.

incriminer [ɛ̃krimine] *vt (personne)* incriminar; *(conduite)* condenar.

incroyable [ɛ̃krwajabl] *adj* incrível.

incroyant, e [ɛ̃krwajã, ãt] *adj & nm, f* descrente.

incrusté, e [ɛ̃kryste] *adj* : ~ **de** *(décoré de)* com incrustações de.

incruster [ɛ̃kryste] : **s'incruster** *vp (tache, saleté)* incrustar-se.

incubation [ɛ̃kybasjɔ̃] *nf* incubação *f*.

inculpé, e [ɛ̃kylpe] *nm, f* arguido *m* (-da *f*).

inculper [ɛ̃kylpe] *vt* inculpar; ~ **qqn de qqch** inculpar alguém de algo.

inculquer [ɛ̃kylke] *vt* : ~ **qqch à qqn** inculcar algo a alguém.

inculte [ɛ̃kylt] *adj* inculto(-ta).

incurable [ɛ̃kyrabl] *adj* incurável.

incursion [ɛ̃kyrsjɔ̃] *nf* incursão *f*; ~ **dans** *(fig)* incursão por.

incurvé, e [ɛ̃kyrve] *adj* encurvado(-da).

Inde [ɛ̃d] *nf* : **l'~** a Índia.

indécent, e [ɛ̃desã, ãt] *adj* indecente.

indéchiffrable [ɛ̃deʃifrabl] *adj* indecifrável.

indécis, e [ɛ̃desi, iz] *adj* indeciso(-sa).

indécision [ɛ̃desizjɔ̃] *nf* indecisão *f*.

indéfini, e [ɛ̃defini] *adj* indefinido(-da).

indéfiniment [ɛ̃definimɑ̃] *adv* indefinidamente.

indélébile [ɛ̃delebil] *adj* indelével.

indemne [ɛ̃dɛmn] *adj* ileso(-sa); **sortir ~ de** sair ileso de.

indemniser [ɛ̃dɛmnize] *vt* indemnizar.

indemnité [ɛ̃dɛmnite] *nf* indemnização *f*.

indémodable [ɛ̃demɔdabl] *adj* que nunca passará de moda; **ce style est indémodable** este estilo nunca passará de moda.

indéniable [ɛ̃denjabl] *adj* inegável.

indépendamment [ɛ̃depɑ̃damɑ̃]: **indépendamment de** *prép (à part)* independentemente de.

indépendance [ɛ̃depɑ̃dɑ̃s] *nf* independência *f*.

indépendant, e [ɛ̃depɑ̃dɑ̃, ɑ̃t] *adj* independente; **être ~ de** *(sans relation avec)* ser independente de.

indescriptible [ɛ̃deskriptibl] *adj* indescritível.

index [ɛ̃dɛks] *nm (doigt)* indicador *m*; *(d'un livre)* índice *m*.

indexer [ɛ̃dɛkse] *vt (salaires):* **~ qqch sur qqch** indexar algo a algo; *(livre)* indexar.

indicateur [ɛ̃dikatœr] *adj m* → **poteau**.

indicatif [ɛ̃dikatif, iv] *nm* indicativo *m*. ♦ *adj m* : **à titre ~** a título indicativo.

indication [ɛ̃dikasjɔ̃] *nf* indicação *f*; **'~s'** *(sur un médicament)* 'indicações'.

indice [ɛ̃dis] *nm (preuve)* indício *m*; *(taux)* índice *m*.

indien, enne [ɛ̃djɛ̃, ɛn] *adj (d'Inde)* indiano(-na); *(d'Amérique)* índio(-dia).

❑ **Indien, enne** *nm, f (d'Inde)* indiano *m* (-na *f*); *(d'Amérique)* índio *m* (-dia *f*).

indifféremment [ɛ̃diferamɑ̃] *adv (sans distinction)* indistintamente; *(sans préférence, selon le cas)* tanto... como.

indifférence [ɛ̃diferɑ̃s] *nf* indiferença *f*.

indifférent, e [ɛ̃diferɑ̃, ɑ̃t] *adj* indiferente; **ça m'est ~** é-me indiferente.

indigène [ɛ̃diʒɛn] *nmf* indígena *mf*.

indigent, e [ɛ̃diʒɑ̃, ɑ̃t] *adj & nmf* indigente.

indigeste [ɛ̃diʒɛst] *adj* indigesto(-ta).

indigestion [ɛ̃diʒɛstjɔ̃] *nf* indigestão *f*.

indignation [ɛ̃diɲasjɔ̃] *nf* indignação *f*.

indigne [ɛ̃diɲ] *adj* indigno(-gna); **être ~ de** ser indigno de.

indigné, e [ɛ̃diɲe] *adj* indignado(-da).

indigner [ɛ̃diɲe]: **s'indigner** *vp* : **s'~ de qqch** indignar-se com algo.

indigo [ɛ̃digo] *adj inv & nm* índigo.

indiquer [ɛ̃dike] *vt* indicar; **~ qqn/qqch à qqn** indicar alguém/algo a alguém.

indirect, e [ɛ̃dirɛkt] *adj* indirecto(-ta).

indirectement [ɛ̃dirɛktəmɑ̃] *adv* indirectamente.

indiscipliné, e [ɛ̃disipline] *adj* indisciplinado(-da).

indiscret, ète [ɛ̃diskrɛ, ɛt] *adj* indiscreto(-ta).

indiscrétion [ɛ̃diskresjɔ̃] *nf* indiscrição *f*.

indiscutable [ɛ̃diskytabl] *adj* indiscutível.

indispensable [ɛ̃dispãsabl] *adj* indispensável.

indistinct, e [ɛ̃distɛ̃(kt)ɛ̃kt] *adj* indistinto(-ta).

individu [ɛ̃dividy] *nm* indivíduo *m*.

individualiste [ɛ̃dividɥalist] *adj* individualista.

individuel, elle [ɛ̃dividɥɛl] *adj* individual.

indolent, e [ɛ̃dɔlã, ãt] *adj* indolente.

indolore [ɛ̃dɔlɔr] *adj* indolor.

indomptable [ɛ̃dɔ̃tabl] *adj* indomável.

Indonésie [ɛ̃dɔnezi] *nf*: **l'~** a Indonésia.

indu, e [ɛ̃dy] *adj* indevido(-da).

indubitable [ɛ̃dybitabl] *adj* indubitável; **il est ~ que** é indubitável que.

induire [ɛ̃dɥir] *vt* induzir; **~ qqn en erreur** induzir alguém em erro; **en ~ que** induzir que.

indulgence [ɛ̃dylʒãs] *nf* indulgência *f*; **avec ~** com indulgência.

indulgent, e [ɛ̃dylʒã, ãt] *adj* indulgente.

industrialisé, e [ɛ̃dystrijalize] *adj* industrializado(-da).

industrie [ɛ̃dystri] *nf* indústria *f*.

industriel, elle [ɛ̃dystrijɛl] *adj* industrial.

inédit, e [inedi, it] *adj* inédito(-ta).

inefficace [inefikas] *adj* ineficaz.

inégal, e, aux [inegal, o] *adj* (longueur, chances) desigual; (terrain) acidentado(-da); (travail, résultats) irregular.

inégalé, e [inegale] *adj* inigualado(-da).

inégalité [inegalite] *nf* desigualdade *f*.

inéluctable [inelyktabl] *adj* inelutável.

ineptie [inɛpsi] *nf* inépcia *f*; **dire des ~s** dizer imbecilidades.

inépuisable [inepɥizabl] *adj* inesgotável.

inerte [inɛrt] *adj* inerte.

inertie [inɛrsi] *nf* inércia *f*.

inespéré, e [inɛspere] *adj* inesperado(-da).

inestimable [inɛstimabl] *adj* inestimável.

inévitable [inevitabl] *adj* inevitável.

inexact, e [inegza(kt), akt] *adj* inexacto(-ta).

inexcusable [inɛkskyzabl] *adj* imperdoável.

inexistant, e [inɛgzistã, ãt] *adj* inexistente.

inexorable [inɛgzɔrabl] *adj* inexorável.

inexplicable [inɛksplikabl] *adj* inexplicável.

inexpliqué, e [inɛksplike] *adj* inexplicado(-da).

inexprimable [inɛksprimabl] *adj* inexprimível.

in extremis [inɛkstremis] *adv* in extremis.

inextricable [inɛkstrikabl] *adj* inextricável.

infaillible [ɛ̃fajibl] *adj* infalível.

infâme [ɛ̃fam] *adj* infame.

infantile [ɛ̃fãtil] *adj* infantil.

infarctus [ɛ̃farktys] *nm* enfarte *m*.

infatigable [ɛ̃fatigabl] *adj* incansável.

infect, e [ɛ̃fɛkt] *adj* infecto(-ta).

infecter [ɛ̃fɛkte]: **s'infecter** *vp* infectar.

infectieux, euse [ɛ̃fɛksjø, øz] *adj* infeccioso(-osa).

infection [ɛ̃fɛksjɔ̃] *nf* (MÉD) infecção *f*; (odeur) fedor *m*.

inférieur, **e** [ɛ̃ferjœr] *adj* inferior; ~ **à** inferior a.

infériorité [ɛ̃ferjɔrite] *nf* inferioridade *f*.

infernal, **e**, **aux** [ɛ̃fɛrnal, o] *adj* infernal.

infesté, **e** [ɛ̃fɛste] *adj* : ~ **de** infestado de.

infester [ɛ̃fɛste] *vt* infestar; **(être) infesté de** (estar) infestado de.

infidèle [ɛ̃fidɛl] *adj* infiel.

infiltration [ɛ̃filtrasjɔ̃] *nf* infiltração *f*.

infiltrer [ɛ̃filtre]: **s'infiltrer** *vp* infiltrar-se.

infime [ɛ̃fim] *adj* ínfimo(-ma).

infini, **e** [ɛ̃fini] *adj* infinito(-ta). ◆ *nm* infinito *m*; **à l'~** até ao infinito.

infiniment [ɛ̃finimɑ̃] *adv* extremamente; **je vous remercie ~** estou-lhe extremamente grato.

infinité [ɛ̃finite] *nf* infinidade *f*.

infinitif [ɛ̃finitif] *nm* infinitivo *m*.

infirme [ɛ̃firm] *adj & nmf* inválido(-da).

infirmerie [ɛ̃firmǝri] *nf* enfermaria *f*.

infirmier, **ère** [ɛ̃firmje, ɛr] *nm, f* enfermeiro *m* (-ra *f*).

infirmité [ɛ̃firmite] *nf* enfermidade *f*.

inflammable [ɛ̃flamabl] *adj* inflamável.

inflammation [ɛ̃flamasjɔ̃] *nf* inflamação *f*.

inflation [ɛ̃flasjɔ̃] *nf* inflação *f*.

inflationniste [ɛ̃flasjɔnist] *adj* inflacionista.

inflexible [ɛ̃flɛksibl] *adj* inflexível.

infliger [ɛ̃fliʒe] *vt* : ~ **qqch à qqn** infligir algo a alguém.

influençable [ɛ̃flyɑ̃sabl] *adj* influenciável.

influence [ɛ̃flyɑ̃s] *nf* influência *f*; **avoir de l'~ sur qqn** ter influência sobre alguém.

influencer [ɛ̃flyɑ̃se] *vt* influenciar.

influent, **e** [ɛ̃flyɑ̃, ɑ̃t] *adj* influente.

informaticien, **enne** [ɛ̃formatisjɛ̃, ɛn] *nm, f* técnico *m* (-ca *f*) de informática.

information [ɛ̃fɔrmasjɔ̃] *nf* informação *f*.
❑ **informations** *nfpl* notícias *fpl*.

informatique [ɛ̃fɔrmatik] *adj* informático(-ca). ◆ *nf* informática *f*.

informatisé, **e** [ɛ̃fɔrmatize] *adj* informatizado(-da).

informatiser [ɛ̃fɔrmatize] *vt* informatizar.
❑ **s'informatiser** *vp* informatizar-se.

informe [ɛ̃fɔrm] *adj* informe.

informel, **elle** [ɛ̃fɔrmɛl] *adj* informal.

informer [ɛ̃fɔrme] *vt* : ~ **qqn de/que** informar alguém de/que.
❑ **s'informer (de)** *vp (+ prép)* informar-se (sobre).

infos [ɛ̃fo] *nfpl (fam)* notícias *fpl*.

infraction [ɛ̃fraksjɔ̃] *nf* infracção *f*; **être en ~** estar a cometer uma infracção.

infranchissable [ɛ̃frɑ̃ʃisabl] *adj* intransponível.

infrarouge [ɛ̃fraruʒ] *adj* infravermelho(-lha). ◆ *nm* infravermelho *m*.

infrastructure [ɛ̃frastryktyr] *nf* infra-estrutura *f*; ~ **hôtelière** infra-estrutura hoteleira.

infructueux, **euse** [ɛ̃fryktɥø, øz] *adj* infrutífero(-ra).

infuser [ɛ̃fyze] *vt* infundir. ◆ *vi* : **laisser ~** deixar em infusão.

infusion [ɛ̃fyzjɔ̃] *nf* infusão *f*.

ingénier [ɛ̃ʒenje]
❑ **s'ingénier** *vp* : **s'~ à faire qqch** esforçar-se por fazer algo.

ingénieur [ɛ̃ʒenjœr] *nm* engenheiro *m* (-ra *f*).

ingénieux, euse [ɛ̃ʒenjø, øz]
adj engenhoso(-osa).

ingéniosité [ɛ̃ʒenjozite] *nf* engenho *m*.

ingénu, e [ɛ̃ʒeny] *adj (candide)*
ingénuo(-nua); *(péj: trop candide)*
bacoco(-ca). ◆ *nm, f* ingénuo *m*
(-nua *f*); **jouer les ~s** *(au théâtre)*
fazer de ingénuo; *(dans la vie)* fazer-se de ingénuo.

ingrat, e [ɛ̃gra, at] *adj (personne)* ingrato(-ta); *(visage, physique)* desgracioso(-osa).

ingratitude [ɛ̃gratityd] *nf* ingratidão *f*.

ingrédient [ɛ̃gredjɑ̃] *nm* ingrediente *m*; **'~s'** 'ingredientes'.

ingurgiter [ɛ̃gyrʒite] *vt (avaler)*
engolir; *(fig: des connaissances)*
empinar.

inhabité, e [inabite] *adj (région)* inabitado(-da); *(logement)*
desabitado(-da).

inhabituel, elle [inabityɛl] *adj*
que não é habitual.

inhérent, e [inerɑ̃, ɑ̃t] *adj* :
être ~ à ser inerente a.

inhumain, e [inymɛ̃, ɛn] *adj*
desumano(-na).

inhumer [inyme] *vt* inumar.

inimaginable [inimaʒinabl]
adj inimaginável.

inimitable [inimitabl] *adj* ini-
mitável.

ininflammable [inɛ̃flamabl]
adj não inflamável.

inintelligible [inɛ̃teliʒibl] *adj*
ininteligível.

inintéressant, e [inɛ̃teresɑ̃,
ɑ̃t] *adj* desinteressante.

ininterrompu, e [inɛ̃tɛrɔ̃py]
adj ininterrupto(-ta).

initial, e, aux [inisjal, o] *adj*
inicial.

initiale [inisjal] *nf* inicial *f*.

initiation [inisjasjɔ̃] *nf* inicia-
ção *f*.

initiative [inisjativ] *nf* iniciativa *f*; **prendre l'~ de faire qqch**
tomar a iniciativa de fazer algo.

initié, e [inisje] *adj & nm, f* ini-
ciado(-da).

initier [inisje] *vt* : ~ **qqn à qqch**
iniciar alguém em algo.
❑ **s'initier** *vp* : **s'~ à qqch** iniciar-
se em algo.

injecté, e [ɛ̃ʒɛkte] *adj* : ~ **(de
sang)** injectado (de sangue).

injecter [ɛ̃ʒɛkte] *vt* injectar.

injection [ɛ̃ʒɛksjɔ̃] *nf* injecção *f*.

injoignable [ɛ̃jwaɲabl] *adj* in-
contactável, incomunicável.

injure [ɛ̃ʒyr] *nf* injúria *f*.

injurier [ɛ̃ʒyrje] *vt* injuriar.

injurieux, euse [ɛ̃ʒyrjø, øz]
adj injurioso(-osa).

injuste [ɛ̃ʒyst] *adj* injusto(-ta).

injustice [ɛ̃ʒystis] *nf* injustiça *f*.

injustifié, e [ɛ̃ʒystifje] *adj*
injustificado(-da).

inlassable [ɛ̃lasabl] *adj (infini)*
inesgotável; *(infatigable)* incansável.

inné, e [ine] *adj* inato(-ta).

innocence [inɔsɑ̃s] *nf* inocência *f*.

innocent, e [inɔsɑ̃, ɑ̃t] *adj &
nm, f* inocente.

innocenter [inɔsɑ̃te] *vt* inocentar.

innombrable [inɔ̃brabl] *adj*
inumerável.

innover [inɔve] *vi* inovar.

inoccupé, e [inɔkype] *adj*
desocupado(-da).

inoculer [inɔkyle] *vt* inocular.

inodore [inɔdɔr] *adj* ino-
doro(-ra).

inoffensif, ive [inɔfɑ̃sif, iv] *adj*
inofensivo(-va).

inondation [inɔ̃dasjɔ̃] *nf* inundação *f*.

inonder [inɔ̃de] *vt* inundar.

inoubliable [inublijabl] *adj* inesquecível.

inouï, e [inwi] *adj (vitesse, dextérité)* incrível; *(histoire, évènement)* inaudito(-ta).

Inox® [inɔks] *nm* inox *m*.

inoxydable [inɔksidabl] *adj* inoxidável.

inquiet, iète [ɛ̃kjɛ, ɛt] *adj* inquieto(-ta).

inquiétant, e [ɛ̃kjetã, ãt] *adj* inquietante.

inquiéter [ɛ̃kjete] *vt* inquietar. ❑ **s'inquiéter** *vp* inquietar-se.

inquiétude [ɛ̃kjetyd] *nf* inquietação *f*.

insalubre [ɛ̃salybr] *adj* insalubre.

inscription [ɛ̃skripsjɔ̃] *nf* inscrição *f*.

inscrire [ɛ̃skrir] *vt* inscrever. ❑ **s'inscrire** *vp* inscrever-se; **s'~ à** inscrever-se em.

inscrit, e [ɛ̃skri, it] *pp* → **inscrire**.

insecte [ɛ̃sɛkt] *nm* insecto *m*.

insecticide [ɛ̃sɛktisid] *nm* insecticida *m*.

insécurité [ɛ̃sekyrite] *nf* insegurança *f*.

insémination [ɛ̃seminasjɔ̃] *nf* inseminação *f*; **~ artificielle** inseminação artificial.

insensé, e [ɛ̃sãse] *adj* inacreditável.

insensible [ɛ̃sãsibl] *adj* insensível; *(léger)* imperceptível; **être ~ à qqch** ser insensível a algo.

insensiblement [ɛ̃sãsibləmã] *adv* imperceptivelmente.

inséparable [ɛ̃separabl] *adj* inseparável.

insérer [ɛ̃sere] *vt* inserir.

insidieux, euse [ɛ̃sidjø, øz] *adj* insidioso(-osa).

insigne [ɛ̃siɲ] *nm* insígnia *f*.

insignifiant, e [ɛ̃siɲifjã, ãt] *adj* insignificante.

insinuer [ɛ̃sinɥe] *vt* insinuar.

insipide [ɛ̃sipid] *adj* insípido(-da).

insistance [ɛ̃sistãs] *nf* insistência *f*; **avec ~** com insistência.

insister [ɛ̃siste] *vi* insistir; **~ sur** insistir em.

insolation [ɛ̃sɔlasjɔ̃] *nf* insolação *f*.

insolence [ɛ̃sɔlãs] *nf* insolência *f*.

insolent, e [ɛ̃sɔlã, ãt] *adj* insolente.

insolite [ɛ̃sɔlit] *adj* insólito(-ta).

insoluble [ɛ̃sɔlybl] *adj (problème)* sem solução.

insomnie [ɛ̃sɔmni] *nf* insónia *f*; **avoir des ~s** ter insónias.

insonorisé, e [ɛ̃sɔnɔrize] *adj* insonorizado(-da).

insonoriser [ɛ̃sɔnɔrize] *vt* insonorizar.

insouciant, e [ɛ̃susjã, ãt] *adj* despreocupado(-da).

insoumis, e [ɛ̃sumi, iz] *adj (caractère, peuple)* insubmisso(-a); *(soldat)* refractário(-ria). ❑ **insoumis** *nm (soldat)* refractário *m*.

insoupçonné, e [ɛ̃supsɔne] *adj* insuspeito(-ta).

insoutenable [ɛ̃sutnabl] *adj (rythme, théorie)* insustentável; *(insupportable)* insuportável.

inspecter [ɛ̃spɛkte] *vt* inspeccionar.

inspecteur, trice [ɛ̃spɛktœr, tris] *nm, f* inspector *m* (-ra *f*).

inspiration [ɛ̃spirasjɔ̃] *nf* inspiração *f*.

inspiré, e [ɛ̃spire] *adj* inspirado(-da); **avoir été bien ~ de faire qqch** só fazer bem em fazer algo.

inspirer [ɛ̃spire] *vt & vi* inspirar; **~ qqch à qqn** inspirar algo a alguém; **ça ne m'inspire pas** *(fig)* não me apetece.

❑ **s'inspirer de** *vp + prép* inspirar-se em.

instable [ɛ̃stabl] *adj* instável.

installation [ɛ̃stalasjɔ̃] *nf* instalação *f*.

installer [ɛ̃stale] *vt* instalar.

❑ **s'installer** *vp* instalar-se; *(commerçant, docteur)* estabelecer-se.

instance [ɛ̃stɑ̃s] *nf (autorité)* instância *f*; *(insistance)*: **sur les ~s de qqn** perante a insistência de alguém; **en ~** pendente; **être en ~ de divorce** estar com o divórcio pendente.

instant [ɛ̃stɑ̃] *nm* instante *m*; **il sort à l'~** ele está mesmo agora a sair; **pour l'~** por enquanto.

instantané, e [ɛ̃stɑ̃tane] *adj* instantâneo(-nea).

instar [ɛ̃star]

❑ **à l'instar de** *loc prép* à semelhança de.

instaurer [ɛ̃stɔre] *vt* instaurar.

instigateur, trice [ɛ̃stigatœr, tris] *nm, f* instigador *m* (-ra *f*).

instinct [ɛ̃stɛ̃] *nm* instinto *m*.

instinctif, ive [ɛ̃stɛ̃ktif, iv] *adj* instintivo(-va).

instituer [ɛ̃stitɥe] *vt* instituir.

❑ **s'instituer** *vp (se créer)* estabelecer-se.

institut [ɛ̃stity] *nm* instituto *m*; **~ de beauté** instituto de beleza.

instituteur, trice [ɛ̃stitytœr, tris] *nm, f* professor *m* (-ra *f*) da escola primária.

institution [ɛ̃stitysjɔ̃] *nf* instituição *f*.

instructif, ive [ɛ̃stryktif, iv] *adj* instrutivo(-va).

instruction [ɛ̃stryksjɔ̃] *nf* instrução *f*.

❑ **instructions** *nfpl* instruções *fpl*.

instruire [ɛ̃strɥir]: **s'instruire** *vp* instruir-se.

instruit, e [ɛ̃strɥi, it] *pp* → **instruire**. ◆ *adj* instruído(-da).

instrument [ɛ̃strymɑ̃] *nm* instrumento *m*; **~ (de musique)** instrumento (de música).

insu [ɛ̃sy]

❑ **à l'insu de** *loc prép* : **faire qqch à l'~ de qqn** fazer algo sem que alguém dê por ela; **à mon/son ~** sem eu/ele dar por ela.

insuffisance [ɛ̃syfizɑ̃s] *nf* insuficiência *f*; **~ cardiaque/rénale** insuficiência cardíaca/renal.

insuffisant, e [ɛ̃syfizɑ̃, ɑ̃t] *adj* insuficiente.

insuffler [ɛ̃syfle] *vt* insuflar.

insulaire [ɛ̃sylɛr] *adj & nmf* insular.

insuline [ɛ̃sylin] *nf* insulina *f*.

insulte [ɛ̃sylt] *nf* insulto *m*.

insulter [ɛ̃sylte] *vt* insultar.

insupportable [ɛ̃sypɔrtabl] *adj* insuportável.

insurger [ɛ̃syrʒe]

❑ **s'insurger** *vp* : **s'~ contre qqn/ qqch** insurgir-se contra alguém/ algo.

insurmontable [ɛ̃syrmɔ̃tabl] *adj (difficulté)* insuperável.

insurrection [ɛ̃syrɛksjɔ̃] *nf* insurreição *f*.

intact, e [ɛ̃takt] *adj* intacto(-ta).

intarissable [ɛ̃tarisabl] *adj (source)* inesgotável; *(personne)*: **être ~** nunca mais se calar.

intégral, e, aux [ɛ̃tegral, o] *adj* integral.

intègre [ɛ̃tɛgr] *adj (personne)* íntegro(-gra); *(vie)* honesto(-ta).

intégré, e [ɛ̃tegre] *adj* integrado(-da).

intégrer [ɛ̃tegre] *vt* integrar.

❑ **s'intégrer** *vp* : **(bien) s'~** integrar-se (bem).

intégrisme [ɛ̃tegrism] *nm* integralismo *m*.

intellectuel, elle [ɛ̃telɛktɥɛl] *adj & nm, f* intelectual.

intelligence [ɛ̃teliʒɑ̃s] *nf* inteligência *f*.

intelligent, e [ɛ̃teliʒɑ̃, ɑ̃t] *adj* inteligente.

intempéries [ɛ̃tɑ̃peri] *nfpl* intempéries *fpl*.

intempestif, ive [ɛ̃tɑ̃pɛstif, iv] *adj* intempestivo(-va).

intendance [ɛ̃tɑ̃dɑ̃s] *nf (service, bureau)* intendência *f*; *(fig: questions matérielles)* administração *f*.

intense [ɛ̃tɑ̃s] *adj* intenso(-sa).

intensif, ive [ɛ̃tɑ̃sif, iv] *adj* intensivo(-va).

intensifier [ɛ̃tɑ̃sifje]
❏ **s'intensifier** *vp* intensificar-se.

intensité [ɛ̃tɑ̃site] *nf* intensidade *f*.

intenter [ɛ̃tɑ̃te] *vt* : ~ **un procès contre** OU **à qqn** intentar uma acção contra alguém.

intention [ɛ̃tɑ̃sjɔ̃] *nf* intenção *f*; **avoir l'~ de faire qqch** ter intenção de fazer algo.

intentionné, e [ɛ̃tɑ̃sjɔne] *adj* : **bien/mal ~** bem/mal intencionado.

intentionnel, elle [ɛ̃tɑ̃sjɔnɛl] *adj* intencional.

interactif, ive [ɛ̃teraktif, iv] *adj* interactivo(-va).

intercalaire [ɛ̃tɛrkalɛr] *nm* separador *m*.

intercaler [ɛ̃tɛrkale] *vt* intercalar.

intercéder [ɛ̃tɛrsede] *vi* : ~ **en faveur de** interceder a favor de.

intercepter [ɛ̃tɛrsɛpte] *vt* interceptar.

interchangeable [ɛ̃tɛrʃɑ̃ʒabl] *adj* permutável.

interclasse [ɛ̃tɛrklas] *nm* intervalo *m*.

interdiction [ɛ̃tɛrdiksjɔ̃] *nf* proibição *f*; **'~ de fumer'** 'proibido fumar'.

interdire [ɛ̃tɛrdir] *vt* proibir; ~ **à qqn de faire qqch** proibir alguém de fazer algo.

interdit, e [ɛ̃tɛrdi, it] *pp* → **interdire.** ◆ *adj* proibido(-da); **il est ~ de...** é proibido...

intéressant, e [ɛ̃teresɑ̃, ɑ̃t] *adj* interessante.

intéressé, e [ɛ̃terese] *adj (concerné, motivé)* interessado(-da); *(péj: pour un profit)* interesseiro(-ra). ◆ *nm, f* interessado *m* (-da *f*); **le principal ~** o principal interessado.

intéresser [ɛ̃terese] *vt* interessar; ~ **qqn** interessar a alguém.
❏ **s'intéresser à** *vp + prép* interessar-se por.

intérêt [ɛ̃terɛ] *nm* interesse *m*; **avoir ~ à faire qqch** ter interesse em fazer algo; **tu as ~ à rentrer tôt sinon...** é melhor chegares cedo senão...; **dans l'~ de** no interesse de.
❏ **intérêts** *nmpl* juros *mpl*.

interface [ɛ̃tɛrfas] *nf (INFORM)* interface *f*; *(intermédiaire)* ligação *f*; ~ **graphique** interface gráfica.

interférer [ɛ̃tɛrfere] *vi* interferir; ~ **avec qqch** interferir com algo.

intérieur, e [ɛ̃terjœr] *adj (interne)* interior; *(national)* interno(-na). ◆ *nm* interior *m*; **à l'~ (de)** no interior (de).

intérim [ɛ̃terim] *nm (période)*: **assurer l'~** assegurar o interim; *(travail temporaire)* emprego *m* temporário; **par ~** interino(-na); **faire de l'~, travailler en ~** ter um emprego temporário.

intérioriser [ɛ̃terjɔrize] *vt* interiorizar.

interligne [ɛ̃terliɲ] *nm* entrelinha *f*.

interlocuteur, trice [ɛ̃terlɔkytœr, tris] *nm, f* interlocutor *m* (-ra *f*).

interloquer [ɛ̃tɛrlɔke] *vt* deixar pasmado(-da).

intermède [ɛ̃tɛrmɛd] *nm* intermédio *m*.

intermédiaire [ɛ̃tɛrmedjɛr] *adj* intermediário(-ria). ◆ *nmf* intermediário *m* (-ria *f*). ◆ *nm* : **par l'~ de** por intermédio de.

interminable [ɛ̃tɛrminabl] *adj* interminável.

intermittence [ɛ̃tɛrmitɑ̃s] *nf* : **par ~** intermitentemente.

internat [ɛ̃tɛrna] *nm (école)* colégio *m* interno.

international, e, aux [ɛ̃tɛrnasjɔnal, o] *adj* internacional.

interne [ɛ̃tɛrn] *adj & nmf* interno(-na).

interner [ɛ̃tɛrne] *vt (malade)* internar.

interpeller [ɛ̃tɛrpəle] *vt (appeler)* interpelar.

Interphone® [ɛ̃tɛrfɔn] *nm* interfone *m*.

interposer [ɛ̃tɛrpoze] *vt (placer entre)* : **~ qqch entre... et...** interpor algo entre... e...; *(fig: faire intervenir)* interpor.

❏ **s'interposer** *vp* intervir; **s'~ dans** interpor-se em; **s'~ entre... et...** interpor-se entre... e...

interprétation [ɛ̃tɛrpretasjɔ̃] *nf (explication)* interpretação *f*; **~ simultanée** interpretação simultânea.

interprète [ɛ̃tɛrprɛt] *nmf* intérprete *mf*.

interpréter [ɛ̃tɛrprete] *vt* interpretar.

interrogation [ɛ̃tɛrɔgasjɔ̃] *nf* interrogação *f*; **~ (écrite)** prova *f* (escrita).

interrogatoire [ɛ̃tɛrɔgatwar] *nm* interrogatório *m*.

interroger [ɛ̃tɛrɔʒe] *vt* interrogar; **~ qqn sur** interrogar alguém sobre.

interrompre [ɛ̃tɛrɔ̃pr] *vt* interromper.

interrupteur [ɛ̃teryptœr] *nm* interruptor *m*.

interruption [ɛ̃terypsjɔ̃] *nf* interrupção *f*.

intersection [ɛ̃tɛrsɛksjɔ̃] *nf* intersecção *f*.

intervalle [ɛ̃tɛrval] *nm* intervalo *m*; **à deux jours d'~** com dois dias de intervalo.

intervenant, e [ɛ̃tɛrvənɑ̃, ɑ̃t] *nm, f* interveniente *mf*.

intervenir [ɛ̃tɛrvənir] *vi* intervir.

intervention [ɛ̃tɛrvɑ̃sjɔ̃] *nf* intervenção *f*.

intervenu, e [ɛ̃tɛrvəny] *pp* → **intervenir**.

intervertir [ɛ̃tɛrvɛrtir] *vt* inverter.

interview [ɛ̃tɛrvju] *nf* entrevista *f*.

interviewer [ɛ̃tɛrvjuve] *vt* entrevistar.

intestin [ɛ̃tɛstɛ̃] *nm* intestino *m*.

intestinal, e, aux [ɛ̃tɛstinal, o] *adj* intestinal.

intime [ɛ̃tim] *adj* íntimo(-ma).

intimider [ɛ̃timide] *vt* intimidar.

intimité [ɛ̃timite] *nf* intimidade *f*.

intitulé [ɛ̃tityle] *nm* título *m*.

intituler [ɛ̃tityle] *vt* intitular.

❏ **s'intituler** *vp* intitular-se.

intolérable [ɛ̃tɔlerabl] *adj* intolerável.

intolérant, e [ɛ̃tɔlerɑ̃, ɑ̃t] *adj* intolerante.

intonation [ɛ̃tɔnasjɔ̃] *nf (inflexion)* entoação *f*; *(en phonétique*: MUS) intonação *f*.

intoxication [ɛ̃tɔksikasjɔ̃] *nf* : **~ alimentaire** intoxicação *f* alimentar.

intoxiquer [ɛ̃tɔksike] *vt* intoxicar.

❏ **s'intoxiquer** *vp* intoxicar-se.

intraduisible [ɛ̃tradɥizibl] *adj* intraduzível.

intransigeant, e [ɛ̃trɑ̃ziʒɑ̃, ɑ̃t] *adj* intransigente.

intransitif, ive [ɛ̃trɑ̃zitif, iv] *adj* intransitivo(-va).

intraveineux, euse [ɛ̃travɛnø, øz] *adj* intravenoso(-osa).

intrépide [ɛ̃trepid] *adj* intrépido(-da).

intrigue [ɛ̃trig] *nf* enredo *m*.

intriguer [ɛ̃trige] *vt* intrigar.

introduction [ɛ̃trɔdyksjɔ̃] *nf* introdução *f*.

introduire [ɛ̃trɔdɥir] *vt* introduzir.
❏ **s'introduire** *vp* introduzir-se.

introduit, e [ɛ̃trɔdɥi, it] *pp* → **introduire**.

introuvable [ɛ̃truvabl] *adj* impossível de encontrar.

introverti, e [ɛ̃trɔverti] *adj & nm, f* introvertido(-da).

intrus, e [ɛ̃try, yz] *nm, f* intruso *m* (-sa *f*).

intrusion [ɛ̃tryzjɔ̃] *nf* intrusão *f*.

intuitif, ive [ɛ̃tɥitif, iv] *adj* intuitivo(-va). ◆ *nm, f* pessoa *f* intuitiva.

intuition [ɛ̃tɥisjɔ̃] *nf* intuição *f*.

inusable [inyzabl] *adj* : **c'est ~** não se gasta.

inusité, e [inyzite] *adj* inusitado(-da).

inutile [inytil] *adj* inútil.

inutilisable [inytilizabl] *adj* : **c'est ~** não se pode utilizar.

invalide [ɛ̃valid] *nmf* inválido *m* (-da *f*).

invariable [ɛ̃varjabl] *adj* invariável.

invasion [ɛ̃vazjɔ̃] *nf* invasão *f*.

invendable [ɛ̃vɑ̃dabl] *adj* invendável.

invendu [ɛ̃vɑ̃dy] *nm* artigo *m* não vendido.

inventaire [ɛ̃vɑ̃tɛr] *nm* inventário *m*; **faire l'~ de qqch** fazer o inventário de algo.

inventer [ɛ̃vɑ̃te] *vt* inventar.

inventeur, trice [ɛ̃vɑ̃tœr, tris] *nm, f* inventor *m* (-ra *f*).

invention [ɛ̃vɑ̃sjɔ̃] *nf* invenção *f*.

inverse [ɛ̃vɛrs] *nm* inverso *m*; **à l'~** pelo contrário; **à l'~ de** ao contrário de.

inversement [ɛ̃vɛrsəmɑ̃] *adv* inversamente; **et ~** e inversamente.

inverser [ɛ̃vɛrse] *vt* inverter.

invertébré, e [ɛ̃vɛrtebre] *adj* invertebrado(-da).
❏ **invertébré** *nm* invertebrado *m*.

investir [ɛ̃vɛstir] *vt* investir.

investissement [ɛ̃vɛstismɑ̃] *nm* investimento *m*.

invétéré, e [ɛ̃vetere] *adj* inveterado(-da).

invincible [ɛ̃vɛ̃sibl] *adj (gén)* invencível; *(difficulté, fatigue)* insuperável.

invisible [ɛ̃vizibl] *adj* invisível.

invitation [ɛ̃vitasjɔ̃] *nf* convite *m*.

invité, e [ɛ̃vite] *nm, f* convidado *m* (-da *f*).

inviter [ɛ̃vite] *vt* convidar; **~ qqn à faire qqch** convidar alguém a fazer algo.

invivable [ɛ̃vivabl] *adj (personne, situation)* insuportável; *(lieu)* inabitável.

involontaire [ɛ̃vɔlɔ̃tɛr] *adj* involuntário(-ria).

invoquer [ɛ̃vɔke] *vt* invocar.

invraisemblable [ɛ̃vrɛsɑ̃blabl] *adj* inverosímil.

iode [jɔd] *nm* → **teinture**.

ion [jɔ̃] *nm* ião *m*.

ira *etc* → **aller**.

Irak [irak] *nm* : **l'~** o Iraque.

Iran [irã] *nm* : **l'~** o Irão.
irascible [irasibl] *adj* irascível.
iris [iris] *nm* íris *f inv*.
irlandais, e [irlɑ̃dɛ, ɛz] *adj* irlandês(-esa).
❏ **Irlandais, e** *nm, f* irlandês *m* (-esa *f*).
Irlande [irlɑ̃d] *nf* : **l'~ du Nord** a Irlanda do Norte; **la République d'~** a República da Irlanda.
ironie [irɔni] *nf* ironia *f*.
ironique [irɔnik] *adj* irónico(-ca).
irradier [iradje] *vi* irradiar. ◆ *vt* expor a radiações.
irrationnel, elle [irasjɔnɛl] *adj* irracional.
irrécupérable [irekyperabl] *adj* irrecuperável.
irréductible [iredyktibl] *adj & nmf* irredutível.
irréel, elle [ireɛl] *adj* irreal.
irréfutable [irefytabl] *adj* irrefutável.
irrégulier, ère [iregylje, ɛr] *adj* irregular.
irrémédiable [iremedjabl] *adj* irremediável.
irremplaçable [irɑ̃plasabl] *adj* insubstituível.
irréparable [ireparabl] *adj* (moteur, vêtement) que não tem conserto; (erreur) irreparável.
irrépressible [irepresibl] *adj* (sout) irreprimível.
irréprochable [ireproʃabl] *adj* irrepreensível.
irrésistible [irezistibl] *adj* irresistível.
irrespirable [irɛspirabl] *adj* (air) irrespirável.
irresponsable [irɛspɔ̃sabl] *nmf* irresponsável *mf*. ◆ *adj (immature, léger)* irresponsável; (JUR) inimputável.
irréversible [ireversibl] *adj* irreversível.
irrigation [irigasjɔ̃] *nf* irrigação *f*.

irriguer [irige] *vt* irrigar.
irritable [iritabl] *adj* irritável.
irritation [iritasjɔ̃] *nf* irritação *f*.
irriter [irite] *vt* irritar.
irruption [irypsjɔ̃] *nf* irrupção *f*; **faire ~ dans** (lieu) irromper por; (vie) entrar de repente em.
islam [islam] *nm* : **l'~** o Islão.
islamique [islamik] *adj* islâmico(-ca).
isolant, e [izɔlɑ̃, ɑ̃t] *adj* isolador(-ra). ◆ *nm* isolador *m*.
isolation [izɔlasjɔ̃] *nf* isolação *f*.
isolé, e [izɔle] *adj* isolado(-da).
isoler [izɔle] *vt* isolar.
❏ **s'isoler** *vp* isolar-se.
isotherme [izɔtɛrm] *adj* isotérmico(-ca).
Israël [israɛl] *n* Israel.
israélien, enne [israeljɛ̃, ɛn] *adj* israelita.
❏ **Israélien, enne** *nm, f* israelita *mf*.
issu, e [isy] *adj* : **être ~ de** (famille) vir de; (processus, théorie) resultar de.
issue [isy] *nf* (sortie) saída *f*; **'voie sans ~'** 'estrada sem saída'; **'~ de secours'** 'saída de emergência'.
isthme [ism] *nm* istmo *m*.
Italie [itali] *nf* : **l'~** a Itália.
italien, enne [italjɛ̃, ɛn] *adj* italiano(-na). ◆ *nm (langue)* italiano *m*.
❏ **Italien, enne** *nm, f* italiano *m* (-na *f*).
italique [italik] *nm* itálico *m*.
itinéraire [itinerɛr] *nm* itinerário *m*; **~ bis** itinerário alternativo para facilitar a circulação.
ivoire [ivwar] *nm* marfim *m*.
ivre [ivr] *adj* embriagado(-da).
ivresse [ivrɛs] *nf* embriaguez *f*; **~ de qqch** (fig) embriaguez de algo.
ivrogne [ivrɔɲ] *nmf* bêbedo *m* (-da *f*).

J

j' → je.

jachère [ʒaʃɛr] *nf* : **en ~** em pousio.

jacinthe [ʒasɛ̃t] *nf* jacinto *m*.

jade [ʒad] *nm* jade *m*.

jadis [ʒadis] *adv* outrora.

jaguar [ʒagwar] *nm* jaguar *m*.

jaillir [ʒajir] *vi (eau)* jorrar; *(source)* brotar.

jalon [ʒalɔ̃] *nm* baliza *f*; **poser les (premiers) ~s de qqch** *(fig)* lançar os alicerces de algo.

jalonner [ʒalɔne] *vt* balizar; **être jalonné de** *(arbres, piquets)* estar ladeado de; *(succès)* estar marcado por.

jalousie [ʒaluzi] *nf* inveja *f*; *(amoureuse)* ciúme *m*.

jaloux, ouse [ʒalu, uz] *adj (possessif)* ciumento(-ta); *(envieux)* invejoso(-osa); **être ~ de** estar com inveja de; *(en amour)* ter ciúmes de.

jamais [ʒamɛ] *adv* nunca; **je ne vais ~ au théâtre** nunca vou ao teatro; **je ne reviendrai ~ plus** nunca mais volto; **c'est le plus long voyage que j'aie ~ fait** foi a viagem mais longa que já fiz; **plus que ~** mais do que nunca; **si ~...** se por acaso...

jambe [ʒɑ̃b] *nf* perna *f*.

jambon [ʒɑ̃bɔ̃] *nm* fiambre *m*; **~ blanc** fiambre *m*; **~ cru** presunto *m*.

jambonneau, x [ʒɑ̃bɔno] *nm* presunto *m* York.

jante [ʒɑ̃t] *nf* jante *f*.

janvier [ʒɑ̃vje] *nm* Janeiro *m*; → **septembre**.

Japon [ʒapɔ̃] *nm* : **le ~** o Japão.

japonais, e [ʒapɔnɛ, ɛz] *adj* japonês(-esa). ◆ *nm (langue)* japonês *m*.

❑ **Japonais, e** *nm, f* japonês *m* (-esa *f*).

japper [ʒape] *vi* latir.

jardin [ʒardɛ̃] *nm* jardim *m*; **~ d'enfants** infantário *m*; **~ public** jardim público.

jardinage [ʒardinaʒ] *nm* jardinagem *f*.

jardinier, ère [ʒardinje, ɛr] *nm, f* jardineiro *m* (-ra *f*).

jardinière [ʒardinjɛr] *nf* jardineira *f*; **~ de légumes** jardineira, → **jardinier**.

jargon [ʒargɔ̃] *nm (langage spécialisé)* gíria *f*; *(fam : charabia)* algaravia *f*.

jarret [ʒarɛ] *nm* : **~ de veau** jarrete *m* de vitela.

jaser [ʒaze] *vi* dar à língua.

jasmin [ʒasmɛ̃] *nm* jasmim *m*.

jauge [ʒoʒ] *nf* indicador *m*; **~ d'essence** indicador do nível de combustível.

jauger [ʒoʒe] *vt* avaliar.

jaune [ʒon] *adj* amarelo(-la).

◆ *nm* amarelo *m*; ~ **d'œuf** gema *f* do ovo.

jaunir [ʒonir] *vi* amarelecer.

jaunisse [ʒonis] *nf* icterícia *f*.

java [ʒava] *nf* java *f*; **faire la ~** *(fam : fig)* andar na boa vai ela.

Javel [ʒavɛl] *nf* : **(eau de) ~** lixívia *f*.

javelot [ʒavlo] *nm* dardo *m*.

jazz [dʒaz] *nm* jazz *m*.

je [ʒə] *pron* eu.

jean [dʒin] *nm* calças *fpl* de ganga.

Jeep® [dʒip] *nf* jipe *m*.

jérémiades [ʒeremjad] *nfpl* choradeira *f*.

jerrican [ʒerikan] *nm* jerrican *m*.

jersey [ʒɛrzɛ] *nm* jersey *m*.

jésuite [ʒezɥit] *nm* jesuíta *m*.

Jésus-Christ [ʒezykri] *nm* Jesus Cristo; **après ~** depois de Cristo; **avant ~** antes de Cristo.

jet[1] [ʒɛ] *nm* jacto *m*; ~ **d'eau** repuxo *m*.

jet[2] [dʒɛt] *nm* avião *m* a jacto.

jetable [ʒətabl] *adj* : **un rasoir ~** uma lâmina descartável.

jetée [ʒəte] *nf* quebra-mar *m*.

jeter [ʒəte] *vt (lancer)* atirar; *(mettre à la poubelle)* deitar fora. ❑ **se jeter** *vp* : **se ~ dans** *(rivière)* desaguar em; **se ~ sur** atirar-se a.

jeton [ʒətɔ̃] *nm* ficha *f*.

jeu, x [ʒø] *nm* jogo *m*; *(au tennis)* partida *f*; **le ~** *(au casino)* o jogo; ~ **de cartes** *(distraction)* partida de cartas; *(paquet)* baralho *m*; ~ **d'échecs** jogo de xadrez; ~ **de mots** trocadilho *m*; ~ **de société** jogo de tabuleiro; ~ **vidéo** jogo de vídeo; **les ~x Olympiques** os Jogos Olímpicos.

jeudi [ʒødi] *nm* quinta-feira *f*; → **samedi**.

jeun [ʒœ̃]: **à jeun** *adj* em jejum.

jeune [ʒœn] *adj & nmf* jovem; ~

fille jovem *f*; ~ **homme** jovem *m*; **les ~s** os jovens.

jeûne [ʒøn] *nm* jejum *m*.

jeûner [ʒøne] *vi* jejuar.

jeunesse [ʒœnɛs] *nf* juventude *f*.

jingle [dʒingœl] *nm* jingle *m*.

joaillier [ʒɔaje] *nm* joalheiro *m*.

job [dʒɔb] *nm (fam)* emprego *m*.

jockey [ʒɔkɛ] *nm* jóquei *m*.

jogging [dʒɔgiŋ] *nm (vêtement)* fato *m* de treino; *(course)* jogging *m*; **faire du ~** fazer jogging.

joie [ʒwa] *nf* alegria *f*.

joindre [jwɛ̃dr] *vt (relier)* juntar; *(contacter)* contactar; ~ **qqch à** juntar algo a. ❑ **se joindre à** *vp + prép* juntar-se a.

joint, e [ʒwɛ̃, ɛ̃t] *pp* → **joindre**. ◆ *nm (TECH)* junta *f*; *(fam : drogue)* charro *m*; ~ **de culasse** junta da cabeça *(do motor)*.

joker [ʒɔkɛr] *nm* joker *m (Port)*, curinga *m (Br)*.

joli, e [ʒɔli] *adj* bonito(-ta); ~**e mentalité!** linda mentalidade!

jonc [ʒɔ̃] *nm* junco *m*.

joncher [ʒɔ̃ʃe] *vt* juncar; **être jonché de qqch** estar juncado de algo.

jonction [ʒɔ̃ksjɔ̃] *nf* junção *f*.

jongler [ʒɔ̃gle] *vi (avec des balles)* fazer malabarismos; *(fig: avec des difficultés)* brincar.

jongleur [ʒɔ̃glœr] *nm* malabarista *m*.

jonquille [ʒɔ̃kij] *nf* junquilho *m*.

joual [ʒwal] *nm (Can) dialecto franco-canadiano falado na região do Quebeque*.

joue [ʒu] *nf* bochecha *f*.

jouer [ʒwe] *vi (enfant)* brincar; *(musicien)* tocar; *(acteur)* representar. ◆ *vt (carte)* jogar; *(somme)* apostar; *(rôle, pièce)* representar;

(mélodie, sonate) tocar; ~ **à** *(tennis, foot)* jogar; *(cartes)* jogar a; ~ **de** *(instrument)* tocar; ~ **un rôle dans qqch** *(fig)* desempenhar um papel em algo; **la porte a joué** a porta empenou.

jouet [ʒwɛ] *nm* brinquedo *m*.

joueur, euse [ʒwœr, øz] *nm, f* jogador *m* (-ra *f*); **être mauvais** ~ ser mau perdedor; ~ **de cartes** jogador de cartas; ~ **de flûte** tocador *m* de flauta; ~ **de foot** jogador de futebol.

joufflu, e [ʒufly] *adj* bochechudo(-da).

joug [ʒu] *nm* jugo *m*.

jouir [ʒwir] *vi* atingir o orgasmo; ~ **de** *(apprécier)* gozar; *(bénéficier de)* usufruir de.

jour [ʒur] *nm* dia *m*; **il fait** ~ é de dia; ~ **de l'an** dia do Ano Novo; ~ **férié** feriado *m*; ~ **ouvrable** dia útil; **huit** ~**s** oito dias; **quinze** ~**s** quinze dias; **de** ~ de dia; **du** ~ **au lendemain** de um dia para o outro; **de nos** ~**s** hoje em dia; **être à** ~ estar em dia; **mettre qqch à** ~ pôr algo em dia.

journal, aux [ʒurnal, o] *nm* jornal *m*; ~ **(intime)** diário *m*; ~ **télévisé** telejornal *m*.

journalier, ère [ʒurnalje, ɛr] *adj* diário(-ria).

journalisme [ʒurnalism] *nm* jornalismo *m*.

journaliste [ʒurnalist] *nmf* jornalista *mf*.

journée [ʒurne] *nf* dia *m*; **dans la** ~ durante o dia; **toute la** ~ o dia todo.

jovial [ʒɔvjal] *adj* jovial.

joyau, x [ʒwajo] *nm* jóia *f*.

joyeux, euse [ʒwajø, øz] *adj* feliz; ~ **anniversaire!** parabéns!; ~ **Noël!** feliz Natal!

jubiler [ʒybile] *vi (fam)* estar na maior.

judéo-chrétien, enne

[ʒydeɔkretjɛ̃, ɛn] *(mpl* **judéo-chrétiens)** *adj* judaico-cristão(-ã).

judiciaire [ʒydisjɛr] *adj* judicial.

judicieux, euse [ʒydisjø, øz] *adj* judicioso(-osa).

judo [ʒydo] *nm* judo *m*.

juge [ʒyʒ] *nm (magistrat)* juiz *m* (juíza *f*); *(SPORT)* árbitro *m*.

jugement [ʒyʒmɑ̃] *nm (procès, opinion)* julgamento *m*; *(condamnation, sentence)* sentença *f*; *(discernement)* juízo *m*; **le Jugement dernier** o Juízo Final; ~ **de valeur** juízo de valor.

jugeote [ʒyʒɔt] *nf (fam)* tino *m*; **manquer de** ~ *(fam)* não ter tino nenhum.

juger [ʒyʒe] *vt* julgar.

juif, ive [ʒɥif, ʒɥiv] *adj* judeu(-dia).
☐ **Juif, ive** *nm, f* judeu *m* (-dia *f*).

juillet [ʒɥijɛ] *nm* Julho *m*; **le 14-Juillet** o 14 de Julho, *feriado nacional francês*; → **septembre**.

---

[i] 14- JUILLET

O dia 14 de Julho é a data do feriado nacional francês, pois comemora-se o aniversário da tomada da Bastilha, que ocorreu em 1789. Durante vários dias, em todo o país, bailes públicos, fogos de artifício e solenidades oficiais marcam esta data. Em Paris, na manhã de 14 de Julho, pode-se assistir a um grande desfile militar em presença do Presidente da República.

---

juin [ʒɥɛ̃] *nm* Junho *m*; → **septembre**.

juke-box [dʒukbɔks] *nm inv* juke-box *f*.

julienne [ʒyljɛn] *nf* juliana *f*.

jumeau, elle, eaux [ʒymo, ɛl, o] *adj (maisons)* geminado(-da). ◆ *nm, f* gémeo *m* (-mea *f*); **frère** ~ irmão gémeo.

jumelé, e [ʒymle] *adj* geminado(-da); **'ville ~e avec...'** 'cidade geminada com...'

jumeler [ʒymle] *vt* geminar.

jumelle → **jumeau**.

❏ **jumelles** *nfpl* binóculos *mpl*.

jument [ʒymɑ̃] *nf* égua *f*.

jungle [ʒœ̃gl] *nf* selva *f*.

junior [ʒynjɔr] *adj inv* júnior.

junte [ʒœ̃t] *nf* junta *f*.

jupe [ʒyp] *nf* saia *f*; ~ **droite** saia direita; ~ **plissée** saia com pregas.

jupe-culotte [ʒypkylɔt] *(pl* **jupes-culottes)** *nf* saia-calça *f*.

jupon [ʒypɔ̃] *nm* saiote *m*.

juré, e [ʒyre] *adj* jurado(-da); **ennemi** ~ inimigo jurado.

❏ **juré** *nm* jurado *m*.

jurer [ʒyre] *vi* jurar. ◆ *vt* : ~ **(à qqn) que** jurar (a alguém) que; ~ **de faire qqch** jurar fazer algo.

juridique [ʒyridik] *adj* jurídico(-ca).

jurisprudence [ʒyrisprydɑ̃s] *nf* jurisprudência *f*; **faire** ~ fazer jurisprudência.

juriste [ʒyrist] *nmf* jurista *mf*.

juron [ʒyrɔ̃] *nm* palavrão *m*.

jury [ʒyri] *nm* júri *m*.

jus [ʒy] *nm (de fruit)* sumo *m* (Port), suco *m* (Br); *(de viande)* molho *m*; ~ **d'orange** sumo de laranja.

jusque [ʒysk(ə)]: **jusqu'à** *prép* : allez jusqu'à l'église vá até à igreja; **jusqu'à ce que je parte** até eu me ir embora; **jusqu'à présent** até hoje.

❏ **jusqu'ici** *adv* até aqui.

❏ **jusque-là** *adv (dans l'espace)* até ali; *(dans le temps)* até lá.

justaucorps [ʒystokɔr] *nm* fato *m* de ginástica.

juste [ʒyst] *adj (équitable)* justo(-ta); *(addition, raisonnement)* correcto(-ta); *(note, voix)* afinado(-da); *(vêtement)* apertado(-da); *(seulement)* só; *(exactement)* precisamente; **au** ~ ao certo; **chanter** ~ cantar afinadamente; **être** ~ *(insuffisant)* mal dar.

justement [ʒystəmɑ̃] *adv* precisamente.

justesse [ʒystɛs]: **de justesse** *adv* por pouco.

justice [ʒystis] *nf* justiça *f*.

justificatif, ive [ʒystifikatif, iv] *adj* justificativo(-va).

❏ **justificatif** *nm* justificativa *f*.

justification [ʒystifikasjɔ̃] *nf* justificação *f*.

justifier [ʒystifje] *vt* justificar.

❏ **se justifier** *vp* justificar-se.

jute [ʒyt] *nm* : **(toile de)** ~ (tecido de) juta *f*.

juteux, euse [ʒytø, øz] *adj* sumarento(-ta).

juvénile [ʒyvenil] *adj* juvenil.

juxtaposer [ʒykstapoze] *vt* justapor.

K

K7 [kasɛt] *nf (abr de* **cassette***)* K7 *f.*

kaki [kaki] *adj inv* cor de barro.

kaléidoscope [kaleidɔskɔp] *nm* caleidoscópio *m.*

kamikaze [kamikaz] *nm* kamikaze *m.*

kangourou [kãguru] *nm* canguru *m.*

karaoké [karaɔke] *nm* karaokê *m.*

karaté [karate] *nm* karaté *m.*

kart [kart] *nm* kart *m.*

karting [kartiŋ] *nm* karting *m.*

kayak [kajak] *nm (bateau)* canoa *f; (sport)* canoagem *f.*

képi [kepi] *nm* quépi *m.*

kermesse [kɛrmɛs] *nf* quermesse *f.*

---

i KERMESSE

Em França, a "kermesse" é uma festa organizada ao ar livre em benefício de um colégio, paróquia ou obra de caridade. Encontram-se aí geralmente tendas com jogos, lotarias, doces caseiros, etc. Na Flandres, a "kermesse" é uma grande feira organizada pela paróquia no dia do santo padroeiro da cidade.

kérosène [kerɔzɛn] *nm* querosene *m.*

ketchup [kɛtʃœp] *nm* ketchup *m.*

kg *(abr de* **kilogramme***)* kg.

kidnapper [kidnape] *vt* raptar.

kilo(gramme) [kilɔ(gram)] *nm* quilo(grama) *m.*

kilométrage [kilɔmetraʒ] *nm* quilometragem *f;* ~ **illimité** quilometragem ilimitada.

kilomètre [kilɔmetr] *nm* quilómetro *m;* **100 ~s à l'heure** 100 quilómetros à hora.

kilowatt [kilɔwat] *nm* quilowatt *m.*

kilt [kilt] *nm* kilt *m.*

kinésithérapeute [kineziterapøt] *nmf* fisioterapeuta *mf.*

kiosque [kjɔsk] *nm* quiosque *m;* ~ **à journaux** quiosque de jornais *(Port),* banca *f* de jornais *(Br).*

kir [kir] *nm* aperitivo composto por vinho branco e licor de cássis; ~ **royal** aperitivo composto por champanhe e licor de cássis.

kirsch [kirʃ] *nm* aguardente *f* de cereja.

kit [kit] *nm* kit *m;* **en ~** em kit.

kitchenette [kitʃənɛt] *nf* kitchenette *f.*

kiwi [kiwi] *nm (fruit)* kiwi *m.*

Klaxon® [klaksɔn] *nm* buzina *f.*

klaxonner [klaksɔne] *vi* buzinar.

Kleenex® [klinɛks] *nm* lenço *m* de papel.

kleptomane [klɛptɔman] *adj* cleptomaníaco(-ca).

km *(abr de* **kilomètre)** km.

km/h *(abr de* **kilomètre par heure)** km/h.

K-O *adj inv* KO.

kouglof [kuglɔf] *nm brioche com passas e amêndoas originário da Alsácia.*

krach [krak] *nm* crash *m*; ~ **boursier** crash bolsista.

K-way® [kawɛ] *nm inv* kispo® *m.*

kyrielle [kirjɛl] *nf* aranzel *m.*

kyste [kist] *nm* quisto *m.*

L

l *(abr de* **litre***)* l.

l' → **le**.

la [la] → **le**.

là [la] *adv* ali; **par** ~ por ali; **cette fille-**~ aquela rapariga; **ce jour-**~ nesse dia.

là-bas [laba] *adv* ali.

label [labɛl] *nm* rótulo *m*.

laboratoire [labɔratwar] *nm* laboratório *m*.

laborieux, euse [labɔrjø, øz] *adj* laborioso(-osa).

labourer [labure] *vt* lavrar.

labyrinthe [labirɛ̃t] *nm* labirinto *m*.

lac [lak] *nm* lago *m*.

lacer [lase] *vt* atar.

lacérer [lasere] *vt* lacerar.

lacet [lasɛ] *nm* *(de chaussures)* atacador *m*; *(virage)* curva *f*.

lâche [laʃ] *adj (peureux)* cobarde; *(nœud, corde)* largo(-ga). ◆ *nmf* cobarde *mf*.

lâcher [laʃe] *vt* soltar; *(desserrer)* largar. ◆ *vi* largar.

lâcheté [laʃte] *nf* cobardia *f*.

lacrymogène [lakrimɔʒɛn] *adj* lacrimogénio(-nia).

lacune [lakyn] *nf* lacuna *f*.

là-dedans [laddɑ̃] *adv (lieu)* ali dentro; *(dans cela)* nisto tudo.

là-dessous [ladsu] *adv (lieu)* ali debaixo; *(dans cette affaire)* por detrás disto.

là-dessus [ladsy] *adv (lieu)* ali por cima; *(à ce sujet)* acerca disto.

lagon [lagɔ̃] *nm* lagoa *f*.

lagune [lagyn] *nf* laguna *f*.

là-haut [lao] *adv* ali em cima.

laid, e [lɛ, lɛd] *adj* feio (feia).

laideur [lɛdœr] *nf* fealdade *f*.

lainage [lɛnaʒ] *nm* casaco *m* de lã; **les** ~**s** as lãs.

laine [lɛn] *nf* lã *f*; **en** ~ de lã.

laïque [laik] *adj* laico(-ca).

laisse [lɛs] *nf* trela *f*; **tenir un chien en** ~ segurar um cão pela trela.

laisser [lese] *vt* deixar. ◆ *aux* : ~ **qqn faire qqch** deixar alguém fazer algo; ~ **tomber** *(objet)* deixar cair; *(fig: projet, personne)* abandonar.

❏ **se laisser** *vp* deixar-se; **se** ~ **aller** desleixar-se; **se** ~ **faire** *(par lâcheté)* deixar que aconteça; *(se laisser tenter)* deixar-se levar.

laisser-aller [leseale] *nm inv* desleixo *m*.

laisser-passer [lesepase] *nm inv* passe *m*.

lait [lɛ] *nm* leite *m*; ~ **démaquillant** leite desmaquilhante; ~ **de toilette** leite de toilette.

laitage [lɛtaʒ] *nm* lacticínio *m*.

laitier [lɛtje] *adj m* → **produit**.

laiton [lɛtɔ̃] *nm* latão *m*.

laitue [lety] *nf* alface *f*.

laïus [lajys] *nm (fam)* espiche *m*; **faire un ~** fazer um espiche.

lambeau, x [lãbo] *nm* farrapo *m*.

lambic [lãbik] *nm (Belg)* cerveja forte à base de frumento e malte.

lambris [lãbri] *nm* lambril *m*.

lame [lam] *nf* lâmina *f*; *(vague)* onda *f*; **~ de rasoir** lâmina de barbear.

lamelle [lamɛl] *nf* fatia *f*.

lamentable [lamãtabl] *adj* lamentável.

lamentation [lamãtasjɔ̃] *nf* lamentação *f*.

lamenter [lamãte]: **se lamenter** *vp* lamentar-se.

lampadaire [lãpadɛr] *nm (dans un appartement)* candeeiro *m* de pé alto *(Port)*, luminária *f* de pé *(Br)*; *(dans la rue)* lampadário *m*.

lampe [lãp] *nf* candeeiro *m* *(Port)*, luminária *f*, abajur *m* *(Br)*; **~ de chevet** candeeiro de cabeceira; **~ de poche** lanterna *f* de bolso.

lampion [lãpjɔ̃] *nm* lampião *m*.

lance [lãs] *nf* lança *f*; **~ d'incendie** mangueira *f*.

lancée [lãse] *nf*: **sur sa/ma ~** na sua/minha lançada.

lance-flammes [lãsflam] *nm inv* lança-chamas *m inv*.

lancement [lãsmã] *nm* lançamento *m*.

lance-pierres [lãspjɛr] *nm inv* fisga *f*.

lancer [lãse] *vt (jeter)* atirar; *(produit, mode)* lançar.
□ **se lancer** *vp (se jeter)* atirar-se; *(oser)* lançar-se; **se ~ dans qqch** meter-se em algo.

lancinant, e [lãsinã, ãt] *adj (douleur, souvenir)* lancinante; *(musique)* enfadonho(-nha).

landau [lãdo] *nm* carrinho *m* de bebé.

lande [lãd] *nf* planície *f*.

langage [lãgaʒ] *nm* linguagem *f*.

lange [lãʒ] *nm* fralda *f* (de pano).

langer [lãʒe] *vt* mudar a fralda a.

langoureux, euse [lãgurø, øz] *adj* lânguido(-da).

langouste [lãgust] *nf* lagosta *f*.

langoustine [lãgustin] *nf* lagostim *m*.

langue [lãg] *nf* língua *f*; **~ étrangère** língua estrangeira; **~ maternelle** língua materna; **~ vivante** língua viva.

---

i LANGUES RÉGIONALES

As principais línguas regionais faladas em França são o basco, o bretão, o catalão, o corso e o occitano. Podem ser estudadas tanto no ensino público como no privado. O occitano, nas suas diversas variantes, é a mais falada de todas, embora esteja, como todas as línguas regionais, em constante declínio.

---

langue-de-chat [lãgdəʃa] *(pl* **langues-de-chat***)* *nf* línguas-de-gato *fpl*.

languette [lãgɛt] *nf (de chaussures)* lingueta *f*.

languir [lãgir] *vi (sout: manquer d'énergie)* esmorecer; *(attendre)*: **faire ~ qqn** fazer esperar alguém; **~ de** penar de.
□ **se languir** *vp* ter saudades.

lanière [lanjɛr] *nf (de cuir)* correia *f*.

lanterne [lãtɛrn] *nf (lampe)* lanterna *f*; **les ~s** *(AUT: feu de position)* os mínimos.

laper [lape] *vt & vi* beber com a língua.

lapider [lapide] *vt* apedrejar.
lapin [lapɛ̃] *nm* coelho *m*.
lapsus [lapsys] *nm* lapso *m*; **faire un ~** cometer um lapso.
laque [lak] *nf* (*pour coiffer*) laca *f* (*Port*), laquê *m* (*Br*); (*peinture*) laca *f*.
laqué [lake] *adj m* → **canard**.
laquelle [lakɛl] → **lequel**.
larcin [larsɛ̃] *nm* (*sout*) furto *m*.
lard [lar] *nm* toucinho *m*.
lardon [lardɔ̃] *nm* tira *f* de toucinho.
large [larʒ] *adj* largo(-ga); (*généreux*) generoso(-osa); (*tolérant*) aberto(-ta). ◆ *nm* alto mar *m*. ◆ *adv* por alto; **ça fait 2 mètres de ~** mede dois metros de largura; **au ~ de** à altura de.
largement [larʒəmɑ̃] *adv* (*amplement*) largamente; (*au minimum*) pelo menos.
largeur [larʒœr] *nf* largura *f*.
larguer [large] *vt* largar; **sa femme l'a largué** (*fam*) a mulher largou-o.
larme [larm] *nf* lágrima *f*; **être en ~s** estar lavado em lágrimas.
larmoyant, e [larmwajɑ̃, ɑ̃t] *adj* lacrimoso(-osa).
larve [larv] *nf* larva *f*.
laryngite [larɛ̃ʒit] *nf* laringite *f*.
larynx [larɛ̃ks] *nm* laringe *f*.
las, lasse [la, las] (*sout*) *adj* (*fatigué*) fatigado(-da); (*dégoûté, ennuyé*) enfastiado(-da); **être ~ de qqch/de faire qqch** estar cansado de algo/de fazer algo.
lasagne(s) [lazaɲ] *nfpl* lasanha *f*.
lascar [laskar] *nm* (*fam*) malandro *m*; (*enfant*) maroto *m*.
lascif, ive [lasif, iv] *adj* lascivo(-va).
laser [lazɛr] *nm* laser *m*.
lassant, e [lasɑ̃, ɑ̃t] *adj* cansativo(-va).

lasser [lase] *vt* cansar.
❏ **se lasser de** *vp* + *prép* cansar-se de.
lassitude [lasityd] *nf* (*sout*) lassidão *f*.
lasso [laso] *nm* laço *m*.
latent, e [latɑ̃, ɑ̃t] *adj* latente.
latéral, e, aux [lateral, o] *adj* lateral.
latex [latɛks] *nm* látex *m*.
latin [latɛ̃] *nm* latim *m*.
latitude [latityd] *nf* latitude *f*.
latte [lat] *nf* ripa *f*.
lauréat, e [lɔrea, at] *nm, f* laureado *m* (-da *f*).
laurier [lɔrje] *nm* (*arbuste*) loureiro *m*; (*condiment*) louro *m*.
lavable [lavabl] *adj* lavável.
lavabo [lavabo] *nm* pia *f*, lavabo *m*.
❏ **lavabos** *nmpl* casa *f* de banho.
lavage [lavaʒ] *nm* lavagem *f*.
lavande [lavɑ̃d] *nf* lavanda *f*.
lave-glace [lavglas] (*pl* **lave-glaces**) *nm* lava-pára-brisas *m inv*.
lave-linge [lavlɛ̃ʒ] *nm inv* máquina *f* de lavar roupa.
laver [lave] *vt* lavar.
❏ **se laver** *vp* lavar-se; **se ~ les dents** lavar os dentes; **se ~ les mains** lavar as mãos.
laverie [lavri] *nf* : **~ (automatique)** lavandaria *f* (automática).
lavette [lavɛt] *nf* esfregona *f*.
laveur, euse [lavœr, øz] *nm, f* lavador *m* (-ra *f*); **~ de carreaux/de voitures** lavador de vidros/de carros.
lave-vaisselle [lavvesɛl] *nm inv* máquina *f* de lavar louça.
lavoir [lavwar] *nm* lavadouro *m*.
laxatif [laksatif] *nm* laxante *m*.
laxisme [laksism] *nm* laxismo *m*.
layette [lɛjɛt] *nf* enxoval *m* de recém-nascido.
le, la [la] (*pl* **les** [lɛ]) *article défini*

1. *(gén)* o (a); ~ **lac** o lago; **la fe-nêtre** a janela; **l'homme** o homem; **les livres** os livros; **les roses** as rosas; **j'adore** ~ **thé** adoro chá; **se laver les mains** lavar as mãos; **elle a les yeux bleus** ela tem olhos azuis; **brosse-toi les cheveux** penteia o cabelo; **j'ai levé les yeux** levantei os olhos.

2. *(désigne le moment)*: ~ **matin/ samedi** *(habituellement)* de manhã/aos sábados; *(moment précis)* de manhã/no sábado; **Bruxelles, ~ 9 juillet 1994** Bruxelas, 9 de Julho de 1994.

3. *(chaque)*: **les pommes font 13 F** ~ **kilo** as maçãs custam 13 francos o quilo; **c'est 250 F la nuit** são 250 francos por noite; **25 F l'un, 40 F les deux** 25 francos cada um, dois por 40 francos.

♦ *pron* **1.** *(représente une personne, une chose, un animal)*: **re-garde-le/la** olha para ele/ela; **lais-sez-les nous** deixem-nos connosco.

2. *(reprend un mot, une phrase)*: **si tu ne ~ fais pas tout de suite, je me fâche!** se não o fizeres imediatamente, zango-me!; **je l'avais entendu dire** eu tinha ouvido dizer isso.

leader [lidœr] *nm* líder *m*.
♦ *adj* : **être ~** ser o líder do mercado.

lèche-bottes [lɛʃbɔt] *nmf inv* *(fam)* lambe-botas *mf inv*.

lécher [leʃe] *vt* lamber.

lèche-vitrines [lɛʃvitrin] *nm inv* : **faire du ~** andar a ver as montras.

leçon [ləsɔ̃] *nf (cours, devoirs)* aula *f*; *(conclusion)* lição *f*; **faire la ~ à qqn** pregar um sermão a alguém.

lecteur, trice [lɛktœr, tris] *nm, f* leitor *m* (-a *f*). ♦ *nm* leitor *m*; ~ **de cassettes** leitor de cassetes; ~ **laser** OU **de CD** leitor de CDs.

lecture [lɛktyr] *nf* leitura *f*.

légal, e, aux [legal, o] *adj* legal.

légaliser [legalize] *vt (rendre légal)* legalizar; *(certifier)* autenticar *(Port)*, legalizar *(Br)*.

légendaire [leʒɑ̃dɛr] *adj* lendário(-ria).

légende [leʒɑ̃d] *nf (conte)* lenda *f*; *(d'une photo, d'un schéma)* legenda *f*.

léger, ère [leʒe, ɛr] *adj* leve; *(café, cigarette)* fraco(-ca); *(peu important)* ligeiro(-ra); **à la légère** irreflectidamente.

légèrement [leʒɛrmɑ̃] *adv (un peu)* ligeiramente; *(s'habiller)* à fresquinha.

légèreté [leʒɛrte] *nf (faible poids)* leveza *f*; *(insouciance)* despreocupação *f*.

légiférer [leʒifere] *vi* legislar.

légionnaire [leʒjɔnɛr] *nm* legionário *m*.

législatif, ive [leʒislatif, iv] *adj* legislativo(-va).
❑ **législatif** *nm* legislativo *m*.
❑ **législatives** *nfpl* : **les législatives** as legislativas.

législation [leʒislasjɔ̃] *nf* legislação *f*.

légitime [leʒitim] *adj* legítimo(-ma); ~ **défense** legítima defesa.

léguer [lege] *vt* legar.

légume [legym] *nm* legume *m*.

leitmotiv [lajtmɔtif] *nm* leitmotiv *m*.

lendemain [lɑ̃dmɛ̃] *nm* : **le ~ (de)** no dia a seguir (a); **le ~ ma-tin** na manhã seguinte.

lent, e [lɑ̃, lɑ̃t] *adj* lento(-ta).

lentement [lɑ̃tmɑ̃] *adv* lentamente.

lenteur [lɑ̃tœr] *nf* lentidão *f*.

lentille [lɑ̃tij] *nf (légume)* lentilha *f*; *(verre de contact)* lente *f*.

léopard [leɔpar] *nm* leopardo *m*.

lèpre [lɛpr] *nf* lepra *f.*

lequel [ləkɛl] (*f* **laquelle** [lakɛl], *mpl* **lesquels** [lekɛl], *fpl* **lesquelles** [lekɛl]) *pron* o qual (a qual); *(interrogatif)* qual; **l'homme auquel j'ai parlé/duquel on m'a parlé** o homem a quem falei/de quem me falaram; **~ veux-tu? qual queres?**

les → **le.**

léser [leze] *vt* lesar.

lésiner [lezine] *vi* : **ne pas ~ sur** não poupar em.

lésion [lezjɔ̃] *nf* lesão *f.*

lesquelles [lekɛl] → **lequel.**

lesquels [lekɛl] → **lequel.**

lessive [lɛsiv] *nf (poudre, liquide)* detergente *m (para a roupa); (linge)* roupa *f* por lavar; **faire la ~** lavar a roupa.

lessiver [lɛsive] *vt (nettoyer)* lavar; *(fam : fatiguer)* deixar de rastos.

lest [lɛst] *nm* lastro *m*; **lâcher du ~** largar lastro; *(fig)* fazer concessões.

leste [lɛst] *adj (agile)* ágil.

léthargie [letarʒi] *nf* letargia *f.*

lettre [letr] *nf (de l'alphabet)* letra *f; (courrier)* carta *f*; **en toutes ~s** por extenso.

leucémie [løsemi] *nf* leucemia *f.*

leur [lœr] *adj* dele (dela); **ils ont vendu ~ maison** eles venderam a casa deles; **je vais ~ montrer le chemin** vou mostrar-lhes o caminho; **tu devrais le ~ renvoyer** deverias mandar-lhes isso de volta. ❑ **le leur** (*f* **la leur**, *pl* **les leurs**) *pron* o deles (a deles); **je préfère la ~** prefiro a deles; **cet argent est le ~** este é o dinheiro deles.

leurrer [lœre] *vt* iludir. ❑ **se leurrer** *vp* iludir-se.

levain [ləvɛ̃] *nm* fermento *m.*

levant [ləvɑ̃] *adj m* → **soleil.**

levé, e [ləve] *adj* levantado(-da).

levée [ləve] *nf (du courrier)* recolha *f.*

lever [ləve] *vt* levantar. ◆ *nm* levantar *m*; **le ~ du jour** o amanhecer; **le ~ du soleil** o nascer do sol. ❑ **se lever** *vp (personne)* levantar-se; *(jour)* amanhecer; *(soleil)* nascer; *(temps)* clarear.

levier [ləvje] *nm* alavanca *f*; **~ de vitesse** alavanca das mudanças.

lévitation [levitasjɔ̃] *nf* levitação *f.*

lèvre [lɛvr] *nf* lábio *m.*

lévrier [levrije] *nm* galgo *m.*

levure [ləvyr] *nf* fermento *m* em pó.

lexique [lɛksik] *nm* léxico *m.*

lézard [lezar] *nm* lagarto *m.*

lézarder [lezarde]: **se lézarder** *vp* rachar-se.

liaison [ljɛzɔ̃] *nf* ligação *f; (amoureuse)* relação *f*; **être en ~ avec** estar em contacto com.

liane [ljan] *nf* liana *f (Port)*, cipó *m (Br).*

liasse [ljas] *nf* maço *m.*

Liban [libɑ̃] *nm* : **le ~** o Líbano.

libellule [libelyl] *nf* libélula *f*, libelinha *f.*

libéral, e, aux [liberal, o] *adj* liberal.

libéraliser [liberalize] *vt* liberalizar.

libéralisme [liberalism] *nm* liberalismo *m.*

libération [liberasjɔ̃] *nf* libertação *f.*

libérer [libere] *vt* libertar. ❑ **se libérer** *vp* libertar-se.

liberté [libɛrte] *nf* liberdade *f*; **en ~** *(animaux)* em liberdade.

libertin, e [libɛrtɛ̃, in] *nm, f* libertino *m* (-na *f*).

libido [libido] *nf* libido *f.*

libraire [librɛr] *nmf* livreiro *m* (-ra *f*).

librairie [librɛri] *nf* livraria *f*.

libre [libr] *adj* livre; **être ~ de faire qqch** ser livre de fazer algo.

libre-échange [librəʃɑʒ] (*pl* **libres-échanges**) *nm* livre-câmbio *m*.

librement [librəmɑ̃] *adv* livremente.

libre-service [librəsɛrvis] (*pl* **libres-services**) *nm* self-service *m*.

licence [lisɑ̃s] *nf* autorização *f*; (*diplôme*) *diploma universitário que se obtém depois de três anos de estudos*, ≃ Licenciatura *f*.

licencié, e [lisɑ̃sje] *adj & nm, f* licenciado(-da).

licenciement [lisɑ̃simɑ̃] *nm* despedimento *m*.

licencier [lisɑ̃sje] *vt* despedir.

licorne [likɔrn] *nf* unicórnio *m*.

lie [li] *nf* (*dépôt*) pé *m* (em vinho); (*fig: sout: rebut*) ralé *f*.

liège [ljɛʒ] *nm* cortiça *f*.

liégeois [ljeʒwa] *adj m* → **café, chocolat**.

lien [ljɛ̃] *nm* (*ruban, sangle*) laço *m*; (*relation*) vínculo *m*.

lier [lje] *vt* ligar; (*attacher*) atar; **~ conversation avec qqn** meter conversa com alguém.

❑ **se lier** *vp*: **se ~ (d'amitié) avec qqn** fazer amizade com alguém.

lierre [ljɛr] *nm* hera *f*.

liesse [ljɛs] *nf*: **en ~** jubiloso(-osa).

lieu, x [ljø] *nm* lugar *m*; **avoir ~** ter lugar, realizar-se; **au ~ de** em vez de.

lieutenant [ljøtnɑ̃] *nm* tenente *m*.

lièvre [ljɛvr] *nm* lebre *f*.

lifting [liftiŋ] *nm* operação *f* plástica ao rosto.

ligament [ligamɑ̃] *nm* ligamento *m*.

ligne [liɲ] *nf* linha *f*; (*téléphonique*) ligação *f*; **garder la ~** manter a linha; **aller à la ~** abrir parágrafo; **~ blanche** linha contínua; **(en) ~ droite** (em) linha recta; **'grandes ~s'** *principais eixos ferroviários*.

lignée [liɲe] *nf* linhagem *f*.

ligoter [ligɔte] *vt* atar.

ligue [lig] *nf* liga *f*.

liguer [lige]

❑ **se liguer** *vp* aliar-se; **se ~ contre qqn** aliar-se contra alguém.

lilas [lila] *nm* lilás *m*.

limace [limas] *nf* lesma *f*.

limande [limɑ̃d] *nf* solha *f*.

lime [lim] *nf* lima *f*; **~ à ongles** lima das unhas.

limer [lime] *vt* limar.

limitation [limitasjɔ̃] *nf* limitação *f*; **~ de vitesse** limite de velocidade.

limite [limit] *nf* limite *m*. ◆ *adj* limite; **à la ~** em último caso.

limiter [limite] *vt* limitar.

❑ **se limiter à** *vp + prép* limitar-se a.

limitrophe [limitrɔf] *adj* limítrofe; **être ~ de** ser limítrofe com.

limoger [limɔʒe] *vt* destituir.

limon [limɔ̃] *nm* limo *m*.

limonade [limɔnad] *nf* gasosa *f*.

limpide [lɛ̃pid] *adj* (*eau*) límpido(-da); (*raisonnement*) claro (-ra).

lin [lɛ̃] *nm* linho *m*.

linceul [lɛ̃sœl] *nm* mortalha *f*.

linéaire [lineɛr] *adj* linear.

linge [lɛ̃ʒ] *nm* roupa *f*; **~ de maison** roupa branca.

lingerie [lɛ̃ʒri] *nf* (*sous-vêtements*) lingerie *f*; (*local*) loja *f* de lingerie.

lingot [lɛ̃go] *nm*: **~ (d'or)** lingote *m* (de ouro).

linguistique [lɛ̃gɥistik] *nf* linguística *f*. ◆ *adj* linguístico(-ca).

lino(léum) [lino, linɔlɛɔm] *nm* oleado *m*.

lion [ljɔ̃] *nm* leão *m*.
❏ **Lion** *nm* Leão *m*.

lipide [lipid] *nm* lípido *m*.

liqueur [likœr] *nf* licor *m*.

liquidation [likidasjɔ̃] *nf* : '**~ totale'** 'liquidação total'.

liquide [likid] *adj* líquido(-da).
◆ *nm* líquido *m*; **(argent)** ~ dinheiro *m*; **payer en (argent)** ~ pagar a dinheiro; ~ **de frein** óleo *m* dos travões.

liquider [likide] *vt* liquidar.

liquidité [likidite] *nf* liquidez *f*.
❏ **liquidités** *nfpl* liquidez *f*.

lire [lir] *vt & vi* ler.

lis [lis] *nm* açucena *f*.

Lisbonne [lisbɔn] *n* Lisboa.

liseré [lizre] *nm* debrum *m*.

liseron [lizrɔ̃] *nm* campainha *f* *(flor)*.

lisible [lizibl] *adj* legível.

lisière [lizjɛr] *nf* orla *f*.

lisse [lis] *adj* liso(-sa).

lisser [lise] *vt* alisar.

liste [list] *nf* lista *f*; ~ **d'attente** lista de espera; **(être sur)** ~ **rouge** estar na condição de confidencialidade.

listing [listiŋ] *nm* listagem *f*.

lit [li] *nm* *(pour dormir)* cama *f*; *(d'une rivière)* leito *m*; **aller au** ~ ir para a cama; ~ **de camp** cama de acampamento; ~ **double, grand** ~ cama de casal; ~ **simple, ~ à une place, petit** ~ cama de solteiro; **~s jumeaux** camas iguais; **~s superposés** beliche *m*.

litanie [litani] *nf* ladainha *f*.

litchi [litʃi] *nm* lichia *f*.

literie [litri] *nf* *estrados e colchões*.

litière [litjɛr] *nf* areia *f* para gatos.

litige [litiʒ] *nm* litígio *m*.

litigieux, euse [litiʒjø, øz] *adj* litigioso(-osa).

litre [litr] *nm* litro *m*.

littéraire [literɛr] *adj* literário(-ria).

littéral, e, aux [literal, o] *adj* literal.

littérature [literatyr] *nf* literatura *f*.

littoral, aux [litɔral, o] *nm* litoral *m*.

livide [livid] *adj* lívido(-da).

living(-room), s [liviŋ(rum)] *nm* sala *f* de estar.

livraison [livrɛzɔ̃] *nf* entrega *f*; ~ **à domicile** entrega ao domicílio; '**~ des bagages'** 'recolha de bagagem'.

livre[1] [livr] *nm* livro *m*; ~ **de français** livro de francês.

livre[2] [livr] *nf* *(demi-kilo)* meioquilo *m*; *(monnaie)* libra *f*; ~ **sterling** libra esterlina.

livrer [livre] *vt* entregar.

livret [livrɛ] *nm* caderneta *f*; ~ **(de caisse) d'épargne** caderneta de poupança; ~ **de famille** ≃ cédula *f*; ~ **scolaire** caderneta do aluno.

livreur, euse [livrœr, øz] *nm, f* estafeta *mf*; *(de meubles)* carregador *m*.

lobby [lɔbi] *(pl* **lobbies)** *nm* lobby *m*.

lobe [lɔb] *nm* lóbulo *m*.

local, e, aux [lɔkal, o] *adj* local. ◆ *nm* local *m*.

localiser [lɔkalize] *vt* localizar.

locataire [lɔkatɛr] *nmf* inquilino *m* (-na *f*).

location [lɔkasjɔ̃] *nf* aluguer *m*; *(d'un billet)* reservação *f*; '**~ de voitures'** 'aluguer de viaturas'.

location-vente [lɔkasjɔ̃vɑ̃t] *(pl* **locations-ventes)** *nf* locação *f* financeira imobiliária.

locomotive [lɔkɔmɔtiv] *nf* locomotiva *f*.

locution [lɔkysjɔ̃] *nf* locução *f*.

loft [lɔft] *nm* sótão *convertido em apartamento*.

loge [lɔʒ] *nf* (de concierge) casa *f* do porteiro; (d'acteur) camarim *m*.

logement [lɔʒmɑ̃] *nm* (hébergement) alojamento *m*; (appartement) casa *f*; **le ~** o imobiliário.

loger [lɔʒe] *vt* alojar. ◆ *vi* morar. ❑ **se loger** *vp* alojar-se.

logiciel [lɔʒisjɛl] *nm* software *m*.

logique [lɔʒik] *adj* lógico(-ca). ◆ *nf* lógica *f*.

logiquement [lɔʒikmɑ̃] *adv* logicamente.

logistique [lɔʒistik] *nf* logística *f*. ◆ *adj* logístico(-ca).

logo [logo] *nm* logotipo *m*.

loi [lwa] *nf* lei *f*; **la ~** a lei.

loin [lwɛ̃] *adv* longe; **au ~** ao longe; **de ~** de longe; **~ de** longe de; **~ de là** longe disso.

lointain, e [lwɛ̃tɛ̃, ɛn] *adj* longínquo(-qua); (hautain) distante. ◆ *nm* : **dans le ~** ao longe.

loir [lwar] *nm* arganaz *m*; **dormir comme un ~** dormir como uma pedra.

Loire [lwar] *nf* : **la ~** (fleuve) o Loire.

loisirs [lwazir] *nmpl* tempos *mpl* livres.

Londonien, enne [lɔ̃dɔnjɛ̃, ɛn] *nm, f* londrino *m* (-na *f*).

Londres [lɔ̃dr] *n* Londres.

long, longue [lɔ̃, lɔ̃g] *adj* (dans l'espace) comprido(-da); (dans le temps) longo(-ga); **ça fait 10 mètres de ~** mede 10 metros de comprimento; **le ~ de** ao longo de; **de ~ en large** de um lado para o outro; **à la longue** com o tempo.

longeole [lɔ̃ʒɔl] *nf* (Helv) salsicha defumada típica de Genebra.

longer [lɔ̃ʒe] *vt* ladear.

longitude [lɔ̃ʒityd] *nf* longitude *f*.

longtemps [lɔ̃tɑ̃] *adv* muito tempo.

longue → long.

longuement [lɔ̃gmɑ̃] *adv* longamente.

longueur [lɔ̃gœr] *nf* (d'une route, d'une table) comprimento *m*; (d'un voyage, d'un discours) duração *f*; **à ~ de journée** todo o dia; **~ d'onde** comprimento de onda.

longue-vue [lɔ̃gvy] (*pl* **longues-vues**) *nf* óculo *m*.

look [luk] *nm* visual *m*; **avoir un ~** ter um visual.

lopin [lɔpɛ̃] *nm* pequena parcela *f*; **~ de terre** pequena parcela de terreno.

loquace [lɔkas] *adj* loquaz; **(être) peu ~** (ser) pouco loquaz.

loque [lɔk] *nf* farrapo *m*; **en ~s** em farrapos.

loquet [lɔkɛ] *nm* trinco *m*.

lorraine [lɔrɛn] *adj f* → quiche.

lors [lɔr] : **lors de** *prép* durante.

lorsque [lɔrskə] *conj* quando.

losange [lɔzɑ̃ʒ] *nm* losango *m*.

lot [lo] *nm* (de loterie) prémio *m*; (COMM) lote *m*.

loterie [lɔtri] *nf* lotaria *f* (Port), loteria *f* (Br).

loti, e [lɔti] *adj* : **être bien/mal ~** ser favorecido/desfavorecido.

lotion [lɔsjɔ̃] *nf* loção *f*.

lotissement [lɔtismɑ̃] *nm* lote *m*.

loto [lɔto] *nm* (national) ≃ totoloto *m*; **le ~ sportif** ≃ o totobola

(Port), loteria *f* esportiva *(Br)*.

ⓘ LOTO

N este jogo de azar administrado pelo Estado podem-se ganhar grandes somas em dinheiro. Os apostadores escolhem certos números em grelhas impressas (que se podem comprar nas tabacarias) e o preço da aposta varia em função da quantidade de números escolhidos. A seguir, comparam-se os números em que se apostou com os do sorteio transmitido em directo pela televisão. O "loto sportif" (totobola) é a aposta nos resultados de uma série de jogos de futebol.

lotte [lɔt] *nf* tamboril *m*; ~ **à l'américaine** tamboril à americana.

louange [lwãʒ] *nf* louvor *m*; **chanter les ~s de qqn** *(fig)* tecer louvores a alguém.

louche [luʃ] *adj (bizarre)* esquisito(-ta); *(personne)* duvidoso(-osa). ◆ *nf* concha *f* (de sopa).

loucher [luʃe] *vi* ser vesgo(-ga).

louer [lwe] *vt (maison)* arrendar; *(voiture, télévision)* alugar; **'à ~'** 'aluga-se'.

loufoque [lufɔk] *adj (histoire)* espatafúrdio(-dia); *(personne)* adoidado(-da).

loup [lu] *nm* lobo *m*.

loupe [lup] *nf* lupa *f*.

louper [lupe] *vt (fam : examen)* chumbar em; *(train)* perder.

lourd, e [lur, lurd] *adj* pesado(-da); *(sans finesse)* grosseiro(-ra); *(dépenses, traitement)* importante; *(temps)* abafado(-da). ◆ *adv* : **peser ~** pesar muito.

lourdement [lurdəmã] *adv*

(tomber) pesadamente; *(se tromper)* redondamente.

lourdeur [lurdœr] *nf* : **avoir des ~s d'estomac** ter o estômago pesado.

louve [luv] *nf* loba *f*.

louveteau [luvto] *nm (animal)* lobinho *m*; *(scout)* lobito *m*.

louvoyer [luvwaje] *vi (NAVIG)* bordejar; *(fig: biaiser)* andar com rodeios.

Louvre [luvr] *nm* : **le ~** o museu do Louvre.

ⓘ LE LOUVRE

E ste é um dos museus mais importantes do mundo. Contém valiosas colecções de antiguidades, escultura e pintura. Algumas das salas do antigo Ministério da Economia foram incorporadas ao museu e procedeu-se a uma restauração total dos arredores daquilo a que hoje se chama o "Grand Louvre". Entre as duas alas do edifício ergue-se uma pirâmide de cristal, que constitui a nova via de acesso ao museu. No subsolo existem, entre outros, um centro comercial e um parque de estacionamento.

---

loyal, e, aux [lwajal, o] *adj* leal.

loyauté [lwajote] *nf* lealdade *f*.

loyer [lwaje] *nm* renda *f (Port)*, aluguel *m (Br)*.

lu, e [ly] *pp* → lire.

lubie [lybi] *nf* capricho *m*.

lubrifiant [lybrifjã] *nm* lubrificante *m*.

lubrifier [lybrifje] *vt* lubrificar.

lubrique [lybrik] *adj* lúbrico(-ca).

lucarne [lykarn] *nf* clarabóia *f*.

lucide [lysid] *adj* lúcido(-da).

lucratif, ive [lykratif, iv] *adj* lucrativo(-va).

ludique [lydik] *adj* lúdico(-ca).

lueur [lɥœr] *nf (lumière)* clarão *m; (de bougie)* luz *f; (dans le regard)* brilho *m.*

luge [lyʒ] *nf* trenó *m;* **faire de la ~** andar de trenó.

lugubre [lygybr] *adj* lúgubre.

lui¹ [lɥi] *pron* **1.** *(gén)* ele; **j'en ai eu moins que ~** tive menos que ele; **et ~, qu'est-ce qu'il en pense?** e ele, o que é que ele acha?; **c'est ~ qui nous a renseignés** foi ele que nos informou; **c'est ~-même qui l'a dit** foi ele próprio quem o disse; **il se contredit ~-même** ele contradiz-se a ele próprio.
2. *(complément d'objet indirect)* lhe; **dites-le ~ tout de suite** diga--lho imediatamente; **je ~ ai serré la main** dei-lhe um aperto de mão.

lui² [lɥi] *pp* → **luire.**

luire [lɥir] *vi* luzir.

luisant, e [lɥizã, ãt] *adj* reluzente.

lumbago [lɔ̃bago] *nm* lumbago *m.*

lumière [lymjɛr] *nf* luz *f.*

luminaire [lyminɛr] *nm* artigo *m* de iluminação.

lumineux, euse [lyminø, øz] *adj (éclairé)* luminoso(-osa); *(teint, sourire)* resplandecente; *(explication)* claro(-ra).

luminosité [lyminozite] *nf* luminosidade *f.*

lunatique [lynatik] *adj* temperamental.

lunch, s ou **es** [lœnʃ] *nm* bufete *m.*

lundi [lœ̃di] *nm* segunda-feira *f;* → **samedi.**

lune [lyn] *nf* lua *f; ~* **de miel** lua de mel; **pleine ~** lua cheia.

lunette [lynɛt] *nf* luneta *f; ~* **arrière** vidro *m* de trás (do carro). ❑ **lunettes** *nfpl* óculos *mpl; ~s* **de soleil** óculos de sol.

luron [lyrɔ̃] *nm* : **joyeux ~** galhofeiro *m.*

lusophone [lyzɔfɔn] *adj* lusófono(-na).

lustre [lystr] *nm* lustre *m.*

lustrer [lystre] *vt (faire briller)* dar brilho a; *(user)* coçar.

luth [lyt] *nm* alaúde *m.*

lutin [lytɛ̃] *nm* duende *m.*

lutte [lyt] *nf* luta *f.*

lutter [lyte] *vi* lutar; *~* **contre** lutar contra.

luxation [lyksasjɔ̃] *nf* luxação *f.*

luxe [lyks] *nm* luxo *m;* **de (grand) ~** de luxo.

Luxembourg [lyksɑ̃bur] *nm* : **le ~** o Luxemburgo.

Luxembourgeois, e [lyksɑ̃burʒwa, az] *nm, f* luxemburguês *m* (-esa *f*).

luxueux, euse [lyksɥø, øz] *adj* luxuoso(-osa).

luxure [lyksyr] *nf* luxúria *f.*

luzerne [lyzɛrn] *nf* luzerna *f.*

lycée [lise] *nm* escola *f* secundária; *~* **professionnel** escola profissional.

lycéen, enne [liseɛ̃, ɛn] *nm, f* aluno *m* (-na *f*) da escola secundária.

Lycra® [likra] *nm* lycra® *f.*

lyncher [lɛ̃ʃe] *vt* linchar.

lynx [lɛ̃ks] *nm* lince *m.*

Lyon [ljɔ̃] *n* Lyon.

lyophilisé, e [ljɔfilize] *adj* liofilizado(-da).

lyre [lir] *nf* lira *f.*

lyrique [lirik] *adj* lírico(-ca).

M

m *(abr de* **mètre***)* m.

m' → **me**.

M. *(abr de* **Monsieur***)* Sr.

ma [ma] → **mon**.

macabre [makabr] *adj* macabro(-bra).

macadam [makadam] *nm* macadame *m*.

macaron [makarɔ̃] *nm (gâteau)* suspiro *m* recheado.

macaronis [makarɔni] *nmpl* macarrão *m*.

macédoine [masedwan] *nf* : ~ **(de légumes)** macedónia *f* de legumes; ~ **de fruits** macedónia *f* de frutas.

macérer [masere] *vi* macerar.

mâche [maʃ] *nf* erva-benta *f*.

mâcher [maʃe] *vt* mastigar.

machin [maʃɛ̃] *nm (fam)* coisa *f*.

machinal, e, aux [maʃinal, o] *adj* maquinal.

machination [maʃinasjɔ̃] *nf* maquinação *f*.

machine [maʃin] *nf* máquina *f*; ~ **à coudre** máquina de costura; ~ **à écrire** máquina de escrever; ~ **à laver** máquina de lavar; ~ **à sous** slot-machine *f*.

machine-outil [maʃinuti] *(pl* **machines-outils)** *nf* máquina-ferramenta *f*.

machiniste [maʃinist] *nm (d'autobus)* motorista *mf*; **'faire** signe au ~' faça sinal ao motorista.

machisme [matʃism] *nm (péj)* machismo *m*.

mâchoire [maʃwar] *nf* maxila *f*.

mâchonner [maʃɔne] *vt (mâcher lentement)* mastigar lentamente; *(mordiller)* morder.

maçon [masɔ̃] *nm* pedreiro *m*.

maçonnerie [masɔnri] *nf* alvenaria *f*.

madame [madam] *(pl* **mesdames** [medam]) *nf* : ~ **X** a senhora ou dona Isabelle X; **bonjour ~/mesdames!** bom dia minha senhora/minhas senhoras!; **Madame,** *(dans une lettre)* Exma. Senhora,; **Madame!** *(pour appeler le professeur)* Senhora professora!

madeleine [madlɛn] *nf* madalena *f*.

mademoiselle [madmwazɛl] *(pl* **mesdemoiselles** [medmwazɛl]) *nf* : ~ **X** menina Isabelle X; **bonjour ~/mesdemoiselles!** bom dia menina/meninas!; **Mademoiselle,** *(dans une lettre)* Exma. Senhora,; **Mademoiselle!** *(pour appeler le professeur)* Senhora professora!

madère [madɛr] *nm* → **sauce**.

maf(f)ia [mafja] *nf* máfia *f*; **la Maf(f)ia** a Máfia.

magasin [magazɛ̃] *nm* loja *f*; **en ~** em armazém.

magazine [magazin] *nm* revista *f*.

Maghreb [magrɛb] *nm* : **le ~** o Magrebe.

Maghrébin, e [magrebɛ̃, in] *nm, f* habitante *mf* do Magrebe.

magicien, enne [maʒisjɛ̃, ɛn] *nm, f* mágico *m* (-ca *f*).

magie [maʒi] *nf* magia *f*.

magique [maʒik] *adj* mágico(-ca).

magistral, e, aux [maʒistral, o] *adj (excellent, doctoral)* magistral; *(très fort)* fenomenal.

magistrat [maʒistra] *nm* magistrado *m*.

magistrature [maʒistratyr] *nf* magistratura *f*.

magnat [magna] *nm* magnata *m*.

magnésium [maɲezjɔm] *nm* magnésio *m*.

magnétique [maɲetik] *adj* magnético(-ca).

magnétisme [maɲetism] *nm* magnetismo *m*.

magnétophone [maɲetɔfɔn] *nm* gravador *m*.

magnétoscope [maɲetɔskɔp] *nm* vídeo *m*.

magnifique [maɲifik] *adj* magnífico(-ca).

magot [mago] *nm (fam)* pé-de-meia *m*.

magret [magrɛ] *nm* : **~ (de canard)** peito *m* de pato.

mai [mɛ] *nm* Maio *m*; **le premier ~** o dia 1 de Maio; **→ septembre**.

PREMIER MAI

N este feriado comemora-se o Dia do Trabalha-dor e realizam-se os tradicionais desfiles organizados por diversos sindicatos franceses. Também neste dia é costume oferecer-se um ramo de "muguet" para dar sorte. Nesta época, tais flores são vendidas em toda a parte por vendedores ambulantes ocasionais.

---

maigre [mɛgr] *adj* magro(-gra).

maigreur [mɛgrœr] *nf* magreza *f*.

maigrir [megrir] *vi* emagrecer.

mailing [mɛliŋ] *nm* mailing *m*.

maille [maj] *nf* malha *f*.

maillon [majɔ̃] *nm* elo *m*.

maillot [majo] *nm* fato *m*; *(de football)* camisola *f*; **~ de bain** fato de banho *(Port)*, maiô *m (Br)*; **~ de corps** camisola interior; **~ jaune** *(du Tour de France)* camisola amarela *(Port)*, camiseta *f* amarela *(Br)*.

main [mɛ̃] *nf* mão *f*; **à ~ gauche** do lado esquerdo; **se donner la ~** dar a mão um ao outro; **fait (à la) ~** feito à mão; **prendre qqch en ~** encarregar-se de algo.

main-d'œuvre [mɛ̃dœvr] *(pl* **mains-d'œuvre)** *nf* mão-de-obra *f*.

mainmise [mɛ̃miz] *nf* : **avoir la ~ sur qqch** controlar algo.

maint, e [mɛ̃, mɛ̃t] *adj (sout)* : **~es fois** inúmeras vezes.

maintenance [mɛ̃tnɑ̃s] *nf* manutenção *f*.

maintenant [mɛ̃tnɑ̃] *adv* agora.

maintenir [mɛ̃tnir] *vt* manter. ❑ **se maintenir** *vp* manter-se.

maintenu, e [mɛ̃tny] *pp* **→ maintenir**.

maire [mɛr] *nm* Presidente *mf* da Câmara *(Port)*, prefeito *m (Br)*.

mairie [meri] *nf (bâtiment)* câmara *f* municipal *(Port)*, prefeitura *f (Br)*.

mais [mɛ] *conj* mas; **~ non!** claro que não!

maïs [mais] *nm* milho *m*.

maison [mezɔ̃] *nf* casa *f*. ◆ *adj inv* caseiro(-ra); **à la ~** em casa; **~ de campagne** casa de campo; **~ des jeunes et de la culture** *centro cultural para jovens*.

maître, esse [mɛtr, mɛtrɛs] *nm, f* dono *m* (-na *f*); **~ (d'école)** professor *m*; **~ d'hôtel** chefe *m* de mesa *(Port)*, maître *m (Br)*; **~ nageur** nadador *m* salvador *(Port)*, salva-vidas *m inv (Br)*.

maîtresse [mɛtrɛs] *nf (amie)* amante *f*; → **maître**.

maîtrise [mɛtriz] *nf (diplôme)* ≃ mestrado *m*.

maîtriser [mɛtrize] *vt* dominar.

majesté [maʒɛste] *nf* majestade *f*; **Sa/Votre Majesté** Sua/Vossa Majestade.

majestueux, euse [maʒɛstɥø, øz] *adj* majestoso(-osa).

majeur, e [maʒœr] *adj (adulte)* maior de idade; *(principal)* principal. ◆ *nm* dedo *m* médio; **la ~e partie (de)** a maior parte (de).

majoration [maʒɔrasjɔ̃] *nf* majoração *f*.

majorer [maʒɔre] *vt* aumentar.

majorette [maʒɔrɛt] *nf* majorette *f*.

majoritaire [maʒɔritɛr] *adj* maioritário(-ria).

majorité [maʒɔrite] *nf (âge)* maioridade *f*; *(plus grand nombre)* maioria *f*; **en ~** em maioria; **la ~ de** a maioria de.

majuscule [maʒyskyl] *nf* maiúscula *f*.

mal [mal] *(pl maux* [mo]) *nm (contraire du bien)* mal *m*. ◆ *adv* mal; **avoir ~** doer; **avoir ~ au cœur** estar enjoado; **j'ai ~ aux dents** doem-me os dentes; **j'ai ~ au dos** doem-me as costas; **j'ai ~ à la gorge** dói-me a garganta; **j'ai ~ à la tête** dói-me a cabeça; **j'ai ~ au ventre** dói-me a barriga; **ça**

fait **~** isso magoa; **faire ~ à qqn** aleijar alguém; **se faire ~** aleijar-se; **se donner du ~ (pour faire qqch)** esforçar-se (por fazer algo); **~ de gorge** dor *f* de garganta; **~ de mer** enjoo *m*; **maux de tête** dores *mpl* de cabeça; **il n'est pas ~** *(fam)* não está nada mal; **pas ~ de** *(fam)* bastante; **pas ~ de voitures** bastantes carros.

malade [malad] *adj* doente; *(sur un bateau)* enjoado(-da). ◆ *nmf* doente *mf*; **~ mental** doente mental.

maladie [maladi] *nf* doença *f*.

maladresse [maladrɛs] *nf* falta *f* de jeito.

maladroit, e [maladrwa, at] *adj (personne, geste)* desajeitado(-da); *(réponse, expression)* despropositado(-da).

malaise [malɛz] *nm (MÉD)* indisposição *f*; *(angoisse)* mal-estar *m*; **avoir un ~** sentir-se mal.

malaxer [malakse] *vt* amassar.

malchance [malʃɑ̃s] *nf* azar *m*.

malchanceux, euse [malʃɑ̃sø, øz] *adj & nm, f* azarado(-da).

mâle [mal] *adj & nm* macho *m*.

malédiction [malediksjɔ̃] *nf* maldição *f*.

maléfique [malefik] *adj (sout)* maléfico(-ca).

malencontreux, euse [malɑ̃kɔ̃trø, øz] *adj* infeliz.

malentendant, e [malɑ̃tɑ̃dɑ̃, ɑ̃t] *adj & nm, f* deficiente auditivo.

malentendu [malɑ̃tɑ̃dy] *nm* mal-entendido *m*.

malfaiteur [malfɛtœr] *nm* malfeitor *m* (-ra *f*).

malfamé, e [malfame] *adj* malafamado(-da).

malformation [malfɔrmasjɔ̃] *nf* deformação *f* congénita.

malfrat [malfra] *nm* vigarista *mf*.

malgré

malgré [malgre] *prép* apesar de; ~ **tout** apesar de tudo.

malheur [malœr] *nm (malchance)* infelicidade *f*; *(événement)* desgraça *f*.

malheureusement [malœrøzmã] *adv* infelizmente.

malheureux, euse [malœrø, øz] *adj* infeliz.

malhonnête [malɔnɛt] *adj* desonesto(-ta).

malhonnêteté [malɔnɛtte] *nf* desonestidade *f*.

Mali [mali] *nm* : **le ~** o Mali.

malice [malis] *nf* malícia *f*; **sans ~** sem malícia.

malicieux, euse [malisjø, øz] *adj* malicioso(-osa).

malin, igne [malɛ̃, iɲ] *adj (habile, intelligent)* esperto(-ta).

malingre [malɛ̃gr] *adj* enfezado(-da).

malle [mal] *nf* mala *f (baú)*.

malléable [maleabl] *adj* maleável.

mallette [malɛt] *nf* pasta *f*.

malmener [malmǝne] *vt* maltratar.

malnutrition [malnytrisjɔ̃] *nf* má nutrição *f*.

malotru, e [malɔtry] *nm, f* : **quel ~!** que bruto!

malpoli, e [malpɔli] *adj* malcriado(-da).

malsain, e [malsɛ̃, ɛn] *adj* doentio(-tia).

malt [malt] *nm* malte *m*.

maltraiter [maltrete] *vt* maltratar.

malus [malys] *nm* agravamento *m*.

malveillant, e [malvɛjã, ãt] *adj* malévolo(-la).

malversation [malvɛrsasjɔ̃] *nf* malversação *f*.

malvoyant, e [malvwajã, ãt] *adj & nm, f* deficiente visual.

maman [mamã] *nf* mamã *f*.

mamelle [mamɛl] *nf* teta *f*.

mamie [mami] *nf (fam)* vovó *f*.

mammifère [mamifɛr] *nm* mamífero *m*.

mammographie [mamɔgrafi] *nf* mamografia *f*.

mammouth [mamut] *nm* mamute *m*.

manager [manadʒɛr] *nm* gerente *m*.

manche [mãʃ] *nf (de vêtement)* manga *f*; *(de jeu, de match)* parte *f*. ◆ *nm* cabo *m*; **à ~s courtes/longues** de manga curta/comprida.

Manche [mãʃ] *nf* : **la ~** o Canal da Mancha.

manchette [mãʃɛt] *nf (d'une manche)* punho *m* da camisa.

manchot, e [mãʃo, ɔt] *adj* maneta.

mandarine [mãdarin] *nf* tangerina *f*.

mandat [mãda] *nm (postal)* vale *m* postal.

mandataire [mãdatɛr] *nmf* mandatário *m* (-ria *f*).

mandibule [mãdibyl] *nf* mandíbula *f*.

mandoline [mãdɔlin] *nf* bandolim *m*.

manège [manɛʒ] *nm (attraction)* carrossel *m*; *(d'équitation)* picadeiro *m*.

manette [manɛt] *nf* alavanca *f*; ~ **de jeux** joystick *m*.

manganèse [mãganɛz] *nm* manganésio *m*.

mangeoire [mãʒwar] *nf* manjedoura *f*.

manger [mãʒe] *vt & vi* comer; **donner à ~ à qqn** dar de comer a alguém.

mangue [mãg] *nf* manga *f (fruto)*.

maniable [manjabl] *adj* manejável.

maniaque [manjak] *adj* maníaco(-ca).

manie [mani] *nf* mania *f*.

manier [manje] *vt* manejar.

manière [manjɛr] *nf* maneira *f*; **de ~ à** de maneira a; **de toute ~** de qualquer maneira.

❏ **manières** *nfpl (attitude)* modos *mpl*; **faire des ~s** estar com cerimónias.

maniéré, e [manjere] *adj* de modos afectados.

manif [manif] *nf (fam)* manifestação *f*.

manifestant, e [manifɛstɑ̃, ɑ̃t] *nm, f* manifestante *mf*.

manifestation [manifɛstasjɔ̃] *nf (défilé)* manifestação *f (Port)*, passeata *f (Br)*; *(culturelle)* manifestação *f*.

manifester [manifɛste] *vt & vi* manifestar.

❏ **se manifester** *vp* manifestar-se.

manigancer [manigɑ̃se] *vt* tramar.

manioc [manjɔk] *nm* mandioca *f*.

manipulation [manipylasjɔ̃] *nf* manipulação *f*; *(d'un outil)* manejo *m*.

manipuler [manipyle] *vt* manipular; *(outil)* manejar.

manivelle [manivɛl] *nf* manivela *f*.

mannequin [mankɛ̃] *nm (de défilé)* modelo *mf*; *(de vitrine)* manequim *m*.

manœuvre [manœvr] *nf* manobra *f*.

manœuvrer [manœvre] *vt & vi* manobrar.

manoir [manwar] *nm* solar *m*.

manquant, e [mɑ̃kɑ̃, ɑ̃t] *adj* que falta.

manque [mɑ̃k] *nm* : **le ~ de** a falta de.

manquer [mɑ̃ke] *vt (train, occa-sion)* perder; *(cible)* falhar. ◆ *vi (échouer)* falhar; *(être absent)* faltar; **elle nous manque** temos saudades OU sentimos falta dela; **il me manque dix francs** faltam-me dez francos; **~ de qqch** ter falta de algo; **il a manqué (de) se faire écraser** por pouco era atropelado.

mansarde [mɑ̃sard] *nf* mansarda *f*, água-furtada *f*.

mansardé, e [mɑ̃sarde] *adj* no sótão.

mansuétude [mɑ̃sɥetyd] *nf (sout)* mansuetude *f*.

manteau, x [mɑ̃to] *nm* casaco *m* (comprido).

manucure [manykyr] *nmf* manicura *f*.

manuel, elle [manɥɛl] *adj* manual. ◆ *nm* manual *m*.

manufacturé, e [manyfaktyre] *adj* manufacturado(-da).

manuscrit [manyskri] *nm* manuscrito *m*.

manutention [manytɑ̃sjɔ̃] *nf* armazenagem *f*.

manutentionnaire [manytɑ̃sjɔnɛr] *nmf* condutor *m* (-ra *f*) de empilhadora.

mappemonde [mapmɔ̃d] *nf (carte)* mapa-múndi *m*; *(globe)* globo *m*.

maquereau, x [makro] *nm* cavala *f*.

maquette [makɛt] *nf* maquete *f*.

maquillage [makijaʒ] *nm* maquilhagem *f*.

maquiller [makije]: **se maquiller** *vp* maquilhar-se.

maquis [maki] *nm (végétation)* matagal *m*; *(lieu de la Résistance)* maquis *m*; **prendre le ~** passar à clandestinidade.

maraîcher, ère [marɛʃe, ɛr] *adj* hortense. ◆ *nm, f* hortelão *m*.

marais [marɛ] *nm* pântano *m*.

ℹ️ LE MARAIS

Este bairro do 4° "arrondissement" de Paris está situado entre a Bastilha e o "Hôtel de Ville" (Câmara Municipal). Constitui o centro histórico da capital e é célebre pelo grande número de palacetes, chamados "hôtels particuliers". Os mais prestigiosos encontram-se à volta da "Place des Vosges". Tradicionalmente, é o sítio onde vive grande parte da comunidade judaica.

---

marasme [marasm] *nm* marasmo *m*.

marathon [maratɔ̃] *nm* maratona *f*.

marbre [marbr] *nm* mármore *m*.

marbré, e [marbre] *adj m* → **gâteau**.

marchand, e [marʃɑ̃, ɑ̃d] *nm, f* vendedor *m* (-ra *f*); ~ **ambulant** vendedor ambulante; ~ **de fruits et légumes** OU **de primeurs** vendedor de fruta; ~ **de journaux** vendedor de jornais.

marchander [marʃɑ̃de] *vi* regatear.

marchandise [marʃɑ̃diz] *nf* mercadoria *f*.

marche [marʃ] *nf (à pied)* passeio *m*; *(d'escalier)* degrau *m*; *(fonctionnement)* funcionamento *m*; ~ **arrière** *(AUT)* marcha *f* atrás *(Port)*, marcha à ré *(Br)*; **en ~** *(machine)* em funcionamento; *(train)* em andamento; *(troupes)* em marcha.

marché [marʃe] *nm (lieu de vente)* mercado *m*; *(contrat)* trato *m*; **faire son ~** ir ao mercado; **le Marché commun** o Mercado Comum; ~ **couvert** mercado coberto; ~ **aux puces** feira *f* da ladra; **bon ~** barato(-ta); **par-dessus le ~** ainda por cima.

ℹ️ MARCHÉ

Em França, quase todas as cidades, por mais pequenas que sejam, têm um mercado, coberto ou ao ar livre, onde se vendem produtos alimentares frescos, flores, roupa e quinquilharias. Alguns deles são especializados, como os de flores, queijos ou os de patos, no sudoeste. Os comerciantes alugam um local fixo por um ano. Tais mercados realizam-se uma ou duas vezes por semana.

---

marchepied [marʃəpje] *nm* estribo *m*.

marcher [marʃe] *vi (à pied)* andar; *(fonctionner)* funcionar; *(bien fonctionner)* correr; **faire ~ qqch** pôr algo a funcionar; **faire ~ qqn** *(fam)* meter-se com alguém.

mardi [mardi] *nm* terça-feira *f*; ~ **gras** Terça-feira de Carnaval; → **samedi**.

mare [mar] *nf* poça *f*.

marécage [marekaʒ] *nm* pântano *m*.

marécageux, euse [marekaʒø, øz] *adj (terrain)* pantanoso(-osa); *(plante)* que cresce nos pântanos.

maréchal, e, aux [mareʃal, o] *nm, f* marechal *m* (-la *f*).

marée [mare] *nf* maré *f*; **(à) ~ basse** (durante a) maré-baixa; **(à) ~ haute** (durante a) maré-alta.

marelle [marɛl] *nf* macaca *f* (jogo).

margarine [margarin] *nf* margarina *f*.

marge [marʒ] *nf* margem *f*.

marginal, e, aux [marʒinal, o] *nm, f* marginal *mf*.

marguerite [margərit] *nf* malmequer *m*.

mari [mari] *nm* marido *m*.

mariage [marjaʒ] *nm* casamento *m*.

marié, **e** [marje] *adj* casado(-da). ◆ *nm, f* noivo *m* (-va *f*); **jeunes ~s** recém-casados *mpl*.

marier [marje]: **se marier** *vp* casar.

marijuana [mariʒɥana] *nf* marijuana *f*.

marin, **e** [marɛ̃, in] *adj (courant, carte, météo)* marítimo(-ma); *(animal)* marinho(-nha). ◆ *nm* marinheiro *m*.

marine [marin] *adj inv* & *nm* azul-marinho. ◆ *nf* marinha *f*.

mariner [marine] *vi* marinar.

marinière [marinjɛr] *nf* → **moule**.

marionnette [marjɔnɛt] *nf* marionete *f*.

maritime [maritim] *adj* marítimo(-ma).

mark [mark] *nm* marco *m*.

marketing [marketiŋ] *nm* marketing *m*.

marmaille [marmaj] *nf* canalhada *f*.

marmelade [marməlad] *nf* doce *m* de laranja.

marmite [marmit] *nf* panela *f*.

marmonner [marmɔne] *vt* falar por entre dentes.

marmotte [marmɔt] *nf* marmota *f*.

Maroc [marɔk] *nm* : **le ~** Marrocos.

marocain, **e** [marɔkɛ̃, ɛn] *adj* marroquino(-na).

❑ **Marocain**, **e** *nm, f* marroquino *m* (-na *f*).

maroquinerie [marɔkinri] *nf* marroquinaria *f*.

marquant, **e** [markɑ̃, ɑ̃t] *adj* marcante.

marque [mark] *nf* marca *f*; *(nombre de points)* resultado *m*.

marqué, **e** [marke] *adj (différence, tendance)* acentuado(-da); *(traits, visage)* marcado(-da).

marquer [marke] *vt* marcar; *(écrire)* anotar. ◆ *vi (stylo)* escrever.

marqueur [markœr] *nm* marcador *m*.

marquis, **e** [marki, iz] *nm, f* marquês *m* (-esa *f*).

marraine [marɛn] *nf* madrinha *f*.

marrant, **e** [marɑ̃, ɑ̃t] *adj (fam)* engraçado(-da).

marre [mar] *adv* : **en avoir ~ (de)** *(fam)* estar farto(-ta) (de).

marrer [mare]: **se marrer** *vp (fam : rire)* fartar-se de rir; *(s'amuser)* divertir-se.

marron [marɔ̃] *adj inv* castanho(-nha). ◆ *nm (fruit)* castanha *f*; *(couleur)* castanho *m*; **~ glacé** bombom requintado de castanha coberta com açúcar.

marronnier [marɔnje] *nm* castanheiro *m*.

mars [mars] *nm* Março *m*; → **septembre**.

Marseille [marsɛj] *n* Marselha.

marteau, **x** [marto] *nm* martelo *m*; **~ piqueur** martelo pneumático.

marteler [martəle] *vt* martelar.

martial, **e**, **aux** [marsjal, o] *adj* marcial.

martien, **enne** [marsjɛ̃, ɛn] *adj* marciano(-na).

❑ **Martien**, **enne** *nm, f* marciano *m* (-na *f*).

martiniquais, **e** [martinikɛ, ɛz] *adj* martinicano(-na).

Martinique [martinik] *nf* : **la ~** a Martinica.

martyr, **e** [martir] *adj* & *nm, f* mártir.

martyre [martir] *nm (douleur, peine)* martírio *m*.

martyriser [martirize] *vt* martirizar.

marxisme [marksism] *nm* marxismo *m*.

mascara [maskara] *nm* rímel® *m*.

mascarade [maskarad] *nf* mascarada *f*.

mascotte [maskɔt] *nf* mascote *f*.

masculin, e [maskylɛ̃, in] *adj* masculino(-na). ◆ *nm* masculino *m*.

masochisme [mazɔʃim] *nm* masoquismo *m*.

masque [mask] *nm* máscara *f*.

masquer [maske] *vt* tapar.

massacre [masakr] *nm* massacre *m*.

massacrer [masakre] *vt* massacrar.

massage [masaʒ] *nm* massagem *f*.

masse [mas] *nf (bloc)* massa *f*; *(outil)* maça *f*; **une ~** OU **des ~s de** um monte OU montes de; **une arrivée en ~** uma chegada em massa.

masser [mase] *vt (dos, personne)* massajar; *(grouper)* agrupar. ❏ **se masser** *vp* agrupar-se.

masseur, euse [masœr, øz] *nm, f* massagista *mf*.

massif, ive [masif, iv] *adj* maciço(-ça). ◆ *nm* maciço *m*; **le Massif central** o Maciço Central.

massivement [masivmã] *adv* em peso.

massue [masy] *nf* maça *f*.

mastic [mastik] *nm* mastique *m*.

mastiquer [mastike] *vt (mâcher)* mastigar.

masturbation [mastyrbasjɔ̃] *nf* masturbação *f*.

mat, e [mat] *adj* mate. ◆ *adj inv (aux échecs)* mate.

mât [ma] *nm* mastro *m*.

match [matʃ] (*pl* **-s** OU **-es**) *nm* jogo *m*; **faire ~ nul** empatar a zero.

matelas [matla] *nm* colchão *m*; **~ pneumatique** colchão pneumático.

matelassé, e [matlase] *adj* acolchoado(-da).

matelot [matlo] *nm* marinheiro *m*.

mater [mate] *vt* reprimir.

matérialiser [materjalize]: **se matérialiser** *vp* materializar-se.

matérialiste [materjalist] *adj & nmf* materialista.

matériau, x [materjo] *nm* material *m*.
❏ **matériaux** *nmpl (dans le bâtiment)* materiais *mpl*; *(documents)* material *m*; **~x de construction** materiais de construção.

matériel, elle [materjɛl] *adj* material. ◆ *nm (outillage)* material *m*; *(INFORM)* hardware *m*; **~ de camping** material de campismo.

maternel, elle [maternɛl] *adj (femme, amour)* maternal; *(grands-parents)* materno(-na).

maternelle [maternɛl] *nf*: **(école) ~** jardim-de-infância *m*.

maternité [maternite] *nf* maternidade *f*.

mathématicien, enne [matematisjɛ̃, ɛn] *nm, f* matemático *m* (-ca *f*).

mathématiques [matematik] *nfpl* matemática *f*.

maths [mat] *nfpl (fam)* matemática *f*.

matière [matjɛr] *nf* matéria *f*; *(matériau)* material *m*; *(SCOL)* disciplina *f*; **~ première** matéria-prima *f*; **~s grasses** gordura *f*.

Matignon [matiɲɔ̃] *n*: **(l'hôtel) ~** residência do primeiro-ministro francês.

matin [matɛ̃] *nm* manhã *f*; **le ~** de manhã.

matinal, **e**, **aux** [matinal, o] adj (réveil) matinal; (personne) madrugador(-ra).

matinée [matine] nf (matin) manhã f; (spectacle) matinée f.

matraque [matrak] nf cassetete m.

matraquer [matrake] vt matraquear.

matricule [matrikyl] nm número m de matrícula. ◆ nf registo m.

matrimonial, **e**, **aux** [matrimɔnjal, o] adj matrimonial.

maturité [matyrite] nf (d'un fruit) maturação f; (d'une personne) maturidade f; (d'une idée) amadurecimento m.

maudire [modir] vt amaldiçoar.

maudit, **e** [modi, it] pp → maudire. ◆ adj maldito(-ta).

Maurice n → île.

mausolée [mozɔle] nm mausoléu m.

maussade [mosad] adj aborrecido(-da).

mauvais, **e** [movɛ, ɛz] adj mau (má); (faux) errado(-da); **il fait ~** está mau tempo; **être ~ en qqch** ser fraco em algo.

mauve [mov] adj lilás.

mauviette [movjɛt] nf (fam) lingrinhas mf inv.

maux [mo] → mal.

max. (abr de maximum) máximo.

maxillaire [maksilɛr] nm maxilar m.

maximal, **e**, **aux** [maksimal, o] adj (température) máximo(-ma); (degré) mais alto(-ta).

maxime [maksim] nf máxima f.

maximum [maksimɔm] nm máximo m. ◆ adj máximo(-ma); **au ~** no máximo.

mayonnaise [majɔnɛz] nf maionese f.

mazout [mazut] nm fuel m.

me [mə] pron me; **je ~ lève** levanto-me.

méandre [meɑ̃dr] nm meandro m.

mec [mɛk] nm (fam) gajo m.

mécanicien, **enne** [mekanisjɛ̃, ɛn] nm, f mecânico m (-ca f).

mécanique [mekanik] adj mecânico(-ca). ◆ nf (mécanisme) mecanismo m; (automobile) mecânica f.

mécanisme [mekanism] nm mecanismo m.

mécène [mesɛn] nm mecenas m inv.

méchamment [meʃamɑ̃] adv com maldade.

méchanceté [meʃɑ̃ste] nf maldade f.

méchant, **e** [meʃɑ̃, ɑ̃t] adj mau (má).

mèche [mɛʃ] nf (de cheveux) madeixa f; (de lampe) mecha f; (d'explosif) rastilho m.

méchoui [meʃwi] nm comida típica do Norte de África que consiste em carne de carneiro assada.

méconnaissable [mekɔnɛsabl] adj irreconhecível.

méconnu, **e** [mekɔny] adj desconhecido(-da).

mécontent, **e** [mekɔ̃tɑ̃, ɑ̃t] adj descontente.

médaille [medaj] nf medalha f.

médaillon [medajɔ̃] nm medalhão m.

médecin [medsɛ̃] nm médico m (-ca f); **~ traitant** médico de família.

médecine [medsin] nf medicina f.

médias [medja] nmpl mass media mpl, meios mpl de comunicação social.

médiateur, **trice** [medjatœr, tris] adj & nm, f mediador(-ra).

❏ **médiateur** *nm* árbitro *m*.
❏ **médiatrice** *nf* mediatriz *f*.
médiathèque [medjatɛk] *nf* mediateca *f*.
médiatique [medjatik] *adj (personnalité)* mediático(-ca).
médiatiser [medjatize] *vt* mediatizar.
médical, e, aux [medikal, o] *adj* médico(-ca).
médicament [medikamã] *nm* medicamento *m*.
médicinal, e, aux [medisinal, o] *adj* medicinal.
médiéval, e, aux [medjeval, o] *adj* medieval.
médiocre [medjɔkr] *adj* medíocre.
médire [medir] *vi* maldizer; ~ **de qqn** dizer mal de alguém.
médisant, e [medizã, ãt] *adj* maldizente.
méditation [meditasjɔ̃] *nf* meditação *f*.
méditer [medite] *vt & vi* meditar.
Méditerranée [mediterane] *nf* : **la (mer)** ~ **o** (mar) Mediterrâneo.
méditerranéen, enne [mediteraneɛ̃, ɛn] *adj* mediterrânico(-ca).
médium [medjɔm] *nm (personne)* médium *mf*; *(MUS)* som *m* médio.
méduse [medyz] *nf* medusa *f*.
méduser [medyze] *vt* deixar atónito(-ta).
meeting [mitiŋ] *nm (POL)* comício *m*; *(SPORT)* encontro *m*.
méfait [mefɛ] *nm* malefício *m*.
méfiance [mefjãs] *nf* desconfiança *f*.
méfiant, e [mefjã, ãt] *adj (personne, regard)* desconfiado(-da).
méfier [mefje]: **se méfier** *vp* desconfiar; **se ~ de** desconfiar de.

mégalomane [megalɔman] *adj & nmf* megalómano(-na).
megaoctet [megaɔktɛ] *nm* megabyte *m*.
mégapole [megapɔl] *nf* megalópole *f*.
mégarde [megard]
❏ **par mégarde** *loc adv* inadvertidamente.
mégot [mego] *nm* beata *f*.
meilleur, e [mɛjœr] *adj & nm, f* melhor.
mélancolie [melãkɔli] *nf* melancolia *f*.
mélange [melãʒ] *nm* mistura *f*.
mélanger [melãʒe] *vt (mêler)* misturar; *(confondre)* baralhar.
Melba [mɛlba] *adj inv* → **pêche**.
mêlée [mele] *nf* formação *f*.
mêler [mele] *vt* misturar; ~ **qqn à qqch** envolver alguém em algo. ❏ **se mêler** *vp* : **se ~ à qqch** misturar-se com algo; **se ~ de qqch** meter-se em algo.
mélo [melo] *(fam) nm* dramalhão *m*.
mélodie [melɔdi] *nf* melodia *f*.
mélodieux, euse [melɔdjø, øz] *adj* melodioso(-osa).
mélodrame [melɔdram] *nm* melodrama *m*.
mélomane [melɔman] *adj & nmf* melómano(-na).
melon [mǝlɔ̃] *nm* meloa *f*; *(d'Espagne)* melão *m*.
membrane [mãbran] *nf* membrana *f*.
membre [mãbr] *nm* membro *m*.
mémé [meme] *nf (fam)* vovó *f*.
même [mɛm] *adj* **1.** *(identique)* mesmo (mesma); **nous avons les ~s places qu'à l'aller** temos os mesmos lugares do que na ida; **j'ai le ~ pull que toi** tenho um pulôver igual ao teu. **2.** *(sert à renforcer)*: **c'est cela ~** é

isso mesmo; **cette fille, c'est la gentillesse** ~ esta rapariga é a gentileza em pessoa.

♦ *pron* : **le/la** ~ **(que)** o mesmo/a mesma (que); **j'ai le ~!** tenho um igual!

♦ *adv* **1.** *(sert à renforcer)*: ~ **les sandwichs sont chers ici** até as sandes são caras aqui; **il n'y a ~ pas de cinéma** nem sequer há cinema; **c'est étonnant, incroyable** ~ é surpreendente, é mesmo incrível; **j'irai ~ si tu restes** irei mesmo se ficares. **2.** *(exactement)* mesmo; **c'est aujourd'hui** ~ é hoje mesmo. **3.** *(dans des expressions)*: **coucher à** ~ **le sol** dormir mesmo no chão; **être à** ~ **de faire qqch** ser capaz de fazer algo; **bon appétit! -vous de** ~ bom apetite! -igualmente; **faire de** ~ fazer o mesmo; **de** ~ **que** do mesmo modo que.

mémento [memɛto] *nm* memento *m*.

mémoire [memwar] *nf* memória *f*; **de** ~ de cor; ~ **morte** memória ROM; ~ **vive** memória RAM.

mémorable [memɔrabl] *adj* memorável.

menaçant, e [mənasã, ãt] *adj* ameaçador(-ra).

menace [mənas] *nf* ameaça *f*.

menacer [mənase] *vt & vi* ameaçar; **la pluie menace** o tempo ameaça chuva; ~ **de faire qqch** ameaçar fazer algo.

ménage [menaʒ] *nm (rangement)* limpeza *f*; *(famille)* lar *m*; *(couple)* casal *m*; **faire le** ~ fazer a limpeza.

ménager¹ [menaʒe] *vt* poupar.

ménager², ère [menaʒe, ɛr] *adj* doméstico(-ca).

ménagère [menaʒɛr] *nf (couverts)* faqueiro *m*.

ménagerie [menaʒri] *nf* conjunto de animais para exposição.

mendiant, e [mãdjã, ãt] *nm, f* mendigo *m* (-ga *f*). ♦ *nm* bolacha com frutos secos.

mendier [mãdje] *vi* pedir esmola.

mener [məne] *vt (conduire)* ir dar a; *(accompagner)* levar; *(diriger)* dirigir. ♦ *vi (SPORT)* ir à frente (de).

menhir [mɛnir] *nm* menir *m*.

méningite [menɛ̃ʒit] *nf* meningite *f*.

ménopause [menɔpoz] *nf* menopausa *f*.

menottes [mənɔt] *nfpl* algemas *fpl*.

mensonge [mãsɔ̃ʒ] *nm* mentira *f*.

mensualité [mãsɥalite] *nf* mensalidade *f*.

mensuel, elle [mãsɥɛl] *adj* mensal. ♦ *nm* jornal *m* mensal.

mensurations [mãsyrasjɔ̃] *nfpl* medidas *fpl*.

mental, e, aux [mãtal, o] *adj* mental.

mentalité [mãtalite] *nf* mentalidade *f*.

menteur, euse [mãtœr, øz] *nm, f* mentiroso *m* (-osa *f*).

menthe [mãt] *nf (feuilles, plante)* hortelã *f*; *(parfum)* menta *f*; ~ **à l'eau** refresco de menta.

mention [mãsjɔ̃] *nf* distinção *f*; **'rayer les ~s inutiles'** 'riscar o que não interessa'.

mentionner [mãsjɔne] *vt* mencionar.

mentir [mãtir] *vi* mentir.

menton [mãtɔ̃] *nm* queixo *m*.

menu, e [məny] *adj* pequeno(-na). ♦ *adv* fino. ♦ *nm* menu *m*; ~ **gastronomique** menu gastronómico; ~ **touristique** ementa *f* turística.

menuisier [mənɥizje] *nm* carpinteiro *m*.

méprendre [meprɑ̃dr]
❏ **se méprendre** *vp (sout)*: **se ~ sur qqch/qqn** enganar-se acerca de algo/alguém; **à s'y ~** que até confunde.

mépris [mepri] *nm* desprezo *m*.

méprisable [meprizabl] *adj* desprezível.

méprisant, e [meprizɑ̃, ɑ̃t] *adj* desprezador(-ra).

mépriser [meprize] *vt* desprezar.

mer [mɛr] *nf* mar *m*; **en ~** no mar; **la ~ du Nord** o mar do Norte.

mercantile [mɛrkɑ̃til] *adj (péj)* mercantil.

mercerie [mɛrsəri] *nf (boutique)* retrosaria *f*.

merci [mɛrsi] *excl* obrigado(-da); **~ beaucoup!** muito obrigado!; **~ de...** obrigado por...

mercredi [mɛrkrədi] *nm* quarta-feira *f*; → **samedi**.

mercure [mɛrkyr] *nm* mercúrio *m*.

mère [mɛr] *nf* mãe *f*.

merguez [mɛrgɛz] *nf salsicha picante típica do Norte de África*.

méridien [meridjɛ̃] *nm* meridiano *m*.

méridional, e, aux [meridjɔnal, o] *adj* meridional.

meringue [mərɛ̃g] *nf* suspiro *m*.

mérite [merit] *nm* mérito *m*; **avoir du ~** ter mérito.

mériter [merite] *vt* merecer.

merlan [mɛrlɑ̃] *nm* badejo *m*.

merle [mɛrl] *nm* melro *m*.

merlu [mɛrly] *nm* pescada *f*.

merveille [mɛrvɛj] *nf* maravilha *f*; *(beignet)* ≃ orelha-de-abade *f*.

merveilleux, euse [mɛrvɛjø, øz] *adj* maravilhoso(-osa).

mes → **mon**.

mésange [mezɑ̃ʒ] *nf* chapim *m*; **~bleue** chapim-azul; **~ charbonnière** chapim-carvoeiro.

mésaventure [mezavɑ̃tyr] *nf* desventura *f*.

mesdames → **madame**.

mesdemoiselles → **mademoiselle**.

mesquin, e [mɛskɛ̃, in] *adj* mesquinho(-nha).

message [mɛsaʒ] *nm* mensagem *f*; *(écrit, sur répondeur)* recado *m*.

messager, ère [mɛsaʒe, ɛr] *nm, f* mensageiro *m* (-ra *f*).

messagerie [mɛsaʒri] *nf*: **~ électronique** *serviço de recados electrónico*.

messe [mɛs] *nf* missa *f*.

messie [mɛsi] *nm* messias *m inv*.
❏ **Messie** *nm*: **le Messie** o Messias.

messieurs → **monsieur**.

mesure [məzyr] *nf* medida *f*; *(rythme)* cadência *f*; **sur ~** à medida; **dans la ~ du possible** na medida do possível; **(ne pas) être en ~ de faire qqch** (não) poder fazer algo.

mesuré, e [məzyre] *adj* moderado(-da).

mesurer [məzyre] *vt* medir; **il mesure 1,80 mètre** mede 1,80 m.

met *etc* → **mettre**.

métabolisme [metabɔlism] *nm* metabolismo *m*.

métal, aux [metal, o] *nm* metal *m*.

métallique [metalik] *adj* metálico(-ca).

métallisé, e [metalize] *adj* metalizado(-da).

métallurgie [metalyrʒi] *nf* metalurgia *f*.

métamorphose [metamɔrfoz] *nf* metamorfose *f*.

métaphore [metafɔr] *nf* metáfora *f*.

métayer, ère [meteje, metɛjɛr] *nm, f* caseiro *m* (-ra *f*).

météo [meteo] *nf*: **la ~** o tempo; **~ marine** meteorologia *f* marítima.

météore [meteɔr] *nm* meteoro *m*.

météorologique [meteɔrɔlɔʒik] *adj* meteorológico(-ca).

méthane [metan] *nm* metano *m*.

méthode [metɔd] *nf* método *m*.

méthodique [metɔdik] *adj* metódico(-ca).

méticuleux, euse [metikylø, øz] *adj* meticuloso(-osa).

métier [metje] *nm* profissão *f*.

métis, isse [metis] *nm, f* mestiço *m* (-ça *f*).

mètre [mɛtr] *nm (mesure)* metro *m*; *(ruban)* fita *f* métrica.

métro [metro] *nm* metro *m*; **~ aérien** metro de superfície.

---

i MÉTRO

Esta rede ferroviária subterrânea foi criada em 1900. Conta com 13 linhas e espalha-se por toda a cidade de Paris. O acesso às estações denomina-se "bouche de métro". Este é o meio de transporte mais rápido para deslocações na capital. Funciona ininterruptamente das cinco e meia à uma da manhã. Outras cidades, tais como Lyon, Marselha e Lille, também dispõem de metro, que neste caso é completamente automático.

métropole [metrɔpɔl] *nf* metrópole *f*.

mets [mɛ] *nm (sout)* iguaria *f*.

metteur [mɛtœr] *nm*: **~ en scène** encenador *m*.

mettre [mɛtr] *vt* **1.** *(placer, poser)* pôr; **~ qqch debout** pôr algo em pé.

2. *(vêtement)* vestir; **~ une écharpe** pôr uma écharpe; **~ un pull** vestir uma camisola; **qu'est-ce que tu mets pour aller au théâtre?** que fato vestes para ir ao teatro?

3. *(temps)* levar; **nous avons mis deux heures par l'autoroute** levámos duas horas pela autoestrada.

4. *(argent)* gastar; **combien voulez-vous y ~?** quanto pretende gastar?; **je ne mettrai pas plus de 300 F pour une robe** não gastarei mais de 300 francos num vestido.

5. *(déclencher)* ligar; **~ le chauffage** ligar o aquecimento; **~ le contact** ligar o contacto; **~ le réveil** pôr o despertador a tocar.

6. *(dans un état différent)*: **~ qqn en colère** enfurecer alguém; **~ qqch en marche** pôr algo a funcionar.

7. *(écrire)* dizer.

❑ **se mettre** *vp* **1.** *(se placer)* pôr-se; **se ~ debout** pôr-se de pé; **se ~ au lit** ir para a cama; **mets-toi sur cette chaise** senta-te nesta cadeira.

2. *(dans un état différent)*: **se ~ en colère** enfurecer-se; **se ~ d'accord** pôr-se de acordo.

3. *(vêtement)* vestir-se.

4. *(maquillage)*: **elle s'est mis du rouge à lèvres** ela pôs batom.

5. *(commencer)*: **se ~ à faire qqch** pôr-se a fazer algo; **se ~ au travail** pôr-se a trabalhar; **s'y ~** pôr mãos à obra.

meuble [mœbl] *nm* móvel *m*.

meublé [mœble] *nm* apartamento *m* mobilado.

meubler [mœble] *vt* mobilar.

meugler [møgle] *vi* mugir.

meule [møl] *nf (de foin)* meda *f*.

meunier, ère [mønje, ɛr] *nm, f* moleiro *m* (-ra *f*).

meunière [mønjɛr] *nf* → **sole**.

meurt [mœr] → **mourir**.

meurtre [mœrtr] *nm* assassínio *m*.

meurtrier, ère [mœrtrije, ɛr] *nm, f* assassino *m* (-na *f*).

meurtrière [mœrtrijɛr] *nf* seteira *f*; → **meurtrier**.

meurtrir [mœrtrir] *vt* magoar.

meurtrissure [mœrtrisyr] *nf* (*blessure*) ferida *f*; (*sur un fruit*) golpe *m*.

meute [møt] *nf* matilha *f*.

mexicain, e [mɛksikɛ̃, ɛn] *adj* mexicano(-na).
❏ **Mexicain, e** *nm, f* mexicano *m* (-na *f*).

Mexique [mɛksik] *nm* : **le ~** o México.

mezzanine [mɛdzanin] *nf* mezanino *m*.

mi- [mi] *préf* meio (meia); **à la ~-mars** em meados de Março; **à ~-chemin** a meio do caminho; **à ~-hauteur** a meia altura; **à ~-jambes** até ao meio das pernas.

miauler [mjole] *vi* miar.

mi-bas [miba] *nm inv* minimeias *fpl*.

miche [miʃ] *nf* naco *m* de pão.

mi-clos, e [miklo, kloz] *adj* semicerrado(-da).

micro [mikro] *nm* micro *m*.

microbe [mikrɔb] *nm* micróbio *m*.

microclimat [mikrɔklima] *nm* microclima *m*.

microcosme [mikrɔkɔsm] *nm* microcosmo *m*.

micro-informatique [mikrɔɛ̃fɔrmatik] *nf* microinformática *f*.

micro-ondes [mikrɔɔ̃d] *nm inv* : **(four à) ~** (forno) microondas *m*.

micro-ordinateur, s [mikrɔɔrdinatœr] *nm* mìcrocomputador *m*.

microprocesseur [mikrɔprɔsesœr] *nm* microprocessador *m*.

microscope [mikrɔskɔp] *nm* microscópio *m*.

microscopique [mikrɔskɔpik] *adj* microscópico(-ca).

midi [midi] *nm* meio-dia *m*; **à ~** ao meio-dia; **le Midi** o Sul da França.

mie [mi] *nf* miolo *m*.

miel [mjɛl] *nm* mel *m*.

mielleux, euse [mjɛlø, øz] *adj* meloso(-osa).

mien [mjɛ̃]: **le mien** (*f* **la mienne** [lamjɛn], *mpl* **les miens** [lemjɛ̃], *fpl* **les miennes** [lemjɛn]) *pron* o meu (a minha).

miette [mjɛt] *nf* migalha *f*; **en ~s** em migalhas.

mieux [mjø] *adv & adj* melhor; **c'est ce qu'il fait le ~** é o que ele faz melhor; **le ~ situé des deux hôtels** o mais bem situado dos dois hotéis; **aller ~** estar melhor; **ça vaut ~** é melhor; **de ~ en ~** cada vez melhor; **c'est le ~ des deux/de tous** (*le plus beau*) é o melhor dos dois/de todos; **c'est le ~** (*la meilleure chose à faire*) é o melhor.

mièvre [mjɛvr] *adj* amaneirado(-da).

mignon, onne [miɲɔ̃, ɔn] *adj* querido(-da).

migraine [migrɛn] *nf* enxaqueca *f*.

migrateur, trice [migratœr, tris] *adj* migrador(-ra).

mijoter [miʒɔte] *vi* cozer a lume brando.

milice [milis] *nf* milícia *f*.

milieu, x [miljø] *nm* meio *m*; **au ~ (de)** no meio (de).

militaire [militɛr] *adj & nm* militar.

militant, e [militɑ̃, ɑ̃t] *nm, f* militante *mf*.

militer [milite] *vi* militar; **~**

pour qqn/qqch militar a favor de alguém/por algo; ~ **contre qqn/qqch** militar contra alguém/algo.

milk-shake, s [milkʃɛk] *nm* batido *m*.

mille [mil] *num* mil; → **six**.

mille-feuille, s [milfœj] *nm* mil-folhas *m inv*.

millénaire [milenɛr] *nm* milénio *m*. ◆ *adj* milenário(-ria).

mille-pattes [milpat] *nm inv* centopeia *f*.

millésime [milezim] *nm (date)* data *f*; *(vin)* vintage *m*.

milliard [miljar] *nm* : **un ~ de** mil milhões de.

milliardaire [miljardɛr] *nmf* multimilionário *m* (-ria *f*).

millier [milje] *nm* milhar *m*; **des ~s de** milhares de.

milligramme [miligram] *nm* miligrama *m*.

millilitre [mililitr] *nm* mililitro *m*.

millimètre [milimɛtr] *nm* milímetro *m*.

millimétré, e [milimetre] *adj* milimétrico(-ca).

million [miljɔ̃] *nm* milhão *m*.

millionnaire [miljɔnɛr] *nmf* milionário *m* (-ria *f*).

mime [mim] *nm (acteur)* mimo *m*; *(art)* mímica *f*.

mimer [mime] *vt* mimar.

mimétisme [mimetism] *nm* mimetismo *m*.

mimique [mimik] *nf (grimace)* careta *f*; *(expression)* mímica *f*.

mimosa [mimɔza] *nm* mimosa *f*.

min *(abr de minute)* m.

min. *(abr de minimum)* mínimo *m*.

minable [minabl] *adj (fam)* medíocre; **c'est ~** está uma porcaria.

mince [mɛ̃s] *adj (personne)* magro(-gra); *(tissu, tranche)* fino(-na). ◆ *excl* raios!

minceur [mɛ̃sœr] *nf (de personne)* gracilidade *f*; *(finesse)* finura *f*; *(fig: insuffisance)* magreza *f*.

mincir [mɛ̃sir] *vi* emagrecer.

mine [min] *nf* mina *f*; *(visage)* cara *f*; **avoir bonne/mauvaise ~** estar com bom/mau aspecto; **faire ~ de faire qqch** fingir fazer algo.

miner [mine] *vt* minar; *(fig)* consumir.

minerai [minrɛ] *nm* minério *m*.

minéral, e, aux [mineral, o] *adj* mineral. ◆ *nm* mineral *m*.

minéralogie [mineralɔʒi] *nf* mineralogia *f*.

minéralogique [mineralɔʒik] *adj* → **plaque**.

mineur, e [minœr] *nm,f (enfant)* menor *mf*. ◆ *nm (ouvrier)* mineiro *m*.

miniature [minjatyr] *adj* em miniatura. ◆ *nf* miniatura *f*; **en ~** em miniatura.

minibar [minibar] *nm (de train)* bar *m*; *(d'hôtel)* mini-bar *m*.

minibus [minibys] *nm* autocarro *m* pequeno.

minichaîne [miniʃɛn] *nf* aparelhagem *f* mini.

minier, ère [minje, ɛr] *adj* mineiro(-ra).

minijupe [miniʒyp] *nf* minisaia *f*.

minimal, e, aux [minimal, o] *adj (température)* mínimo(-ma); *(degré)* mais baixo(-xa).

minime [minim] *nmf* infantil *mf*. ◆ *adj* mínimo(-ma).

minimiser [minimize] *vt* minimizar.

minimum [minimɔm] *adj* mínimo(-ma). ◆ *nm* mínimo *m*; **au ~** no mínimo.

ministère [ministɛr] *nm* ministério *m*.

ministériel, elle [ministerjɛl] *adj* ministerial.

ministre [ministr] *nm* ministro *m*.

Minitel® [minitɛl] *nm rede francesa de videotexto.*

---

i | MINITEL

Este termo designa tanto a rede telemática de transmissão de dados como o terminal de conexão. Neles são oferecidos serviços de consulta, tais como informações meteorológicas, lista telefónica, etc. e diversos serviços interactivos. Estes últimos permitem estabelecer um correio electrónico entre dois correspondentes, effectuar determinados trâmites administrativos, comprar bilhetes de comboio ou ingressos para um espectáculo. O acesso a estes serviços é possível graças a um código de quatro números marcados directamente no telefone (3614, 3615, etc.). A seguir, utiliza-se o teclado para escrever o nome do serviço solicitado.

---

minoritaire [minɔritɛr] *adj* minoritário(-ria).

minorité [minɔrite] *nf* minoria *f*.

minuit [minɥi] *nm* meia-noite *f*.

minuscule [minyskyl] *adj* minúsculo(-la).

minute [minyt] *nf* minuto *m*.

minuter [minyte] *vt* cronometrar.

minuterie [minytri] *nf* temporizador *m*.

minuteur [minytœr] *nm* contaminutos *m inv*.

minutie [minysi] *nf* minúcia *f*; **avec ~** com minúcia.

minutieux, euse [minysjø, øz] *adj* minucioso(-osa).

mirabelle [mirabɛl] *nf* ameixa *f* mirabela.

miracle [mirakl] *nm* milagre *m*.

miraculeux, euse [mirakylø, øz] *adj (surnaturel)* miraculoso(-osa); *(extraordinaire)* milagroso(-osa).

mirage [miraʒ] *nm* miragem *f*.

mirifique [mirifik] *adj* mirífico(-ca).

miroir [mirwar] *nm* espelho *m*.

miroiter [mirwate] *vi* espelhar; **faire ~ qqch à qqn** *(fig)* acenar com algo a alguém.

mis, e [mi, miz] *pp* → **mettre**.

misanthrope [mizãtrɔp] *nmf* misantropo *m*. ♦ *adj* misantrópico(-ca).

mise [miz] *nf* aposta *f*; **~ en plis** permanente *f*; **~ en scène** encenação *f*.

miser [mize]: **miser sur** *v + prép (au jeu)* apostar em; *(compter sur)* contar com.

misérable [mizerabl] *adj* miserável.

misère [mizɛr] *nf (pauvreté)* miséria *f*.

miséricorde [mizerikɔrd] *nf* misericórdia *f*.

misogyne [mizɔʒin] *nmf* misógino *m*. ♦ *adj* misógino.

missile [misil] *nm* míssil *m*.

mission [misjõ] *nf* missão *f*.

missionnaire [misjɔnɛr] *nmf* missionário *m* (-ria *f*).

missive [misiv] *nf* missiva *f*.

mistral [mistral] *nm* mistral *m*.

mitaine [mitɛn] *nf* mitene *f*.

mite [mit] *nf* traça *f*.

mi-temps [mitã] *nf inv (moitié d'un match)* parte *f*; *(pause)* intervalo *m*; **travailler à ~** trabalhar em part-time.

miteux, euse [mitø, øz] *adj*

(personne) pelintra; *(hôtel, quartier)* reles.

mitigé, e [mitiʒe] *adj* mitigado(-da).

mitonner [mitɔne] *vt (CULIN)* apurar; *(fig: préparer)* cozinhar. ♦ *vi (CULIN)* ir apurando.

mitoyen, enne [mitwajɛ̃, ɛn] *adj (mur)* meio (meia); *(maisons)* pegado(-da); **la maison mitoyenne de la nôtre** a casa de paredes meias com a nossa.

mitrailler [mitraje] *vt* metralhar; *(fam) tirar fotografias em série de.*

mitraillette [mitrajɛt] *nf* arma *f* automática.

mitrailleuse [mitrajøz] *nf* metralhadora *f*.

mixage [miksaʒ] *nm* mistura *f*.

mixe(u)r [miksœr] *nm* varinha *f* mágica.

mixer [mikse] *vt* triturar.

mixte [mikst] *adj (école, équipe)* misto(-ta).

mixture [mikstyr] *nf* mistura *f*; *(péj: mélange)* mistela *f*.

MJC *nf (abr)* = **maison des jeunes et de la culture.**

ml *(abr de* **millilitre)** ml.

Mlle *(abr de* **mademoiselle)** Sra.

mm *(abr de* **millimètre)** mm.

Mme *(abr de* **madame)** Sra.

mnémotechnique [mnemotɛknik] *adj* mnemotécnico(-ca).

mobile [mɔbil] *adj (cloison, pièce)* móvel; *(regard)* vivaz; *(visage)* expressivo(-va). ♦ *nm* móbil *m*.

mobilier [mɔbilje] *nm* mobiliário *m*.

mobiliser [mɔbilize] *vt* mobilizar.

Mobylette® [mɔbilɛt] *nf* motocicleta *f*.

mocassin [mɔkasɛ̃] *nm* mocassim *m*.

moche [mɔʃ] *adj (fam)* feio (feia).

modalité [mɔdalite] *nf* modalidade *f*; **~s de paiement** modalidades de pagamento.

mode [mɔd] *nf* moda *f*. ♦ *nm* modo *m*; **à la ~** na moda; **~ d'emploi** modo de usar.

modèle [mɔdɛl] *nm* modelo *m*; **~ réduit** modelo reduzido.

modeler [mɔdle] *vt* moldar.

modélisme [mɔdelism] *nm* modelismo *m*.

modem [mɔdɛm] *nm* modem *m*.

modération [mɔderasjɔ̃] *nf* moderação *f*; **'à consommer avec ~'** 'consumir com moderação'.

modéré, e [mɔdere] *adj* moderado(-da).

modérer [mɔdere] *vt* moderar. ❑ **se modérer** *vp* moderar-se.

moderne [mɔdɛrn] *adj* moderno(-na).

moderniser [mɔdɛrnize] *vt* modernizar.

modeste [mɔdɛst] *adj* modesto(-ta).

modestie [mɔdɛsti] *nf* modéstia *f*.

modification [mɔdifikasjɔ̃] *nf* modificação *f*.

modifier [mɔdifje] *vt* modificar.

modique [mɔdik] *adj* módico(-ca).

modulation [mɔdylasjɔ̃] *nf* : **~ de fréquence** frequência *f* modulada.

module [mɔdyl] *nm (élément)* módulo *m*; *(à l'université)* opção *f*.

moduler [mɔdyle] *vt* modular.

moelle [mwal] *nf* medula *f*; **~ épinière** medula espinal.

moelleux, euse [mwalø, øz] *adj* fofo(-fa).

mœurs [mœr(s)] *nfpl* costumes
mpl.

mohair [mɔɛr] *nm* mohair *m.*

moi [mwa] *pron (objet direct, indirect)* -me; *(après prép ou comparaison)* mim; *(pour insister)* eu; **il
est à ~** é meu; **~-même** eu pró-
prio(-pria); **regarde-~** olha para
mim; **donne-le-~** dá-mo; **c'est
pour ~** é para mim; **il est comme
~** ele é como eu; **~ je crois que...**
eu acho que...

moindre [mwɛ̃dr] *adj* menor;
le ~... o menor...

moine [mwan] *nm* monge *m.*

moineau, x [mwano] *nm* pardal *m.*

moins [mwɛ̃] *adv* menos; **~
ancien (que)** menos antigo ((do)
que); **~ vite (que)** menos rápido
((do) que); **c'est la nourriture qui
coûte le ~** o mais barato é a
comida; **la ville la ~ intéressante
que nous ayons visitée** a cidade
menos interessante que visitámos; **fatiguez-vous le ~ possible**
canse-se o menos possível; **ils ont
accepté de gagner ~** eles aceita-
ram ganhar menos; **~ de** *(une
quantité inférieure de)* menos; *(en
deçà de)* menos de; **~ de viande/
touristes** menos carne/turistas;
en ~ de dix minutes em menos
de dez minutos; **à ~ d'un imprévu** a menos que haja um
imprevisto; **à ~ de rouler que
nous roulions toute la nuit...** a
menos que viajemos a noite
inteira...; **au ~** pelo menos; **de** ou
en ~ a menos; **j'ai deux ans de ~
qu'elle** tenho dois anos a menos
que ela; **de ~ en ~** cada vez
menos; **~ tu y penseras, mieux
ça ira** quanto menos pensares
nisso, melhor.
◆ *prép* **1.** *(pour indiquer l'heure,
soustraire)* menos; **il est trois
heures ~ le quart** são três (horas)
menos um quarto *(Port)*, são

quinze (minutos) para as três
(horas) *(Br)*.
2. *(pour indiquer la température)*:
il fait ~ 2°C estão 2 graus negativos.

mois [mwa] *nm* mês *m*; **au ~
de...** no mês de...

moisi, e [mwazi] *adj* bolo-
rento(-ta). ◆ *nm* bolor *m*; **sentir le
~** cheirar a mofo.

moisir [mwazir] *vi* ganhar
bolor.

moisissure [mwazisyr] *nf
(moisi)* bolor *m.*

moisson [mwasɔ̃] *nf* ceifa *f.*

moissonner [mwasɔne] *vt* ceifar.

moissonneuse [mwasɔnøz] *nf*
ceifeira *f.*

moissonneuse-batteuse
[mwasɔnøzbatøz] *(pl* **moisson-
neuses-batteuses)** *nf* ceifeira-
debulhadora *f.*

moite [mwat] *adj* húmido(-da).

moitié [mwatje] *nf* metade *f*;
dormir à ~ estar meio a dormir;
la ~ de a metade de; **à ~** a meio;
(faire qqch) pela metade; **à ~
cassé** estragado; **à ~ plein** meio
cheio; **à ~ prix** a metade do
preço.

moka [mɔka] *nm (gâteau)* bolo de
massa leve com camadas de creme e
café.

molaire [mɔlɛr] *nf* molar *m.*

molécule [mɔlekyl] *nf* molécula
f.

molle → **mou.**

mollement [mɔlmã] *adv* mole-
mente.

mollet [mɔlɛ] *nm* barriga *f* da
perna.

molletonné, e [mɔltɔne] *adj*
acolchoado(-da).

mollir [mɔlir] *vi (physiquement)*
ficar mole; *(matière)* amolecer;
(NAVIG) abrandar; *(moralement)*
fraquejar.

mollusque [mɔlysk] *nm* molusco *m*.

môme [mom] *nmf (fam)* miúdo *m* (-da *f*).

moment [mɔmɑ̃] *nm* momento *m*; **c'est le ~ de...** é altura de...; **au ~ où** no momento em que; **du ~ que** desde que; **en ce ~** neste momento; **par ~s** às vezes; **pour le ~** por agora.

momentané, e [mɔmɑ̃tane] *adj* momentâneo(-nea).

momentanément [mɔmɑ̃tanemɑ̃] *adv* momentaneamente.

momie [mɔmi] *nf* múmia *f*.

mon [mɔ̃] *(f* **ma** [ma], *pl* **mes** [me]) *adj* meu (minha).

monacal, e OU **aux** [mɔnakal, o] *adj* monacal.

Monaco [mɔnako] *n* Mónaco.

monarchie [mɔnarʃi] *nf* monarquia *f*.

monarque *nm* monarca *m*.

monastère [mɔnastɛr] *nm* mosteiro *m*.

mondain, e [mɔ̃dɛ̃, ɛn] *adj* mundano(-na).

mondanités [mɔ̃danite] *nfpl (événements mondains)* vida *f* social; *(comportements, paroles)* cerimónias *fpl*.

monde [mɔ̃d] *nm* mundo *m*; **il y a du ~** OU **beaucoup de ~** está aqui muita gente; **tout le ~** toda a gente *(Port)*, todo (o) mundo *(Br)*.

mondial, e, aux [mɔ̃djal, o] *adj* mundial.

mondialement [mɔ̃djalmɑ̃] *adv* mundialmente.

monétaire [mɔnetɛr] *adj* monetário(-ria).

mongolien, enne [mɔ̃gɔljɛ̃, ɛn] *adj & nm,f* mongolóide.

moniteur, trice [mɔnitœr, tris] *nm, f (de colonie)* monitor *m* (-ra *f*); *(d'auto-école)* instrutor *m* (-ra *f*). ◆ *nm* monitor *m*.

monnaie [mɔnɛ] *nf (argent)* dinheiro *m*; *(devise)* moeda *f*; *(pièces)* trocos *mpl*; **vous avez la ~ de 100F?** pode-me trocar 100F?; **faire de la ~** trocar dinheiro; **rendre la ~ à qqn** dar o troco a alguém.

monnayer [mɔnɛje] *vt (vendre)* fazer dinheiro com; *(fig: acheter)* comprar.

monoculture [mɔnɔkyltyr] *nf* monocultura *f*.

monologue [mɔnɔlɔg] *nm* monólogo *m*.

monoparental, e, aux [mɔnɔparɑ̃tal, o] *adj* monoparental.

monopole [mɔnɔpɔl] *nm* monopólio *m*; **avoir le ~ de** ter o monopólio de; **~ d'État** monopólio do Estado.

monopoliser [mɔnɔpɔlize] *vt* monopolizar.

monoski [mɔnɔski] *nm* monoesqui *m*.

monotone [mɔnɔtɔn] *adj* monótono(-na).

monotonie [mɔnɔtɔni] *nf* monotonia *f*.

monsieur [məsjø] *(pl* **messieurs** [mesjø]) *nm* senhor *m*; **~ X** o senhor Pierre X; **bonjour ~/messieurs!** bom dia meu senhor/meus senhores!; **Monsieur**, *(dans une lettre)* Exmo. Senhor,; **Monsieur!** *(pour appeler le professeur)* Senhor professor!

monstre [mɔ̃str] *nm* monstro *m*. ◆ *adj (fam)* descomunal.

monstrueux, euse [mɔ̃stryø, øz] *adj* monstruoso(-osa).

mont [mɔ̃] *nm* monte *m*; **le ~ Blanc** o Mont Blanc; **le Mont-Saint-Michel** o Monte Saint-Michel.

ⓘ MONT SAINT-MICHEL

Pequena ilha rochosa situada no Canal da Mancha, o "Mont Saint-Michel", cercado de água aquando da maré-alta e ligado ao continente por um dique, constitui um sítio impressionante, classificado pela UNESCO de Património Cultural da Humanidade. Nele se encontra a famosa abadia beneditina de estilo gótico que domina a ilha. O prato "omelette de la mère Poulard", nome da dona de um restaurante instalado no Monte Saint-Michel no século XIX, também contribui para a excelente reputação do local.

---

montage [mɔ̃taʒ] *nm* montagem *f.*

montagne [mɔ̃taɲ] *nf* montanha *f*; **à la ~** na montanha; **~s russes** montanha-russa *f.*

montagneux, euse [mɔ̃taɲø, øz] *adj* montanhoso(-osa).

montant, e [mɔ̃tã, ãt] *adj (marée)* a encher; *(col)* alto(-ta). ◆ *nm (somme)* montante *m*; *(d'une fenêtre)* caixilho *m*; *(d'une échelle)* banzo *m.*

monte-charge [mɔ̃tʃarʒ] *nm inv* monta-cargas *m inv.*

montée [mɔ̃te] *nf* subida *f.*

monter [mɔ̃te] *vi* (aux être) subir. ◆ *vt* (aux avoir) montar; *(escalier, côte)* subir; *(porter en haut)* levar para cima; *(son, chauffage, prix)* aumentar; *(coup)* preparar; *(CULIN)* bater; **~ les blancs en neige** bater as claras em castelo; **ça monte** é a subir; **~ à bord (d'un avion)** subir a bordo (de um avião); **~ à cheval** montar a cavalo; **~ en voiture** entrar para o carro; **~ sur une échelle** subir a uma escada.

❑ **se monter à** *vp + prép* elevar-se a.

monticule [mɔ̃tikyl] *nm* montículo *m.*

montre [mɔ̃tr] *nf* relógio *m* de pulso.

montrer [mɔ̃tre] *vt* mostrar; **~ qqch à qqn** mostrar algo a alguém; **~ qqch/qqn du doigt** apontar com o dedo para algo/alguém.

❑ **se montrer** *vp* mostrar-se; **se ~ courageux** mostrar-se corajoso.

monture [mɔ̃tyr] *nf (de lunettes)* armação *f*; *(cheval)* montada *f.*

monument [mɔnymã] *nm* monumento *m*; **~ aux morts** monumento aos mortos em combate.

monumental, e, aux [mɔnymãtal, o] *adj (grand, énorme)* monumental; *(fig: impressionnant)* espantoso(-osa).

moquer [mɔke]: **se moquer de** *vp + prép (plaisanter)* gozar com, fazer pouco de; *(ignorer)* querer lá saber de; **je m'en moque** quero lá saber disso.

moquerie [mɔkri] *nf* gozo *m.*

moques [mɔk] *nfpl (Belg)* rodelas de massa perfumadas com cravo e cobertas com açúcar cristalizado.

moquette [mɔkɛt] *nf* alcatifa *f.*

moqueur, euse [mɔkœr, øz] *adj* trocista.

moral, e, aux [mɔral, o] *adj* moral. ◆ *nm* moral *m*; **avoir le ~** estar bem disposto.

morale [mɔral] *nf* moral *f*; **faire la ~ à qqn** dar uma lição de moral a alguém.

moralement [mɔralmã] *adv* moralmente.

moralisateur, trice [mɔralizatœr, tris] *adj* moralizador(-ra).

moralité [mɔralite] *nf* moralidade *f*; *(enseignement)* moral *f* da história.

moratoire [mɔratwar] *nm* moratória *f.* ◆ *adj* de mora.

morbide [mɔrbid] *adj* mórbido(-da).

morceau, x [mɔrso] *nm (partie)* pedaço *m*; *(de musique)* trecho *m*; ~ **de sucre** torrão *m* de açúcar; **en mille ~x** em mil pedaços.

morceler [mɔrsəle] *vt* fragmentar.

❏ **se morceler** *vp* fragmentar-se.

mordiller [mɔrdije] *vt* mordiscar.

mordre [mɔrdr] *vt* morder; ~ **(sur)** pisar.

morfondre [mɔrfɔ̃dr]

❏ **se morfondre** *vp* estar a morrer de tédio.

morgue [mɔrg] *nf (attitude)* altivez *f*; *(lieu)* morgue *f.*

moribond, e [mɔribɔ̃, ɔ̃d] *adj* moribundo(-da).

morille [mɔrij] *nf* cogumelo esponjoso comestível.

morose [mɔroz] *adj (triste)* macambúzio(-zia); *(tendu)* marcado(-da) pela apatia.

morphine [mɔrfin] *nf* morfina *f.*

morphologie [mɔrfɔlɔʒi] *nf* morfologia *f.*

mors [mɔr] *nm* freio *m.*

morse [mɔrs] *nm (animal)* morsa *f*; *(code)* morse *m.*

morsure [mɔrsyr] *nf (de chien)* mordedela *f.*

mort, e [mɔr, mɔrt] *pp →* **mourir.** ◆ *adj* morto(-ta); *(piles, radio)* gasto(-ta). ◆ *nm, f* morto *m* (-ta *f*). ◆ *nf* morte *f*; **être ~ de peur** estar morto de medo.

mortadelle [mɔrtadɛl] *nf* mortadela *f.*

mortalité [mɔrtalite] *nf* mortalidade *f*; ~ **infantile** mortalidade infantil.

mort-aux-rats [mɔrora] *nf inv* mata-ratos *m inv.*

mortel, elle [mɔrtɛl] *adj (qui peut mourir)* mortal; *(qui tue)* mortífero(-ra).

mortuaire [mɔrtɥɛr] *adj* fúnebre; *(chapelle)* mortuário(-ria).

morue [mɔry] *nf* bacalhau *m.*

mosaïque [mɔzaik] *nf* mosaico *m.*

Moscou [mɔsku] *n* Moscovo.

mosquée [mɔske] *nf* mesquita *f.*

mot [mo] *nm (terme)* palavra *f*; *(message)* mensagem *f*; ~ **à** ~ à letra; ~ **de passe** senha *f*; ~**s croisés** palavras cruzadas; **avoir le dernier** ~ ter a última palavra.

motard [mɔtar] *nm (motocycliste)* motoqueiro *m*; *(gendarme, policier)* polícia *m* da brigada motorizada.

motel [mɔtɛl] *nm* motel *m.*

moteur [mɔtœr] *nm* motor *m.*

motif [mɔtif] *nm* motivo *m.*

motion [mɔsjɔ̃] *nf* moção *f*; ~ **de censure** moção de censura.

motivation [mɔtivasjɔ̃] *nf* motivação *f.*

motivé, e [mɔtive] *adj* motivado(-da).

moto [mɔto] *nf* moto *f.*

motocross [mɔtɔkrɔs] *nm* motocross *m.*

motocycliste [mɔtɔsiklist] *nmf* motociclista *mf.*

motorisé, e [mɔtɔrize] *adj* motorizado(-da); **être** ~ *(fam)* ter carro.

motte [mɔt] *nf (de terre)* torrão *m*; *(de beurre)* porção *f*; *(de gazon)* tufo *m.*

mou, molle [mu, mɔl] *adj* mole.

mouche [muʃ] *nf* mosca *f.*

moucher [muʃe]: **se moucher** *vp* assoar-se.

moucheron [muʃrɔ̃] *nm* mosquito *m.*

mouchoir [muʃwar] *nm* lenço *m*; ~ **en papier** lenço de papel.

moudre [mudr] *vt* moer.

moue [mu] *nf* beicinho *m*; **faire la** ~ fazer beicinho.

mouette [mwɛt] *nf* gaivota *f*.

moufle [mufl] *nf* luva *f (com um só dedo)*.

mouillé, e [muje] *adj* molhado(-da).

mouiller [muje] *vt* molhar.
❑ **se mouiller** *vp* molhar-se; *(fam)* queimar-se.

mouillette [mujɛt] *nf* pedaço de pão com manteiga que se empapa em ovo quente.

moulage [mulaʒ] *nm* moldagem *f*.

moulant, e [mulɑ̃, ɑ̃t] *adj* justo(-ta).

moule[1] [mul] *nm (industriel)* molde *m*; *(à pâtisserie)* forma *f*; ~ **à gâteau** forma para bolos.

moule[2] [mul] *nf* mexilhão *m*; ~**s marinière** mexilhões cozidos em vinho branco.

mouler [mule] *vt (statue)* moldar; *(suj: vêtement)* apertar.

moulin [mulɛ̃] *nm* moinho *m*; ~ **à café** moinho de café; ~ **à poivre** moinho de pimenta; ~ **à vent** moinho de vento.

moulinet [mulinɛ] *nm* molinete *m*.

Moulinette® [mulinɛt] *nf* picadora *f*.

moulu, e [muly] *adj* moído(-da).

moulure [mulyr] *nf* moldura *f*.

mourant, e [murɑ̃, ɑ̃t] *adj* moribundo(-da).

mourir [murir] *vi (décéder)* morrer; *(disparaître)* extinguir-se; ~ **de faim** morrer de fome; ~ **d'envie de faire qqch** estar morto por fazer algo.

moussaka [musaka] *nf* carne *moída e rodelas de beringela gratinadas*, moussaka *f*.

moussant, e [musɑ̃, ɑ̃t] *adj* de espuma.

mousse [mus] *nf (bulles)* espuma *f*; *(plante)* musgo *m*; *(CULIN)* mousse *f*; ~ **à raser** espuma de barbear; ~ **au chocolat** mousse de chocolate.

mousseline [muslin] *nf* musselina *f*. ◆ *adj inv* : **purée** OU **pommes** ~ puré de batata muito leve; **sauce** ~ *molho à base de gemas de ovo, de manteiga e natas batidas*.

mousser [muse] *vi* fazer espuma.

mousseux, euse [musø, øz] *adj* cremoso(-osa). ◆ *nm* : **du (vin)** ~ espumante *m*.

mousson [musɔ̃] *nf* monção *f*.

moustache [mustaʃ] *nf* bigode *m*; **des ~s** bigodes.

moustachu, e [mustaʃy] *adj* com bigode.

moustiquaire [mustikɛr] *nf* mosquiteiro *m*.

moustique [mustik] *nm* melga *f (Port)*, pernilongo *m (Br)*.

moutarde [mutard] *nf* mostarda *f*.

mouton [mutɔ̃] *nm* carneiro *m*.

mouvance [muvɑ̃s] *nf* : **dans la** ~ **du parti** na esfera de influência do partido.

mouvants *adj mpl* → **sable**.

mouvement [muvmɑ̃] *nm* movimento *m*.

mouvementé, e [muvmɑ̃te] *adj* movimentado(-da).

moyen, enne [mwajɛ̃, ɛn] *adj* médio(-dia); *(passable)* mais ou menos. ◆ *nm* meio *m*; **il n'y a pas** ~ **de** não há meio de; ~ **de transport** meio de transporte; **au** ~ **de qqch** *(d'une action)* através de algo; *(d'un objet)* com a ajuda de algo.

❑ **moyens** *nmpl (ressources)* posses *fpl*; *(capacités)* capacidades *fpl*; **avoir les ~s de faire qqch** ter posses para fazer algo; **perdre ses ~s** perder a calma.

Moyen Âge [mwajɛnaʒ] *nm* : **le ~** a Idade Média.

moyenne [mwajɛn] *nf* média *f*; **en ~** em média.

Moyen-Orient [mwajɛnɔrjɑ̃] *nm* : **le ~** o Médio Oriente.

mue [my] *nf* muda *f*.

muer [mɥe] *vi (animal)* estar na muda; *(voix, personne)* mudar.

muet, **muette** [mɥɛ, ɛt] *adj* mudo(-da).

mufle [myfl] *nm* grosseirão *m*.

mugir [myʒir] *vi* mugir.

muguet [mygɛ] *nm* lírio-do-vale *m*.

---

i MUGUET

P or ocasião do 1° de Maio, é costume em França oferecer-se um ramo de "muguet" para dar sorte. Nesta época, vendedores ambulantes vendem o "muguet" pelas ruas.

---

mule [myl] *nf (animal)* mula *f*; *(chaussure)* chinela *f*.

mulet [mylɛ] *nm* mulo *m*.

mulot [mylo] *nm* rato-do-campo *m*.

multicolore [myltikɔlɔr] *adj* multicolor.

multilatéral, **e**, **aux** [myltilateral, o] *adj* multilateral.

multinational [myltinasjɔnal] *nf* multinacional *f*.

multiple [myltipl] *adj* múltiplo(-pla). ◆ *nm* múltiplo *m*.

multiplication [myltiplikasjɔ̃] *nf* multiplicação *f*.

multiplier [myltiplije] *vt* multi-

plicar; **2 multiplié par 9** 2 multiplicado por 9.

❑ **se multiplier** *vp* multiplicar-se.

multipropriété [myltiprɔprijete] *nf* time-sharing *m*, direito *m* real de habitação periódica.

multirisque [myltirisk] *adj* multirrisco.

multitude [myltityd] *nf* : **une ~ de** uma multidão de.

municipal, **e**, **aux** [mynisipal, o] *adj* municipal.

municipalité [mynisipalite] *nf* municipalidade *f*.

munir [mynir] *vt* : **~ qqn/qqch de** munir alguém/algo de.

❑ **se munir de** *vp* + *prép* munir-se de.

munitions [mynisjɔ̃] *nfpl* munições *fpl*.

muqueuse [mykøz] *nf* mucosa *f*.

mur [myr] *nm* parede *f*; *(extérieur)* muro *m*; **faire le ~** escapulir-se; **~ du son** barreira *f* de som.

mûr, **e** [myr] *adj (fruit)* maduro(-ra).

muraille [myraj] *nf* muralha *f*.

mural, **e**, **aux** [myral, o] *adj* mural.

mûre [myr] *nf* amora *f*.

murer [myre] *vt* entaipar.

mûrier [myrje] *nm* amoreira *f*.

mûrir [myrir] *vi* amadurecer.

murmure [myrmyr] *nm* murmúrio *m*.

murmurer [myrmyre] *vi* murmurar.

muscade [myskad] *nf* : **(noix) ~** noz-moscada *f*.

muscadet [myskadɛ] *nm vinho branco seco da região de Nantes.*

muscat [myska] *nm (raisin)* uva *f* moscatel; *(vin)* moscatel *m*.

muscle [myskl] *nm* músculo *m*.

musclé, **e** [myskle] *adj* musculoso(-osa), musculado(-da).

muscler [myskle] *vt* desenvolver os músculos de.
❏ **se muscler** *vp* : **se ~ (qqch)** desenvolver os músculos (de algo).

musculaire [myskylɛr] *adj* muscular.

musculation [myskylasjɔ̃] *nf* musculação *f.*

muse [myz] *nf* musa *f.*
❏ **Muse** *nf* Musa *f.*

museau, x [myzo] *nm (de chien, de renard)* focinho *m*; *(CULIN) paté de cabeça de porco.*

musée [myze] *nm* museu *m.*

museler [myzle] *vt (animal)* açaimar; *(fig: empêcher de s'exprimer)* amordaçar.

muselière [myzəljɛr] *nf* açaime *m.*

musical, e, aux [myzikal, o] *adj* musical.

music-hall, s [myzikol] *nm (théâtre)* teatro *m* de variedades; *(spectacle)* espectáculo *m* de variedades.

musicien, enne [myzisjɛ̃, ɛn] *nm, f* músico *m.*

musique [myzik] *nf* música *f*; **~ de chambre** música de câmara; **~ classique** música clássica; **~ de film** música de filme.

musulman, e [myzylmã, an] *adj & nm, f* muçulmano(-na).

mutant, e [mytã, ãt] *adj* mutante.
❏ **mutant** *nm* mutante *m.*

mutation [mytasjɔ̃] *nf (d'un employé)* transferência *f.*

muter [myte] *vt* transferir.

mutiler [mytile] *vt* mutilar.

mutinerie [mytinri] *nf* motim *m.*

mutisme [mytism] *nm* mutismo *m.*

mutualité [mytɥalite] *nf* mutualidade *f.*

mutuel, elle [mytɥɛl] *adj* mútuo(-tua).

mutuelle [mytɥɛl] *nf* seguro *m* complementar.

mutuellement [mytɥɛlmã] *adv* mutuamente.

mycose [mikoz] *nf* micose *f.*

myopathie [mjɔpati] *nf* miopatia *f.*

myope [mjɔp] *adj* míope.

myosotis [mjozɔtis] *nm* miosótis *m inv.*

myrtille [mirtij] *nf* mirtilo *m.*

mystère [mistɛr] *nm* mistério *m*; **Mystère**® *gelado redondo de baunilha e merengue coberto com pedaços de amêndoa.*

mystérieusement [misterjøzmã] *adv* misteriosamente.

mystérieux, euse [misterjø, øz] *adj* misterioso(-osa).

mysticisme [mistisism] *nm* misticismo *m.*

mystique [mistik] *adj & nmf* místico(-ca).

mythe [mit] *nm* mito *m.*

mythique [mitik] *adj* mítico(-ca).

mythologie [mitɔlɔʒi] *nf* mitologia *f.*

mythomane [mitɔman] *adj & nmf* mitómano(-na).

N

n' → ne.

nº *(abr de* **numéro)** nº.

N *(abr de nord)* N.

nacre [nakr] *nf* madrepérola *f*.

nage [naʒ] *nf* : **à la** ~ a nado; **en** ~ banhado em suor.

nageoire [naʒwar] *nf* barbatana *f*.

nager [naʒe] *vt & vi* nadar.

nageur, euse [naʒœr, øz] *nm, f* nadador *m* (-ra *f*).

naïf, naïve [naif, iv] *adj* ingênuo(-nua).

nain, e [nɛ̃, nɛn] *adj & nm, f* anão (anã).

naissance [nɛsɑ̃s] *nf* nascimento *m*.

naissant, e [nɛsɑ̃, ɑ̃t] *adj* nascente.

naître [nɛtr] *vi* nascer; **je suis né le... à...** eu nasci no dia... em...

naïve [naif, iv] → **naïf**.

naïveté [naivte] *nf* ingenuidade *f*.

nana [nana] *nf (fam)* miúda *f*.

nanti, e [nɑ̃ti] *nm, f* rico *m* (-ca *f*); **les ~s** os ricos.

nappe [nap] *nf (linge)* toalha *f* (de mesa); *(souterraine)* lençol *m*; *(en mer)* mancha *f*; *(de brouillard)* cortina *f*.

nappé, e [nape] *adj* : ~ **de** coberto de.

napper [nape] *vt* cobrir.

napperon [naprɔ̃] *nm* napperon *m*.

narcissisme [narsisism] *nm* narcisismo *m*.

narguer [narge] *vt* fazer inveja a.

narine [narin] *nf* narina *f*.

narrateur, trice [naratœr, tris] *nm, f* narrador *m* (-ra *f*).

nasal, e, aux [nazal, o] *adj* nasal.

naseaux [nazo] *nmpl* ventas *fpl*.

natal, e [natal] *adj* natal.

natalité [natalite] *nf* natalidade *f*.

natation [natasjɔ̃] *nf* natação *f*; **faire de la** ~ praticar natação.

natif, ive [natif, iv] *adj* : ~ **de** natural de.

nation [nasjɔ̃] *nf* nação *f*.

national, e, aux [nasjɔnal, o] *adj* nacional.

nationale [nasjɔnal] *nf* : **(route)** ~ (estrada) nacional *f*.

nationaliser [nasjɔnalize] *vt* nacionalizar.

nationalisme [nasjɔnalism] *nm* nacionalismo *m*.

nationalité [nasjɔnalite] *nf* nacionalidade *f*.

native → **natif**.

natte [nat] *nf (tresse)* trança *f*; *(tapis)* esteira *f*.

naturaliser [natyralize] vt
naturalizar.

nature [natyr] nf natureza f.
♦ adj inv (yaourt) natural; (omelette, thé) simples; ~ **morte** natureza morta.

naturel, elle [natyrɛl] adj &
nm natural.

naturellement [natyrɛlmɑ̃]
adv naturalmente.

naturisme [natyrism] nm naturismo m.

naturiste [natyrist] nmf naturista mf.

naufrage [nofraʒ] nm naufrágio m; **faire** ~ naufragar.

naufragé, e [nofraʒe] nm, f
náufrago m (-ga f).

nauséabond, e [nozeabɔ̃, ɔ̃d]
adj nauseabundo(-da).

nausée [noze] nf náusea f; **avoir
la** ~ estar agoniado.

nautique [notik] adj náutico(-ca).

naval, e [naval] adj naval.

navarin [navarɛ̃] nm guisado de
carneiro com legumes.

navet [navɛ] nm (légume) nabo
m; (fam : mauvais film) fiasco m.

navette [navɛt] nf (d'aéroport)
navette f de transporte; (spatiale)
vaivém m espacial; **faire la** ~ **(entre)** ir e vir (entre).

navigable [navigabl] adj navegável.

navigateur, trice [navigatœr, tris] nm, f navegador m (-ra
f).

navigation [navigasjɔ̃] nf navegação f; ~ **de plaisance** navegação de recreio.

naviguer [navige] vi navegar.

navire [navir] nm navio m.

navré, e [navre] adj : **je suis** ~
sinto muito.

nazisme [nazism] nm nazismo
m.

NB (abr de **nota bene**) NB.

ne [nə] não; → **jamais, pas, personne, plus, que, rien.**

né, e [ne] pp → **naître.**

néanmoins [neɑ̃mwɛ̃] adv
todavia.

néant [neɑ̃] nm nada m; **réduire
qqch à** ~ reduzir algo a nada;
'néant' num impresso, indica que
não há nenhuma particularidade a
assinalar.

nécessaire [nesesɛr] adj
necessário(-ria). ♦ nm (ce qui est
indispensable) necessário m; (ustensiles) estojo m; **il est** ~ **de faire
qqch** é necessário fazer algo; ~
de toilette estojo de toilette.

nécessité [nesesite] nf necessidade f.

nécessiter [nesesite] vt necessitar de.

nécessiteux, euse [nesesitø,
øz] nm, f necessitado m (-da f).

nécrologique [nekrɔlɔʒik] adj
necrológico(-ca).

nectar [nɛktar] nm néctar m; ~
d'abricot/de pêche néctar de alperce/de pêssego.

nectarine [nɛktarin] nf pêssego
m careca.

néerlandais, e [neɛrlɑ̃dɛ, ɛz]
adj neerlandês(-esa). ♦ nm (langue) neerlandês m.
❏ **Néerlandais, e** nm, f neerlandês m (-esa f).

nef [nɛf] nf nave f.

néfaste [nefast] adj nefasto(-ta).

négatif, ive [negatif, iv] adj
negativo(-va). ♦ nm negativo m.

négation [negasjɔ̃] nf negação f.

négligé, e [negliʒe] adj desleixado(-da).
❏ **négligé** nm (laisser-aller) desleixo m; (peignoir) robe m.

négligeable [negliʒabl] adj
desprezável.

négligence [negliʒɑ̃s] nf negligência f; **par** ~ por descuido.

négligent, e [negliʒã, ãt] *adj*
negligente.

négliger [negliʒe] *vt* negligenciar.

négoce [negɔs] *nm* negócio *m*.

négociant [negɔsjã] *nm* : **~ en vins** negociante *m* de vinhos.

négociation [negɔsjasjɔ̃] *nf* negociação *f*; **~s au sommet** negociações ao mais alto nível; **~s de paix** negociações de paz.

négociations [negɔsjasjɔ̃] *nfpl* negociações *fpl*.

négocier [negɔsje] *vt (discuter de)* negociar; *(virage)* dar bem. ◆ *vi* negociar.

neige [nɛʒ] *nf* neve *f*.

neiger [neʒe] *v impers* : **il neige** está a nevar.

neigeux, euse [nɛʒø, øz] *adj* coberto(-ta) de neve.

nénuphar [nenyfar] *nm* nenúfar *m*.

néologisme [neɔlɔʒism] *nm* neologismo *m*.

néon [neɔ̃] *nm (tube)* néon *m*.

néophyte [neɔfit] *nmf* neófito *m* (-ta *f*).

nerf [nɛr] *nm* nervo *m*; **du ~!** coragem!; **être à bout de ~s** estar à beira de um ataque de nervos.

nerveusement [nɛrvøzmã] *adv* nervosamente.

nerveux, euse [nɛrvø, øz] *adj* nervoso(-osa).

nervosité [nɛrvozite] *nf* nervosismo *m*.

n'est-ce pas [nɛspa] *adv* não é?

net, nette [nɛt] *adj* nítido(-da); *(propre)* limpo(-pa); *(prix, salaire)* líquido(-da). ◆ *adv (se casser)* ao meio; *(s'arrêter)* de repente.

nettement [nɛtmã] *adv (clairement)* claramente; *(beaucoup, très)* muito.

netteté [nɛtte] *nf* nitidez *f*.

nettoyage [netwajaʒ] *nm (ménage)* limpeza *f*; **~ à sec** limpeza a seco.

nettoyer [netwaje] *vt* limpar; **faire ~ un vêtement** mandar limpar uma peça de roupa.

neuf, neuve [nœf, nœv] *adj* novo (nova). ◆ *num* nove; **remettre qqch à ~** renovar algo; **quoi de ~?** quais são as novidades?; → **six**.

neurologie [nørɔlɔʒi] *nf* neurologia *f*.

neutraliser [nøtralize] *vt* neutralizar.

neutralité [nøtralite] *nf* neutralidade *f*.

neutre [nøtr] *adj* neutro(-tra).

neutron [nøtrɔ̃] *nm* neutrão *m*.

neuvième [nœvjɛm] *num* nono(-na); → **sixième**.

neveu, x [nəvø] *nm* sobrinho *m*.

névrose [nevroz] *nf* neurose *f*.

névrosé, e [nevroze] *adj* neurótico(-ca).

nez [ne] *nm* nariz *m*; **se trouver ~ à ~ avec qqn** encontrar-se cara a cara com alguém.

NF *(abr de* **norme française***)* norma francesa.

ni [ni] *conj* : **ni... ni** nem...nem; **je n'aime ~ la guitare ~ le piano** não gosto nem de guitarra nem de piano; **~ l'un ~ l'autre ne sont français** nem um nem outro são franceses; **elle n'est ~ mince ~ grosse** ela não é nem magra nem gorda.

niais, e [njɛ, njɛz] *adj* pateta.

niche [niʃ] *nf (à chien)* casota *f*; *(dans un mur)* nicho *m*.

nicher [niʃe] *vi (oiseaux)* fazer o ninho; *(fam : habiter)* morar. ❏ **se nicher** *vp* meter-se.

nickel [nikɛl] *nm* níquel *m*. ◆ *adj inv (fam : impeccable)* nos trinques.

niçoise [niswaz] *adj f* → **salade**.

nicotine [nikɔtin] *nf* nicotina *f*.

nid [ni] *nm* ninho *m*.

nid-de-poule [nidpul] (*pl* **nids-de-poule**) *nm* buraco *m* (na estrada):

nièce [njɛs] *nf* sobrinha *f*.

nier [nje] *vt* negar; ~ **avoir fait qqch** negar ter feito algo; ~ **que** negar que.

Nil [nil] *nm* : **le** ~ o Nilo.

n'importe [nɛ̃pɔrt] → **importer**.

nippon, one [nipɔ̃, ɔn] *adj* nipónico(-ca).
❏ **Nippon, one** *nm, f* japonês *m* (-esa *f*).

nitrate [nitrat] *nm* nitrato *m*.

niveau, x [nivo] *nm* nível *m*; **au** ~ **de** ao nível de; ~ **d'huile** nível do óleo; ~ **de vie** nível de vida.

niveler [nivle] *vt* nivelar.

noble [nɔbl] *adj & nmf* nobre.

noblesse [nɔblɛs] *nf* (*nobles*) nobreza *f*.

noce [nɔs] *nf* boda *f*; ~**s d'or** bodas de ouro.

nocif, ive [nɔsif, iv] *adj* nocivo(-va).

noctambule [nɔktɑ̃byl] *adj & nmf* noctívago(-ga).

nocturne [nɔktyrn] *adj* nocturno(-na). ◆ *nf* (*d'un magasin*) abertura *f* nocturna.

Noël [nɔɛl] *nm* Natal *m*. ◆ *nf*: **la** ~ (*jour*) o dia de Natal; (*période*) o Natal.

A festa de Natal começa no dia 24 de Dezembro à noite, com o "réveillon", ceia em que tradicionalmente se come peru com castanhas e, a seguir, uma espécie de pão-de-

ló com creme, chamado "bûche". Antigamente, as crianças colocavam os sapatos diante da chaminé e, no dia 25, pela manhã, descobriam aí os presentes que o Pai Natal lhes tinha deixado. Hoje em dia, a distribuição dos presentes faz-se cada vez mais na noite do "réveillon", à volta da árvore de Natal. Os católicos praticantes assistem à missa do galo. Em geral, o dia de Natal passa-se com a família.

---

nœud [nø] *nm* nó *m*; (*ruban*) laço *m*; ~ **papillon** laço *m* (*gravata*).

noir, e [nwar] *adj* (*couleur*) preto(-ta); (*sombre*) escuro(-ra). ◆ *nm* (*couleur*) preto *m*; (*obscurité*) escuro *m*; **il fait** ~ está escuro; **dans le** ~ no escuro.
❏ **Noir, e** *nm, f* negro *m* (-gra *f*).

noircir [nwarsir] *vt & vi* escurecer.

noisetier [nwaztje] *nm* aveleira *f*.

noisette [nwazɛt] *nf* avelã *f*. ◆ *adj inv* cor de avelã; **une** ~ **de beurre** um bocadinho de manteiga.

noix [nwa] *nf* (*fruit*) noz *f*; (*morceau*) um pouco; ~ **de cajou** acaju *m* (*Port*), castanha *f* de caju (*Br*); ~ **de coco** coco *m*.

nom [nɔ̃] *nm* (*de personne, de chose*) nome *m*; (*GRAMM*) substantivo *m*; ~ **commun** substantivo comum; ~ **de famille** apelido *m* (*Port*), sobrenome *m* (*Br*); ~ **de jeune fille** apelido de solteira; ~ **propre** nome próprio.

nomade [nɔmad] *nmf* nómada *mf*.

nombre [nɔ̃br] *nm* número *m*; **un grand** ~ **de** um grande número de.

nombreux, euse [nɔ̃brø, øz]

adj numeroso(-osa); **peu ~** pouco numeroso.

nombril [nɔ̃bril] *nm* umbigo *m*.

nominal, e, aux [nɔminal, o] *adj* nominal.

nomination [nɔminasjɔ̃] *nf* nomeação *f*.

nommer [nɔme] *vt (appeler)* chamar; *(à un poste)* nomear.
❑ **se nommer** *vp* chamar-se.

non [nɔ̃] *adv* não; **~?** não?; **~ plus** também não; **~ seulement..., mais...** não só...mas...

nonante [nɔnɑ̃t] *num (Belg & Helv)* noventa; → **six**.

nonchalant, e [nɔ̃ʃalɑ̃, ɑ̃t] *adj* indolente.

non-fumeur, euse [nɔ̃fymœr, øz] *nm, f* não-fumador *m* (-ra *f*) *(Port)*, não-fumante *mf* *(Br)*.

non-lieu [nɔ̃ljø] *(pl* non-lieux) *nm* improcedência *f*; **bénéficier d'un ~** ser absolvido por falta de provas; **rendre un ~** pronunciar o arquivamento dos autos por falta de provas.

non-sens [nɔ̃sɑ̃s] *nm inv (absurdité)* absurdo *m*; *(contresens)* contra-senso *m*.

non-violence [nɔ̃vjɔlɑ̃s] *nf* não-violência *f*.

non-voyant, e [nɔ̃vwajɑ̃, ɑ̃t] *nm, f* invisual *mf*.

nord [nɔr] *adj inv & nm inv* norte; **au ~ (de)** a norte (de).

nord-est [nɔrɛst] *adj inv & nm inv* nordeste; **au ~ (de)** a nordeste (de).

nordique [nɔrdik] *adj* nórdico(-ca); *(Can)* do norte do Canadá.

nord-ouest [nɔrwɛst] *adj inv & nm inv* noroeste; **au ~ (de)** a noroeste (de).

normal, e, aux [nɔrmal, o] *adj* normal; **ce n'est pas ~** *(pas juste)* não é justo.

normale [nɔrmal] *nf* : **la ~** o normal.

normalement [nɔrmalmɑ̃] *adv* normalmente.

normaliser [nɔrmalize] *vt* normalizar.
❑ **se normaliser** *vp* normalizar-se.

normand, e [nɔrmɑ̃, ɑ̃d] *adj* normando(-da).

Normandie [nɔrmɑ̃di] *nf* : **la ~** a Normandia.

norme [nɔrm] *nf* norma *f*.

Norvège [nɔrvɛʒ] *nf* : **la ~** a Noruega.

norvégien, enne [nɔrveʒjɛ̃, ɛn] *adj* norueguês(-esa). ◆ *nm (langue)* norueguês *m*.
❑ **Norvégien, enne** *nm, f* norueguês *m* (-esa *f*).

nos [no] → **notre**.

nostalgie [nɔstalʒi] *nf* nostalgia *f*; **avoir la ~ de** ter saudades de.

notable [nɔtabl] *adj & nm* notável.

notaire [nɔtɛr] *nm* notário *m*.

notamment [nɔtamɑ̃] *adv* nomeadamente.

note [nɔt] *nf* nota *f*; **prendre des ~s** tirar apontamentos.

noter [nɔte] *vt* notar; *(écrire)* anotar.

notice [nɔtis] *nf (mode d'emploi)* instruções *fpl* de uso.

notifier [nɔtifje] *vt* : **~ qqch à qqn** notificar algo a alguém.

notion [nɔsjɔ̃] *nf* noção *f*; **avoir des ~s de** ter umas noções de.

notoire [nɔtwar] *adj* notório(-ria).

notoriété [nɔtɔrjete] *nf* notoriedade *f*.

notre [nɔtr] *(pl* nos [no]) *adj* nosso(-a).

nôtre [notr] : **le nôtre** *(f* la nôtre, *pl* les nôtres) *pron* o nosso (a nossa).

nouer [nwe] *vt (lacet, cravate)* fazer o nó de; *(cheveux)* apertar.

noueux, euse [nwø, øz] *adj* nodoso(-osa).

nougat [nuga] *nm* nogado *m*.

nougatine [nugatin] *nf pasta dura feita com caramelo e amêndoas.*

nouilles [nuj] *nfpl (type de pâtes)* cotovelos *mpl; (fam : pâtes)* massa *f*.

nourrice [nuris] *nf* ama *f*.

nourrir [nurir] *vt (alimenter)* alimentar; *(entretenir)* manter.
❏ **se nourrir (de)** *vp (+ prép)* alimentar-se (de).

nourrissant, e [nurisã, ãt] *adj* nutritivo(-va).

nourrisson [nurisɔ̃] *nm* bebé *m* de mama.

nourriture [nurityr] *nf (régime alimentaire)* alimentação *f*.

nous [nu] *pron* -nos; *(sujet)* nós; ~-**mêmes** nós próprios(-prias); **il** ~ **en a parlé** ele falou-nos disso; **ils** ~ **regardent** eles estão a olhar para nós; **ils** ~ **ont vus** eles viram-nos; ~ ~ **sommes habillés** nós vestimo-nos; ~ ~ **sommes parlés** nós falámos um com o outro; ~ **sommes sœurs** nós somos irmãs.

nouveau, elle [nuvo, nuvɛl] *(m* **nouvel** [nuvɛl], *devant voyelle ou h muet, mpl* **nouveaux** [nuvo]) *adj* novo (nova). ◆ *nm, f (dans une classe)* aluno *m* novo, aluna *f* nova; *(dans un club)* membro *m* novo; **rien de** ~ nada de novo; **le nouvel an** o Ano Novo; **à** ou **de** ~ de novo.

nouveau-né, e, s [nuvone] *nm, f* recém-nascido *m* (-da *f*).

nouveauté [nuvote] *nf* novidade *f*.

nouvel → **nouveau**.

nouvelle [nuvɛl] *nf (information)* notícia *f; (roman)* novela *f;* **les** ~**s** as notícias; **avoir des** ~**s de qqn** ter notícias de alguém.

Nouvelle-Calédonie [nuvɛlkaledɔni] *nf :* **la** ~ a Nova Caledónia.

Nouvelle-Zélande [nuvɛlzelãd] *nf :* **la** ~ a Nova Zelândia.

novateur, trice [nɔvatœr, tris] *adj* inovador(-ra).

novembre [nɔvãbr] *nm* Novembro *m;* → **septembre**.

novice [nɔvis] *adj & nmf* noviço(-ça).

noyade [nwajad] *nf* afogamento *m*.

noyau, x [nwajo] *nm (de fruit)* caroço *m; (petit groupe)* núcleo *m*.

noyé, e [nwaje] *nm, f* afogado *m* (-da *f*).

noyer [nwaje] *nm* nogueira *f*. ◆ *vt* afogar.
❏ **se noyer** *vp* afogar-se.

nu, e [ny] *adj (personne, jambes)* nu (nua); *(pièce)* vazio(-zia); *(arbre)* despido(-da); **pieds** ~**s** descalço(-ça); **tout** ~ nu em pêlo; **à l'œil** ~ a olho nu; ~-**tête** em cabelo.

nuage [nɥaʒ] *nm* nuvem *f*.

nuageux, euse [nɥaʒø, øz] *adj* nublado(-da), enevoado(-da).

nuance [nɥãs] *nf (teinte)* matiz *f; (différence)* nuance *f*.

nucléaire [nykleɛr] *adj* nuclear.

nudisme [nydism] *nm* nudismo *m*.

nudiste [nydist] *nmf* nudista *mf*.

nuée [nɥe] *nf (multitude) :* **une** ~ **de** *(insectes)* uma nuvem de; *(touristes)* uma multidão de; *(sout: gros nuage)* nuvem *f* negra.

nues *nfpl :* **tomber des** ~ *(fig)* cair das nuvens.

nui [nɥi] *pp* → **nuire**.

nuire [nɥir]: **nuire à** *v + prép* prejudicar.

nuisible [nɥizibl] *adj* nocivo(-va); ~ **à** nocivo para.

nuit [nɥi] *nf* noite *f*; **la ~ à** noite; **bonne ~!** boa noite!; **il fait ~** é de noite; **passer une ~ blanche** *(ne pas se coucher)* fazer uma directa; *(ne pas trouver le sommeil)* passar uma noite em branco; **de ~** *(travail, poste)* nocturno(-na); *(travailler, voyager)* de noite.

nul, **nulle** [nyl] *adj* péssimo(-ma); *(fam)* zero à esquerda; **être ~ en qqch** ser uma nulidade em algo; **nulle part** em lado nenhum.

nullité [nylite] *nf (médiocrité: JUR)* nulidade *f*; *(péj: personne)* zero *m* à esquerda.

numérique [nymerik] *adj* digital.

numéro [nymero] *nm* número *m*; **~ de compte** número de conta; **~ d'immatriculation** número de matrícula; **~ de téléphone** número de telefone; **~ vert** chamada *f* grátis.

numéroter [nymerɔte] *vt* numerar; **place numérotée** lugar numerado.

nu-pieds [nypje] *nm inv* chinelo *m*.

nuptial, **e**, **aux** [nypsjal, o] *adj* nupcial.

nuque [nyk] *nf* nuca *f*.

nutritif, **ive** [nytritif, iv] *adj* nutritivo(-va).

nutritionniste [nytrisjɔnist] *adj & nmf* nutricionista.

Nylon® [nilɔ̃] *nm* nylon *m*.

nymphomane [nɛ̃fɔman] *nf* ninfomaníaca *f*. ◆ *adj* ninfomaníaco(-ca).

O

O *(abr de* **ouest***)* O.

oasis [ɔazis] *nf* oásis *m*.

obéir [ɔbeir] *vi* obedecer; ~ à obedecer a.

obéissance [ɔbeisɑ̃s] *nf* obediência *f*; **devoir ~ à qqn** dever obediência a alguém.

obéissant, e [ɔbeisɑ̃, ɑ̃t] *adj* obediente.

obèse [ɔbɛz] *adj* obeso(-sa).

obésité [ɔbezite] *nf* obesidade *f*.

objecteur [ɔbʒɛktœr] *nm* : ~ **de conscience** objector *m* de consciência.

objectif, ive [ɔbʒɛktif, iv] *adj* objectivo(-va). ◆ *nm (but)* objectivo *m*; *(d'appareil photo)* objectiva *f*.

objection [ɔbʒɛksjɔ̃] *nf* objecção *f*.

objectivité [ɔbʒɛktivite] *nf* objectividade *f*.

objet [ɔbʒɛ] *nm* objecto *m*; *(but)* finalidade *f*; *(d'une recherche, d'un débat)* assunto *m*; **(bureau des) ~s trouvés** (secção de) perdidos e achados; **~s de valeur** objectos de valor.

obligation [ɔbligasjɔ̃] *nf* obrigação *f*.

obligatoire [ɔbligatwar] *adj* obrigatório(-ria).

obligé, e [ɔbliʒe] *adj (fam)* inevitável; **être ~ de faire qqch** ser obrigado a fazer algo.

obliger [ɔbliʒe] *vt* : ~ **qqn à faire qqch** obrigar alguém a fazer algo.

oblique [ɔblik] *adj* oblíquo(-qua).

obliquer [ɔblike] *vi* obliquar.

oblitérer [ɔblitere] *vt (ticket)* validar.

obnubiler [ɔbnybile] *vt* obnubilar; **être obnubilé par qqn/qqch** estar obcecado com alguém/algo.

obscène [ɔpsɛn] *adj* obsceno(-na).

obscénité [ɔpsenite] *nf* obscenidade *f*.

obscur, e [ɔpskyr] *adj* obscuro(-ra).

obscurantisme [ɔpskyrɑ̃tism] *nm* obscurantismo *m*.

obscurcir [ɔpskyrsir]: **s'obscurcir** *vp* obscurecer-se.

obscurité [ɔpskyrite] *nf* obscuridade *f*.

obsédé, e [ɔpsede] *adj* obcecado(-da). ◆ *nm, f* : ~ **(sexuel)** tarado *m* (sexual).

obséder [ɔpsede] *vt* obcecar.

obsèques [ɔpsɛk] *nfpl (sout)* exéquias *fpl*.

observateur, trice [ɔpsɛrvatœr, tris] *adj* observador(-ra).

observation [ɔpsɛrvasjɔ̃] *nf* observação *f*.

observatoire [ɔpsɛrvatwar] *nm* observatório *m*.

observer [ɔpsɛrve] *vt* observar.
obsession [ɔpsesjɔ̃] *nf* obsessão *f.*
obsolète [ɔpsɔlɛt] *adj* obsoleto(-ta).
obstacle [ɔpstakl] *nm* obstáculo *m.*
obstination [ɔpstinasjɔ̃] *nf* obstinação *f.*
obstiné, e [ɔpstine] *adj* obstinado(-da).
obstiner [ɔpstine]: **s'obstiner** *vp* obstinar-se; **s'~ à faire qqch** obstinar-se a fazer algo.
obstruer [ɔpstrye] *vt* obstruir.
obtempérer [ɔptɑ̃pere] *vi* : **~ à qqch** obtemperar a algo.
obtenir [ɔptənir] *vt* obter.
obtention [ɔptɑ̃sjɔ̃] *nf* obtenção *f.*
obtenu, e [ɔptəny] *pp* → obtenir.
obturateur [ɔptyratœr] *nm* (*d'appareil photo*) obturador *m.*
obtus, e [ɔpty, yz] *adj* obtuso(-sa).
obus [ɔby] *nm* obus *m.*
OC (*abr de* ondes courtes) OC.
occasion [ɔkazjɔ̃] *nf* (*chance*) oportunidade *f*; (*bonne affaire*) pechincha *f*; **avoir l'~ de faire qqch** ter oportunidade de fazer algo; **à l'~ de** pela ocasião de; **d'~** em segunda mão.
occasionnel, elle [ɔkazjɔnɛl] *adj* ocasional.
occasionner [ɔkazjɔne] *vt* (*sout*) ocasionar.
Occident [ɔksidɑ̃] *nm* : **l'~** o Ocidente.
occidental, e, aux [ɔksidɑ̃tal, o] *adj* ocidental.
occulte [ɔkylt] *adj* oculto(-ta).
occulter [ɔkylte] *vt* ocultar.
occupation [ɔkypasjɔ̃] *nf* ocupação *f.*
occupé, e [ɔkype] *adj* ocupado(-da); **ça sonne ~** está ocupado.
occuper [ɔkype] *vt* ocupar; **ça l'occupe** isso entretém-no.
❑ **s'occuper** *vp* entreter-se; **s'~ de** tratar de.
occurrence [ɔkyrɑ̃s]: **en l'occurrence** *adv* neste caso.
océan [ɔseɑ̃] *nm* oceano *m.*
Océanie [ɔseani] *nf* : **l'~** a Oceania.
océanique [ɔseanik] *adj* oceânico(-ca).
ocre [ɔkr] *adj inv* ocre.
octane [ɔktan] *nm* : **indice d'~** índice *m* de octana.
octante [ɔktɑ̃t] *num* (*Belg & Helv*) oitenta; → six.
octave [ɔktav] *nf* oitava *f.*
octet [ɔktɛ] *nm* byte *m.*
octobre [ɔktɔbr] *nm* Outubro *m*; → septembre.
octroyer [ɔktrwaje] *vt* outorgar; **~ qqch à qqn** outorgar algo a alguém.
❑ **s'octroyer** *vp* outorgar-se.
oculaire [ɔkylɛr] *nm* ocular *f.*
◆ *adj* ocular.
oculiste [ɔkylist] *nmf* oculista *mf.*
odeur [ɔdœr] *nf* cheiro *m.*
odieux, euse [ɔdjø, øz] *adj* odioso(-osa).
odorant, e [ɔdɔrɑ̃, ɑ̃t] *adj* cheiroso(-osa).
odorat [ɔdɔra] *nm* olfacto *m.*
œdème [edɛm] *nm* edema *m*; **~ pulmonaire** edema pulmonar.
œil [œj] (*pl* **yeux** [jø]) *nm* olho *m*; **à l'~** (*fam*) de borla; **avoir qqn à l'~** (*fam*) ter alguém debaixo de olho; **mon ~!** (*fam*) uma ova!
œillet [œjɛ] *nm* (*fleur*) cravo *m*; (*de chaussure*) buraco *m.*
œnologue [enɔlɔg] *nmf* enologista *mf.*
œsophage [ezɔfaʒ] *nm* esófago *m.*

œuf

œuf [œf, pl ø] *nm* ovo *m*; ~ à la
coque ovo quente; ~ dur ovo
cozido; ~ de Pâques ovo de Páscoa; ~ poché ovo escalfado; ~ sur
le plat ovo estrelado; ~s brouillés
ovos mexidos; ~s à la neige ≃ farófias *fpl*.

œuvre [œvr] *nf* obra *f*; mettre
qqch en ~ pôr algo em prática; ~
d'art obra de arte.

offense [ɔfɑ̃s] *nf* ofensa *f*.

offenser [ɔfɑ̃se] *vt* ofender.

offensif, ive [ɔfɑ̃sif, iv] *adj*
ofensivo(-va).
❑ **offensive** *nf* ofensiva *f*; lancer
une offensive lançar uma ofensiva; passer à l'offensive passar à
ofensiva; prendre l'offensive tomar a ofensiva.

offert, e [ɔfɛr, ɛrt] *pp* → offrir.

office [ɔfis] *nm (organisme)* organismo *m*; *(messe)* ofício *m*; faire
~ de servir de; ~ de tourisme
posto *m* de turismo; d'~ de ofício.

officialiser [ɔfisjalize] *vt* oficia-
lizar.

officiel, elle [ɔfisjɛl] *adj* oficial.

officiellement [ɔfisjɛlmɑ̃] *adv*
oficialmente.

officier [ɔfisje] *nm (militaire)*
oficial *m*.

officieux, euse [ɔfisjø, øz] *adj*
oficioso(-osa).

offrande [ɔfrɑ̃d] *nf* oferenda *f*.

offre [ɔfr] *nf* oferta *f*; '~ spé-
ciale' 'oferta especial'; ~s d'emploi ofertas de emprego.

offrir [ɔfrir] *vt* : ~ qqch à qqn
oferecer algo a alguém; ~ à qqn
de faire qqch propor a alguém
que faça algo; ~ de faire qqch
propor-se a fazer algo.
❑ **s'offrir** *vp* oferecer a si próprio.

offusquer [ɔfyske] *vt* ofender.
❑ **s'offusquer** *vp* ofender-se; s'~
de ofender-se com.

ogre [ɔgr] *nm* papão *m*.

oie [wa] *nf* ganso *m*.

oignon [ɔɲɔ̃] *nm (légume)* cebola *f*; *(de fleur)* bolbo *m*; petits
~s cebolinhas *fpl*.

oiseau, x [wazo] *nm* pássaro *m*.

oisif, ive [wazif, iv] *adj*
ocioso(-osa).

oisillon [wazijɔ̃] *nm* passarinho
m.

oisiveté [wazivte] *nf* ociosi-
dade *f*.

OK [ɔkɛ] *excl* OK!

oléoduc [ɔleɔdyk] *nm* oleoduto
m.

oligarchie [ɔligarʃi] *nf* oligar-
quia *f*.

olive [ɔliv] *nf* azeitona *f*; ~
noire/verte azeitona preta/verde.

olivier [ɔlivje] *nm* oliveira *f*.

olympique [ɔlɛ̃pik] *adj* olím-
pico(-ca).

ombilical, e, aux [ɔ̃bilikal, o]
adj umbilical.

omble (chevalier) [ɔ̃bla-
ʃavalje] *nm (Helv)* peixe fino especialmente do lago Leman.

ombragé, e [ɔ̃braʒe] *adj* som-
breado(-da).

ombre [ɔ̃br] *nf* sombra *f*; à l'~
(de) à sombra (de); ~s chinoises
sombras chinesas; ~ à paupières
sombra (para os olhos).

ombrelle [ɔ̃brɛl] *nf* sombrinha
f.

omelette [ɔmlɛt] *nf* omelete *f*;
~ norvégienne *sobremesa de
massa leve com licor, coberta com gelado de baunilha e merengue*.

omettre [ɔmɛtr] *vt (sout)* omitir; ~ de faire qqch esquecer-se
de fazer algo.

omis, e [ɔmi, iz] *pp* → omettre.

omission [ɔmisjɔ̃] *nf* omissão *f*.

omnibus [ɔmnibys] *nm* : (train)
~ ≃ comboio *m* regional.

omniprésent, e [ɔmniprezɑ̃,
ɑ̃t] *adj* omnipresente.

omnivore [ɔmnivɔr] *nm* omnívoro *m*. ◆ *adj* omnívoro(-ra).

omoplate [ɔmɔplat] *nf* omoplata *f*.

on [ɔ̃] *pron* : ~ **a frappé** bateram à porta; **autrefois,** ~ **vivait mieux** antigamente, vivia-se melhor; ~ **s'en va** vamos embora; ~ **ne sait jamais** nunca se sabe.

oncle [ɔ̃kl] *nm* tio *m*.

onctueux, euse [ɔ̃ktɥø, øz] *adj* untuoso(-osa).

onde [ɔ̃d] *nf* onda *f*; **grandes ~s** ondas longas; **~s courtes/moyennes** ondas curtas/médias.

ondée [ɔ̃de] *nf* pancada *f* de água.

ondulé, e [ɔ̃dyle] *adj (cheveux)* ondulado(-da).

onduler [ɔ̃dyle] *vt & vi* ondular.

onéreux, euse [ɔnerø, øz] *adj (sout)* oneroso(-osa).

ongle [ɔ̃gl] *nm* unha *f*.

onomatopée [ɔnɔmatɔpe] *nf* onomatopeia *f*.

ont [ɔ̃] → **avoir**.

ONU [ɔny] *nf (abr de* **Organisation des Nations Unies***)* ONU *f*.

onze [ɔ̃z] *num* onze; → **six**.

onzième [ɔ̃zjɛm] *num* décimo primeiro (décima primeira); → **sixième**.

opaque [ɔpak] *adj* opaco(-ca).

opéra [ɔpera] *nm* ópera *f*.

opérateur, trice [ɔperatœr, tris] *nm, f (au téléphone)* telefonista *mf*.

opération [ɔperasjɔ̃] *nf* operação *f*.

opérationnel, elle [ɔperasjɔnɛl] *adj* operacional.

opérer [ɔpere] *vt & vi* operar; **se faire ~ (de)** ser operado (a).

opérette [ɔperɛt] *nf* opereta *f*.

ophtalmologiste [ɔftalmɔlɔʒist] *nmf* oftalmologista *mf*.

Opinel® [ɔpinɛl] *nm* navalha com cabo de madeira.

opinion [ɔpinjɔ̃] *nf* opinião *f*; **l'~ (publique)** a opinião pública.

opium [ɔpjɔm] *nm* ópio *m*.

opportun, e [ɔpɔrtœ̃, yn] *adj* oportuno(-na).

opportuniste [ɔpɔrtynist] *adj* oportunista.

opportunité [ɔpɔrtynite] *nf* oportunidade *f*.

opposant, e [ɔposɑ̃, ɑ̃t] *adj* da oposição. ◆ *nm, f* opositor *m* (-ra *f*); ~ **à** opositor a.

opposé, e [ɔpoze] *adj* oposto(-osta); *(opinion)* contrário (-ria). ◆ *nm* : **l'~** o oposto; ~ **à** *(inverse)* oposto a; *(hostile à)* contra; **à l'~ de** *(du côté opposé à)* do lado oposto a; *(contrairement à)* contrariamente a.

opposer [ɔpoze] *vt* opor.

❑ **s'opposer** *vp* opor-se; **s'~ à** opor-se a.

opposition [ɔpozisjɔ̃] *nf* oposição *f*; **faire ~ (à un chèque)** cancelar (um cheque).

oppresser [ɔprese] *vt* oprimir.

oppresseur [ɔprescœr] *nm* opressor *m* (-ra *f*).

oppression [ɔpresjɔ̃] *nf* opressão *f*.

opprimé, e [ɔprime] *adj & nm, f* oprimido(-da).

opprimer [ɔprime] *vt* oprimir.

opter [ɔpte] *vi* : ~ **pour qqch/ qqn** optar por algo/alguém; ~ **entre qqch et qqch** optar entre algo e algo.

opticien, enne [ɔptisjɛ̃, ɛn] *nm, f* oculista *mf*.

optimal, e, aux [ɔptimal, o] *adj* óptimo(-ma).

optimiser [ɔptimize] *vt* optimizar.

optimisme [ɔptimism] *nm* optimismo *m*.

optimiste [ɔptimist] *adj & nmf* optimista.

option [ɔpsjɔ̃] *nf* opção *f*.
optionnel, elle [ɔpsjɔnɛl] *adj* opcional.
optique [ɔptik] *adj* óptico(-ca).
◆ *nf (point de vue)* óptica *f*.
opulence [ɔpylɑ̃s] *nf* opulência *f*; **vivre** OU **nager dans l'~** nadar em dinheiro.
or [ɔr] *conj* porém. ◆ *nm* ouro *m*; **en ~** de ouro.
orage [ɔraʒ] *nm* trovoada *f*.
orageux, euse [ɔraʒø, øz] *adj* de trovoada.
oral, e, aux [ɔral, o] *adj* oral. ◆ *nm* oral *f*; **'voie ~e'** 'via oral'.
oralement [ɔralmɑ̃] *adv* oralmente.
orange [ɔrɑ̃ʒ] *adj inv* cor-de-laranja. ◆ *nm* cor-de-laranja *f*. ◆ *nf* laranja *f*.
orangeade [ɔrɑ̃ʒad] *nf* laranjada *f*.
oranger [ɔrɑ̃ʒe] *nm* → **fleur**.
oranger [ɔrɑ̃ʒe] *nm* laranjeira *f*.
Orangina® [ɔrɑ̃ʒina] *nm* ≃ Sumol® *m*.
orang-outan [ɔrɑ̃utɑ̃] (*pl* **orangs-outans**) *nm* orangotango *m*.
orateur, trice [ɔratœr, tris] *nm, f* orador *m* (-ra *f*).
orbite [ɔrbit] *nf* órbita *f*.
orchestre [ɔrkɛstr] *nm* orquestra *f*.
orchestrer [ɔrkɛstre] *vt* orquestrar.
orchidée [ɔrkide] *nf* orquídea *f*.
ordinaire [ɔrdinɛr] *adj (normal)* do costume; *(banal)* vulgar. ◆ *nm* gasolina *f* normal; **sortir de l'~** sair do vulgar; **d'~** de costume.
ordinateur [ɔrdinatœr] *nm* computador *m*.
ordonnance [ɔrdɔnɑ̃s] *nf (médicale)* receita *f* (médica).
ordonné, e [ɔrdɔne] *adj* arrumado(-da).

ordonner [ɔrdɔne] *vt (commander)* ordenar; *(ranger)* arrumar; **~ à qqn de faire qqch** ordenar a alguém que faça algo.
ordre [ɔrdr] *nm* ordem *f*; **donner l'~ (à qqn) de faire qqch** dar ordem (a alguém) para fazer algo; **jusqu'à nouvel ~** até nova ordem; **en ~** em ordem; **mettre de l'~ dans qqch** pôr ordem em algo; **dans l'~** por ordem; **à l'~ de** à ordem de.
ordures [ɔrdyr] *nfpl* lixo *m*.
orée [ɔre]
❑ **à l'orée de** *loc prép* na orla de.
oreille [ɔrɛj] *nf* orelha *f*.
oreiller [ɔrɛje] *nm* almofada *f*.
oreillons [ɔrɛjɔ̃] *nmpl* papeira *f*.
orfèvrerie [ɔrfɛvrəri] *nf* ourivesaria *f*.
organe [ɔrgan] *nm* órgão *m*.
organigramme [ɔrganigram] *nm* organigrama *m*.
organique [ɔrganik] *adj* orgânico(-ca).
organisateur, trice [ɔrganizatœr, tris] *nm, f* organizador *m* (-ra *f*).
organisation [ɔrganizasjɔ̃] *nf* organização *f*.
organisé, e [ɔrganize] *adj* organizado(-da).
organiser [ɔrganize] *vt* organizar.
❑ **s'organiser** *vp* organizar-se.
organisme [ɔrganism] *nm* organismo *m*.
orgasme [ɔrgasm] *nm* orgasmo *m*.
orge [ɔrʒ] *nf* → **sucre**.
orgie [ɔrʒi] *nf* orgia *f*; **faire une ~ de qqch** *(fig)* empanturrar-se com algo.
orgue [ɔrg] *nm* órgão *m*; **~ de Barbarie** realejo *m*.
orgueil [ɔrgœj] *nm* orgulho *m*.
orgueilleux, euse [ɔrgœjø, øz] *adj* orgulhoso(-osa).

Orient [ɔrjɑ̃] *nm* : **l'~** o Oriente.

oriental, e, aux [ɔrjɑ̃tal, o] *adj* oriental.

orientation [ɔrjɑ̃tasjɔ̃] *nf* orientação *f*.

orienter [ɔrjɑ̃te] *vt* orientar.
❑ **s'orienter** *vp* orientar-se; **s'~ vers** *(se tourner vers)* orientar-se em direcção a; *(SCOL)* orientar-se para.

orifice [ɔrifis] *nm* orifício *m*.

originaire [ɔriʒinɛr] *adj* : **~ de** oriundo(-da) de.

original, e, aux [ɔriʒinal, o] *adj* original. ◆ *nm, f* excêntrico *m* (-ca *f*). ◆ *nm* original *m*.

originalité [ɔriʒinalite] *nf* originalidade *f*.

origine [ɔriʒin] *nf* origem *f*; **être à l'~ de qqch** estar na origem de algo; **à l'~** no início; **d'~** *(ancien)* de origem; **pays d'~** país de origem.

ORL *nmf (abr de* **oto-rhino-laryngologiste)** otorrino *mf*.

orme [ɔrm] *nm* olmo *m*.

ornement [ɔrnəmɑ̃] *nm* adorno *m*.

orner [ɔrne] *vt* adornar; **~ qqch de** adornar algo com.

ornière [ɔrnjɛr] *nf* cova *f*.

orphelin, e [ɔrfəlɛ̃, in] *nm, f* órfão *m* (-ã *f*).

orphelinat [ɔrfəlina] *nm* orfanato *m*.

Orsay [ɔrsɛ] *n* : **le musée d'~** *museu parisiense dedicado à arte do século XIX.*

orteil [ɔrtɛj] *nm* dedo *m* do pé; **gros ~** dedo grande do pé *(Port)*, dedão *m* do pé *(Br)*.

orthodontiste [ɔrtɔdɔ̃tist] *nmf* ortodontista *m*.

orthodoxe [ɔrtɔdɔks] *adj & nmf* ortodoxo(-xa); **peu ~** pouco ortodoxo.

orthographe [ɔrtɔgraf] *nf* ortografia *f*.

orthophoniste [ɔrtɔfɔnist] *nmf* terapeuta *mf* da fala.

ortie [ɔrti] *nf* urtiga *f*.

os [ɔs, pl o] *nm* osso *m*.

oscillation [ɔsilasjɔ̃] *nf* oscilação *f*.

osciller [ɔsile] *vi* oscilar.

osé, e [oze] *adj* atrevido(-da).

oseille [ozɛj] *nf* azedas *fpl*.

oser [oze] *vt* atrever-se; **~ faire qqch** atrever-se a fazer algo.

osier [ozje] *nm* vime *m*.

ossature [ɔsatyr] *nf (ANAT)* ossatura *f*; *(fig: structure)* estrutura *f*.

ossements [ɔsmɑ̃] *nmpl* ossadas *fpl*.

ostensible [ɔstɑ̃sibl] *adj* ostensivo(-va).

ostéopathe [ɔsteɔpat] *nmf* osteopata *mf*.

ostréiculture [ɔstreikyltyr] *nf* ostreicultura *f*.

otage [ɔtaʒ] *nm* refém *mf*; **prendre qqn en ~** tomar alguém como refém.

OTAN [ɔtɑ̃] *(abr de* **Organisation du traité de l'Atlantique Nord)** *nf* NATO *f*.

otarie [ɔtari] *nf* otária *f*.

ôter [ote] *vt* tirar; **~ qqch à qqn** tirar algo a alguém; **~ qqch de qqch** tirar algo de algo; **3 ôté de 10 égale 7** 10 menos 3 é igual a 7.

otite [ɔtit] *nf* otite *f*.

oto-rhino(-laryngologiste), s [ɔtɔrinɔlarɛ̃gɔlɔʒist] *nmf* otorrinolaringologista *mf*.

ou [u] *conj* ou; **c'est l'un ~ l'autre** é um ou o outro; **~ bien** ou então; **~... ~** ou... ou.

où [u] *adv* onde; **~ habitez-vous?** onde mora?; **d'~ êtes-vous?** donde é você?; **par ~ faut-il passer?** é preciso ir por onde?; **nous ne savons pas ~ dormir/~ aller** não sabemos onde dormir/aonde ir.

◆ *pron* **1.** *(spatial)* onde; **le village ~ j'habite** a aldeia onde vivo; **le pays d'~ je viens** o país de onde venho; **les endroits ~ nous sommes allés** os sítios aonde fomos; **la ville par ~ nous venons de passer** a cidade por onde acabámos de passar. **2.** *(temporel)* em que; **le jour ~...** o dia em que...; **juste au moment ~...** mesmo no instante em que...

ouate [wat] *nf* algodão *m* em rama.

oubli [ubli] *nm* esquecimento *m*.

oublier [ublije] *vt* esquecer-se de; *(omettre)* esquecer-se; **~ de faire qqch** esquecer-se de fazer algo.

oubliettes [ublijɛt] *nfpl* masmorra *f*.

ouest [wɛst] *adj inv & nm inv* oeste; **à l'~ (de)** a oeste (de).

ouf [uf] *excl* ufa!

oui [wi] *adv* sim.

ouï-dire [widir] *nm inv* boato *m*; **par ~** por ouvir dizer.

ouïe [wi] *nf* ouvido *m*.
❑ **ouïes** *nfpl* guelras *fpl*.

ouragan [uragã] *nm* furacão *m*.

ourlet [urlɛ] *nm* bainha *f*.

ours [urs] *nm* urso *m*; **~ en peluche** urso de peluche.

oursin [ursɛ̃] *nm* ouriço-do-mar *m*.

ourson [ursɔ̃] *nm* ursozinho *m*.

outil [uti] *nm* ferramenta *f*; *(fig)* instrumento *m*.

outillage [utijaʒ] *nm* ferramentas *fpl*.

outrage [utraʒ] *nm* ultraje *m*; **~ aux bonnes mœurs** ofensa aos bons costumes.

outrance [utrãs] *nf* exagero *m*; **à ~** em excesso.

outre [utr] *prép* além de; **en ~** além disso; **~ mesure** por aí além.

outré, e [utre] *adj* indignado(-da).

outre-Atlantique [utratlãtik] *loc adv* além-Atlântico.

outre-Manche [utrəmãʃ] *loc adv* do outro lado do Canal da Mancha.

outremer [utrəmɛr] *adj inv* ultramar.

outre-mer [utrəmɛr] *adv* no ultramar.

outrepasser [utrəpase] *vt* exceder.

ouvert, e [uvɛr, ɛrt] *pp* → **ouvrir**. ◆ *adj* aberto(-ta); **'~ le lundi'** 'aberto às segundas-feiras'.

ouvertement [uvɛrtəmã] *adv* abertamente.

ouverture [uvɛrtyr] *nf* abertura *f*; **~ d'esprit** abertura de espírito.

ouvrable [uvrabl] *adj* → **jour**.

ouvrage [uvraʒ] *nm* obra *f*.

ouvre-boîtes [uvrəbwat] *nm inv* abre-latas *m inv (Port)*, abridor *m* de lata *(Br)*.

ouvre-bouteilles [uvrəbutɛj] *nm inv* saca-rolhas *m inv (Port)*, abridor *m* de garrafa *(Br)*.

ouvreur, euse [uvrœr, øz] *nm, f* arrumador *m* (-ra *f*).

ouvrier, ère [uvrije, ɛr] *adj & nm, f* operário(-ria).

ouvrir [uvrir] *vt & vi* abrir.
❑ **s'ouvrir** *vp (porte)* abrir-se; *(fleur)* desabrochar.

ovaire [ɔvɛr] *nm* ovário *m*.

ovale [ɔval] *adj* oval.

ovation [ɔvasjɔ̃] *nf* ovação *f*; **faire une ~ à qqn** ovacionar alguém.

ovationner [ɔvasjɔne] *vt* ovacionar.

overdose [ɔvœrdoz] *nf* overdose *f*.

OVNI [ɔvni] *(abr de* **objet volant non identifié)** *nm* OVNI *m*.

oxyde [ɔksid] *nm* óxido *m*; ~ **de carbone** óxido de carbono.

oxyder [ɔkside]: **s'oxyder** *vp* oxidar-se.

oxygène [ɔksiʒɛn] *nm* oxigénio *m*.

oxygénée [ɔksiʒene] *adj f* → **eau**.

ozone [ozɔn] *nm* ozono *m*.

P

pacemaker [pɛsmekœr] *nm* pacemaker *m*.

pachyderme [paʃidɛrm] *nm* paquiderme *m*.

pacifique [pasifik] *adj* pacífico(-ca); **l'océan Pacifique, le Pacifique** o oceano Pacífico, o Pacífico.

pacifiste [pasifist] *adj & nmf* pacifista.

pack [pak] *nm (de bouteilles)* pack *m*.

packaging [pakadʒiŋ] *nm* embalagem *f*.

pacotille [pakɔtij] *nf* pacotilha *f*; **de ~** de pacotilha.

pacte [pakt] *nm* pacto *m*.

pactiser [paktize] *vi* : **~ avec** pactuar com.

pactole [paktɔl] *nm* : **ramasser le ~** fazer uma fortuna.

paella [paela] *nf* ≃ arroz *m* à valenciana.

pagaie [pagɛ] *nf* pangaia *f*.

pagaille [pagaj] *nf (fam)* bagunça *f*; **en ~** *(en quantité)* aos pontapés; **être en ~** *(chambre)* estar uma bagunça.

pagayer [pageje] *vi* remar com pangaia.

page [paʒ] *nf* página *f*; **~ de garde** guarda *f*; **les ~s jaunes** as páginas amarelas.

pagne [paɲ] *nm* tanga *f*.

pagode [pagɔd] *nf* pagode *m*.

paie [pɛ] = **paye**.

paiement [pɛmã] *nm* pagamento *m*.

païen, enne [pajɛ̃, ɛn] *adj & nm, f* pagão(-ã).

paillasson [pajasɔ̃] *nm* tapete *m* para limpar os pés.

paille [paj] *nf (de blé)* palha *f*; *(pour boire)* palhinha *f*.

paillette [pajɛt] *nf* lantejoula *f*.

pain [pɛ̃] *nm* pão *m*; **~ au chocolat** pão de chocolate; **~ complet** pão integral; **~ doré** *(Can)* = **pain perdu**; **~ d'épice** ≃ broa *f* doce; **~ de mie** pão de forma; **~ perdu** ≃ rabanadas *fpl*; **~ aux raisins** caracol *m*.

ℹ️ PAIN

Em França, é impossível imaginar-se uma refeição sem pão. O pão é comprado nas padarias e tem diversas formas: "ficelle", "baguette", "bâtard", "pain" de 400 g ou "miche". O pão mais comum é preparado com farinha de trigo. Existem também os pães especiais, que contêm cereais ou germe de trigo. Cortado em fatias, o pão constitui o essencial do pequeno-almoço.

---

pair, **e** [pɛr] *adj* par. ◆ *nm* : **jeune fille au ~** jovem au pair.

paire [pɛr] *nf* par *m*.

paisible [pezibl] *adj* sossegado(-da).

paître [pɛtr] *vi* pastar.

paix [pɛ] *nf* paz *f*; **avoir la ~** ter paz; **laisser qqn en ~** deixar alguém em paz.

Pakistan [pakistã] *nm* : **le ~** o Paquistão.

pakistanais, **e** [pakistanɛ, ɛz] *adj* paquistanês(-esa).

palace [palas] *nm* hotel *m* de luxo.

palais [palɛ] *nm* (*résidence*) palácio *m*; (*ANAT*) céu-da-boca *m*; **Palais de justice** Palácio da Justiça.

pâle [pal] *adj* pálido(-da).

palette [palɛt] *nf* (*de peintre*) paleta *f*; (*viande*) pá *f*.

pâleur [palœr] *nf* palidez *f*.

palier [palje] *nm* patamar *m*.

pâlir [palir] *vi* empalidecer.

palissade [palisad] *nf* paliçada *f*.

palliatif, **ive** [paljatif, iv] *adj* paliativo(-va).
❑ **palliatif** *nm* paliativo *m*.

pallier [palje] *vt* paliar.

palmarès [palmarɛs] *nm* (*de victoires*) quadro *m* de honra; (*de chansons*) top *m*.

palme [palm] *nf* barbatana *f* (*de nadador*).

palmé, **e** [palme] *adj* espalmado(-da).

palmier [palmje] *nm* (*arbre*) palmeira *f*; (*gâteau*) palmier *m*.

palmipède [palmipɛd] *adj* & *nm* palmípede.

palombe [palɔb] *nf* pombo *m* bravo ou torcaz.

palourde [palurd] *nf* amêijoa *f*.

palper [palpe] *vt* apalpar.

palpitant, **e** [palpitã, ãt] *adj* empolgante.

palpitation [palpitasjɔ̃] *nf* palpitação *f*.

palpiter [palpite] *vi* palpitar.

paludisme [palydism] *nm* paludismo *m*.

pamphlet [pãflɛ] *nm* panfleto *m*.

pamplemousse [pãpləmus] *nm* toranja *f*.

pan [pã] *nm* (*de mur*) parte *f*; (*de chemise*) fralda *f*.

panache [panaʃ] *nm* (*de plumes, de fumée*) penacho *m*; (*éclat*) brilho *m*; **avoir du ~** ter classe.

panaché [panaʃe] *nm* : (**demi**) ~ panaché *m* (*cerveja com gasosa*).

panaris [panari] *nm* panarício *m*.

pan-bagnat [pãbaɲa] (*pl* **pans-bagnats**) *nm* *sandes de alface, tomates, anchovas, ovo cozido, atum ou frango*.

pancarte [pãkart] *nf* letreiro *m*.

pancréas [pãkreas] *nm* pâncreas *m inv*.

pané, **e** [pane] *adj* panado(-da).

paner [pane] *vt* panar.

panier [panje] *nm* cesto *m*; (*point*) ponto *m*; **~ à provisions** cesto das compras.

panier-repas [panjerəpa] (*pl* **paniers-repas**) *nm* merenda *f*.

panique [panik] *nf* pânico *m*.

paniquer [panike] *vt* assustar. ◆ *vi* entrar em pânico, assustar-se.

panne [pan] *nf* avaria *f*; **être en ~** (*voiture*) estar avariado(-da); (*voyageurs*) ter uma avaria; **tomber en ~** ter uma avaria; **~ d'électricité** ou **de courant** corte *m* de electricidade; **avoir une ~ d'essence** ou **sèche** ficar sem gasolina; **'en ~'** 'avariado'.

panneau, x [pano] nm (d'indication) tabuleta f; (de bois, de verre) painel m; ~ **publicitaire** cartaz m publicitário (Port), outdoor m (Br); ~ **de signalisation** sinal m de trânsito.

panoplie [panɔpli] nf (déguisement) disfarce m infantil.

panorama [panɔrama] nm panorama m.

panoramique [panɔramik] adj panorâmico(-ca).

pansement [pɑ̃smɑ̃] nm penso m; ~ **adhésif** penso rápido.

panser [pɑ̃se] vt (une plaie) ligar; (un cheval) tratar de.

pantalon [pɑ̃talɔ̃] nm calças fpl.

panthère [pɑ̃tɛr] nf pantera f.

pantin [pɑ̃tɛ̃] nm marionete f.

pantoufle [pɑ̃tufl] nf pantufa f.

PAO nf publicação f assistida por computador.

paon [pɑ̃] nm pavão m.

papa [papa] nm papá m.

pape [pap] nm papa m.

paperasse [papras] nf papelada f.

papet [papɛ] nm (Helv) : ~vaudois cozido com alhos franceses, batatas e salsichas de couve e de fígado de porco, típico do cantão de Vaud.

papeterie [papɛtri] nf (magasin) papelaria f; (usine) fábrica f de papel.

papi [papi] nm vovô m.

papier [papje] nm papel m; ~ **aluminium** papel de alumínio; ~ **cadeau** papel de embrulho para prendas; ~ **d'emballage** papel de embrulho; ~ **à en-tête** papel timbrado; ~ **hygiénique** OU **toilette** papel higiénico; ~ **à lettres** papel de carta; ~ **peint** papel de parede; ~ **de verre** lixa f; ~**s (d'identité)** documentos mpl (de identidade).

papier-calque [papjekalk] (pl **papiers-calques**) nm papel m vegetal.

papillon [papijɔ̃] nm borboleta f; (**brasse**) ~ mariposa f (estilo de natação).

papillote [papijɔt] nf : **en** ~ embrulhado numa folha de alumínio.

papoter [papɔte] vi tagarelar.

paprika [paprika] nm colorau m.

paquebot [pakbo] nm paquete m (navio).

pâquerette [pakrɛt] nf margarida f.

Pâques [pak] nm Páscoa f.

paquet [pakɛ] nm (colis) embrulho m; (de cigarettes) maço m; (de chewing-gum) pacote m; (de cartes) baralho m; **je vous fais un** ~-**cadeau?** quer que embrulhe?

par [par] prép **1.** (gén) por; **passer** ~ passar por; **regarder** ~ **le trou de la serrure/la fenêtre** espreitar pelo buraco da fechadura/pela janela; ~ **correspondance** por correspondência; **faire qqch** ~ **intérêt/amitié** fazer algo por interesse/amizade; **deux comprimés** ~ **jour** dois comprimidos por dia; **150 F** ~ **personne** 150 francos por pessoa; **deux** ~ **deux** dois a dois. **2.** (indique le moyen de transport): **voyager** ~ **(le) train** viajar de comboio. **3.** (dans des expressions): ~ **endroits** aqui e ali; ~ **moments** por vezes; ~**-ci** ~**-là** aqui e ali.

parabole [parabɔl] nf parábola f.

parabolique [parabɔlik] adj → **antenne**.

paracétamol [parasetamɔl] nm paracetamol m.

parachute [paraʃyt] nm pára-quedas m inv.

parachutiste [paraʃytist] nmf pára-quedista mf.

parade [parad] nf (défilé) parada f.

paradis [paradi] *nm* paraíso *m*.
paradoxal, e, aux [paradɔksal, o] *adj* paradoxal.
paradoxe [paradɔks] *nm* paradoxo *m*.
paraffine [parafin] *nf* parafina *f*.
parages [paraʒ] *nmpl* : **dans les ~** por aqui; **il est dans les ~** ele anda por aí.
paragraphe [paragraf] *nm* parágrafo *m*.
Paraguay [paragwɛ] *nm* : **le ~** o Paraguai.
paraître [parɛtr] *vi (sembler)* parecer; *(apparaître)* aparecer; *(livre)* ser publicado(-da); **il paraît que** parece que.
parallèle [paralɛl] *adj* paralelo(-la). ◆ *nm* paralelo *m*; **~ à** paralelo a.
parallélisme [paralelism] *nm* paralelismo *m*.
paralyser [paralize] *vt* paralisar.
paralysie [paralizi] *nf* paralisia *f*.
paramédical, e, aux [paramedikal, o] *adj* paramédico(-ca).
paramètre [parametr] *nm* parâmetro *m*.
parano [parano] *(abr de* **paranoïaque)** *adj (fam)* paranóico(-ca).
paranoïaque [paranɔjak] *adj* paranóico(-ca).
parapente [parapɑ̃t] *nm* parapente *m*.
parapet [parapɛ] *nm* parapeito *m*.
parapher [parafe] *vt* rubricar.
paraphrase [parafraz] *nf* paráfrase *f*.
paraplégique [parapleʒik] *adj* paraplégico(-ca).
parapluie [paraplɥi] *nm* guarda-chuva *m*.

parasite [parazit] *nm* parasita *m*.
❑ **parasites** *nmpl* interferência *f*.
parasol [parasɔl] *nm* guarda-sol *m*.
paratonnerre [paratɔnɛr] *nm* pára-raios *m inv*.
paravent [paravɑ̃] *nm* pára-vento *m*.
parc [park] *nm* parque *m*; **~ d'attractions** parque de diversões; **~ de stationnement** parque de estacionamento; **~ zoologique** jardim *m* zoológico.

---

i PARCS NATIONAUX

Em França existem seis parques nacionais. Os mais conhecidos são o de Vanoise, nos Alpes, o de Cévennes, no sudoeste do país, e o de Mercantour, ao sul dos Alpes. Nestas zonas, a flora e a fauna são rigorosamente protegidas. Entretanto, existe, na periferia, um "préparc", no qual é permitida a instalação de infra-estruturas turísticas.

i PARCS NATURELS RÉGIONAUX

Nestes parques naturais sob vigilância associa-se a protecção da natureza ao desenvolvimento do turismo e do lazer. Em França existem mais de 20 parques naturais regionais, entre os quais cabe mencionar a Brière, ao sul da Bretanha; a Camargue e o Lubéron, no sudoeste, assim como o Morvan, no centroeste.

---

parcelle [parsɛl] *nf* parcela *f*.
parce que [parsk(ə)] *conj* porque.

parchemin [parʃəmɛ̃] *nm* pergaminho *m*.

parcmètre [parkmɛtr] *nm* parquímetro *m*.

parcourir [parkurir] *vt* percorrer; *(livre, article)* ler por alto.

parcours [parkur] *nm* percurso *m*; ~ **santé** *percurso desportivo sinalizado num parque.*

parcouru, e [parkury] *pp* → **parcourir**.

par-derrière [pardɛrjɛr] *adv & prép* por trás.

par-dessous [pardəsu] *adv & prép* por baixo.

pardessus [pardəsy] *nm* sobretudo *m*.

par-dessus [pardəsy] *adv & prép* por cima.

par-devant [pardəvɑ̃] *adv & prép* perante.

pardon [pardɔ̃] *nm* perdão *m*; **demander** ~ **à qqn** pedir desculpa a alguém; ~**!** desculpe!

ⓘ PARDON

« Pardon" é o equivalente bretão de peregrinação. Existem cerca de cinquenta "pardons". Os mais importantes reúnem peregrinos vindos de toda a Bretanha. Durante estas festas, além das missas e procissões nas quais os fiéis usam fatos tradicionais, organizam-se feiras, bailes, etc. Os "pardons" realizam-se de Março a Setembro.

---

pardonner [pardɔne] *vt* perdoar; ~ **(qqch) à qqn** perdoar (algo) a alguém; ~ **à qqn d'avoir fait qqch** perdoar alguém por ter feito algo.

pare-balles [parbal] *adj inv* à prova de bala.

pare-brise [parbriz] *nm inv* pára-brisas *m inv*.

pare-chocs [parʃɔk] *nm inv* pára-choques *m inv*.

pareil, eille [parɛj] *adj* igual. ◆ *adv (fam)* igual; **une somme pareille** uma tal quantia.

parent, e [parɑ̃, ɑ̃t] *nm, f* familiar *m*; **les** ~**s** os pais.

parenté [parɑ̃te] *nf (lien familial, rapport)* parentesco *m*; *(ensemble de la famille)* parentes *mpl*.

parenthèse [parɑ̃tɛz] *nf* parêntese *m*; **entre** ~**s** *(mot)* entre parênteses; *(d'ailleurs)* aliás.

parer [pare] *vt (éviter)* aparar.

paresse [parɛs] *nf* preguiça *f*.

paresser [parɛse] *vi* preguiçar.

paresseux, euse [parɛsø, øz] *adj & nm, f* preguiçoso(-osa).

parfait, e [parfɛ, ɛt] *adj* perfeito(-ta). ◆ *nm sobremesa à base de natas, geralmente com sabor a café.*

parfaitement [parfɛtmɑ̃] *adv* perfeitamente.

parfois [parfwa] *adv* às vezes.

parfum [parfœ̃] *nm* perfume *m*; *(goût)* aroma *m*.

parfumé, e [parfyme] *adj* perfumado(-da).

parfumer [parfyme] *vt (pièce, mouchoir)* perfumar; *(aliment)* aromatizar; **parfumé au citron** com sabor a limão. ❑ **se parfumer** *vp* perfumar-se.

parfumerie [parfymri] *nf* perfumaria *f*.

pari [pari] *nm* aposta *f*; **faire un** ~ fazer uma aposta.

paria [parja] *nm* pária *m*.

parier [parje] *vt & vi* apostar; **je (te) parie que...** aposto (contigo) que...; ~ **sur** apostar em.

Paris [pari] *n* Paris.

paris-brest [paribrɛst] *nm inv*

pastel recheado com caramelo e coberto com amêndoas raladas.

parisien, enne [parizjɛ̃, ɛn] *adj* parisiense.

❏ **Parisien, enne** *nm, f* parisiense *mf.*

parité [parite] *nf* paridade *f.*

parjure [parʒyr] *adj & nmf* perjuro(-ra). ◆ *nm* perjúrio *m.*

parka [parka] *nm* OU *nf* parka *f.*

parking [parkiŋ] *nm* parque *m* de estacionamento.

parlante *adj f* → **horloge.**

parlement [parləmã] *nm* parlamento *m.*

parlementaire [parləmãtɛr] *adj & nmf* parlamentar.

parlementer [parləmãte] *vi* parlamentar.

parler [parle] *vt & vi* falar; ~ **à** qqn de falar a alguém de.

parloir [parlwar] *nm* parlatório *m.*

Parmentier [parmãtje] *n* → **hachis.**

parmesan [parməzã] *nm* parmesão *m.*

parmi [parmi] *prép* entre.

parodie [parɔdi] *nf* paródia *f.*

paroi [parwa] *nf (mur)* parede *f; (montagne)* rocha *f; (d'un objet)* lado *m (interior).*

paroisse [parwas] *nf* paróquia *f.*

paroissien, enne [parwasjɛ̃, ɛn] *nm, f* paroquiano *m* (-na *f*).

parole [parɔl] *nf* palavra *f;* **adresser la** ~ **à** qqn dirigir a palavra a alguém; **couper la** ~ **à** qqn cortar a palavra a alguém; **prendre la** ~ tomar a palavra; **tenir (sa)** ~ cumprir o prometido. ❏ **paroles** *nfpl* letra *f.*

paroxysme [parɔksism] *nm* paroxismo *m.*

parquer [parke] *vt* fechar.

parquet [parkɛ] *nm (plancher)* parquet *m.*

parrain [parɛ̃] *nm* padrinho *m.*

parrainer [parɛne] *vt* patrocinar.

parsemer [parsəme] *vt :* ~ qqch de qqch espalhar algo por algo.

part [par] *nf (de gâteau)* fatia *f; (d'un héritage)* parte *f;* **prendre** ~ **à** participar em; **à** ~ *(sauf)* tirando; **de la** ~ **de** da parte de; **d'une** ~..., **d'autre** ~... por um lado..., por outro lado...; **autre** ~ noutro sítio; **nulle** ~ em lado nenhum; **quelque** ~ algures.

partage [partaʒ] *nm* partilha *f.*

partager [partaʒe] *vt* partilhar. ❏ **se partager** *vp :* **se** ~ qqch partilhar algo.

partance [partãs] *nf :* **en** ~ **pour** com destino a.

partant, e [partã, ãt] *adj :* **être** ~ **pour faire qqch** concordar em fazer algo; **je suis** ~**e!** por mim tudo bem!

partenaire [partənɛr] *nmf (au jeu)* parceiro *m* (-ra *f*); *(à la danse)* par *m; (en affaires)* sócio *m* (-cia *f*).

partenariat [partənarja] *nm* parceria *f.*

parterre [partɛr] *nm (fam : sol)* chão *m; (de fleurs)* canteiro *m; (au théâtre)* plateia *f.*

parti [parti] *nm* partido *m;* **prendre** ~ **pour** tomar o partido de; **tirer** ~ **de qqch** tirar partido de algo; ~ **pris** ideia *f* preconcebida.

partial, e, aux [parsjal, o] *adj* parcial.

partialité [parsjalite] *nf* parcialidade *f.*

participant, e [partisipã, ãt] *nm, f* concorrente *mf.*

participation [partisipasjɔ̃] *nf* participação *f.*

participe [partisip] *nm* particípio *m;* ~**passé/présent** particípio passado/presente.

participer [partisipe]: **participer à** v + prép participar em.

particularité [partikylarite] nf particularidade f.

particule [partikyl] nf partícula f.

particulier, **ère** [partikylje, ɛr] adj particular; **en ~** (surtout) particularmente.

particulièrement [partikyljɛrmã] adv particularmente.

partie [parti] nf (part, élément) parte f; (au jeu, en sport) partida f; **en ~** em parte; **faire ~ de** fazer parte de.

partiel, **elle** [parsjɛl] adj parcial.

partiellement [parsjɛlmã] adv parcialmente.

partir [partir] vi partir; (moteur) arrancar; (tache) sair; **être bien/mal parti** começar bem/mal; **~ de** partir de; **à ~ de** a partir de.

partisan [partizã] nm partidário m (-ria f). ◆ adj : **être ~ de qqch** ser partidário(-ria) de algo.

partition [partisjõ] nf partitura f.

partout [partu] adv em todo o lado.

paru, **e** [pary] pp → **paraître**.

parure [paryr] nf (de bijoux) conjunto m; (de linge) jogo m.

parution [parysjõ] nf publicação f.

parvenir [parvǝnir]: **parvenir à** v + prép chegar a; **~ à faire qqch** conseguir fazer algo.

parvenu, **e** [parvǝny] pp → **parvenir**.

parvis [parvi] nm adro m.

pas¹ [pa] adv não; **je n'aime ~ les épinards** não gosto de espinafres; **elle ne dort ~ encore** ela ainda não está a dormir; **je n'ai ~ terminé** não acabei; **il n'y a ~ de train pour Oxford aujourd'hui** não há comboio para Oxford hoje; **les passagers sont priés de ne ~ fumer** pede-se aos passageiros que não fumem; **tu viens ou ~?** vens ou não?; **elle a aimé l'exposition, moi ~** OU **~ moi** ela gostou da exposição, eu não; **c'est un endroit ~ très agréable** não é um sítio lá muito agradável; **non, ~ du tout** não, de modo algum; **~ tellement** nem por isso; **~ possible!** não é possível!

pas² [pa] nm passo m; **à deux ~ de** a dois passos de; **~ à ~** passo a passo; **sur le ~ de la porte** na porta.

passable [pasabl] adj (performance) razoável; (résultat) suficiente.

passage [pasaʒ] nm passagem f; **être de ~** estar de passagem; **~ clouté** OU **(pour) piétons** passadeira f; **~ à niveau** passagem de nível; **~ protégé** entroncamento ou cruzamento com estrada sem prioridade; **~ souterrain** passagem subterrânea; **'premier ~'** horário do primeiro autocarro.

passager, **ère** [pasaʒe, ɛr] adj & nm, f passageiro(-ra); **~ clandestin** passageiro clandestino.

passant, **e** [pasã, ãt] nm, f transeunte mf. ◆ nm anel m (de cinto).

passe [pas] nf passe m.

passé, **e** [pase] adj (terminé) passado(-da); (décoloré) descorado(-da). ◆ nm passado m.

passe-droit [pasdrwa] (pl **passe-droits**) nm favor m ilícito.

passe-partout [paspartu] nm inv (clé) chave f mestra.

passe-passe [paspas] nm inv : **tour de ~** truque m de prestidigitação.

passeport [paspɔr] nm passaporte m.

passer [pase] vi ▮ (aux être) (gén) passar; **~ par** passar por; **~ voir qqn** passar para ver alguém;

je ne fais que ~ estou de passa-gem; **laisser ~ qqn** deixar passar alguém; **ta douleur est-elle pas-sée?** a dor passou-te?; **je passe en 3ᵉ** vou para o 9° ano.

2. *(à la télé, à la radio, au cinéma)* dar; **qu'est-ce qui passe cette semaine au théâtre?** o que é que está em cartaz no teatro esta semana?; **cet écrivain est passé à la télévision** este escritor foi à televisão.

3. *(couleur)* desbotar.

4. *(vitesse)*: ~ **en seconde** meter a segunda.

5. *(dans des expressions)*: **pas-sons!** passemos adiante!; **en pas-sant** de passagem.

♦ *vt* **1.** *(aux avoir)* *(gén)* passar; **nous avons passé l'après-midi à chercher un hôtel** passámos a tarde à procura de um hotel; ~ **son tour** passar a vez; ~ **qqch à qqn** *(objet)* passar algo a alguém; *(maladie)* pegar algo a alguém; **je vous le passe** *(au téléphone)* já lho passo.

2. *(obstacle)* ultrapassar.

3. *(rivière)* atravessar.

4. *(vitesse)* meter.

5. *(mettre, faire passer)*: ~ **le bras par la portière** pôr o braço fora da porta; ~ **l'aspirateur** aspirar.

6. *(filtrer)* coar.

❏ **passer pour** *v + prép* passar por; **se faire ~ pour** fazer-se pas-sar por.

❏ **se passer** *vp* **1.** *(arriver)* pas-sar-se; **qu'est-ce qui se passe?** o que é que se passa?

2. *(se dérouler)*: **se ~ bien/mal** correr bem/mal.

3. *(crème, eau)* pôr; **se ~ de l'huile solaire sur les jambes** pôr óleo de bronzear nas pernas; **se ~ de l'eau sur le visage** passar a cara por água.

❏ **se passer de** *vp + prép* privar-se de.

passerelle [pasʀɛl] *nf* *(pont)*

ponte *f*; *(d'embarquement, sur un bateau)* pontão *m* de embarque.

passe-temps [pastɑ̃] *nm inv* passatempo *m*.

passible [pasibl] *adj* : ~ **de** pas-sível de.

passif, ive [pasif, iv] *adj* pas-sivo(-va). ♦ *nm* *(GRAM)* passiva *f*.

passion [pasjɔ̃] *nf* paixão *f*.

passionnant, e [pasjɔnɑ̃, ɑ̃t] *adj* apaixonante.

passionné, e [pasjɔne] *adj* apaixonado(-da); ~ **de musique** apaixonado por música.

passionner [pasjɔne] *vt* apaixonar.

❏ **se passionner pour** *vp + prép* apaixonar-se por.

passoire [paswaʀ] *nf* passador *m*.

pastel [pastɛl] *adj inv* pastel.

pastèque [pastɛk] *nf* melancia *f*.

pasteurisé, e [pastœʀize] *adj* pasteurizado(-da).

pastille [pastij] *nf* pastilha *f*.

pastis [pastis] *nm* anis *m*.

patate [patat] *nf* *(fam)* batata *f*; ~**s pilées** *(Can)* puré *m* de batata.

patauger [patoʒe] *vi* chafur-dar.

pâte [pat] *nf* massa *f*; ~ **d'aman-des** massa de amêndoa; ~ **brisée** massa quebrada; ~ **feuilletée** massa folhada; ~ **de fruits** doce *m* de fruta *(Port)*, jujuba *f* *(Br)*; ~ **sa-blée** massa areada; ~ **à modeler** plasticina *f*.

❏ **pâtes** *nfpl* massa *f*.

pâté [pate] *nm* *(charcuterie)* paté *m*; *(de sable)* bolo *m* de areia; *(ta-che)* borrão *m*; ~ **chinois** *(Can)* pi-cadinho de carne com batatas e milho gratinado; ~ **de maisons** quartei-rão *m*.

pâtée [pate] *nf* comida *f* *(para cães)*.

paternalisme [patɛʀnalism] *nm* paternalismo *m*.

paternel, elle [patɛrnɛl] *adj* paterno(-na); *(amour)* paternal.

paternité [patɛrnite] *nf* paternidade *f.*

pâteux, euse [patø, øz] *adj* pastoso(-osa).

pathétique [patetik] *nm* patético *m.* ◆ *adj* patético(-ca).

pathologie [patɔlɔʒi] *nf* patologia *f.*

patiemment [pasjamɑ̃] *adv* pacientemente.

patience [pasjɑ̃s] *nf* paciência *f.*

patient, e [pasjɑ̃, ɑ̃t] *adj & nm, f* paciente.

patienter [pasjɑ̃te] *vi* pacientar.

patin [patɛ̃] *nm* : ~s à glace patins *mpl (para o gelo)*; ~s à roulettes patins *mpl (de rodas)*.

patinage [patinaʒ] *nm* patinagem *f (Port)*, patinação *f (Br)*; ~ artistique patinagem artística.

patiner [patine] *vi* patinar.

patineur, euse [patinœr, øz] *nm, f* patinador *m* (-ra *f*).

patinoire [patinwar] *nf* rinque *m* de patinagem.

pâtisserie [patisri] *nf (magasin)* pastelaria *f*; *(gâteau)* doce *m*; **la** ~ a doçaria.

pâtissier, ère [patisje, ɛr] *nm, f* pasteleiro *m* (-ra *f*).

patois [patwa] *nm* patoá *m.*

patrie [patri] *nf* pátria *f.*

patrimoine [patrimwan] *nm* património *m.*

patriote [patrijɔt] *nmf* patriota *mf.*

patriotique [patrijɔtik] *adj* patriótico(-ca).

patron, onne [patrɔ̃, ɔn] *nm, f* patrão *m* (-troa *f*). ◆ *nm* molde *m.*

patronal, e, aux [patrɔnal, o] *adj (intérêt, organisation)* patronal; *(fête)* do santo padroeiro.

patronat [patrɔna] *nm* patronato *m.*

patrouille [patruj] *nf* patrulha *f.*

patrouiller [patruje] *vi* patrulhar.

patte [pat] *nf (d'animal)* pata *f*; *(languette)* lingueta *f*; *(favori)* suíça *f.*

pâturage [patyraʒ] *nm* pasto *m.*

pâture [patyr] *nf* pasto *m*; **jeter qqn en ~ aux lions** atirar alguém aos leões.

paume [pom] *nf* palma *f.*

paumé, e [pome] *(fam) adj* perdido(-da). ◆ *nm, f* desgraçado *m* (-da *f*).

paumer [pome] *vt (fam)* perder. ❏ **se paumer** *vp (fam)* perder-se.

paupière [popjɛr] *nf* pálpebra *f.*

paupiette [popjɛt] *nf pequeno rolo de carne recheado.*

pause [poz] *nf* pausa *f*; 'pause' 'pausa'.

pause-café [pozkafe] *(pl* **pauses-café)** *nf* pausa *f* para o café.

pauvre [povr] *adj (sans argent)* pobre; *(malheureux)* coitado(-da).

pauvreté [povrəte] *nf* pobreza *f.*

pavaner [pavane] ❏ **se pavaner** *vp* pavonear-se.

pavé, e [pave] *adj* pavimentado(-da). ◆ *nm* paralelo *m*; ~ **numérique** teclado *m* numérico.

pavillon [pavijɔ̃] *nm* pavilhão *m.*

pavot [pavo] *nm* dormideira *f.*

payant, e [pɛjɑ̃, ɑ̃t] *adj* a pagar.

paye [pɛj] *nf* paga *f.*

payer [peje] *vt* pagar; **bien/mal payé** bem/mal pago; ~ **qqch à qqn** *(fam)* oferecer algo a alguém; **'payez ici'** 'pague aqui'.

pays [pei] *nm* país *m*; **les gens du ~** *(de la région)* as pessoas da região; **de ~** regional; **le ~ de Galles** o País de Gales.

paysage [peizaʒ] *nm* paisagem *f*.

paysagiste [peizaʒist] *nmf* paisagista *mf*. ◆ *adj* paisagístico(-ca).

paysan, anne [peizã, an] *nm, f* camponês *m* (-esa *f*).

Pays-Bas [pɛiba] *nmpl* : **les ~** os Países Baixos.

PC *nm (abr de* **Parti communiste***)* PC *m*; *(abr de* **ordinateur***)* PC *m*.

PCV *nm* : **appeler en ~** fazer uma chamada a cobrar no destinatário.

P-DG *nm (abr de* **président-directeur général***)* Presidente *m* geral.

péage [peaʒ] *nm* portagem *f (Port)*, pedágio *m (Br)*.

peau, x [po] *nf* pele *f*; *(de fruit)* casca *f*; **~ de chamois** camurça *f*.

péché [peʃe] *nm* pecado *m*.

pêche [pɛʃ] *nf (fruit)* pêssego *m*; *(activité)* pesca *f*; **aller à la ~ (à la ligne)** ir à pesca (com cana); **~ en mer** pesca em alto mar; **~ Melba** *sobremesa de pêssego servida com gelado de baunilha e chantilly*.

pécher [peʃe] *vi* pecar; **~ par** pecar por.

pêcher [peʃe] *vt & vi* pescar. ◆ *nm* pessegueiro *m*.

pêcheur, euse [peʃœr, øz] *nm, f* pescador *m* (-ra *f*).

pédagogie [pedagɔʒi] *nf (qualité)* pedagogia *f*.

pédagogue [pedagɔg] *nmf* pedagogo *m* (-ga *f*). ◆ *adj* pedagógico(-ca).

pédale [pedal] *nf* pedal *m*.

pédaler [pedale] *vi* pedalar.

pédalier [pedalje] *nm* pedaleiro *m*.

Pédalo® [pedalo] *nm* gaivota *f (Port)*, pedalinho *m (Br)*.

pédant, e [pedã, ãt] *adj* pedante.

pédéraste [pederast] *nm* pederasta *m*.

pédestre [pedɛstr] *adj* → **randonnée**.

pédiatre [pedjatr] *nmf* pediatra *mf*.

pédicure [pedikyr] *nmf* calista *mf*.

pedigree [pedigre] *nm* pedigree *m*.

peigne [pɛɲ] *nm (pour démêler)* pente *m*; *(pour retenir)* travessa *f*.

peigner [peɲe] *vt* pentear. ❑ **se peigner** *vp* pentear-se.

peignoir [peɲwar] *nm* roupão *m*; **~ de bain** roupão de banho.

peindre [pɛ̃dr] *vt* pintar; **~ qqch en blanc** pintar algo de branco.

peine [pɛn] *nf (tristesse)* tristeza *f*; *(effort)* dificuldade *f*; *(sanction)* pena *f*; **avoir de la ~** estar triste; **avoir de la ~ à faire qqch** custar a alguém fazer algo; **faire de la ~ à qqn** entristecer alguém; **ce n'est pas la ~ (de)** não vale a pena; **valoir la ~** valer a pena; **sous ~ de** sob pena de; **~ de mort** pena de morte; **il l'a à ~ regardé** ele mal olhou para ela.

peiner [pene] *vt* afligir. ◆ *vi* ver-se negro(-gra).

peint, e [pɛ̃, pɛ̃t] *pp* → **peindre**.

peintre [pɛ̃tr] *nm* pintor *m* (-ra *f*).

peinture [pɛ̃tyr] *nf (matière)* tinta *f*; *(œuvre d'art)* quadro *m*; *(art)* pintura *f*.

péjoratif, ive [peʒɔratif, iv] *adj* pejorativo(-va).

pelage [pəlaʒ] *nm* pelagem *f*.

pêle-mêle [pɛlmɛl] *adv* ao monte.

peler [pəle] *vt & vi* pelar.

pèlerin [pɛlrɛ̃] *nm* peregrino *m* (-na *f*).

pèlerinage [pɛlrinaʒ] *nm* peregrinação *f*.

pélican [pelikã] *nm* pelicano *m*.

pelle [pɛl] *nf* pá *f.*

pellicule [pelikyl] *nf (de film, de photos)* rolo *m; (couche)* película *f.*
❑ **pellicules** *nfpl* caspa *f.*

pelote [pəlɔt] *nf* novelo *m.*

peloton [plɔtɔ̃] *nm (de cyclistes)* pelotão *m.*

pelotonner [pəlɔtɔne]: **se pelotonner** *vp* aconchegar-se.

pelouse [pəluz] *nf* relva *f;* '~ **interdite'** 'é proibido pisar a relva'.

peluche [pəlyʃ] *nf (jouet)* peluche *m;* **animal en** ~ animal de peluche.

pelure [pəlyr] *nf* casca *f.*

pénal, e, aux [penal, o] *adj* penal.

pénaliser [penalize] *vt* penalizar.

penalty, s ou **ies** [penalti] *nm* penalty *m.*

penchant [pɑ̃ʃɑ̃] *nm* : **avoir un** ~ **pour** ter um fraco por.

pencher [pɑ̃ʃe] *vt* inclinar. ◆ *vi* estar inclinado(-da); ~ **pour** estar inclinado para.
❑ **se pencher** *vp* debruçar-se.

pendant [pɑ̃dɑ̃] *prép* durante; ~ **que** enquanto.

pendentif [pɑ̃dɑ̃tif] *nm* pingente *m.*

penderie [pɑ̃dri] *nf* guarda-fatos *m inv.*

pendre [pɑ̃dr] *vt (suspendre)* pendurar; *(condamné)* enforcar. ◆ *vi* pender.
❑ **se pendre** *vp* enforcar-se.

pendule [pɑ̃dyl] *nf* relógio *m* de parede.

pénétrer [penetre] *vi* : ~ **dans** penetrar em.

pénible [penibl] *adj* penoso(-osa); *(fam : agaçant)* maçador(-ra).

péniche [peniʃ] *nf* lanchão *m.*

pénicilline [penisilin] *nf* penicilina *f.*

péninsule [penɛ̃syl] *nf* península *f.*

pénis [penis] *nm* pénis *m inv.*

pénitence [penitɑ̃s] *nf* penitência *f.*

pénombre [penɔ̃br] *nf* penumbra *f.*

pense-bête, s [pɑ̃sbɛt] *nm* sinal *m (para se recordar).*

pensée [pɑ̃se] *nf* pensamento *m; (fleur)* amor-perfeito *m.*

penser [pɑ̃se] *vt & vi* pensar; **qu'est-ce que tu en penses?** o que pensas acerca disso?; ~ **faire qqch** pensar fazer algo; ~ **à** pensar em; ~ **à faire qqch** lembrar-se de fazer algo.

pensif, ive [pɑ̃sif, iv] *adj* pensativo(-va).

pension [pɑ̃sjɔ̃] *nf (hôtel)* pensão *f; (allocation)* abono *m;* **être en** ~ estar num colégio interno; ~ **complète** pensão completa; ~ **de famille** pensão residencial.

pensionnaire [pɑ̃sjɔnɛr] *nmf* pensionista *mf.*

pensionnat [pɑ̃sjɔna] *nm* pensionato *m.*

pente [pɑ̃t] *nf* encosta *f;* **en** ~ inclinado(-da).

Pentecôte [pɑ̃tkot] *nf* Pentecostes *m.*

pénurie [penyri] *nf* penúria *f.*

pépé [pepe] *nm (fam)* vovô *m.*

pépin [pepɛ̃] *nm (graine)* semente *f; (fam : ennui)* sarilho *m (Port),* amolação *f (Br).*

pépinière [pepinjɛr] *nf* viveiro *m.*

pépite [pepit] *nf* pepita *f.*

perçant, e [pɛrsɑ̃, ɑ̃t] *adj (cri)* agudo(-da); *(vue)* penetrante.

percepteur [pɛrsɛptœr] *nm* cobrador *m (-ra f)* de impostos.

perceptible [pɛrsɛptibl] *adj* perceptível.

perception [pɛrsɛpsjɔ̃] *nf (sen-*

sation) percepção *f; (recouvrement)* cobrança *f; (bureau)* repartição *f* de finanças.

percer [pɛrse] *vt* furar; *(mystère)* elucidar. ◆ *vi (dent)* nascer.

perceuse [pɛrsøz] *nf* berbequim *m*.

percevoir [pɛrsəvwar] *vt (son, nuance)* distinguir; *(argent)* receber.

perche [pɛrʃ] *nf (tige)* vara *f*.

percher [pɛrʃe]: **se percher** *vp* empoleirar-se.

perchoir [pɛrʃwar] *nm* poleiro *m*.

perçu, e [pɛrsy] *pp* → **percevoir**.

percussions [pɛrkysjɔ̃] *nfpl* instrumentos *mpl* de percussão.

percuter [pɛrkyte] *vt* esbarrar com.

perdant, e [pɛrdɑ̃, ɑ̃t] *nm, f* perdedor *m* (-ra *f*).

perdre [pɛrdr] *vt & vi* perder; ~ **qqn de vue** perder alguém de vista.
❑ **se perdre** *vp* perder-se.

perdreau, x [pɛrdro] *nm* perdigoto *m*.

perdrix [pɛrdri] *nf* perdiz *f*.

perdu, e [pɛrdy] *adj (village, coin)* perdido(-da).

père [pɛr] *nm (parent)* pai *m; (religieux)* padre *m*; **le ~ Noël** o Pai Natal.

péremptoire [perɑ̃ptwar] *adj* peremptório(-ria).

perfection [pɛrfɛksjɔ̃] *nf* perfeição *f*.

perfectionné, e [pɛrfɛksjɔne] *adj* aperfeiçoado(-da).

perfectionnement [pɛrfɛksjɔnmɑ̃] *nm* aperfeiçoamento *m*.

perfectionner [pɛrfɛksjɔne] *vt* aperfeiçoar.
❑ **se perfectionner** *vp* aperfeiçoar-se.

perfide [pɛrfid] *adj* pérfido(-da).

perforer [pɛrfɔre] *vt* perfurar.

performance [pɛrfɔrmɑ̃s] *nf (d'un sportif)* performance *f*; ~**s** *(d'un ordinateur, d'une voiture)* capacidades *fpl*.

performant, e [pɛrfɔrmɑ̃, ɑ̃t] *adj (personne)* eficiente; *(machine, entreprise)* com um bom desempenho; *(technique)* eficaz.

perfusion [pɛrfyzjɔ̃] *nf* perfusão *f*.

péril [peril] *nm* perigo *m*; **en ~** em perigo.

périlleux, euse [perijø, øz] *adj* perigoso(-osa).

périmé, e [perime] *adj* caducado(-da).

périmètre [perimɛtr] *nm* perímetro *m*.

période [perjɔd] *nf* período *m*; ~ **blanche/bleue** *período durante o qual se pode comprar um bilhete de comboio com 20%/50% de redução,* ≃ dia *m* azul; ~ **rouge** *período durante o qual não há reduções nos bilhetes de comboio.*

périodique [perjɔdik] *adj* periódico(-ca). ◆ *nm* periódico *m*.

péripéties [peripesi] *nfpl* peripécias *fpl*.

périphérie [periferi] *nf* periferia *f*.

périphérique [periferik] *adj* periférico(-ca). ◆ *nm* periférico *m*; **le (boulevard) ~** a estrada periférica.

périphrase [perifraz] *nf* perífrase *f*.

périple [peripl] *nm (navigation)* périplo *m; (voyage)* viagem *f*.

périr [perir] *vi (sout)* perecer.

périssable [perisabl] *adj* perecível.

perle [pɛrl] *nf* pérola *f*.

permanence [pɛrmanɑ̃s] *nf* abertura *f; (bureau)* escritório *m*;

(SCOL) sala *f* de estudo; **de** ~ de serviço; **en** ~ permanentemente.

permanent, e [pɛrmanɑ̃, ɑ̃t] *adj* permanente.

permanente [pɛrmanɑ̃t] *nf* permanente *f*.

perméable [pɛrmeabl] *adj* permeável.

permettre [pɛrmɛtr] *vt* permitir; ~ **à qqn de faire qqch** *(autoriser)* permitir a alguém que faça algo; *(rendre possible)* permitir a alguém fazer algo.

❏ **se permettre** *vp* : **se** ~ **de faire qqch** permitir-se fazer algo; **pouvoir se** ~ **de faire qqch** poder dar-se ao luxo de fazer algo.

permis, e [pɛrmi, iz] *pp* → **permettre.** ◆ *nm* licença *f*; **il est** ~ **de...** é permitido...; ~ **de conduire** carta *f* de condução *(Port)*, carteira *f* de motorista *(Br)*; ~ **de pêche** licença de pesca.

permission [pɛrmisjɔ̃] *nf (autorisation)* permissão *f*; *(MIL)* licença *f*; **demander la** ~ **de faire qqch** pedir autorização para fazer algo.

permuter [pɛrmyte] *vt & vi* permutar.

perpendiculaire [pɛrpɑ̃dikylɛr] *adj* perpendicular.

perpétrer [pɛrpetre] *vt (sout)* perpetrar.

perpétuel, elle [pɛrpetɥɛl] *adj* perpétuo(-tua).

perpétuer [pɛrpetɥe] *vt* perpetuar.

❏ **se perpétuer** *vp* perpetuar-se.

perpétuité [pɛrpetɥite] *nf* perpetuidade *f*; **à** ~ a prisão perpétua.

perplexe [pɛrplɛks] *adj* perplexo(-xa).

perquisition [pɛrkizisjɔ̃] *nf* busca *f*.

perron [pɛrɔ̃] *nm (escalier)* escadaria *f*; *(plate-forme)* patamar *m*.

perroquet [pɛrɔkɛ] *nm* papagaio *m*.

perruche [pɛryʃ] *nf* periquito *m*.

perruque [pɛryk] *nf* peruca *f*.

persécuter [pɛrsekyte] *vt* perseguir.

persécution [pɛrsekysjɔ̃] *nf* perseguição *f*.

persévérant, e [pɛrseverɑ̃, ɑ̃t] *adj* perseverante.

persévérer [pɛrsevere] *vi* perseverar.

persienne [pɛrsjɛn] *nf* persiana *f*.

persil [pɛrsi] *nm* salsa *f (Port)*, salsinha *f (Br)*.

persillé, e [pɛrsije] *adj (au persil)* com salsa; *(fromage)* com manchas esverdeadas.

persistant, e [pɛrsistɑ̃, ɑ̃t] *adj* persistente.

persister [pɛrsiste] *vi* persistir; ~ **à faire qqch** persistir em fazer algo.

personnage [pɛrsɔnaʒ] *nm* personagem *m* OU *f*.

personnaliser [pɛrsɔnalize] *vt* personalizar.

personnalité [pɛrsɔnalite] *nf* personalidade *f*.

personne [pɛrsɔn] *nf* pessoa *f*. ◆ *pron* ninguém; **il n'y a** ~ não está cá ninguém; **en** ~ em pessoa; **par** ~ por pessoa OU cabeça; ~ **âgée** pessoa idosa.

personnel, elle [pɛrsɔnɛl] *adj* pessoal. ◆ *nm* pessoal *m*.

personnellement [pɛrsɔnɛlmɑ̃] *adv* pessoalmente.

personnifier [pɛrsɔnifje] *vt* personificar.

perspective [pɛrspɛktiv] *nf* perspectiva *f*.

perspicace [pɛrspikas] *adj* perspicaz.

persuader [pɛrsɥade] *vt* persuadir; ~ **qqn de faire qqch** persuadir alguém a fazer algo.

persuasif, ive [pɛrsɥazif, iv] *adj* persuasivo(-va).

perte [pɛrt] *nf* perda *f*; ~ **de temps** perda de tempo.

pertinent, e [pɛrtinã, ãt] *adj* pertinente.

perturbation [pɛrtyrbasjɔ̃] *nf* perturbação *f*.

perturber [pɛrtyrbe] *vt* perturbar.

pervenche [pɛrvãʃ] *adj inv* azul violeta. ◆ *nf (fleur)* pervinca *f*; *(fam : contractuelle)* polícia de trânsito cujo uniforme é azul violeta e que se encarrega de fazer cumprir as regras de estacionamento.

pervers, e [pɛrvɛr, ɛrs] *adj* perverso(-sa). ◆ *nm, f* pessoa *f* perversa.

perversion [pɛrvɛrsjɔ̃] *nf* perversão *f*.

pervertir [pɛrvɛrtir] *vt* perverter.

pesant, e [pəzã, ãt] *adj* pesado(-da).

pesanteur [pəzãtœr] *nf* gravidade *f*.

pèse-personne [pɛzpɛrsɔn] *nm inv* balança *f (de casa de banho)*.

peser [pəze] *vt & vi* pesar; ~ **lourd** pesar muito.

pessimisme [pesimism] *nm* pessimismo *m*.

pessimiste [pesimist] *adj & nmf* pessimista.

peste [pɛst] *nf* peste *f*.

pestilentiel, elle [pɛstilãsjɛl] *adj (sout)* pestilento(-ta).

pétale [petal] *nm* pétala *f*.

pétanque [petãk] *nf* ≃ chinquilho *m*.

pétard [petar] *nm* bomba *f* de Carnaval.

péter [pete] *vi (fam : se casser)* pifar; *(personne)* peidar-se.

pétillant, e [petijã, ãt] *adj (vin,*

eau) com borbulhas; *(yeux)* cintilante.

pétiller [petije] *vi (champagne)* borbulhar; *(yeux)* cintilar.

petit, e [p(ə)ti, it] *adj* pequeno(-na). ◆ *nm* cria *f*; ~ **à** ~ pouco a pouco; ~ **ami** namorado *m*; ~**e amie** namorada *f*; ~ **déjeuner** pequeno-almoço *m (Port)*, café *m* da manhã *(Br)*; ~ **pain** pãozinho *m*; ~ **pois** ervilha *f (Port)*, petit-pois *m (Br)*; ~ **pot** frasco *m* de comida (para bebé).

petit-beurre [p(ə)tibœr] *(pl* **petits-beurre)** *nm* biscoito de forma rectangular feito à base de manteiga.

petite-fille [p(ə)titfij] *(pl* **petites-filles)** *nf* neta *f*.

petit-fils [p(ə)tifis] *(pl* **petits-fils)** *nm* neto *m*.

petit-four [p(ə)tifur] *(pl* **petits-fours)** *nm* pastel pequenino doce ou salgado.

pétition [petisjɔ̃] *nf* petição *f*.

petits-enfants [p(ə)tizãfã] *nmpl* netos *mpl*.

petit-suisse [p(ə)tisɥis] *(pl* **petits-suisses)** *nm* suissinho *m*.

pétrifier [petrifje] *vt* petrificar.

pétrir [petrir] *vt (malaxer, palper)* amassar; *(fig: sout: façonner)* modelar.

pétrole [petrɔl] *nm* petróleo *m*.

pétrolier [petrɔlje] *nm* petroleiro *m*.

pétrolifère [petrɔlifɛr] *adj* petrolífero(-ra).

peu [pø] *adv* **1.** *(gén)* pouco; **j'ai** ~ **voyagé** viajei pouco; **ils sont** ~ **nombreux** eles são pouco numerosos; ~ **après** pouco depois; **il y a** ~ há bocado; **sous** OU **d'ici** ~ dentro de OU daqui a pouco. **2.** *(avec un nom)*: ~ **de gens** pouca gente; ~ **de temps** pouco tempo; ~ **de livres** poucos livros. **3.** *(dans des expressions)*: **à** ~

près mais ou menos; ~ **à** ~ pouco a pouco.

♦ *nm* : **un** ~ um pouco; **un (tout) petit** ~ um pouquinho; **un** ~ **de** um pouco de.

peuple [pœpl] *nm* povo *m*.

peuplement [pœpləmã] *nm (action)* povoamento *m*; *(démographie)* população *f*.

peupler [pœple] *vt* povoar.

peuplier [pøplije] *nm* choupo *m*.

peur [pœr] *nf* medo *m*; **avoir** ~ ter medo; **avoir** ~ **de qqch** ter medo de algo; **faire** ~ **(à)** meter medo (a).

peureux, euse [pœrø, øz] *adj* medroso(-osa).

peut [pø] → **pouvoir**.

peut-être [pøtɛtr] *adv* talvez; ~ **qu'elle ne viendra pas** talvez ela não venha.

peux [pø] → **pouvoir**.

phalange [falãʒ] *nf* falange *f*.

phallus [falys] *nm* falo *m*.

pharaon [faraɔ̃] *nm* faraó *m*.

phare [far] *nm* farol *m*.

pharmaceutique [farmasøtik] *adj* farmacêutico(-ca).

pharmacie [farmasi] *nf (magasin)* farmácia *f*; *(armoire)* armário *m* de farmácia.

pharmacien, enne [farmasjɛ̃, ɛn] *nm, f* farmacêutico *m* (-ca *f*).

pharynx [farɛ̃ks] *nm* faringe *f*.

phase [faz] *nf* fase *f*.

phénoménal, e, aux [fenɔmenal, o] *adj* fenomenal.

phénomène [fenɔmɛn] *nm* fenómeno *m*.

philatélie [filateli] *nf* filatelia *f*.

philosophe [filɔzɔf] *adj & nmf* filósofo(-fa); **être très** ~ encarar as coisas com filosofia.

philosophie [filɔzɔfi] *nf* filosofia *f*.

phobie [fɔbi] *nf* fobia *f*.

phonétique [fɔnetik] *adj* fonético(-ca).

phoque [fɔk] *nm* foca *f*.

phosphate [fɔsfat] *nm* fosfato *m*.

phosphore [fɔsfɔr] *nm* fósforo *m (corpo simples)*.

phosphorescent, e [fɔsfɔresã, ãt] *adj* fosforescente.

photo [fɔto] *nf (image)* foto *f*; *(art)* fotografia *f*; **prendre qqn/ qqch en** ~ tirar fotos a alguém/ algo; **prendre une** ~ **(de)** tirar uma foto (a).

photocopie [fɔtɔkɔpi] *nf* fotocópia *f (Port)*, xérox *m (Br)*.

photocopier [fɔtɔkɔpje] *vt* fotocopiar *(Port)*, xerocar *(Br)*.

photocopieuse [fɔtɔkɔpjøz] *nf* fotocopiadora *f*.

photoélectrique [fɔtɔelɛktrik] *adj* fotoeléctrico(-ca).

photogénique [fɔtɔʒenik] *adj* fotogénico(-ca).

photographe [fɔtɔɡraf] *nmf* fotógrafo *m* (-fa *f*).

photographie [fɔtɔɡrafi] *nf* fotografia *f*.

photographier [fɔtɔɡrafje] *vt* fotografar.

Photomaton® [fɔtɔmatɔ̃] *nm* photomaton® *m*.

phrase [fraz] *nf* frase *f*.

physicien, enne [fizisjɛ̃, ɛn] *nm, f* físico *m* (-ca *f*).

physionomie [fizjɔnɔmi] *nf* fisionomia *f*.

physionomiste [fizjɔnɔmist] *adj* : **être** ~ ter memória para caras.

physique [fizik] *adj* físico(-ca). ♦ *nf* física *f*. ♦ *nm* físico *m*.

physiquement [fizikmã] *adv* fisicamente.

piailler [pjaje] *vi (oiseau)* piar; *(fam : enfant)* berrar.

pianiste [pjanist] *nmf* pianista *mf*.

piano [pjano] *nm* piano *m*.

pic [pik] *nm (montagne)* pico *m*; **à ~** *(descendre, couler)* a pique; *(fig: tomber, arriver)* mesmo a calhar.

pichet [piʃɛ] *nm* jarro *m*.

pickpocket [pikpɔkɛt] *nm* carteirista *m (Port)*, batedor *m* de carteira *(Br)*.

picorer [pikɔre] *vt* debicar.

picotement [pikɔtmɑ̃] *nm* picadas *fpl*.

picoter [pikɔte] *vt* picar.

pie [pi] *nf* pega *f (ave)*.

pièce [pjɛs] *nf (argent)* moeda *f*; *(salle)* assoalhada *f*; *(sur un vêtement)* remendo *m*; *(morceau)* retalho *m*; **20 F** ~ 20 F cada; **(maillot de bain) une ~** fato *m* de banho; **~ d'identité** documento *m* de identidade; **~ de monnaie** moeda; **~ montée** bolo em forma de pirâmide, montado com pastéis recheados com creme que se serve em grandes ocasiões; **~ de rechange** peça *f* (de substituição); **~ (de théâtre)** peça *f* de teatro.

pied [pje] *nm (ANAT)* pé *m*; *(d'une montagne)* sopé *m*; **à ~** a pé; **au ~ de** junto a; *(d'une montagne)* no sopé de; **avoir ~** ter pé; **mettre sur ~** montar.

pied-à-terre [pjetatɛr] *nm inv* casa *f*.

piédestal, aux [pjedɛstal, o] *nm* pedestal *m*; **mettre qqn sur un ~** *(fig)* pôr alguém num pedestal.

pied-noir, e [pjenwar] *adj* dos franceses que viviam na Argélia antes da sua independência.
❑ **pied-noir** *(pl* pieds-noirs) *nmf* francês que vivia na Argélia antes da sua independência.

piège [pjɛʒ] *nm (pour animaux)* armadilha *f*; *(fig: tromperie)* esparrela *f*.

piéger [pjeʒe] *vt (animal)* caçar com armadilha; *(tromper)* fazer

cair na esparrela; *(voiture, valise)* armadilhar.

pierre [pjɛr] *nf* pedra *f*; **~ précieuse** pedra preciosa.

piétiner [pjetine] *vt* espezinhar.
◆ *vi (foule)* não avançar; *(fig: enquête)* estar parado(-da).

piéton, onne [pjetɔ̃, ɔn] *nm, f* peão *m (pessoa) (Port)*, pedestre *m (Br)*. ◆ *adj* = **piétonnier**.

piétonnier, ère [pjetɔnje, ɛr] *adj* reservado(-da) aos peões.

piètre [pjɛtr] *adj* bastante medíocre.

pieu, x [pjø] *nm* estaca *f*.

pieuvre [pjœvr] *nf* polvo *m*.

pieux, euse [pjø, øz] *adj (personne)* piedoso(-osa); *(image)* sagrado(-da).

pigeon [piʒɔ̃] *nm* pombo *m*.

pigment [pigmɑ̃] *nm* pigmento *m*.

pilaf [pilaf] *nm* → **riz**.

pile [pil] *nf* pilha *f*. ◆ *adv* mesmo a tempo; **jouer qqch à ~ ou face** jogar algo a caras ou coroas; **~ ou face?** cara ou coroa?; **s'arrêter ~** estacar; **3 h ~** 3 h em ponto.

piler [pile] *vt* esmagar. ◆ *vi (fam)* travar bruscamente.

pilier [pilje] *nm* pilar *m*.

pillard, e [pijar, ard] *nm, f* saqueador *m* (-ra *f*).

piller [pije] *vt* pilhar.

pilonner [pilɔne] *vt (écraser)* esmagar (com pilão); *(MIL)* bombardear intensamente.

pilotage [pilɔtaʒ] *nm* pilotagem *f*; **~ automatique** pilotagem automática.

pilote [pilɔt] *nm* piloto *m*.

piloter [pilɔte] *vt* pilotar.

pilotis [pilɔti] *nm* estacaria *f (Port)*, palafita *f (Br)*.

pilule [pilyl] *nf* pílula *f*; **prendre la ~** tomar a pílula.

piment [pimɑ̃] *nm (condiment)*

piripiri *m*; ~ **doux** pimento *m*; ~ **rouge** malagueta *f*.

pimenté, e [pimãte] *adj* apimentado(-da).

pin [pɛ̃] *nm (arbre)* pinheiro *m*; *(bois)* pinho *m*.

pinard [pinar] *nm (fam)* pinga *f*.

pince [pɛ̃s] *nf (outil)* alicate *m*; *(de crabe)* pinça *f*; *(de vêtement)* prega *f*; ~ **à cheveux** mola *f* (para o cabelo); ~ **à épiler** pinça (para depilar); ~ **à linge** mola *f* da roupa.

pinceau, x [pɛ̃so] *nm* pincel *m*.

pincée [pɛ̃se] *nf* pitada *f*.

pincer [pɛ̃se] *vt (serrer)* beliscar; *(fam : coincer)* entalar.

pingouin [pɛ̃gwɛ̃] *nm* pinguim *m*.

ping-pong [piŋpɔ̃g] *nm* pingue-pongue *m*.

pin's [pins] *nm inv* pin *m*.

pintade [pɛ̃tad] *nf* galinha-d'angola *f*.

pinte [pɛ̃t] *nf (Helv: café)* café *m*.

pioche [pjɔʃ] *nf* picareta *f*.

piocher [pjɔʃe] *vi* ir ao baralho.

pion [pjɔ̃] *nm* peão *m (de jogo)*.

pionnier, ère [pjɔnje, ɛr] *nm, f* pioneiro *m* (-ra *f*).

pipe [pip] *nf* cachimbo *m*.

pipeline [pajplajn] *(pl* **pipelines)** *nm (de pétrole)* oleoduto *m*; *(de gaz)* gasoduto *m*.

pipi [pipi] *nm (fam)* : **faire ~** fazer chichi.

piquant, e [pikã, ãt] *adj* picante. ♦ *nm* espinho *m*.

pique [pik] *nf (remarque)* boca *f*. ♦ *nm* espadas *fpl*.

pique-assiette [pikasjɛt] *(pl* **pique-assiettes)** *nm (péj)* papa-jantares *mf inv*.

pique-nique, s [piknik] *nm* piquenique *m*.

pique-niquer [piknike] *vi* fazer um piquenique.

piquer [pike] *vt & vi* picar.

piquet [pikɛ] *nm* estaca *f*.

piqueur [pikœr] *adj m* → **marteau**.

piqûre [pikyr] *nf (d'insecte)* picada *f*; *(MÉD)* injecção *f*.

piratage [pirataʒ] *nm* pirataria *f*.

pirate [pirat] *adj & nm* pirata; ~ **de l'air** pirata do ar.

pirater [pirate] *vt* piratear.

pire [pir] *adj* pior. ♦ *nm* : **le ~** o pior.

pirogue [pirɔg] *nf* piroga *f*.

pirouette [pirwɛt] *nf* pirueta *f*.

pis [pi] *nm* úbere *m*.

pisciculture [pisikyltyr] *nf* piscicultura *f*.

piscine [pisin] *nf* piscina *f*.

pissenlit [pisãli] *nm* dente-de-leão *m*.

pisser [pise] *vi (fam)* mijar.

pistache [pistaʃ] *nf* pistácio *m*.

piste [pist] *nf* pista *f*; ~ **(d'atterrissage)** pista (de aterragem); ~ **cyclable** pista obrigatória para velocípedes; ~ **de danse** pista de dança; ~ **verte** pista verde *(muito fácil)*; ~ **bleue** pista azul *(fácil)*; ~ **rouge** pista vermelha *(difícil)*; ~ **noire** pista preta *(muito difícil)*.

pistil [pistil] *nm* pistilo *m*.

pistolet [pistɔlɛ] *nm* pistola *f*.

piston [pistɔ̃] *nm* pistão *m*, êmbolo *m*.

pistonner [pistɔne] *vt (fam)* : ~ **qqn** arranjar um emprego a alguém; **se faire ~** *(fig)* meter uma cunha.

pithiviers [pitivje] *nm tarte folhada recheada com creme de amêndoa.*

pitié [pitje] *nf* piedade *f*; **avoir ~ de qqn** ter piedade de alguém; **faire ~ à qqn** provocar piedade em alguém.

pitoyable [pitwajabl] *adj*

(triste) lastimoso(-osa); *(méprisable)* lastimável.

pitre [pitr] *nm* palhaço *m*; **faire le ~** fazer palhaçadas.

pitrerie [pitrəri] *nf (gén pl)* palhaçada *f*.

pittoresque [pitɔrɛsk] *adj* pitoresco(-ca).

pivot [pivo] *nm* pivô *m*.

pivoter [pivɔte] *vi* girar.

pizza [pidza] *nf* pizza *f*.

pizzeria [pidzerja] *nf* pizzaria *f*.

placard [plakar] *nm* armário *m*.

placarder [plakarde] *vt* afixar.

place [plas] *nf* lugar *m*; *(d'une ville)* praça *f*; *(de théâtre)* bilhete *m*; *(emploi)* emprego *m*; **changer qqch de ~** mudar algo de lugar; **à la ~ de** em vez de; **sur ~** no mesmo sítio; **~ assise/debout** lugar sentado/de pé.

placement [plasmã] *nm* investimento *m*.

placenta [plasɛ̃ta] *nm* placenta *f*.

placer [plase] *vt (mettre)* pôr; *(argent)* investir. ❑ **se placer** *vp (se mettre)* pôr-se; *(se classer)* situar-se.

plafond [plafɔ̃] *nm (d'une salle)* tecto *m*; *(limite)* plafond *m*.

plafonner [plafɔne] *vi* atingir o limite máximo.

plafonnier [plafɔnje] *nm* lâmpada *f* de tecto.

plage [plaʒ] *nf (de sable)* praia *f*; *(de disque)* faixa *f*; **~ arrière** tablete *f* da bagageira.

plagiat [plaʒja] *nm* plágio *m*.

plagier [plaʒje] *vt* plagiar.

plaider [plede] *vt* defender. ◆ *vi* defender uma causa; **~ contre qqn** defender uma causa contra alguém; **~ pour qqn** *(avocat)* defender a causa de alguém; *(jouer en faveur de)* abonar em favor de alguém.

plaidoirie [plɛdwari] *nf* defesa *f*.

plaie [plɛ] *nf* ferida *f*.

plaindre [plɛ̃dr] *vt* lastimar. ❑ **se plaindre** *vp* queixar-se; **se ~ de** queixar-se de.

plaine [plɛn] *nf* planície *f*.

plain-pied [plɛ̃pje]: **de plain-pied** *adv (pièce)* ao mesmo nível; *(fig: directement)* directamente. ◆ *adj*: **une maison de ~** uma casa térrea.

plaint, e [plɛ̃, plɛ̃t] *pp* → **plaindre**.

plainte [plɛ̃t] *nf (gémissement)* queixume *m*; *(en justice)* queixa *f*; **porter ~** apresentar queixa.

plaintif, ive [plɛ̃tif, iv] *adj* queixoso(-osa).

plaire [plɛr] *vi* agradar; **~ à qqn** agradar a alguém; **s'il vous/te plaît** se faz favor/fazes favor. ❑ **se plaire** *vp* sentir-se bem.

plaisance [plɛzɑ̃s] *nf* → **navigation, port**.

plaisanter [plɛzɑ̃te] *vi* brincar.

plaisanterie [plɛzɑ̃tri] *nf* brincadeira *f*.

plaisir [plezir] *nm* prazer *m*; **faire ~ à qqn** agradar a alguém; **avec ~!** com muito gosto!

plan [plã] *nm* plano *m*; *(d'une maison, d'un bâtiment)* planta *f*; **au premier/second ~** no primeiro/segundo plano; **~ d'eau** lago *m*.

planche [plãʃ] *nf* tábua *f*; **faire la ~** boiar; **~ à roulettes** skate *m*; **~ à voile** prancha *f* de windsurf.

plancher [plãʃe] *nm (d'une voiture)* chão *m*; *(d'une maison)* soalho *m*.

plancton [plãktɔ̃] *nm* plâncton *m*.

planer [plane] *vi* planar.

planétaire [planetɛr] *adj* planetário(-ria).

planétarium [planetarjɔm] *nm* planetário *m*.

planète [planɛt] *nf* planeta *m*.

planeur [plancɛr] *nm* planador *m*.

planifier [planifje] *vt* planificar.

planning [planiŋ] *nm* planificação *f*.

plant [plɑ̃] *nm (jeune plante)* pé *m (de planta)*; *(culture)* plantio *m*.

plantaire [plɑ̃tɛr] *adj* plantar.

plantation [plɑ̃tasjɔ̃] *nf* plantação *f*; **des ~s** uma plantação.

plante [plɑ̃t] *nf* planta *f*; **~ des pieds** planta dos pés; **~ grasse** planta carnuda; **~ verte** planta de interior.

planter [plɑ̃te] *vt (graines)* plantar; *(enfoncer)* espetar.

plaque [plak] *nf* placa *f*; *(de verglas)* camada *f*; *(de chocolat)* tablete *f*; *(de beurre)* pacote *m*; *(tache)* mancha *f*; **~ chauffante** placa eléctrica; **~ d'immatriculation** OU **minéralogique** matrícula *f*.

plaqué, e [plake] *adj* : **~ or/argent** com banho de ouro/de prata.

plaquer [plake] *vt (aplatir)* achatar; *(au rugby)* placar.

plaquette [plakɛt] *nf (de beurre)* pacote *m*; *(de chocolat)* tablete *f*; **~ de frein** calço *m* de travão.

plastifié, e [plastifje] *adj* plastificado(-da).

plastique [plastik] *nm* plástico *m*; **sac en ~** saco de plástico.

plat, e [pla, plat] *adj (terrain)* plano(-na); *(poitrine)* achatado(-da); *(chaussure)* raso(-sa); *(eau)* sem gás. ♦ *nm* prato *m*; *(récipient)* travessa *f*; **à ~** *(pneu)* vazio(-zia); *(batterie)* gasto(-ta); *(fam : fatigué)* arrasado(-da); **à ~ ventre** de barriga para baixo; **~ cuisiné** prato já cozinhado; **~ du jour** prato do dia; **~ de résistance** prato principal.

platane [platan] *nm* plátano *m*.

plateau, x [plato] *nm (de cuisine)* bandeja *f*; *(plaine)* planalto *m*; *(de télévision, de cinéma)* estúdio *m*; **~ à fromages** prato *m* para o queijo; **~ de fromages** prato *m* de queijos.

plateau-repas [platorəpa] *(pl* **plateaux-repas)** *nm* refeição servida num tabuleiro.

plate-bande [platbɑ̃d] *(pl* **plates-bandes)** *nf* platibanda *f*.

plate-forme [platfɔrm] *(pl* **plates-formes)** *nf* plataforma *f*.

platine [platin] *nf* : **~ cassette** leitor *m* de cassetes *(Port)*, toca-fitas *m inv (Br)*; **~ laser** leitor *m* de CDs.

platonique [platɔnik] *adj* platónico(-ca).

plâtre [platr] *nm* gesso *m*.

plâtrer [platre] *vt* engessar.

plausible [plozibl] *adj* plausível.

play-back [plɛbak] *nm inv* play-back *m*.

plébiscite [plebisit] *nm (Helv)* referendo *m*.

plein, e [plɛ̃, plɛn] *adj (rempli)* cheio (cheia); *(complet)* completo(-ta). ♦ *nm* : **faire le ~ (d'essence)** atestar; **~ de** *(rempli de)* cheio de; *(fam : beaucoup de)* muito; **en ~ air** ao ar livre; **en ~ devant moi** mesmo à minha frente; **en ~e forme** em grande forma; **en ~e nuit** a meio da noite; **en ~ milieu** mesmo no meio; **~s phares** máximos *mpl*; **~s pouvoirs** plenos poderes; **travailler à ~ temps** trabalhar a tempo inteiro.

plénitude [plenityd] *nf (sout)* plenitude *f*.

pleurer [plœre] *vi* chorar.

pleureur [plœrœr] *adj m* → **saule**.

pleurnicher [plœrniʃe] *vi* choramingar.

pleurs [plœr] *nmpl (sout)* pranto *m*; **être en ~** estar em lágrimas.

pleut [plø] → **pleuvoir**.

pleuvoir [pløvwar] *vi* chover. ◆ *v impers* : **il pleut** está a chover; **il pleut à verse** está a chover a cântaros.

Plexiglas® [plɛksiglas] *nm* plexiglás *m*.

pli [pli] *nm (d'un papier, d'une carte)* dobra *f*; *(d'une jupe)* prega *f*; *(d'un pantalon)* vinco *m*; *(aux cartes)* vaza *f*; **(faux) ~** vinco.

pliant, e [plijã, ãt] *adj* dobrável. ◆ *nm* cadeira *f* dobrável.

plier [plije] *vt* dobrar; *(lit)* fechar. ◆ *vi* dobrar-se.

plinthe [plɛ̃t] *nf* rodapé *m*.

plissé, e [plise] *adj* pregueado(-da).

plisser [plise] *vt (papier)* dobrar; *(tissu)* preguear; *(yeux)* semicerrar.

plomb [plɔ̃] *nm* chumbo *m*; *(fusible)* fusível *m*.

plombage [plɔ̃baʒ] *nm* chumbo *m*.

plomberie [plɔ̃bri] *nf* canalização *f*.

plombier [plɔ̃bje] *nm* canalizador *m*.

plombières [plɔ̃bjɛr] *nf gelado de baunilha guarnecido com pedaços de fruta cristalizada.*

plonge [plɔ̃ʒ] *nf* : **faire la ~** lavar pratos num restaurante.

plongeant, e [plɔ̃ʒã, ãt] *adj (décolleté)* muito decotado(-da); *(vue)* de cima.

plongée [plɔ̃ʒe] *nf* : **~ (sous-marine)** mergulho *m*.

plongeoir [plɔ̃ʒwar] *nm* prancha *f* de saltos.

plongeon [plɔ̃ʒɔ̃] *nm* mergulho *m*.

plonger [plɔ̃ʒe] *vt & vi* mergulhar.

❏ **se plonger dans** *vp + prép* absorver-se em.

plongeur, euse [plɔ̃ʒœr, øz] *nm, f* mergulhador *m* (-ra *f*).

ployer [plwaje] *vt & vi (sout)* vergar.

plu [ply] *pp* → **plaire, pleuvoir**.

pluie [plɥi] *nf* chuva *f*.

plumage [plymaʒ] *nm* plumagem *f*.

plume [plym] *nf* pena *f*.

plumer [plyme] *vt (une volaille)* depenar; *(fam : personne)* deixar liso(-sa).

plupart [plypar] *nf* : **la ~ (de)** a maior parte (de); **la ~ du temps** na maior parte do tempo.

pluriel [plyrjɛl] *nm* plural *m*.

plus [ply(s)] *adv & prép* mais; **~ intéressant (que)** mais interessante ((do) que); **~ simplement (que)** de forma mais simples ((do) que); **c'est ce qui me plaît le ~ ici** é o que mais me agrada aqui; **l'hôtel le ~ confortable où nous ayons logé** o hotel mais confortável onde ficámos; **le ~ souvent** as mais das vezes; **fais le ~ vite possible** despacha-te o mais rápido possível; **parle-lui le ~ patiemment possible** fala com ele da maneira mais paciente possível; **je ne veux pas dépenser ~** não quero gastar mais; **plus d'argent/de vacances** mais dinheiro/férias; **~ de la moitié** mais de metade; **un peu ~ de glace** um pouco mais de gelado; **je ne regarde plus la télé** já não vejo mais televisão; **je n'en veux ~, merci** não quero mais, obrigado; **de ~ (en supplément)** a mais; *(d'autre part)* além do mais; **il a deux ans de ~ que moi** ele tem dois anos a mais (do) que eu; **de ~ en ~ (de)** cada vez mais; **en ~ (en supplément)** a mais; *(d'autre part)* além do mais; **en ~ de** para além de; **~ ou moins** mais ou menos; ~ **tu y penseras, pire ce sera** quanto mais pensares nisso, pior será.

plusieurs [plyzjœr] *adj & pron* vários(-rias).

plus-que-parfait [plyskəparfɛ] *nm* pretérito *m* mais-que-perfeito.

plus-value [plyvaly] (*pl* **plus-values**) *nf* mais-valia *f*.

plutôt [plyto] *adv* (*de préférence*) antes; (*assez*) bastante; ~ **que (de) faire qqch** em vez de fazer algo.

pluvieux, euse [plyvjø, øz] *adj* chuvoso(-osa).

PME (*abr de* **petite et moyenne entreprise**) *nf* PME *f*.

PMI *nf* (*abr de* **petite et moyenne industrie**) PMI *f*.

PMU *nm* (*système*) jogo de apostas hípicas; (*bar*) bar onde se fazem apostas hípicas.

pneu [pnø] *nm* pneu *m*.

pneumatique [pnømatik] *adj* → **canot, matelas**.

pneumonie [pnømɔni] *nf* pneumonia *f*.

PO (*abr de* **petites ondes**) OC.

poche [pɔʃ] *nf* bolso *m*; **de ~ de** bolso.

poché, e [pɔʃe] *adj* inchado(-da).

pocher [pɔʃe] *vt* (*CULIN*) escalfar.

pochette [pɔʃɛt] *nf* bolsa *f*; (*de disque*) capa *f*; (*mouchoir*) lenço *m* do casaco.

podium [pɔdjɔm] *nm* pódio *m*.

poêle¹ [pwal] *nm* fogão *m* de sala; ~ **à mazout** fogão de sala a fuel.

poêle² [pwal] *nf* : ~ **(à frire)** frigideira *f*.

poème [pɔɛm] *nm* poema *m*.

poésie [pɔezi] *nf* poesia *f*.

poète [pɔɛt] *nm* poeta *m*.

poétique [pɔetik] *adj* poético(-ca).

poids [pwa] *nm* peso *m*; **perdre/prendre du ~** perder/ganhar peso; ~ **lourd** veículo *m* pesado.

poignard [pwaɲar] *nm* punhal *m*.

poignarder [pwaɲarde] *vt* apunhalar.

poignée [pwaɲe] *nf* (*de porte*) maçaneta *f*; (*de valise*) asa *f*; (*de sable, de bonbons*) punhado *m*; **une ~ de** um punhado de; ~ **de main** aperto de mão.

poignet [pwaɲɛ] *nm* (*ANAT*) pulso *m*; (*de vêtement*) punho *m*.

poil [pwal] *nm* pêlo *m*; **à ~** (*fam*) nu em pêlo; **au ~** (*fam*) de trás da orelha.

poilu, e [pwaly] *adj* peludo(-da).

poinçon [pwɛ̃sɔ̃] *nm* (*outil*) punção *m*; (*sceau*) contraste *m*.

poinçonner [pwɛ̃sɔne] *vt* picar.

poing [pwɛ̃] *nm* punho *m*.

point [pwɛ̃] *nm* ponto *m*; ~ **de côté** pontada *f*; ~ **de départ** ponto de partida; ~ **d'exclamation** ponto de exclamação; ~ **faible** ponto fraco; ~ **final** ponto final; ~ **(final)!** e ponto final!; ~ **d'interrogation** ponto de interrogação; **(au) ~ mort** (em) ponto morto; ~ **de repère** ponto de referência; ~**s cardinaux** pontos cardeais; ~**s de suspension** reticências *fpl*; ~**s (de suture)** pontos (de sutura); **à ~** no ponto; **au ~** perfeito(-ta); **au ~ où à tel ~ que** ao ponto de OU a tal ponto que; **mal en ~** num estado lastimável; **être sur le ~ de faire qqch** estar prestes a fazer algo.

point de vue [pwɛ̃dvy] (*pl* **points de vue**) *nm* ponto *m* de vista.

pointe [pwɛ̃t] *nf* (*extrémité*)

ponta *f*; *(clou)* prego *m*; **sur la ~ des pieds** na ponta dos pés; **de ~** de ponta; **en ~** em bico.

❏ **pointes** *nfpl* sapatos *mpl* de ballet.

pointer [pwɛ̃te] *vt* apontar. ◆ *vi* marcar o ponto.

pointillé [pwɛ̃tije] *nm* picotado *m*.

pointu, e [pwɛ̃ty] *adj (couteau)* pontiagudo(-da); *(nez)* bicudo(-da).

pointure [pwɛ̃tyr] *nf* número *m*; **quelle est votre ~?** que número calça?

point-virgule [pwɛ̃virgyl] *(pl* **points-virgules)** *nm* ponto *m* e vírgula.

poire [pwar] *nf* pêra *f*; ~ **Belle-Hélène** *pêra de conserva coberta com chocolate quente e servida com gelado de baunilha.*

poireau, x [pwaro] *nm* alho *m* francês.

poirier [pwarje] *nm* pereira *f*.

pois [pwa] *nm (rond)* bola *f*; **à ~** às bolas; ~ **chiche** grão-de-bico *m*.

poison [pwazɔ̃] *nm* veneno *m*; **~s du lac** *(Helv)* peixes do Lago Leman *(sobretudo percas).*

poisse [pwas] *nf (fam)* : **quelle ~!** que azar!; **porter la ~ (à qqn)** dar azar (a alguém).

poisseux, euse [pwasø, øz] *adj* peganhento(-ta).

poisson [pwasɔ̃] *nm* peixe *m*; ~ **d'avril!** hoje é o dia das mentiras!; **faire un ~ d'avril à qqn** pregar uma partida a alguém no dia das mentiras; ~ **rouge** peixinho vermelho.

❏ **Poissons** *nmpl* Peixes *mpl*.

poissonnerie [pwasɔnri] *nf* peixaria *f*.

poissonnier, ère [pwasɔnje, ɛr] *nm, f* peixeiro *m* (-ra *f*).

poitrine [pwatrin] *nf* peito *m*; *(de porc)* entremeada *f*.

poivre [pwavr] *nm* pimenta *f*.

poivré, e [pwavre] *adj* apimentado(-da).

poivrier [pwavrije] *nm* pimenteira *f*.

poivrière [pwavrijɛr] *nf* = **poivrier**.

poivron [pwavrɔ̃] *nm* pimento *m*.

poker [pɔkɛr] *nm* póquer *m*.

polaire [pɔlɛr] *adj* polar.

Polaroid® [pɔlarɔid] *nm (appareil)* Polaroid® *f*; *(photo)* fotografia *f* Polaroid.

pôle [pol] *nm* pólo *m*; ~ **Nord/ Sud** pólo Norte/Sul.

polémique [pɔlemik] *nf* polémica *f*. ◆ *adj* polémico(-ca).

poli, e [pɔli] *adj (bien élevé)* educado(-da); *(verre, bois)* polido(-da).

police [pɔlis] *nf* polícia *f*; ~ **d'assurance** apólice *f* de seguros; ~ **secours** *polícia que se encarrega de dar os primeiros socorros.*

policier, ère [pɔlisje, ɛr] *adj* policial. ◆ *nm* polícia *m (Port)*, policial *m (Br)*.

poliment [pɔlimã] *adv* educadamente.

polio [pɔljo] *(abr de* **poliomyélite)** *nf* poliomielite *f*.

polir [pɔlir] *vt* polir.

politesse [pɔlitɛs] *nf* cortesia *f*.

politicien, enne [pɔlitisjɛ̃, ɛn] *nm, f* político *m*.

politique [pɔlitik] *adj* político(-ca). ◆ *nf* política *f*.

politiser [pɔlitize] *vt* politizar.

pollen [pɔlɛn] *nm* pólen *m*.

pollué, e [pɔlɥe] *adj* poluído(-da).

polluer [pɔlɥe] *vt* poluir.

pollution [pɔlysjɔ̃] *nf* poluição *f*.

polo [pɔlo] *nm (vêtement)* polo *m*.

polochon [pɔlɔʃɔ̃] *nm* traverseiro *m*.

Pologne [pɔlɔɲ] *nf* : **la ~** a Polónia.

polonais, e [pɔlɔnɛ, ɛz] *adj* polaco(-ca).

❏ **polonais** *nm (langue)* polaco *m*.

❏ **Polonais, e** *nm, f* polaco *m* (-ca *f*).

polycopié [pɔlikɔpje] *nm* sebenta *f (Port)*, apostila *f (Br)*.

polyester [pɔliɛstɛr] *nm* poliéster *m*.

polygamie [pɔligami] *nf* poligamia *f*.

polyglotte [pɔliglɔt] *adj & nmf* poliglota.

Polynésie [pɔlinezi] *nf* : **la ~** a Polinésia; **la ~ française** a Polinésia francesa.

polysémique [pɔlisemik] *adj* polissémico(-ca).

polystyrène [pɔlistirɛn] *nm* esferovite *m (Port)*, isopor *m (Br)*.

Polytechnique [pɔliteknik] *nf* : **l'école ~** *escola de engenharia parisiense de grande prestígio*.

polyvalent, e [pɔlivalɑ̃, ɑ̃t] *adj* polivalente.

pommade [pɔmad] *nf* pomada *f*.

pomme [pɔm] *nf (fruit)* maçã *f*; *(de douche)* chuveiro *m*; *(d'arrosoir)* ralo *m*; **tomber dans les ~s** *(fam)* ter um fanico; **~ de pin** pinha *f*; **~s dauphine** *bolinhas de puré de batata*; **~s noisettes** *bolinhas de batata coradas*.

pomme de terre [pɔmdətɛr] *(pl* **pommes de terre***) nf* batata *f*.

pommette [pɔmɛt] *nf* maçaneta *f*.

pommier [pɔmje] *nm* macieira *f*.

pompe [pɔ̃p] *nf* bomba *f*; **~ à essence** bomba de gasolina; **~ à** **vélo** bomba de bicicleta; **~s funèbres** agência *f* funerária.

pomper [pɔ̃pe] *vt (air)* aspirar; *(eau)* tirar com uma bomba.

pompier [pɔ̃pje] *nm* bombeiro *m*.

pompiste [pɔ̃pist] *nmf* abastecedor *m* (-ra *f*).

pompon [pɔ̃pɔ̃] *nm* pompom *m*.

pomponner [pɔ̃pɔne] *vt* embonecar.

❏ **se pomponner** *vp* embonecar-se.

poncer [pɔ̃se] *vt* lixar.

ponceuse [pɔ̃søz] *nf* lixadeira *f*.

ponction [pɔ̃ksjɔ̃] *nf (MÉD)* punção *f*; *(fig: prélèvement)* corte *m*.

ponctualité [pɔ̃ktɥalite] *nf* pontualidade *f*.

ponctuation [pɔ̃ktɥasjɔ̃] *nf* pontuação *f*.

ponctuel, elle [pɔ̃ktɥɛl] *adj* pontual.

pondre [pɔ̃dr] *vt* pôr *(ovos)*.

poney [pɔnɛ] *nm* pónei *m*.

pont [pɔ̃] *nm* ponte *f*; **faire le ~** fazer ponte.

pont-levis [pɔ̃ləvi] *(pl* **ponts-levis***) nm* ponte *f* levadiça.

ponton [pɔ̃tɔ̃] *nm* pontão *m*.

pop [pɔp] *adj inv & nf* pop.

pop-corn [pɔpkɔrn] *nm inv* pipoca *f*.

populaire [pɔpylɛr] *adj* popular.

populariser [pɔpylarize] *vt* popularizar.

popularité [pɔpylarite] *nf* popularidade *f*.

population [pɔpylasjɔ̃] *nf* população *f*.

porc [pɔr] *nm* porco *m*.

porcelaine [pɔrsəlɛn] *nf (matériau)* porcelana *f*.

porche [pɔrʃ] *nm (d'une église)*

pórtico *m*; *(d'un immeuble)* alpendre *m*.

porcherie [pɔrʃəri] *nf (bâtiment)* pocilga *f*; *(péj: lieu sale)* chiqueiro *m*.

pore [pɔr] *nm* poro *m*.

poreux, euse [pɔrø, øz] *adj* poroso(-osa).

pornographie [pɔrnɔgrafi] *nf* pornografia *f*.

pornographique [pɔrnɔ-grafik] *adj* pornográfico(-ca).

port [pɔr] *nm* porto *m*; '~ payé' 'porte pago'; ~ **de pêche** porto de pesca; ~ **de plaisance** marina *f*.

portable [pɔrtabl] *adj* portátil.

portail [pɔrtaj] *nm* portão *m*.

portant, e [pɔrtɑ̃, ɑ̃t] *adj* : **être bien/mal** ~ estar bem/mal de saúde; **à bout** ~ à queima-roupa.

portatif, ive [pɔrtatif, iv] *adj* portátil.

porte [pɔrt] *nf* porta *f*; **mettre qqn à la** ~ pôr alguém na rua; ~ **(d'embarquement)** porta (de embarque); ~ **d'entrée** porta da entrada.

porte-à-porte [pɔrtapɔrt] *nm inv* venda *f* de porta em porta; **faire du** ~ vender de porta em porta.

porte-avions [pɔrtavjɔ̃] *nm inv* porta-aviões *m inv*.

porte-bagages [pɔrtbagaʒ] *nm inv* suporte *m*.

porte-bébé, s [pɔrtbebe] *nm* porta-bebé *m*.

porte-bonheur [pɔrtbɔnœr] *nm inv* amuleto *m*.

porte-clefs [pɔrtəkle] = porte-clés.

porte-clés [pɔrtəkle] *nm inv* porta-chaves *m inv*.

porte-documents [pɔrt-dɔkymɑ̃] *nm inv* pasta *f*.

portée [pɔrte] *nf (d'un son, d'une arme)* alcance *m*; *(d'une fe-*

melle) ninhada *f*; *(MUS)* pauta *f*; **à la** ~ **de qqn** *(intellectuelle)* ao alcance de alguém; **à** ~ **de (la) main** ao alcance da mão; **à** ~ **de voix** ao alcance da voz.

porte-fenêtre [pɔrtfənɛtr] *(pl* **portes-fenêtres)** *nf* porta *f* envidraçada.

portefeuille [pɔrtəfœj] *nm* carteira *f*.

porte-jarretelles [pɔrtʒartɛl] *nm inv* cinto *m* de ligas.

portemanteau, x [pɔrtmɑ̃to] *nm* cabide *m*.

porte-monnaie [pɔrtmɔnɛ] *nm inv* porta-moedas *m inv*.

porte-parole [pɔrtparɔl] *nm inv* porta-voz *m*.

porter [pɔrte] *vt* levar; *(vêtement, lunettes)* trazer; *(nom, date, marque)* ter; *(fig: responsabilité)* arcar com. ♦ *vi* surtir efeito; ~ **bonheur/malheur** dar sorte/azar; ~ **sur** tratar de.

❏ **se porter** *vp* : **se** ~ **bien** andar bom (boa); **se** ~ **mal** andar mal.

porte-savon, s [pɔrtsavɔ̃] *nm* saboneteira *f*.

porte-serviette, s [pɔrtsɛr-vjɛt] *nm* toalheiro *m*.

porteur, euse [pɔrtœr, øz] *nm, f (de bagages)* carregador *m* (-ra *f*); *(d'une maladie)* portador *m* (-ra *f*).

portier [pɔrtje] *nm* porteiro *m*.

portière [pɔrtjɛr] *nf* porta *f*.

portillon [pɔrtijɔ̃] *nm* portinhola *f*; ~ **automatique** porta *f* automática.

portion [pɔrsjɔ̃] *nf* porção *f*.

portique [pɔrtik] *nm* suporte *m* metálico.

porto [pɔrto] *nm* vinho *m* do Porto.

portrait [pɔrtrɛ] *nm* retrato *m*.

portrait-robot [pɔrtrɛrɔbo] *(pl* **portraits-robots)** *nm* retrato *m* robô.

portuaire [pɔrtɥɛr] *adj* portuário(-ria).

portugais, e [pɔrtygɛ, ɛz] *adj* português(-esa). ◆ *nm (langue)* portugais *m*.

❏ **Portugais, e** *nm, f* portugais *m* (-esa *f*).

Portugal [pɔrtygal] *nm* : **le ~** Portugal *m*.

pose [poz] *nf (d'une moquette, d'une vitre)* colocação *f*; *(attitude)* pose *f*; **prendre la ~** fazer pose.

posé, e [poze] *adj* pausado(-da).

poser [poze] *vt (objet)* pousar; *(installer)* instalar; *(question)* fazer; *(problème)* pôr. ◆ *vi* fazer pose.

❏ **se poser** *vp* pousar.

positif, ive [pozitif, iv] *adj* positivo(-va).

position [pozisjɔ̃] *nf* posição *f*.

posologie [pozɔlɔʒi] *nf* posologia *f*.

posséder [posede] *vt* possuir.

possessif, ive [posesif, iv] *adj* possessivo(-va).

possibilité [posibilite] *nf* possibilidade *f*; **avoir la ~ de faire qqch** ter a possibilidade de fazer algo.

❏ **possibilités** *nfpl (financières)* posses *fpl*; *(intellectuelles)* faculdades *fpl*.

possible [posibl] *adj* possível. ◆ *nm* : **faire son ~ (pour faire qqch)** fazer o possível (por fazer algo); **le plus de... ~** o maior número possível de...; *(d'argent, d'eau)* a maior quantidade de... possível; **dès que ~, le plus tôt possível**, o mais cedo possível; **si ~** se possível.

postal, e, aux [pɔstal, o] *adj* postal.

poste¹ [pɔst] *nm (emploi)* posto *m*; *(de ligne téléphonique)* extensão *f*; **~ (de police)** posto (de polícia); **~ de radio** rádio *m*; **~ de télévision** televisão *f*.

poste² [pɔst] *nf* correios *mpl*; **~ restante** posta-restante *f*.

poster¹ [pɔste] *vt (lettre)* pôr no correio.

poster² [pɔstɛr] *nm* poster *m*.

postérieur, e [pɔsterjœr] *adj* posterior. ◆ *nm* traseiro *m*.

posteriori [pɔsterjɔri]
❏ **a posteriori** *loc adv* a posteriori.

postériorité [pɔsterjɔrite] *nf* posteridade *f*.

posthume [pɔstym] *adj* póstumo(-ma).

postiche [pɔstiʃ] *nm (perruque)* cabeleira *f* postiça; *(barbe)* barba *f* postiça. ◆ *adj (faux)* postiço(-ça).

postier, ère [pɔstje, ɛr] *nm, f* empregado *m* (-da *f*) dos correios.

postillonner *vi* lançar perdigotos.

post-scriptum [pɔstskriptɔm] *nm inv* post-scriptum *m inv*.

postuler [pɔstyle] *vi* : **~ à qqch** concorrer a algo. ◆ *vt* postular.

posture [pɔstyr] *nf* postura *f*.

pot [po] *nm* frasco *m*; **~ d'échappement** tubo *m* de escape; **~ de fleurs** vaso *m*; **~ à lait** leiteira *f*.

potable [pɔtabl] *adj* → **eau**.

potage [pɔtaʒ] *nm* sopa *f*.

potager, er [pɔtaʒe, ɛr] *nm* : **(jardin) ~** horta *f*.

potassium [pɔtasjɔm] *nm* potássio *m*.

pot-au-feu [pɔtofø] *nm inv* ≃ cozido *m* à portuguesa.

pot-de-vin [podvɛ̃] *(pl pots-de-vin)* *nm* luvas *fpl (dinheiro)*.

poteau, x [pɔto] *nm* poste *m*; **~ indicateur** poste indicador.

potée [pɔte] *nf* cozido à base de couve, ≃ cozido *m* à portuguesa.

potentiel, elle [pɔtɑ̃sjɛl] *adj* potencial. ◆ *nm* potencial *m*.

poterie [pɔtri] *nf (art)* olaria *f*; *(objet)* peça *f* de barro.

potier, **ère** [pɔtje, ɛr] *nm, f* oleiro *m* (-ra *f*).

potin [pɔtɛ̃] *nm (fam)* mexerico *m*.

potion [posjɔ̃] *nf* poção *f*.

potiron [pɔtirɔ̃] *nm* abóbora-menina *f*.

pot-pourri [popuri] (*pl* pots-pourris) *nm* flores *fpl* secas.

pou, **x** [pu] *nm* piolho *m*.

poubelle [pubɛl] *nf* caixote *m* do lixo; **mettre qqch à la ~** pôr algo no lixo.

pouce [pus] *nm* polegar *m*.

pouding [pudiŋ] *nm bolo à base de pão ensopado e passas*; **~ de cochon** *(Can) bolo de carne e de fígado de porco*.

poudre [pudr] *nf (substance)* pó *m*; *(maquillage)* pó-de-arroz *m*; *(explosif)* pólvora *f*; **en ~** em pó.

poudreux, **euse** [pudrø, øz] *adj* leve.

pouf [puf] *nm* puf *m*.

pouffer [pufe] *vi* : **~ (de rire)** estourar (de riso).

poulailler [pulaje] *nm* galinheiro *m*, capoeira *f*.

poulain [pulɛ̃] *nm* potro *m*.

poule [pul] *nf* galinha *f*; **~ au pot** *galinha recheada cozida com legumes*.

poulet [pulɛ] *nm* frango *m*; **~ basquaise** *frango salteado com tomate, pimentão e alhos*.

poulie [puli] *nf* roldana *f*.

poulpe [pulp] *nm* polvo *m*.

pouls [pu] *nm* pulso *m*; **prendre le ~ à qqn** medir OU tirar o pulso a alguém.

poumon [pumɔ̃] *nm* pulmão *m*.

poupe [pup] *nf* popa *f*; **avoir le vent en ~** *(fig)* ir de vento em popa.

poupée [pupe] *nf* boneca *f*.

pouponnière [pupɔnjɛr] *nf* berçário *m*.

pour [pur] *prép* **1.** *(gén)* para; **c'est ~ vous** é para si; **~ rien** *(inutilement)* para nada; *(gratuitement)* de graça; **~ faire qqch** para fazer algo; **~ que** para que; **le vol ~ Londres** o voo para Londres; **partir ~** partir para. **2.** *(en raison de)* por; **~ avoir fait qqch** por ter feito algo; **elle a été hospitalisée ~ un cancer** ela foi hospitalizada em virtude de um cancro; **faire qqch ~ de l'argent** fazer algo por dinheiro. **3.** *(exprime la durée)* por; **~ longtemps** por muito tempo; **~ toujours** para sempre. **4.** *(somme)*: **je voudrais ~ 20 F de bonbons** queria 20 francos de bombons; **nous en avons eu ~ 350 F** ficou-nos por 350 francos. **5.** *(en ce qui concerne)*: **~ moi** *(à mon avis)* por mim; **et ~ le loyer, qu'est-ce que je fais?** e quanto à renda de casa, o que é que eu faço? **6.** *(à la place de)* por; **signe ~ moi** assina por mim. **7.** *(en faveur de)*: **être ~ (qqch)** ser a favor (de algo). **8.** *(envers)* por; **avoir de la sympathie ~ qqn** ter simpatia por alguém.

pourboire [purbwar] *nm* gorjeta *f*.

pourcentage [pursɑ̃taʒ] *nm* percentagem *f*.

pourchasser [purʃase] *vt* acossar.

pourparlers [purparle] *nmpl* conversações *fpl*.

pourquoi [purkwa] *adv* : **je ne sais pas ~ il n'est pas rentré** não sei porque é que ele não voltou; **il le sait et il te dira ~** ele sabe-o e dir-te-á porquê; **c'est ~...** é por isso que...; **~ pas?** porque não?

pourra *etc* → **pouvoir**.

pourri, **e** [puri] *adj (fruit, légume)* podre; *(personne)* corrupto(-ta); *(enfant)* estragado(-da) com mimos.

pourrir [purir] *vi* apodrecer.

pourriture [purityr] *nf* podre *m.*

poursuite [pursqit] *nf* perseguição *f*; **se lancer à la ~ de qqn** lançar-se na perseguição de alguém.

❑ **poursuites** *nfpl* acção *f.*

poursuivi, e [pursqivi] *pp* → **poursuivre.**

poursuivre [pursqivr] *vt (voleur)* perseguir; *(JUR)* intentar uma acção contra; *(continuer)* prosseguir.

❑ **se poursuivre** *vp* prosseguir.

pourtant [purtã] *adv* no entanto.

pourtour [purtur] *nm (circonférence)* perímetro *m*; *(abords)*: **sur le ~ de qqch** à volta de algo.

pourvoir [purvwar] *vt (munir)*: **~qqn/qqch de** dotar alguém/algo de OU com; *(subvenir)*: **~ à** prover a.

❑ **se pourvoir** *vp (se munir)* prover-se; *(JUR)* apelar.

pourvu [purvy]: **pourvu que** *conj (condition)* desde que; *(souhait)* oxalá.

pousse [pus] *nf (croissance)* crescimento *m*; *(bourgeon)* rebento *m*; *(d'ail)* grelo *m*; **~s de bambou** rebentos de bambu.

pousse-pousse [puspus] *nm inv (Helv)* cadeirinha *f* de bebé.

pousser [puse] *vt* empurrar; *(déplacer)* afastar; *(cri)* dar. ◆ *vi* empurrar; *(plante)* crescer; **~ qqn à faire qqch** levar alguém a fazer algo; **faire ~ qqch** fazer crescer algo; **'poussez'** 'empurre'.

❑ **se pousser** *vp* empurrar-se.

poussette [puset] *nf* cadeirinha *f* de bebé.

poussière [pusjɛr] *nf (sur un meuble)* pó *m*; *(sur la route)* poeira *f.*

poussiéreux, euse [pusjɛrø, øz] *adj (vêtement)* empoeirado(-da); *(meuble)* cheio (cheia) de pó.

poussin [pusɛ̃] *nm* pintainho *m.*

poutine [putin] *nf (Can)* batatas fritas recobertas com bolinhas de queijo e molho picante.

poutre [putr] *nf (de toit)* viga *f*; *(de gymnastique)* barra *f.*

poutrelle [putrɛl] *nf* vigota *f.*

pouvoir [puvwar] *nm* poder *m*; **le ~** o poder; **les ~s publics** os poderes públicos. ◆ *vt* poder; **~ faire qqch** poder fazer algo; **pourriez-vous...?** podia...?; **je fais ce que je peux** faço o que posso; **tu aurais pu faire ça avant!** podias ter feito isso antes!; **je n'en peux plus** *(je suis fatigué)* já não posso mais; *(j'ai trop mangé)* já não posso comer mais; **je n'y peux rien** não posso fazer nada; **attention, tu pourrais te blesser** tem cuidado, podes magoar-te.

❑ **se pouvoir** *vp* : **il se peut que...** é possível que...; **ça se pourrait (bien)** é bem possível (que sim).

pragmatique [pragmatik] *adj* pragmático(-ca).

prairie [preri] *nf* pradaria *f.*

praline [pralin] *nf (confiserie)* amêndoa torrada coberta com açúcar; *(Belg: chocolat)* bombom *m* de chocolate.

praliné, e [praline] *adj* com sabor a avelã.

praticable [pratikabl] *adj (route)* transitável; *(sport, plan)* praticável.

praticien, enne [pratisjɛ̃, ɛn] *nm, f* médico *m* (-ca *f*).

pratiquant, e [pratikã, ãt] *adj* praticante.

pratique [pratik] *adj* prático(-ca). ◆ *nf* prática *f.*

pratiquement [pratikmã] *adv (presque)* praticamente.

pratiquer [pratike] *vt* praticar.
pré [pre] *nm* prado *m*.
préalable [prealabl] *nm* condição *f* prévia. ♦ *adj* prévio(-via); ~ **à** anterior a.
❑ **au préalable** *loc adv* previamente.
préambule [preãbyl] *nm* preâmbulo *m*.
préau, x [preo] *nm* recreio *m*.
préavis [preavi] *nm* pré-aviso *m*.
précaire [prekɛr] *adj* precário(-ria).
précaution [prekosjɔ̃] *nf* precaução *f*; **prendre des ~s** tomar precauções; **avec ~** com precaução.
précédent, e [presedã, ãt] *adj* precedente.
précéder [presede] *vt* preceder.
prêcher [preʃe] *vt (RELIG)* pregar; *(recommander)*: ~ **qqch (à qqn)** *(fig)* recomendar algo (a alguém). ♦ *vi* pregar.
précieux, euse [presjø, øz] *adj* precioso(-osa).
précipice [presipis] *nm* precipício *m*.
précipitation [presipitasjɔ̃] *nf* precipitação *f*.
❑ **précipitations** *nfpl* precipitação *f*.
précipiter [presipite] *vt* precipitar.
❑ **se précipiter** *vp* precipitar-se; **se ~ dans/vers/sur** precipitar-se para dentro de/em direcção de/sobre.
précis, e [presi, iz] *adj* preciso(-sa); **à cinq heures ~es** às cinco (horas) em ponto.
précisément [presizemã] *adv (gén)* precisamente; *(avec précision)* com precisão; *(dans une réponse)* exactamente.
préciser [presize] *vt* precisar.
❑ **se préciser** *vp* concretizar-se.

précision [presizjɔ̃] *nf* precisão *f*.
précoce [prekɔs] *adj* precoce.
préconçu, e [prekɔ̃sy] *adj* preconcebido(-da).
préconiser [prekɔnize] *vt* preconizar; ~ **de faire qqch** aconselhar que alguém faça algo; ~ **que qqn fasse qqch** aconselhar que alguém faça algo.
précurseur [prekyrsœr] *adj & nm* precursor(-ra).
prédateur, trice [predatœr, tris] *adj* predador(-ra).
❑ **prédateur** *nm* predador *m*.
prédécesseur [predesesœr] *nm* predecessor *m*.
prédiction [prediksjɔ̃] *nf* previsão *f*.
prédilection [predilɛksjɔ̃] *nf* predilecção *f*; **avoir une ~ pour qqch/qqn** ter uma predilecção especial por algo/alguém; **de ~** predilecto(-ta).
prédire [predir] *vt* adivinhar.
prédisposition [predispozisjɔ̃] *nf*: ~ **à** predisposição para.
prédit, e [predi, it] *pp* → **prédire**.
prédominer [predɔmine] *vi* predominar.
préfabriqué, e [prefabrike] *adj* pré-fabricado(-da).
préface [prefas] *nf* prefácio *m*.
préfecture [prefɛktyr] *nf (bâtiment)* ≃ governo *m* civil; *(ville)* ≃ capital *f* de distrito.
préférable [preferabl] *adj* preferível.
préféré, e [prefere] *adj & nm, f* preferido(-da).
préférence [preferãs] *nf* preferência *f*; **de ~** de preferência.
préférentiel, elle [preferãsjɛl] *adj* preferencial.
préférer [prefere] *vt* preferir; ~

faire qqch preferir fazer algo; **je préférerais qu'elle s'en aille** eu preferia que ela se fosse embora.

préfet [prefɛ] *nm* ≃ governador *m* civil.

préfixe [prefiks] *nm* prefixo *m*.

préhistoire [preistwar] *nf* pré-história *f*.

préhistorique [preistɔrik] *adj* pré-histórico(-ca).

préjudice [preʒydis] *nm* prejuízo *m*; **porter ~ à qqn** prejudicar alguém.

préjugé [preʒyʒe] *nm* (péj) preconceito *m*.

prélèvement [prelɛvmã] *nm* (d'argent) levantamento *m*; (de sang) recolha *f*.

prélever [prelǝve] *vt* (somme, part) levantar; (sang) tirar.

préliminaire [preliminɛr] *adj* preliminar.
☐ **préliminaires** *nmpl* preliminares *mpl*.

prématuré, e [prematyre] *adj* prematuro(-ra). ◆ *nm* bebé *m* prematuro.

préméditation [premeditasjɔ̃] *nf* premeditação *f*; **avec ~** premeditadamente.

prémédité, e [premedite] *adj* premeditado(-da).

premier, ère [prǝmje, ɛr] *adj & nm, f* primeiro(-ra); **en ~** em primeiro lugar; **le ~ de l'an** o dia um de Janeiro; **Premier ministre** primeiro-ministro *m*.

première [prǝmjɛr] *nf* (SCOL) ≃ décimo primeiro ano *m* do ensino secundário; (vitesse,: TRANSP) primeira *f*; **voyager en ~ (classe)** viajar em primeira (classe).

premièrement [prǝmjɛrmã] *adv* primeiro.

prémisse [premis] *nf* premissa *f*.

prémonition [premɔnisjɔ̃] *nf* premonição *f*.

prémunir [premynir] *vt* : **~ qqn contre** precaver alguém contra.
☐ **se prémunir** *vp* precaver-se; **se ~ contre** precaver-se contra.

prenais *etc* → **prendre**.

prendre [prãdr] *vt* **1.** (dans sa main) pegar; (un cadeau) ficar com.
2. (emporter) levar.
3. (aller, chercher): **passer ~ qqn** ir buscar alguém; **~ un auto-stoppeur** dar boleia a alguém.
4. (enlever): **~ qqch à qqn** tirar algo a alguém.
5. (repas, boisson, notes, mesures) tomar; **qu'est-ce que vous prendrez?** (à boire) o que é que toma?; **~ un verre** tomar um copo.
6. (utiliser): **quelle route dois-je ~?** por que estrada é que devo ir?; **~ l'avion/le train** apanhar o avião/o comboio.
7. (attraper, surprendre) apanhar; **se faire ~** ser apanhado.
8. (air, ton): **elle a pris un air innocent** ela fez-se de inocente; **ne prends pas ton air de martyr!** não te faças de mártir!
9. (considérer): **~ qqn pour** (par erreur) tomar alguém por.
10. (photo) tirar.
11. (poids) engordar.
12. (dans des expressions): **~ feu** incendiar-se; **qu'est-ce qui te prend?** o que é que tens?
◆ *vi* **1.** (sauce, ciment) ficar consistente.
2. (feu) pegar.
3. (se diriger): **prenez à droite** vire à direita.
☐ **se prendre** *vp* **1.** (se considérer): **se ~ pour** tomar-se por.
2. (dans des expressions): **s'en ~ à qqn** descarregar em alguém; **s'y ~ bien** fazer algo bem; **s'y ~ mal** fazer algo mal.

prenne *etc* → **prendre**.

prénom [prenɔ̃] *nm* nome *m* (de baptismo).

préoccupation [preɔkypasjɔ̃]
nf preocupação *f*.
préoccupé, e [preɔkype] *adj*
preocupado(-da).
préoccuper [preɔkype] *vt*
preocupar.
❏ **se préoccuper de** *vp* + *prép*
preocupar-se com.
préparatifs [preparatif] *nmpl*
preparativos *mpl*.
préparation [preparasjɔ̃] *nf*
(d'un repas) confecção *f*; *(d'un dé-*
part) preparação *f*.
préparatoire [preparatwar]
adj (travail) preparatório(-ria);
(classe) que visa preparar os alunos
para o ingresso nas escolas superiores francesas.
préparer [prepare] *vt* preparar.
❏ **se préparer** *vp* preparar-se; **se**
~ à faire qqch preparar-se para
fazer algo.
préposition [prepozisjɔ̃] *nf*
preposição *f*.
préretraite [prerətrɛt] *nf* reforma *f* antecipada.
prérogative [prerɔgativ] *nf*
prerrogativa *f*.
près [prɛ] *adv* : **de ~** de perto;
tout ~ aqui perto; **~ de** de perto de;
(presque) cerca de.
présage [prezaʒ] *nm* presságio
m.
présager [prezaʒe] *vt* pressa-
giar.
presbytère [prɛsbitɛr] *nm*
presbitério *m*, residência *f* paro-
quial.
prescription [prɛskripsjɔ̃] *nf*
(JUR) prescrição *f*; *(MÉD)* receita *f*.
prescrire [prɛskrir] *vt* receitar.
prescrit, e [prɛskri, it] *pp*
→ **prescrire**.
préséance [preseɑ̃s] *nf* precedência *f*.
présélectionner [prese-
lɛksjɔne] *vt* pré-seleccionar.
présence [prezɑ̃s] *nf* presença
f; **en ~ de** em presença de.

présent, e [prezɑ̃, ɑ̃t] *adj* presente. ◆ *nm* presente *m*; **à ~ (que)**
agora (que).
présentable [prezɑ̃tabl] *adj*
apresentável.
présentateur, trice [prezɑ̃-
tatœr, tris] *nm, f* apresentador *m*
(-ra *f*).
présentation [prezɑ̃tasjɔ̃] *nf*
apresentação *f*.
❏ **présentations** *nfpl* : **faire les**
~s fazer as apresentações.
présenter [prezɑ̃te] *vt* apresentar; **~ qqn à qqn** apresentar alguém a alguém.
❏ **se présenter** *vp* apresentar-se; *(occasion, difficulté)* surgir;
se ~ bien/mal apresentar-se bem/
mal.
présentoir [prezɑ̃twar] *nm* expositor *m*.
préservatif [prezɛrvatif] *nm*
preservativo *m*.
préserver [prezɛrve] *vt* preservar; **~ qqn/qqch de** preservar al-
guém/algo de.
président, e [prezidɑ̃, ɑ̃t] *nm, f*
presidente *mf*; **le ~ de la Républi-**
que o Presidente da República.
présidentiel, elle [prezi-
dɑ̃sjɛl] *adj* presidencial.
présider [prezide] *vt* presidir a.
presque [prɛsk] *adv* quase; **il**
n'y a ~ pas de neige não há quase
neve nenhuma.
presqu'île [prɛskil] *nf* península *f*.
pressant, e [presɑ̃, ɑ̃t] *adj*
urgente.
presse [prɛs] *nf (journaux)* imprensa *f*; **~ à sensation** imprensa
sensacionalista.
pressé, e [prese] *adj (voyageur)*
apressado(-da); *(urgent)* urgente;
(citron, orange) espremido(-da);
être ~ de faire qqch estar com
pressa de fazer algo.
presse-citron [prɛssitrɔ̃] *nm*
inv espremedor *m*.

pressentiment [presãtimã] *nm* pressentimento *m*.

pressentir [presãtir] *vt (une chose)* pressentir; *(une personne)* auscultar.

presse-papiers [prɛspapje] *nm inv* pisa-papéis *m inv*.

presse-purée [prɛspyre] *nm inv* passe-vite *m*.

presser [prese] *vt (fruit)* espremer; *(bouton)* carregar em; *(faire se dépêcher)* apressar. ◆ *vi* : **le temps presse** o tempo urge; **rien ne presse** não há pressa. ❏ **se presser** *vp* apressar-se.

pressing [presiŋ] *nm* lavandaria *f*.

pression [presjɔ̃] *nf* pressão *f*; *(bouton)* mola *f* de pressão; **(bière)** ~ fino *m*.

pressurisé, e [presyrize] *adj* pressurizado(-da).

prestataire [prestatɛr] *nmf* : ~ **(de service)** prestador *m* de serviços.

prestidigitateur, trice [prestidiʒitatœr, tris] *nm, f* prestidigitador *m* (-ra *f*).

prestige [prestiʒ] *nm* prestígio *m*.

prestigieux, euse [prestiʒjø, øz] *adj (magnifique)* prodigioso(-osa); *(réputé)* prestigioso(-osa).

présumé, e [prezyme] *adj* presumido; **ou ~ tel...** ou presumido como tal; **être ~ coupable/innocent** ser presumido culpado/inocente.

présumer [prezyme] *vt* presumir. ◆ *vi* : ~ **de qqch** sobrestimar algo; ~ **que** presumir que.

prêt, e [prɛ, prɛt] *adj* pronto(-ta). ◆ *nm* empréstimo *m*; **être ~ à faire qqch** estar pronto a fazer algo.

prêt-à-porter [prɛtaporte] *nm* pronto-a-vestir *m inv*.

prétendre [pretãdr] *vt* : ~ **que** afirmar que; **il prétend qu'il est le meilleur** ele afirma ser o melhor.

prétentieux, euse [pretãsjø, øz] *adj* pretensioso(-osa).

prétention [pretãsjɔ̃] *nf* pretensão *f*.

prêter [prete] *vt* emprestar; ~ **qqch à qqn** emprestar algo a alguém; ~ **attention à** prestar atenção a.

prétérit [preterit] *nm* pretérito *m*.

prétexte [pretɛkst] *nm* pretexto *m*; **sous ~ que** com o pretexto de que.

prétexter [pretɛkste] *vt* dar como pretexto.

prêtre [prɛtr] *nm* padre *m*.

preuve [prœv] *nf* prova *f*; **faire ~ de** dar provas de; **faire ses ~s** *(méthode)* dar provas de eficácia; *(employé)* dar provas de eficiência.

prévaloir [prevalwar] *vi (sout)* prevalecer.

prévenir [prevnir] *vt* prevenir.

préventif, ive [prevãtif, iv] *adj* preventivo(-va).

prévention [prevãsjɔ̃] *nf* prevenção *f*; ~ **routière** prevenção rodoviária.

prévenu, e [prevny] *pp* → **prévenir**.

prévisible [previzibl] *adj* previsível.

prévision [previzjɔ̃] *nf* previsão *f*; **en ~ de** em previsão de; **~s météo(rologiques)** previsões meteorológicas.

prévoir [prevwar] *vt* prever; **comme prévu** como previsto.

prévoyant, e [prevwajã, ãt] *adj* precavido(-da).

prévu, e [prevy] *pp* → **prévoir**.

prier [prije] *vt & vi* rezar; ~ **qqn de faire qqch** pedir a alguém para fazer algo; **les passagers sont priés d'attacher leur ceinture** é favor apertarem os cintos; **suivez-moi, je vous prie** sigame se faz favor; **je peux fumer? - je vous en prie!** posso fumar? - faça favor!; **merci - je vous en prie** obrigado - ora essa.

prière [prijɛr] *nf* oração *f*; **'~ de ne pas fumer'** 'é favor não fumar'.

primaire [primɛr] *adj* primário(-ria).

prime [prim] *nf (d'assurance)* prémio *m*; *(de salaire)* gratificação *f*; **en ~** *(avec un achat)* com a oferta de.

primer [prime] *vi* ser mais importante. ◆ *vt (être supérieur à)* ser mais importante do que; *(récompenser)* premiar; **~ sur** ser mais importante do que.

primeurs [primœr] *nfpl* frutos ou legumes temporãos.

primevère [primvɛr] *nf* primavera *m*, pão-e-queijo *m*.

primitif, ive [primitif, iv] *adj* primitivo(-va).

primordial, e, aux [primɔrdjal, o] *adj* primordial.

prince [prɛ̃s] *nm* príncipe *m*.

princesse [prɛ̃sɛs] *nf* princesa *f*.

principal, e, aux [prɛ̃sipal, o] *adj* principal. ◆ *nm* director *m (de um colégio)*; **le ~** *(l'essentiel)* o principal.

principalement [prɛ̃sipalmã] *adv* principalmente.

principe [prɛ̃sip] *nm (règle de conduite)* princípio *m*; **en ~** em princípio.

printanier, ère [prɛ̃tanje, ɛr] *adj* primaveril.

printemps [prɛ̃tã] *nm* Primavera *f*.

priori → **a priori**.

prioritaire [prijɔritɛr] *adj* prioritário(-ria).

priorité [prijɔrite] *nf* prioridade *f*; **~ à droite** prioridade à direita; **laisser la ~** ceder a prioridade; **'vous n'avez pas la ~'** deve ceder a prioridade.

pris, e [pri, iz] *pp* → **prendre**.

prise [priz] *nf (à la pêche)* peixe *m*; *(point d'appui)* apoio *m*; **~ (de courant)** *(dans le mur)* tomada *f*; *(fiche)* ficha *f*; **~ multiple** tomada múltipla; **~ de sang** análise *f* de sangue; **se faire faire une ~ de sang** ir tirar sangue para análise.

prisé, e [prize] *adj* apreciado(-da).

prison [prizɔ̃] *nf* prisão *f*; **en ~** na prisão.

prisonnier, ère [prizɔnje, ɛr] *nm, f* prisioneiro *m* (-ra *f*).

privation [privasjɔ̃] *nf* privação *f*.

❏ **privations** *nfpl* privações *fpl*.

privatisation [privatizasjɔ̃] *nf* privatização *f*.

privatiser [privatize] *vt* privatizar.

privé, e [prive] *adj* privado(-da); **en ~** em privado.

priver [prive] *vt* : **~ qqn de qqch** privar alguém de algo.

❏ **se priver** *vp* privar-se; **se ~ de qqch** privar-se de algo.

privilège [privilɛʒ] *nm* privilégio *m*.

privilégié, e [privileʒje] *adj* privilegiado(-da); *(matériellement)* abastado(-da).

prix [pri] *nm (d'un produit)* preço *m*; *(récompense)* prémio *m*; **à tout ~** custe o que custar.

probabilité [prɔbabilite] *nf* probabilidade *f*.

probable [prɔbabl] *adj* provável.

probablement [prɔbabləmã] *adv* provavelmente.

problème [prɔblɛm] *nm* problema *m*.

procédé [prɔsede] *nm (méthode)* procedimento *m*; *(de fabrication)* processo *m*.

procéder [prɔsede] *vi* proceder; ~ **à** proceder a; ~ **de** *(sout)* proceder de; **procédons par ordre** vamos por ordem.

procédure [prɔsedyr] *nf* processo *m*.

procès [prɔsɛ] *nm* processo *m*.

processeur [prɔsesœr] *nm* processador *m*.

procession [prɔsesjɔ̃] *nf* procissão *f*; **en** ~ em procissão.

processus [prɔsesys] *nm* processo *m*.

procès-verbal, aux [prɔsɛverbal, o] *nm (contravention)* multa *f*; *(acte officiel)* acta *f*.

prochain, e [prɔʃɛ̃, ɛn] *adj* próximo(-ma); **la semaine** ~**e** na semana que vem.

prochainement [prɔʃɛnmɑ̃] *adv* brevemente.

proche [prɔʃ] *adj* : **être** ~ *(dans le temps)* estar próximo(-ma); *(dans l'espace)* estar perto; **être** ~ **de** *(lieu, but)* estar perto de; *(personne, ami)* ser chegado(-da) de; **le Proche-Orient** o Próximo Oriente.

Proche-Orient [prɔʃɔrjɑ̃] *nm* : **le** ~ o Próximo Oriente.

proclamer [prɔklame] *vt* proclamar.

procuration [prɔkyrasjɔ̃] *nf* procuração *f*.

procurer [prɔkyre]: **se procurer** *vp* obter.

procureur [prɔkyrœr] *nm* : ~ **général** magistrado *m* do Ministério Público; ~ **de la République** procurador *m* da República.

prodige [prɔdiʒ] *nm* prodígio *m*; **un** ~ **de la technique** um prodígio da tecnologia.

prodigieux, euse [prɔdiʒjø, øz] *adj* prodigioso(-osa).

prodiguer [prɔdige] *vt (donner)* não poupar; *(sout: gaspiller)* prodigalizar; ~ **qqch à qqn** prestar algo a alguém.

producteur, trice [prɔdyktœr, tris] *nm, f* produtor *m* (-ra *f*).

productif, ive [prɔdyktif, iv] *adj* produtivo(-va).

production [prɔdyksjɔ̃] *nf (de marchandises)* produção *f*.

productivité [prɔdyktivite] *nf* produtividade *f*.

produire [prɔdɥir] *vt* produzir.
❑ **se produire** *vp* ocorrer.

produit, e [prɔdɥi, it] *pp* → **produire**. ◆ *nm* produto *m*; ~**s de beauté** produtos de beleza; ~**s laitiers** lacticínios *mpl*.

proéminent, e [prɔeminɑ̃, ɑ̃t] *adj* proeminente.

prof [prɔf] *nmf (fam)* prof *mf*.

profane [prɔfan] *adj & nmf (non religieux)* profano(-na); *(novice)* leigo(-ga).

profaner [prɔfane] *vt* profanar.

proférer [prɔfere] *vt* proferir.

professeur [prɔfesœr] *nm* professor *m* (-ra *f*); ~ **d'anglais/de piano** professor de inglês/de piano.

profession [prɔfesjɔ̃] *nf* profissão *f*.

professionnel, elle [prɔfesjɔnɛl] *adj & nm, f* profissional.

profil [prɔfil] *nm* perfil *m*; **de** ~ de perfil.

profit [prɔfi] *nm (avantage)* proveito *m*; *(d'une entreprise)* lucro *m*; **tirer** ~ **de qqch** tirar proveito de algo.

profitable [prɔfitabl] *adj* proveitoso(-osa); **être** ~ **à qqn** ser proveitoso para alguém.

profiter [prɔfite] *vi (jouir de)*: ~ **de qqch** aproveitar algo; *(abuser de)*: ~ **de qqn** aproveitar-se de alguém; *(tirer parti de)*: ~ **de qqch pour faire qqch** aproveitar algo para fazer algo; *(servir)*: ~ à qqn dar jeito a alguém; **en** ~ aproveitar; **il en a profité pour le lui dire** aproveitou para lho dizer.

profiterole [prɔfitrɔl] *nf* profiterole *m*, *bolinha de massa recheada com gelado de baunilha.*

profond, e [prɔfɔ̃, ɔ̃d] *adj* profundo(-da).

profondément [prɔfɔ̃demã] *adv* profundamente.

profondeur [prɔfɔ̃dœr] *nf* profundidade *f*; **à 10 mètres de** ~ a 10 metros de profundidade.

profusion [prɔfyzjɔ̃] *nf (abondance)*: **une** ~ **de** uma profusão de; **à** ~ com abundância.

programmable [prɔgramabl] *adj* programável.

programmateur [prɔgramatœr] *nm* programador *m*.

programme [prɔgram] *nm* programa *m*.

programmer [prɔgrame] *vt* programar.

programmeur, euse [prɔgramœr, øz] *nm, f* programador *m* (-ra *f*).

progrès [prɔgrɛ] *nm* progresso *m*; **en** ~ a progredir; **faire des** ~ fazer progressos.

progresser [prɔgrese] *vi* progredir.

progressif, ive [prɔgresif, iv] *adj* progressivo(-va).

progression [prɔgresjɔ̃] *nf (essor)* aumento *m*; *(avancée)* progressão *f*; *(développement)* propagação *f*.

progressivement [prɔgresivmã] *adv* progressivamente.

prohiber [prɔibe] *vt (sout)* proibir.

proie [prwa] *nf* presa *f*.

projecteur [prɔʒɛktœr] *nm* projector *m*.

projectile [prɔʒɛktil] *nm* projéctil *m*.

projection [prɔʒɛksjɔ̃] *nf (de films, de diapositives)* projecção *f*.

projectionniste [prɔʒɛksjɔnist] *nmf* projeccionista *mf*.

projet [prɔʒɛ] *nm* projecto *m*.

projeter [prɔʒte] *vt* projectar; ~ **de faire qqch** planear fazer algo.

proliférer [prɔlifere] *vi* proliferar.

prologue [prɔlɔg] *nm* prólogo *m*.

prolongation [prɔlɔ̃gasjɔ̃] *nf* prolongamento *m*.

❏ **prolongations** *nfpl* prolongamentos *mpl*.

prolongement [prɔlɔ̃ʒmã] *nm* prolongamento *m*; **dans le** ~ **de** no prolongamento de.

prolonger [prɔlɔ̃ʒe] *vt* prolongar.

❏ **se prolonger** *vp* prolongar-se.

promenade [prɔmnad] *nf* passeio *m*; **faire une** ~ dar um passeio.

promener [prɔmne] *vt* passear.

❏ **se promener** *vp* passear.

promesse [prɔmɛs] *nf* promessa *f*.

prometteur, euse [prɔmetœr, øz] *adj* prometedor(-ra).

promettre [prɔmɛtr] *vt* : ~ **qqch à qqn** prometer algo a alguém; **il lui a promis d'aller le voir** ele prometeu-lhe que o ia visitar; **c'est promis!** está prometido!; **ça promet!** *(fam)* isto promete!

promis, e [prɔmi, iz] *pp* → **promettre**.

promiscuité [prɔmiskɥite] *nf* falta *f* de privacidade.

promoteur, trice [prɔmotœr, tris] *nm, f (constructeur)* imobiliária *f*; *(novateur)* promotor *m* (-ra *f*).

promotion [prɔmosjɔ̃] *nf* promoção *f*; **en** ~ em promoção.

promouvoir [prɔmuvwar] *vt* promover.

prompt, e [prɔ̃, prɔ̃t] *adj* rápido(-da); ~ **à faire qqch** rápido a fazer algo.

promulguer [prɔmylge] *vt* promulgar.

prôner [prone] *vt (sout)* preconizar.

pronom [prɔnɔ̃] *nm* pronome *m*.

pronominal, e, aux [prɔnɔminal, o] *adj* pronominal.

prononcer [prɔnɔ̃se] *vt* pronunciar.

❏ **se prononcer** *vp (mot)* pronunciar-se.

prononciation [prɔnɔ̃sjasjɔ̃] *nf* pronunciação *f*.

pronostic [prɔnɔstik] *nm* prognóstico *m*.

propagande [prɔpagɑ̃d] *nf* propaganda *f*.

propager [prɔpaʒe] *vt* propagar.

❏ **se propager** *vp* propagar-se.

prophète, prophétesse [prɔfɛt, prɔfetɛs] *nm, f (d'un culte)* profeta *m* (-tisa *f*); *(fig: médium)* adivinho *m* (-nha *f*).

prophétie [prɔfesi] *nf* profecia *f*.

propice [prɔpis] *adj* propício(-cia).

proportion [prɔpɔrsjɔ̃] *nf* proporção *f*.

proportionnel, elle [prɔpɔrsjɔnɛl] *adj* : ~ **à** proporcional a.

propos [prɔpo] *nmpl* palavras *fpl*. ♦ *nm* : **à ~, ...** a propósito, ...; **à ~ de** a respeito de.

proposer [prɔpoze] *vt* propor; ~ **à qqn de faire qqch** propor a alguém fazer algo.

proposition [prɔpozisjɔ̃] *nf* proposta *f*.

propre [prɔpr] *adj* próprio(-pria); *(linge, pièce)* limpo(-pa); **avec ma ~ voiture** com o meu próprio carro.

proprement [prɔprəmɑ̃] *adv* decentemente; **à ~ parler** a bem dizer.

propreté [prɔprəte] *nf* limpeza *f*.

propriétaire [prɔprijetɛr] *nmf (d'un chien, d'une voiture)* dono *m* (-na *f*); *(d'une maison)* proprietário *m* (-ria *f*).

propriété [prɔprijete] *nf* propriedade *f*; **'~ privée'** 'propriedade privada'.

propulser [prɔpylse] *vt (moteur)* propulsionar; *(fusée, personne)* lançar.

❏ **se propulser** *vp (avancer)* propulsionar-se; *(fig: atteindre)* saltar.

prorata [prɔrata]

❏ **au prorata de** *loc prép* em proporção de.

prose [proz] *nf* prosa *f*.

prospecter [prɔspɛkte] *vt (région, sol)* prospectar; *(clientèle)* arranjar.

prospectus [prɔspɛktys] *nm* prospecto *m*.

prospère [prɔspɛr] *adj* próspero(-ra).

prospérité [prɔsperite] *nf* prosperidade *f*.

prostate [prɔstat] *nf* próstata *f*.

prosterner [prɔstɛrne]

❏ **se prosterner** *vp* prostrar-se; **se ~ devant qqn/qqch** prostrar-se perante alguém/algo.

prostituée [prɔstitɥe] *nf* prostituta *f*.

prostituer [prɔstitɥe]

❏ **se prostituer** *vp* prostituir-se.

prostitution [prɔstitysjɔ̃] *nf* prostituição *f*.

protagoniste [prɔtagɔnist] *nmf* protagonista *mf*.

protection [prɔtɛksjɔ̃] *nf* protecção *f*.

protectionnisme [prɔtɛksjɔnism] *nm* proteccionismo *m*.

protège-cahier, s [prɔtɛʒkaje] *nm* capa *f (para cadernos)*.

protéger [prɔteʒe] *vt* proteger; ~ qqn de OU contre qqch proteger alguém de OU contra algo. ❏ se protéger de *vp* + *prép* proteger-se de.

protéine [prɔtein] *nf* proteína *f*.

protestant, e [prɔtɛstā, āt] *adj & nm, f* protestante.

protestation [prɔtɛstasjō] *nf* protesto *m*.

protester [prɔtɛste] *vi* protestar.

prothèse [prɔtɛz] *nf* prótese *f*.

protide [prɔtid] *nm* prótido *m*.

protocole [prɔtɔkɔl] *nm* protocolo *m*.

prototype [prɔtɔtip] *nm* protótipo *m*.

prouesse [pruɛs] *nf* proeza *f*.

prouver [pruve] *vt* provar.

provenance [prɔvnās] *nf* proveniência *f*; en ~ de procedente de.

provençal, e, aux [prɔvāsal, o] *adj* provençal.

Provence [prɔvās] *nf* : la ~ a Provença.

provenir [prɔvnir]: **provenir de** *v* + *prép* provir de.

proverbe [prɔvɛrb] *nm* provérbio *m*.

providence [prɔvidās] *nf* providência *f*. ❏ **Providence** *nf* Providência *f*.

province [prɔvɛ̃s] *nf* província *f*; la ~ *(hors Paris)* a província.

provincial, e, aux [prɔvɛ̃sjal, o] *adj* provinciano(-na). ◆ *nm* : le ~ *(Can)* o governo de uma província.

proviseur [prɔvizœr] *nm* presidente *mf* do conselho directivo.

provisions [prɔvizjō] *nfpl* provisões *fpl*; *(achats)* compras *fpl*.

provisoire [prɔvizwar] *adj* provisório(-ria).

provocant, e [prɔvɔkā, āt] *adj* provocante.

provocation [prɔvɔkasjō] *nf* provocação *f*.

provoquer [prɔvɔke] *vt* provocar.

proxénète [prɔksenɛt] *nmf* proxeneta *mf*.

proximité [prɔksimite] *nf* : à ~ (de) nas proximidades (de).

prudemment [prydamā] *adv* com prudência.

prudence [prydās] *nf* prudência *f*; avec ~ com prudência.

prudent, e [prydā, āt] *adj* prudente.

prune [pryn] *nf* ameixa *f*.

pruneau, x [pryno] *nm* ameixa *f* seca.

prunier [prynje] *nm* ameixeira *f*; secouer qqn comme un ~ *(fig)* apertar bem com alguém.

PS *nm (abr de* post-scriptum, parti socialiste*)* PS *m*.

pseudonyme [psødɔnim] *nm* pseudónimo *m*.

psychanalyse [psikanaliz] *nf* psicanálise *f*.

psychanalyste [psikanalist] *nmf* psicanalista *mf*.

psychiatre [psikjatr] *nmf* psiquiatra *mf*.

psychique [psiʃik] *adj* psíquico(-ca).

psychologie [psikɔlɔʒi] *nf* psicologia *f*.

psychologique [psikɔlɔʒik] *adj* psicológico(-ca).

psychologue [psikɔlɔg] *nmf* psicólogo *m* (-ga *f*).

psychose [psikoz] *nf* psicose *f*.

psychosomatique [psikɔsɔmatik] *adj* psicossomático(-ca).

psychothérapie [psikɔterapi] *nf* psicoterapia *f*.

PTT *nfpl antiga designação dos Correios franceses.*

pu [py] *pp* → pouvoir.

puanteur [pɥātœr] *nf* fedor *m*.

pub[1] [pœb] *nm* pub *m*.

pub[2] [pyb] *nf (fam)* publicidade *f*.

puberté [pybɛrte] *nf* puberdade *f*.

pubis [pybis] *nm* púbis *f*.

public, ique [pyblik] *adj* público(-ca). ♦ *nm* público *m*, plateia *f*; **en ~** em público.

publication [pyblikasjɔ̃] *nf* publicação *f*.

publicitaire [pyblisitɛr] *adj* publicitário(-ria).

publicité [pyblisite] *nf* publicidade *f*.

publier [pyblije] *vt* publicar.

puce [pys] *nf (insecte)* pulga *f*; *(INFORM)* chip *m*.

puceau, x [pyso] *(fam) nm* rapaz *m* virgem.

pucelle [pysɛl] *(fam) nf* donzela *f*.

pudding [pudiŋ] = **pouding**.

pudeur [pydœr] *nf* pudor *m*.

pudique [pydik] *adj* pudico(-ca).

puer [pɥe] *vi* feder. ♦ *vt* tresandar a.

puéricultrice [pɥerikyltris] *nf* puericultora *f*.

puéril, e [pɥeril] *adj* pueril.

puis [pɥi] *adv* depois.

puiser [pɥize] *vt (de l'eau)* tirar; **~ dans** *(emprunter)* recorrer a; *(se servir)* ir buscar a.

puisque [pɥiskə] *conj* já que.

puissance [pɥisãs] *nf* potência *f*; *(pouvoir)* poder *m*.

puissant, e [pɥisã, ãt] *adj (influent)* poderoso(-osa); *(fort)* potente.

puisse *etc* → **pouvoir**.

puits [pɥi] *nm (à eau)* poço *m*.

pull(-over), s [pyl(ovɛr)] *nm* pulôver *m*.

pulmonaire [pylmɔnɛr] *adj* pulmonar.

pulpe [pylp] *nf* polpa *f*.

pulsation [pylsasjɔ̃] *nf* pulsação *f*.

pulsion [pylsjɔ̃] *nf* pulsão *f*.

pulvérisateur [pylverizatœr] *nm* pulverizador *m*.

pulvériser [pylverize] *vt* pulverizar.

puma [pyma] *nm* puma *m*.

punaise [pynɛz] *nf (insecte)* percevejo *m*; *(clou)* pionés *m*.

punch[1] [pɔ̃ʃ] *nm (boisson)* ponche *m*.

punch[2] [pœnʃ] *nm (fam : énergie)* speed *m*.

punching-ball [pœnʃinbol] *(pl* **punching-balls**) *nm* punching-ball *m*.

punir [pynir] *vt (coupable, crime)* punir; *(élève, enfant)* castigar.

punition [pynisjɔ̃] *nf* castigo *m*.

pupille [pypij] *nf* pupila *f*.

pupitre [pypitr] *nm (bureau)* carteira *f*; *(à musique)* estante *f (de música)*.

pur, e [pyr] *adj* puro(-ra).

purée [pyre] *nf* puré *m*; **~ (de pommes de terre)** puré (de batata).

purement [pyrmã] *adv* puramente; **~ et simplement** pura e simplesmente.

pureté [pyrte] *nf* pureza *f*.

purgatoire [pyrgatwar] *nm (RELIG)* purgatório *m*; *(fig: châtiment)* inferno *m*.

purger [pyrʒe] *vt* purgar; *(radiateur, tuyau)* esvaziar.

purifier [pyrifje] *vt* purificar.

puritain, e [pyritẽ, ɛn] *adj & nm, f* puritano(-na).

pur-sang [pyrsã] *nm inv* puro-sangue *m inv*.

pus [py] *nm* pus *m*.

putsch [putʃ] *nm* golpe *m* de Estado militar.

puzzle [pœzl] *nm* puzzle *m*.

PV *nm (abr de* **procès-verbal**) multa *f*.

PVC *nm* PVC *m*.

Pygmée [pigme] *nmf* pigmeu *m* (-meia *f*).

pyjama [piʒama] *nm* pijama *m*.

pylône [pilon] *nm* poste *m*.

pyramide [piramid] *nf* pirâmide *f*.

Pyrénées [pirene] *nfpl* : **les ~** os Pirenéus.

Pyrex® [pirɛks] *nm* pírex® *m*.

pyromane [pirɔman] *nmf* pirómano *m* (-na *f*).

python [pitɔ̃] *nm* pitão *m*, píton *m*.

Q

QCM *(abr de* **questionnaire à choix multiple***) nm* teste *m* de escolha múltipla.

QG *(abr de* **quartier général***) nm* quartel-general *m*.

QI *nm (abr de* **quotient intellectuel***)* Q.I. *m*.

quadragénaire [kwadra-ʒenɛr] *nmf* quadragenário *m* (-ria *f*).

quadrilatère [kwadrilatɛr] *nm* quadrilátero *m*.

quadrillé, e [kadrije] *adj* quadriculado(-da).

quadriller [kadrije] *vt (du papier)* quadricular; *(une ville)* esquadrinhar.

quadrupède [k(w)adrypɛd] *nm* quadrúpede *m*.

quadruple [k(w)adrypl] *nm* : **le ~ (de)** o quádruplo (de).

quadrupler [k(w)adryple] *vt & vi* quadruplicar.

quai [kɛ] *nm* cais *m inv*.

qualificatif, ive [kalifikatif, iv] *adj* qualificativo(-va).
❑ **qualificatif** *nm* qualificativo *m*.

qualification [kalifikasjɔ̃] *nf* qualificação *f*.

qualifié, e [kalifje] *adj* qualificado(-da).

qualifier [kalifje] *vt* : **~ qqn/qqch de** qualificar alguém/algo de.
❑ **se qualifier** *vp* qualificar-se.

qualité [kalite] *nf* qualidade *f*; **de (bonne) ~** de (boa) qualidade.

quand [kɑ̃] *conj & adv* quando; **~ même** mesmo assim; **~ même!** até que enfim!; *(exprime l'indignation)* realmente!; **je me demande ~ il va arriver** pergunto-me quando é que ele vai chegar.

quant [kɑ̃]: **quant à** *prép* quanto a.

quantifier [kɑ̃tifje] *vt* quantificar.

quantité [kɑ̃tite] *nf* quantidade *f*; **une ~** ou **des ~s de** uma quantidade de.

quarantaine [karɑ̃tɛn] *nf* quarentena *f*; **une ~ (de)** cerca de quarenta; **avoir la ~** ter cerca de quarenta anos.

quarante [karɑ̃t] *num* quarenta; → **six**.

quarantième [karɑ̃tjɛm] *num* quadragésimo(-ma); → **sixième**.

quart [kar] *nm* quarto *m*; **cinq heures et ~** cinco (horas) e um quarto; **cinq heures moins le ~** cinco menos um quarto; **un ~ d'heure** um quarto de hora.

quartier [kartje] *nm (portion)* bocado *m*; *(d'une ville)* bairro *m*.

ℹ QUARTIER LATIN

Este bairro situado na margem esquerda do Sena é o sítio em que se concentram os estudantes de Paris. Está situado entre o 5° e o 6° "arrondissements" e, no seu centro, encontra-se a Sorbona. Além das suas faculdades e liceus importantes, este bairro é famoso pelas suas livrarias e bibliotecas, assim como pelos seus bares e cinemas.

quart-monde [karmɔ̃d] *nm* quarto-mundo *m*.

quartz [kwarts] *nm* quartzo *m*; **montre à ~** relógio de quartzo.

quasiment [kazimã] *adv* quase.

quatorze [katɔrz] *num* catorze; → **six**.

quatorzième [katɔrzjɛm] *num* décimo quarto (décima quarta); → **sixième**.

quatrain [katrɛ̃] *nm* quadra *f*.

quatre [katr] *num* quatro; **monter les escaliers ~ à ~** subir as escadas de quatro em quatro; **à ~ pattes** de gatas; → **six**.

quatre-quarts [katkar] *nm inv* tipo de pão-de-ló.

quatre-quatre [kat(rə)katr] *nm inv* veículo *m* com tracção às quatro rodas.

quatre-vingt [katrəvɛ̃] = **quatre-vingts**.

quatre-vingt-dix [katrəvɛ̃dis] *num* noventa; → **six**.

quatre-vingt-dixième [katrəvɛ̃dizjɛm] *num* nonagésimo(-ma); → **sixième**.

quatre-vingtième [katrə-vɛ̃tjɛm] *num* octogésimo(-ma); → **sixième**.

quatre-vingts [katrəvɛ̃] *num* oitenta; → **six**.

quatrième [katrijɛm] *num* quarto(-ta). ◆ *nf (SCOL)* ≃ oitavo ano *m* do ensino básico; *(vitesse)* quarta *f*; → **sixième**.

quatuor [kwatɥɔr] *nm* quarteto *m*.

que [kə] *conj* **1.** *(gén)* que; **voulez-vous ~ je ferme la fenêtre?** quer que feche a janela?; **je sais ~ tu es là** eu sei que estás aí; **~ nous partions aujourd'hui ou demain...** que nós partamos hoje ou amanhã... **2.** *(dans une comparaison)* → **aussi, autant, même, moins, plus**. **3.** *(remplace une autre conjonction)*: **comme il pleut et ~ je n'ai pas de parapluie...** como está a chover e como não tenho guarda-chuva... **4.** *(exprime une restriction)*: **ne... ~** só; **je n'ai qu'une sœur** só tenho uma irmã.
◆ *pron rel* que; **la personne qu'ils voient là-bas** a pessoa que eles vêem acolá; **le train ~ nous prenons part dans 10 minutes** o comboio que nós vamos apanhar parte dentro de 10 minutos; **les livres qu'il m'a prêtés** os livros que ele me emprestou.
◆ *pron interr* que; **qu'a-t-il dit?**, **qu'est-ce qu'il a dit?** o que disse ele?, o que é que ele disse?; **qu'est-ce qui ne va pas?** o que é que não está bem?; **je ne sais plus ~ faire** já não sei o que fazer.
◆ *adv (dans une exclamation)*: **~ c'est beau!**, **qu'est-ce ~ c'est beau!** que bonito!, que bonito que é!

Québec [kebɛk] *nm* : **le ~** o Quebeque.

québécois, e [kebekwa, az] *adj* do Quebeque.

❏ **Québécois, e** *nm, f* habitante *mf* do Quebeque.

quel, quelle [kɛl] *adj* **1.** *(interrogatif)* qual; **~ est ton vin préféré?** qual é o teu vinho preferido?; **~s amis comptez-vous aller voir?** quais são os amigos que tem a intenção de ir visitar?; **quelle est la vendeuse qui vous a conseillé?** qual foi a vendedora que o aconselhou?; **quelle heure est-il?** que horas são? **2.** *(exclamatif)* que; **~ beau temps!** que tempo óptimo! **3.** *(avec « que »)*: **tous les Français ~s qu'ils soient** todos os franceses quem quer que sejam; **~ que soit le temps...** qualquer que seja o tempo... ◆ *pron interr* qual; **~ est le plus intéressant des deux musées?** qual dos dois museus é o mais interessante?

quelconque [kɛlkɔ̃k] *adj* : **si pour une raison ~, tu dois t'absenter...** se por uma razão qualquer tiveres de te ausentar...; **une personne ~** uma pessoa qualquer.

quelque [kɛlk(ə)] *adj* **1.** *(un peu de)* algum (alguma); **dans ~ temps** dentro de algum tempo. **2.** *(avec « que »)* qualquer; **~ route que je prenne** qualquer que seja a estrada pela qual eu siga.

❏ **quelques** *adj* **1.** *(plusieurs)* alguns (algumas); **j'ai ~s lettres à écrire** tenho algumas cartas para escrever; **j'ai ~s vieux livres à donner** tenho alguns livros para dar. **2.** *(dans des expressions)*: **200 F et ~s** 200 e tantos francos; **il est midi et ~s** é meio-dia e picos.

quelque chose [kɛlkəʃoz] *pron* alguma coisa; **il y a ~ de bizarre** há alguma coisa de esquisito.

quelquefois [kɛlkəfwa] *adv* às vezes.

quelque part [kɛlkəpar] *adv* em algum lado.

quelques-uns, quelques-unes [kɛlkəzœ̃, kɛlkəzyn] *pron* alguns (algumas).

quelqu'un [kɛlkœ̃] *pron* alguém.

quémander [kemɑ̃de] *vt* pedinchar.

qu'en-dira-t-on [kɑ̃diratɔ̃] *nm inv* : **le ~** o que as pessoas vão dizer.

quenelle [kənɛl] *nf rolo cozido, geralmente de peixe.*

querelle [kərɛl] *nf* querela *f*; **chercher ~ à qqn** provocar alguém.

quereller [kərele]: **se quereller** *vp (sout)* discutir.

qu'est-ce que [kɛskə] → **que**.

qu'est-ce qui [kɛski] → **que**.

question [kɛstjɔ̃] *nf (interrogation)* pergunta *f*; *(sujet)* questão *f*; **l'affaire en ~** o assunto em questão; **il est ~ de qqch** fala-se de algo; **il est ~ de faire qqch** fala-se de fazer algo; **(il n'en est) pas ~!** nem pensar!; **remettre qqch en ~** pôr algo em questão.

questionnaire [kɛstjɔnɛr] *nm* questionário *m*.

questionner [kɛstjɔne] *vt* questionar.

quête [kɛt] *nf (d'argent)* colecta *f*; **faire la ~** fazer a colecta.

quêter [kete] *vi* colectar.

quetsche [kwɛtʃ] *nf* ameixa *f* preta.

queue [kø] *nf (d'un animal, avion)* cauda *f*; *(d'un train, d'un peloton)* parte *f* de trás; *(file d'attente)* fila *f*; **faire la ~** pôr-se na bicha *(Port)*, fazer fila *(Br)*; **à la ~ leu leu** em fila indiana; **faire une ~ de poisson à qqn** atravessar-se na frente do carro de alguém.

queue-de-cheval [kødʃəval] (*pl* **queues-de-cheval**) *nf* rabo-de-cavalo *m*.

qui [ki] *pron rel* **1.** *(sujet)* que; **les passagers ~ doivent changer d'avion** os passageiros que devem mudar de avião; **la route ~ mène à Calais** a estrada que vai até Calais. **2.** *(complément d'objet direct, indirect)* quem; **tu vois ~ je veux dire** estás a ver a quem me refiro; **invite ~ tu veux** convida quem quiseres; **la personne à ~ j'ai parlé** a pessoa com quem falei. **3.** *(quiconque)*: **~ que ce soit** quem quer que seja. **4.** *(dans des expressions)*: **~ plus est, ...** ainda por cima...
◆ *pron interr* quem; **~ êtes-vous?** quem é você?; **je voudrais savoir ~ viendra** gostaria de saber quem virá; **~ demandez-vous?, ~ est-ce que vous demandez?** com quem deseja falar?, com quem é que deseja falar?; **dites-moi ~ vous demandez** diga-me com quem é que deseja falar; **à ~ dois-je m'adresser?** a quem é que me devo dirigir?

quiche [kiʃ] *nf*: **~ (lorraine)** tarte confeccionada com ovos, natas e bocadinhos de toucinho.

quiconque [kikɔ̃k] *pron* quem quer que seja que.

quiétude [kjetyd] *nf (sout)* quietude *f*.

quignon [kiɲɔ̃] *nm (fam)* naco *m*.

quille [kij] *nf (de jeu)* fito *m*; *(d'un bateau)* quilha *f*.

quincaillerie [kɛ̃kajri] *nf (boutique)* loja *f* de ferragens.

quinine [kinin] *nf* quinino *m*.

quinquagénaire [kɛ̃kaʒenɛr] *nmf* quinquagenário *m* (-ria *f*).

quinquennal, e, aux [kɛ̃kenal, o] *adj* quinquenal.

quintal, aux [kɛ̃tal, o] *nm* quintal *m (medida)*.

quinte [kɛ̃t] *nf*: **~ de toux** ataque *m* de tosse.

quintuple [kɛ̃typl] *nm*: **le ~ (de)** o quíntuplo (de).

quinzaine [kɛ̃zɛn] *nf (deux semaines)* quinzena *f*; **une ~ (de)** uma quinzena (de).

quinze [kɛ̃z] *num* quinze; → **six**.

quinzième [kɛ̃zjɛm] *num* décimo quinto (décima quinta); → **sixième**.

quiproquo [kiprɔko] *nm* quiproquó *m*.

quittance [kitɑ̃s] *nf* recibo *m*.

quitte [kit] *adj*: **nous sommes ~** estamos quites; **~ à y aller à pied** nem que tenhamos de lá ir a pé.

quitter [kite] *vt* deixar; **ne quittez pas** *(au téléphone)* não desligue.
❑ **se quitter** *vp* despedir-se; *(pour toujours)* separar-se.

qui-vive [kiviv] *nm inv*: **être sur le ~** estar de sobreaviso.

quoi [kwa] *pron interr* **1.** *(employé seul)*: **c'est ~?** *(fam)* o que é?; **~ de neuf?** o que há de novo?; **~?** *(fam)* o quê? **2.** *(complément d'objet direct)* que; **je ne sais pas ~ dire** não sei (o) que dizer. **3.** *(après une préposition)*: **de ~ avez-vous besoin?** de que é que precisa?; **à ~ penses-tu?** estás a pensar em quê?; **à ~ bon?** para quê?; **sur ~ est-ce que je peux écrire?** onde posso escrever? **4.** *(fam: exclamatif)*: **allez, ~!** anda lá! **5.** *(dans des expressions)*: **tu viens ou ~?** *(fam)* vens ou quê?; **si tu as besoin de ~ que ce soit, fais-moi signe** se precisares do que quer que seja, avisa-me; **j'irai ~ qu'il dise** eu irei, independentemente do que ele diga; **~ qu'il en soit, ...** seja como for, ...
◆ *pron rel (après une préposition)*:

sans ~ senão; **ce à ~ je pense** aquilo em que penso; **avoir de ~ manger/vivre** ter de que comer/ viver; **avez-vous de ~ écrire?** tem com que escrever?; **merci - il n'y a pas de ~** obrigado - não tem de quê.

quoique [kwakə] *conj* embora.

quota [k(w)ɔta] *nm* quota *f*.

quotidien, enne [kɔtidjɛ̃, ɛn] *adj* quotidiano(-na). ◆ *nm (journal)* diário *m*.

quotient [kɔsjɑ̃] *nm* quociente *m*; **~ intellectuel** quociente de inteligência.

R

rabâcher [rabaʃe] *vt (fam)* repisar.

rabais [rabɛ] *nm* desconto *m*.

rabaisser [rabɛse] *vt* rebaixar.

rabat [raba] *nm (de poche)* pala *f*; *(d'enveloppe)* dobra *f*.

rabat-joie [rabaʒwa] *nm inv* desmancha-prazeres *mf inv*.

rabattre [rabatr] *vt (replier)* dobrar; *(gibier)* levantar.
❑ **se rabattre** *vp (automobiliste)* encostar; **se ~ sur** conformar-se com.

rabbin [rabɛ̃] *nm* rabino *m*.

rabot [rabo] *nm* plaina *f*.

raboter [rabɔte] *vt* aplainar.

rabougri, e [rabugri] *adj* enfezado(-da).

raccommoder [rakɔmɔde] *vt* remendar.

raccompagner [rakɔ̃paɲe] *vt* acompanhar.

raccord [rakɔr] *nm* ligação *f*.

raccordement [rakɔrdəmɑ̃] *nm* ligação *f*.

raccorder [rakɔrde] *vt* ligar; **~ qqch à qqch** ligar algo a algo.
❑ **se raccorder** *vp* : **se ~ par qqch** ter ligação através de algo; **se ~ à qqch** ter ligação com algo.

raccourci [rakursi] *nm* atalho *m*.

raccourcir [rakursir] *vt* encurtar. ◆ *vi* diminuir.

raccrocher [rakrɔʃe] *vt* pendurar outra vez. ◆ *vi (au téléphone)* desligar.

race [ras] *nf* raça *f*; **de ~** de raça.

rachat [raʃa] *nm (transaction)* compra *f*; *(RELIG)* redenção *f*.

racheter [raʃte] *vt* comprar mais; **~ qqch à qqn** comprar algo a alguém.

rachitique [raʃitik] *adj* raquítico(-ca).

racial, e, aux [rasjal, o] *adj* racial.

racine [rasin] *nf* raiz *f*; **~ carrée** raiz quadrada.

racisme [rasism] *nm* racismo *m*.

raciste [rasist] *adj* racista.

racket [rakɛt] *nm* extorsão *f*.

raclée [rakle] *nf (fam)* tareia *f*.

racler [rakle] *vt* raspar.
❑ **se racler** *vp* : **se ~ la gorge** aclarar a garganta.

raclette [raklɛt] *nf* prato típico suíço à base de queijo fundido.

racoler [rakɔle] *vt (péj: attirer)* arranjar; *(suj: prostituée)* engatar.

racoleur, euse [rakɔlœr, øz] *adj (péj)* aliciador(-ra).

racontars [rakɔ̃tar] *nmpl (fam)* mexericos *mpl*.

raconter [rakɔ̃te] *vt* contar; **~ qqch à qqn** contar algo a alguém; **~ à qqn que** *(décrire)* contar a alguém que; *(péj: prétendre)* andar por aí a dizer a alguém que.

radar [radar] *nm* radar *m*.

radeau, x [rado] *nm* jangada *f*.

radiateur [radjatœr] *nm (de chauffage)* aquecedor *m*; *(d'automobile)* radiador *m*.

radiations [radjasjɔ̃] *nfpl* radiações *fpl*.

radical, e, aux [radikal, o] *adj* radical. ♦ *nm* radical *m*.

radicaliser [radikalize] *vt* radicalizar.

❑ **se radicaliser** *vp* radicalizar-se.

radier [radje] *vt (d'une liste)* riscar; *(d'une profession)* expulsar.

radieux, euse [radjø, øz] *adj (soleil)* radioso(-osa); *(sourire)* radiante.

radin, e [radɛ̃, in] *adj (fam)* forreta.

radio [radjo] *nf* rádio *m*; *(MÉD)* radiografia *f*; **à la ~** na rádio.

radioactif, ive [radjɔaktif, iv] *adj* radioactivo(-va).

radioactivité [radjɔaktivite] *nf* radioactividade *f*.

radiocassette [radjɔkasɛt] *nf* rádio *m*.

radiodiffuser [radjɔdifyze] *vt* radiodifundir.

radiographie [radjɔgrafi] *nf* radiografia *f*.

radiologue [radjɔlɔg] *nmf* radiologista *mf*.

radio-réveil [radjɔrevɛj] *(pl* **radios-réveils)** *nm* rádio-despertador *m*.

radiotélévisé, e [radjɔtelevize] *adj* transmitido em simultâneo pela rádio e pela televisão.

radis [radi] *nm* rabanete *m*.

radium [radjɔm] *nm* rádio *m (metal)*.

radius [radjys] *nm* rádio *m (osso)*.

radoter [radɔte] *vi* disparatar.

radoucir [radusir]: **se radoucir** *vp* suavizar-se.

rafale [rafal] *nf* rajada *f*.

raffermir [rafɛrmir] *vt* fortalecer.

raffinage [rafinaʒ] *nm* refinação *f*.

raffiné, e [rafine] *adj (personne, manières)* requintado(-da); *(sucre, pétrole)* refinado(-da).

raffinement [rafinmɑ̃] *nm* requinte *m*.

raffiner [rafine] *vt* refinar.

raffinerie [rafinri] *nf* refinaria *f*.

raffoler [rafɔle]: **raffoler de** *v + prép* ser doido(-da) por.

raffut [rafy] *nm (fam)* barulheira *f*; **faire du ~** *(fig)* armar uma confusão.

rafistoler [rafistɔle] *vt (fam)* consertar.

rafle [rafl] *nf (fam : vol)* roubo *m*; *(de police)* rusga *f*.

rafler [rafle] *vt (fam : emporter)* açambarcar.

rafraîchir [rafrɛʃir] *vt (atmosphère, boisson)* refrescar; *(vêtement, coiffure)* retocar.

❑ **se rafraîchir** *vp (boire)* refrescar-se; *(temps)* arrefecer.

rafraîchissant, e [rafrɛʃisɑ̃, ɑ̃t] *adj* refrescante.

rafraîchissement [rafrɛʃismɑ̃] *nm* refresco *m*.

rage [raʒ] *nf* raiva *f*; **~ de dents** forte dor *m* de dentes.

rager [raʒe] *vi (fam)* ficar com raiva.

ragots [rago] *nmpl (fam)* boatos *mpl* (Port), fofocas *fpl* (Br).

ragoût [ragu] *nm* guisado *m*.

raid [rɛd] *nm* raid *m*; **~ aérien** raid aéreo.

raide [rɛd] *adj (corde, cheveux)* liso(-sa); *(personne, démarche)* rígido(-da); *(pente)* íngreme. ♦ *adv* : **tomber ~ mort** cair morto.

raidir [rɛdir] *vt* endurecer.
❑ **se raidir** *vp* ficar rígido(-da).
raie [rɛ] *nf* risca *f*; *(poisson)* raia *f*.
raillerie [rajri] *nf (sout)* escárnio *m*.
rails [raj] *nmpl* carris *mpl*.
rainure [rɛnyr] *nf* ranhura *f*.
raisin [rɛzɛ̃] *nm* uva *f*; **~s secs** passas *fpl*.
raison [rɛzɔ̃] *nf* razão *f*; **à ~ de** na proporção de; **avoir ~ (de faire qqch)** ter razão (em fazer algo); **en ~ de** por causa de.
raisonnable [rɛzɔnabl] *adj* razoável.
raisonnement [rɛzɔnmɑ̃] *nm* raciocínio *m*.
raisonner [rɛzɔne] *vi* raciocinar. ♦ *vt* chamar à razão.
rajeunir [raʒœnir] *vi* rejuvenescer. ♦ *vt* : **~ qqn** rejuvenescer alguém.
rajouter [raʒute] *vt* acrescentar.
râle [ral] *nm* estertor *m*.
ralenti [ralɑ̃ti] *nm (d'un moteur)* ralenti *m*; *(au cinéma)* câmara *f* lenta; **au ~** *(fonctionner)* a uma velocidade reduzida; *(passer une scène)* em câmara lenta.
ralentir [ralɑ̃tir] *vt (mouvement)* abrandar; *(véhicule)* afrouxar. ♦ *vi* afrouxar.
ralentissement [ralɑ̃tismɑ̃] *nm (freinage)* afrouxamento *m*; *(embouteillage)* abrandamento *m*; *(diminution)* diminuição *f*.
râler [rale] *vi (fam)* mandar vir.
râleur, euse [ralœr, øz] *nm, f (fam)* resmungão *m* (-gona *f*).
rallier [ralje] *vt (rassembler, convaincre)* reunir; *(rejoindre)* voltar para.
❑ **se rallier** *vp* reunir-se; **se ~ à** aderir a.
rallonge [ralɔ̃ʒ] *nf (de table)* tábua *f*; *(électrique)* extensão *f*.
rallonger [ralɔ̃ʒe] *vt (vêtement)* descer a bainha de; *(parcours, voyage)* prolongar. ♦ *vi (jours)* aumentar.
rallumer [ralyme] *vt* reacender.
rallye [rali] *nm* rali *m*.
RAM [ram] *nf inv* RAM *f*.
ramadan [ramadɑ̃] *nm* ramadão *m*.
ramassage [ramasaʒ] *nm* : **~ scolaire** transporte *m* escolar.
ramasser [ramase] *vt* apanhar.
rambarde [rɑ̃bard] *nf* grades *fpl*.
rame [ram] *nf* remo *m*; **une ~ (de métro)** um metro.
rameau, x [ramo] *nm* ramo *m*.
❑ **Rameaux** *nmpl* : **les Rameaux** Domingo *m* de Ramos.
ramener [ramne] *vt (raccompagner)* levar; *(souvenir, pain)* trazer; *(amener de nouveau)* trazer de volta; **~ à** *(baisser)* reduzir a.
ramequin [ramkɛ̃] *nm (récipient)* pequeno recipiente de barro utilizado para cozinhar no forno; *(CULIN)* pastel *m* de queijo.
ramer [rame] *vi* remar.
ramification [ramifikasjɔ̃] *nf* ramificação *f*.
ramollir [ramɔlir] *vt* amolecer.
❑ **se ramollir** *vp* amolecer.
ramoner [ramɔne] *vt* limpar.
ramoneur [ramɔnœr] *nm* limpa-chaminés *m inv*.
rampe [rɑ̃p] *nf (d'escalier)* corrimão *m*; *(d'accès)* rampa *f*.
ramper [rɑ̃pe] *vi* rastejar.
rampon [rɑ̃pɔ̃] *nm (Helv)* valerianela *f*.
rance [rɑ̃s] *adj* rançoso(-osa).
ranch, s & es [rɑ̃tʃ] *nm* rancho *m (quinta)*.
rancir [rɑ̃sir] *vi* ficar rançoso(-osa).
rancœur [rɑ̃kœr] *nf* rancor *m*.
rançon [rɑ̃sɔ̃] *nf* resgate *m*.
rancune [rɑ̃kyn] *nf* rancor *m*; **sans ~!** sem ressentimentos!

rancunier, **ère** [rɑ̃kynje, ɛr] adj rancoroso(-osa).

randonnée [rɑ̃dɔne] nf passeio m; **faire de la ~ (pédestre)** dar passeios (a pé).

randonneur, euse [rɑ̃dɔnœr, øz] nm, f caminhante mf.

rang [rɑ̃] nm (rangée) fila f; (place) posição f; **se mettre en ~s** pôr-se em fila.

rangé, e [rɑ̃ʒe] adj arrumado(-da).

rangée [rɑ̃ʒe] nf fila f.

rangement [rɑ̃ʒmɑ̃] nm (placard) arrumação f; **faire du ~** dar uma arrumação.

ranger [rɑ̃ʒe] vt arrumar.
❑ **se ranger** vp (en voiture) encostar.

ranimer [ranime] vt (blessé) reanimar; (feu) atiçar.

rap [rap] nm rap m.

rapace [rapas] nm ave f de rapina.

rapatrier [rapatrije] vt repatriar.

râpe [rap] nf ralador m; (plate) raspador m; (Helv: fam) forreta mf.

râpé, e [rape] adj (CULIN) ralado(-da); (usagé) coçado(-da); (fam : raté): **c'est ~!** já é tarde demais!

râper [rape] vt (fromage) ralar; (carottes) raspar.

rapetisser [raptise] vi minguar.

râpeux, euse [rapø, øz] adj (rugueux) áspero(-ra); (vin) carrascão(-ã).

raphia [rafja] nm ráfia f.

rapide [rapid] adj rápido(-da).

rapidement [rapidmɑ̃] adv rapidamente.

rapidité [rapidite] nf rapidez f.

rapiécer [rapjese] vt remendar.

rappel [rapɛl] nm aviso m; '**rappel**' 'atenção'.

rappeler [raple] vt (faire revenir) chamar de volta; (au téléphone) telefonar mais tarde; ~ **qqch à qqn** (redire) relembrar algo a alguém; (évoquer) lembrar algo a alguém.
❑ **se rappeler** vp lembrar-se.

rapport [rapɔr] nm (compterendu) relatório m; (point commun) ligação f; **par ~ à** em relação a.
❑ **rapports** nmpl relações fpl.

rapporter [rapɔrte] vt trazer; (rendre) devolver; (argent) render. ◆ vi (être avantageux) dar lucro; (répéter) contar.
❑ **se rapporter à** vp + prép referir-se a.

rapprochement [raprɔʃmɑ̃] nm (contact, réconciliation) aproximação f; (comparaison) ligação f; **faire le ~** fazer a ligação.

rapprocher [raprɔʃe] vt aproximar.
❑ **se rapprocher** vp aproximar-se; **se ~ de** aproximar-se de.

rapt [rapt] nm rapto m.

raquette [rakɛt] nf (de tennis, de ping-pong) raquete f; (pour la neige) raquete f de neve.

rare [rar] adj raro(-ra).

raréfier [rarefje] vt rarefazer.
❑ **se raréfier** vp rarefazer-se.

rarement [rarmɑ̃] adv raramente.

ras, e [ra, raz] adj (très court) curtinho(-nha); (verre, cuillère) raso(-sa). ◆ adv : **(à) ~** rente; **au ~ de** rente a; **à ~ bord** até cima; **en avoir ~ le bol** (fam) estar pelos cabelos.

rasade [razad] nf copo m cheio.

raser [raze] vt (barbe, personne) fazer a barba a; (cheveux) rapar; (frôler) roçar.
❑ **se raser** vp barbear-se.

ras-le-bol [ralbɔl] nm inv (fam) : **en avoir ~!** já estar pelos cabelos! (Port), estar por aqui (Br)!

rasoir [razwar] *nm* gilete *f*; ~ **électrique** máquina *f* de barbear.

rassasié, e [rasazje] *adj* saciado(-da).

rassasier [rasazje] *vt* saciar.

rassemblement [rasãbləmã] *nm* ajuntamento *m*; *(MIL)* toque *m* de reunir.

rassembler [rasãble] *vt* juntar. ❑ **se rassembler** *vp* juntar-se.

rasseoir [raswar]: **se rasseoir** *vp* tornar a sentar-se.

rasséréner [raserene] *vt (sout)* sossegar.

rassis, e [rasi, iz] *pp* → **rasseoir**. ♦ *adj* duro(-ra).

rassurant, e [rasyrã, ãt] *adj* tranquilizante.

rassurer [rasyre] *vt* tranquilizar.

rat [ra] *nm* ratazana *f*.

ratatiné, e [ratatine] *adj (pomme)* engelhado(-da); *(personne)* definhado(-da).

ratatouille [ratatuj] *nf guisado de beringelas, courgettes e tomates típico da Provença.*

rate [rat] *nf* baço *m*.

râteau, x [rato] *nm* ancinho *m*.

rater [rate] *vt (cible)* falhar; *(examen)* reprovar em; *(train)* perder. ♦ *vi* fracassar.

ratifier [ratifje] *vt* ratificar.

ration [rasjɔ̃] *nf* ração *f*.

rationaliser [rasjɔnalize] *vt* racionalizar.

rationnel, elle [rasjɔnɛl] *adj* racional.

rationnement [rasjɔnmã] *nm* racionamento *m*.

rationner [rasjɔne] *vt* racionar.

ratisser [ratise] *vt* limpar com o ancinho.

RATP *nf companhia de transportes parisienses.*

rattacher [rataʃe] *vt* : ~ **qqch à** *(attacher)* voltar a prender algo a;

(relier) ligar algo a; ~ **ses lacets** apertar os atacadores.

rattrapage [ratrapaʒ] *nm* recuperação *f*.

rattraper [ratrape] *vt* apanhar; *(retard)* recuperar. ❑ **se rattraper** *vp (se retenir)* agarrar-se; *(d'une erreur)* corrigir-se; *(sur le temps perdu)* recuperar.

rature [ratyr] *nf* rasura *f*.

rauque [rok] *adj* rouco(-ca).

ravager [ravaʒe] *vt* arrasar.

ravages [ravaʒ] *nmpl* : **faire des** ~ fazer estragos importantes.

ravalement [ravalmã] *nm* restauração *f*.

ravaler [ravale] *vt (façade)* restaurar.

ravi, e [ravi] *adj* encantado(-da).

ravigoter [ravigɔte] *vt (fam)* revigorar.

ravin [ravɛ̃] *nm* ravina *f*.

ravioli(s) [ravjɔli] *nmpl* raviolis *mpl.*

ravir [ravir] *vt (charmer)* encantar; *(sout: arracher)*: ~ **qqch à qqn** arrebatar algo a alguém; **être ravi de qqch/de faire qqch** estar encantado com algo/por fazer algo; **je suis ravi qu'il vienne** estou encantado com o facto de ele vir; **à** ~ às mil maravilhas.

raviser [ravize]: **se raviser** *vp* mudar de ideias.

ravissant, e [ravisã, ãt] *adj* encantador(-ra).

ravisseur, euse [ravisœr, øz] *nm, f* raptor *m* (-ra *f*).

ravitaillement [ravitajmã] *nm (action)* abastecimento *m*; *(provisions)* provisões *fpl.*

ravitailler [ravitaje] *vt* abastecer; **se ravitailler** abastecer-se.

raviver [ravive] *vt* reavivar.

rayé, e [rɛje] *adj (tissu)* às riscas; *(disque, verre)* riscado(-da).

rayer [rɛje] vt riscar.

rayon [rɛjɔ̃] nm raio m; (de grand magasin) secção f; **~s X** raios X.

rayonnage [rɛjɔnaʒ] nm prateleiras fpl.

rayonnant, e [rɛjɔnã, ãt] adj radiante; **~ de** radiante de.

rayonnement [rɛjɔnmã] nm (gén) radiação f; (fig: éclat) esplendor m; (fig: bonheur) irradiação f.

rayonner [rɛjɔne] vi irradiar; **~ autour de** deslocar-se nos arredores de.

rayure [rɛjyr] nf (sur un tissu) risca f; (sur un disque, du verre) risco m; **à ~s** às riscas.

raz(-)de(-)marée [radmare] nm inv maremoto m.

razzia [razja] nf razia f; **faire une ~ sur qqch** (fam) fazer uma razia em algo.

réacteur [reaktœr] nm reactor m.

réaction [reaksjɔ̃] nf reacção f.

réactionnaire [reaksjɔnɛr] adj & nmf (péj) reaccionário(-ria).

réactualiser [reaktɥalize] vt reactualizar.

réadapter [readapte] vt readaptar.
❏ **se réadapter** vp : **se ~ à qqch** readaptar-se a algo.

réaffirmer [reafirme] vt reafirmar.

réagir [reaʒir] vi reagir.

réalisable [realizabl] adj realizável.

réalisateur, trice [realizatœr, tris] nm, f realizador m (-ra f).

réaliser [realize] vt realizar; (comprendre) dar-se conta de.
❏ **se réaliser** vp realizar-se.

réaliste [realist] adj realista.

réalité [realite] nf realidade f; **en ~** na realidade; **~ virtuelle** realidade virtual.

réanimation [reanimasjɔ̃] nf reanimação f.

réanimer [reanime] vt reanimar.

rébarbatif, ive [rebarbatif, iv] adj rebarbativo(-va).

rebelle [rəbɛl] adj & nmf rebelde; **être ~ à** ser rebelde a.

rebeller [rəbɛle]: **se rebeller** vp rebelar-se.

rébellion [rebɛljɔ̃] nf (collective) rebelião f; (individuelle) rebeldia f.

reboiser [rəbwaze] vt rearborizar.

rebondir [rəbɔ̃dir] vi saltar.

rebondissement [rəbɔ̃dismã] nm novo acontecimento m.

rebord [rəbɔr] nm parapeito m.

reboucher [rəbuʃe] vt tapar de novo.

rebours [rəbur]
❏ **à rebours** loc adv (brosser, caresser) a contrapelo; (fig: faire, comprendre) ao contrário.

rebrousse-poil [rəbruspwal]: **à rebrousse-poil** adv (caresser) em sentido contrário.

rebrousser [rəbruse] vt : **~ chemin** voltar atrás.

rébus [rebys] nm jogo onde desenhos representam sílabas de palavras.

récalcitrant, e [rekalsitrã, ãt] adj recalcitrante.

recaler [rəkale] vt (fam) chumbar.

récapituler [rekapityle] vt recapitular.

recel [rəsɛl] nm receptação f.

receleur, euse [rəsəlœr, øz] nm, f receptador m (-ra f).

récemment [resamã] adv recentemente.

recensement [rəsãsmã] nm censo m.

recenser [rəsãse] vt recensear.

récent, e [resã, ãt] adj recente.

récépissé [resepise] *nm* recibo *m*.

récepteur [resɛptœr] *nm* receptor *m*.

réception [resɛpsjɔ̃] *nf* recepção *f*.

réceptionner [resɛpsjɔne] *vt* receber.

réceptionniste [resɛpsjɔnist] *nmf* recepcionista *mf*.

récession [resesjɔ̃] *nf* recessão *f*.

recette [rəsɛt] *nf* receita *f*.

receveur [rəsəvœr] *nm* cobrador *m*; ~ **des postes** chefe *m* dos correios.

recevoir [rəsəvwar] *vt* receber; *(balle, coup)* levar; *(candidat)* aprovar.

rechange [rəʃɑ̃ʒ]: **de rechange** *adj (vêtement, solution)* de reserva; *(pneu)* sobresselente.

réchapper [reʃape] *vi* : ~ **de** escapar de; **en** ~ escapar desta.

recharge [rəʃarʒ] *nf* recarga *f*.

rechargeable [rəʃarʒabl] *adj* recarregável.

recharger [rəʃarʒe] *vt* recarregar.

réchaud [reʃo] *nm* fogão *m*; ~ **à gaz** fogão a gás.

réchauffement [reʃofmɑ̃] *nm* sobreaquecimento *m*.

réchauffer [reʃofe] *vt* aquecer. ❑ **se réchauffer** *vp* aquecer; **se ~ les mains** aquecer as mãos.

rêche [rɛʃ] *adj* áspero(-ra).

recherche [rəʃɛrʃ] *nf* pesquisa *f*; **faire des ~s** pesquisar; **être à la ~ de** andar à procura de.

rechercher [rəʃɛrʃe] *vt* procurar.

rechute [rəʃyt] *nf* recaída *f*.

rechuter [rəʃyte] *vi* ter uma recaída.

récidiver [residive] *vi* reincidir.

récif [resif] *nm* recife *m*.

récipient [resipjɑ̃] *nm* recipiente *m*.

réciproque [resiprɔk] *adj* recíproco(-ca).

réciproquement [resiprɔkmɑ̃] *adv* reciprocamente; **et ~** e vice-versa.

récit [resi] *nm* narração *f*; *(genre)* narrativa *f*.

récital [resital] *nm* recital *m*.

récitation [resitasjɔ̃] *nf* declamação *f*.

réciter [resite] *vt* recitar.

réclamation [reklamasjɔ̃] *nf* reclamação *f*.

réclame [reklam] *nf* anúncio *m*; **en ~** em promoção.

réclamer [reklame] *vt* reclamar.

réclusion [reklyzjɔ̃] *nf* reclusão *f*; ~ **à perpétuité** prisão perpétua.

recoiffer [rəkwafe]: **se recoiffer** *vp* voltar a pentear-se.

recoin [rəkwɛ̃] *nm* recanto *m*.

recoller [rəkɔle] *vt* tornar a colar; *(morceaux)* colar.

récolte [rekɔlt] *nf* colheita *f*.

récolter [rekɔlte] *vt (fruits)* colher; *(céréales)* apanhar.

recommandation [rəkɔmɑ̃dasjɔ̃] *nf* recomendação *f*.

recommandé, e [rəkɔmɑ̃de] *adj* registado(-da). ◆ *nm* : **envoyer qqch en ~** mandar algo registado.

recommander [rəkɔmɑ̃de] *vt* recomendar. ❑ **se recommander** *vp (Helv)* insistir.

recommencer [rəkɔmɑ̃se] *vt* recomeçar. ◆ *vi* recomeçar; ~ **à faire qqch** voltar a fazer algo.

récompense [rekɔ̃pɑ̃s] *nf* recompensa *f*.

récompenser [rekɔ̃pɑ̃se] *vt* recompensar.

réconciliation [rekɔ̃siljasjɔ̃] *nf* reconciliação *f*.

réconcilier [rekɔ̃silje] *vt* reconciliar.
❏ **se réconcilier** *vp* reconciliar-se.

reconduire [rəkɔ̃dɥir] *vt* acompanhar.

reconduit, e [rəkɔ̃dɥi, it] *pp* → **reconduire**.

réconfort [rekɔ̃fɔr] *nm* reconforto *m*; **chercher ~ dans** procurar consolação em.

réconfortant, e [rekɔ̃fɔrtɑ̃, ɑ̃t] *adj* reconfortante.

réconforter [rekɔ̃fɔrte] *vt* reconfortar.

reconnaissance [rəkɔnɛsɑ̃s] *nf* reconhecimento *m*.

reconnaissant, e [rəkɔnɛsɑ̃, ɑ̃t] *adj* grato(-ta).

reconnaître [rəkɔnɛtr] *vt* reconhecer.

reconnu, e [rəkɔny] *pp* → **reconnaître**.

reconquête [rəkɔ̃kɛt] *nf* reconquista *f*.

reconsidérer [rəkɔ̃sidere] *vt* reconsiderar.

reconstituer [rəkɔ̃stitɥe] *vt* reconstituir.

reconstruire [rəkɔ̃strɥir] *vt* reconstruir.

reconstruit, e [rəkɔ̃strɥi, it] *pp* → **reconstruire**.

reconversion [rəkɔ̃vɛrsjɔ̃] *nf* reconversão *f*.

reconvertir [rəkɔ̃vertir]: **se reconvertir** *vp* mudar de ramo.

recopier [rəkɔpje] *vt* tornar a copiar.

record [rəkɔr] *nm* recorde *m*.

recoucher [rəkuʃe]: **se recoucher** *vp* tornar a deitar-se.

recoudre [rəkudr] *vt* tornar a coser; *(bouton)* pregar.

recoupement [rəkupmɑ̃] *nm* verificação *f*; **par ~** por reconstituição.

recourbé, e [rekurbe] *adj* encurvado(-da).

recourir [rəkurir] *vi*: **~ à qqn/qqch** recorrer a alguém/algo.

recours [rəkur] *nm*: **avoir ~ à** recorrer a.

recouvert, e [rəkuver, ɛrt] *pp* → **recouvrir**.

recouvrir [rəkuvrir] *vt* cobrir; **~ qqch de** cobrir algo com.

recracher [rəkraʃe] *vt* cuspir.

récréation [rekreasjɔ̃] *nf* recreio *m*.

récrimination [rekriminasjɔ̃] *nf* recriminação *f*.

recroqueviller [rəkrɔkvije]: **se recroqueviller** *vp (personne)* encolher-se; *(feuille)* encarquilhar-se.

recrudescence [rəkrydɛsɑ̃s] *nf* recrudescência *f*.

recrutement [rəkrytmɑ̃] *nm* recrutamento *m*.

recruter [rəkryte] *vt* recrutar.

rectangle [rɛktɑ̃gl] *nm* rectângulo *m*.

rectangulaire [rɛktɑ̃gylɛr] *adj* rectangular.

rectifier [rɛktifje] *vt* rectificar.

rectiligne [rɛktiliɲ] *adj* rectilíneo(-nea).

recto [rɛkto] *nm* recto *m*; **~ verso** dos dois lados.

rectorat [rɛktɔra] *nm* reitoria *f*.

rectum [rɛktɔm] *nm* recto *m*.

reçu, e [rəsy] *pp* → **recevoir**. ◆ *nm* recibo *m*.

recueil [rəkœj] *nm* colectânea *f*.

recueillir [rəkœjir] *vt* recolher. ❏ **se recueillir** *vp* meditar.

recul [rəkyl] *nm* coice *m (de arma)*; **prendre du ~** ganhar balanço.

reculer [rəkyle] *vt (dans l'espace)* recuar; *(date)* adiar. ◆ *vi* recuar.

reculons [rəkylɔ̃]: **à reculons** *adv* às arrecuas.

récupération [rekyperasjɔ̃] *nf* recuperação *f*.

récupérer [rekypere] *vt (reprendre)* reaver; *(pour réutiliser)* recuperar; *(heures, journées de travail)* compensar. ♦ *vi (sportif)* recuperar.

récurer [rekyre] *vt* esfregar.

récuser [rekyze] *vt (JUR)* recusar; *(refuser)* rejeitar.

recyclage [rəsiklaʒ] *nm* reciclagem *f*.

recycler [rəsikle] *vt (déchets)* reciclar.

rédacteur, trice [redaktœr, tris] *nm, f* redactor *m* (-ra *f*); ~ **en chef** redactor-chefe *m*.

rédaction [redaksjɔ̃] *nf* redacção *f*.

redéfinir [rədefinir] *vt* redefinir.

redemander [rədəmɑ̃de] *vt* tornar a pedir.

redescendre [rədesɑ̃dr] *vi* tornar a descer.

redevable [rədəvabl] *adj* : **être** ~ **de qqch à qqn** dever algo a alguém.

redevance [rədəvɑ̃s] *nf* taxa *f*.

rédhibitoire [redibitwar] *adj (prix)* proibitivo(-va); *(condition, obstacle)* impeditivo(-va).

rediffusion [rədifyzjɔ̃] *nf (émission)* reposição *f*.

rédiger [rediʒe] *vt* redigir.

redire [rədir] *vt* tornar a dizer.

redistribuer [rədistribɥe] *vt* redistribuir.

redonner [rədɔne] *vt* : ~ **qqch à qqn** *(rendre)* devolver algo a alguém; *(donner à nouveau)* voltar a dar algo a alguém.

redoublant, e [rədublɑ̃, ɑ̃t] *nm, f* repetente *mf*.

redoubler [rəduble] *vt* reprovar. ♦ *vi (SCOL)* reprovar; *(pluie)* intensificar-se.

redoutable [rədutabl] *adj* temível.

redouter [rədute] *vt* temer.

redoux [rədu] *nm* aumento *m* de temperatura.

redressement [rədrɛsmɑ̃] *nm* recuperação *f*.

redresser [rədrɛse] *vt (relever)* levantar; *(remettre droit)* endireitar. ♦ *vi* endireitar o carro.

❑ **se redresser** *vp* endireitar-se.

réduction [redyksjɔ̃] *nf* redução *f*; *(sur un prix)* desconto *m*.

réduire [redɥir] *vt* reduzir; ~ **qqch en miettes** fazer algo em fanicos; ~ **qqch en poudre** reduzir algo a pó.

réduit, e [redɥi, it] *pp* → **réduire**. ♦ *adj* reduzido(-da).

réécrire [reekrir] *vt* reescrever.

rééducation [reedykasjɔ̃] *nf* reeducação *f*.

réel, elle [reɛl] *adj* real.

réellement [reɛlmɑ̃] *adv* realmente.

rééquilibrer [reekilibre] *vt* reequilibrar.

réévaluer [reevalɥe] *vt* reavaliar.

réexaminer [reɛgzamine] *vt* reexaminar.

réexpédier [reɛkspedje] *vt* reexpedir.

refaire [rəfɛr] *vt* refazer.

refait, e [rəfɛ, ɛt] *pp* → **refaire**.

réfectoire [refɛktwar] *nm* refeitório *m*.

référence [referɑ̃s] *nf* referência *f*; **faire** ~ **à** fazer referência a.

référendum [referɛ̃dɔm] *nm* referendo *m* (Port), plebiscito *m* (Br).

référer [refere] *vi* : **en** ~ **à qqn** consultar alguém.

❑ **se référer** *vp* : **se** ~ **à qqn/ qqch** *(se rapporter à)* referir-se a alguém/algo; *(recourir à)* recorrer a alguém/algo.

refermer [rəfɛrme] vt fechar.
❑ **se refermer** vp fechar-se.
réfléchi, e [refleʃi] adj reflexo(-xa).
réfléchir [refleʃir] vt & vi reflectir.
❑ **se réfléchir** vp reflectir-se.
reflet [rəflɛ] nm reflexo m.
refléter [rəflete] vt reflectir.
❑ **se refléter** vp reflectir-se.
réflexe [reflɛks] nm reflexo m.
réflexion [refleksjɔ̃] nf (pensée) reflexão f; (remarque) observação f; (critique) reparo m.
refluer [rəflye] vi (liquide) refluir; (foule) retroceder.
reflux [rəfly] nm refluxo m.
réforme [refɔrm] nf reforma f (modificação).
réformé, e [refɔrme] nm : **les ~s ne font pas leur service** os que são dispensados não vão à tropa.
réformer [refɔrme] vt (transformer) reformar; (MIL) dispensar.
refoulé, e [rəfule] adj recalcado(-da).
refouler [rəfule] vt (foule) fazer recuar; (sentiment) recalcar; (larmes) conter.
réfractaire [refraktɛr] adj refractário(-ria); **être ~ à** ser refractário a.
refrain [rəfrɛ̃] nm refrão m.
refréner [rəfrene] vt refrear.
❑ **se refréner** vp refrear-se.
réfrigérateur [refriʒeratœr] nm frigorífico m.
refroidir [rəfrwadir] vt (aliment) arrefecer; (décourager) desanimar. ◆ vi arrefecer.
❑ **se refroidir** vp arrefecer.
refroidissement [rəfrwadismã] nm (de la température) arrefecimento m; (rhume) constipação f (Port), resfriado m (Br).
refuge [rəfyʒ] nm refúgio m.

réfugié, e [refyʒje] nm, f refugiado m (-da f).
réfugier [refyʒje]: **se réfugier** vp refugiar-se.
refus [rəfy] nm recusa f.
refuser [rəfyze] vt recusar; **~ qqch à qqn** recusar algo a alguém; **~ de faire qqch** recusar-se a fazer algo.
réfuter [refyte] vt refutar.
regagner [rəgaɲe] vt (reprendre) recuperar; (rejoindre) voltar para.
regain [rəgɛ̃] nm (activité, intérêt): **un ~ de** uma recrudescência de; **connaître un ~ de jeunesse** rejuvenescer.
régal, als [regal] nm regalo m.
régaler [regale]: **se régaler** vp regalar-se.
regard [rəgar] nm olhar m.
regarder [rəgarde] vt (observer) olhar para; (concerner) dizer respeito a; **ça ne te regarde pas** isso não te diz respeito.
régate [regat] nf regata f.
régénérer [reʒenere] vt regenerar.
❑ **se régénérer** vp regenerar-se.
régenter [reʒɑ̃te] vt (péj) querer mandar em tudo.
reggae [rege] nm reggae m.
régie [reʒi] nf régie f.
régime [reʒim] nm (alimentaire) dieta f; (d'un moteur, POL) regime m; (de bananes) cacho m; **être/se mettre au ~** estar de/começar a fazer dieta.
régiment [reʒimɑ̃] nm regimento m.
région [reʒjɔ̃] nf região f.
régional, e, aux [reʒjɔnal, o] adj regional.
régir [reʒir] vt reger.
régisseur [reʒisœr] nm (intendant) administrador m (-ra f); (de cinéma, théâtre) responsável mf pela régie.

registre [rəʒistr] *nm (livre)* registo *m.*

réglable [reglabl] *adj* regulável.

réglage [reglaʒ] *nm* regulação *f.*

règle [rɛgl] *nf (instrument)* régua *f; (loi)* regra *f;* **être en ~** estar em ordem; **en ~ générale** em regra geral; **~s du jeu** regras do jogo.
❏ **règles** *nfpl* menstruação *f,* período *m.*

règlement [rɛgləmã] *nm (lois)* regulamento *m; (paiement)* pagamento *m.*

réglementaire [rɛgləmãtɛr] *adj* regulamentar.

réglementation [rɛgləmãtasjɔ̃] *nf* regulamentação *f.*

réglementer [rɛgləmãte] *vt* regulamentar.

régler [regle] *vt (appareil, moteur)* afinar; *(payer)* pagar; *(problème)* resolver.

réglisse [reglis] *nf* alcaçuz *m.*

règne [rɛɲ] *nm* reinado *m.*

régner [reɲe] *vi* reinar.

regonfler [rəgɔ̃fle] *vt (pneu, ballon)* tornar a encher; *(fam : personne)* dar ânimo a.

regorger [rəgɔrʒe]
❏ **regorger de** *v + prép* estar repleto(-ta) de.

régresser [regrese] *vi* regredir.

regret [rəgrɛ] *nm* pesar *m;* **avoir des ~s** de arrepender-se de.

regrettable [rəgrɛtabl] *adj* lamentável.

regretter [rəgrɛte] *vt (erreur, décision)* lamentar; *(personne)* sentir falta de; **~ de faire qqch** lamentar fazer algo; **~ que** lamentar que.

regrouper [rəgrupe] *vt* reagrupar.
❏ **se regrouper** *vp* reagrupar-se.

régulariser [regylarize] *vt* regularizar.

régulier, ère [regylje, ɛr] *adj* regular.

régulièrement [regyljɛrmã] *adv* regularmente.

réhabiliter [reabilite] *vt (gén)* reabilitar; *(rénover)* restaurar.
❏ **se réhabiliter** *vp* reabilitar-se.

rehausser [rəose] *vt (mur, maison)* aumentar; *(prestige, tenue)* realçar.

rein [rɛ̃] *nm* rim *m.*
❏ **reins** *nmpl* rins *mpl.*

réincarnation [reɛ̃karnasjɔ̃] *nf* reencarnação *f.*

reine [rɛn] *nf* rainha *f; (aux cartes)* dama *f.*

réinsertion [reɛ̃sɛrsjɔ̃] *nf* reinserção *f.*

réintégrer [reɛ̃tegre] *vt (rejoindre)* regressar a; *(JUR)* reintegrar.

rejaillir [rəʒajir] *vi (liquide)* esguichar; *(fig: faire tache):* **~ sur qqn** manchar o bom nome de alguém.

rejet [rəʒɛ] *nm (refus: MÉD)* rejeição *f; (jeune pousse)* rebento *m.*

rejeter [rəʒte] *vt (renvoyer)* rejeitar; *(refuser)* recusar.

rejoindre [rəʒwɛ̃dr] *vt (personne)* ir ter com; *(lieu)* chegar a.

rejoint, e [rəʒwɛ̃, ɛ̃t] *pp* → rejoindre.

réjouir [reʒwir]: **se réjouir** *vp* alegrar-se; **se ~ de qqch** alegrar-se com algo; **se ~ de faire qqch** alegrar-se por fazer algo.

réjouissant, e [reʒwisã, ãt] *adj* alegre.

relâcher [rəlaʃe] *vt* soltar.
❏ **se relâcher** *vp (corde)* soltar-se; *(discipline)* relaxar-se.

relais [rəlɛ] *nm (auberge)* albergue *m; (SPORT)* estafeta *f;* **prendre le ~ de qqn** substituir alguém; **~ routier** restaurante *m* à beira da estrada.

relance [rəlãs] *nf (reprise)* retoma *f; (au jeu)* parada *f.*

relancer [rəlãse] *vt (balle)* voltar a lançar; *(solliciter)* voltar a contactar com.

relatif, ive [rəlatif, iv] *adj* relativo(-va); ~ **à** relativo a.

relation [rəlasjɔ̃] *nf* relação *f*; **être/entrer en ~(s) avec qqn** estar/entrar em contacto com alguém.

relativement [rəlativmã] *adv* relativamente.

relativiser [rəlativize] *vt* tornar relativo(-va).

relax [rəlaks] *adj (fam) (décontracté)* nas calmas; *(détendu)* descontraído(-da).

relaxant, e [rəlaksã, ãt] *adj* relaxante.

relaxation [rəlaksasjɔ̃] *nf* relaxamento *m*.

relaxer [rəlakse]: **se relaxer** *vp* relaxar-se.

relayer [rəlɛje] *vt* revezar.
□ **se relayer** *vp*: **se ~ (pour faire qqch)** revezar-se (para fazer algo).

reléguer [rəlege] *vt* relegar.

relent [rəlã] *nm (péj) (odeur)* mau cheiro *m*; *(fig: trace)* vestígio *m*.

relevé, e [rəlve] *adj* picante.
♦ *nm* : ~ **de compte** número *m* de identificação bancária.

relève [rəlɛv] *nf* revezamento *m*; **prendre la ~** *(médecin)* revezar; *(garde)* render; *(fig: successeur)* continuar o trabalho.

relever [rəlve] *vt (tête, col)* levantar; *(remarquer)* notar; *(épicer)* temperar; *(remettre debout)* levantar.
□ **se relever** *vp* levantar-se.

relief [rəljɛf] *nm* relevo *m*; **en ~** em relevo.

relier [rəlje] *vt* ligar.

religieuse [rəliʒjøz] *nf pequeno bolo redondo recheado com creme de café ou de chocolate*; → **religieux**.

religieux, euse [rəliʒjø, øz] *adj (fête)* religioso(-osa); *(musique)* litúrgico(-ca). ♦ *nm, f* religioso *m* (-osa *f*).

religion [rəliʒjɔ̃] *nf* religião *f*.

relique [rəlik] *nf* relíquia *f*.

relire [rəlir] *vt* reler.

reliure [rəljyr] *nf (couverture)* encadernação *f*.

relu, e [rəly] *pp* → **relire**.

reluire [rəlɥir] *vi* reluzir; **faire ~ qqch** fazer com que algo reluza.

remake [rimɛk] *nm* remake *m*, nova versão *f*.

remaniement [rəmanimã] *nm* remodelação *f*; ~ **ministériel** remodelação ministerial.

remanier [rəmanje] *vt* modificar.

remarquable [rəmarkabl] *adj* notável.

remarque [rəmark] *nf* observação *f*.

remarquer [rəmarke] *vt* reparar; **remarque, ...** repara, ...; **se faire ~** dar nas vistas.

rembobiner [rãbɔbine] *vt* rebobinar.

rembourré, e [rãbure] *adj (fauteuil)* estofado(-da); *(veste)* acolchoado(-da).

remboursement [rãbursəmã] *nm* reembolso *m*.

rembourser [rãburse] *vt* reembolsar.

remède [rəmɛd] *nm* remédio *m*.

remédier [rəmedje]: **remédier à** *v* + *prép* remediar.

remémorer [rəmemɔre]
□ **se remémorer** *vp (sout)* recordar-se de.

remerciements [rəmɛrsimã] *nmpl* agradecimentos *mpl*; **avec tous mes ~** com os meus agradecimentos.

remercier [rəmɛrsje] *vt* agradecer; ~ **qqn de** OU **pour qqch** agradecer a alguém algo; ~ **qqn d'avoir fait qqch** agradecer a alguém por ter feito algo.

remettre [rəmɛtr] *vt (reposer)*

repor; *(vêtement)* tornar a vestir; *(retarder)* adiar; ~ **qqch à qqn** entregar algo a alguém; ~ **qqch en état** consertar algo.

❑ **se remettre** *vp* restabelecer-se; **se ~ à faire qqch** pôr-se a fazer algo; **se ~ de qqch** restabelecer-se de algo.

remis, e [rəmi, iz] *pp* → **remettre**.

remise [rəmiz] *nf (abri)* arrecadação *f*; *(rabais)* desconto *m*; **faire une ~ à qqn** fazer um desconto a alguém.

remontant [rəmɔ̃tɑ̃] *nm* tónico *m*.

remontée [rəmɔ̃te] *nf* : **~s mécaniques** teleféricos *mpl*.

remonte-pente, s [rəmɔ̃tpɑ̃t] *nm* ascensor *m* de montanha.

remonter [rəmɔ̃te] *vt* (**aux avoir**) *(mettre plus haut)* pôr mais para cima; *(côte, escalier)* tornar a subir; *(moteur, pièces)* tornar a montar; *(montre)* dar corda a. ♦ *vi* (**aux être**) tornar a subir; **~ à** *(dater de)* remontar a.

remords [rəmɔr] *nm* remorso *m*.

remorque [rəmɔrk] *nf* reboque *m*.

remorquer [rəmɔrke] *vt* rebocar.

remorqueur [rəmɔrkœr] *nm* rebocador *m*.

rémoulade [remulad] *nf* → **céleri**.

remous [rəmu] *nm* redemoinho *m*.

remparts [rɑ̃par] *nmpl* muralhas *fpl*.

remplaçant, e [rɑ̃plasɑ̃, ɑ̃t] *nm, f (de sportif)* suplente *mf*; *(d'enseignant)* substituto *m* (-ta *f*).

remplacement [rɑ̃plasmɑ̃] *nm* substituição *f*; **faire des ~s** fazer substituições.

remplacer [rɑ̃plase] *vt* substi-

tuir; ~ **qqn/qqch par** substituir alguém/algo por.

remplir [rɑ̃plir] *vt (verre, salle)* encher; *(questionnaire)* preencher; ~ **qqch de** encher algo de.

❑ **se remplir (de)** *vp (+ prép)* encher-se de.

remporter [rɑ̃pɔrte] *vt (reprendre)* tornar a levar; *(gagner)* ganhar.

remuant, e [rəmɥɑ̃, ɑ̃t] *adj* irrequieto(-ta).

remue-ménage [rəmymenaʒ] *nm inv* desarrumação *f*.

remuer [rəmɥe] *vt (bouger)* remexer; *(mélanger)* mexer; *(émouvoir)* transtornar.

rémunération [remynerasjɔ̃] *nf* remuneração *f*.

rémunérer [remynere] *vt* remunerar.

renaissance [rənɛsɑ̃s] *nf* renascimento *m*; **la Renaissance** o Renascimento.

renaître [rənɛtr] *vi* renascer; ~ **à** renascer para.

rénal, e, aux [renal, o] *adj* renal; *(calcul)* nos rins.

renard [rənar] *nm* raposa *f*.

renchérir [rɑ̃ʃerir] *vi (surenchérir)*: ~ **sur qqch** aumentar algo; *(sout: augmenter)* encarecer.

rencontre [rɑ̃kɔ̃tr] *nf* encontro *m*; **aller à la ~ de qqn** ir ao encontro de alguém.

rencontrer [rɑ̃kɔ̃tre] *vt (par hasard)* encontrar; *(faire la connaissance de)* conhecer; *(équipe adverse)* enfrentar.

❑ **se rencontrer** *vp (par hasard)* encontrar-se; *(faire connaissance)* conhecer-se.

rendement [rɑ̃dmɑ̃] *nm* rendimento *m*.

rendez-vous [rɑ̃devu] *nm* encontro *m*; ~ **chez moi à 14h** encontro marcado às 14h em minha casa; **avoir ~ avec qqn** ter encontro marcado com alguém; **donner ~ à qqn** marcar um encontro com alguém; **prendre ~** marcar um encontro; *(chez le médecin)* marcar uma consulta.

rendormir [rãdɔrmir]: **se rendormir** *vp* tornar a adormecer.

rendre [rãdr] *vt* devolver; *(santé)* restituir; *(faire devenir)* deixar. ◆ *vi (vomir)* deitar fora; **~ la pareille** pagar na mesma moeda; **~ visite à qqn** visitar alguém.

❏ **se rendre** *vp* render-se; **se ~ à** *(sout)* dirigir-se a; **se ~ utile** ser útil; **se ~ malade** ficar doente.

renégocier [rənegɔsje] *vt* renegociar.

rênes [rɛn] *nfpl* rédeas *fpl*.

renfermé, e [rãfɛrme] *adj (caractère)* reservado(-da). ◆ *nm* : **sentir le ~** cheirar a mofo.

renfermer [rãfɛrme] *vt* conter.

renflouer [rãflue] *vt (un bâteau)* desencalhar; *(fig: une entreprise, une personne)* emprestar dinheiro a.

❏ **se renflouer** *vp (fam : fig)* encher os bolsos.

renfoncement [rãfɔ̃smã] *nm* recôncavo *m*.

renforcer [rãfɔrse] *vt* reforçar; *(fig)* aumentar.

renforts [rãfɔr] *nmpl* reforços *mpl*.

renfrogné, e [rãfrɔɲe] *adj* carrancudo(-da).

rengaine [rãgɛn] *nf* lengalenga *f*.

renier [rənje] *vt* renegar.

renifler [rənifle] *vi* fungar.

renne [rɛn] *nm* rena *f*.

renom [rənɔ̃] *nm* renome *m*; **de grand ~** de grande renome.

renommé, e [rənɔme] *adj* famoso(-osa).

renommée [rənɔme] *nf* fama *f*.

renoncer [rənɔ̃se]: **renoncer à** *v + prép (abandonner)* desistir de; *(refuser)* renunciar a; **~ à faire qqch** desistir de fazer algo; *(refuser)* renunciar a fazer algo.

renouer [rənwe] *vt* reatar. ◆ *vi* : **~ avec qqn** reatar com alguém.

renouveau, x [rənuvo] *nm* renovação *f*.

renouvelable [rənuvlabl] *adj* renovável.

renouveler [rənuvle] *vt* renovar.

❏ **se renouveler** *vp* repetir-se.

renouvellement [rənuvɛlmã] *nm* renovação *f*.

rénovation [renɔvasjɔ̃] *nf* restauração *f*.

rénover [renɔve] *vt* restaurar.

renseignement [rãsɛɲmã] *nm* informação *f*; **les ~s** as informações.

renseigner [rãsɛɲe] *vt* : **~ qqn (sur)** informar alguém (sobre).

❏ **se renseigner (sur)** *vp (+ prép)* informar-se (sobre).

rentabiliser [rãtabilize] *vt* rentabilizar.

rentabilité [rãtabilite] *nf* rentabilidade *f*; **seuil de ~** ponto *m* de equilíbrio.

rentable [rãtabl] *adj* rentável.

rente [rãt] *nf* rendimento *m*.

rentier, ère [rãtje, ɛr] *nm, f* : **être un ~** viver dos seus rendimentos.

rentrée [rãtre] *nf* : **~ (d'argent)** entrada *f* (de dinheiro); **~ (des classes)** início *m* das aulas.

rentrer [rãtre] *vi* **(aux être)** *(entrer)* entrar; *(chez soi)* regressar; *(être contenu)* caber. ◆ *vt* **(aux avoir)** meter; *(dans la maison)* entrar; **~ dans** chocar com; **~ le ventre** meter a barriga para dentro.

❏ **se rentrer** *vp* : **se ~ dedans** *(fam)* estampar-se.

renverse [rãvɛrs]: **à la renverse** *adv* de costas.

renversement [rãvɛrsəmã] *nm* inversão *f*; *(d'un régime)* derrubamento *m*.

renverser [rãvɛrse] *vt (liquide)* entornar; *(piéton)* atropelar; *(gouvernement)* derrubar.

❏ **se renverser** *vp* entornar-se.

renvoi [rãvwa] *nm (d'un élève)* expulsão *f*; *(d'un salarié)* despedimento *m*; *(rot)* arroto *m*.

renvoyer [rãvwaje] *vt (balle, lettre)* devolver; *(image, rayon)* reflectir; *(élève)* expulsar; *(salarié)* despedir.

réorganisation [reɔrganizasjɔ̃] *nf* reorganização *f*.

réorganiser [reɔrganize] *vt* reorganizar.

réouverture [reuvɛrtyr] *nf* reabertura *f*.

repaire [rəpɛr] *nm* covil *m*.

répandre [repãdr] *vt (renverser)* derramar; *(nouvelle)* espalhar.

❏ **se répandre** *vp (liquide)* derramar-se; *(nouvelle, maladie)* espalhar-se.

répandu, e [repãdy] *adj* corrente.

réparateur, trice [reparatœr, tris] *nm, f* reparador *m* (-ra *f*).

réparation [reparasjɔ̃] *nf* reparação *f*; **en ~** no conserto.

réparer [repare] *vt* reparar; **faire ~ qqch** mandar reparar algo.

repartie [rəparti] *nf* réplica *f*; **avoir de la ~** ter resposta pronta.

repartir [rəpartir] *vi (partir)* voltar a partir; *(rentrer)* voltar.

répartir [repartir] *vt* repartir.

répartition [repartisjɔ̃] *nf* partilha *f*.

repas [rəpa] *nm* refeição *f*.

repassage [rəpasaʒ] *nm* : **faire du ~** passar a ferro.

repasser [rəpase] *vt* **(aux avoir)** passar a ferro. ◆ *vi* **(aux être)** voltar.

repêchage [rəpeʃaʒ] *nm* repescagem *f*.

repêcher [rəpeʃe] *vt (retirer de l'eau)* repescar; *(à un examen)* puxar a nota de.

repeindre [rəpɛ̃dr] *vt* tornar a pintar.

repeint, e [rəpɛ̃, ɛ̃t] *pp* → **repeindre**.

repentir [rəpãtir] *nm* arrependimento *m*.

❏ **se repentir** *vp* arrepender-se; **se ~ de qqch/d'avoir fait qqch** arrepender-se de algo/de ter feito algo.

répercussions [repɛrkysjɔ̃] *nfpl* repercussões *fpl*.

répercuter [repɛrkyte] *vt (son)* repercutir; *(ordre)* transmitir; **~ qqch sur** repercutir algo em.

❏ **se répercuter** *vp* repercutir-se; **se ~ sur** repercutir-se em.

repère [rəpɛr] *nm* referência *f*.

repérer [rəpere] *vt* encontrar.

❏ **se repérer** *vp* orientar-se.

répertoire [repɛrtwar] *nm (carnet)* agenda *f*; *(d'un acteur, d'un musicien)* repertório *m*; *(INFORM)* directoria *f*.

répertorier [repɛrtɔrje] *vt* repertoriar.

répéter [repete] *vt* repetir; *(rôle, œuvre)* ensaiar.

❏ **se répéter** *vp (se reproduire)* repetir-se.

répétitif, ive [repetitif, iv] *adj* repetitivo(-va).

répétition [repetisjɔ̃] *nf (dans un texte)* repetição *f*; *(au théâtre)* ensaio *m*; **~ générale** ensaio geral.

répit [repi] *nm* sossego *m*; **sans ~** sem parar.

replacer [rəplase] *vt* repor.

repli [rəpli] *nm (d'un ourlet, d'une rivière)* dobra *f*; *(MIL)* retirada *f*; *(recul)* recuo *m*.

replier [rəplije] *vt* dobrar.

réplique [replik] *nf* réplica *f*.

répliquer [replike] vt & vi replicar.

replonger [rəplɔ̃ʒe] vt : ~ qqch/ qqn dans tornar a mergulhar algo/alguém em. ◆ vi mergulhar de novo.

❑ se replonger vp : se ~ dans mergulhar de novo em.

répondeur [repɔ̃dœr] nm : ~ (téléphonique OU automatique) atendedor m de chamadas (Port), secretária f eletrônica (Br).

répondre [repɔ̃dr] vi (à une question, à une lettre) responder; (freins) obedecer. ◆ vt responder; ~ à qqn responder a alguém.

réponse [repɔ̃s] nf resposta f.

report [rəpɔr] nm (renvoi): ~ de qqch (à) adiamento de algo (para); (transcription) transcrição f.

reportage [rəpɔrtaʒ] nm reportagem f.

reporter[1] [rəpɔrtɛr] nm repórter m.

reporter[2] [rəpɔrte] vt (rapporter) devolver; (date, réunion) adiar.

repos [rəpo] nm repouso m; c'est mon jour de ~ é o meu dia de folga.

reposant, e [rəpozɑ̃, ɑ̃t] adj repousante.

reposer [rəpoze] vt repor.
❑ se reposer vp repousar-se.

repoussant, e [rəpusɑ̃, ɑ̃t] adj repulsivo(-va).

repousser [rəpuse] vt (faire reculer) repelir; (retarder) adiar. ◆ vi voltar a crescer.

répréhensible [repreɑ̃sibl] adj repreensível.

reprendre [rəprɑ̃dr] vt (revenir chercher) vir buscar; (objet donné) levar; (activité) recomeçar; (prisonnier) recapturar; (se resservir) repetir; (corriger) emendar; ~ sa place retomar o seu lugar; ~ son souffle retomar fôlego.

❑ se reprendre vp (se ressaisir) recompor-se; (se corriger) retractar-se.

représailles [rəprezaj] nfpl represálias fpl.

représentant, e [rəprezɑ̃tɑ̃, ɑ̃t] nm, f representante mf; ~ (de commerce) caixeiro m viajante.

représentatif, ive [rəprezɑ̃tatif, iv] adj representativo(-va).

représentation [rəprezɑ̃tasjɔ̃] nf representação f.

représenter [rəprezɑ̃te] vt representar.

répression [represjɔ̃] nf repressão f.

réprimander [reprimɑ̃de] vt repreender.

réprimer [reprime] vt reprimir.

repris, e [rəpri, iz] pp → reprendre.

reprise [rəpriz] nf (couture) remendo m; (économique) retoma f; (d'un appareil, d'une voiture) troca f; à plusieurs ~s por várias vezes.

repriser [rəprize] vt remendar.

réprobateur, trice [reprɔbatœr, tris] adj reprovador(-ra).

reproche [rəprɔʃ] nm censura f.

reprocher [rəprɔʃe] vt : ~ qqch à qqn censurar algo a alguém.

reproduction [rəprɔdyksjɔ̃] nf reprodução f.

reproduire [rəprɔdɥir] vt reproduzir.

❑ se reproduire vp (avoir de nouveau lieu) voltar a acontecer; (animaux) reproduzir-se.

reproduit, e [rəprɔdɥi, it] pp → reproduire.

reptile [reptil] nm réptil m.

repu, e [rəpy] adj saciado(-da).

république [repyblik] nf república f.

répudier [repydje] vt repudiar.

répugnant, e [repyɲɑ̃, ɑ̃t] adj repugnante.

répulsion [repylsjɔ̃] *nf (sentiment)* repulsa *f; (phénomène physique)* repulsão *f.*
réputation [repytasjɔ̃] *nf* reputação *f.*
réputé, e [repyte] *adj* reputado(-da).
requête [rəkɛt] *nf (sout: prière)* pedido *m; (JUR)* requerimento *m; (INFORM)* selecção *f;* **à** OU **sur la ~ de qqn** a pedido de alguém.
requin [rəkɛ̃] *nm* tubarão *m.*
requis, e [rəki, iz] *pp* → **requérir.** ◆ *adj* requisitado(-da).
réquisitionner [rekizisjɔne] *vt (biens)* requisitar; *(fam : fig: demander l'aide de)* recrutar.
RER *nm rede parisiense de comboios rápidos.*

---

i RER

O "Réseau Express Régional" é uma rede ferroviária que atravessa a região Ile-de-France. Pelas suas três principais linhas (A, B e C) circulam comboios com paragem tanto nas estações fora da cidade como nos aeroportos e em algumas das mais importantes estações do metro parisiense. Graças ao "RER", os habitantes dos arredores de Paris podem ter rápido acesso à capital.

---

rescapé, e [rɛskape] *nm, f* sobrevivente *mf.*
rescousse [rɛskus] *nf :* **appeler qqn à la ~** pedir socorro a alguém; **aller à la ~ de qqn** ir em socorro de alguém.
réseau, x [rezo] *nm* rede *f.*
réservation [rezɛrvasjɔ̃] *nf* reserva *f.*

réserve [rezɛrv] *nf* reserva *f;* **en ~ de** reserva.
réservé, e [rezɛrve] *adj* reservado(-da).
réserver [rezɛrve] *vt* reservar; **~ qqch à qqn** reservar algo para alguém.
❑ **se réserver** *vp* guardar-se.
réservoir [rezɛrvwar] *nm (d'essence)* depósito *m.*
résidence [rezidɑ̃s] *nf* residência *f;* **~ secondaire** residência secundária.
résidentiel, elle [rezidɑ̃sjɛl] *adj* residencial.
résider [rezide] *vi (sout)* residir.
résidu [rezidy] *nm* resíduo *m.*
❑ **résidus** *nmpl* resíduos *mpl.*
résigner [reziɲe]: **se résigner** *vp* resignar-se; **se ~ à qqch** resignar-se com algo; **se ~ à faire qqch** resignar-se a fazer algo.
résilier [rezilje] *vt* rescindir.
résine [rezin] *nf* resina *f.*
résistance [rezistɑ̃s] *nf* resistência *f.*
résistant, e [rezistɑ̃, ɑ̃t] *adj & nm, f* resistente.
résister [reziste]: **résister à** *v + prép* resistir a.
résolu, e [rezɔly] *pp* → **résoudre.** ◆ *adj* determinado(-da).
résolument [rezɔlymɑ̃] *adv* resolutamente.
résolution [rezɔlysjɔ̃] *nf (décision)* resolução *f.*
résonner [rezɔne] *vi* ressoar.
résorber [rezɔrbe] *vt (faire disparaître)* acabar com; *(MÉD)* reabsorver.
❑ **se résorber** *vp (disparaître)* desaparecer; *(MÉD)* reabsorver-se.
résoudre [rezudr] *vt* resolver.
respect [rɛspɛ] *nm* respeito *m.*
respectable [rɛspɛktabl] *adj (honorable)* respeitável; *(important)* considerável.

respecter [rɛspɛkte] vt respeitar.

respectif, ive [rɛspɛktif, iv] adj respectivo(-va).

respectueux, euse [rɛspɛktɥø, øz] adj respeitador (-ra); **être ~ de** mostrar-se respeitador de.

respiration [rɛspirasjɔ̃] nf respiração f.

respiratoire [rɛspiratwar] adj respiratório(-ria).

respirer [rɛspire] vt & vi respirar.

resplendissant, e [rɛsplãdisã, ãt] adj resplandecente; **~ de** radiante de; **être ~ de santé** estar a vender saúde.

responsabiliser [rɛspɔ̃sabilize] vt tornar responsável.

responsabilité [rɛspɔ̃sabilite] nf responsabilidade f.

responsable [rɛspɔ̃sabl] adj & nmf responsável; **être ~ de qqch** ser responsável por algo.

resquiller [rɛskije] vi (fam : dans le bus) andar de borla; (au spectacle) entrar de borla.

ressaisir [rəsezir]: **se ressaisir** vp dominar-se.

ressasser [rəsase] vt (ruminer) cismar em, remoer; (rabâcher) repisar.

ressemblance [rəsãblãs] nf semelhança f.

ressemblant, e [rəsãblã, ãt] adj parecido(-da).

ressembler [rəsãble]: **ressembler à** v + prép parecer-se com. ❑ **se ressembler** vp ser parecido(-da).

ressemeler [rəsəmle] vt pôr meias solas.

ressentiment [rəsãtimã] nm ressentimento m.

ressentir [rəsãtir] vt sentir.

resserrer [rəsere] vt apertar. ❑ **se resserrer** vp ficar mais estreito(-ta).

resservir [rəsɛrvir] vt & vi voltar a servir.
❑ **se resservir** vp : **se ~ (de)** (plat) voltar a servir-se (de).

ressort [rəsɔr] nm mola f.

ressortir [rəsɔrtir] vi (sortir à nouveau) tornar a sair; (se détacher) sobressair.

ressortissant, e [rəsɔrtisã, ãt] nm, f nacional mf.

ressource [rəsurs] nf recurso m; **il a de la ~** (fig) é um homem de recursos.
❑ **ressources** nfpl recursos mpl; **être sans ~s** não ter recursos; **~s naturelles** recursos naturais.

ressusciter [resysite] vi ressuscitar.

restant, e [rɛstã] adj → **poste**. ♦ nm restante m.

restaurant [rɛstɔrã] nm restaurante m.

restaurateur, trice [rɛstɔratœr, tris] nm, f (CULIN) dono m (-na f) de um restaurante; (de tableaux) restaurador m (-ra f).

restauration [rɛstɔrasjɔ̃] nf restauração f.

restaurer [rɛstɔre] vt restaurar.

reste [rɛst] nm resto m; **un ~ de** um resto de; **les ~s** os restos.

rester [rɛste] vi (dans un lieu) ficar; (subsister) restar; (continuer à être) permanecer; **il n'en reste que deux** só restam dois.

restituer [rɛstitɥe] vt restituir.

resto [rɛsto] nm (fam) restaurante m; **les ~s du cœur** ≃ sopa f dos pobres.

restreindre [rɛstrɛ̃dr] vt restringir.

restreint, e [rɛstrɛ̃, ɛ̃t] pp → **restreindre**. ♦ adj restrito(-ta).

restriction [rɛstriksjɔ̃] nf restrição f; **sans ~** sem restrições.
❑ **restrictions** nfpl restrições fpl.

restructuration [rəstryktyrasjɔ̃] nf reestruturação f.

résultat [rezylta] *nm* resultado *m*.

résulter [rezylte]
❏ **résulter de** *v* + *prép* resultar de; **il en résulte que** daí resulta que.

résumé [rezyme] *nm* resumo *m*; **en ~** em resumo.

résumer [rezyme] *vt* resumir.

résurgence [rezyrʒɑ̃s] *nf* (*d'une rivière*) ressurgência *f*; (*fig: d'une doctrine*) ressurgimento *m*.

rétablir [retablir] *vt* restabelecer.
❏ **se rétablir** *vp* restabelecer-se.

rétablissement [retablismɑ̃] *nm* restabelecimento *m*.

retard [rətar] *nm* atraso *m*; **avoir du ~** estar atrasado; **avoir une heure de ~** estar com uma hora de atraso; **être en ~ (sur)** estar atrasado (em relação a).

retardataire [rətardatɛr] *nmf* retardatário *m* (-ria *f*).

retarder [rətarde] *vi* : **ma montre retarde (de cinq minutes)** o meu relógio atrasa (cinco minutos).

retenir [rətnir] *vt* (*empêcher de partir*) reter; (*empêcher de tomber*) segurar; (*empêcher d'agir*) deter; (*réserver*) reservar; (*se souvenir de*) fixar; **~ son souffle** reter a respiração; **je retiens 1** (*dans une opération*) e vai 1.
❏ **se retenir** *vp* : **se ~ (à qqch)** agarrar-se (a algo); **se ~ (de faire qqch)** conter-se (para não fazer algo).

retentir [rətɑ̃tir] *vi* ressoar; **la salle retentit d'applaudissements** os aplausos ressoavam na sala; **~ sur qqch** (*fig*) reflectir-se em algo.

retentissant, e [rətɑ̃tisɑ̃, ɑ̃t] *adj* (*sonore*) retumbante; (*éclatant, frappant*) estrondoso(-osa).

retenu, e [rətny] *pp* → **retenir**.

retenue [rətny] *nf* (SCOL) castigo *m*; (*dans une opération*) número *m* que vai.

réticence [retisɑ̃s] *nf* relutância *f*; **avec/sans ~** com/sem relutância.

réticent, e [retisɑ̃, ɑ̃t] *adj* reticente.

rétine [retin] *nf* retina *f*.

retirer [rətire] *vt* (*extraire*) tirar; (*vêtement*) despir; (*argent, billet, colis, bagages*) levantar; **~ qqch à qqn** tirar algo a alguém; (*permis*) apreender algo a alguém.

retomber [rətɔ̃be] *vi* (*tomber à nouveau*) voltar a cair; (*après un saut*) cair; (*pendre*) vir até; **~ malade** ficar outra vez doente.

rétorquer [retɔrke] *vt* retorquir; **~ à qqn que** retorquir a alguém que.

retors, e [rətɔr, ɔrs] *adj* manhoso(-osa).

retouche [rətuʃ] *nf* retoque *m*.

retour [rətur] *nm* volta *f*; (*d'une personne*) regresso *m*; **être de ~** estar de regresso; **au ~** na volta.

retourner [rəturne] *vt* (aux avoir) (*mettre à l'envers*) virar do avesso; (*renvoyer*) devolver. ◆ *vi* (aux être) voltar para.
❏ **se retourner** *vp* (*voiture, bateau*) virar-se; (*tourner la tête*) voltar-se para trás.

retracer [rətrase] *vt* (*tracer de nouveau*) tornar a traçar; (*raconter*) reconstituir.

rétracter [retrakte] *vt* (*contracter*) encolher; (*sout: nier*) retractar.
❏ **se rétracter** *vp* (*se contracter*) retrair-se; (*se dédire*) retractar-se.

retrait [rətrɛ] *nm* levantamento *m*.

retraite [rətrɛt] *nf* reforma *f* (Port), aposentadoria *f* (Br); **être à la ~** estar reformado; **prendre sa ~** reformar-se.

retraité, e [rətrɛte] *nm, f* reformado *m* (-da *f*).

retransmission [rətrãsmisjɔ̃]
nf (à la radio) retransmissão *f.*
rétrécir [retresir] *vi* encolher.
❑ **se rétrécir** *vp* ficar mais
estreito(-ta).
rétribution [retribysjɔ̃] *nf* re-
tribuição *f.*
rétro [retro] *adj inv* anti-
quado(-da). ♦ *nm (fam)* retrovisor
m.
rétroactif, ive [retroaktif, iv]
adj retroactivo(-va).
rétrograder [retrograde] *vi*
meter uma mudança inferior.
rétroprojecteur [retropro-
ʒɛktœr] *nm* retroprojector *m.*
rétrospective [retrospɛktiv]
nf retrospectiva *f.*
rétrospectivement [retros-
pɛktivmã] *adv* retrospectivamen-
te.
retrousser [rətruse] *vt* arregaçar.
retrouvailles [rətruvaj] *nfpl*
reencontro *m.*
retrouver [rətruve] *vt (objet
perdu)* encontrar; *(personne per-
due de vue)* reencontrar; *(rejoindre)* ir ter com.
❑ **se retrouver** *vp* encontrar-se;
(dans une situation, un lieu) dar
consigo.
rétroviseur [retrovizœr] *nm*
retrovisor *m.*
réunification [reynifikasjɔ̃] *nf*
reunificação *f.*
réunion [reynjɔ̃] *nf* reunião *f*; **la
Réunion** a ilha da Reunião.
réunionnais, e [reynjɔnɛ, ɛz]
adj habitante *mf* da ilha da Reunião.
réunir [reynir] *vt* reunir.
❑ **se réunir** *vp* reunir-se.
réussi, e [reysi] *adj* bom (boa);
être ~ correr bem.
réussir [reysir] *vi (tentative)* correr bem; *(socialement, profession-
nellement)* sair-se bem. ♦ *vt* : **j'ai**
réussi la photo/le repas a foto-
grafia/a comida saiu bem; **~ (à)
un examen** passar num exame; **~
à faire qqch** conseguir fazer algo;
~ à qqn fazer bem a alguém.
réussite [reysit] *nf (succès)*
êxito *m*; *(jeu)* paciência *f.*
réutiliser [reytilize] *vt* reutili-
zar.
revaloriser [rəvalɔrize] *vt*
revalorizar.
revanche [rəvãʃ] *nf* desforra *f*;
en ~ em compensação.
rêve [rɛv] *nm* sonho *m.*
rêvé, e [rɛve] *adj* ideal.
réveil [revɛj] *nm* despertador *m*;
à son ~ ao despertar.
réveiller [reveje] *vt* acordar.
❑ **se réveiller** *vp (sortir du sommeil)* acordar; *(douleur, souvenir)*
despertar.
réveillon [revɛjɔ̃] *nm (repas du
24 décembre)* consoada *f*; *(repas
du 31 décembre)* jantar *m* da passagem de ano; *(fête du 24 décembre)* festa *f* de Natal; *(fête du 31
décembre)* réveillon *m.*

---

i RÉVEILLON

Este termo designa a noite
de 24 de Dezembro e,
principalmente, a de 31 de
Dezembro. Durante esta última,
também denominada São Silvestre, realiza-se uma ceia, geralmente entre amigos. Quando
soa a meia-noite, os convivas
beijam-se, abraçam-se, bebem
champanhe e desejam-se mutuamente "bonne année" (bom
ano). Pelas ruas, o Ano Novo é
festejado com o som das buzi-
nas dos automóveis.

réveillonner [revɛjɔne] *vi
(faire un repas le 24 décembre)*

consoar; *(faire un repas le 31 décembre)* jantar na passagem de ano; *(participer à la fête du 24 décembre)* festejar o Natal; *(participer à la fête du 31 décembre)* festejar a passagem de ano.

révélateur, trice [revelatœr, tris] *adj* revelador(-ra).

révélation [revelasjɔ̃] *nf* revelação *f*.

révéler [revele] *vt* revelar.
❏ **se révéler** *vp (s'avérer)* revelar-se.

revenant [rəvnɑ̃] *nm* alma *f* do outro mundo.

revendeur, euse [rəvɑ̃dœr, øz] *nm, f* revendedor *m* (-ra *f*).

revendication [rəvɑ̃dikasjɔ̃] *nf* reivindicação *f*.

revendiquer [rəvɑ̃dike] *vt* reivindicar.

revendre [rəvɑ̃dr] *vt* revender.

revenir [rəvnir] *vi (venir à nouveau)* regressar; *(d'où l'on arrive)* voltar (para trás); **faire ~ qqch** refogar algo; **~ cher** ficar caro; **ça nous est revenu à 2000 francs** isto ficou-nos por 2000 francos; **ça me revient maintenant** agora me lembro; **ça revient au même** vai dar no mesmo; **je n'en reviens pas** custa-me a crer; **~ sur sa décision** voltar atrás; **~ sur ses pas** voltar para trás.

revenu, e [rəvny] *pp* → **revenir**. ◆ *nm* rendimento *m*.

rêver [reve] *vi (en dormant)* sonhar; *(être distrait)* sonhar acordado(-da). ◆ *vt* : **~ que** sonhar que; **~ de** sonhar com; **~ de faire qqch** sonhar fazer algo.

réverbération [reverberasjɔ̃] *nf* reverberação *f*.

réverbère [reverber] *nm* candeeiro *m* (de iluminação pública).

rêverie [revri] *nf* devaneio *m*.

revers [rəver] *nm (d'une pièce)* coroa *f*; *(de la main)* costas *fpl*;

(d'une veste, d'un pantalon) avesso *m*; *(SPORT)* esquerda *f*.

réversible [reversibl] *adj* reversível.

revêtement [rəvɛtmɑ̃] *nm* revestimento *m*.

rêveur, euse [revœr, øz] *adj* sonhador(-ra).

revirement [rəvirmɑ̃] *nm* mudança *f*; **~ de situation** reviravolta *f*.

réviser [revize] *vt (leçons)* rever; **faire ~ sa voiture** mandar o carro à revisão.

révision [revizjɔ̃] *nf (d'une voiture)* revisão *f*.
❏ **révisions** *nfpl* revisões *fpl*.

révisionnisme [revizjɔnism] *nm* revisionismo *m*.

revoir [rəvwar] *vt (retrouver)* voltar a ver; *(leçons)* rever; **au ~!** adeus!

révoltant, e [revɔltɑ̃, ɑ̃t] *adj* revoltante.

révolte [revɔlt] *nf (émeute)* revolta *f*.

révolter [revolte] *vt* revoltar.
❏ **se révolter** *vp* revoltar-se.

révolu, e [revɔly] *adj (qui n'existe plus)* volvido(-da); *(complet)* feito(-ta).

révolution [revɔlysjɔ̃] *nf* revolução *f*; **la Révolution (française)** a Revolução francesa.

révolutionnaire [revɔlysjɔnɛr] *adj & nmf* revolucionário(-ria).

revolver [revɔlvɛr] *nm* revólver *m*.

révoquer [revɔke] *vt (destituer)* destituir; *(annuler)* revogar.

revue [rəvy] *nf* revista *f*; **passer qqch en ~** passar algo em revista.

rez-de-chaussée [redʃose] *nm inv* rés-do-chão *m inv*.

rhabiller [rabije] *vt* tornar a vestir.
❏ **se rhabiller** *vp* tornar a ves-

tir-se; **tu peux aller te ~** *(fam : fig)* não dás uma para a caixa.

rhésus [rezys] *nm* rhesus *m*; **~ positif/négatif** rhesus positivo/negativo.

rhétorique [retɔrik] *nf* retórica *f*.

Rhin [rɛ̃] *nm* : **le ~** o Reno.

rhinocéros [rinɔserɔs] *nm* rinoceronte *m*.

rhino-pharyngite [rinɔfarɛ̃ʒit] *(pl* **rhino-pharyngites)** *nf* rinofaringite *f*.

Rhône [ron] *nm* : **le ~** o Ródano.

rhubarbe [rybarb] *nf* ruibarbo *m*.

rhum [rɔm] *nm* rum *m*.

rhumatismes [rymatism] *nmpl* reumatismo *m*; **avoir des ~** ter reumatismo.

rhume [rym] *nm* constipação *f (Port)*, resfriado *m (Br)*; **avoir un ~** estar com uma constipação; **~ des foins** febre-dos-fenos *f*.

ri [ri] *pp* → **rire**.

ribambelle [ribɑ̃bɛl] *nf* : **une ~ de qqch** uma catrefada de algo.

ricaner [rikane] *vi* fazer chacota.

riche [riʃ] *adj* rico(-ca). ◆ *nmf* : **les ~s** os ricos; **~ en** rico em.

richesse [riʃes] *nf* riqueza *f*. ❑ **richesses** *nfpl* riquezas *fpl*.

ricocher [rikɔʃe] *vi* ricochetear.

ricochet [rikɔʃe] *nm* : **faire des ~s** fazer ricochete.

ride [rid] *nf* ruga *f*.

ridé, e [ride] *adj (personne)* enrugado(-da); *(pomme)* engelhado(-da).

rideau, x [rido] *nm* cortina *f*; *(au théâtre)* pano *m*.

ridicule [ridikyl] *adj* ridículo(-la).

ridiculiser [ridikylize] *vt* ridicularizar.

❑ **se ridiculiser** *vp* ridicularizar-se.

rien [rjɛ̃] *pron* nada; **ne... ~** não ...nada; **je ne fais ~ le dimanche** não faço nada ao domingo; **ça ne fait ~** não faz mal; **de ~** de nada; **pour ~** *(gratuitement)* a troco de nada; *(inutilement)* para nada; **~ d'intéressant** nada de interessante; **~ du tout** nada de nada; **~ que** só.

rigide [riʒid] *adj* rígido(-da).

rigole [rigɔl] *nf (caniveau)* rego *m*; *(eau)* riacho *m*.

rigoler [rigɔle] *vi (fam : rire)* rir; *(s'amuser)* divertir-se; *(plaisanter)* estar a brincar.

rigolo, ote [rigɔlo, ɔt] *adj (fam : amusant)* engraçado(-da); *(bizarre)* esquisito(-ta).

rigoureux, euse [rigurø, øz] *adj* rigoroso(-osa).

rigueur [rigœr] *nf* rigor *m*; **être de ~** ser de rigor; **tenir ~ de qqch à qqn** guardar rancor a alguém por algo; **à la rigueur** quando muito.

rillettes [rijɛt] *nfpl* paté de carne de porco cozida em banha.

rime [rim] *nf* rima *f*.

rimer [rime] *vi* rimar; **~ avec** rimar com; **ça ne rime à rien** *(fig)* isso não tem sentido.

rinçage [rɛ̃saʒ] *nm* enxaguadela *f*.

rincer [rɛ̃se] *vt* enxaguar.

ring [riŋ] *nm (de boxe)* ringue *m*; *(Belg: route)* estrada *f* de circunvalação.

riposter [ripɔste] *vi (en paroles)* replicar; *(militairement)* ripostar.

rire [rir] *nm* riso *m*. ◆ *vi (de joie)* rir; *(s'amuser)* rir-se; **~ aux éclats** rir às gargalhadas; **tu veux ~?** estás a brincar?; **pour ~** a brincar.

ris [ri] *nmpl* : **~ de veau** moleja *f* de vitela.

risée [rize] *nf* troça *f*; **être la ~ de** ser alvo de troça de.

risotto [rizɔto] *nm* risotto *m*.

risque [risk] *nm* risco *m*.

risqué, e [riske] *adj* arriscado(-da).

risquer [riske] *vt* arriscar.
❏ **risquer de** *v* + *prép* correr o risco de; **il risque de ne pas venir** pode ser que ele não venha.

rissolé, e [risɔle] *adj* dourado(-da).

rite [rit] *nm* rito *m*.

rituel, elle [rityɛl] *adj* ritual.
❏ **rituel** *nm* ritual *m*.

rivage [rivaʒ] *nm* costa *f*.

rival, e, aux [rival, o] *adj & nm, f* rival.

rivaliser [rivalize] *vi* : ~ **avec qqn/qqch** rivalizar com alguém/algo; ~ **de** *(fig)* rivalizar em.

rivalité [rivalite] *nf* rivalidade *f*.

rive [riv] *nf* margem *f*; **la ~ gauche/droite** *(à Paris)* bairros parisienses situados respectivamente na margem esquerda e na margem direita do Sena.

river [rive] *vt (fixer)*: ~ **qqch à** pregar algo a; *(assembler)* rebitar; **être rivé à** estar colado a.

riverain, e [rivrɛ̃, ɛn] *nm, f (d'une rue)* morador *m* (-ra *f*); **'sauf ~s'** 'excepto moradores'.

rivet [rivɛ] *nm* rebite *m*.

rivière [rivjɛr] *nf* rio *m*.

riz [ri] *nm* arroz *m*; ~ **cantonais** arroz xau-xau; ~ **au lait** arroz-doce *m*; ~ **pilaf** ≃ arroz branco; ~ **sauvage** *(Can)* arroz selvagem.

rizière [rizjɛr] *nf* arrozal *m*.

RMI *nm (abr de* **revenu minimum d'insertion sociale)** ≃ rendimento mínimo garantido.

RMiste [ɛrɛmist] *nmf* pessoa que beneficia do rendimento mínimo garantido.

RN *nf (abr de* **route nationale)** EN *f*.

robe [rɔb] *nf (vêtement de femme)* vestido *m*; *(d'un cheval)* pêlo *m*; ~ **de chambre** robe *m*; ~ **du soir** vestido de noite.

robinet [rɔbinɛ] *nm* torneira *f*.

robot [rɔbo] *nm (industriel)* robô *m*; *(ménager)* robô *m* de cozinha.

robotique [rɔbɔtik] *nf* robótica *f*.

robuste [rɔbyst] *adj* robusto(-ta).

roc [rɔk] *nm* rochedo *m*.

rocade [rɔkad] *nf* estrada *f* de circunvalação.

rocaille [rɔkaj] *nf* rocalha *f*; *(jardin)* jardim composto por rochas e plantas.

rocambolesque [rɔkãbɔlɛsk] *adj* rocambolesco(-ca).

roche [rɔʃ] *nf* rocha *f*.

rocher [rɔʃe] *nm (bloc, matière)* rochedo *m*; *(au chocolat)* bombom de chocolate redondo coberto com bocadinhos de avelã.

rocheux, euse [rɔʃø, øz] *adj* rochoso(-osa).

rock [rɔk] *nm* rock *m*.

rodage [rɔdaʒ] *nm* rodagem *f*.

rodé, e [rɔde] *adj (AUT)* que já terminou a fase de rodagem; *(fig: personne)* que conhece os cantos à casa.

rôder [rode] *vi (par ennui)* vaguear; *(pour attaquer)* rondar.

rôdeur, euse [rodœr, øz] *nm, f* vadio *m* (-dia *f*).

rœsti [røʃti] *nmpl (Helv)* tortilhas de batatas raladas.

rogne [rɔɲ] *nf (fam)* mau humor; **être/se mettre en ~** estar/ficar de mau humor.

rogner [rɔɲe] *vt (couper)* aparar; *(diminuer)*: ~ **sur** cortar em.

rognons [rɔɲɔ̃] *nmpl* rins *mpl (de animal)*.

roi [rwa] *nm* rei *m*; **les Rois, la fête des Rois** o dia de Reis.

Roland-Garros [rɔlãgarɔs] *n* : **(le tournoi de)** ~ (o torneio de) Roland Garros.

rôle [rol] *nm* papel *m*.

ROM [rɔm] *nf (abr de* **read only memory***)* ROM *f*.

romain, e [rɔmɛ̃, ɛn] *adj* romano(-na).

roman, e [rɔmã, an] *adj* românico(-ca). ◆ *nm* romance *m*.

romancier, ère [rɔmãsje, ɛr] *nm, f* romancista *mf*.

romanesque [rɔmanɛsk] *adj* romanesco(-ca).

roman-feuilleton [rɔmãfœjtɔ̃] *(pl* **romans-feuilletons***) nm (à épisodes)* folhetim *m*.

roman-photo [rɔmãfɔto] *(pl* **romans-photos***) nm* fotonovela *f*.

romantique [rɔmãtik] *adj* romântico(-ca).

romantisme [rɔmãtism] *nm* romantismo *m*.

romarin [rɔmarɛ̃] *nm* rosmaninho *m*.

rompre [rɔ̃pr] *vi* romper o namoro : ~ **avec** romper com.

rompu, e [rɔ̃py] *pp* → **rompre**. ◆ *adj* : **être** ~ **à** ter muita prática em.

romsteck [rɔmstɛk] *nm* bife *m* de lombo de vaca.

ronces [rɔ̃s] *nfpl* silvas *fpl*.

rond, e [rɔ̃, rɔ̃d] *adj* redondo(-da); *(gros)* forte. ◆ *nm* círculo *m*; **en** ~ em círculo.

ronde [rɔ̃d] *nf (de policiers)* ronda *f*.

rondelle [rɔ̃dɛl] *nf (tranche)* rodela *f*; *(TECH)* anilha *f*.

rondeur [rɔ̃dœr] *nf (forme)* redondeza *f*; *(partie charnue)* curva *f*; *(du caractère)* franqueza *f*.

rond-point [rɔ̃pwɛ̃] *(pl* **ronds-points***) nm* rotunda *f*.

ronflement [rɔ̃fləmã] *nm* ronco *m*.

ronfler [rɔ̃fle] *vi* ressonar.

ronger [rɔ̃ʒe] *vt (os)* roer; *(suj: rouille)* corroer. ❑ **se ronger** *vp* : **se** ~ **les ongles** roer as unhas.

ronronner [rɔ̃rɔne] *vi* ronronar.

roquefort [rɔkfɔr] *nm* queijo *m* Roquefort.

rosace [rɔzas] *nf (vitrail)* rosácea *f*.

rosbif [rɔzbif] *nm* rosbife *m*.

rose [roz] *adj & nm* cor-de-rosa. ◆ *nf (fleur)* rosa *f*.

rosé, e [roze] *adj* rosado(-da). ◆ *nm* rosé *m*.

roseau, x [rozo] *nm* junco *m*.

rosée [roze] → **rosé**. ◆ *nf* orvalho *m*.

rosier [rozje] *nm* roseira *f*.

rossignol [rɔsiɲɔl] *nm* rouxinol *m*.

Rossini [rɔsini] *n* → **tournedos**.

rot [ro] *nm* arroto *m*.

rotation [rɔtasjɔ̃] *nf* rotação *f*.

roter [rɔte] *vi* arrotar.

rôti [roti] *nm* assado *m*.

rôtie [roti] *nf (Can)* torrada *f*.

rotin [rɔtɛ̃] *nm* rotim *m*.

rôtir [rotir] *vt* estar a assar. ◆ *vi* assar.

rôtisserie [rotisri] *nf* churrascaria *f*.

rôtissoire [rotiswar] *nf (électrique)* assadeira *f*.

rotonde [rɔtɔ̃d] *nf (bâtiment)* rotunda *f*; *(dans un autobus)* parte de trás de certos autocarros ao ar livre.

rotule [rɔtyl] *nf* rótula *f*.

rouage [rwaʒ] *nm[(gén pl)] (d'un mécanisme)* rodagem *f*; *(fig: de l'État)* máquina *f* (administrativa).

rouble [rubl] *nm* rublo *m*.

roucouler [rukule] *vi* arrulhar.

roue [ru] *nf* roda *f*; ~ **de secours**

pneu *m* sobresselente *(Port)*, estepe *m (Br)*; **grande** ~ roda gigante.

rouer [rwe] *vt* : ~ **qqn de coups** espancar alguém.

rouge [ruʒ] *adj* vermelho(-lha); *(fer)* em brasa. ♦ *nm (couleur)* vermelho *m*; *(vin)* tinto *m*; **le feu est passé au** ~ o semáforo ficou vermelho; ~ **à lèvres** batom *m*.

rouge-gorge [ruʒgɔrʒ] *(pl* **rouges-gorges)** *nm* pintarroxo *m*.

rougeole [ruʒɔl] *nf* sarampo *m*.

rougeur [ruʒœr] *nf (teinte, de la peau)* vermelhidão *f*; *(du visage)* rubor *m*.

❑ **rougeurs** *nfpl* manchas *fpl* vermelhas.

rougir [ruʒir] *vi* corar.

rouille [ruj] *nf (du fer)* ferrugem *f*; *(sauce)* molho de alho e pimenta vermelha para acompanhar pratos de peixe.

rouillé, e [ruje] *adj* enferrujado(-da).

rouiller [ruje] *vi* enferrujar.

roulade [rulad] *nf* cambalhota *f*.

roulant [rulã] *adj m* → **fauteuil, tapis**.

rouleau, x [rulo] *nm* rolo *m*; *(vague)* vaga *f*; ~ **à pâtisserie** rolo da massa; ~ **de printemps** crepe *m* chinês.

roulement [rulmã] *nm* turno *m*; ~ **à billes** rolamento *m*; ~ **de tambour** rufo *m*.

rouler [rule] *vt* enrolar. ♦ *vi* circular; *(balle, caillou)* rolar; ~ **les r** enrolar os erres; **'roulez au pas'** 'circule devagar'.

❑ **se rouler** *vp* rebolar-se.

roulette [rulɛt] *nf* rodinha *f*; **la** ~ a roleta.

roulis [ruli] *nm* balanço *m*.

roulotte [rulɔt] *nf* roulotte *f*.

Roumanie [rumani] *nf* : **la** ~ a Roménia.

rousse → **roux**.

rousseur [rusœr] *nf* → **tache**.

roussi [rusi] *nm* : **ça sent le** ~ cheira a chamusco.

routage [rutaʒ] *nm* distribuição *f*.

route [rut] *nf* estrada *f*; **mettre qqch en** ~ pôr algo em andamento; **se mettre en** ~ pôr-se a caminho; **'~ barrée'** 'estrada cortada ao trânsito'.

routier, ère [rutje, ɛr] *adj (carte)* da estrada; *(transports)* rodoviário(-ria). ♦ *nm (camionneur)* camionista *m*; *(restaurant)* restaurante *m* à beira da estrada.

routine [rutin] *nf (péj)* rotina *f*.

routinier, ère [rutinje, ɛr] *adj* rotineiro(-ra).

roux, rousse [ru, rus] *adj* ruivo(-va); *(arbre, chat)* amarelado(-da). ♦ *nm, f* ruivo *m* (-va *f*).

royal, e, aux [rwajal, o] *adj (famille, pouvoir)* real; *(cadeau)* sumptuoso(-osa); *(pourboire)* fabuloso(-osa).

royalement [rwajalmã] *adv (vivre, traiter)* magnificamente; *(fig: se moquer)* extremamente; *(iron: offrir)* nobremente.

royaliste [rwajalist] *adj & nmf* monarquista.

royaume [rwajom] *nm* reino *m*.

Royaume-Uni [rwajomyni] *nm* : **le** ~ o Reino Unido.

royauté [rwajɔte] *nf* realeza *f*.

RPR *nm* *partido político francês de direita*.

ruade [ryad] *nf* coice *m*.

ruban [rybã] *nm* fita *f*; ~ **adhésif** fita *f* adesiva.

rubéole [rybeɔl] *nf* rubéola *f*.

rubis [rybi] *nm* rubi *m*.

rubrique [rybrik] *nf (catégorie)* categoria *f*; *(de journal)* rubrica *f*.

ruche [ryʃ] *nf* colmeia *f*.

rude [ryd] *adj (climat)* rigoroso(-osa); *(travail)* penoso(-osa); *(voix)* áspero(-ra).

rudesse [rydɛs] *nf* rudeza *f*.

rudimentaire [rydimãtɛr] *adj* rudimentar.

rue [ry] *nf* rua *f*.

ruée [rɥe] *nf* corrida *f*.

ruelle [rɥɛl] *nf* ruela *f*.

ruer [rɥe] *vi* escoicinhar.
❏ **se ruer** *vp* : **se ~ dans/sur** atirar-se a.

rugby [rygbi] *nm* râguebi *m*.

rugir [ryʒir] *vi* rugir.

rugueux, euse [rygø, øz] *adj* rugoso(-osa).

ruine [rɥin] *nf* ruína *f*; **en ~** em ruínas; **tomber en ~** ficar em ruínas.
❏ **ruines** *nfpl* ruínas *fpl*.

ruiné, e [rɥine] *adj* arruinado(-da).

ruiner [rɥine] *vt* arruinar.
❏ **se ruiner** *vp* arruinar-se.

ruineux, euse [rɥinø, øz] *adj* ruinoso(-osa).

ruisseau, x [rɥiso] *nm* ribeiro *m (Port)*, ribeirão *m (Br)*.

ruisseler [rɥisle] *vi (liquide)* correr; **~ de** estar banhado em.

rumeur [rymœr] *nf* rumor *m*.

ruminer [rymine] *vi* ruminar.

rupture [ryptyr] *nf (de relations diplomatiques)* ruptura *f*; *(d'une relation amoureuse)* rompimento *m*.

rural, e, aux [ryral, o] *adj* rural.

ruse [ryz] *nf (habileté)* astúcia *f*; *(procédé)* artimanha *f*.

rusé, e [ryze] *adj* astuto(-ta).

russe [rys] *adj* russo(-a). ◆ *nm (langue)* russo *m*.
❏ **Russe** *nmf* russo *m* (-a *f*).

Russie [rysi] *nf* : **la ~** a Rússia.

Rustine® [rystin] *nf* remendo *m (em câmara-de-ar)*.

rustique [rystik] *adj* rústico(-ca).

rythme [ritm] *nm* ritmo *m*.

rythmer [ritme] *vt* ritmar.

S

s → **se**.

S *(abr de* **sud)** S.

sa [sa] → **son** *(adj)*.

SA *nf (abr de* **société anonyme)** SA *f*.

sabbatique [sabatik] *adj* sabático(-ca).

sable [sabl] *nm* areia *f*; **~s mouvants** areia movediça.

sablé, e [sable] *adj* : **pâte ~e** *massa à base de farinha, ovos e açúcar, muito friável.* ◆ *nm* bolo *m* seco.

sablier [sablije] *nm* ampulheta *f*.

sablonneux, euse [sablɔnø, øz] *adj* arenoso(-osa).

sabot [sabo] *nm (de cheval, de vache)* casco *m; (chaussure)* tamanco *m*; **~ de Denver** *dispositivo utilizado pela polícia para bloquear as rodas de um veículo mal estacionado.*

sabotage [sabɔtaʒ] *nm* sabotagem *f*.

saboter [sabɔte] *vt (faire échouer)* sabotar; *(fig : bâcler)* fazer depressa e mal.

sabre [sabr] *nm* sabre *m*.

sac [sak] *nm* saco *m*; **~ de couchage** saco-cama *m*; **~ à dos** mochila *f*; **~ à main** carteira *f*.

saccadé, e [sakade] *adj (gestes)* brusco(-ca); *(respiration)* entrecortado(-da).

saccager [sakaʒe] *vt* saquear.

sacerdoce [sasɛrdɔs] *nm* sacerdócio *m*.

sachant [saʃɑ̃] *ppr* → **savoir**.

sache *etc* → **savoir**.

sachet [saʃɛ] *nm* saco *m*; **~ de thé** saquinho *m* de chá.

sacoche [sakɔʃ] *nf* sacola *f*.

sac-poubelle [sakpubɛl] *(pl* **sacs-poubelle)** *nm* saco *m* do lixo.

sacré, e [sakre] *adj (temple, texte)* sagrado(-da); *(musique, art)* sacro(-cra); **c'est un ~ menteur!** *(fam : maudit)* é um mentiroso dos diabos!; *(fam : important, excellent)* extraordinário(-ria).

sacrement [sakrəmɑ̃] *nm* sacramento *m*; **les derniers ~s** os últimos sacramentos.

sacrifice [sakrifis] *nm (effort)* sacrifício *m*.

sacrifier [sakrifje] *vt (renoncer à)* sacrificar.

❏ **se sacrifier** *vp* sacrificar-se.

sacrilège [sakrilɛʒ] *nm* sacrilégio *m*.

sacristie [sakristi] *nf* sacristia *f*.

sadique [sadik] *adj* sádico(-ca).

safari [safari] *nm* safari *m*.

safran [safrɑ̃] *nm* açafrão *m*.

saga [saga] *nf* saga *f*.

sage [saʒ] *adj (avisé)* sensato(-ta); *(obéissant)* bem-comportado(-da).

sage-femme [saʒfam] *(pl sages-femmes)* *nf* parteira *f*.

sagesse [saʒɛs] *nf (raison)* sabedoria *f; (prudence)* sensatez *f*.

Sagittaire [saʒitɛr] *nm* Sagitário *m*.

saignant, e [sɛɲã, ãt] *adj (viande)* mal-passado(-da).

saignement [sɛɲmã] *nm* : ~ **de nez** hemorragia *f* nasal.

saigner [seɲe] *vi* sangrar; ~ **du nez** deitar sangue pelo nariz.

saillant, e [sajã, ãt] *adj* saliente.

saillie [saji] *nf (avancée)* saliência *f*; **en** ~ saliente.

sain, e [sɛ̃, sɛn] *adj (physiquement)* sadio(-dia); *(mentalement)* são (sã); *(nourriture, climat)* saudável; ~ **et sauf** são e salvo.

saint, e [sɛ̃, sɛt] *adj & nm, f* santo(-ta); **la Saint-François** o dia de São Francisco.

sainteté [sɛ̃tte] *nf* santidade *f*; **Sa Sainteté** Sua Santidade.

saint-honoré [sɛ̃tɔnɔre] *nm inv* bolo coberto de chantilly e rodeado de pastéis com creme.

Saint-Jacques [sɛ̃ʒak] *n* → **coquille**.

Saint-Michel [sɛ̃miʃɛl] *n* → **mont**.

Saint-Père [sɛ̃pɛr] *nm* : **le** ~ o Santo Padre.

Saint-Sylvestre [sɛ̃silvɛstr] *nf* : **la** ~ a noite de São Silvestre.

sais *etc* → **savoir**.

saisie [sezi] *nf (JUR)* penhora *f; (INFORM)* introdução *f* de dados; **erreur de** ~ erro de introdução de dados.

saisir [sezir] *vt (prendre)* apanhar; *(occasion)* agarrar; *(comprendre)* alcançar; *(JUR: biens)* penhorar; *(INFORM)* introduzir em.

saisissant, e [sezisã, ãt] *adj* surpreendente.

saison [sɛzɔ̃] *nf* estação *f; (période)* época *f*; **basse** ~ época baixa; **haute** ~ época alta.

saisonnier, ère [sɛzɔnje, ɛr] *adj* sazonal. ◆ *nm, f* trabalhador *m* (-ra *f*) sazonal.

salade [salad] *nf (verte)* alface *f; (plat en vinaigrette)* salada *f*; **champignons en** ~ salada de cogumelos; ~ **de fruits** salada de fruta; ~ **mêlée** *(Helv)* salada mista; ~ **mixte** salada mista; ~ **niçoise** *salada com tomate, batatas, anchovas e ovo*.

saladier [saladje] *nm* saladeira *f*.

salaire [salɛr] *nm* salário *m*.

salami [salami] *nm* salame *m*.

salant [salã] *adj m* : **marais** ~ salina *f*.

salarial, e, aux [salarjal, o] *adj* salarial; **masse** ~**e** massa salarial.

salarié, e [salarje] *nm, f* assalariado *m* (-da *f*).

sale [sal] *adj (linge, mains, etc)* sujo(-ja); *(fam : temps, histoire)* horrível; *(fam : mentalité)* deturpado(-da).

salé, e [sale] *adj* salgado(-da). ◆ *nm* : **petit** ~ **aux lentilles** *carne de porco salgada servida com lentilhas*.

saler [sale] *vt (plat)* salgar; *(chaussée)* pôr sal em.

saleté [salte] *nf* sujidade *f; (chose sale)* porcaria *f*.

salière [saljɛr] *nf* saleiro *m*.

salir [salir] *vt* sujar.

❏ **se salir** *vp* sujar-se.

salissant, e [salisã, ãt] *adj* que se suja facilmente.

salive [saliv] *nf* saliva *f*.

saliver [salive] *vi* salivar; *(fig)* crescer água na boca.

salle [sal] *nf* sala *f*; ~ **d'attente** sala de espera; ~ **de bains** casa *f* de banho *(Port)*, banheiro *m (Br)*; ~ **de classe** sala de aula; ~ **d'em-**

barquement sala de embarque; ~ à manger sala de jantar; ~ d'opération sala de operações.

salon [salɔ̃] nm salão m; ~ de coiffure salão de cabeleireira; ~ de thé salão de chá (Port), confeitaria f (Br).

saloperie [salɔpri] nf (fam) porcaria f.

salopette [salɔpɛt] nf (d'ouvrier) fato-macaco m; (en jean, etc) macacão m.

salsifis [salsifi] nmpl cercefi m.

saltimbanque [saltɛ̃bãk] nmf saltimbanco m.

salubre [salybr] adj salubre.

saluer [salɥe] vt cumprimentar; (dire au revoir à) despedir-se de; (MIL) fazer continência a.

salut [saly] nm (pour dire bonjour) cumprimento m; (de la tête) aceno m de cabeça; (pour dire au revoir) despedida f; (MIL) continência f. ◆ excl (fam : bonjour) olá! (Port), oi! (Br); (au revoir) adeus!

salutaire [salytɛr] adj salutar.

salutation [salytasjɔ̃] nf saudação f.
❑ **salutations** nfpl : ~s distinguées respeitosos cumprimentos; avec mes sincères ~s com os melhores cumprimentos.

salve [salv] nf (d'armes à feu) salva f; (d'applaudissements) salva f (de palmas).

samaritain [samaritɛ̃] nm (Helv) socorrista m.

samedi [samdi] nm sábado m; nous sommes OU c'est ~ é sábado; ~ 13 septembre sábado, 13 de Setembro; nous sommes partis ~ nós fomos embora no sábado; ~ dernier no sábado passado; ~ prochain no sábado que vem; ~ matin no sábado de manhã; le ~ aos sábados; à ~! até sábado!

SAMU [samy] nm ≃ 115 m.

sanction [sãksjɔ̃] nf sanção f.

sanctionner [sãksjɔne] vt sancionar.

sanctuaire [sãktɥɛr] nm santuário m.

sandale [sãdal] nf sandália f.

sandwich [sãdwitʃ] nm sandes f inv.

sang [sã] nm sangue m; en ~ a sangrar; se faire du mauvais ~ apoquentar-se.

sang-froid [sãfrwa] nm inv sangue-frio m.

sanglant, e [sãglã, ãt] adj (couvert de sang) ensanguentado(-da); (meurtrier) sangrento(-ta).

sangle [sãgl] nf correia f.

sanglier [sãglije] nm javali m.

sanglot [sãglo] nm soluço m.

sangloter [sãglɔte] vi soluçar.

sangria [sãgrija] nf sangria f.

sangsue [sãsy] nf (animal) sanguessuga f; (fam : fig: personne importune) melga f; (fig: personne avide) chaga f.

sanguin [sãgɛ̃] adj m → groupe.

sanguinaire [sãginɛr] adj sanguinário(-ria).

sanguine [sãgin] nf (orange) laranja f sanguínea.

Sanisette® [sanizɛt] nf casa de banho pública automática.

sanitaire [sanitɛr] adj sanitário(-ria).
❑ **sanitaires** nmpl sanitários mpl.

sans [sã] prép sem; ~ faire qqch sem fazer algo; ~ que personne ne s'en rende compte sem que ninguém dê por isso.

sans-abri [sãzabri] nmf inv sem-abrigo mf inv.

sans-emploi [sãzãplwa] nmf inv desempregado m (-da f).

sans-gêne [sãʒɛn] adj inv descarado(-da). ◆ nm inv à vontade m.

santé [sɑ̃te] *nf* saúde *f*; **en bonne/mauvaise ~ de** boa/má saúde; **(à ta) ~!** saúde!

saoul, e [su, sul] = **soûl**.

saouler [sule] = **soûler**.

saphir [safir] *nm (pierre)* safira *f*; *(d'un électrophone)* agulha *f*.

sapin [sapɛ̃] *nm* abeto *m*; **~ de Noël** árvore *f* de Natal.

sarcasme [sarkasm] *nm* sarcasmo *m*.

sarcastique [sarkastik] *adj* sarcástico(-ca).

sardine [sardin] *nf* sardinha *f*.

SARL *nf (abr de société à responsabilité limitée)* SARL *f*.

sarrasin [sarazɛ̃] *nm* trigo-sarraceno *m*.

sas [sas] *nm (de décompression)* câmara *f*; *(d'écluse)* represa *f*.

satellite [satelit] *nm* satélite *m*.

satiété [sasjete] *nf* saciedade *f*; **à ~** com fartura.

satin [satɛ̃] *nm* cetim *m*.

satiné, e [satine] *adj* acetinado(-da).

satire [satir] *nf* sátira *f*.

satirique [satirik] *adj* satírico(-ca).

satisfaction [satisfaksjɔ̃] *nf* satisfação *f*.

satisfaire [satisfɛr] *vt* satisfazer.

❑ **se satisfaire de** *vp + prép* contentar-se com.

satisfaisant, e [satisfəzɑ̃, ɑ̃t] *adj* satisfatório(-ria).

satisfait, e [satisfɛ, ɛt] *pp* → **satisfaire**. ◆ *adj* satisfeito(-ta); **être ~ de** estar satisfeito com.

saturation [satyrasjɔ̃] *nf* saturação *f*.

saturé, e [satyre] *adj* saturado(-da).

satyre [satir] *nm* sátiro *m*.

sauce [sos] *nf* molho *m*; **en ~** com molho; **~ blanche** molho branco; **~ chasseur** molho de cogumelos, vinho branco e tomate; **~ madère** molho de vinho da madeira; **~ tartare** molho tártaro; **~ tomate** molho de tomate.

saucer [sose] *vt* molhar o pão em.

saucisse [sosis] *nf* salsicha *f*; **~ sèche** chouriço *m*.

saucisson [sosisɔ̃] *nm* paio *m*.

sauf, sauve [sof, sov] *adj* → **sain**. ◆ *prép* menos; **~ erreur** se não me engano.

sauge [soʒ] *nf* salva *f*.

saugrenu, e [sogrəny] *adj* escanifobético(-ca).

saule [sol] *nm* salgueiro *m*; **~ pleureur** salgueiro-chorão *m*.

saumon [somɔ̃] *nm* salmão *m*. ◆ *adj inv* : **(rose) ~** salmão; **~ fumé** salmão defumado.

sauna [sona] *nm* sauna *f*.

saupoudrer [supudre] *vt* : **~ qqch de** polvilhar algo com.

saur [sɔr] *adj m* → **hareng**.

saura *etc* → **savoir**.

saut [so] *nm* salto *m*; **faire un ~ chez qqn** dar um pulo a casa de alguém; **~ en hauteur** salto em altura; **~ en longueur** salto em comprimento; **~ périlleux** salto mortal.

saute [sot] *nf* : **~ d'humeur** mudança *f* de humor.

sauté, e [sote] *adj* salteado(-da). ◆ *nm* : **~ de veau** carne de vitela salteada.

saute-mouton [sotmutɔ̃] *nm inv* : **jouer à ~** jogar ao eixo.

sauter [sote] *vi* rebentar; *(bondir)* saltar. ◆ *vt* saltar; *(classe)* passar; **~ son tour** passar a sua vez; **faire ~ qqch** *(faire exploser)* fazer explodir algo; *(CULIN)* saltear algo.

sauterelle [sotrɛl] *nf* gafanhoto *m*.

sautiller [sotije] *vi* saltitar.

sauvage [sovaʒ] *adj* selvagem; *(enfant, caractère)* insociável. ♦ *nmf (barbare)* selvagem *mf*; *(personne farouche)* pessoa *f* insociável.

sauvagerie [sovaʒri] *nf (férocité)* selvajaria *f*; *(insociabilité)* descortesia *f*.

sauvegarde [sovgard] *nf* salvaguarda *f*; ~ **automatique** salvaguarda automática.

sauvegarder [sovgarde] *vt* salvaguardar.

sauver [sove] *vt* salvar; ~ **qqn/ qqch de qqch** salvar alguém/algo de algo.

❑ **se sauver** *vp* escapar.

sauvetage [sovtaʒ] *nm* salvamento *m*.

sauveteur [sovtœr] *nm* salvador *m* (-ra *f*).

SAV *nm (abr de service après-vente)* serviço *m* pós-venda.

savant, e [savã, ãt] *adj* sábio(-bia). ♦ *nm* cientista *mf*.

savarin [savarɛ̃] *nm bolo embebido em rum com natas ao centro.*

saveur [savœr] *nf* sabor *m*.

savoir [savwar] *vt* saber; ~ **faire qqch** saber fazer algo; **je n'en sais rien** não faço ideia; **on ne sait jamais** nunca se sabe.

savoir-faire [savwarfɛr] *nm inv* know-how *m*.

savoir-vivre [savwarvivr] *nm inv* saber viver *m*.

savon [savõ] *nm* sabão *m*.

savonner [savone] *vt* ensaboar.

savonnette [savonɛt] *nf* sabonete *m*.

savourer [savure] *vt* saborear.

savoureux, euse [savurø, øz] *adj (aliment)* saboroso(-osa).

savoyarde [savwajard] *adj f* → **fondue**.

saxophone [saksɔfɔn] *nm* saxofone *m*.

saxophoniste [saksɔfɔnist] *nmf* saxofonista *mf*.

sbrinz [ʃbrints] *nm (Helv)* queijo duro de vaca, geralmente ralado.

scabreux, euse [skabrø, øz] *adj* escabroso(-osa).

scalpel [skalpɛl] *nm* escalpelo *m*.

scandale [skãdal] *nm* escândalo *m*; **faire du** OU **un** ~ fazer (um) escândalo; **faire** ~ causar um escândalo.

scandaleux, euse [skãdalø, øz] *adj* escandaloso(-osa).

scandaliser [skãdalize] *vt* escandalizar.

❑ **se scandaliser** *vp* escandalizar-se.

scandinave [skãdinav] *adj* escandinavo(-va).

Scandinavie [skãdinavi] *nf*: **la** ~ a Escandinávia.

scanner [skanɛr] *nm* scanner *m*.

scaphandre [skafãdr] *nm* escafandro *m*.

scarole [skarɔl] *nf* escarola *f*.

sceau, x [so] *nm (cachet)* selo *m*; *(fig: marque)* cunho *m*; **sous le** ~ **du secret** *(fig)* sob condição de guardar segredo.

sceller [sele] *vt (cimenter)* selar.

scénario [senarjo] *nm* cenário *m*.

scénariste [senarist] *nmf* argumentista *mf*.

scène [sɛn] *nf* cena *f*; *(estrade)* palco *m*; **faire une** ~ **(à qqn)** fazer uma cena (a alguém); **mettre qqch en** ~ encenar algo.

sceptique [sɛptik] *adj* céptico(-ca).

sceptre [sɛptr] *nm* ceptro *m*.

schéma [ʃema] *nm* esquema *m*.

schématique [ʃematik] *adj* esquemático(-ca).

schématiser [ʃematize] *vt (présenter en schéma)* esquematizar; *(péj: généraliser)* generalizar.

schisme [ʃism] *nm* cisma *m*.

schizophrène [skizɔfrɛn] *adj* esquizofrénico(-ca).

schublig [ʃublig] *nm (Helv)* tipo de salsicha.

sciatique [sjatik] *nf* ciática *f*.

scie [si] *nf* serra *f*.

sciemment [sjamã] *adv* conscientemente.

science [sjãs] *nf* ciência *f*; ~s naturelles ciências naturais.

science-fiction [sjãsfiksjɔ̃] *nf* ficção *f* científica.

scientifique [sjãtifik] *adj* científico(-ca). ◆ *nmf* cientista *mf*.

scier [sje] *vt* serrar.

scinder [sɛ̃de] *vt* cindir; ~ en cindir em.

❑ **se scinder** *vp* cindir-se; **se ~ en** cindir-se em.

scintiller [sɛ̃tije] *vi* cintilar.

scission [sisjɔ̃] *nf* cisão *f*.

sciure [sjyr] *nf* serradura *f*.

sclérose [skleroz] *nf* esclerose *f*; ~ **en plaques** esclerose em placas.

scolaire [skɔlɛr] *adj* escolar.

scolarité [skɔlarite] *nf* escolaridade *f*.

scoop [skup] *nm (journalistique)* cacha *f* jornalística; *(nouvelle incroyable)* bomba *f*.

scooter [skutœr] *nm* scooter *f*; ~ **des mers** mota *f* de água, jet ski *m*.

score [skɔr] *nm* pontuação *f*.

scorpion [skɔrpjɔ̃] *nm* escorpião *m*.

❑ **Scorpion** *nm* Escorpião *m*.

scotch [skɔtʃ] *nm* scotch *m*.

Scotch® [skɔtʃ] *nm* fita-cola *f inv* *(Port)*, durex® *m (Br)*.

scotcher [skɔtʃe] *vt* colar com fita-cola.

scout, e [skut] *nm, f* escuteiro *m* (-ra *f*).

script [skript] *nm (écriture)* letra *f* de imprensa; *(scénario)* guião *m*.

scrupule [skrypyl] *nm* escrúpulo *m*.

scrupuleux, euse [skrypylø, øz] *adj* escrupuloso(-osa).

scruter [skryte] *vt* escrutar.

scrutin [skrytɛ̃] *nm* escrutínio *m*.

sculpter [skylte] *vt* esculpir.

sculpteur [skyltœr] *nm* escultor *m* (-ra *f*).

sculpture [skyltyr] *nf* escultura *f*.

SDF *nmf (abr de* **sans domicile fixe***)* pessoa *f* sem domicílio fixo.

se [sə] *pron pers* **1.** *(gén)* -se; **elle ~ regarde dans le miroir** ela olha-se no espelho; ~ **faire mal** magoar-se; ~ **regarder** olhar-se; **ils s'écrivent toutes les semaines** eles escrevem-se todas as semanas; ~ **décider** decidir-se; ~ **mettre à faire qqch** pôr-se a fazer algo; **ce produit ~ vend bien/ partout** este produto vende-se bem/em todo o lado. **2.** *(à valeur de possessif)*: ~ **laver les mains** lavar as mãos; ~ **couper le doigt** cortar-se no dedo.

séance [seãs] *nf* sessão *f*; ~ **tenante** na hora.

seau, x [so] *nm* balde *m*; ~ **à champagne** balde do gelo.

sec, sèche [sɛk, sɛʃ] *adj* seco(-ca); *(whisky)* puro(-ra); **à ~** seco(-ca); **au ~** em sítio seco; **d'un coup ~** com um golpe seco.

sécateur [sekatœr] *nm* tesoura *f* de podar.

sécession [sesesjɔ̃] *nf* secessão *f*; **faire ~** separar-se.

séchage [seʃaʒ] *nm* secagem *f*.

sèche → **sec**.

sèche-cheveux [sɛʃʃəvø] *nm inv* secador *m* de cabelo.

sèche-linge [sɛʃlɛ̃ʒ] *nm inv* máquina *f* de secar.

sèchement [sɛʃmã] *adv* secamente.

sécher [seʃe] *vt (linge, peau, cheveux)* secar; *(fam : cours)* faltar a. ◆ *vi (linge, peinture, cheveux)* estar a secar; *(fam : à un examen)* bloquear.

sécheresse [seʃrɛs] *nf* seca *f*.

séchoir [seʃwar] *nm* : ~ **(à cheveux)** secador *m (de cabelo);* ~ **(à linge)** estendal *m; (électrique)* máquina *f* de secar.

second, e [səgɔ̃, ɔ̃d] *adj* segundo(-da).

secondaire [səgɔ̃dɛr] *adj* secundário(-ria).

seconde [səgɔ̃d] *nf (unité de temps)* segundo *m; (SCOL)* ≃ décimo ano *m* do ensino secundário; *(vitesse)* segunda *f;* **voyager en ~ (classe)** viajar em segunda classe.

seconder [səgɔ̃de] *vt* secundar.

secouer [səkwe] *vt (agiter)* sacudir; *(bouleverser)* abalar; *(inciter à agir)* picar.

secourir [səkurir] *vt* socorrer.

secourisme [səkurism] *nm* socorrismo *m*.

secouriste [səkurist] *nmf* socorrista *mf*.

secours [səkur] *nm* socorro *m;* **appeler au ~** pedir socorro; **au ~!** socorro!; **~ d'urgence** socorro de emergência; **premiers ~** primeiros socorros.

secouru, e [səkury] *pp* → **secourir**.

secousse [səkus] *nf (en voiture, train)* abanão *m; (sismique)* tremor *m*.

secret, ète [səkrɛ, ɛt] *adj* secreto(-ta). ◆ *nm* segredo *m;* **en ~** em segredo.

secrétaire [səkretɛr] *nmf* secretário *m* (-ria *f*). ◆ *nm (meuble)* secretária *f*.

secrétariat [səkretarja] *nm (bureau)* secretaria *f; (métier)* secretariado *m*.

sectaire [sɛktɛr] *adj* sectário(-ria) *(intolérante)*.

secte [sɛkt] *nf* seita *f*.

secteur [sɛktœr] *nm* sector *m;* **fonctionner sur ~** funcionar a electricidade.

section [sɛksjɔ̃] *nf (portion)* secção *f; (de ligne d'autobus)* zona *f*.

sectionner [sɛksjɔne] *vt* seccionar.

Sécu [seky] *nf (fam)* : **la ~** a Segurança Social.

séculaire [sekylɛr] *adj* secular.

sécuriser [sekyrize] *vt* sossegar.

sécurité [sekyrite] *nf* segurança *f;* **en ~** em segurança; **la ~ routière** a segurança nas estradas; **la Sécurité sociale** a Segurança Social.

sédatif [sedatif] *nm* sedativo *m*.

sédentaire [sedɑ̃tɛr] *adj & nmf* sedentário(-ria).

sédiment [sedimɑ̃] *nm* sedimento *m*.

séduire [sedɥir] *vt* seduzir.

séduisant, e [sedɥizɑ̃, ɑ̃t] *adj* sedutor(-ra).

séduit, e [sedɥi, it] *pp* → **séduire**.

segment [sɛgmɑ̃] *nm* segmento *m*.

segmenter [sɛgmɑ̃te] *vt* segmentar.

ségrégation [segregasjɔ̃] *nf* segregação *f*.

seigle [sɛgl] *nm* centeio *m*.

seigneur [sɛɲœr] *nm* senhor *m;* **le Seigneur** o Senhor.

sein [sɛ̃] *nm* seio *m;* **au ~ de** no seio de.

Seine [sɛn] *nf* : **la ~** *(fleuve)* o Sena.

séisme [seism] *nm* sismo *m*.

seize [sɛz] *num* dezasseis; → **six**.

seizième [sɛzjɛm] *num* décimo sexto (décima sexta); → **sixième**.

séjour [seʒur] *nm* estadia *f*;
(salle de) ~ sala *f* de estar.
séjourner [seʒurne] *vi* ficar.
sel [sɛl] *nm* sal *m*; ~**s de bain** sais
de banho.
sélection [selɛksjɔ̃] *nf* selecção
f.
sélectionner [selɛksjɔne] *vt*
seleccionar.
self-service, s [sɛlfsɛrvis] *nm*
(restaurant) self-service *m*; *(station-service)* estação *f* de serviço.
selle [sɛl] *nf (de cheval)* sela *f*; *(de
vélo)* selim *m*.
seller [sele] *vt* selar.
selon [səlɔ̃] *prép* segundo; **nous
sortirons ou nous resterons** ~
qu'il fera beau saímos ou fica-
mos conforme fizer bom ou mau
tempo.
semaine [səmɛn] *nf* semana *f*;
en ~ durante a semana.
sémantique [semɑ̃tik] *nf* se-
mântica *f*. ◆ *adj* semântico(-ca).
semblable [sɑ̃blabl] *adj* semelhante; ~ **à** semelhante a.
semblant [sɑ̃blɑ̃] *nm* : **faire** ~
fazer de conta; **il fait** ~ **de travailler** ele faz de conta que está a
trabalhar.
sembler [sɑ̃ble] *vi* parecer; **il
semble que...** parece que...; **il me
semble que...** parece-me que.
semelle [səmɛl] *nf (de chaussure)* sola *f*; *(intérieure)* palmilha *f*.
semence [səmɑ̃s] *nf (graine)* semente *f*; *(sperme)* sémen *m*.
semer [səme] *vt (graines)*
semear; *(se débarrasser de)* despistar.
semestre [səmɛstr] *nm* semestre *m*.
semestriel, elle [səmɛstrijɛl]
adj semestral.
séminaire [seminɛr] *nm* seminário *m*.
semi-remorque, s [səmi-
rəmɔrk] *nm* semi-reboque *m*.

semis [səmi] *nm* sementeira *f*.
semoule [səmul] *nf* sêmola *f*.
sempiternel, elle [sɑ̃pitɛrnɛl]
adj mesmo(-ma) de sempre.
sénat [sena] *nm* senado *m*.
sénateur [senatœr] *nm* senador
m.
Sénégal [senegal] *nm* : **le** ~ o
Senegal.
sénile [senil] *adj* senil.
sens [sɑ̃s] *nm* sentido *m*; **dans le**
~ **(inverse) des aiguilles d'une
montre** no sentido (inverso) ao
dos ponteiros de um relógio; **en**
~ **inverse** em sentido contrário;
avoir du bon ~ ter bom-senso; ~
giratoire sentido giratório; ~ **interdit** sentido proibido; ~ **unique**
sentido único; ~ **dessus dessous**
de pernas para o ar.
sensation [sɑ̃sasjɔ̃] *nf* sensação
f; **faire** ~ fazer sensação.
sensationnel, elle [sɑ̃sa-
sjɔnɛl] *adj (formidable)* sensacional.
sensibiliser [sɑ̃sibilize] *vt* sen-
sibilizar.
sensibilité [sɑ̃sibilite] *nf* sensi-
bilidade *f*.
sensible [sɑ̃sibl] *adj* sensível;
(perceptible) perceptível; ~ **à** sensível a.
sensiblement [sɑ̃sibləmɑ̃] *adv*
sensivelmente.
sensoriel, elle [sɑ̃sɔrjɛl] *adj*
sensorial.
sensualité [sɑ̃sɥalite] *nf* sen-
sualidade *f*.
sensuel, elle [sɑ̃sɥɛl] *adj* sensual.
sentence [sɑ̃tɑ̃s] *nf* sentença *f*.
senteur [sɑ̃tœr] *nf (sout)* odor
m.
sentier [sɑ̃tje] *nm* carreiro *m*.
sentiment [sɑ̃timɑ̃] *nm (impression)* impressão *f*; *(émotion)*
sentimento *m*; ~**s dévoués** ou

respectueux com os melhores cumprimentos.
sentimental, e, aux [sãtimãtal, o] *adj* sentimental.
sentinelle [sãtinɛl] *nf* sentinela *f*.
sentir [sãtir] *vt* sentir; *(odeur)* cheirar; *(avoir une odeur de)* cheirar a; ~ **bon** cheirar bem; ~ **mauvais** cheirar mal; **ne pas pouvoir** ~ **qqn** *(fam)* não poder com alguém.
❑ **se sentir** *vp* : **se** ~ **mal** sentir-se mal; **se** ~ **bizarre** sentir-se esquisito.
séparation [separasjɔ̃] *nf* separação *f*.
séparatiste [separatist] *nmf* separatista *mf*.
séparément [separemã] *adv* separadamente.
séparer [separe] *vt* separar; ~ **qqn/qqch de** separar alguém/algo de.
❑ **se séparer** *vp* separar-se; **se** ~ **de qqn** *(conjoint)* separar-se de alguém; *(employé)* despedir alguém.
sept [sɛt] *num* sete; → **six**.
septante [sɛptãt] *num (Belg & Helv)* setenta; → **six**.
septembre [sɛptãbr] *nm* Setembro *m*; **en** ~**, au mois de** ~ em Setembro, no mês de Setembro; **début** ~ em princípios de Setembro; **fin** ~ em fins de Setembro; **le deux** ~ no dia dois de Setembro.
septennat [sɛptena] *nm* septenato *m*.
septième [sɛtjɛm] *num* sétimo(-ma).
sépulture [sepyltyr] *nf* sepultura *f*.
séquelles [sekɛl] *nfpl* sequelas *fpl*.
séquence [sekãs] *nf (de film)* sequência *f*.
séquestrer [sekɛstre] *vt (enfer-*

mer) sequestrar; *(JUR)* pôr em sequestro.
sera *etc* → **être**.
séré [sere] *nm (Helv)* tipo de queijo fresco.
serein, e [sərɛ̃, ɛn] *adj* sereno(-na).
sérénité [serenite] *nf* serenidade *f*.
sergent [sɛrʒã] *nm* sargento *m*.
série [seri] *nf* série *f*; ~ **(télévisée)** série (televisiva).
sérieusement [serjøzmã] *adv* seriamente; *(sans plaisanter)* a sério.
sérieux, euse [serjø, øz] *adj* sério(-ria). ◆ *nm* : **avec** ~ *(travailler)* a sério; **garder son** ~ ficar sério; **prendre qqch au** ~ levar algo a sério.
serin [sərɛ̃] *nm* canário *m*.
seringue [sərɛ̃g] *nf* seringa *f*.
serment [sɛrmã] *nm* juramento *m*; **prêter** ~ prestar juramento; **sous** ~ sob juramento.
sermon [sɛrmɔ̃] *nm* sermão *m*.
séronégatif, ive [serɔnegatif, iv] *adj* seronegativo(-va).
séropositif, ive [serɔpozitif, iv] *adj* seropositivo(-va).
serpent [sɛrpã] *nm* cobra *f*.
serpenter [sɛrpãte] *vi* serpentear.
serpentin [sɛrpãtɛ̃] *nm (de fête)* serpentina *f*.
serpillière [sɛrpijɛr] *nf* serapilheira *f*.
serre [sɛr] *nf* estufa *f (para plantas)*.
serré, e [sere] *adj* apertado(-da).
serrer [sere] *vt* apertar; *(dans ses bras)* abraçar; *(poings, dents)* cerrar; ~ **la main à qqn** dar um aperto de mão a alguém; **'serrez à droite'** desvie-se para a direita.
❑ **se serrer** *vp* apertar-se; **se** ~

contre qqn aconchegar-se contra alguém.

serre-tête [sɛʀtɛt] *nm inv* bandelete *f*.

serrure [seʀyʀ] *nf* fechadura *f*.

serrurier [seʀyʀje] *nm* serralheiro *m*.

sers *etc* → **servir**.

sérum [seʀɔm] *nm* soro *m*.

servante [sɛʀvɑ̃t] *nf* criada *f*.

serveur, euse [sɛʀvœʀ, øz] *nm, f* empregado *m* (-da *f*) de mesa (*Port*), garçom *m* (garçonete *f*) (*Br*).

serviable [sɛʀvjabl] *adj* prestável.

service [sɛʀvis] *nm* serviço *m*; (*faveur*) favor *m*; **faire le ~** servir (*à mesa*); **rendre ~ à qqn** fazer um favor a alguém; **être de ~** estar de serviço; '~ **compris/non compris**' 'serviço incluído/não incluído'; **premier/deuxième ~** primeiro/segundo serviço; ~ **après-vente** serviço pós-venda; ~ **militaire** serviço militar.

serviette [sɛʀvjɛt] *nf* (*cartable*) pasta *f*; ~ **hygiénique** penso *m* higiénico; ~ (**de table**) guardanapo *m*; ~ (**de toilette**) toalha *f*.

serviette-éponge [sɛʀvjɛtepɔ̃ʒ] (*pl* **serviettes-éponges**) *nf* toalha *f* em turco.

servile [sɛʀvil] *adj* servil.

servir [sɛʀviʀ] *vt* servir; (*client*) atender; ~ **qqch à qqn** servir algo a alguém; **qu'est-ce que je vous sers?** o que é que lhe sirvo?; '~ **frais'** 'servir frio'. ◆ *vi* servir; ~ **à (faire) qqch** servir para (fazer) algo; **ça ne sert à rien d'insister** não adianta nada insistir; **ce livre de grammaire a beaucoup servi** este livro de gramática foi muito usado; ~ (**à qqn**) **de qqch** servir (a alguém) de algo; **à toi de ~** (*aux cartes*) é a tua vez de dar.

❑ **se servir** *vp* servir-se.

❑ **se servir de** *vp + prép* servir-se de.

serviteur [sɛʀvitœʀ] *nm* servo *m*.

ses → **son** (adj).

sésame [sezam] *nm* (*graines*) sésamo *m*.

session [sesjɔ̃] *nf* (*assemblée*) sessão *f*; (*d'examen*) época *f*.

set [sɛt] *nm* set *m*; ~ (**de table**) jogo *m* (de mesa).

seuil [sœj] *nm* entrada *f*.

seul, e [sœl] *adj* só; (*unique*) único(-ca). ◆ *nm, f*: **le ~** o único; **un ~** só um; (**tout**) ~ sozinho.

seulement [sœlmɑ̃] *adv* (*uniquement*) só; (*mais*) só que; **non ~... mais encore** OU **en plus** não só... mas também OU como também; **si ~...** se ao menos.

sève [sɛv] *nf* seiva *f*.

sévère [sevɛʀ] *adj* (*professeur, regard, sentence*) severo(-ra); (*vêtements, aspect*) austero(-ra); (*échec, pertes*) grave.

sévérité [severite] *nf* severidade *f*.

sévices [sevis] *nmpl* sevícias *fpl*.

sévir [seviʀ] *vi* (*punir*) castigar; (*épidémie, crise*) fazer estragos.

sevrer [səvʀe] *vt* desmamar.

sexe [sɛks] *nm* sexo *m*.

sexiste [sɛksist] *adj* sexista.

sexologue [sɛksɔlɔg] *nmf* sexologista *mf*, sexólogo *m* (-ga *f*).

sex-shop [sɛksʃɔp] (*pl* **sex-shops**) *nm* sex-shop *f*.

sexualité [sɛksɥalite] *nf* sexualidade *f*.

sexuel, elle [sɛksɥɛl] *adj* sexual.

sexy [sɛksi] *adj inv* (*fam*) sexy.

seyant, e [sɛjɑ̃, ɑ̃t] *adj* que fica bem.

Seychelles [seʃɛl] *nfpl*: **les ~** as Seicheles.

shampo(o)ing [ʃɑ̃pwɛ̃] *nm* champô *m*.

335 sillage
short [ʃɔrt] *nm* calções *mpl*.

show [ʃo] *nm* espectáculo *m*.

show-business [ʃobiznɛs] *nm* mundo *m* do espectáculo.

si [si] *conj* se; ~ **tu veux, on y va** se tu quiseres nós vamos; **ce serait bien** ~ **vous pouviez** seria óptimo se vocês pudessem; ~ **j'avais su...** se eu soubesse...; **(et)** ~ **on allait à la piscine?** (e) se fôssemos à piscina?; ~ **seulement tu m'en avais parlé avant!** se ao menos me tivesses falado disso antes!; **dites-moi** ~ **vous venez** diga-me se vem ou não; ~**..., c'est que...** se..., é porque...
◆ *adv* **1.** *(tellement)* tão; ~**... que** tão... que; **ce n'est pas** ~ **facile que ça** não é assim tão fácil; ~ **bien que** de tal modo que. **2.** *(oui)* sim.

siamois, e [sjamwa, az] *adj* siamês(-esa); **frères** ~ irmãos siameses; **sœurs** ~**es** irmãs siamesas.

SICAV [sikav] *nf inv (titre)* fundo *m* de investimento.

SIDA [sida] *nm* SIDA *f (Port)*, AIDS *m (Br)*.

side-car [sidkar] *(pl* **side-cars)** *nm* side-car *m*.

sidéré, e [sidere] *adj* siderado(-da).

sidérurgie [sideryrʒi] *nf* siderurgia *f*.

siècle [sjɛkl] *nm* século *m*; **au vingtième** ~ no século vinte.

siège [sjɛʒ] *nm (chaise, fauteuil)* assento *m*; *(aux élections)* lugar *m*; *(d'une banque, d'une association)* sede *f*.

siéger [sjeʒe] *vi (personne)* ter assento; *(tenir séance)* reunir-se; *(se situer)* ter a sua sede; *(mal)* residir.

sien [sjɛ̃]: **le sien** (*f* **la sienne** [lasjɛn], *mpl* **les siens** [lesjɛ̃], *fpl* **les siennes** [lesjɛn]) *pron* o seu (a sua).

sieste [sjɛst] *nf* sesta *f*; **faire la** ~ fazer a sesta.

sifflement [sifləmã] *nm* assobio *m*.

siffler [sifle] *vi* assobiar. ◆ *vt* assobiar; *(chien)* assobiar a; *(femme)* mandar um assobio a.

sifflet [siflɛ] *nm (instrument)* apito *m*; *(au spectacle)* assobio *m*.

sigle [sigl] *nm* sigla *f*.

signal, aux [siɲal, o] *nm* sinal *m*; ~ **d'alarme** sinal de alarme.

signalement [siɲalmã] *nm* descrição *f*.

signaler [siɲale] *vt* assinalar.

signalétique [siɲaletik] *adj* de identificação.

signalisation [siɲalizasjɔ̃] *nf* sinalização *f*.

signataire [siɲatɛr] *nmf* signatário *m* (-ria *f*).

signature [siɲatyr] *nf* assinatura *f*.

signe [siɲ] *nm* sinal *m*; **faire** ~ **à qqn (de faire qqch)** fazer sinal a alguém (para fazer algo); **c'est bon/mauvais** ~ é bom/mau sinal; **faire le** ~ **de croix** benzer-se; ~ **du zodiaque** signo do Zodíaco.

signer [siɲe] *vt & vi* assinar.
❑ **se signer** *vp* benzer-se.

signet [siɲɛ] *nm* marcador *m (de livro)*.

significatif, ive [siɲifikatif, iv] *adj* significativo(-va).

signification [siɲifikasjɔ̃] *nf* significado *m*.

signifier [siɲifje] *vt* significar.

silence [silãs] *nm* silêncio *m*; **en** ~ em silêncio.

silencieux, euse [silãsjø, øz] *adj* silencioso(-osa).

silex [silɛks] *nm* sílex *m*.

silhouette [silwɛt] *nf* silhueta *f*.

sillage [sijaʒ] *nm (NAVIG)* esteira *f*; *(fig: d'une personne)* rasto *m*.

sillon [sijɔ̃] *nm* sulco *m*.

sillonner [sijɔne] *vt* sulcar.

silo [silo] *nm* silo *m*.

simagrées [simagre] *nfpl (péj)* fitas *fpl*; **faire des ~** fazer fitas.

similaire [similɛr] *adj* similar.

similitude [similityd] *nf* similitude *f*.

simple [sɛ̃pl] *adj* simples.

simplement [sɛ̃pləmã] *adv* simplesmente.

simplicité [sɛ̃plisite] *nf* simplicidade *f*.

simplifier [sɛ̃plifje] *vt* simplificar.

simpliste [sɛ̃plist] *adj (péj)* simplista.

simulacre [simylakr] *nm* simulacro *m*.

simulateur [simylatœr] *nm* simulador *m*.

simulation [simylasjɔ̃] *nf* simulação *f*.

simuler [simyle] *vt* simular.

simultané, e [simyltane] *adj* simultâneo(-nea).

simultanément [simyltanemã] *adv* simultaneamente.

sincère [sɛ̃sɛr] *adj* sincero(-ra).

sincèrement [sɛ̃sɛrmã] *adv* sinceramente.

sincérité [sɛ̃serite] *nf* sinceridade *f*.

sine qua non [sinekwanɔn] *loc adj inv* : **condition ~** condição sine qua non.

singe [sɛ̃ʒ] *nm* macaco *m*.

singer [sɛ̃ʒe] *vt (imiter)* arremedar; *(feindre)* imitar.

singulariser [sɛ̃gylarize] *vt* singularizar.

❏ **se singulariser** *vp* singularizar-se.

singulier [sɛ̃gylje] *nm* singular *m*.

sinistre [sinistr] *adj* sinistro(-tra). ◆ *nm (catastrophe)* sinistro *m*.

sinistré, e [sinistre] *adj & nm, f* sinistrado(-da).

sinon [sinɔ̃] *conj* senão.

sinueux, euse [sinɥø, øz] *adj* sinuoso(-osa).

sinus [sinys] *nm (ANAT)* seio *m (cavidade óssea)*; *(MATH)* seno *m*.

sinusite [sinyzit] *nf* sinusite *f*.

siphon [sifɔ̃] *nm* sifão *m*.

sirène [sirɛn] *nf (d'alarme, de police)* sirene *f*.

sirop [siro] *nm* xarope *m*; **~ d'érable** xarope de ácer; **~ de fruits** xarope de fruta.

siroter [sirɔte] *vt* bebericar.

site [sit] *nm* local *m*; **~ touristique** local turístico.

situation [sitɥasjɔ̃] *nf* situação *f*.

situé, e [sitɥe] *adj* situado(-da); **bien/mal ~** bem/mal situado.

situer [sitɥe]: **se situer** *vp* situar-se.

six [sis] *adj num* seis. ◆ *nm* seis *m*; **il a ~ ans** ele tem seis anos; **il est ~ heures** são seis horas; **le ~ janvier** no dia seis de Janeiro; **page ~** página seis; **ils étaient ~** eram seis; **le ~ de pique** o seis de espadas; **(au) ~ rue Lepic** (na) rua Lepic, número seis.

sixième [sizjɛm] *adj num & pron num* sexto(-ta). ◆ *nf (SCOL)* ≃ sexto ano *m* do ensino básico. ◆ *nm (fraction)* sexto *m*; *(étage)* sexto andar *m*.

Skaï® [skaj] *nm* napa *f*.

skateboard [skɛtbɔrd] *nm* skate *m*.

sketch [skɛtʃ] *nm* sketch *m*.

ski [ski] *nm* esqui *m*; **faire du ~** fazer esqui; **~ alpin** esqui alpino; **~ de fond** esqui de fundo; **~ nautique** esqui aquático.

skier [skje] *vi* esquiar.

skieur, euse [skjœr, øz] *nm, f* esquiador *m* (-ra *f*).

skipper [skipœr] *nm (capitaine)* capitão *m* (-ã *f*); *(barreur)* timoneiro *m* (-ra *f*).
slalom [slalɔm] *nm* slalon *m*.
slave [slav] *adj* eslavo(-va). ♦ *nm (langue)* eslavo *m*.
❏ **Slave** *nmf* eslavo *m* (-va *f*).
slip [slip] *nm* cuecas *fpl*; ~ **de bain** calções *mpl* de banho *(Port)*, sunga *f (Br)*.
slogan [slɔgã] *nm* slogan *m*.
slow [slo] *nm* slow *m*.
SMIC [smik] *nm* salário *m* mínimo.
smoking [smɔkiŋ] *nm* smoking *m*.
snack(-bar), s [snak(bar)] *nm* snack-bar *m*.
SNCF *nf* ≃ CP *f, companhia francesa de caminhos-de-ferro.*
snob [snɔb] *adj & nmf* snobe.
snober [snɔbe] *vt* desprezar.
snobisme [snɔbism] *nm* snobismo *m*.
sobre [sɔbr] *adj* sóbrio(-bria).
sobriété [sɔbrijete] *nf* sobriedade *f*.
sociable [sɔsjabl] *adj* sociável.
social, e, aux [sɔsjal, o] *adj* social.
socialisme [sɔsjalism] *nm* socialismo *m*.
socialiste [sɔsjalist] *adj & nmf* socialista.
sociétaire [sɔsjetɛr] *nmf* societário *m* (-ria *f*).
société [sɔsjete] *nf* sociedade *f*.
sociologie [sɔsjɔlɔʒi] *nf* sociologia *f*.
sociologue [sɔsjɔlɔg] *nmf* sociólogo *m* (-ga *f*).
socle [sɔkl] *nm* pedestal *m*.
socquette [sɔkɛt] *nf* soquete *m*.
soda [sɔda] *nm* gasosa *f*.
sodium [sɔdjɔm] *nm* sódio *m*.
sœur [sœr] *nf* irmã *f*.

sofa [sɔfa] *nm* sofá *m*.
soi [swa] *pron* si; **en** ~ em si; **cela va de** ~ é evidente.
soi-disant [swadizã] *adj inv* suposto(-ta). ♦ *adv* supostamente.
soie [swa] *nf* seda *f*.
soif [swaf] *nf* sede *f*; **avoir** ~ ter sede; **ça (me) donne** ~ dá(-me) sede.
soigné, e [swaɲe] *adj (minutieux, élégant)* cuidado(-da); *(fam : carabiné)* das boas.
soigner [swaɲe] *vt* cuidar de; *(malade, maladie)* curar.
soigneusement [swaɲøzmã] *adv* cuidadosamente.
soigneux, euse [swaɲø, øz] *adj* cuidadoso(-osa).
soin [swɛ̃] *nm* cuidado *m*; **prendre** ~ **de qqch** ter cuidado com algo; **prendre** ~ **de faire qqch** ter o cuidado de fazer algo. ❏ **soins** *nmpl* cuidados *mpl*; **premiers** ~**s** primeiros cuidados.
soir [swar] *nm* noite *f*; **le** ~ à noite.
soirée [sware] *nf (soir)* noite *f*; *(réception)* recepção *f*.
sois, soit [swa] → **être**.
soit [swa(t)] *conj* : ~... ~ quer... quer.
soixante [swasãt] *num* sessenta; → **six**.
soixante-dix [swasãtdis] *num* setenta; → **six**.
soixante-dixième [swasãtdizjɛm] *num* septuagésimo(-ma); → **sixième**.
soixantième [swasãtjɛm] *num* sexagésimo(-ma); → **sixième**.
soja [sɔʒa] *nm* soja *f*.
sol [sɔl] *nm (d'une maison)* chão *m*; *(dehors, terrain)* solo *m*.
solaire [sɔlɛr] *adj* solar.
solarium [sɔlarjɔm] *nm* solário *m*.

soldat [sɔlda] *nm* soldado *m*.
solde [sɔld] *nm* saldo *m*; **en ~** em saldo.
□ **soldes** *nmpl* saldos *mpl*.
soldé, e [sɔlde] *adj* saldado(-da).
solder [sɔlde] *vt* saldar.
□ **se solder** *vp* : **se ~ par** saldar-se por.
sole [sɔl] *nf* linguado *m*; **~ meunière** *linguado cozinhado numa frigideira com manteiga e limão e servido com esse molho.*
soleil [sɔlɛj] *nm* sol *m*; **il fait (du) ~** está sol; **au ~** ao sol; **au ~ levant/couchant** ao nascer/pôr do Sol.
solennel, elle [sɔlanɛl] *adj* solene.
solfège [sɔlfɛʒ] *nm* solfejo *m*.
solidaire [sɔlidɛr] *adj* solidário(-ria); **être ~ de qqn** ser solidário para com alguém.
solidarité [sɔlidarite] *nf* solidariedade *f*.
solide [sɔlid] *adj* (*matériau, construction*) sólido(-da); (*personne, santé*) robusto(-ta).
solidifier [sɔlidifje].
□ **se solidifier** *vp* solidificar-se.
solidité [sɔlidite] *nf* solidez *f*.
soliste [sɔlist] *nmf* solista *mf*.
solitaire [sɔlitɛr] *adj & nmf* solitário(-ria).
solitude [sɔlityd] *nf* solidão *f*.
solliciter [sɔlisite] *vt* (*suj: mendiant*) mendigar; (*entrevue, faveur*) solicitar.
sollicitude [sɔlisityd] *nf* solicitude *f*.
solo [sɔlo] *nm* solo *m*; **en ~** a solo.
solstice [sɔlstis] *nm* : **~ d'hiver/d'été** solstício *m* de Inverno/de Verão.
soluble [sɔlybl] *adj* solúvel.
solution [sɔlysjɔ̃] *nf* solução *f*.
solvable [sɔlvabl] *adj* solvente.

solvant [sɔlvɑ̃] *nm* dissolvente *m*.
sombre [sɔ̃br] *adj* (*ciel, pièce*) sombrio(-bria); (*couleur*) escuro(-ra); (*visage, humeur, avenir*) triste.
sombrer [sɔ̃bre] *vi* (*bateau*) soçobrar; (*fig: personne*): **~ dans** (*folie, oubli*) cair em; (*sommeil*) mergulhar em.
sommaire [sɔmɛr] *adj* sumário(-ria). ♦ *nm* sumário *m*.
sommation [sɔmasjɔ̃] *nf* (*assignation*) notificação *f*; (*ordre*) aviso *m*.
somme [sɔm] *nf* (*MATH*) soma *f*; (*d'argent*) quantia *f*. ♦ *nm* : **faire un ~** dormir um bocado (*Port*), tirar um cochilo (*Br*); **faire la ~ de** fazer a soma de; **en ~** em suma; **~ toute** no fim de contas.
sommeil [sɔmɛj] *nm* sono *m*; **avoir ~** ter sono.
sommelier, ère [sɔməlje, ɛr] *nm, f* copeiro *m* (-ra *f*).
sommes [sɔm] → **être**.
sommet [sɔmɛ] *nm* cimo *m*.
sommier [sɔmje] *nm* estrado *m*.
sommité [sɔmite] *nf* sumidade *f*.
somnambule [sɔmnɑ̃byl] *adj & nmf* sonâmbulo(-la).
somnifère [sɔmnifɛr] *nm* sonífero *m*.
somnoler [sɔmnɔle] *vi* dormitar.
somptueux, euse [sɔ̃ptɥø, øz] *adj* sumptuoso(-osa).
son[1] [sɔ̃] (*f* **sa** [sa], *pl* **ses** [se]) *adj* seu (sua).
son[2] [sɔ̃] *nm* (*bruit*) som *m*; (*de blé*) farelo *m*; **~ et lumière** espectáculo de som e luz.
sonate [sɔnat] *nf* sonata *f*.
sondage [sɔ̃daʒ] *nm* sondagem *f*.
sonde [sɔ̃d] *nf* (*MÉD*) sonda *f*.

sonder [sɔ̃de] vt sondar.

songe [sɔ̃ʒ] nm (sout) sonho m; en ~ em sonhos.

songer [sɔ̃ʒe]: **songer à** v + prép (envisager de) pensar em.

songeur, euse [sɔ̃ʒœr, øz] adj pensativo(-va).

sonner [sɔne] vi tocar. ◆ vt (cloche) tocar; (suj: horloge) dar.

sonnerie [sɔnri] nf campainha f; (son de cloches) repique m.

sonnet [sɔnɛ] nm soneto m.

sonnette [sɔnɛt] nf campainha f; ~ **d'alarme** (dans un train) campainha de alarme.

sono [sɔno] nf (fam) aparelhagem f.

sonore [sɔnɔr] adj sonoro(-ra).

sonorisation [sɔnɔrizasjɔ̃] nf sonorização f.

sonorité [sɔnɔrite] nf sonoridade f.

sont [sɔ̃] → **être**.

sophistiqué, e [sɔfistike] adj sofisticado(-da).

soporifique [sɔpɔrifik] adj (qui endort) soporífico(-ca); (fig: ennuyeux) bom para dormir. ◆ nm soporífero m.

soprano [sɔprano] nm (voix) soprano m. ◆ nmf (personne) soprano mf.

sorbet [sɔrbɛ] nm gelado m.

sorcellerie [sɔrsɛlri] nf bruxaria f.

sorcier, ère [sɔrsje, ɛr] nm, f bruxo m (-xa f).

sordide [sɔrdid] adj (crime, affaire) sórdido(-da).

sort [sɔr] nm sorte f; (malédiction) praga f; **tirer au** ~ tirar à sorte.

sorte [sɔrt] nf espécie f; **une** ~ **de** uma espécie de; **de (telle)** ~ **que** (afin que) de maneira que; **en quelque** ~ de certa forma.

sortie [sɔrti] nf saída f; (excursion) passeio m; '~ **de secours**' 'saída de emergência'; '~ **de véhicules**' 'saída de viaturas'.

sortilège [sɔrtilɛʒ] nm sortilégio m.

sortir [sɔrtir] vi (aux être) sair; (aller au cinéma, au restaurant) sair (à noite). ◆ vt (aux avoir) (chien) passear; (livre, film) sair; ~ **de** sair de; (école, université) vir de.

❑ **s'en sortir** vp safar-se.

SOS nm SOS m; ~ **Médecins** organismo de urgências médicas.

sosie [sɔzi] nm sósia mf.

sottise [sɔtiz] nf burrice f.

sou [su] nm : **ne plus avoir un** ~ já não ter um tostão.

❑ **sous** nmpl (fam) dinheiro m.

souche [suʃ] nf (d'arbre) cepo m; (de carnet) talão m de recibo.

souci [susi] nm preocupação f; **se faire du** ~ **(pour)** preocupar-se (com).

soucier [susje]: **se soucier de** vp + prép preocupar-se com.

soucieux, euse [susjø, øz] adj preocupado(-da).

soucoupe [sukup] nf pires m inv; ~ **volante** disco m voador.

soudain, e [sudɛ̃, ɛn] adj repentino(-na). ◆ adv de repente.

souder [sude] vt soldar.

soudoyer [sudwaje] vt subornar.

soudure [sudyr] nf soldadura f.

souffert [sufɛr] pp → **souffrir**.

souffle [sufl] nm sopro m; **un** ~ **d'air** OU **de vent** uma aragem; **être à bout de** ~ estar ofegante.

soufflé [sufle] nm soufflé m.

souffler [sufle] vt soprar. ◆ vi (expirer) expirar; (haleter) ofegar; (vent) soprar; ~ **qqch à qqn** (à un examen) dizer baixo algo a alguém.

soufflet [suflɛ] nm fole m.

souffrance [sufrãs] *nf* sofrimento *m*.

souffrant, e [sufrã, ãt] *adj (sout)* indisposto(-osta).

souffre-douleur [sufrədulœr] *nm inv* : **c'est leur ~** ele é um boneco nas mãos deles.

souffrir [sufrir] *vi* sofrer; **~ de** *(maladie)* sofrer de; *(chaleur, froid)* sofrer com.

soufre [sufr] *nm* enxofre *m*.

souhait [swε] *nm* desejo *m*; **à tes ~s!** santinho!

souhaitable [swεtabl] *adj* desejável.

souhaiter [swete] *vt* : **~ que** desejar que; **~ faire qqch** desejar fazer algo; **~ bonne chance à qqn** desejar boa sorte a alguém; **~ bon anniversaire à qqn** dar os parabéns a alguém.

souiller [suje] *vt (sout)* conspurcar.

souillon [sujõ] *nf (péj)* estafermo *m*.

soûl, e [su, sul] *adj* embriagado(-da).

soulagement [sulaʒmã] *nm* alívio *m*.

soulager [sulaʒe] *vt* aliviar.

soûler [sule]: **se soûler** *vp* embriagar-se.

soulèvement [sulεvmã] *nm* levantamento *m*.

soulever [sulve] *vt* levantar; *(enthousiasme, protestations)* originar.

❏ **se soulever** *vp (se redresser)* levantar-se; *(se rebeller)* revoltar-se.

soulier [sulje] *nm* sapato *m*.

souligner [suliɲe] *vt* sublinhar.

soumettre [sumεtr] *vt* : **~ qqn à qqch** submeter alguém a algo; **~ qqch à qqn** submeter algo a alguém.

❏ **se soumettre à** *vp + prép* submeter-se a.

soumis, e [sumi, iz] *pp* → **soumettre**. ◆ *adj* submisso(-a).

soupape [supap] *nf* válvula *f*.

soupçon [supsõ] *nm* suspeita *f*.

soupçonner [supsɔne] *vt* suspeitar.

soupçonneux, euse [supsɔnø, øz] *adj* desconfiado(-da).

soupe [sup] *nf* sopa *f*; **~ à l'oignon** sopa de cebola; **~ de légumes** sopa de legumes.

souper [supe] *nm (dernier repas)* ceia *f*; *(dîner)* jantar *m*. ◆ *vi (très tard)* cear; *(dîner)* jantar.

soupeser [supəze] *vt* pesar.

soupière [supjεr] *nf* terrina *f*.

soupir [supir] *nm* suspiro *m*; **pousser un ~** dar um suspiro.

soupirail, aux [supiraj, o] *nm* respiradouro *m*.

soupirant [supirã] *nm* pretendente *m*.

soupirer [supire] *vi* suspirar.

souple [supl] *adj* flexível.

souplesse [suplεs] *nf* flexibilidade *f*.

source [surs] *nf (d'eau)* nascente *f*; *(de chaleur, de lumière)* fonte *f*.

sourcil [sursi] *nm* sobrancelha *f*.

sourciller [sursije] *vi* pestanejar; **sans ~** sem pestanejar.

sourd, e [sur, surd] *adj* surdo(-da).

sourdine [surdin] *nf* surdina *f*; **en ~** *(sans bruit)* em surdina; *(secrètement)* pela calada.

sourd-muet [surmɥε] *(f* **sourde-muette** [surdmɥεt], *mpl* **sourds-muets**, *fpl* **sourdes-muettes)** *nm, f* surdo-mudo *m* (surda-muda *f)*.

souriant, e [surjã, ãt] *adj* sorridente.

souricière [surisjεr] *nf* ratoeira *f*.

sourire [surir] *nm* sorriso *m*. ◆ *vi* sorrir.

souris [suri] *nf* rato *m*.
sournois, e [surnwa, az] *adj* dissimulado(-da).
sous [su] *prép* debaixo de; ~ enveloppe num envelope; ~ peu dentro em breve.
sous-bois [subwa] *nm* vegetação *f* rasteira.
souscription [suskripsjɔ̃] *nf* subscrição *f*.
souscrire [suskrir] *vt* subscrever. ◆ *vi* : ~ à qqch subscrever algo.
sous-développé, e, s [sudevlɔpe] *adj* subdesenvolvido(-da).
sous-directeur, trice [sudirɛktœr, tris] *nm, f* subdirector *m* (-ra *f*).
sous-ensemble [suzɑ̃sɑ̃bl] (*pl* sous-ensembles) *nm* subconjunto *m*.
sous-entendre [suzɑ̃tɑ̃dr] *vt* subentender.
sous-entendu, s [suzɑ̃tɑ̃dy] *nm* subentendido *m*.
sous-équipé, e [suzekipe] *adj* mal equipado(-da).
sous-estimer [suzɛstime] *vt* subestimar.
sous-jacent, e [suʒasɑ̃, ɑ̃t] *adj* subjacente.
sous-louer [sulwe] *vt* subarrendar.
sous-marin, e, s [sumarɛ̃] *adj* submarino(-na). ◆ *nm* submarino *m*; *(Can: CULIN)* sandes longa de carne pastrami, servida com batatas fritas e salada.
sous-préfecture, s [suprefɛktyr] *nf* subdivisão administrativa francesa.
sous-pull, s [supyl] *nm* camisola *f*.
soussigné, e [susiɲe] *adj* : je ~ eu abaixo assinado.
sous-sol, s [susɔl] *nm* *(d'une maison)* cave *f*.
sous-titre, s [sutitr] *nm* *(d'un film)* legenda *f*; *(d'un livre)* subtítulo *m*.
sous-titré, e, s [sutitre] *adj* legendado(-da).
soustraction [sustraksjɔ̃] *nf* subtracção *f*.
soustraire [sustrɛr] *vt* subtrair.
sous-traitance [sutretɑ̃s] (*pl* sous-traitances) *nf* subcontratação *f*.
sous-traitant, e [sutretɑ̃, ɑ̃t] *adj* subcontratado(-da).
❏ **sous-traitant** (*pl* sous-traitants) *nm* subempreiteiro *m*.
sous-verre [suvɛr] *nm inv* caixilho *m*.
sous-vêtements [suvɛtmɑ̃] *nmpl* roupa *f* interior.
soutane [sutan] *nf* sotaina *f*.
soute [sut] *nf* paiol *m*; ~ à bagages porta-bagagem *m*.
soutenance [sutnɑ̃s] *nf* defesa *f*.
soutenir [sutnir] *vt* *(porter)* suster; *(défendre)* apoiar; ~ que suster que.
souterrain, e [sutɛrɛ̃, ɛn] *adj* subterrâneo(-nea). ◆ *nm* subterrâneo *m*.
soutien [sutjɛ̃] *nm* apoio *m*.
soutien-gorge [sutjɛ̃gɔrʒ] (*pl* soutiens-gorge) *nm* soutien *m* *(Port)*, sutiã *m* *(Br)*.
soutirer [sutire] *vt* : ~ qqch à qqn subtrair algo a alguém.
souvenir [suvnir] *nm* lembrança *f*.
❏ **se souvenir de** *vp + prép* lembrar-se de.
souvent [suvɑ̃] *adv* *(fréquemment)* amiúde; *(généralement)* geralmente.
souvenu, e [suvny] *pp* → souvenir.
souverain, e [suvrɛ̃, ɛn] *nm, f* soberano *m* (-na *f*).
souveraineté [suvrɛnte] *nf* soberania *f*; *(économique)* supremacia *f*.

soviétique [sɔvjetik] *adj* soviético(-ca).

soyeux, euse [swajø, øz] *adj* sedoso(-osa).

soyons [swajɔ̃] → **être**.

SPA *(abr de* **Société protectrice des animaux)** *nf* Sociedade Protectora dos Animais.

spacieux, euse [spasjø, øz] *adj* espaçoso(-osa).

spaghetti(s) [spageti] *nmpl* esparguete *m*.

sparadrap [sparadra] *nm* penso *m (Port)*, esparadrapo *m (Br)*.

spasme [spasm] *nm* espasmo *m*.

spatial, e, aux [spasjal, o] *adj* espacial.

spatule [spatyl] *nf* espátula *f*.

spätzli [ʃpetsli] *nm (Helv) pedaços de massa fervida, geralmente servidos como acompanhamento de carne.*

spécial, e, aux [spesjal, o] *adj (particulier)* especial; *(bizarre)* esquisito(-ta).

spécialement [spesjalmã] *adv* especialmente; **pas** ~ não especialmente.

spécialisé, e [spesjalize] *adj* especializado(-da).

spécialiser [spesjalize] *vt* especializar.

❏ **se spécialiser** *vp* especializar-se; **se** ~ **dans** especializar-se em.

spécialiste [spesjalist] *nmf* especialista *mf*.

spécialité [spesjalite] *nf* especialidade *f*.

spécificité [spesifisite] *nf* especificidade *f*.

spécifier [spesifje] *vt* especificar.

spécifique [spesifik] *adj* específico(-ca).

spécimen [spesimɛn] *nm* espécime *m*.

spectacle [spɛktakl] *nm* espectáculo *m*.

spectaculaire [spɛktakylɛr] *adj* espectacular.

spectateur, trice [spɛktatœr, tris] *nm, f* espectador *m* (-ra *f*).

spectre [spɛktr] *nm* espectro *m*.

spéculation [spekylasjɔ̃] *nf* especulação *f*.

spéculer [spekyle] *vi* : ~ **sur** especular sobre.

speculo(o)s [spekylos] *nmpl (Belg) bolacha seca em forma de boneco, feita com açúcar amarelo e canela.*

spéléologie [speleɔlɔʒi] *nf* espeleologia *f*.

spermatozoïde [spɛrmatɔzɔid] *nm* espermatozóide *m*.

sperme [spɛrm] *nm* esperma *m*.

sphère [sfɛr] *nf* esfera *f*.

sphérique [sferik] *adj* esférico(-ca).

spirale [spiral] *nf* espiral *f*; **en** ~ em espiral.

spirituel, elle [spiritɥɛl] *adj (de l'âme)* espiritual; *(personne, remarque)* engraçado(-da).

spiritueux [spiritɥø] *nm* bebida *f* espirituosa.

splendide [splãdid] *adj* esplêndido(-da).

sponsor [spɔ̃sɔr] *nm* patrocinador *m*.

sponsoriser [spɔ̃sɔrize] *vt* patrocinar.

spontané, e [spɔ̃tane] *adj* espontâneo(-nea).

spontanéité [spɔ̃taneite] *nf* espontaneidade *f*.

sporadique [spɔradik] *adj* esporádico(-ca).

sport [spɔr] *nm* desporto *m*; ~**s d'hiver** desportos de Inverno.

sportif, ive [spɔrtif, iv] *adj* desportivo(-va). ◆ *nm, f* desportista *m*.

spot [spɔt] *nm* holofote *m*; ~ **publicitaire** spot *m* publicitário.

sprint [sprint] *nm* sprint *m*.

square [skwar] *nm* parque *m*.

squash [skwaʃ] *nm* squash *m*.

squatter¹ [skwatœr] *nm* ocupante *mf* ilegal.

squatter² [skwate] *vt* ocupar ilegalmente.

squelette [skəlɛt] *nm* esqueleto *m*.

squelettique [skəletik] *adj* *(corps)* esquelético(-ca); *(fig: peu fourni)* limitado(-da); *(fig: peu développé)* pobre.

St *(abr de* saint*)* S.

stabiliser [stabilize] *vt* estabilizar.

❏ **se stabiliser** *vp* estabilizar-se.

stable [stabl] *adj* estável.

stade [stad] *nm (de sport)* estádio *m*; *(période)* estado *m*.

stage [staʒ] *nm* estágio *m*; **faire un ~** fazer um estágio.

stagiaire [staʒjɛr] *nmf* estagiário *m* (-ria *f*).

stagner [stagne] *vi* estagnar.

stalactite [stalaktit] *nf* estalactite *f*.

stalagmite [stalagmit] *nf* estalagmite *f*.

stand [stɑ̃d] *nm* stand *m*.

standard [stɑ̃dar] *adj inv* standard. ◆ *nm (téléphonique)* PBX *m*.

standardiste [stɑ̃dardist] *nmf* telefonista *mf*.

star [star] *nf* estrela *f*.

starter [startɛr] *nm* starter *m* *(Port)*, afogador *m* *(Br)*.

station [stasjɔ̃] *nf* estação *f*; **~ balnéaire** estação balnear; **~ de sports d'hiver** OU **de ski** estação de desportos de Inverno; **~ de taxis** praça *f* de táxis *(Port)*, ponto *m* de táxi *(Br)*; **~ thermale** termas *fpl* *(Port)*, estância *f* hidromineral *(Br)*.

stationnaire [stasjɔnɛr] *adj* estacionário(-ria).

stationnement [stasjɔnmɑ̃] *nm* estacionamento *m*; **'~ payant'** 'estacionamento a pagar'.

stationner [stasjɔne] *vi* estacionar.

station-service [stasjɔ̃sɛrvis] *(pl* stations-service*)* *nf* estação *f* de serviço.

statique [statik] *adj* → **électricité**.

statistiques [statistik] *nfpl* estatísticas *fpl*.

statue [staty] *nf* estátua *f*.

statuer [statɥe] *vi* : **~ (sur)** decidir.

statuette [statɥɛt] *nf* estatueta *f*.

statu quo [statykwo] *nm inv* statu quo *m inv*.

statut [staty] *nm* estatuto *m*.

Ste *(abr de* sainte*)* Sta.

Sté *(abr de* société*)* sociedade *f*.

steak [stɛk] *nm* bife *m*; **~ frites** bife com batatas fritas; **~ haché** hambúrguer *m*; **~ tartare** bife tártaro.

sténo [steno] *nf* estenografia *f*.

sténodactylo [stenɔdaktilo] *nf* estenodactilógrafa *f*.

stéréo [stereo] *adj inv* estéreo. ◆ *nf* : **en ~** em estéreo.

stérile [steril] *adj (femme, homme)* estéril; *(milieu, compresse)* esterilizado(-da).

stérilet [sterilɛ] *nm* DIU *m*, dispositivo *m* intra-uterino.

stériliser [sterilize] *vt* esterilizar.

sterling [stɛrliŋ] *adj* → **livre**.

sternum [stɛrnɔm] *nm* esterno *m*.

steward [stiwart] *nm* comissário *m* de bordo.

stimulant, e [stimylɑ̃, ɑ̃t] *adj* estimulante.

❏ **stimulant** *nm (remontant)* estimulante *m*; *(motivation)* estímulo *m*.

stimuler [stimyle] *vt* estimular.

stipuler [stipyle] *vt* : ~ **qqch** estipular algo; ~ **que** estipular que.

stock [stɔk] *nm* stock *m*; **en** ~ em stock.

stocker [stɔke] *vt* armazenar.

stoïque [stɔik] *adj* estóico(-ca).

stop [stɔp] *nm (panneau)* stop *m*; *(phare)* luz *f* de travagem. ◆ *excl* alto!; **faire du** ~ pedir boleia.

stopper [stɔpe] *vt & vi* parar.

store [stɔr] *nm (extérieur)* toldo *m*; *(intérieur)* estore *m*.

strabisme [strabism] *nm* estrabismo *m*.

strapontin [strapɔ̃tɛ̃] *nm* assento *m* dobradiço.

stratagème [strataʒɛm] *nm* estratagema *m*.

stratégie [strateʒi] *nf* estratégia *f*.

stress [strɛs] *nm* stress *m*.

stressé, e [strɛse] *adj* tenso(-sa).

stresser [strɛse] *vi* ficar tenso(-sa). ◆ *vt* deixar tenso(-sa).

stretching [strɛtʃiŋ] *nm* stretching *m*.

strict, e [strikt] *adj* severo(-ra).

strictement [striktəmã] *adv (absolument)* estritamente.

strident, e [stridã, ãt] *adj* estridente.

strié, e [strije] *adj* estriado(-da).

strip-tease [striptiz] *(pl strip-teases)* *nm* strip-tease *m*.

strophe [strɔf] *nf* estrofe *f*.

structure [stryktyr] *nf* estrutura *f*.

studieux, euse [stydjø, øz] *adj* estudioso(-osa).

studio [stydjo] *nm (logement)* estúdio *m (Port)*, conjugado *m (Br)*; *(de cinéma, de photo)* estúdio *m*.

stupéfaction [stypefaksjɔ̃] *nf* estupefacção *f*.

stupéfait, e [stypefɛ, ɛt] *adj* estupefacto(-ta).

stupéfiant, e [stypefjã, ãt] *adj* espantoso(-osa). ◆ *nm* estupefaciente *m*.

stupide [stypid] *adj* estúpido(-da).

stupidité [stypidite] *nf (caractère)* estupidez *f*; *(parole)* parvoíce *f*.

style [stil] *nm* estilo *m*; **meuble de** ~ móvel de estilo.

styliste [stilist] *nmf* estilista *mf*.

stylo [stilo] *nm* caneta *f*; ~ **(à) bille** esferográfica *f*; ~ **(à) plume** caneta de tinta permanente.

stylo-feutre [stiloføtr] *(pl stylos-feutres)* *nm* caneta *f* de feltro.

su, e [sy] *pp* → **savoir**.

suave [sɥav] *adj* suave.

subalterne [sybaltɛrn] *adj & nmf* subalterno(-na).

subconscient, e [sybkɔ̃sjã, ãt] *adj* subconsciente.

❏ **subconscient** *nm* subconsciente *m*.

subir [sybir] *vt* sofrer; *(opération)* fazer.

subit, e [sybi, it] *adj* súbito(-ta).

subitement [sybitmã] *adv* subitamente.

subjectif, ive [sybʒɛktif, iv] *adj* subjectivo(-va).

subjonctif [sybʒɔ̃ktif] *nm* conjuntivo *m (Port)*, subjuntivo *m (Br)*.

subjuguer [sybʒyge] *vt* subjugar.

sublime [syblim] *adj* sublime.

submerger [sybmɛrʒe] *vt (suj: eau)* submergir; *(suj: travail, responsabilités)* encher.

subordonné, e [sybɔrdɔne] *adj & nm, f* subordinado(-da).

❏ **subordonnée** *nf* subordinada *f*.

subsidiaire [sybzidjɛr] *adj* subsidiário(-ria).

subsister [sybziste] *vi* subsistir.

substance [sypstɑ̃s] *nf* substância *f*.

substantiel, elle [sypstɑ̃sjɛl] *adj* substancial.

substantif, ive [sypstɑ̃tif] *adj* substantivado(-da).

❏ **substantif** *nm* substantivo *m*.

substituer [sypstitɥe] *vt* : ~ **qqch à qqch** substituir algo por algo.

❏ **se substituer à** *vp* + *prép* substituir.

subterfuge [sypterfyʒ] *nm* subterfúgio *m*.

subtil, e [syptil] *adj* subtil.

subtiliser [syptilize] *vt* surripiar.

subtilité [syptilite] *nf* subtileza *f*.

subvenir [sybvənir]

❏ **subvenir à** *v* + *prép* fazer face a; ~ **aux besoins de qqn** fazer face às necessidades de alguém.

subvention [sybvɑ̃sjɔ̃] *nf* subvenção *f*.

subventionner [sybvɑ̃sjɔne] *vt* subvencionar.

subversif, ive [sybvɛrsif, iv] *adj* subversivo(-va).

succéder [syksede]: **succéder à** *v* + *prép* suceder a.

❏ **se succéder** *vp* suceder-se.

succès [syksɛ] *nm* sucesso *m*; **avoir du** ~ ter sucesso.

successeur [syksesœr] *nm* sucessor *m*.

successif, ive [syksesif, iv] *adj* sucessivo(-va).

succession [syksesjɔ̃] *nf* sucessão *f*.

succinct, e [syksɛ̃, ɛ̃t] *adj (discours)* sucinto(-ta); *(repas)* ligeiro(-ra).

succomber [sykɔ̃be] *vi* sucumbir; ~ **à** sucumbir a.

succulent, e [sykylɑ̃, ɑ̃t] *adj* suculento(-ta).

succursale [sykyrsal] *nf* sucursal *f*.

sucer [syse] *vt (un bonbon)* chupar; *(son pouce)* chuchar em.

sucette [sysɛt] *nf (bonbon)* chupa-chupa *m*; *(de bébé)* chupeta *f*.

sucre [sykr] *nm (produit)* açúcar *m*; *(morceau)* torrão *m* de açúcar; ~ **en morceaux** açúcar em cubos; ~ **d'orge** açúcar mascavo; ~ **en poudre** açúcar.

sucré, e [sykre] *adj (fruit)* doce; *(yaourt, café)* açucarado(-da).

sucrer [sykre] *vt* açucarar.

sucreries [sykrəri] *nfpl* doces *mpl*.

Sucrette® [sykrɛt] *nf* adoçante *m*, sacarina *f*.

sucrier [sykrije] *nm* açucareiro *m*.

sud [syd] *adj inv & nm inv* sul; **au** ~ **(de)** a sul (de).

sud-africain, e, s [sydafrikɛ̃, ɛn] *adj* sul-africano(-na).

sud-est [sydɛst] *adj inv & nm inv* sudeste; **au** ~ **(de)** a sudeste de.

sud-ouest [sydwɛst] *adj inv & nm inv* sudoeste; **au** ~ **(de)** a sudoeste de.

Suède [sɥɛd] *nf* : **la** ~ a Suécia.

suédois, e [sɥedwa, az] *adj* sueco(-ca). ◆ *nm (langue)* sueco *m*.

❏ **Suédois, e** *nm, f* sueco *m* (-ca *f*).

suer [sɥe] *vi* suar.

sueur [sɥœr] *nf* suor *m*; **être en** ~ estar (todo) transpirado; **avoir des** ~**s froides** ter suores frios.

suffire [syfir] *vi (être assez)* bastar; **ça suffit!** basta!; ~ **à qqn** bastar a alguém; **il suffit de qqch pour** basta algo para; **il (te) suffit de faire qqch** basta fazer(es) algo.

suffisamment [syfizamɑ̃] *adv*

bastante; ~ **de** bastante; ~ **de li-vres** bastantes livros; **il n'y a pas ~ de gens** não há pessoas que cheguem.

suffisant, e [syfizã, ãt] *adj* suficiente.

suffixe [syfiks] *nm* sufixo *m*.

suffocant, e [syfɔkã, ãt] *adj* sufocante.

suffoquer [syfɔke] *vi* sufocar.

suffrage [syfraʒ] *nm* sufrágio *m*; ~**universel/indirect** sufrágio universal/indirecto.

suggérer [sygʒere] *vt* sugerir; ~ **à qqn de faire qqch** sugerir a alguém que faça algo.

suggestif, ive [sygʒestif, iv] *adj* sugestivo(-va).

suggestion [sygʒestjɔ̃] *nf* sugestão *f*.

suicidaire [sɥisidɛr] *adj* suicida.

suicide [sɥisid] *nm* suicídio *m*.

suicider [sɥiside]: **se suicider** *vp* suicidar-se.

suie [sɥi] *nf* fuligem *f*.

suinter [sɥɛ̃te] *vi* ressumar.

suis [sɥi] → **être, suivre**.

suisse [sɥis] *adj* suíço(-ça). ❑ **Suisse** *nmf* suíço *m* (-ça *f*). ◆ *nf* : **la Suisse** a Suíça.

suite [sɥit] *nf (série, succession)* série *f*; *(d'une histoire, d'un film)* continuação *f*; **à la ~** de seguida; **à la ~ de** *(à cause de)* por causa de; **de ~** de seguida; **par ~** devido a. ❑ **suites** *nfpl* repercussões *fpl*.

suivant, e [sɥivã, ãt] *adj & nm, f* seguinte. ◆ *prép* segundo; **au ~!** o seguinte!

suivi, e [sɥivi] *pp* → **suivre**.

suivre [sɥivr] *vt* seguir; *(succéder à)* seguir-se a; *(cours)* assistir a; **suivi de** seguido de; **faire ~** ao cuidado de; **'à ~'** 'continua'.

sujet [syʒɛ] *nm (thème)* assunto *m*; *(GRAMM)* sujeito *m*; *(d'un roi)* súbdito *m*; **au ~ de** a propósito de.

super [sypɛr] *adj inv (fam : formidable)* porreiro(-ra). ◆ *nm (carburant)* gasolina *f* super.

super- [sypɛr] *préf (fam)* super-.

superbe [sypɛrb] *adj* espectacular.

supercherie [sypɛrʃəri] *nf* trapaça *f*.

supérette [sypɛrɛt] *nf* minimercado *m*.

superficie [sypɛrfisi] *nf* superfície *f*.

superficiel, elle [sypɛrfisjɛl] *adj* superficial.

superflu, e [sypɛrfly] *adj* supérfluo(-flua).

supérieur, e [sypɛrjœr] *adj* superior. ◆ *nm, f* superior *m* (-ra *f*); ~ **à** superior a.

supériorité [sypɛrjɔrite] *nf* superioridade *f*.

superlatif [sypɛrlatif] *nm* superlativo *m*.

supermarché [sypɛrmarʃe] *nm* supermercado *m*.

superposer [sypɛrpoze] *vt* sobrepor.

superproduction [sypɛrprɔdyksjɔ̃] *nf* superprodução *f*.

superpuissance [sypɛrpɥisãs] *nf* superpotência *f*.

superstitieux, euse [sypɛrstisjø, øz] *adj* supersticioso(-osa).

superstition [sypɛrstisjɔ̃] *nf* superstição *f*.

superviser [sypɛrvize] *vt* supervisionar.

supplanter [syplãte] *vt* suplantar.

suppléant, e [sypleã, ãt] *adj & nm, f* suplente.

supplément [syplemã] *nm* suplemento *m*; **en ~** em suplemento.

supplémentaire [syplemãtɛr] *adj* suplementar.

supplice [syplis] *nm* suplício *m*.

supplier [syplije] *vt* : ~ **qqn (de faire qqch)** suplicar a alguém (que faça algo).

support [sypɔr] *nm* suporte *m*.

supportable [sypɔrtabl] *adj* suportável.

supporter[1] [sypɔrte] *vt* suportar; *(soutenir)* suster.

supporter[2] [sypɔrtɛr] *nm* adepto *m* (-ta *f*) *(Port)*, torcedor *m* (-ra *f*) *(Br)*.

supposer [sypoze] *vt* supor; **à ~ que...** supondo que...

supposition [sypozisjɔ̃] *nf* suposição *f*.

suppositoire [sypozitwar] *nm* supositório *m*.

suppression [sypresjɔ̃] *nf* supressão *f*.

supprimer [syprime] *vt (faire disparaître)* suprimir; *(tuer)* eliminar.

suprématie [sypremasi] *nf* supremacia *f*.

suprême [syprɛm] *nm* : ~ **de volaille** *peito de frango com molho*.

sur [syr] *prép* **1.** *(dessus)* em, em cima de; ~ **la table** em cima da mesa.

2. *(au-dessus de)* sobre.

3. *(indique la direction)* a; **tournez ~ la droite** vire à direita; **on remonte ~ Paris** voltamos para Paris.

4. *(indique la distance)* ao longo de; **'travaux ~ 10 kilomètres'** 'obras ao longo dos próximos 10 quilómetros'.

5. *(au sujet de)* sobre; **un dépliant ~ l'Auvergne** um folheto sobre a Auvergne.

6. *(dans une mesure)* por; **un mètre de large ~ deux mètres de long** um metro de largura por dois metros de comprimento.

7. *(dans une proportion)* em; **9 personnes ~ 10** 9 em cada 10 pessoas; **un jour ~ deux** um em cada dois dias.

sûr, e [syr] *adj (sans danger)* seguro(-ra); *(digne de confiance)* de confiança; **je suis sûre de réussir/qu'il viendra** tenho certeza de que vou conseguir/que ele vem; **je suis sûre de lui** tenho confiança nele; **être ~ de soi** estar seguro de si.

surbooking [syrbukiŋ] *nm* reservas *fpl* em excesso.

surcharge [syrʃarʒ] *nf (de travail, de ratures)* sobrecarga *f*; *(de poids)* excesso *m* de peso; *(d'ornements)* superabundância *f*.

surcharger [syrʃarʒe] *vt* sobrecarregar.

surchauffé, e [syrʃofe] *adj* sobreaquecido(-da).

surcroît [syrkrwa] *nm* acréscimo *m*; **de** OU **par ~** *(sout)* além disso.

surdité [syrdite] *nf* surdez *f*.

surdoué, e [syrdwe] *adj* sobredotado(-da).

sureffectif [syrefɛktif] *nm* : **être en ~** ter pessoal a mais.

surélever [syrelve] *vt* aumentar a altura de; ~ **une maison** acrescentar um andar a uma casa.

sûrement [syrmã] *adv* certamente; ~ **pas!** certamente que não!

surenchère [syrãʃɛr] *nf (JUR)* sobrelanço *m*; *(fig: exagération)* redobramento *m*; **faire de la ~** prometer mundos e fundos.

surendetté, e [syrãdɛte] *adj* bastante endividado(-da).

surestimer [syrɛstime] *vt* sobrestimar.

sûreté [syrte] *nf* : **mettre qqch en ~** pôr algo a salvo.

surexcité, e [syreksite] *adj* sobreexcitado(-da).

surf [sœrf] *nm* surf *m*.

surface [syrfas] *nf* superfície *f*.

surfait, e [syrfɛ, ɛt] *adj* supervalorizado(-da).

surgelé, e [syrʒəle] *adj* ultracongelado(-da). ◆ *nm* ultracongelado *m*.

surgir [syrʒir] *vi* surgir.

sur-le-champ [syrləʃɑ̃] *adv* imediatamente.

surlendemain [syrlɑ̃dmɛ̃] *nm* : **le ~** dois dias depois.

surligner [syrliɲe] *vt* marcar (com marcador fluorescente).

surligneur [syrliɲœr] *nm* marcador *m* (de feltro).

surmenage [syrmənaʒ] *nm* esgotamento *m*.

surmené, e [syrməne] *adj* esgotado(-da).

surmonter [syrmɔ̃te] *vt* superar.

surnaturel, elle [syrnatyrɛl] *adj* sobrenatural.

surnom [syrnɔ̃] *nm* alcunha *f*.

surnommer [syrnɔme] *vt* apelidar.

surpasser [syrpase] *vt* superar. ❑ **se surpasser** *vp* superar-se.

surpeuplé, e [syrpœple] *adj* superpovoado(-da).

surplace [syrplas] *nm* : **faire du ~** *(fig)* marcar passo.

surplomber [syrplɔ̃be] *vt* dominar.

surplus [syrply] *nm* excedente *m*.

surprenant, e [syrprənɑ̃, ɑ̃t] *adj* surpreendente.

surprendre [syrprɑ̃dr] *vt* surpreender.

surpris, e [syrpri, iz] *pp* → **surprendre**. ◆ *adj* surpreendido(-da); **je suis ~ de le voir ici** surpreende-me vê-lo aqui.

surprise [syrpriz] *nf* surpresa *f*; **faire une ~ à qqn** fazer uma surpresa a alguém; **par ~** de surpresa.

surréalisme [syrrealism] *nm* surrealismo *m*.

surréservation [syrrezervasjɔ̃] *nf* = **surbooking**.

sursaut [syrso] *nm* : **se réveiller en ~** acordar em sobressalto.

sursauter [syrsote] *vi* sobressaltar-se.

sursis [syrsi] *nm (délai)* prorrogação *f*; *(JUR)* pena *f* suspensa; **6 mois avec ~** 6 meses com pena suspensa.

surtaxe [syrtaks] *nf* sobretaxa *f*.

surtout [syrtu] *adv* sobretudo; **~, fais bien attention!** sobretudo, tem muito cuidado!; **~ que** sobretudo porque.

survécu [syrveky] *pp* → **survivre**.

surveillance [syrvɛjɑ̃s] *nf* vigilância *f*; **être sous ~** estar sob vigilância.

surveillant, e [syrvɛjɑ̃, ɑ̃t] *nm, f* auxiliar *mf* da acção educativa.

surveiller [syrvɛje] *vt (observer)* vigiar; *(prendre soin de)* cuidar de. ❑ **se surveiller** *vp (faire du régime)* cuidar-se.

survenir [syrvənir] *vi* sobrevir.

survêtement [syrvɛtmɑ̃] *nm* fato *m* de treino *(Port)*, moletom *m (Br)*.

survie [syrvi] *nf* sobrevivência *f*.

survivant, e [syrvivɑ̃, ɑ̃t] *nm, f* sobrevivente *mf*.

survivre [syrvivr] *vi* sobreviver; **~ à** sobreviver a.

survol [syrvɔl] *nm (vol au-dessus de)* sobrevoo *m*; *(fig: examen rapide)* vista *f* de olhos.

survoler [syrvɔle] *vt* sobrevoar.

sus [sy(s)]: **en sus** *adv* a mais.

susceptible [sysɛptibl] *adj* susceptível; **être ~ de faire qqch** ser capaz de fazer algo.

susciter [sysite] *vt* suscitar.

suspect, e [syspε, εkt] *adj &* *nm, f* suspeito(-ta).

suspecter [syspεkte] *vt* suspeitar de.

suspendre [syspãdr] *vt* suspender.

suspens [syspã]
❑ **en suspens** *loc adv* em suspenso.

suspense [syspεns] *nm* suspense *m*.

suspension [syspãsjõ] *nf (d'une voiture)* suspensão *f*; *(lampe)* candeeiro *m* de tecto.

suture [sytyr] *nf* → **point**.

svelte [zvεlt] *adj* esbelto(-ta).

SVP *(abr de* **s'il vous plaît***)* s.f.f.

sweat-shirt, s [switʃœrt] *nm* sweat-shirt *f*.

syllabe [silab] *nf* sílaba *f*.

symbole [sɛ̃bɔl] *nm* símbolo *m*.

symbolique [sɛ̃bɔlik] *adj* simbólico(-ca).

symboliser [sɛ̃bɔlize] *vt* simbolizar.

symétrie [simetri] *nf* simetria *f*.

symétrique [simetrik] *adj* simétrico(-ca).

sympa [sɛ̃pa] *adj (fam)* fixe.

sympathie [sɛ̃pati] *nf*: **éprouver** OU **avoir de la ~ pour qqn** sentir OU ter simpatia por alguém.

sympathique [sɛ̃patik] *adj* simpático(-ca).

sympathiser [sɛ̃patize] *vi* simpatizar; **ils ont sympathisé** eles simpatizaram um com o outro.

symphonie [sɛ̃fɔni] *nf* sinfonia *f*.

symphonique [sɛ̃fɔnik] *adj* sinfónico(-ca).

symptomatique [sɛ̃ptɔmatik] *adj* sintomático(-ca).

symptôme [sɛ̃ptom] *nm* sintoma *m*.

synagogue [sinagɔg] *nf* sinagoga *f*.

synchronisé, e [sɛ̃krɔnize] *adj* sincronizado(-da).

synchroniser [sɛ̃krɔnize] *vt* sincronizar.

syncope [sɛ̃kɔp] *nf (MÉD)* síncope *f*.

syndic [sɛ̃dik] *nm (personne)* administrador *m* (-ra *f*) de condomínio; *(entreprise)* empresa *f* gestora de condomínios.

syndical, e, aux [sɛ̃dikal, o] *adj (mouvement, revendications)* sindical.

syndicaliste [sɛ̃dikalist] *nmf* sindicalista *mf*.

syndicat [sɛ̃dika] *nm* sindicato *m*; **~ d'initiative** centro *m* de turismo.

syndiqué, e [sɛ̃dike] *adj* sindicalizado(-da).

syndrome [sɛ̃drom] *nm* síndrome *f*.

synergie [sinεrʒi] *nf* sinergia *f*.

synonyme [sinɔnim] *nm* sinónimo *m*.

syntaxe [sɛ̃taks] *nf* sintaxe *f*.

synthèse [sɛ̃tεz] *nf* síntese *f*.

synthétique [sɛ̃tetik] *adj* sintético(-ca). ◆ *nm* tecido *m* sintético.

synthétiseur [sɛ̃tetizœr] *nm* sintetizador *m*.

systématique [sistematik] *adj* sistemático(-ca).

système [sistεm] *nm* sistema *m*; **~ d'exploitation** sistema operacional.

T

t' → te.

ta [ta] → ton (adj).

tabac [taba] nm *(plante, produit)* tabaco m; *(magasin)* tabacaria f.

---

i TABAC

Nos "débits de tabac" (postos de venda autorizados) ou "bureaux de tabac" (tabacarias) vendem-se cigarros, charutos e tabaco, mas também se encontram selos de correio, selos fiscais, matrizes de "loto", etc. Na província, também é possível adquirir jornais e revistas nestes estabelecimentos.

---

tabagie [tabaʒi] nf *(Can)* tabacaria f.

tabagisme [tabaʒism] nm tabagismo m.

table [tabl] nf *(meuble)* mesa f; *(tableau)* quadro m; **mettre la ~** pôr a mesa; **être/se mettre à ~** estar à/ir para a mesa; **à ~!** para a mesa!; **~ de chevet** OU **de nuit** mesa-de-cabeceira f; **~ à langer** mesa de vestir; **~ des matières** índice m; **~ d'opération** mesa de operações; **~ d'orientation** plano m de orientação; **~ à repasser** tábua f de passar a ferro.

tableau, x [tablo] nm *(peinture, grille)* quadro m; *(panneau)* painel m; **~ de bord** painel de instrumentos; **~ (noir)** quadro (preto).

tabler [table] vi : **~ sur** contar com.

tablette [tablɛt] nf prateleira f; **~ de chocolat** tablete f de chocolate.

tableur [tablœr] nm folha f de cálculo.

tablier [tablije] nm avental m.

tabou, e [tabu] adj tabu.
❑ **tabou** nm tabu m.

taboulé [tabule] nm *prato libanês à base de trigo partido, tomate, salsa e hortelã.*

tabouret [taburɛ] nm mocho m, banco m.

tache [taʃ] nf mancha f; **~s de rousseur** sardas fpl.

tâche [taʃ] nf tarefa f.

tacher [taʃe] vt manchar.

tâcher [taʃe] vi : **je vais ~ de finir ce soir** vou ver se acabo esta noite. ◆ vt : **tâche que ça ne se reproduise plus** vê lá se isto não se repete.

tacheté, e [taʃte] adj manchado(-da).

tacite [tasit] adj tácito(-ta).

taciturne [tasityrn] adj taciturno(-na).

tact [takt] nm tacto m.

tactique [taktik] *nf* táctica *f*.

tag [tag] *nm* grafito *m*.

Tage [taʒ] *nm* : **le ~** o Tejo.

tagine [taʒin] *nm prato à base de carne, sobretudo de carneiro, típico do Norte de África.*

taguer [tage] *vt* desenhar grafitos em.

taie [tɛ] *nf* : **~ d'oreiller** fronha *f* (de almofada).

taille [taj] *nf (dimension)* tamanho *m*; *(mensuration)* medida *f*; *(partie du corps)* cintura *f*.

taille-crayon, s [tajkrɛjɔ̃] *nm* afiadeira *f*, apara-lápis *m inv* *(Port)*, apontador *m (Br)*.

tailler [taje] *vt (arbre)* podar; *(tissu)* cortar; *(crayon)* afiar.

tailleur [tajœr] *nm (couturier)* alfaiate *m*; *(vêtement)* fato *m* de saia e casaco; **s'asseoir en ~** sentar-se com as pernas cruzadas.

taillis [taji] *nm* mata *f* (de corte).

tain [tɛ̃] *nm* aço *m (para espelhos)*.

taire [tɛr] : **se taire** *vp* calar-se; **tais-toi!** cala-te!

talc [talk] *nm* pó *m* de talco.

talent [talɑ̃] *nm* talento *m*.

talentueux, euse [talɑ̃tɥø, øz] *adj* talentoso(-osa).

talisman [talismɑ̃] *nm* talismã *m*.

talkie-walkie [tɔkiwɔki] *(pl* **talkies-walkies)** *nm* walkie-talkie *m*.

talon [talɔ̃] *nm (du pied)* calcanhar *m*; *(d'une chaussure)* salto *m*; *(d'un chèque)* talão *m*; **~s hauts** saltos altos; **~s plats** saltos baixos OU rasos.

talonner [talɔne] *vt (suivre)* ir no encalço de; *(harceler)* atormentar.

talus [taly] *nm* talude *m*.

tambour [tɑ̃bur] *nm (instrument)* tambor *m*.

tambourin [tɑ̃burɛ̃] *nm* tamboril *m (Port)*, pandeiro *m (Br)*.

tambouriner [tɑ̃burine] *vt* tamborilar. ◆ *vi* : **~ sur/à/contre** tamborilar em/a/contra.

tamis [tami] *nm* peneira *f*.

Tamise [tamiz] *nf* : **la ~** o Tamisa.

tamisé, e [tamize] *adj* ténue.

tamiser [tamize] *vt* peneirar.

tampon [tɑ̃pɔ̃] *nm (cachet)* carimbo *m*; *(de tissu, de coton)* pano *m*; **~ (hygiénique)** tampão *m*.

tamponner [tɑ̃pɔne] *vt (document)* carimbar; *(heurter)* bater em; *(plaie)* limpar ao de leve.

tamponneuse [tɑ̃pɔnøz] *adj f* → **auto**.

tam-tam [tamtam] *(pl* **tam-tams)** *nm* tantã *m*.

tandem [tɑ̃dɛm] *nm (vélo)* tandem *m*.

tandis [tɑ̃di] : **tandis que** *conj (pendant que)* enquanto; *(alors que)* ao passo que.

tangent, e [tɑ̃ʒɑ̃, ɑ̃t] *adj (MATH)* tangente; *(juste)* à tangente. ❑ **tangente** *nf* tangente *f*.

tango [tɑ̃go] *nm* tango *m*.

tanguer [tɑ̃ge] *vi* baloiçar.

tanière [tanjɛr] *nf (d'ours)* caverna *f*; *(de renard)* covil *m*; *(fig: de personne)* toca *f*.

tank [tɑ̃k] *nm* tanque *m*.

tanner [tane] *vt (peau)* curtir; *(fam : embêter)* azucrinar o juízo a.

tant [tɑ̃] *adv* **1.** *(tellement)* tanto; **il l'aime tant (que)** ele ama-a tanto (que); **~ de... (que)** tanto...(que); **~ de gens (que)** tanta gente (que). **2.** *(autant)* : **~ que** tanto quanto; **~ qu'il peut** tanto quanto pode. **3.** *(temporel)* : **~ que nous resterons ici** enquanto ficarmos aqui. **4.** *(dans des expressions)* : **en ~ que** como; **on est arrivés à finir ~ bien que mal** conseguimos acabar como pudémos; **~ mieux**

ainda bem; ~ **pis** pouco importa; ~ **pis pour lui** pior para ele.

tante [tɑ̃t] *nf* tia *f*.

tantôt [tɑ̃to] *adv* : ~... ~ ora... ora.

taon [tɑ̃] *nm* moscardo *m*.

tapage [tapaʒ] *nm* algazarra *f*.

tape [tap] *nf* palmada *f*.

tape-à-l'œil [tapalœj] *adj inv* espampanante. ◆ *nm inv* fachada *f*.

tapenade [tapǝnad] *nf condimento à base de azeitonas, anchovas e alcaparras trituradas com azeite e ervas aromáticas.*

taper [tape] *vt (frapper)* bater; *(code)* marcar; ~ **(qqch) à la machine** bater (algo) à máquina; ~ **des pieds** bater com os pés no chão; ~ **sur** bater em.

tapioca [tapjɔka] *nm* tapioca *f*.

tapis [tapi] *nm* carpete *f*; *(persan)* tapete *m*; *(d'escalier)* passadeira *f*; ~ **roulant** tapete rolante; ~ **de sol** *lona que cobre o chão de uma tenda de campismo.*

tapisser [tapise] *vt* forrar.

tapisserie [tapisri] *nf (à l'aiguille, arts décoratifs)* tapeçaria *f*; *(papier peint)* papel *m* de parede.

tapoter [tapɔte] *vt* dar pancadinhas em.

taquin, e [takɛ̃, in] *adj* arreliador(-ra).

taquiner [takine] *vt* arreliar.

tarama [tarama] *nm ovas de peixe misturadas com miolo de pão, azeite e sumo de limão.*

tard [tar] *adv* tarde; **plus** ~ *(après, dans l'avenir)* mais tarde; **à plus ~!** até logo!; **au plus** ~ o mais tardar.

tarder [tarde] *vi* : **elle ne va pas** ~ **(à arriver)** ela não vai tardar (a chegar); ~ **à faire qqch** tardar a fazer algo; **il me tarde de partir** estou ansioso por partir.

tardif, ive [tardif, iv] *adj* tardio(-dia).

tare [tar] *nf (d'une balance, d'une personne)* tara *f*; *(d'une société, d'un système)* defeito *m*.

tarif [tarif] *nm (liste des prix)* tabela *f* de preços; *(prix)* tarifa *f*; ~ **plein** preço *m* normal; ~ **réduit** preço *m* reduzido.

tarir [tarir] *vi* secar.

tarot [taro] *nm (jeu)* tarô *m*.

tartare [tartar] *adj* → **sauce**, **steak**.

tarte [tart] *nf* tarte *f*; ~ **aux fraises** tarte de morango; ~ **au maton** *(Belg)* tarte de leite coalhado com amêndoas; ~ **au sucre** *(Belg)* tarte de açúcar; ~ **Tatin** tarte de maçã caramelizada.

tartelette [tartǝlɛt] *nf* pequena tarte *f*.

tartine [tartin] *nf* fatia *f* de pão (com manteiga ou compota).

tartiner [tartine] *vt* barrar; **fromage/pâte à** ~ queijo/creme de barrar.

tartre [tartr] *nm (sur les dents)* tártaro *m*; *(calcaire)* calcário *m*.

tas [ta] *nm* monte *m*; **mettre qqch en** ~ amontoar algo; **un** ou **des** ~ **de** *(fam)* um monte ou montes de.

tasse [tas] *nf* chávena *f*; **boire la** ~ engolir água; ~ **à café** chávena para o café; ~ **à thé** chávena para o chá.

tasser [tase] *vt* apertar. ❏ **se tasser** *vp (s'affaisser)* abater; *(dans une voiture)* apertar-se.

tâter [tate] *vt* apalpar. ❏ **se tâter** *vp* hesitar.

tâtonner [tatɔne] *vi* tactear.

tâtons [tatɔ̃]: **à tâtons** *adv* às apalpadelas.

tatouage [tatwaʒ] *nm* tatuagem *f*.

tatouer [tatwe] *vt* tatuar.

taudis [todi] *nm (logement misé-*

rable) pardieiro *m*; *(fig: péj: maison ou pièce mal tenues)* chiqueiro *m*.

taule [tol] *nf (fam) (prison)* pildra *f*.

taupe [top] *nf* toupeira *f*.

taureau, x [tɔro] *nm* touro *m*.
❑ **Taureau** *nm* Touro *m*.

tauromachie [tɔrɔmaʃi] *nf* tauromaquia *f*.

taux [to] *nm* taxa *f*; ~ **de change** taxa de câmbio.

taverne [tavɛrn] *nf (Can)* café *m*.

taxe [taks] *nf* imposto *m*; **toutes ~s comprises** com IVA.

taxer [takse] *vt* lançar um imposto sobre.

taxi [taksi] *nm* táxi *m*.

Tchécoslovaquie [tʃekɔslɔvaki] *nf* : **la ~ a** Checoslováquia.

te [tə] *pron* te.

technicien, enne [tɛknisjɛ̃, ɛn] *nm, f* técnico *m* (-ca *f*).

technico-commercial, e [tɛknikokɔmɛrsjal] *(mpl* **technico-commerciaux** [tɛknikokɔmɛrsjo])* *adj* : **un ingénieur ~** um técnico de vendas.

technique [tɛknik] *adj* técnico(-ca). ◆ *nf* técnica *f*.

technocrate [tɛknɔkrat] *nm (péj)* tecnocrata *m*.

technologie [tɛknɔlɔʒi] *nf* tecnologia *f*.

technologique [tɛknɔlɔʒik] *adj* tecnológico(-ca).

tee-shirt, s [tiʃœrt] *nm* T-shirt *f (Port)*, camiseta *f (Br)*.

teindre [tɛ̃dr] *vt* tingir; **se faire ~ (les cheveux)** pintar o cabelo.

teint, e [tɛ̃, tɛ̃t] *pp* → **teindre**. ◆ *nm* tez *f*.

teinte [tɛ̃t] *nf* cor *f*.

teinter [tɛ̃te] *vt* pintar.

teinture [tɛ̃tyr] *nf* tinta *f*; ~ **d'iode** tintura *f* de iodo.

teinturerie [tɛ̃tyrri] *nf* tinturaria *f*.

teinturier, ère [tɛ̃tyrje, ɛr] *nm, f* tintureiro *m* (-ra *f*).

tel, telle *adj (semblable)* tal; *(si grand)* tanto (tanta); ~ **que** tal como; ~ **quel** tal e qual; ~ **ou ~** tal ou tal.

tél. *(abr de* **téléphone***)* tel.

télé [tele] *nf (fam)* televisão *f*; **à la ~** na televisão.

téléachat [teleaʃa] *nm* telecompra *f*.

télécabine [telekabin] *nf* teleférico *m*.

Télécarte® [telekart] *nf* Credifone® *m*.

télécommande [telekɔmɑ̃d] *nf* telecomando *m*.

télécommunications [telekɔmynikasjɔ̃] *nfpl* telecomunicações *fpl*.

téléconférence [telekɔ̃ferɑ̃s] *nf* teleconferência *f*.

télécopie [telekɔpi] *nf* fax *m (documento)*.

télécopieur [telekɔpjœr] *nm* fax *m (aparelho)*.

téléfilm [telefilm] *nm* telefilme *m*.

télégramme [telegram] *nm* telegrama *m*; ~ **téléphoné** telegrama por telefone *(Port)*, telegrama fonado *(Br)*.

téléguidé, e [telegide] *adj* teleguiado(-da).

téléguider [telegide] *vt (un engin)* teleguiar; *(fig: une opération)* comandar à distância.

télématique [telematik] *nf* telemática *f*.

téléobjectif [teleɔbʒɛktif] *nm* teleobjectiva *f*.

télépathie [telepati] *nf* telepatia *f*.

téléphérique [teleferik] *nm* teleférico *m*.

téléphone [telefɔn] *nm* telefone *m (Port)*, fone *m (Br)*; **au ~** ao
telefone; **~ mobile** telemóvel *m*;
~ sans fil telefone sem fio; **~ de
voiture** telemóvel *m (versão fixa)*.
téléphoner [telefɔne] *vi* telefonar; **~ à qqn** telefonar a
alguém.
téléphonique [telefɔnik] *adj*
→ **cabine, carte**.
télescope [teleskɔp] *nm* telescópio *m*.
télescoper [teleskɔpe]: **se
télescoper** *vp* enfaixar-se.
télescopique [teleskɔpik] *adj*
telescópico(-ca).
télésiège [telesjɛʒ] *nm* teleférico *m*.
téléski [teleski] *nm* telesqui *m*.
téléspectateur, trice
[telespɛktatœr, tris] *nm, f* telespec-
tador *m* (-ra *f*).
télévisé, e [televize] *adj* tele-
visivo(-va).
téléviseur [televizœr] *nm* televisor *m*.
télévision [televizjɔ̃] *nf* televisão *f*; **à la ~** na televisão.
télex [telɛks] *nm inv* telex *m*.
telle → **tel**.
tellement [tɛlmã] *adv (tant)*
tanto; *(si)* tão; **~ de** tanto (tanta);
pas ~ nem tanto.
téméraire [temerɛr] *adj* teme-
rário(-ria).
témoignage [temwaɲaʒ] *nm*
testemunho *m*.
témoigner [temwaɲe] *vi* teste-
munhar.
témoin [temwɛ̃] *nm (spectateur)*
testemunha *f*; *(SPORT)* testemunho *m*; **être ~ de** ser testemunha
de.
tempe [tãp] *nf* têmpora *f*.
tempérament [tãperamã] *nm*
temperamento *m*.
température [tãperatyr] *nf*

(niveau de chaleur) temperatura *f*;
(fièvre) febre *f*.
tempérer [tãpere] *vt (adoucir)*
temperar; *(atténuer)* atenuar; *(fig:
calmer)* moderar.
tempête [tãpɛt] *nf* tempestade
f.
temple [tãpl] *nm* templo *m*.
tempo [tɛmpo] *nm* tempo *m*.
temporaire [tãpɔrɛr] *adj* tem-
porário(-ria).
temporairement [tãpɔ-
rɛrmã] *adv* temporariamente.
temps [tã] *nm* tempo *m*; **avoir
le ~ de faire qqch** ter tempo de
fazer algo; **il est ~ de/que** está na
hora de; **à ~** a tempo; **de ~ en ~**
de tempos a tempos; **en même ~**
ao mesmo tempo; **à ~ complet** a
tempo inteiro; **à ~ partiel** em
part-time.
tenace [tənas] *adj (gén)* tenaz;
(colle) resistente; *(tache)* difícil de
sair; *(odeur, maladie)* persistente.
tenailler [tənaje] *vt* atazanar.
tenailles [tənaj] *nfpl* tenazes
fpl.
tendance [tãdãs] *nf* tendência
f; **avoir ~ à faire qqch** ter tendência a fazer algo.
tendeur [tãdœr] *nm* esticador
m.
tendinite [tãdinit] *nf* inflamação *f* dos tendões.
tendon [tãdɔ̃] *nm* tendão *m*.
tendre [tãdr] *adj* terno(-na).
♦ *vt* esticar; **~ qqch à qqn** estender algo a alguém; **~ la main à
qqn** estender a mão a alguém; **~
l'oreille** prestar atenção; **~ un
piège à qqn** armar uma armadilha a alguém.
❑ **se tendre** *vp* esticar-se.
tendresse [tãdrɛs] *nf* ternura *f*.
tendu, e [tãdy] *adj* tenso(-sa).
ténèbres [tenɛbr] *nfpl (sout)*
trevas *fpl*.
teneur [tənœr] *nf* teor *m*; **~ en**
teor de.

tenir [tənir] *vt* **1.** *(à la main, dans ses bras)* segurar; *(garder)* manter; ~ **un plat au chaud** manter um prato quente. **2.** *(promesse, engagement)* cumprir. **3.** *(magasin, bar)* ter. **4.** *(dans des expressions):* **tiens!, tenez!** toma!, tome!; **tiens!** *(exprime la surprise)* olha!
♦ *vi* **1.** *(résister)* resistir; **la neige n'a pas tenu** a neve derreteu. **2.** *(rester)* ficar; ~ **debout** ficar direito; **tu ne tiens plus debout** *(de fatigue)* tu já não te aguentas em pé. **3.** *(être contenu)* caber.
❏ **tenir à** *v + prép (être attaché à):* ~ **à qqch** dar valor a algo; ~ **à qqn** ser apegado a alguém; ~ **à faire qqch** fazer questão de fazer algo.
❏ **tenir de** *v + prép (ressembler à)* sair a.
❏ **se tenir** *vp* **1.** *(avoir lieu)* realizar-se. **2.** *(s'accrocher)* segurar-se; **se** ~ **à** segurar-se a. **3.** *(être, rester)* ficar; **se** ~ **droit** ficar direito; **se** ~ **tranquille** ficar quieto. **4.** *(se comporter):* **bien/mal se** ~ comportar-se bem/mal.

tennis [tenis] *nm* ténis *m inv*.
♦ *nmpl* ténis *mpl*, sapatilhas *fpl*; ~ **de table** ténis de mesa.

ténor [tenɔr] *adj* tenor. ♦ *nm (chanteur)* tenor *m*; *(fig: vedette)* vulto *m*.

tension [tɑ̃sjɔ̃] *nf* tensão *f*; **avoir de la** ~ ter a tensão alta.

tentaculaire [tɑ̃takylɛr] *adj* tentacular.

tentacule [tɑ̃takyl] *nm* tentáculo *m*.

tentant, e [tɑ̃tɑ̃, ɑ̃t] *adj* tentador(-ra).

tentation [tɑ̃tasjɔ̃] *nf* tentação *f*.

tentative [tɑ̃tativ] *nf* tentativa *f*.

tente [tɑ̃t] *nf* tenda *f*.

tenter [tɑ̃te] *vt* tentar; ~ **de faire qqch** tentar fazer algo.

tenu, e [təny] *pp* → **tenir**.

tenue [təny] *nf* roupa *f*; ~ **de soirée** traje *m* de noite.

ter [tɛr] *adv* indica que há 3 números iguais numa rua; **11** ~ 11 c.

Tergal® [tɛrgal] *nm* terilene *m*.

terme [tɛrm] *nm* termo *m*; **à court** ~ a curto prazo; **à long** ~ a longo prazo.

terminaison [tɛrminɛzɔ̃] *nf* terminação *f*.

terminal, aux [tɛrminal, o] *nm* terminal *m*.

terminale [tɛrminal] *nf* ≃ décimo segundo ano *m* do ensino secundário.

terminer [tɛrmine] *vt* terminar.
❏ **se terminer** *vp* terminar.

terminologie [tɛrminɔlɔʒi] *nf* terminologia *f*.

terminus [tɛrminys] *nm* término *m*.

termite [tɛrmit] *nf* térmita *f*.

terne [tɛrn] *adj* baço(-ça).

ternir [tɛrnir] *vt (salir)* sujar; *(fig: flétrir)* denegrir.
❏ **se ternir** *vp (se salir)* ficar baço(-ça).

terrain [tɛrɛ̃] *nm* terreno *m*; ~ **de camping** parque *m* de campismo; ~ **de foot** campo *m* de futebol; ~ **de jeux** campo *m* de jogos; ~ **vague** terreno baldio.

terrasse [tɛras] *nf (d'une maison, d'un appartement)* terraço *m*; *(de café)* esplanada *f*.

terrasser [tɛrase] *vt (vaincre)* derrubar; *(venir à bout de)* erradicar; *(fig: foudroyer)* abalar.

terre [tɛr] *nf* terra *f*; *(argile)* barro *m*; **la Terre** a Terra; **par** ~ no chão.

terreau [tɛro] *nm* terriço *m*.

terre-plein, s [tɛrplɛ̃] *nm* terrapleno *m*; ~ **central** separador *m*.

terrestre [tɛrɛstr] *adj* terrestre.

terreur [tɛrœr] *nf* terror *m*.

terrible [tɛribl] *adj (catastrophe, accident)* terrível; *(fam : excellent)* extraordinário(-ia); **pas** ~ *(fam)* não é nada de especial.

terriblement [tɛribləmɑ̃] *adv* terrivelmente; **il a eu** ~ **peur** ele sentiu um medo terrível; **il a** ~ **changé** ele mudou muitíssimo.

terrien, enne [tɛrjɛ̃, ɛn] *adj* : **un propriétaire** ~ um latifundiário. ♦ *nm, f* terráqueo *m* (-quea *f*).

terrier [tɛrje] *nm (de lapin)* toca *f*.

terrifier [tɛrifje] *vt* aterrar.

terrine [tɛrin] *nf (récipient)* recipiente para o paté; *(CULIN)* paté *m* caseiro.

territoire [tɛritwar] *nm* território *m*.

territorial, e, aux [tɛritɔrjal, o] *adj* territorial.

terroriser [tɛrɔrize] *vt* aterrorizar.

terrorisme [tɛrɔrism] *nm* terrorismo *m*.

terroriste [tɛrɔrist] *nmf* terrorista *mf*.

tertiaire [tɛrsjɛr] *adj* terciário(-ria). ♦ *nm* sector *m* terciário.

tes → **ton**.

test [tɛst] *nm* teste *m*.

testament [tɛstamɑ̃] *nm* testamento *m*.

tester [tɛste] *vt* testar.

testicule [tɛstikyl] *nm* testículo *m*.

tétanos [tetanos] *nm* tétano *m*.

têtard [tɛtar] *nm* girino *m*.

tête [tɛt] *nf (ANAT)* cabeça *f*; *(visage)* cara *f*; *(partie avant)* frente *f*; **de** ~ *(wagon)* da frente; **être en** ~ estar à frente; **faire la** ~ amuar; **en** ~ **à** ~ a sós; ~ **de veau** cabeça de vitela.

tête-à-queue [tɛtakø] *nm inv* reviravolta *f*.

tête-à-tête [tɛtatɛt] *nm inv* encontro *m* a sós; **en** ~ a sós.

tête-bêche [tɛtbɛʃ] *loc adv* : **les enfants ont dormi** ~ as crianças dormiram um com os pés para cima e o outro com os pés para baixo.

tétée [tete] *nf* mamada *f*.

téter [tete] *vi* mamar.

tétine [tetin] *nf (de biberon)* tetina *f*; *(sucette)* chupeta *f*.

têtu, e [tety] *adj* teimoso(-osa).

texte [tɛkst] *nm* texto *m*.

textile [tɛkstil] *nm* têxtil *m*.

texture [tɛkstyr] *nf* textura *f*.

TF1 *n* canal privado da televisão francesa.

TGV *nm* comboio francês de alta velocidade.

---

i TGV

O "Train à Grande Vitesse" (Comboio de Alta Velocidade), possuidor do recorde mundial de velocidade sobre carris, foi inaugurado em França na linha Paris-Lyon. Hoje tem paragem em várias cidades, tais como Nice, Marselha, Rennes, Nantes, Bordéus ou Lille. O número de paragens e de lugares é limitado, o que faz com que a reserva seja obrigatória.

---

thalassothérapie [talasɔterapi] *nf* talassoterapia *f*.

théâtral, e, aux [teatral, o] *adj* teatral.

théâtre [teatr] *nm* teatro *m*.

théière [tejɛr] *nf* bule *m* do chá.

thématique [tematik] *adj* temático(-ca).

thème [tɛm] *nm (d'une exposi-*

tion, d'un film) tema *m*; *(traduction)* retroversão *f*.

théologie [teɔlɔʒi] *nf* teologia *f*.

théorème [teɔrɛm] *nm (MATH)* teorema *m*.

théorie [teɔri] *nf* teoria *f*; **en ~** em teoria.

théorique [teɔrik] *adj* teórico(-ca).

théoriquement [teɔrikmɑ̃] *adv (normalement)* teoricamente.

thérapie [terapi] *nf* terapia *f*.

thermal, e, aux [tɛrmal, o] *adj* termal.

Thermidor [tɛrmidɔr] *nm* → homard.

thermomètre [tɛrmɔmɛtr] *nm* termómetro *m*.

Thermos® [tɛrmos] *nf*: **(bouteille) ~** termo *m*.

thermostat [tɛrmɔsta] *nm* termóstato *m*.

thèse [tɛz] *nf* tese *f*.

thon [tɔ̃] *nm* atum *m*.

thorax [tɔraks] *nm* tórax *m*.

thym [tɛ̃] *nm* tomilho *m*.

thyroïde [tirɔid] *nf* tiróide *f*.

tibia [tibja] *nm* tíbia *f*.

tic [tik] *nm (mouvement)* tique *m*; *(habitude)* mania *f*.

ticket [tikɛ] *nm* bilhete *m*; **~ de caisse** talão *m* das compras; **~ de métro** bilhete de metro.

tiède [tjɛd] *adj* morno (morna).

tien [tjɛ̃]: **le tien** (*f* **la tienne** [latjɛn], *mpl* **les tiens** [letjɛ̃], *fpl* **les tiennes** [letjɛn]) *pron* o teu (a tua); **à la tienne!** à tua!

tiendra *etc* → **tenir**.

tienne *etc* → **tenir**.

tiens *etc* → **tenir**.

tiercé [tjɛrse] *nm jogo de apostas hípicas.*

tiers [tjɛr] *nm* terço *m*.

tiers-monde [tjɛrmɔ̃d] *nm* terceiro mundo *m*.

tige [tiʒ] *nf (de plante)* caule *m*; *(de métal, de bois)* vara *f*.

tigre [tigr] *nm* tigre *m*.

tigresse [tigrɛs] *nf (animal)* tigre *m* fêmea; *(fig: femme)* fera *f*.

tilleul [tijœl] *nm (arbre)* tília *f*; *(tisane)* chá *m* de tília.

tilsit [tilsit] *nm (Helv)* queijo mole de vaca.

timbale [tɛ̃bal] *nf (gobelet)* copo *m* de metal; *(CULIN)* timbale *m*.

timbre(-poste) [tɛ̃br(əpɔst)] *(pl* **timbres(-poste))** *nm* selo *m* (do correio).

timbrer [tɛ̃bre] *vt* pôr um selo em.

timide [timid] *adj* tímido(-da).

timidité [timidite] *nf* timidez *f*.

tinter [tɛ̃te] *vi* tilintar.

tir [tir] *nm* tiro *m*; **~ à l'arc** tiro ao arco.

tirage [tiraʒ] *nm* sorteio *m*; **~ au sort** sorteio *m*.

tirailler [tiraje] *vt* puxar; **être tiraillé entre** sentir-se dividido entre.

tire-bouchon, s [tirbuʃɔ̃] *nm* saca-rolhas *m inv*.

tirelire [tirlir] *nf* mealheiro *m*.

tirer [tire] *vt* **1.** *(gén)* puxar. **2.** *(tiroir, rideau)* abrir. **3.** *(trait)* traçar. **4.** *(avec une arme)* disparar; *(sortir)*: **~ qqn/qqch de** tirar alguém/algo de; **~ une conclusion de qqch** tirar uma conclusão de algo; **~ la langue à qqn** pôr a língua de fora a alguém; **les numéros du loto sont tirés tous les samedis à 20 h** os números do totoloto são sorteados todos os sábados às 20 h.
♦ *vi* **1.** *(gén)* atirar; **~ sur** atirar em.
2. *(vers soi, vers le bas, etc)*: **~ sur qqch** puxar algo.
❑ **se tirer** *vp (fam: s'en aller)* pirar-se.
❑ **s'en tirer** *vp (se débrouiller)* desenrascar-se; *(survivre)* escapar.

tiret [tirɛ] *nm* travessão *m*.

tirette [tirɛt] *nf* (Belg) fecho *m*.

tireur, euse [tirœr, øz] *nm, f* atirador *m* (-ra *f*); ~ **d'élite** excelente atirador.

tiroir [tirwar] *nm* gaveta *f*.

tiroir-caisse [tirwarkɛs] (*pl* **tiroirs-caisses**) *nm* caixa *f* registadora.

tisane [tizan] *nf* tisana *f*.

tisonnier [tizɔnje] *nm* atiçador *m*.

tisser [tise] *vt* tecer.

tissu [tisy] *nm* tecido *m*.

titre [titr] *nm* título *m*; ~ **de transport** bilhete *m*.

tituber [titybe] *vi* cambalear.

titulaire [titylɛr] *adj & nmf* titular.

titulariser [titylarize] *vt* tornar titular.

toast [tost] *nm* torrada *f*; **porter un ~ à qqn** brindar à saúde de alguém.

toboggan [tɔbɔgã] *nm* escorrega *m*.

toc [tɔk] *nm* fantasia *f*; **en ~ de** fantasia.

toi [twa] *pron* (objet direct) te; (après prép) ti; (après comparaison, pour insister) tu; **lève-~** levanta-te; **~-même** (sujet) tu; (objet) ti próprio.

toile [twal] *nf* (tissu) lona *f*; (tableau) tela *f*; ~ **d'araignée** teia *f* de aranha.

toilette [twalɛt] *nf* traje *m*; **faire sa ~** lavar-se.

❏ **toilettes** *nfpl* casa *f* de banho (Port), banheiro *m*, toalete *m* (Br).

toiser [twaze] *vt* olhar de alto a baixo.

❏ **se toiser** *vp* olhar-se de alto a baixo.

toit [twa] *nm* tecto *m*.

toiture [twatyr] *nf* telhado *m*.

tôle [tol] *nf* chapa *f*; ~ **ondulée** chapa ondulada.

tolérant, e [tɔlerã, ãt] *adj* tolerante.

tolérer [tɔlere] *vt* tolerar.

tollé [tɔle] *nm* onda *f* de protestos; **soulever un ~ général** provocar uma onda geral de protestos.

tomate [tɔmat] *nf* tomate *m*; ~**s farcies** tomates recheados.

tombe [tɔ̃b] *nf* campa *f*.

tombeau, x [tɔ̃bo] *nm* túmulo *m*; **rouler à ~ ouvert** (fig) andar à doida.

tombée [tɔ̃be] *nf*: **à la ~ de la nuit** ao cair da noite.

tomber [tɔ̃be] *vi* cair; (date, fête) calhar; **ça tombe bien!** calha bem!; **laisser ~** (études, projet) desistir de; (ami) abandonar; ~ **amoureux** apaixonar-se; ~ **malade** adoecer; ~ **en panne** avariar-se.

tombola [tɔ̃bɔla] *nf* tômbola *f*.

tome [tɔm] *nm* tomo *m*.

tomme [tɔm] *nf* (de savoie) queijo de leite de vaca; (Helv): ~ **vaudoise** queijo de vaca com cominhos.

ton[1] [tɔ̃] (*f* **ta** [ta], *pl* **tes** [te]) *adj* o teu (a tua).

ton[2] [tɔ̃] *nm* tom *m*.

tonalité [tɔnalite] *nf* tonalidade *f*.

tondeuse [tɔ̃døz] *nf*: ~ **(à gazon)** máquina *f* de cortar relva.

tondre [tɔ̃dr] *vt* (gazon) cortar; (cheveux) rapar.

tongs [tɔ̃g] *nfpl* chinelos *mpl* (de meter o dedo).

tonifier [tɔnifje] *vt* tonificar.

tonique [tɔnik] *adj* tónico(-ca); **accent ~** acento tónico.

tonne [tɔn] *nf* tonelada *f*.

tonneau, x [tɔno] *nm* (de vin) pipa *f*; (grand) tonel *m*; **faire des ~x** capotar.

tonnelle [tɔnɛl] *nf* caramanchão *m*.

tonnerre [tɔnɛr] *nm* trovão *m*; **coup de ~** trovão *m*.

tonus [tɔnys] *nm* tónus *m*.

topographie [tɔpɔgrafi] *nf* topografia *f*.

toque [tɔk] *nf* *(coiffure)* gorro *m*; *(de cuisinier)* chapéu *m*; *(cuisinier)* cozinheiro *m* (-ra *f*).

torche [tɔrʃ] *nf* tocha *f*; **~ électrique** lanterna *f*.

torchon [tɔrʃɔ̃] *nm* pano *m* *(da cozinha)*.

tordre [tɔrdr] *vt* torcer.
❑ **se tordre** *vp* : **se ~ la cheville** torcer o tornozelo; **se ~ de douleur** contorcer-se de dor; **se ~ de rire** partir-se a rir.

tordu, e [tɔrdy] *pp* → **tordre**.
♦ *adj & nm, f (fam)* destrambelhado(-da).

tornade [tɔrnad] *nf* tornado *m*.

torpeur [tɔrpœr] *nf* torpor *m*.

torpille [tɔrpij] *nf (MIL)* torpedo *m*; *(poisson)* tremelga *f*.

torréfaction [tɔrefaksjɔ̃] *nf* torrefacção *f*.

torrent [tɔrɑ̃] *nm* torrente *f*; **il pleut à ~s** está a chover a cântaros.

torrentiel, elle [tɔrɑ̃sjɛl] *adj* torrencial.

torride [tɔrid] *adj* tórrido(-da).

torsade [tɔrsad] *nf* : **pull à ~s** camisola *f* com torcidos.

torse [tɔrs] *nm* tronco *m*; **~ nu** tronco nu.

tort [tɔr] *nm* : **avoir ~** não ter razão; **avoir ~ (de faire qqch)** fazer mal (em fazer algo); **causer** OU **faire du ~ à qqn** causar prejuízo a alguém, prejudicar alguém; **donner ~ à qqn** não dar razão a alguém; **être dans son ~**, **être en ~** ter a culpa; **à ~** sem razão; **parler à ~ et à travers** falar a torto e a direito.

torticolis [tɔrtikɔli] *nm* torcicolo *m*.

tortiller [tɔrtije] *vt* contorcer.
❑ **se tortiller** *vp* contorcer-se.

tortionnaire [tɔrsjɔnɛr] *nmf* torcionário *m* (-ria *f*).

tortue [tɔrty] *nf* tartaruga *f*.

tortueux, euse [tɔrtɥø, øz] *adj* tortuoso(-osa).

torture [tɔrtyr] *nf* tortura *f*.

torturer [tɔrtyre] *vt* torturar.

tôt [to] *adv* *(de bonne heure)* cedo; *(vite)* rápido; **~ ou tard** mais cedo ou mais tarde; **au plus ~** o quanto antes.

total, e, aux [tɔtal, o] *adj* total.
♦ *nm* total *m*.

totalement [tɔtalmɑ̃] *adv* totalmente.

totaliser [tɔtalize] *vt* totalizar.

totalitaire [tɔtalitɛr] *adj* totalitário(-ria).

totalitarisme [tɔtalitarism] *nm* totalitarismo *m*.

totalité [tɔtalite] *nf* : **la ~ de** a totalidade de; **en ~ (rembourser)** na totalidade.

toubib [tubib] *nmf (fam)* médico *m* (-ca *f*).

touchant, e [tuʃɑ̃, ɑ̃t] *adj* tocante.

touche [tuʃ] *nf (de piano, d'ordinateur, de téléphone)* tecla *f*; *(SPORT: ligne)* linha *f*.

toucher [tuʃe] *vt (entrer en contact avec)* tocar; *(argent, chèque)* receber; *(cible)* atingir; *(émouvoir)* comover; **~ à *(objet)*** tocar em; *(nourriture)* provar.
❑ **se toucher** *vp* tocar-se.

touffe [tuf] *nf* tufo *m*.

toujours [tuʒur] *adv (tout le temps)* sempre; *(encore)* ainda; **pour ~** para sempre.

toupie [tupi] *nf* pião *m*.

tour[1] [tur] *nm* volta *f*; **faire un ~** dar uma volta; **faire le ~ de qqch** dar uma volta a algo; **jouer un ~ à qqn** pregar uma partida a alguém; **c'est ton ~ (de faire qqch)** é a tua vez (de fazer algo); **à ~ de rôle** à vez; **le Tour de France** a Volta à França em bicicleta; **~ de magie** truque *m* de magia.

ⓘ TOUR DE FRANCE

Esta prova de ciclismo mundialmente famosa foi instituída em 1903. Trata-se de uma competição, dividida em etapas, de vários milhares de quilómetros, cujo trajecto varia todos os anos e que termina por volta de 14 de Julho, na avenida dos Campos Elíseos. Um público numeroso assiste a esta prova ao longo de todo o seu trajecto. Também existe, desde 1984, um "Tour de France" feminino.

---

tour[2] [tur] *nf* torre *f*; **~ de contrôle** torre de controlo; **la ~ Eiffel** a Torre Eiffel.

ⓘ TOUR EIFFEL

Construída por Gustave Eiffel para a exposição universal de 1889, a Torre Eiffel é, desde então, o símbolo de Paris. Trata-se de um dos monumentos mais visitados do mundo. Do topo desta estrutura metálica de 320 m à qual se sobe por elevadores, vê-se a cidade inteira e uma parte dos arredores.

---

tourbillon [turbijɔ̃] *nm* turbilhão *m*.

tourbillonner [turbijɔne] *vi* revolutear.

tourelle [turɛl] *nf* torrinha *f*.

tourisme [turism] *nm* turismo *m*; **faire du ~** fazer turismo.

touriste [turist] *nmf* turista *mf*.

touristique [turistik] *adj* turístico(-ca).

tourmente [turmãt] *nf (sout)* tormenta *f*.

tourmenté, e [turmãte] *adj (personne)* atormentado(-da); *(mer, période)* turbulento(-ta).

tourmenter [turmãte] *vt* atormentar.

❏ **se tourmenter** *vp* atormentar-se.

tournage [turnaʒ] *nm* filmagens *fpl*.

tournant [turnã] *nm* curva *f*.

tourne-disque, s [turnədisk] *nm* gira-discos *m inv (Port)*, toca-discos *m inv (Br)*.

tournedos [turnədo] *nm* bife *m* de lombo de vaca; **~ Rossini** bife de lombo de vaca com paté e trufas.

tournée [turne] *nf (d'un chanteur)* digressão *f*; *(du facteur)* volta *f*; *(au bar)* rodada *f*.

tourner [turne] *vt (clé, manivelle)* dar a; *(sauce, soupe, salade)* mexer; *(tête, regard, page)* virar; *(film)* filmar. ◆ *vi (manège, roue)* girar; *(route)* virar; *(moteur, machine)* estar em andamento; *(lait)* azedar; *(acteur)* entrar; **tournez à gauche/droite** vire à esquerda/direita; **~ autour de** andar à volta de; **avoir la tête qui tourne** ter a cabeça que anda à roda; **mal ~** *(affaire)* acabar mal.

❏ **se tourner** *vp* virar-se; **se ~ vers** *(dans l'espace)* virar-se para; *(fig: activité)* dedicar-se a.

tournesol [turnəsɔl] *nm* girassol *m*.

tournevis [turnəvis] *nm* chave-de-fendas *f*.

tourniquet [turnikɛ] *nm (du métro)* torniquete *m*.

tournis [turni] *nm (fam : vertige)*: **avoir le ~** ter a cabeça a andar à roda; **donner le ~ à qqn** pôr a cabeça a andar à roda.

tournoi [turnwa] *nm* torneio *m*.

tournoyer [turnwaje] *vi* revolutear.

tournure [turnyr] *nf (expression)* expressão *f*.

tourte [turt] *nf* tarte *f* folhada.

tourteau, x [turto] *nm (crabe)* sapateira *f*; *(aliment pour bétail)* bagaço *m*.

tourterelle [turtərεl] *nf* rola *f*.

tourtière [turtjεr] *nf (Can)* *torta de carne moída e cebola*.

tous → tout.

Toussaint [tusε̃] *nf*: **la ~** o dia de Todos os Santos.

---

i TOUSSAINT

Por ocasião desta festa, que se realiza no dia um de Novembro, decoram-se com flores os túmulos dos entes queridos. O crisântemo é a flor típica do Dia de Todos os Santos. Por outro lado, como este período coincide com as férias escolares, o tráfego é particularmente intenso, o que faz dele um dos mais mortais do ano.

---

tousser [tuse] *vi* tossir.

tout, e [tu, tut] *(mpl* **tous** [tus], *fpl* **toutes** [tut]) *adj* **1.** *(avec un substantif singulier)* todo (toda); **~ le vin** o vinho todo; **~ un gâteau** o bolo inteiro; **~e la journée** o dia todo; **~e la famille** toda a família; **~ le monde** toda a gente *(Port)*, todo (o) mundo *(Br)*; **~ le temps** o tempo todo. **2.** *(avec un pronom démonstratif)* tudo; **~ ça** OU **cela** tudo isto, isto tudo.

3. *(avec un substantif pluriel)* todos (todas); **tous les gâteaux** todos os bolos; **~es les maisons** todas as casas; **tous les trois** os três; **~es les deux** as duas; **tous les deux ans** de dois em dois anos. **4.** *(n'importe quel)*: **~ homme a le droit de...** todos os homens têm direito a...; **déjeuner servi à ~e heure** almoço servido a todas as horas; **à ~e heure du jour ou de la nuit** a qualquer hora do dia ou da noite. ◆ *pron* **1.** *(la totalité)* tudo; **je t'ai ~ dit** disse-te tudo; **c'est ~** é tudo; **ce sera ~?** *(dans un magasin)* mais alguma coisa?; **en ~** ao todo. **2.** *(au pluriel: tout le monde)*: **ils voulaient tous la voir** eles queriam todos vê-la. ◆ *adv* **1.** *(très, complètement)* muito; **~ jeune** muito jovem; **~ près** muito perto; **ils étaient ~ seuls** eles estavam sozinhos; **~ en haut** bem lá em cima. **2.** *(avec un gérondif)*: **~ en marchant** ao mesmo tempo que andava. **3.** *(dans des expressions)*: **~ à coup** de repente; **~ à fait** perfeitamente; **~ à l'heure** *(avant)* há bocado; *(après)* daqui a bocado; **à ~ à l'heure!** até logo!; **~ de même** *(malgré tout)* mesmo assim; *(exprime l'indignation)* realmente; *(l'impatience)* até que enfim; **~ de suite** imediatamente. ◆ *nm*: **le ~** ao todo; **le ~ est de...** o importante é...; **pas du ~** de modo nenhum; **il n'est pas du ~ sympathique** ele não é mesmo nada simpático.

tout-à-l'égout [tutalegu] *nm inv* rede *f* de esgotos.

toutefois [tutfwa] *adv* todavia.

tout-petit [tupəti] *(pl* **tout-petits**) *nm* pequenino *m* (-na *f*).

tout(-)terrain, **s** [tutɛrɛ̃] *adj* todo-o-terreno.

toux [tu] *nf* tosse *f*.

toxicomane [tɔksikɔman] *nmf* toxicómano *m* (-na *f*).

toxine [tɔksin] *nf* toxina *f*.

toxique [tɔksik] *adj* tóxico(-ca).

TP *nmpl* (*abr*) = **travaux pratiques**.

trac [trak] *nm* : **avoir le** ~ estar nervoso(-osa).

tracas [traka] *nm* preocupação *f*.

tracasser [trakase] *vt* inquietar.
❏ **se tracasser** *vp* inquietar-se.

trace [tras] *nf* (*de pas*) pegada *f*; (*de sang*) vestígio *m*.

tracé [trase] *nm* traçado *m*.

tracer [trase] *vt* traçar.

tract [trakt] *nm* panfleto *m*.

tractations [traktasjɔ̃] *nfpl* negociações *fpl* secretas.

tracteur [traktœr] *nm* (*agricole*) tractor *m*.

tradition [tradisjɔ̃] *nf* tradição *f*.

traditionnel, **elle** [tradisjɔnɛl] *adj* tradicional.

traducteur, **trice** [tradyktœr, tris] *nm*, *f* tradutor *m* (-ra *f*).

traduction [tradyksjɔ̃] *nf* tradução *f*.

traduire [tradɥir] *vt* traduzir.

trafic [trafik] *nm* (*circulation*) tráfego *m*; (*commerce*) tráfico *m*.

trafiquant, **e** [trafikɑ̃, ɑ̃t] *nm*, *f* traficante *mf*.

trafiquer [trafike] *vt* (*vin*) falsificar; (*moteur*) mexer em; (*fam* : *manigancer*) andar a tramar. ◆ *vi* traficar.

tragédie [traʒedi] *nf* (*épisode dramatique*) tragédia *f*.

tragi-comédie [traʒikɔmedi] *nf* tragicomédia *f*.

tragique [traʒik] *adj* trágico(-ca).

trahir [trair] *vt* trair.
❏ **se trahir** *vp* trair-se.

trahison [traizɔ̃] *nf* traição *f*.

train [trɛ̃] *nm* comboio *m* (*Port*), trem *m* (*Br*); **être en** ~ **de faire qqch** estar a fazer algo; ~ **d'atterrissage** trem *m* de aterragem; ~ **de banlieue** comboio dos subúrbios; ~**-couchettes** comboio com carruagens-cama; ~ **rapide** comboio rápido.

traîne [trɛn] *nf* cauda *f*; **être à la** ~ estar atrás.

traîneau, **x** [trɛno] *nm* trenó *m*.

traînée [trene] *nf* (*trace*) rasto *m*.

traîner [trene] *vt* arrastar. ◆ *vi* (*par terre*) arrastar-se; (*prendre du temps*, *s'attarder*) demorar; (*péj*: *affaires*, *dans la rue*, *dans les bars*) andar por aí.
❏ **se traîner** *vp* arrastar-se.

train-train [trɛ̃trɛ̃] *nm inv* rotina *f*.

traire [trɛr] *vt* ordenhar.

trait [trɛ] *nm* traço *m*; **d'un** ~ (*boire*) de um trago; ~ **d'union** hífen *m*.
❏ **traits** *nmpl* traços *mpl*.

traite [trɛt] *nf*: **d'une (seule)** ~ de uma (só) vez.

traité [trete] *nm* tratado *m*.

traitement [trɛtmɑ̃] *nm* tratamento *m*; ~ **de texte** processamento *m* de texto.

traiter [trete] *vt* tratar; (*affaire*) tratar de; ~ **qqn de qqch** chamar algo a alguém.
❏ **traiter de** *v* + *prép* tratar de.

traiteur [trɛtœr] *nm* comércio de pratos já preparados.

traître [trɛtr] *nm* traidor *m*.

trajectoire [traʒɛktwar] *nf* trajectória *f*.

trajet [traʒɛ] *nm* trajecto *m*.

trame [tram] *nf* trama *f*.

trampoline [trɑ̃pɔlin] *nm* trampolim *m*.

tramway [tramwɛ] *nm* eléctrico *m (Port)*, bonde *m (Br)*.

tranchant, e [trɑ̃ʃɑ̃, ɑ̃t] *adj* cortante. ◆ *nm* gume *m*.

tranche [trɑ̃ʃ] *nf (morceau)* fatia *f*; *(d'un livre)* lombada *f*.

tranchée [trɑ̃ʃe] *nf* trincheira *f*.

trancher [trɑ̃ʃe] *vt (couper)* cortar. ◆ *vi (décider)* decidir; *(ressortir)* sobressair.

tranquille [trɑ̃kil] *adj (endroit)* tranquilo(-la); *(enfant)* sossegado(-da); **laisser qqn/qqch ~** deixar algo/alguém em paz; **rester ~** ficar sossegado; **soyez ~** *(ne vous inquiétez pas)* fique tranquilo.

tranquillisant [trɑ̃kilizɑ̃] *nm* tranquilizante *m*.

tranquilliser [trɑ̃kilize] *vt* tranquilizar.
❑ **se tranquilliser** *vp* tranquilizar-se.

tranquillité [trɑ̃kilite] *nf* tranquilidade *f*; **en toute ~** na maior das tranquilidades.

transaction [trɑ̃zaksjɔ̃] *nf (bancaire)* transacção *f*.

transat [trɑ̃zat] *nm* espreguiçadeira *f*. ◆ *nf (NAVIG)* regata *f (disputada no oceano Atlântico)*.

transe [trɑ̃s] *nf* : **être en ~** ficar em transe; *(fig)* ficar extasiado(-da).

transférer [trɑ̃sfere] *vt* transferir.

transfert [trɑ̃sfɛr] *nm* transferência *f*.

transfigurer [trɑ̃sfigyre] *vt* transfigurar.

transformateur [trɑ̃sfɔrmatœr] *nm* transformador *m*.

transformation [trɑ̃sfɔrmasjɔ̃] *nf* transformação *f*.

transformer [trɑ̃sfɔrme] *vt* transformar; **~ qqch en qqch** transformar algo em algo.
❑ **se transformer** *vp* transformar-se; **se ~ en qqch** transformar-se em algo.

transfuge [trɑ̃sfyʒ] *nmf* trânsfuga *mf*.

transfusion [trɑ̃sfyzjɔ̃] *nf* : **~ (sanguine)** transfusão *f* (de sangue).

transgresser [trɑ̃sgrese] *vt* transgredir.

transistor [trɑ̃zistɔr] *nm (radio)* transístor *m*.

transit [trɑ̃zit] *nm* : **passagers en ~** passageiros em trânsito.

transiter [trɑ̃zite] *vi (marchandises)* passar em trânsito; *(voyageurs)* estar em trânsito; **~ par** transitar por.

translucide [trɑ̃slysid] *adj* translúcido(-da).

transmettre [trɑ̃smɛtr] *vt* : **~ qqch à qqn** transmitir algo a alguém.
❑ **se transmettre** *vp* transmitir-se.

transmis, e [trɑ̃smi, iz] *pp* → **transmettre**.

transmissible [trɑ̃smisibl] *adj* transmissível.

transmission [trɑ̃smisjɔ̃] *nf* transmissão *f*.

transparent, e [trɑ̃sparɑ̃, ɑ̃t] *adj* transparente.

transpercer [trɑ̃spɛrse] *vt* traspassar.

transpiration [trɑ̃spirasjɔ̃] *nf* transpiração *f*.

transpirer [trɑ̃spire] *vi* transpirar.

transplanter [trɑ̃splɑ̃te] *vt (plante)* transplantar.

transport [trɑ̃spɔr] *nm* transporte *m*; **les ~s (en commun)** os transportes (públicos).

transporter [trɑ̃spɔrte] *vt* transportar.

transporteur [trɑ̃spɔrtœr] *nm* transportador *m*; **~ routier** transportador rodoviário.

transposer [trɑ̃spoze] *vt* transpor.

transsexuel, elle [trãssɛk-syɛl] *adj & nm, f* transsexual.

transvaser [trãsvaze] *vt* transvasar.

transversal, e, aux [trãsvɛrsal, o] *adj* transversal.

trapèze [trapɛz] *nm (de cirque)* trapézio *m*.

trapéziste [trapezist] *nmf* trapezista *mf*.

trappe [trap] *nf* alçapão *m*.

trapu, e [trapy] *adj* atarracado(-da).

traquer [trake] *vt (animal, personne)* acossar; *(fig: erreur)* andar à cata de.

traumatiser [tromatize] *vt* traumatizar.

traumatisme [tromatism] *nm* traumatismo *m*; ~ **crânien** traumatismo craniano.

travail, aux [travaj, o] *nm* trabalho *m*.

❑ **travaux** *nmpl (agricoles)* trabalhos *mpl*; *(ménagers)* tarefas *fpl*; *(de construction)* obras *fpl*; **'travaux'** trabalhos na estrada; **travaux pratiques** aulas *fpl* práticas.

travailler [travaje] *vi* trabalhar.
♦ *vt (matière scolaire, passage musical)* estudar; *(bois, pierre)* trabalhar.

travailleur, euse [travajœr, øz] *adj & nm, f* trabalhador(-ra); ~ **émigré** trabalhador emigrado; ~ **indépendant** trabalhador por conta própria.

traveller's check, s [travlœrʃɛk] *nm* cheque *m* de viagem.

traveller's cheque, s [travlœrʃek] = **traveller's check**.

travers [travɛr] *nm* : **à ~** através de; **de ~** de lado; **aller de ~** *(fig)* estar a dar para o torto; **avaler de ~** engasgar-se; **être en ~ (de)** estar atravessado em; ~ **de porc** costeletas *fpl* de porco.

traversée [travɛrse] *nf (en bateau)* travessia *f*.

traverser [travɛrse] *vt* atravessar.

traversin [travɛrsɛ̃] *nm* travesseiro *m*.

trébucher [trebyʃe] *vi* tropeçar.

trèfle [trɛfl] *nm (plante)* trevo *m*; *(aux cartes)* paus *mpl*.

treillis [trɛji] *nm (clôture)* rede *f* decorativa; *(toile)* linhagem *f*; *(MIL)* camuflado *m*.

treize [trɛz] *num* treze; → **six**.

treizième [trɛzjɛm] *num* décimo terceiro (décima terceira); → **sixième**.

trekking [trɛkiŋ] *nm* caminhada *f* em alta montanha.

tréma [trema] *nm* trema *m*.

tremblant, e [trãblã, ãt] *adj* trémulo(-la); **être ~ de froid** estar a tremer de frio; **être tout ~** estar todo a tremer.

tremblement [trãbləmã] *nm* : ~ **de terre** tremor *m* de terra; ~**s** *(frissons)* arrepios *mpl*.

trembler [trãble] *vi* tremer; ~ **de peur/froid** tremer de medo/frio.

trémousser [tremuse]: **se trémousser** *vp* mexer-se.

trempé, e [trãpe] *adj (mouillé)* encharcado(-da).

tremper [trãpe] *vt & vi* molhar; **faire ~ qqch** pôr algo de molho.

tremplin [trãplɛ̃] *nm* trampolim *m*.

trentaine [trãtɛn] *nf* : **une ~ de** uma trintena de; **avoir la ~** andar pelos trinta (anos).

trente [trãt] *num* trinta; → **six**.

trente-trois-tours [trãttrwatur] *nm inv* trinta e três rotações *m*.

trentième [trãtjɛm] *num* trigésimo(-ma); → **sixième**.

trépied [trepje] *nm (support)* tripé *m*; *(meuble)* tripeça *f*.

très [trɛ] *adv* muito; **avoir ~ peur/faim** ter muito medo/muita fome; **~ malade** muito doente; **~ bien** muito bem.

trésor [trezɔr] *nm* tesouro *m*.

trésorerie [trezɔrri] *nf* tesouraria *f*.

trésorier, ère [trezɔrje, ɛr] *nm* tesoureiro *m* (-ra *f*).

tresse [trɛs] *nf* trança *f*; *(CULIN: Helv)* pão *m* trançado.

tresser [trese] *vt* entrançar.

tréteau, x [treto] *nm* cavalete *m*.

treuil [trœj] *nm* guindaste *m*.

trêve [trɛv] *nf* : **~ de...** basta de...

tri [tri] *nm* : **faire un ~ parmi** fazer uma selecção entre.

triangle [trijɑ̃gl] *nm* triângulo *m*.

triangulaire [trijɑ̃gylɛr] *adj* triangular.

triathlon [triatlɔ̃] *nm* triatlo *m*.

tribord [tribɔr] *nm* estibordo *m*; **à ~** a estibordo.

tribu [triby] *nf* tribo *f*.

tribunal, aux [tribynal, o] *nm* tribunal *m*.

tribune [tribyn] *nf* tribuna *f*.

tributaire [tribytɛr] *adj* : **être ~ de qqch/qqn** depender de algo/ alguém.

tricher [triʃe] *vi (au jeu)* fazer batota; *(à un examen)* copiar.

tricherie [triʃri] *nf (au jeu)* batota *f*; *(tromperie)* trapaça *f*.

tricheur, euse [triʃœr, øz] *nm, f* batoteiro *m* (-ra *f*).

tricolore [trikɔlɔr] *adj (à trois couleurs)* tricolor; *(équipe, drapeau)* francês(-esa).

tricot [triko] *nm (ouvrage)* tricô *m*; *(pull)* camisola *f* de malha; **~ de corps** camisola *f* interior.

tricoter [trikɔte] *vt & vi* tricotar.

tricycle [trisikl] *nm* triciclo *m*.

trier [trije] *vt (sélectionner)* seleccionar; *(classer)* classificar.

trilingue [trilɛ̃g] *adj* trilingue.

trimestre [trimɛstr] *nm* trimestre *m*.

trimestriel, elle [trimɛstrijɛl] *adj* trimestral.

tringle [trɛ̃gl] *nf* varão *m*; **~ à rideaux** varão para cortinados.

trinquer [trɛ̃ke] *vi* brindar.

trio [trijo] *nm* trio *m*.

triomphal, e, aux [trijɔ̃fal, o] *adj* triunfal.

triomphe [trijɔ̃f] *nm* triunfo *m*.

triompher [trijɔ̃fe] *vi* triunfar; **~ de** *(adversaire)* vencer.

tripes [trip] *nfpl (CULIN)* tripas *fpl*.

triple [tripl] *adj (exemplaire)* triplicado; *(dose)* triplo(-pla). ◆ *nm* : **le ~ (de)** o triplo (de).

tripler [triple] *vt & vi* triplicar.

triplés [triple] *nmpl* trigémeos *mpl*.

tripoter [tripɔte] *vt (objet)* mexer em.

triste [trist] *adj* triste.

tristesse [tristɛs] *nf* tristeza *f*.

trivial, e, aux [trivjal, o] *adj (banal)* trivial; *(péj: vulgaire)* grosseiro(-ra).

troc [trɔk] *nm (échange)* troca *f*.

trognon [trɔɲɔ̃] *nm (de pomme, de poire)* caroço *m*.

trois [trwa] *num* três; → **six**.

troisième [trwazjɛm] *num* terceiro(-ra). ◆ *nf (SCOL)* ≃ nono ano *m* do ensino básico; *(vitesse)* terceira *f*; → **sixième**.

trois-quarts [trwakar] *nm* casaco *m* 3/4.

trombe [trɔ̃b] *nf* : **des ~s d'eau** trombas *fpl* de água; **en ~** de rompão.

trombone [trɔ̃bɔn] *nm (agrafe)* clipe *m*; *(MUS)* trombone *m*.

trompe [tʁɔ̃p] *nf (d'éléphant)* tromba *f*.

trompe-l'œil [tʁɔ̃plœj] *nm inv (peinture)* trompe-l'œil *m inv; (apparence trompeuse)* fogo de vista; **en ~** em trompe-l'œil.

tromper [tʁɔ̃pe] *vt* enganar.
❏ **se tromper** *vp* enganar-se; **se ~ de** enganar-se de.

trompette [tʁɔ̃pɛt] *nf* trompete *m*.

trompettiste [tʁɔ̃petist] *nmf* trompetista *mf*.

trompeur, euse [tʁɔ̃pœʁ, øz] *adj* enganador(-ra).

tronc [tʁɔ̃] *nm* : **~ (d'arbre)** tronco *m* (de árvore).

tronçon [tʁɔ̃sɔ̃] *nm* troço *m*.

tronçonneuse [tʁɔ̃sɔnøz] *nf* motosserra *f*.

trône [tʁon] *nm* trono *m*.

trôner [tʁone] *vi (siéger sur un trône)* tronar; *(être à la place d'honneur, en évidence)* dominar; *(fig: faire l'important)* julgar-se rei e senhor.

trop [tʁo] *adv* demais; **~ de travail** trabalho a mais; **de** OU **en ~ a** mais.

trophée [tʁofe] *nm* troféu *m*.

tropical, e, aux [tʁopikal, o] *adj* tropical.

tropique [tʁopik] *nm* trópico *m*; **le ~ du Cancer/du Capricorne** o trópico de Câncer/de Capricórnio.
❏ **tropiques** *nmpl* os trópicos *mpl*.

trop-plein [tʁoplɛ̃] *(pl trop-pleins) nm* excesso *m; (déversoir)* desaguadoiro *m*.

trot [tʁo] *nm* trote *m*; **au ~ a** trote.

trotter [tʁote] *vi* trotar.

trotteuse [tʁotøz] *nf* ponteiro *m* dos segundos.

trottinette [tʁotinɛt] *nf* trotinete *f*.

trottoir [tʁotwaʁ] *nm* passeio *m (de uma rua)*.

trou [tʁu] *nm* buraco *m*; **avoir un ~ de mémoire** ter uma falha de memória.

troublant, e [tʁublɑ̃, ɑ̃t] *adj (déconcertant)* espantoso(-osa); *(femme, décolleté)* perturbador(-ra).

trouble [tʁubl] *adj* turvo(-va).
♦ *adv* : **voir ~** ter a vista turva.

troubler [tʁuble] *vt (liquide, vue)* turvar; *(silence, sommeil, réunion)* perturbar; *(esprit, raison)* transtornar; *(inquiéter)* inquietar; *(émouvoir)* emocionar.
❏ **se troubler** *vp (eau, vue)* ficar turvo(-va); *(s'inquiéter)* atrapalhar-se.

trouer [tʁue] *vt* esburacar.

trouille [tʁuj] *nf (fam)* : **avoir la ~** estar borrado(-da) de medo.

troupe [tʁup] *nf (de théâtre)* companhia *f* de teatro.

troupeau, x [tʁupo] *nm* rebanho *m*.

trousse [tʁus] *nf* estojo *m*; **~ de secours** estojo de primeiros socorros; **~ de toilette** estojo de toilette.

trousseau, x [tʁuso] *nm (de clefs)* molho *m* de chaves.

trouvaille [tʁuvaj] *nf* achado *m*.

trouver [tʁuve] *vt* achar; **je trouve que** acho que.
❏ **se trouver** *vp* encontrar-se; **se ~ mal** sentir-se mal.

truand [tʁyɑ̃] *nm* vigarista *m*.

truc [tʁyk] *nm (fam : objet)* coisa *f; (astuce)* truque *m*.

trucage [tʁykaʒ] *nm* trucagem *f*.

truffe [tʁyf] *nf (d'un animal)* focinho *m; (champignon)* trufa *f*; **~ (en chocolat)** *bolinha de chocolate com manteiga*.

truffer [tʁyfe] *vt (CULIN)* trufar;

(fig: remplir): ~ **qqch de** rechear algo de OU com.

truie [tʀɥi] *nf* porca *f (animal).*

truite [tʀɥit] *nf* truta *f*; ~ **aux amandes** truta com amêndoas.

truquage [tʀykaʒ] = **trucage**.

truquer [tʀyke] *vt (dés)* viciar; *(élections)* falsificar os resultados de.

T-shirt [tiʃœʀt] = **tee-shirt**.

tsigane [tsigan] *adj* cigano(-na).
❏ **Tsigane** *nmf* cigano *m* (-na *f*).

TSVP *(abr de* **tournez s'il vous plaît)** v.s.f.f.

TTC *adj (abr de* **toutes taxes comprises)** c/IVA.

tu[1] [ty] *pron* tu *(Port),* você *(Br).*

tu[2], **e** [ty] *pp* → **taire**.

tuba [tyba] *nm* tubo *m (de mergulho).*

tube [tyb] *nm* tubo *m*; *(fam : musique)* êxito *m.*

tuberculose [tybɛʀkyloz] *nf* tuberculose *f.*

tuer [tɥe] *vt* matar.
❏ **se tuer** *vp* matar-se.

tuerie [tyʀi] *nf* chacina *f.*

tue-tête [tytɛt] : **à tue-tête** *adv* a altos berros.

tueur, euse [tɥœʀ, øz] *nm, f (meurtrier)* assassino *m* (-na *f*); *(dans un abattoir)* magarefe *m*; ~ **à gages** assassino profissional.

tuile [tɥil] *nf* telha *f*; ~ **aux amandes** telha *f* de amêndoa.

tulipe [tylip] *nf* túlipa *f.*

tulle [tyl] *nm* tule *m.*

tumeur [tymœʀ] *nf* tumor *m.*

tumulte [tymylt] *nm (bruit)* tumulto *m*; *(sout: agitation)* desordem *f.*

tuner [tynɛʀ] *nm* rádio *m.*

tunique [tynik] *nf* túnica *f.*

Tunisie [tynizi] *nf* : **la** ~ a Tunísia.

tunisien, enne [tynizjɛ̃, ɛn] *adj* tunisiano(-na).

❏ **Tunisien, enne** *nm, f* tunisiano *m* (-na *f*).

tunnel [tynɛl] *nm* túnel *m*; **le** ~ **sous la Manche** o túnel do Canal da Mancha.

---

[i] TUNNEL SOUS LA MANCHE

Este túnel, cavado na rocha sob o fundo do mar, liga Coquelles, em França, a Cheriton, em Inglaterra. Os veículos e os passageiros são transportados a bordo de um comboio chamado "Shuttle". Além disso, existe uma linha regular de passageiros do comboio "Eurostar", que vai de Paris ou Lille até Londres.

---

turban [tyʀbɑ̃] *nm* turbante *m.*

turbine [tyʀbin] *nf* turbina *f.*

turbo [tyʀbo] *adj inv* turbo. ◆ *nf* turbo *m.*

turbot [tyʀbo] *nm* pregado *m.*

turbulences [tyʀbylɑ̃s] *nfpl* turbulência *f.*

turbulent, e [tyʀbylɑ̃, ɑ̃t] *adj* turbulento(-ta).

turc, turque [tyʀk] *adj* turco(-ca).

Turquie [tyʀki] *nf* : **la** ~ a Turquia.

turquoise [tyʀkwaz] *adj inv* azul-turquesa. ◆ *nf* turquesa *f.*

tutelle [tytɛl] *nf* tutela *f.*

tuteur, trice [tytœʀ, tris] *nm, f* tutor *m* (-ra *f*).
❏ **tuteur** *nm* estaca *f (para uma planta).*

tutoyer [tytwaje] *vt* tratar por tu.

tutu [tyty] *nm* tutu *m.*

tuyau, x [tɥijo] *nm* tubo *m*; ~ **d'arrosage** mangueira *f*; ~ **d'échappement** tubo de escape.

tuyauterie [tɥijotri] *nf* tuba-
gem *f*.

TV *(abr de* **télévision***)* TV *f*.

TVA *nf (abr de* **taxe sur la
valeur ajoutée***)* IVA *m (Port)*,
ICM/S *m (Br)*.

tweed [twid] *nm* tweed *m*.

tympan [tɛ̃pã] *nm* tímpano *m*.

type [tip] *nm* tipo *m*.

typé, e [tipe] *adj* tipificado(-da).

typhon [tifɔ̃] *nm* tufão *m*.

typique [tipik] *adj* típico(-ca).

typographie [tipɔgrafi] *nf* tipografia *f*.

tyran [tirã] *nm* tirano *m* (-na *f*).

tyrannique [tiranik] *adj* tirâ-
nico(-ca).

tyranniser [tiranize] *vt* tirani-
zar.

U

UDF *nf partido político francês de direita.*

ulcère [ylsɛr] *nm* úlcera *f.*

ULM *nm* ultraleve *m.*

ultérieur, e [ylterjœr] *adj* ulterior.

ultérieurement [ylterjœrmã] *adv* ulteriormente.

ultimatum [yltimatɔm] *nm* ultimato *m.*

ultime [yltim] *adj* último(-ma).

ultra- [yltra] *préf* ultra-.

ultramoderne [yltramɔdɛrn] *adj* ultramoderno(-na).

ultrason [yltrasõ] *nm* ultra-som *m.*

ultraviolet, ette [yltravjɔlɛ, ɛt] *adj* ultravioleta.
❏ **ultraviolet** *nm* raio *m* ultravioleta.

un, une [œ̃, yn] (*pl* **des** [de]) *article indéfini* um (uma); ~ **homme** um homem; **une femme** uma mulher; **une pomme** uma maçã; **des voitures** (uns) carros; **des valises** (umas) malas.
♦ *pron* um (uma); (**l')~ de mes amis/des plus intéressants** um dos meus amigos/dos mais interessantes; **l'~ l'autre** um ao outro; **l'~...**, **l'autre...** um..., o outro...; **l'~ et l'autre** tanto um como o outro; **l'~ ou l'autre** um ou outro; **ni l'~ ni l'autre** nem um nem outro.

♦ *num* um; → **six**.

unanime [ynanim] *adj* unânime.

unanimité [ynanimite] *nf* unanimidade *f*; **à l'~** por unanimidade.

Unetelle → **Untel**.

uni, e [yni] *adj (tissu, couleur)* liso(-sa); *(famille, couple)* unido(-da).

uniforme [ynifɔrm] *adj* uniforme. ♦ *nm (civil)* uniforme *m*; *(militaire)* farda *f.*

uniformiser [ynifɔrmize] *vt* uniformizar.

union [ynjõ] *nf* união *f*; **l'Union européenne** a União Europeia; **l'Union soviétique** a União Soviética.

unique [ynik] *adj* único(-ca).

uniquement [ynikmã] *adv* unicamente.

unir [ynir] *vt* unir.
❏ **s'unir** *vp* unir-se.

unisson [ynisõ] *nm* : **à l'~** em uníssono.

unitaire [yniter] *adj* unitário(-ria).

unité [ynite] *nf* unidade *f*; *(COMM)* artigo *m*; **à l'~** por unidade; ~ **centrale** unidade central.

univers [yniver] *nm* universo *m.*

universel, elle [ynivɛrsɛl] *adj* universal.

universitaire [yniversitɛr] *adj* universitário(-ria).

université [yniversite] *nf* universidade *f*.

Untel, Unetelle [œ̃tɛl, yntɛl] *nm, f* fulano *m* (-na *f*).

uranium [yranjɔm] *nm* urânio *m*.

urbain, e [yrbɛ̃, ɛn] *adj* urbano(-na).

urbaniser [yrbanize] *vt* urbanizar.

❑ **s'urbaniser** *vp* urbanizar-se.

urbanisme [yrbanism] *nm* urbanismo *m*.

urgence [yrʒɑ̃s] *nf* (*d'une action*) urgência *f*; *(MÉD)* emergência *f*; **d'~** de urgência; **(service des) ~s** (serviço das) urgências.

urgent, e [yrʒɑ̃, ɑ̃t] *adj* urgente.

urine [yrin] *nf* urina *f*.

uriner [yrine] *vi* urinar.

urinoir [yrinwar] *nm* urinol *m*.

urne [yrn] *nf* urna *f*.

URSS *nf*: **l'~** a URSS.

urticaire [yrtikɛr] *nf* urticária *f*.

USA *nmpl*: **les ~** os EUA.

usage [yzaʒ] *nm* uso *m*; **'~ externe'** 'uso externo'; **'~ interne'** 'uso interno'.

usagé, e [yzaʒe] *adj (ticket)* usado(-da).

usager [yzaʒe] *nm* utente *mf*.

usé, e [yze] *adj* gasto(-ta).

user [yze] *vt* gastar.

❑ **s'user** *vp* gastar-se.

usine [yzin] *nf* fábrica *f*.

ustensile [ystɑ̃sil] *nm* utensílio *m*.

usufruit [yzyfrɥi] *nm* usufruto *m*.

usure [yzyr] *nf (détérioration, affaiblissement)* desgaste *m*; *(intérêt)* usura *f*.

usurpateur, trice [yzyrpatœr, tris] *nm, f* usurpador *m* (-ra *f*).

usurper [yzyrpe] *vt* usurpar.

utérus [yterys] *nm* útero *m*.

utile [ytil] *adj* útil.

utilisateur, trice [ytilizatœr, tris] *nm, f* utilizador *m* (-ra *f*).

utilisation [ytilizasjɔ̃] *nf* utilização *f*.

utiliser [ytilize] *vt* utilizar.

utilitaire [ytilitɛr] *adj* utilitário(-ria). ◆ *nm* utilitário *m*.

utilité [ytilite] *nf*: **être d'une grande ~** ser de uma grande utilidade.

utopie [ytɔpi] *nf* utopia *f*.

UV *nmpl (abr de* **ultraviolets***)* U.V. *mpl*.

V

va [va] → **aller**.

vacances [vakɑ̃s] *nfpl* férias *fpl*;
être/partir en ~ estar/ir de férias;
prendre des ~ tirar férias; ~ **scolaires** férias escolares.

vacancier, ère [vakɑ̃sje, ɛr]
nm, f pessoa *f* que está de férias;
(d'été) veraneante *mf*.

vacant, e [vakɑ̃, ɑ̃t] *adj (libre)*
vago(-ga); *(inoccupé)* deso-
cupado(-da).

vacarme [vakarm] *nm* barulhão
m.

vacataire [vakatɛr] *adj* tempo-
rário(-ria).

vacation [vakasjɔ̃] *nf (travail)*
desempenho de uma função durante
um certo espaço de tempo; *(rémunération)* honorários *mpl*.

vaccin [vaksɛ̃] *nm* vacina *f*.

vaccination [vaksinasjɔ̃] *nf* vacinação *f*.

vacciner [vaksine] *vt* : ~ **qqn
contre qqch** vacinar alguém contra algo.

vache [vaʃ] *nf* vaca *f*. ♦ *adj (fam :
méchant)* ordinário(-ria).

vachement [vaʃmɑ̃] *adv (fam)*
à brava *(Port)*, à beça *(Br)*; **c'est** ~
bien é giríssimo.

vacherin [vaʃrɛ̃] *nm (gâteau)*
bolo gelado com camadas de merengue e chantilly; *(Helv: fromage)*
queijo cremoso de vaca.

vaciller [vasije] *vi (personne)*
vacilar; *(lumière)* tremeluzir; *(mémoire)* falhar.

va-et-vient [vaevjɛ̃] *nm inv* :
faire le ~ **entre** fazer o trajecto
entre.

vagabond, e [vagabɔ̃, ɔ̃d] *adj*
errante. ♦ *nm, f* vagabundo *m* (-da
f).

vagin [vaʒɛ̃] *nm* vagina *f*.

vague [vag] *adj* vago(-ga). ♦ *nf*
onda *f*; ~ **de chaleur** onda de
calor.

vaguement [vagmɑ̃] *adv* vaga-
mente.

vaille *etc* → **valoir**.

vain, e [vɛ̃, vɛn] *adj* vão (vã); **en**
~ em vão.

vaincre [vɛ̃kr] *vt* vencer.

vaincu, e [vɛ̃ky] *nm, f (équipe,
sportif)* perdedor *m* (-ra *f*).

vainement [vɛnmɑ̃] *adv* em
vão.

vainqueur [vɛ̃kœr] *nm* vencedor *m* (-ra *f*).

vais [vɛ] → **aller**.

vaisseau, x [vɛso] *nm (veine)*
vaso *m*; ~ **spatial** nave *f* espacial.

vaisselle [vɛsɛl] *nf* louça *f*; **faire
la** ~ lavar a louça.

valable [valabl] *adj* válido(-da).

valait *etc* → **valoir**.

valent [val] → **valoir**.

valet [valɛ] *nm (aux cartes)* valete *m*.

valeur [valœr] *nf* valor *m*.

valide [valid] *adj* válido(-da).

valider [valide] *vt (ticket)* validar.

validité [validite] *nf* validade *f*; **date limite de ~** prazo de validade.

valise [valiz] *nf* mala *f*; **faire ses ~s** fazer as malas.

vallée [vale] *nf* vale *m*.

vallon [valɔ̃] *nm* pequeno vale *m*.

vallonné, e [valɔne] *adj* sulcado(-da) por vales.

valoir [valwar] *vi (coûter)* custar; *(avoir comme qualité)* valer. ◆ *v impers* : **il vaut mieux faire qqch** é melhor fazer algo; **il vaut mieux que tu restes** é melhor ficares; **ça vaut combien?** quanto custa?; **ça vaut la peine (de faire qqch)** vale a pena (fazer algo).

valoriser [valɔrize] *vt* valorizar.

valse [vals] *nf* valsa *f*.

valu [valy] *pp* → **valoir**.

valve [valv] *nf* válvula *f*.

vampire [vãpir] *nm* vampiro *m*.

vandale [vãdal] *nm* vândalo *m*.

vandalisme [vãdalism] *nm* vandalismo *m*.

vanille [vanij] *nf* baunilha *f*.

vanité [vanite] *nf* vaidade *f*.

vaniteux, euse [vanitø, øz] *adj* vaidoso(-osa).

vanne [van] *nf (dispositif)* comporta *f*; *(fam : remarque)* boca *f*.

vantard, e [vãtar, ard] *adj* : **être ~** ser um gabarola.

vanter [vãte]: **se vanter** *vp* gabar-se.

vapeur [vapœr] *nf* barco *m* a vapor; **à ~** a vapor; **(à la) ~** a vapor.

vaporisateur [vapɔrizatœr] *nm* vaporizador *m*.

vaporiser [vapɔrize] *vt* vaporizar.

varappe [varap] *nf* escalada *f*.

variable [varjabl] *adj* variável.

variante [varjãt] *nf* variante *f*.

variation [varjasjɔ̃] *nf* variação *f*; *(de température)* mudança *f*.

varicelle [varisɛl] *nf* varicela *f*.

varices [varis] *nfpl* varizes *fpl*.

varié, e [varje] *adj* variado(-da); **hors-d'œuvre ~s** entradas variadas.

varier [varje] *vt & vi* variar.

variété [varjete] *nf* variedade *f*; **variétés** variedades *fpl*.

variole [varjɔl] *nf* varíola *f*.

vas [va] → **aller**.

vase [vaz] *nf* lodo *m*. ◆ *nm* vaso *m*.

vaseline [vazlin] *nf* vaselina *f*.

vaste [vast] *adj* vasto(-ta).

Vatican [vatikã] *nm* : **le ~** o Vaticano.

vaudra *etc* → **valoir**.

vaut [vo] → **valoir**.

vautour [votur] *nm* abutre *m*.

veau, x [vo] *nm (animal)* bezerro *m*; *(CULIN)* vitela *f*.

vecteur [vɛktœr] *nm* vector *m*.

vécu, e [veky] *pp* → **vivre**. ◆ *adj* vivido(-da).

vedette [vədɛt] *nf (acteur, sportif)* vedeta *f*; *(bateau)* lancha *f*.

végétal, e, aux [veʒetal, o] *adj* vegetal. ◆ *nm* vegetal *m*.

végétarien, enne [veʒetarjɛ̃, ɛn] *adj & nm, f* vegetariano(-na).

végétation [veʒetasjɔ̃] *nf* vegetação *f*.

❏ **végétations** *nfpl (MÉD)* adenóides *fpl*.

végéter [veʒete] *vi (péj: fig)* vegetar.

véhémence [veemãs] *nf* veemência *f*.

véhicule [veikyl] *nm* veículo *m*.

veille [vɛj] *nf* véspera *f*.

veillée [veje] *nf* serão *m*.

veiller [veje] *vi* velar; ~ **à faire qqch** procurar fazer algo; ~ **à ce que** fazer com que; ~ **sur qqn** cuidar de alguém.

veilleur [vejœr] *nm* : ~ **de nuit** guarda-nocturno *m*.

veilleuse [vejøz] *nf (lampe)* lamparina *f*; *(AUT)* mínimos *mpl* OU luzes de presença; *(flamme)* piloto *m*.

veinard, e [vɛnar, ard] *adj & nm, f (fam)* sortudo(-da).

veine [vɛn] *nf* veia *f*; **avoir de la ~** *(fam)* ter sorte.

Velcro® [vɛlkro] *nm* velcro® *m*.

véliplanchiste [veliplãʃist] *nm, f* windsurfista *mf*.

vélo [velo] *nm* bicicleta *f*; **faire du ~** andar de bicicleta; ~ **de course** bicicleta de corrida; ~ **tout terrain** bicicleta todo terreno.

vélodrome [velɔdrom] *nm* velódromo *m*.

vélomoteur [velɔmɔtœr] *nm* velocípede *m* com motor.

velours [vəlur] *nm* veludo *m*; ~ **côtelé** bombazina *f*.

velouté [vəlute] *nm* : ~ **d'asperge** *sopa cremosa de espargos*.

vénal, e, aux [venal, o] *adj* venal.

vendanges [vãdãʒ] *nfpl* vindimas *fpl*.

vendeur, euse [vãdœr, øz] *nm, f* vendedor *m* (-ra *f*).

vendre [vãdr] *vt* vender; ~ **qqch à qqn** vender algo a alguém; **'à ~'** 'vende-se'.

vendredi [vãdrədi] *nm* sexta-feira *f*; ~ **saint** Sexta-Feira Santa; → **samedi**.

vénéneux, euse [venenø, øz] *adj* venenoso(-osa).

vénérable [venerabl] *adj* venerável.

vénérer [venere] *vt* venerar.

vénérien, enne [venerjɛ̃, ɛn] *adj* venéreo(-rea).

vengeance [vãʒãs] *nf* vingança *f*.

venger [vãʒe]: **se venger** *vp* vingar-se.

venimeux, euse [vənimø, øz] *adj* venenoso(-osa).

venin [vənɛ̃] *nm* veneno *m*.

venir [vənir] *vi* vir; ~ **de** vir de; ~ **de faire qqch** acabar de fazer algo; **faire ~ qqn** mandar vir alguém.

vent [vã] *nm* vento *m*; ~ **d'ouest** vento de oeste.

vente [vãt] *nf* venda *f*; **être/ mettre qqch en ~** estar/pôr algo à venda; ~ **par correspondance** venda pelo correio; ~ **aux enchères** leilão *m*.

ventilateur [vãtilatœr] *nm* ventoinha *f*.

ventilation [vãtilasjõ] *nf* ventilação *f*.

ventouse [vãtuz] *nf* ventosa *f*.

ventre [vãtr] *nm* barriga *f*.

ventriloque [vãtrilɔk] *nmf* ventríloquo *m* (-qua *f*).

venu, e [vəny] *pp* → **venir**.

ver [vɛr] *nm* verme *m*; *(de fruit)* bicho *m*; ~ **luisant** pirilampo *m* *(Port)*, vaga-lume *m* *(Br)*; ~ **(de terre)** minhoca *f*.

véranda [verãda] *nf* marquise *f*.

verbal, e, aux [vɛrbal, o] *adj* verbal.

verbe [vɛrb] *nm* verbo *m*.

verdict [vɛrdikt] *nm* veredicto *m*.

verdoyant, e [vɛrdwajã, ãt] *adj* verdejante.

verdure [vɛrdyr] *nf* verdura *f*.

véreux, euse [verø, øz] *adj* com bicho.

verge [vɛrʒ] *nf* pénis *m inv*.

verger [vɛrʒe] *nm* pomar *m*.

vergeture [vɛrʒətyr] *nf* estria *f*.

verglacé, e [vɛrglase] *adj* coberto(-ta) de gelo.

verglas [vɛrgla] *nm* gelo *m (na estrada)*.

véridique [veridik] *adj* verídico(-ca).

vérification [verifikasjɔ̃] *nf* verificação *f*.

vérifier [verifje] *vt* verificar.

véritable [veritabl] *adj* verdadeiro(-ra).

véritablement [veritabləmɑ̃] *adv (réellement)* de facto; *(absolument)* verdadeiramente.

vérité [verite] *nf* verdade *f*; **dire la ~** dizer a verdade.

vermicelle [vɛrmisɛl] *nm* aletria *f*.

vermine [vɛrmin] *nf (parasites)* parasitas *mpl; (fig: péj: personne)* corja *f*.

verni, e [vɛrni] *adj* envernizado(-da).

vernir [vɛrnir] *vt* envernizar.

vernis [vɛrni] *nm* verniz *m*; **~ à ongles** verniz para as unhas.

vernissage [vɛrnisaʒ] *nm (action de vernir)* envernizamento *m; (réception)* inauguração *f*.

verra *etc* → **voir**.

verre [vɛr] *nm* copo *m; (matière)* vidro *m*; **boire** OU **prendre un ~** beber OU tomar um copo; **~ à pied** cálice *m*; **~ à vin** copo para o vinho; **~s de contact** lentes *fpl* de contacto.

verrière [vɛrjɛr] *nf* vidraça *f*.

verrou [vɛru] *nm* ferrolho *m*.

verrouiller [vɛruje] *vt* aferrolhar.

verrue [vɛry] *nf* verruga *f*.

vers [vɛr] *nm* verso *m*. ◆ *prép (direction)* em direcção a; *(époque)* lá para.

Versailles [vɛrsaj] *n* : **le château de ~** o palácio de Versalhes.

---

i **VERSAILLES**

N o início, no reinado de Luís XIII, Versalhes era um simples pavilhão de caça. Luís XIV (a partir de 1661) transformou-o num imponente palácio de arquitectura clássica. A "Galerie des Glaces", composta por 75 m de espelhos, e os jardins à francesa, decorados com lagos e jactos de água, são duas das suas partes mais conhecidas.

---

versant [vɛrsɑ̃] *nm* encosta *f*.

versatile [vɛrsatil] *adj* imprevisível.

verse [vɛrs]: **à verse** *adv* a cântaros.

Verseau [vɛrso] *nm* Aquário *m*.

versement [vɛrsəmɑ̃] *nm (d'argent)* pagamento *m; (crédit)* prestação *f; (à la banque)* depósito *m*.

verser [vɛrse] *vt (liquide)* deitar; *(argent)* dar; *(à la banque)* depositar.

verseur [vɛrsœr] *adj m* → **bec**.

version [vɛrsjɔ̃] *nf* versão *f*; **(en) ~ française** (em) versão francesa; **(en) ~ originale** (em) versão original.

verso [vɛrso] *nm* verso *m (página)*.

vert, e [vɛr, vɛrt] *adj* verde. ◆ *nm* verde *m*.

vertébrale [vɛrtebral] *adj f* → **colonne**.

vertèbre [vɛrtɛbr] *nf* vértebra *f*.

vertébré, e [vɛrtebre] *adj* vertebrado(-da).

vertical, e, aux [vɛrtikal, o] *adj* vertical.

vertige [vɛrtiʒ] *nm* : **avoir le ~** ter vertigens.

vertigineux, euse [vɛrtiʒinø, øz] *adj* vertiginoso(-osa).

vertu [vɛrty] *nf* virtude *f*; **de petite ~** de moral duvidosa.
❑ **en vertu de** *loc prép* em virtude de.

verve [vɛrv] *nf* verve *f*.

verveine [vɛrvɛn] *nf (plante)* verbena *f*; *(infusion)* chá *m* de verbena.

vésicule [vezikyl] *nf* vesícula *f*.

vessie [vesi] *nf* bexiga *f*.

veste [vɛst] *nf* casaco *m*.

vestiaire [vɛstjɛr] *nm (d'un musée, d'un théâtre)* vestiário *m*; *(d'un stade, d'une piscine)* balneário *m*.

vestibule [vɛstibyl] *nm* vestíbulo *m*.

vestiges [vɛstiʒ] *nmpl* vestígios *mpl*.

veston [vɛstɔ̃] *nm* casaco *m (Port)*, paletó *m (Br)*.

vêtements [vɛtmɑ̃] *nmpl* roupa *f*.

vétéran [veterɑ̃] *nm (MIL)* veterano *m*; *(ancien)* veterano *m* (-na *f*).

vétérinaire [veterinɛr] *nmf* veterinário *m* (-ria *f*).

vêtir [vetir] *vt* vestir.
❑ **se vêtir** *vp* vestir-se.

veto [veto] *nm* veto *m*; **mettre son ~** vetar; *(fig)* opor-se.

vétuste [vetyst] *adj* vetusto(-ta).

veuf, veuve [vœf, vœv] *adj & nm, f* viúvo(-va).

veuille *etc* → **vouloir**.

veuve → **veuf**.

veux [vø] → **vouloir**.

vexant, e [vɛksɑ̃, ɑ̃t] *adj* que ofende.

vexer [vɛkse] *vt* ofender.
❑ **se vexer** *vp* ofender-se.

VF *nf (abr)* = **version française**.

via [vja] *prép* via.

viable [vjabl] *adj* viável.

viaduc [vjadyk] *nm* viaduto *m (Port)*, elevado *m (Br)*.

viager, ère [vjaʒe, ɛr] *adj* vitalício(-cia).
❑ **viager** *nm* renda *f* vitalícia; **en ~** em troca de uma renda vitalícia.

viande [vjɑ̃d] *nf* carne *f*; **~ séchée des Grisons** *(Helv)* carne de vaca seca e salgada.

vibration [vibrasjɔ̃] *nf* vibração *f*.

vibrer [vibre] *vi* vibrar.

vice [vis] *nm* vício *m*.

vice-président, e [visprezidɑ̃, ɑ̃t] *(mpl* **vice-présidents***, fpl* **vice-présidentes)** *nm, f* vice-presidente *mf*.

vice versa [vis(e)vɛrsa] *adv* vice versa.

vicié, e [visje] *adj* viciado(-da).

vicieux, euse [visjø, øz] *adj (pervers)* depravado(-da); *(cercle)* vicioso(-osa).

victime [viktim] *nf* vítima *f*; **être ~ de** ser vítima de.

victoire [viktwar] *nf* vitória *f*.

victorieux, euse [viktɔrjø, øz] *adj* vitorioso(-osa).

vidange [vidɑ̃ʒ] *nf (d'une auto)* mudança *f* de óleo.

vidanger [vidɑ̃ʒe] *vt* esvaziar.

vide [vid] *adj* vazio(-zia). ◆ *nm (espace)* vazio *m*; *(absence d'air)* vácuo *m*; **sous ~** *(aliment)* a vácuo.

vidéo [video] *adj inv* de vídeo. ◆ *nf (appareils)* vídeo *m*; *(film)* cassete *f* de vídeo.

vidéocassette [videokasɛt] *nf* videocassete *f*.

vidéodisque [videodisk] *nm* videodisco *m*.

vide-ordures [vidɔrdyr] *nm inv* conduta *f* do lixo.

vidéothèque [videotɛk] *nf* videoteca *f*.

vide-poches [vidpɔʃ] *nm inv* compartimento *para objectos nas portas do carro.*

vider [vide] *vt* esvaziar; *(poulet, poisson)* limpar.

❑ **se vider** *vp* esvaziar-se.

videur [vidœr] *nm* segurança *m.*

vie [vi] *nf* vida *f;* **en** ~ em vida.

vieil → **vieux**.

vieillard [vjɛjar] *nm* velho *m.*

vieille → **vieux**.

vieillesse [vjɛjɛs] *nf* velhice *f.*

vieillir [vjɛjir] *vi* envelhecer.
♦ *vt* : **ça le vieillit** isso faz com que ele pareça mais velho.

vieillissement [vjejismã] *nm* envelhecimento *m.*

viendra *etc* → **venir**.

viens *etc* → **venir**.

vierge [vjɛrʒ] *adj (cassette)* virgem.

❑ **Vierge** *nf (signe du zodiaque)* Virgem *f.*

Vietnam [vjɛtnam] *nm* : **le** ~ o Vietname.

vieux [vjø, vjɛj], **vieille** (*m* **vieil** [vjɛj], *devant voyelle ou h muet, mpl* **vieux** [vjø]) *adj* velho(-lha); **il est** ~ **jeu** ele é à antiga; **salut, mon** ~/**ma vieille!** *(fam)* olá meu/minha!

vif, vive [vif, viv] *adj* vivo(-va); *(geste)* apressado(-da).

vigilant, e [viʒilã, ãt] *adj* atento(-ta).

vigile [viʒil] *nm* vigia *m.*

vigne [viɲ] *nf* vinha *f.*

vigneron, onne [viɲrɔ̃, ɔn] *nm, f* vinhateiro *m* (-ra *f*).

vignette [viɲɛt] *nf (automobile)* selo *m;* *(de médicament)* vinheta *f.*

vignoble [viɲɔbl] *nm* vinhedo *m.*

vigoureux, euse [vigurø, øz] *adj* vigoroso(-osa).

vigueur [vigœr] *nf* : **les prix en** ~ os preços em vigor; **entrer en** ~ entrar em vigor.

vilain, e [vilɛ̃, ɛn] *adj (méchant)* mau (má); *(laid)* feio (feia).

villa [vila] *nf* vivenda *f.*

village [vilaʒ] *nm* aldeia *f.*

ville [vil] *nf* cidade *f;* **aller en** ~ ir à cidade.

Villette [vilɛt] *nf* : **(le parc de) la** ~ *centro cultural a norte de Paris que inclui um museu de ciências e tecnologia.*

vin [vɛ̃] *nm* vinho *m;* ~ **blanc** vinho branco; ~ **doux** vinho doce; ~ **rosé** vinho rosé; ~ **rouge** vinho tinto; ~ **sec** vinho seco; ~ **de table** vinho de mesa.

---

i VIN

A França é um grande produtor de vinho, bebida que tradicionalmente acompanha as refeições. As principais regiões vinícolas são a Borgonha, a zona de Bordéus, a região do rio Loire e a região de Beaujolais, onde se produzem vinhos tintos e brancos. Na Alsácia predomina o vinho branco, enquanto na Provença se produz principalmente vinho rosé. Os vinhos classificam-se em quatro categorias especificadas nas etiquetas: os "AOC", vinhos com denominação de origem, conhecidos pela sua alta qualidade e cuja proveniência é garantida; os "VDQS", vinhos de boa qualidade produzidos por uma determinada região; os "vins de pays", vinhos de mesa nos quais a proveniência é indicada, e os "vins de table", vinhos de mesa que podem ser misturados e nos quais a proveniência não está indicada.

---

vinaigre [vinɛgr] *nm* vinagre *m.*
vinaigrette [vinɛgrɛt] *nf* vinagreta *m.*

vingt [vɛ̃] *num* vinte; → **six**.

vingtaine [vɛ̃tɛn] *nf* : **une ~ (de)** cerca de vinte.

vingtième [vɛ̃tjɛm] *num* vigésimo(-ma); → **sixième**.

vinicole [vinikɔl] *adj* vinícola.

viol [vjɔl] *nm* violação *f*.

violation [vjɔlasjɔ̃] *nf* violação *f (infracção)*.

violemment [vjɔlamɑ̃] *adv* com violência.

violence [vjɔlɑ̃s] *nf* violência *f*.

violent, e [vjɔlɑ̃, ɑ̃t] *adj* violento(-ta).

violer [vjɔle] *vt* violar.

violet, ette [vjɔlɛ, ɛt] *adj* violeta. ◆ *nm* violeta *m*.

violette [vjɔlɛt] *nf* violeta *f*.

violon [vjɔlɔ̃] *nm* violino *m*.

violoncelle [vjɔlɔ̃sɛl] *nm* violoncelo *m*.

violoniste [vjɔlɔnist] *nmf* violinista *mf*.

vipère [vipɛr] *nf* víbora *f*.

virage [viraʒ] *nm* curva *f*.

viral, e, aux [viral, o] *adj* viral.

virée [vire] *nf (fam)* giro *m*; **faire une ~** dar uma volta.

virement [virmɑ̃] *nm* transferência *f*.

virer [vire] *vt* transferir.

virginité [virʒinite] *nf (physique)* virgindade *f*; *(fig: candeur)* pureza *f*.

virgule [virgyl] *nf* vírgula *f*.

viril, e [viril] *adj* viril.

virilité [virilite] *nf* virilidade *f*.

virtuelle [virtɥɛl] *adj f* → **réalité**.

virtuose [virtɥoz] *nmf* virtuoso *m*.

virulent, e [virylɑ̃, ɑ̃t] *adj* virulento(-ta).

virus [virys] *nm* vírus *m*.

vis [vis] *nf* parafuso *m*.

visa [viza] *nm* visto *m*.

visage [vizaʒ] *nm* rosto *m*.

vis-à-vis [vizavi]: **vis-à-vis de** *prép (envers)* com respeito a.

viscéral, e, aux [viseral, o] *adj* visceral.

viscères [visɛr] *nmpl* vísceras *fpl*.

viscose [viskoz] *nf* viscose *f*.

viser [vize] *vt (cible)* apontar a; *(concerner)* dizer respeito a.

viseur [vizœr] *nm (de carabine)* mira *f*; *(d'appareil photo)* visor *m*.

visibilité [vizibilite] *nf* visibilidade *f*.

visible [vizibl] *adj* visível.

visiblement [viziblǝmɑ̃] *adv* visivelmente.

visière [vizjɛr] *nf* pala *f*.

vision [vizjɔ̃] *nf* visão *f*.

visionnaire [vizjɔnɛr] *adj & nmf* visionário(-ria).

visionner [vizjɔne] *vt* visionar.

visionneuse [vizjɔnøz] *nf* projector *m*.

visite [vizit] *nf* visita *f*; **rendre ~ à qqn** fazer uma visita a alguém; **~ guidée** visita guiada; **~ médicale** visita médica.

visiter [vizite] *vt* visitar.

visiteur, euse [vizitœr, øz] *nm, f (touriste)* visitante *mf*; *(invité)* visita *f*.

vison [vizɔ̃] *nm (animal)* visão *m*; *(fourrure, manteau)* vison *m*.

visqueux, euse [viskø, øz] *adj* viscoso(-osa).

visser [vise] *vt* aparafusar.

visualiser [vizɥalize] *vt* visualizar.

visuel, elle [vizɥɛl] *adj* visual.

vital, e, aux [vital, o] *adj* vital.

vitalité [vitalite] *nf* vitalidade *f*.

vitamine [vitamin] *nf* vitamina *f*.

vitaminé, e [vitamine] *adj* vitaminado(-da).

vite [vit] *adv* depressa.

vitesse [vitɛs] *nf (rapidité)* velocidade *f; (TECH: d'une voiture, d'un vélo)* mudança *f (Port)*, marcha *f (Br)*; **à toute ~** a toda a velocidade.

viticole [vitikɔl] *adj* vitícola.

viticulteur, trice [vitikyltœr, tris] *nm, f* viticultor *m* (-ra *f*).

vitrail, aux [vitraj, o] *nm* vitral *m*.

vitre [vitr] *nf* vidro *m*.

vitré, e [vitre] *adj* envidraçado(-da).

vitrifier [vitrifje] *vt (parquet)* envernizar; *(matériau)* vitrificar.

vitrine [vitrin] *nf* montra *f*; **en ~** na montra; **faire les ~s** ver as montras.

vivacité [vivasite] *nf* vivacidade *f*.

vivant, e [vivã, ãt] *adj (en vie)* vivo(-va); *(animé)* animado(-da).

vive [viv] → **vif.** ♦ *excl* viva!

vivement [vivmã] *adv* energicamente. ♦ *excl* : **~ demain!** oxalá amanhã chegue depressa!

vivisection [vivisɛksjɔ̃] *nf* vivissecção *f*.

vivre [vivr] *vt & vi* viver.

VO *nf (abr)* = **version originale**.

vocabulaire [vɔkabylɛr] *nm* vocabulário *m*.

vocales [vɔkal] *adj fpl* → **corde**.

vocalise [vɔkaliz] *nf*: **faire des ~s** fazer vocalizos.

vocation [vɔkasjɔ̃] *nf* vocação *f*; **avoir pour ~ de faire qqch** ter como missão fazer algo.

vociférer [vɔsifere] *vt & vi* vociferar; **~ contre qqn** vociferar contra alguém.

vodka [vɔdka] *nf* vodka *f*.

vœu, x [vø] *nm* votos *mpl*; **meilleurs ~x!** votos de boas festas!

vogue [vɔg] *nf* fama *f*; **en ~** em voga.

voici [vwasi] *prép* : **~ votre clef** aqui está a sua chave; **~ ma fille** aqui está a minha filha; **le ~** ei-lo.

voie [vwa] *nf* via *f*; **en ~ de** em vias de; **'par ~ orale'** 'por via oral'; **~ ferrée** via-férrea *f*; **~ sans issue** beco *m* sem saída.

voilà [vwala] *prép* : **~ ce qui s'est passé** eis o que aconteceu; **~ Pierre** aqui está o Pierre.

voile [vwal] *nm* véu *m*. ♦ *nf* vela *f*; **faire de la ~** andar de barco à vela.

voilé, e [vwale] *adj (roue)* torto (torta).

voilier [vwalje] *nm* veleiro *m*.

voir [vwar] *vt* ver; **ça n'a rien à ~ (avec)** não tem nada a ver (com); **voyons!** olha lá!; **faire ~ qqch à qqn** mostrar algo a alguém.

❏ **se voir** *vp* ver-se.

voire [vwar] *adv* e mesmo.

voirie [vwari] *nf (administration)* ≈ ministério *m* dos transportes; *(réseau)* vias de comunicação estatais; *(décharge)* aterro *m* sanitário.

voisin, e [vwazɛ̃, in] *adj & nm, f* vizinho(-nha).

voisinage [vwazinaʒ] *nm (entourage, voisins)* vizinhança *f*; *(environs)* vizinhanças *fpl*.

voiture [vwatyr] *nf (automobile)* carro *m*; *(wagon)* carruagem *f*; **~ de sport** carro de desporto.

voix [vwa] *nf (organe)* voz *f*; *(vote)* voto *m*; **à ~ basse/haute** em voz baixa/alta.

vol [vɔl] *nm (délit)* roubo *m*; *(trajet en avion)* voo *m*; *(groupe d'oiseaux)* bando *m*; **attraper qqch au ~** apanhar algo no ar; **à ~ d'oiseau** em linha recta; **en ~** durante o voo; **~ régulier** voo regular.

volage [vɔlaʒ] *adj (sout)* volúvel.

volaille [vɔlaj] *nf* ave *f*; *(collectif)* aves *fpl*.

volant [vɔlã] *nm (de voiture)* volante *m*; *(de nappe)* franja *f*; *(de badminton)* volante *m (Port)*, peteca *f (Br)*; **à ~s** *(jupe)* com folhos.

volante [vɔlɑ̃t] *adj f* → **soucoupe**.

volatiliser [vɔlatilize]
❏ **se volatiliser** *vp* volatilizar-se.

vol-au-vent [vɔlovɑ̃] *nm inv* vol-au-vent *m*.

volcan [vɔlkɑ̃] *nm* vulcão *m*.

volcanique [vɔlkanik] *adj* vulcânico(-ca).

volée [vɔle] *nf (de coups)* sova *f*; *(fam : gifle)* lamparina *f*; **à la ~** *(en sport)* no ar.

voler [vɔle] *vt* roubar. ◆ *vi (oiseau, avion)* voar; *(commettre un vol)* roubar.

volet [vɔlɛ] *nm (de fenêtre)* persiana *f (Port)*, veneziana *f (Br)*; *(d'imprimé)* folha *f*.

voleur, euse [vɔlœr, øz] *nm, f* ladrão *m* (ladra *f*).

volière [vɔljɛr] *nf* aviário *m*.

volley(-ball) [vɔlɛ(bol)] *nm* voleibol *m*.

volontaire [vɔlɔ̃tɛr] *adj & nmf* voluntário(-ria).

volontairement [vɔlɔ̃tɛrmɑ̃] *adv* voluntariamente.

volontariat [vɔlɔ̃tarja] *nm* voluntariado *m*.

volonté [vɔlɔ̃te] *nf* vontade *f*; **bonne/mauvaise ~** boa/má vontade.

volontiers [vɔlɔ̃tje] *adv* com muito gosto.

volt [vɔlt] *nm* volt *m*.

volte-face [vɔltəfas] *nf inv (demi-tour)* meia-volta *f*; *(revirement)* volte-face *m*.

voltige [vɔltiʒ] *nf (au trapèze)* volteio *m*; *(à cheval)* acrobacia *f*; *(en avion)* acrobacia *f* aérea; **haute ~** acrobacia *f*; *(fig: tour de force)* malabarismo *m*.

voltiger [vɔltiʒe] *vi (acrobate)*

fazer acrobacias; *(voleter, flotter)* esvoaçar.

volume [vɔlym] *nm* volume *m*.

volumineux, euse [vɔlyminø, øz] *adj* voluminoso(-osa).

volupté [vɔlypte] *nf* volúpia *f*.

voluptueux, euse [vɔlyptɥø, øz] *adj* voluptuoso(-osa).

vomi [vɔmi] *nm (fam)* vomitado *m*.

vomir [vɔmir] *vt & vi* vomitar.

vomitif [vɔmitif, iv] *nm* emético *m*.

vont [vɔ̃] → **aller**.

vorace [vɔras] *adj* voraz.

voracité [vɔrasite] *nf* voracidade *f*.

vos → **votre**.

vote [vɔt] *nm* voto *m*.

voter [vɔte] *vi* votar.

votre [vɔtr] *(pl* **vos** [vo]) *adj* o vosso (a vossa); *(en vouvoyant une personne)* o seu (a sua).

vôtre [votr]: **le vôtre** *(f* **la vôtre**, *pl* **les vôtres**) *pron (collectif)* o vosso (a vossa); *(de vouvoiement)* o seu (a sua); **à la ~!** à vossa!

voudra *etc* → **vouloir**.

vouer [vwe] *vt*: **~ qqn à** *(destiner à)* predestinar alguém para; **~ qqch à qqn** *(sentiment)* votar algo a alguém; **~ qqch à** *(vie, temps)* consagrar algo a; **être voué à** estar condenado a.
❏ **se vouer** *vp*: **se ~ à qqch** dedicar-se a algo.

vouloir [vulwar] *vt* querer; **voulez-vous boire quelque chose?** quer beber alguma coisa?; **~ que** querer que; **si tu veux** se quiseres; **sans le ~** sem querer; **je voudrais...** eu queria...; **que me voulez-vous?** que quer de mim?; **je veux bien** sim, quero; **veuillez vous asseoir** queira sentar-se; **ne pas ~ de qqn/qqch** não querer alguém/algo; **en ~ à qqn** estar

ressentido(-da) com alguém; ~ **dire** querer dizer; **si on veut** é possível.
❏ **s'en vouloir** *vp* : **s'en ~ (de faire qqch)** arrepender-se (de ter feito algo).

voulu, e [vuly] *pp* → **vouloir**.

vous [vu] *pron (sujet, pour tutoyer plusieurs personnes)* vocês; *(sujet, pour vouvoyer une personne)* o senhor (a senhora); *(sujet, pour vouvoyer plusieurs personnes)* os senhores (as senhoras); *(objet direct, pour tutoyer plusieurs personnes)* -vos; *(objet direct, pour vouvoyer une personne)* -o (-a); *(objet direct, pour vouvoyer plusieurs personnes)* -vos; *(objet indirect, pour tutoyer plusieurs personnes)* -vos; *(objet indirect, pour vouvoyer une personne)* -lo (-la); *(objet indirect, pour vouvoyer plusieurs personnes)* -los (-las); *(après préposition, comparatif pour tutoyer plusieurs personnes)* vocês; *(après préposition, comparatif pour vouvoyer une personne)* o senhor (a senhora); *(après préposition, comparatif pour vouvoyer plusieurs personnes)* os senhores (as senhoras); *(réfléchi)* -se; *(réciproque)* se; **~-même** si próprio; **~-mêmes** vocês próprios.

voûte [vut] *nf* abóbada *f.*

voûté, e [vute] *adj* curvado(-da).

voûter [vute] *vt* abobadar.
❏ **se voûter** *vp* curvar-se.

vouvoyer [vuvwaje] *vt* tratar por você.

voyage [vwajaʒ] *nm* viagem *f;* **bon ~!** boa viagem!; **partir en ~** fazer uma viagem; **~ de noces** viagem de núpcias; **~ organisé** viagem organizada.

voyager [vwajaʒe] *vi* viajar.

voyageur, euse [vwajaʒœr, øz] *nm, f* viajante *mf.*

voyance [vwajɑ̃s] *nf* vidência *f.*

voyant, e [vwajɑ̃, ɑ̃t] *adj* vistoso(-osa). ◆ *nm* : **~ lumineux** indicador *m* luminoso.

voyelle [vwajɛl] *nf* vogal *f.*

voyeur, euse [vwajœr, øz] *nm, f* mirone *m.*

voyons [vwajɔ̃] → **voir**.

voyou [vwaju] *nm* arruaceiro *m* (-ra *f*).

vrac [vrak] *nm* : **en ~** *(en désordre)* ao monte; *(sans emballage)* a vulso.

vrai, e [vrɛ] *adj (exact)* verdade; *(véritable)* verdadeiro(-ra); **à ~ dire** para dizer a verdade.

vraiment [vrɛmɑ̃] *adv* mesmo.

vraisemblable [vrɛsɑ̃blabl] *adj* verosímil.

vraisemblance [vrɛsɑ̃blɑ̃s] *nf* verosimilhança *f;* **selon toute ~** ao que tudo indica.

vrille [vrij] *nf (de plante)* gavinha *f; (outil)* verruma *f.*

vrombir [vrɔ̃bir] *vi* vibrar.

vrombissement [vrɔ̃bismɑ̃] *nm* barulho *m.*

VTT *nm (abr de **vélo tout terrain**)* BTT *f.*

vu, e [vy] *pp* → **voir**. ◆ *prép* dado(-da). ◆ *adj* : **être bien/mal ~ (de qqn)** ser bem/mal visto (aos olhos de alguém); **~ que** visto que.

vue [vy] *nf* vista *f;* **avec ~ sur...** com vista sobre...; **connaître qqn de ~** conhecer alguém de vista; **en ~ de faire qqch** com a intenção de fazer algo; **à ~ d'œil** a olhos vistos.

vulgaire [vylgɛr] *adj (grossier)* ordinário(-ria); *(quelconque)* vulgar.

vulgairement [vylgɛrmɑ̃] *adv (grossièrement)* de uma maneira vulgar; *(couramment)* vulgarmente.

vulgarisation [vylgarizasjɔ̃] *nf* vulgarização *f*.
vulgariser [vylgarize] *vt* vulgarizar.

vulgarité [vylgarite] *nf* vulgaridade *f*.
vulnérable [vylnerabl] *adj* vulnerável.

W

wagon [vagɔ̃] *nm* carruagem *f*.
wagon-lit [vagɔ̃li] (*pl* **wagons-lits**) *nm* vagão-cama *m*.
wagon-restaurant [vagɔ̃-restɔrɑ̃] (*pl* **wagons-restaurants**) *nm* vagão-restaurante *m*.
Walkman® [wɔkman] *nm* walkman® *m*.
wallon, onne [walɔ̃, ɔn] *adj* valão(-lona).
❑ **Wallon, onne** *nm, f* valão *m* (-lona *f*).
Washington [waʃiŋtɔn] *n* Washington.
water-polo [watɛrpɔlo] *nm* pólo *m* aquático.

waters [watɛr] *nmpl* sanitários *mpl*.
waterzoi [watɛrzɔj] *nm* (*Belg*) ensopado de peixe ou de frango com carne.
watt [wat] *nm* watt *m*.
W-C [vese] *nmpl* WC *mpl*.
week-end, s [wikɛnd] *nm* fim-de-semana *m*; **bon ~!** bom fim-de-semana!
western [wɛstɛrn] *nm* western *m*.
whisky [wiski] *nm* uísque *m*.
white-spirit [wajtspirit] (*pl* **white-spirits**) *nm* aguarrás *f*.

X

xénophobie [gzenɔfɔbi] *nf* xenofobia *f*.
xérès [gzerɛs] *nm* xerez *m*.

xylophone [ksilɔfɔn] *nm* xilofone *m*.

Y

y [i] *adv* **1.** *(gén)* lá; **j'y vais demain** vou lá amanhã; **mets-y du sel** põe sal; **va voir sur la table si les clefs y sont** vai ver em cima da mesa se as chaves lá estão. **2.** *(indique le lieu où l'on est)* aqui; **nous y resterons une semaine** ficaremos aqui uma semana.
♦ *pron* isso; **pensez-y** *(réfléchissez-y)* pense nisso; *(souvenez-vous-en)* lembre-se disso; **que veux-tu que j'~ fasse?** o que queres tu que eu faça?; **n'y comptez pas** não conte com isso; → **aller, avoir.**

yacht [jɔt] *nm* iate *m.*

yaourt [jaurt] *nm* iogurte *m.*

yen [jɛn] *nm* iene *m.*

yeux → **œil.**

yiddish [jidiʃ] *adj inv & nm inv* ídixe *m.*

yoga [jɔga] *nm* ioga *m.*

yoghourt [jɔgurt] = **yaourt.**

Yougoslavie [jugɔslavi] *nf* : **la ~** a Jugoslávia.

Yo-Yo® [jojo] *nm inv* iô-iô *m.*

Z

zapper [zape] *vi* mudar constantemente de canal.

zèbre [zɛbr] *nm* zebra *f.*

zèle [zɛl] *nm* zelo *m;* **faire du ~** *(péj)* mostrar-se excessivamente zeloso.

zen [zɛn] *adj inv* zen.

zénith [zenit] *nm* zénite *m.*

zéro [zero] *nm* zero *m.*

zeste [zɛst] *nm* casca *f.*

zigzag [zigzag] *nm* ziguezague *m;* **en ~** *(route)* em ziguezague; *(marcher)* aos ziguezagues.

zigzaguer [zigzage] *vi (route)* ziguezaguear; *(voiture)* andar aos ziguezagues.

zinc [zɛ̃g] *nm (matière)* zinco *m; (fam : comptoir)* balcão *m; (fam : vieilli: avion)* avião *m.*

zizi [zizi] *nm (fam)* pilinha *f.*

zodiaque [zɔdjak] *nm* → **signe.**

zone [zon] *nf* zona *f; ~* **industrielle** zona industrial; **~ piétonne** OU **piétonnière** zona pedestre; **~ verte** zona verde.

zoo [zo(o)] *nm* jardim *m* zoológico.

zoologie [zɔɔlɔʒi] *nf* zoologia *f.*

zoologique [zɔɔlɔʒik] *adj* → **parc.**

zoom [zum] *nm* zoom *m.*

zut [zyt] *excl* bolas!

a [ɐ] *artigo definido* → **o.** ◆ *prep*
1. *(ger)* à; **dar algo a alguém**
donner qqch à qqn; **diz ao João
que venha** dis à João de venir;
mostrar algo a alguém montrer
qqch à qqn; **nós vamos ao
cinema** nous allons au cinéma;
fomos à praia nous sommes allés
à la plage; **vou ao Egipto/ao Ja-
pão/aos Estados Unidos** je vais
en Égypte/au Japon/aux États-
Unis; **fica à saída do teatro** c'est
à la sortie du théâtre; **é à
esquerda/direita** c'est à gauche/
droite; **fica a dez quilómetros**
c'est à dix kilomètres; **subir a
uma árvore** monter à un arbre;
ele atirou-se à comida il s'est
jeté sur la nourriture; **aos cen-
tos/às dezenas** par centaines/di-
zaines; **a como...?** à combien...?;
a como está a vender as peras? à
combien vendez-vous les poi-
res?; **vendo ao metro** je vends au
mètre; **ganhámos por dois a um**
nous avons gagné deux à un; **en-
traram um a um** ils sont entrés
un par un; **feito à mão** fait (à la)
main; **escrever à máquina** taper
à la machine; **sal a gosto** sel à volonté; **ele ia a cem à hora** il allait
à cent à l'heure; **conduzir a 60
km/h** conduire à 60 km/h; **abertura às oito horas** ouverture à
huit heures; **é a dez minutos**

daqui c'est à dix minutes d'ici;
de... a... de... à...; **os alunos fize-
ram os exercícios de um a dez**
les élèves ont fait les exercices de
un à dix.
2. *(indica frequência)*: **três vezes
ao dia** trois fois par jour; **estou lá
às terças e quintas** j'y suis tous
les mardis et jeudis; **de tempos a
tempos** de temps en temps.
3. *(seguido de infinitivo)* en; **en-
gasgou-se a comer** il s'est
étouffé en mangeant; **a ler
gagueja** il bégaye en lisant; **ela
sentou-se a ler** elle s'est assise
pour lire; **partiu a chorar** il est
parti en pleurant.
4. *(em locuções)*: **a não ser que** à
moins que.

à [a] = **a** + **a**; → **a.**

aba ['abɐ] *f (de chapéu)* aile *f;
(corte de carne)* côte *f.*

abacate [ɐbɐ'katə] *m* avocat *m
(fruit).*

abacaxi [ɐbɐka'ʃi] *m* ananas *m.*

abadia [ɐbɐ'diɐ] *f* abbaye *f.*

abafado, da [ɐbɐ'faðu, -ðɐ] *adj
(ar, tempo)* lourd(-e).

abafar [ɐbɐ'far] *vt & vi* étouffer.

abaixar [ɐbai'ʃar] *vt (cabeça,
braço)* baisser.

❏ **abaixar-se** *vp* se baisser.

abaixo [ɐ'baiʃu] *adv* au-dessous.
◆ *interj*: ~ **o governo!** à bas le

gouvernement!; **mais ~** plus bas; **deitar ~** *(árvore)* abattre; *(argumento)* démolir; **ir-se ~** *(motor)* caler; **~ de** *(em espaço)* après; *(em hierarquia)* au-dessous de.

abaixo-assinado [ɐˌbaiʃuɐsiˈnaðu] *(pl* **abaixo-assinados** [ɐˌbaiʃuɐsiˈnaðuʃ]) *m* pétition *f.*

abajur [ɐbaˈʒur] *(pl* **-es** [-əʃ]) *m* abat-jour *m.*

abalar [ɐbɐˈlar] *vt* secouer. ◆ *vi* s'en aller.

abalo [ɐˈbalu] *m* : **~** *(sísmico* OU **de terra)** secousse *f* (sismique).

abanar [ɐbɐˈnar] *vt (cabeça)* secouer; *(rabo)* remuer. ◆ *vi (dente)* bouger.

abandonado, da [ɐbɐ̃duˈnaðu, -ðɐ] *adj* abandonné(-e).

abandonar [ɐbɐ̃duˈnar] *vt* abandonner.

abandono [ɐbɐ̃ˈdonu] *m* abandon *m*; **ao ~** à l'abandon.

abarcar [ɐbɐrˈkar] *vt (abranger)* comprendre; *(temas)* recouvrir.

abarrotado, da [ɐbɐʀuˈtaðu, -ðɐ] *adj* plein(-e) à craquer.

abarrotar [ɐbɐʀuˈtar] *vi* : **a ~ de** bourré de.

abastecer [ɐbɐʃtəˈser] *vt (fornecer)* approvisionner.

❏ **abastecer-se** *vp* s'approvisionner.

abastecimento [ɐbɐʃtɐsiˈmɛ̃tu] *m* approvisionnement *m.*

abater [ɐbɐˈter] *vt (preço)* baisser; *(derrubar, matar)* abattre.

abatimento [ɐbɐtiˈmɛ̃tu] *m (desconto)* réduction *f*; **~ de terra** affaissement *m* de terrain.

abcesso [ɐbˈsɛsu] *m* abcès *m.*

abdicar [ɐbdiˈkar] *vi* abdiquer; **~ de algo** *(de direito, cargo)* renoncer à qqch.

abdómen [ɐbˈdɔmɛn] *m (Port)* abdomen *m.*

abdômen [abˈdomẽ] *m (Br)* = **abdómen.**

abdominal [ɐbdumiˈnał] *(pl* **-ais** [-aiʃ]) *adj* abdominal(-e).

❏ **abdominais** *mpl* : **fazer abdominais** faire des abdominaux.

á-bê-cê [abeˈse] *m* B.A.-Ba *m.*

abecedário [ɐbəsəˈðarju] *m* alphabet *m.*

abeirar-se [ɐbɐiˈrarsə] : **abeirar-se de** *vp + prep* s'approcher de.

abelha [ɐˈbeʎɐ] *f* abeille *f.*

abelhudo, da [ɐbəˈʎuðu, -ðɐ] *adj* fouineur(-euse).

aberração [ɐbɐʀɐˈsẽu] *(pl* **-ões** [-õiʃ]) *f* aberration *f.*

aberto, ta [ɐˈbɛrtu, -tɐ] *pp* → **abrir.** ◆ *adj* ouvert(-e); **'aberto'** 'ouvert'.

abertura [ɐbɐrˈturɐ] *f* ouverture *f*; **'~ fácil'** 'ouverture facile'.

abeto [ɐˈbetu] *m* sapin *m.*

ABI *(abrev de* **Associação Brasileira de Imprensa***)* association de presse brésilienne.

abismo [ɐˈbiʒmu] *m* abîme *m.*

abóbada [ɐˈbɔbɐðɐ] *f* voûte *f.*

abóbora [ɐˈbɔburɐ] *f* citrouille *f.*

abóbora-menina [ɐˌbɔburɐməˈninɐ] *(pl* **abóboras-meninas** [ɐˌbɔburɐʒməˈninɐʃ]) *f* potiron *m.*

abobrinha [ɐbuˈbriɲɐ] *f* courgette *f.*

abolir [ɐbuˈlir] *vt* abolir.

abominar [ɐbumiˈnar] *vt* exécrer.

abono [ɐˈbonu] *m* : **~ de família** *(Port)* allocations *fpl* familiales.

abordagem [ɐburˈdaʒẽi] *(pl* **-ns** [-ʃ]) *f* approche *f.*

abordar [ɐburˈdar] *vt* aborder.

aborígene [ɐbuˈriʒənɐ] *adj & mf* aborigène.

aborrecer [ɐbuʀəˈser] *vt* ennuyer.

❏ **aborrecer-se** *vp* s'ennuyer.

aborrecido, da [ɐbuʀəˈsiðu, -ðɐ] *adj (chato)* ennuyeux(-euse); *(zangado)* ennuyé(-e).

aborrecimento [ɐbuʀɐsiˈmɛ̃tu] *m* ennui *m.*

abortar [ɐbur'tar] *vi (espontaneamente)* faire une fausse couche; *(intencionalmente)* avorter.

aborto [ɐ'bortu] *m (espontâneo)* fausse couche *f*; *(intencional)* avortement *m*.

abotoar [ɐbu'twar] *vt* boutonner.

abraçar [ɐbrɐ'sar] *vt* serrer dans ses bras.

❑ **abraçar-se** *vp* s'étreindre.

abraço [ɐ'brasu] *m* embrassade *f*; **um ~** *(em carta, postal)* affectueusement.

abrandar [ɐbrɐn'dar] *vt (passo)* ralentir. ◆ *vi (vento, chuva)* se calmer; **'abrande (a marcha)'** 'ralentissez'.

abranger [ɐbrɐ'ʒer] *vt (abarcar)* comprendre; *(temas)* recouvrir.

abre-latas [ˌabrɐ'lataʃ] *m inv (Port)* ouvre-boîtes *m inv*.

abreviação [ɐbrɐvjɐ'sɐ̃u] *(pl* **-ões** [-õiʃ]*) f* abréviation *f (action)*.

abreviatura [ɐbrɐvjɐ'turɐ] *f* abréviation *f (résultat)*.

abridor [abri'dox] *(pl* **-es** [-iʃ]*) m (Br):* **~ de garrafa** ouvre-bouteilles *m inv*; **~ de lata** ouvre-boîtes *m inv*.

abrigar [ɐbri'gar] *vt* abriter.

❑ **abrigar-se** *vp* s'abriter.

abrigo [ɐ'brigu] *m* abri *m*; **ao ~ de** à l'abri de.

abril [a'briu] *m (Br)* = **Abril**.

Abril [ɐ'brił] *m (Port)* avril *m*; **o 25 de ~** *date de la révolution des œillets*; → **Setembro**.

Le 25 avril 1974, le Mouvement des Forces armées (MFA) renverse le régime du parti unique, autoritaire, inspiré du fascisme et soutenu par la police politique (PIDE), que Salazar avait mis en place 48 ans auparavant. Une grande majorité de la population portugaise exprime alors son adhésion au coup d'État militaire et apporte un soutien enthousiaste à ses auteurs qui rétablissent les libertés démocratiques. Cette révolution, menée à bien sans effusion de sang, est symbolisée par les œillets rouges que les militaires arboraient sur le canon de leurs armes, c'est pourquoi elle est souvent appelée la « révolution des œillets ».

---

abrir [ɐ'brir] *vt* ouvrir. ◆ *vi (começar)* ouvrir; *(desabrochar)* s'ouvrir; **~ o apetite** ouvrir l'appétit; **~ a boca** bâiller; **~ mão de algo** *(fig)* renoncer à qqch; **~ os olhos** *(fig)* ouvrir les yeux.

❑ **abrir-se** *vp*: **~-se com alguém** se confier à qqn.

absinto [ɐb'sĩntu] *m* absinthe *f*.

absolutamente [ɐbsu,lutɐ'mẽntɐ] *adv* complètement.

absoluto, ta [ɐbsu'lutu, -tɐ] *adj* absolu(-e).

absolver [ɐbsoł'ver] *vt* absoudre; *(JUR)* acquitter.

absorção [ɐbsor'sɐ̃u] *f* absorption *f*.

absorvente [ɐbsor'vẽntɐ] *adj* absorbant(-e).

❑ **absorventes** *mpl*: **~s diários** protège-slips *mpl*.

absorver [ɐbsor'ver] *vt* absorber.

abstémio, mia [ɐbʃ'tɛmju, -mjɐ] *adj (Port)*: **ele é ~** il ne boit pas d'alcool.

abstêmio, mia [abʃ'temju, -mjɐ] *adj (Br)* = **abstémio**.

abstracto, ta [ɐbʃ'tratu, -tɐ] *adj (Port)* abstrait(-e).

abstrato, ta [abʃ'tratu, -tɐ] *adj (Br)* = **abstracto**.

absurdo, da [ɐb'surðu, -ðɐ] *adj* absurde. ◆ *m* absurdité *f*.

abundância [ɐbũn'dẽsjɐ] *f* abondance *f*.

abundante [ɐbũn'dẽntɐ] *adj* abondant(-e).

abusado, da [abu'zadu, -dɐ] *adj* (Br) effronté(-e).

abusar [ɐbu'zar] *vi* abuser; ~ **de algo** (*álcool, droga*) abuser de qqch; ~ **de alguém** abuser de qqn.

abuso [ɐ'buzu] *m* abus *m*.

a.C. (*abrev de* **antes de Cristo**) av.J-C.

a/c (*abrev de* **ao cuidado de**) att.

acabamento [ɐkɐbɐ'mẽntu] *m* finition *f*.

acabar [ɐkɐ'bar] *vt & vi* finir; **acabou a água** il n'y a plus d'eau; ~ **com algo** en finir avec qqch; **acaba com o barulho!** arrête de faire du bruit!; ~ **com alguém** achever qqn; ~ **de fazer algo** venir de faire qqch; ~ **em bem** finir bien; ~ **por fazer algo** finir par faire qqch. ❑ **acabar-se** *vp*: **acabou-se o pão** il n'y a plus de pain; **acabou-se!** ça suffit!

acácia [ɐ'kasjɐ] *f* acacia *m*.

academia [ɐkɐdɐ'miɐ] *f* (*escola*) école *f*; (*sociedade*) académie *f*; ~ **de belas-artes** école des beaux-arts; ~ **de ginástica** club *m* de gymnastique.

açafrão [ɐsɐ'frẽu] *m* safran *m*.

acalmar [ɐkał'mar] *vt* calmer. ◆ *vi* se calmer. ❑ **acalmar-se** *vp* se calmer.

acampamento [ɐkẽmpɐ'mẽntu] *m* campement *m*.

acampar [ɐkẽm'par] *vi* camper.

acanhado, da [ɐkɐ'ɲaðu, -ðɐ] *adj* timide.

acanhar-se [ɐkɐ'ɲarsɐ] *vp* être intimidé(-e).

ação [a'sẽu] (*pl* -ões [-õiʃ]) *f* (Br) = acção.

acarajé [akara'ʒɛ] *m* beignet à la pâte de haricot, farci aux crevettes.

acariciar [ɐkɐri'sjar] *vt* caresser.

acaso [ɐ'kazu] *m* hasard *m*; **ao** ~ au hasard; **por** ~ par hasard.

acastanhado, da [ɐkɐʃtɐ'ɲa-ðu, -ðɐ] *adj* qui tire sur le marron; (*cabelo*) châtain.

acatar [ɐkɐ'tar] *vt* respecter.

acção [a'sẽu] (*pl* -ões [-õiʃ]) *f* (Port) action *f*; **entrar em** ~ entrer en action.

accionar [ɐsju'nar] *vt* actionner.

accionista [ɐsju'niʃtɐ] *mf* (Port) actionnaire *mf*.

acções → acção.

aceder [ɐsɐ'der] *vi* consentir.

aceitar [ɐsɐi'tar] *vt* accepter.

aceite [ɐ'seitɐ] *pp* → aceitar.

acelerador [ɐsɐlɐrɐ'dor] (*pl* -es [-əʃ]) *m* accélérateur *m*.

acelerar [ɐsɐlɐ'rar] *vt & vi* accélérer.

acenar [ɐsɐ'nar] *vi* faire signe.

acender [ɐsẽn'der] *vt* allumer.

aceno [ɐ'senu] *m* signe *m* (de la main, tête).

acento [ɐ'sẽntu] *m* accent *m*; ~ **agudo/grave** accent aigu/grave; ~ **circunflexo** accent circonflexe.

acepção [ɐsɛ(p)'sẽu] (*pl* -ões [-õiʃ]) *f* acception *f*.

acepipes [ɐsɐ'pipəʃ] *mpl* (*aperitivos*) amuse-gueules *mpl*; (*entrada*) hors-d'œuvre *m inv*.

acerca [a'serkɐ]: **acerca de** *prep* au sujet de; **falar** ~ **de** parler de.

acerola [ase'rɔla] *f* acerola *f* (*cerise des Antilles*).

acertar [ɐsɐr'tar] *vt* (*relógio*) mettre à l'heure. ◆ *vi* (*em alvo, com sítio*) viser juste; (*em resposta*) trouver.

acervo [ɐ'servu] *m* fonds *m* (de musée).

aceso, sa [ɐ'sezu, -zɐ] *pp* → acender. ◆ *adj* (*luz, lume*) allumé(-e); *(discussão)* enflammé(-e).

acessível [ɐsə'sivɛł] *(pl* **-eis** [-ɐiʃ]) *adj* accessible; *(preço)* abordable.

acesso [ɐ'sɛsu] *m (a local, de raiva)* accès *m*; *(de histeria)* crise *f*; **de fácil ~** facile d'accès.

acessório [ɐsə'sɔrju] *m* accessoire *m (de mode, de voiture)*.

acetona [ɐsə'tonɐ] *f (para unhas)* dissolvant *m*.

achado [ɐ'ʃaðu] *m (descoberta)* trouvaille *f*; *(pechincha)* (bonne) affaire *f*.

achar [ɐ'ʃar] *vt (coisa, pessoa perdida)* retrouver; *(descobrir)* trouver; **~ que** penser que; **acho que não** je ne crois pas; **acho que sim** oui, je crois.

acidentado, da [ɐsiðẽn'taðu, -ðɐ] *adj (terreno)* accidenté(-e); *(viagem, férias)* mouvementé(-e).

acidental [ɐsiðẽn'tał] *(pl* **-ais** [-aiʃ]) *adj* accidentel(-elle); *(encontro, descoberta)* fortuit(-e).

acidentalmente [ɐsiðẽntał'mẽntə] *adv* par accident.

acidente [ɐsi'ðẽntə] *m* accident *m*.

acidez [ɐsi'ðeʃ] *f* acidité *f*.

ácido, da ['asiðu, -ðɐ] *adj* acide. ◆ *m* acide *m*; **~ cítrico** acide citrique; **~ sulfúrico** acide sulfurique.

acima [ɐ'simɐ] *adv* au-dessus; **mais ~** plus haut; **~ de** *(em espaço)* au-dessus de; *(em hierarquia)* au-dessus de; **~ de tudo** par-dessus tout.

acionista [asjo'niʃtɐ] *mf (Br)* = **accionista**.

acne ['aknɐ] *f* acné *f*.

aço ['asu] *m* acier *m*; **~ inoxidável** acier inoxydable.

acocorar-se [ɐkuku'rarsə] *vp* s'accroupir.

ações → **ação**.

acolhimento [ɐkuʎi'mẽntu] *m* accueil *m (hospitalité)*.

acompanhamento [ɐkõmpɐɲɐ'mẽntu] *m (de evolução, situação)* suivi *m*; *(de prato)* garniture *f*; *(MÚS)* accompagnement *m*.

acompanhante [ɐkõmpɐ'ɲẽntɐ] *mf (parceiro)* compagnon *m* (compagne *f*); *(de grupo)* accompagnateur *m* (-trice *f*).

acompanhar [ɐkõmpɐ'ɲar] *vt* accompagner; *(programa, situação)* suivre.

aconchegador, ra [ɐkõʃəgɐ'ðor, -rɐ] *(mpl* **-es** [-əʃ], *fpl* **-s** [-ʃ]) *adj* accueillant(-e).

aconselhar [ɐkõsə'ʎar] *vt* conseiller.

❏ **aconselhar-se** *vp* demander conseil.

aconselhável [ɐkõsə'ʎavɛł] *(pl* **-eis** [-ɐiʃ]) *adj* conseillé(-e); **é pouco ~** il est déconseillé.

acontecer [ɐkõntə'ser] *vi* arriver; *(acidente)* se produire; **o que é que te aconteceu?** que t'est-il arrivé?; **acontece que** il se trouve que; **aconteça o que ~** quoi qu'il arrive.

acontecimento [ɐkõntəsi'mẽntu] *m* événement *m*.

açorda [ɐ'sorðɐ] *f* soupe au pain, ≈ panade *f*; **~ alentejana** panade alentéjane *(à l'ail avec un œuf poché)*; **~ de bacalhau** panade de morue; **~ de marisco** panade de fruits de mer.

acordar [ɐkur'ðar] *vt* réveiller. ◆ *vi* se réveiller.

acorde [ɐ'kɔrðə] *m (MÚS)* accord *m*.

acordeão [ɐkur'ðjẽu] *(pl* **-ões** [-õiʃ]) *m* accordéon *m*.

acordo [ɐ'korðu] *m* accord *m*; **de ~!** d'accord!; **de ~ com** d'après; **estar de ~ com** être d'accord avec.

Açores [ɐ'sorəʃ] *mpl* : **os ~** les

Açores *fpl*.

 AÇORES

L'archipel des Açores, région autonome, se compose de trois groupes d'îles: les îles orientales (São Miguel et Santa Maria), centrales (Faial, Pico, São Jorge, Terceira et Graciosa) et occidentales (Flores et Corvo). La ville d'Angra do Heroísmo, dans l'île de Terceira, est classée patrimoine mondial. Du fait de son origine volcanique, l'archipel est particulièrement sujet aux secousses sismiques, même s'il ne reste de ses deux volcans que les cratères éteints, les roches volcaniques et les cheminées. Durant de nombreuses années, la chasse à la baleine a été l'une des principales sources de travail et de revenu des habitants.

açoriano, na [ɐsu'rjɐnu, -nɐ] *adj* des Açores. ♦ *m, f* Açorien *m* (-ne *f*).

acorrentar [ɐkuʀ̃ẽn'tar] *vt* enchaîner.

acostamento [akoʃta'mẽntu] *m (Br)* bas-côté *m*.

acostumado, da [ɐkuʃtu'maðu, -ðɐ] *adj* : **estar ~ a algo** être habitué à qqch.

acostumar-se [ɐkuʃtu'marsə] *vp* s'habituer; **~ com algo** s'habituer à qqch; **~ a fazer algo** s'habituer à faire qqch.

açougue [a'sogi] *m (Br)* boucherie *f*.

açougueiro, ra [aso'geiru, -rɐ] *m, f (Br)* boucher *m* (-ère *f*).

A.C.P. *(abrev de* **Automóvel Clube de Portugal***)* Automobile Club du Portugal, ≃ ACF *m*.

acre ['akrə] *adj* âcre.

acreditar [ɐkrɐði'tar] *vi* croire; **~ em Deus** croire en Dieu; **~ no Pai Natal** croire au Père Noël.

acrescentar [ɐkrɐʃ̃ẽn'tar] *vt* ajouter.

acréscimo [ɐ'krɛʃsimu] *m (aumento)* ajout *m*; *(no preço)* augmentation *f*.

acrílica [ɐ'krilikɐ] *adj f →* **fibra**.

acrobata [ɐkru'batɐ] *mf* acrobate *mf*.

actividade [atɐvi'ðaðə] *f* activité *f*; *(cultural)* animation *f*.

activo, va [a'tivu, -vɐ] *adj (Port)* actif(-ive).

acto ['atu] *m (Port)* acte *m*.

actor, triz [a'tor, -triʃ] *(mpl* **-es** [-əʃ], *fpl* **-es** [-əʃ]) *m, f (Port)* acteur *m* (-trice *f*).

actuação [atwɛ'sɛu] *(pl* **-ões** [-õiʃ]) *f (procedimento)* action *f*; *(em espectáculo)* jeu *m*.

actual [ɐ'twał] *(pl* **-ais** [-aiʃ]) *adj (Port)* actuel(-elle).

actualizar [ɐtwɐli'zar] *vt* actualiser; *(INFORM)* mettre à jour.

actualmente [ɐtwał'mẽntə] *adv* actuellement.

actuar [a'twar] *vi (Port: agir)* agir; *(representar)* jouer.

açúcar [ɐ'sukar] *m* sucre *m*; **~ amarelo** sucre roux; **~ branco** sucre blanc; **~ em cubos** sucre en morceaux; **~ mascavo** cassonade *f*; **~ em pó** sucre glace.

açucareiro [ɐsukɐ'reiru] *m* sucrier *m*.

acumulação [ɐkumulɐ'sɛu] *(pl* **-ões** [-õiʃ]) *f* accumulation *f*.

acumular [ɐkumu'lar] *vt* accumuler.

acupunctura [ɐkupũn'turɐ] *f* acupuncture *f*.

acusação [ɐkuzɐ'sɛu] *(pl* **-ões** [-õiʃ]) *f* accusation *f*.

acusar [ɐku'zar] *vt* accuser.

A.D. *(abrev de* **Anno Domini***)* AD.

adaptação [ɐðɐptɐ'sɛu] *(pl* **-ões** [-õiʃ]) *f* adaptation *f*.

adaptado, da [ɐđɐp'tađu, -đɐ] *adj* adapté(-e).

adaptador [ɐđɐptɐ'đor] (*pl* **-es** [-əʃ]) *m* adaptateur *m*.

adaptar [ɐđɐp'tar] *vt* adapter. ❏ **adaptar-se** *vp* : ~-**se a** s'adapter à.

adega [ɐ'đɛgɐ] *f* cave *f*; ~ **cooperativa** cave coopérative.

adepto, ta [ɐ'đɛptu, -tɐ] *m, f* supporter *m*.

adequado, da [ɐđə'kwađu, -đɐ] *adj* adéquat(-e).

adereço [ɐđə'resu] *m* accessoire *m (de théâtre).*

aderente [ɐđə'rɛ̃ntə] *adj* adhésif(-ive). ◆ *mf* adhérent *m* (-e *f*).

aderir [ɐđə'rir] *vi* adhérer; ~ **a algo** adhérer à qqch.

adesão [ɐđə'zɐ̃u] (*pl* **-ões** [-õiʃ]) *f (fig)* adhésion *f*.

adesivo, va [ɐđə'zivu, -vɐ] *adj* adhésif(-ive). ◆ *m* (Port) adhésif *m*.

adesões → adesão.

adeus [ɐ'đeuʃ] *m* adieu *m*. ◆ *interj* au revoir!; *(para sempre)* adieu!; **dizer** ~ dire au revoir; *(para sempre)* dire adieu.

adiamento [ɐđjɐ'mɛ̃ntu] *m* report *m (de réunion).*

adiantado, da [ɐđjɐ̃n'tađu, -đɐ] *adj* avancé(-e). ◆ *adv* : **chegar** ~ être en avance; **estar** ~ avancer; **pagar** ~ payer d'avance.

adiantar [ɐđjɐ̃n'tar] *vt & v impess* avancer; **de que adianta...?** à quoi bon...?; **não adianta nada!** ça n'avance à rien! ❏ **adiantar-se** *vp* s'avancer.

adiante [ɐ'đjɐ̃ntə] *adv* devant. ◆ *interj* en avant!; **mais** ~ plus loin; **passar** ~ passer à autre chose; **e por aí** ~ et ainsi de suite.

adiar [ɐ'đjar] *vt* reporter *(une réunion).*

adição [ɐđi'sɐ̃u] (*pl* **-ões** [-õiʃ]) *f* addition *f (somme).*

adicionar [ɐđisju'nar] *vt (acrescentar)* ajouter; *(somar)* additionner.

adições → adição.

adivinha [ɐđə'viɲə] *f* devinette *f*.

adivinhar [ɐđəvi'ɲar] *vt (decifrar)* deviner; *(futuro)* prédire.

adjectivo [ɐđʒɛ'tivu] *m* adjectif *m*.

adjunto, ta [ɐđ'ʒũntu, -tɐ] *adj & m, f* adjoint(-e).

administração [ɐđməniʃtrɐ'sɐ̃u] *f* administration *f*.

administrador, ra [ɐđməniʃtrɐ'đor, -rɐ] (*mpl* **-es** [-əʃ], *fpl* **-s** [-ʃ]) *m, f* administrateur *m* (-trice *f*).

administrar [ɐđməniʃ'trar] *vt (empresa, negócio)* gérer; *(injecção, curativo)* administrer.

admiração [ɐđmirɐ'sɐ̃u] *f (espanto)* étonnement *m*; *(respeito, estima)* admiration *f*.

admirador, ra [ɐđmirɐ'đor, -rɐ] (*mpl* **-es** [-əʃ], *fpl* **-s** [-ʃ]) *m, f* admirateur *m* (-trice *f*).

admirar [ɐđmi'rar] *vt (contemplar)* admirer; *(espantar)* étonner. ❏ **admirar-se** *vp* s'étonner.

admirável [ɐđmi'ravɛł] (*pl* **-eis** [-ɐiʃ]) *adj* admirable.

admissão [ɐđmi'sɐ̃u] (*pl* **-ões** [-õiʃ]) *f* admission *f*.

admitir [ɐđmi'tir] *vt* admettre.

adoçante [ɐđu'sɐ̃ntə] *m* édulcorant *m*.

adoçar [ɐđu'sar] *vt* sucrer.

adoecer [ɐđwi'ser] *vi* tomber malade.

adolescência [ɐđuləʃ'sẽsjə] *f* adolescence *f*.

adolescente [ɐđuləʃ'sẽntə] *mf* adolescent *m* (-e *f*).

adopção [ɐđɔ'sɐ̃u] (*pl* **-ões** [-õiʃ]) *f* adoption *f*.

adoptado, da [ɐđɔ'tađu, -đɐ] *adj* adopté(-e).

adoptar [ɐðɔˈtar] *vt* adopter.

adorar [ɐðuˈrar] *vt* adorer.

adorável [ɐðuˈravɛł] (*pl* **-eis** [-ɐiʃ]) *adj* adorable.

adormecer [ɐðurmɐˈser] *vt* endormir. ◆ *vi* s'endormir.

adornar [ɐðurˈnar] *vt* orner.

adquirir [ɐðkiˈrir] *vt* acquérir.

adrenalina [ɐðrɐnɐˈlinɐ] *f* adrénaline *f*.

adulterar [ɐðułtɐˈrar] *vt* altérer.

adultério [ɐðułˈtɛrju] *m* adultère *m*.

adulto, ta [ɐˈðułtu, -tɐ] *adj & m, f* adulte.

advérbio [ɐðˈvɛrbju] *m* adverbe *m*.

adversário, ria [ɐðvɐrˈsarju, -rjɐ] *adj* adverse. ◆ *m, f* adversaire *mf*.

advertência [ɐðvɐrˈtẽsjɐ] *f* avertissement *m*.

advogado, da [ɐðvuˈgaðu, -ðɐ] *m, f* avocat *m* (-e *f*).

á-é-i-ó-u [aɛiɔu] *m* : **aprender o ~** (*as vogais*) apprendre les voyelles; (*o essencial de algo*) apprendre le B.A.-Ba.

aéreo, rea [ɐˈɛrju, -rjɐ] *adj* aérien(-enne); (*fig: distraído*) tête en l'air.

aerobarco [aeroˈbaxku] *m* (*Br*) hovercraft *m*.

aerodinâmico, ca [ɛɛrɔðiˈnemiku, -kɐ] *adj* aérodynamique.

aeródromo [ɛɛˈrɔðrumu] *m* aérodrome *m*.

aeromoça [aeroˈmosɐ] *f* (*Br*) hôtesse *f* de l'air.

aeromodelismo [ɐˌɛrɔmuðɐˈliʒmu] *m* aéromodélisme *m*.

aeronáutica [ɛɛrɔˈnautikɐ] *f* aéronautique *f*; (*Br: força aérea*) armée *f* de l'air.

aeroporto [ɛɛrɔˈportu] *m* aéroport *m*.

aerossol [ɛɛrɔˈsɔł] (*pl* **-óis** [-ɔiʃ]) *m* aérosol *m*.

afagar [ɐfɐˈgar] *vt* caresser.

afastado, da [ɐfɐʃˈtaðu, -ðɐ] *adj* (*parente, lugar*) éloigné(-e); (*suspeita*) écarté(-e); (*aldeia*) reculé(-e).

afastar [ɐfɐʃˈtar] *vt* (*desviar*) écarter; (*apartar*) éloigner. ❑ **afastar-se** *vp* (*desviar-se*) s'écarter; (*distanciar-se*) s'éloigner; **~-se** s'éloigner de.

afável [ɐˈfavɛł] (*pl* **-eis** [-ɐiʃ]) *adj* (*pessoa*) charmant(-e); (*animal*) doux (douce).

afectar [ɐfɛˈtar] *vt* affecter.

afectivo, va [ɐfɛˈtivu, -vɐ] *adj* (*pessoa*) affectueux(-euse); (*problemas, vida*) affectif(-ive).

afecto [ɐˈfɛtu] *m* (*Port*) affection *f*.

afectuoso, osa [ɐfɛˈtuozu, -ɔzɐ] *adj* (*Port*) affectueux(-euse).

afeição [ɐfɐiˈsɐ̃u] *f* affection *f*; (*inclinação*) goût *m*; **ter ~ por algo** aimer bien qqch.

afeto [aˈfɛtu] *m* (*Br*) = afecto.

afiadeira [ɐfjɐˈðeirɐ] *f* (*Port*) = apara-lápis.

afiado, da [ɐˈfjaðu, -ðɐ] *adj* aiguisé(-e).

afiambrado [ɐfjẽˈbraðu] *m* sorte de mortadelle.

afiar [ɐˈfjar] *vt* (*faca*) aiguiser; (*lápis*) tailler.

aficionado, da [ɐfisjuˈnaðu, -ðɐ] *m, f* aficionado *m*.

afilhado, da [ɐfiˈʎaðu, -ðɐ] *m, f* filleul *m* (-e *f*).

afim [ɐˈfĩ] (*pl* **-ns** [-ʃ]) *adj* (*gostos*) commun(-e); (*ideias*) voisin(-e); (*produtos*) similaire. ◆ *m* parent *m* par alliance.

afinado, da [ɐfiˈnaðu, -ðɐ] *adj* (*instrumento musical*) accordé(-e); (*motor*) réglé(-e).

afinal [ɐfiˈnał] *adv* finalement; **~ de contas** en fin de compte.

afinar [ɐfiˈnar] vt *(instrumento musical)* accorder; *(motor)* régler; ~ **os travões** régler les freins.

afinidade [ɐfɐniˈdaðɐ] f affinité f; *(JUR)* parenté f par alliance.

afins → **afim**.

afirmação [ɐfirmɐˈsẽu] (pl **-ões** [-õiʃ]) f affirmation f.

afirmar [ɐfirˈmar] vt affirmer.

afirmativo, va [ɐfirmɐˈtivu, -vɐ] adj affirmatif(-ive).

afixar [ɐfikˈsar] vt *(cartaz, aviso)* afficher.

aflição [ɐfliˈsẽu] (pl **-ões** [-õiʃ]) f peine f.

afligir [ɐfliˈʒir] vt *(suj: doença, dor)* affliger; *(suj: perigo)* affoler. ❏ **afligir-se** vp s'affoler; **~-se com** être affligé par.

aflito, ta [ɐˈflitu, -tɐ] pp → **afligir**.

aflorar [ɐfluˈrar] vt *(assunto, tema)* effleurer. ◆ vi affleurer.

afluência [ɐfluˈẽsjɐ] f affluence f.

afluente [ɐfluˈẽtɐ] m affluent m.

afobado, da [afoˈbadu, -dɐ] adj *(Br) (apressado)* pressé(-e); *(atrapalhado)* affolé(-e).

afogado, da [ɐfuˈgaðu, -ðɐ] adj & m, f noyé(-e).

afogador [afogaˈdox] (pl **-es** [-iʃ]) m *(Br)* starter m.

afogamento [ɐfugɐˈmẽtu] m noyade f.

afogar [ɐfuˈgar] vt noyer. ❏ **afogar-se** vp se noyer.

afónico, ca [ɐˈfɔniku, -kɐ] adj *(Port)* aphone.

afônico, ca [aˈfoniku, -kɐ] adj *(Br)* = **afónico**.

afortunado, da [ɐfurtuˈnaðu, -ðɐ] adj : **ele é uma pessoa afortunada** il a de la chance.

afresco [aˈfreʃku] m *(Br)* fresque f.

África [ˈafrikɐ] f : **a ~** l'Afrique f; **a ~ do Sul** l'Afrique du Sud.

africano, na [ɐfriˈkɐnu, -nɐ] adj africain(-e). ◆ m, f Africain m (-e f).

afro-brasileiro, ra [ˌafrɔβreziˈlɐiru, -rɐ] adj afro-brésilien(-enne). ◆ m, f Afro-Brésilien m (-enne f).

afronta [ɐˈfrõtɐ] f affront m.

afrouxar [ɐfroˈʃar] vt : ~ **o carro** ralentir.

afta [ˈaftɐ] f aphte m.

afugentar [ɐfuʒẽˈtar] vt faire fuir.

afundar [ɐfũˈdar] vt couler. ❏ **afundar-se** vp couler.

agachar-se [ɐgaˈʃarsɐ] vp se baisser.

agarrar [ɐgɐˈʀar] vt attraper; *(segurar)* tenir. ❏ **agarrar-se** vp : **~-se a** *(segurar-se a)* s'accrocher à, se tenir à; *(pegar-se a)* attacher à; *(dedicar-se a)* se consacrer à; **~-se aos livros** *(fam)* bûcher.

agasalhar-se [ɐgɐzɐˈʎarsɐ] vp se couvrir.

agasalho [ɐgɐˈzaʎu] m *(peça de roupa)* vêtement m chaud.

ágeis → **ágil**.

agência [ɐˈʒẽsjɐ] f agence f; ~ **bancária** agence bancaire; ~ **de câmbio** bureau m de change; ~ **de correio** *(Br)* bureau m de poste; ~ **funerária** pompes fpl funèbres; ~ **imobiliária** agence immobiliaire; ~ **de viagens** agence de voyages.

agenda [ɐˈʒẽdɐ] f *(livro)* agenda m; *(plano de reunião)* ordre m du jour.

agente [ɐˈʒẽtɐ] mf *(de polícia)* agent m; *(de vendas)* commercial m (-e f); ~ **autorizado** *(aviso em quiosque)* vendeur agréé de billets de loto; ~ **secreto** *(espião)* agent secret.

ágil [ˈaʒił] (pl **ágeis** [ˈaʒɐiʃ]) adj agile.

agilidade [ɐʒɐliˈðaðə] f agilité f.

ágio [ˈaʒju] m agio m.

agir [ɐˈʒir] vi agir.

agitação [ɐʒitɐˈsɐu] f agitation f.

agitado, da [ɐʒiˈtaðu, -ðɐ] adj agité(-e).

agitar [ɐʒiˈtar] vt (líquido) agiter; '~ antes de abrir' 'agiter avant d'ouvrir'.
❑ **agitar-se** vp s'agiter.

aglomeração [ɐglumɐrɐˈsɐu] (pl **-ões** [-õiʃ]) f (de pessoas) attroupement m; (de detritos) amas m.

aglomerar [ɐglumɐˈrar] vt rassembler.

agonia [ɐguˈniɐ] f (angústia) angoisse f; (náusea) nausée f; (antes da morte) agonie f.

agora [ɐˈgɔrɐ] adv maintenant; **chega aqui ~ mesmo!** viens ici tout de suite!; **ele saiu ~ mesmo** il est sorti à l'instant; **~ que** maintenant que; **essa ~!** ça alors!; **por ~** pour le moment; **só ~ reparei que...** je viens de m'apercevoir que...; **só ~!** ce n'est pas trop tôt!; **é ~ ou nunca** c'est maintenant ou jamais.

agosto [ɐˈgoʃtu] m (Br) = Agosto.

Agosto [ɐˈgoʃtu] m (Port) août m; → **Setembro**.

agradar [ɐgrɐˈðar] vi : ~ **a alguém** plaire à qqn.

agradável [ɐgrɐˈðavɛł] (pl **-eis** [-ɐiʃ]) adj agréable.

agradecer [ɐgrɐðɐˈser] vt & vi remercier; ~ **algo a alguém, ~ a alguém por algo** remercier qqn de qqch.

agradecido, da [ɐgrɐðɐˈsiðu, -ðɐ] adj reconnaissant(-e); **mal ~** ingrat; **muito ~!** merci beaucoup!

agradecimento [ɐgrɐðɐsiˈmẽtu] m remerciement m.

agrafador [ɐgrɐfɐˈðor] (pl **-es** [-əʃ]) m (Port) agraffeuse f.

agrafo [ɐˈgrafu] m (Port) agrafe f.

agravamento [ɐgrɐvɐˈmẽtu] m aggravation f.

agravante [ɐgrɐˈvẽtɐ] adj aggravant(-e). ♦ f circonstance f aggravante.

agravar [ɐgrɐˈvar] vt aggraver.

agredir [ɐgrɐˈðir] vt agresser.

agregado [ɐgrɐˈgaðu] m : ~ **familiar** foyer m fiscal.

agressão [ɐgrɐˈsɐu] (pl **-ões** [-õiʃ]) f agression f.

agressivo, va [ɐgrɐˈsivu, -vɐ] adj agressif(-ive).

agressões → **agressão**.

agreste [ɐˈgrɛʃtɐ] adj (paisagem) champêtre; (tempo) rigoureux(-euse).

agrião [ɐgriˈɐu] (pl **-ões** [-ˈõiʃ]) m cresson m.

agrícola [ɐˈgrikułɐ] adj agricole.

agricultor, ra [ɐgrikułˈtor, -rɐ] (mpl **-es** [-əʃ], fpl **-s** [-ʃ]) m, f agriculteur m (-trice f).

agricultura [ɐgrikułˈturɐ] f agriculture f.

agridoce [ɐgriˈðosə] adj aigre-doux.

agriões → **agrião**.

agronomia [ɐgrunuˈmiɐ] f agronomie f.

agrupar [ɐgruˈpar] vt grouper.

água [ˈagwɐ] f eau f; ~ **benta** eau bénite; ~ **corrente** eau courante; ~ **destilada** eau distillée; ~ **doce/salgada** eau douce/salée; ~ **mineral** eau minérale; ~ **mineral com gás** OU **gaseificada** eau gazeuse; ~ **mineral sem gás** eau plate; ~ **potável** eau potable; ~ **sanitária** (Br) eau de Javel; ~ **tónica** Schweppes® m; **de fazer crescer ~ na boca** qui met l'eau à la bouche.

aguaceiro [ɐgwɐ'sɐiru] *m* averse *f*.

água-de-colónia [ˌagwɐ-ðɐku'lɔnjɐ] *f* eau *f* de Cologne.

aguado, da [ɐ'gwaðu, -ðɐ] *adj* coupé(-e) *(avec de l'eau)*.

água-oxigenada [ˌagw(ɐ)-ɔksiʒɐ'naðɐ] *f* eau *f* oxygénée.

água-pé [ˌagwɐ'pɛ] *f* marc *m*.

aguardar [ɐgwɐr'ðar] *vt* attendre.

aguardente [agwɐr'ðẽtɐ] *f* eau-de-vie *f*; ~ **de cana** eau-de-vie de canne à sucre; ~ **de pêra** eau-de-vie de poire; ~ **velha** vieux marc *m*.

aguarela [ɐgwɐ'rɛlɐ] *f (Port)* aquarelle *f*.

aguarrás [agwɐ'ʀaʃ] *f* white-spirit *m*.

água-viva [ˌagwɐ'vivɐ] *(pl* **águas-vivas** [ˌagwɐʒ'vivɐʃ]) *f* marée *f* de vive eau.

aguçado, da [ɐgu'saðu, -ðɐ] *adj* aiguisé(-e).

aguçar [ɐgu'sar] *vt* aiguiser.

agudo, da [ɐ'guðu, -ðɐ] *adj* aigu(-ë).

aguentar [ɐgwẽ'tar] *vt (dor, sofrimento)* supporter; *(desgaste)* résister à; *(fig: suportar)* endurer; **aguentar com** porter; **já não aguento mais!** je n'en peux plus!

águia ['agjɐ] *f* aigle *m*.

agulha [ɐ'guʎɐ] *f* aiguille *f*; *(de tricô)* aiguille *f* à tricoter.

agulheta [ɐgu'ʎetɐ] *f* lance *f* *(de tuyau d'arrosage)*.

aí ['ɐi] *adv* là; *(então)* à ce moment-là; **por ~** par là; **anda por ~ alguém que...** il y a quelqu'un qui...

ai ['ai] *interj* aïe!

AIDS [ajdʒs] *f (Br)* SIDA *m*.

ainda [ɐ'ĩdɐ] *adv* encore; ~ **agora** à peine; ~ **assim não compreendo** je ne comprends

toujours pas; ~ **bem** tant mieux; ~ **bem que** heureusement que; ~ **não** pas encore; ~ **por cima** en plus; ~ **que** bien que.

aipim [ai'pĩ] *(pl* **-ns** [-ʃ]) *m* manioc *m*.

aipo ['aipu] *m* céleri *m*.

ajeitar [ɐʒɐi'tar] *vt* arranger. ❏ **ajeitar-se** *vp (acomodar-se)* s'installer; **~-se com algo** *(saber lidar com)* se faire à qqch.

ajoelhar-se [ɐʒwe'ʎarsɐ] *vp* s'agenouiller.

ajuda [ɐ'ʒuðɐ] *f* aide *f*; **pedir ~** demander de l'aide.

ajudante [ɐʒu'ðẽtɐ] *mf* assistant *m* (-e *f*).

ajudar [ɐʒu'ðar] *vt (auxiliar)* aider; *(socorrer)* porter secours à.

ajuste [ɐ'ʒuʃtɐ] *m* : ~ **de contas** règlement *m* de compte(s).

Al. *(abrev de* **alameda)** av.

ala ['alɐ] *f (fileira)* rangée *f*; *(de edifício)* aile *f*.

alambique [ɐlẽ'bikɐ] *m* alambic *m*.

alameda [ɐlɐ'meðɐ] *f* allée *f*.

alargar [ɐlɐr'gar] *vt (em espaço)* élargir; *(em tempo)* prolonger; *(fig: expandir)* agrandir.

alarido [ɐlɐ'riðu] *m* vacarme *m*.

alarmante [ɐlɐr'mẽtɐ] *adj* alarmant(-e).

alarme [ɐ'larmɐ] *m* alarme *f*; *(susto)* frayeur *f*; **falso ~,** ~ **falso** fausse alerte *f*.

alastrar [ɐlɐʃ'trar] *vt* répandre. ❏ **alastrar-se** *vp* s'étendre.

alavanca [ɐlɐ'vẽkɐ] *f* levier *m*.

albergue [aɫ'bɛrgɐ] *m* auberge *f*.

albufeira [aɫbu'fɐirɐ] *f (de mar)* lagune *f*; *(artificial)* retenue *f* d'eau.

álbum ['aɫbũ] *(pl* **-ns** [-ʃ]) *m* album *m*.

alça ['aɫsɐ] *f (de vestido, combina-*

ção) bretelle *f; (de saco, arma)* bandoulière *f.*

alcachofra [aɫkɐˈʃofrɐ] *f* artichaut *m.*

alcançar [aɫkɐ̃ˈsar] *vt* atteindre; *(apanhar)* attraper; *(obter)* obtenir; *(compreender)* saisir.

alcance [aɫˈkɐ̃sə] *m* portée *f;* **ao ~ de** à la portée de; **fora do ~ de** hors de la portée de.

alçapão [aɫsɐˈpɐ̃u] *(pl* **-ões** [-õiʃ]) *m* trappe *f.*

alcaparras [aɫkɐˈparɐʃ] *fpl* câpres *fpl.*

alçapões → alçapão.

alcateia [aɫkɐˈtɐiɐ] *f* meute *f.*

alcatifa [aɫkɐˈtifɐ] *f* moquette *f.*

alcatra [aɫˈkatrɐ] *f* culotte *f (viande).*

alcatrão [aɫkɐˈtrɐ̃u] *m* goudron *m.*

álcool [ˈaɫk(w)ɔɫ] *m* alcool *m;* **~ etílico** alcool à 90°.

alcoólico, ca [aɫˈkwɔliku, -kɐ] *adj & m, f* alcoolique.

Alcorão [aɫkuˈrɐ̃u] *m* Coran *m.*

alcunha [aɫˈkuɲɐ] *f* surnom *m.*

aldeia [aɫˈdɐiɐ] *f* village *m.*

alecrim [ɐləˈkrĩ] *m* romarin *m.*

alegação [ɐləgɐˈsɐ̃u] *(pl* **-ões** [-õiʃ]) *f* allégation *f; (prova)* affirmation *f.*

alegar [ɐləˈgar] *vt* alléguer; *(JUR)* citer.

alegoria [ɐləguˈriɐ] *f* allégorie *f.*

alegórico [ɐləˈgɔriku] *adj m* → carro.

alegrar [ɐləˈgrar] *vt (pessoa)* réjouir; *(ambiente, casa, festa)* égayer.

☐ **alegrar-se** *vp* se réjouir.

alegre [ɐˈlɛgrɐ] *adj* joyeux (-euse); *(roupa, cor, bêbado)* gai(-e).

alegria [ɐləˈgriɐ] *f* joie *f.*

aleijado, da [ɐlɐiˈʒaðu, -ðɐ] *adj (Port)* blessé(-e); *(Br)* handicapé(-e).

aleijar [ɐlɐiˈʒar] *vt* blesser.

☐ **aleijar-se** *vp* se blesser.

além [ɐˈlɐ̃i] *adv* là-bas. ◆ *m :* **o ~** l'au-delà *m;* **~ disso** en plus; **mais ~** plus loin.

alemã → alemão.

alemães → alemão.

Alemanha [ɐləˈmɐɲɐ] *f :* **a ~** l'Allemagne *f.*

alemão, ã [ɐləˈmɐ̃u, -ɐ̃] *(mpl* **-ães** [-ɐ̃iʃ], *fpl* **-s** [-ʃ]) *adj* allemand(-e). ◆ *m, f* Allemand *m* (-e *f).* ◆ *m (língua)* allemand *m.*

além-mar [ɐlɐ̃iˈmar] *adv & m* outre-mer.

alentejano, na [ɐlɛ̃tɐˈʒɐnu, -nɐ] *adj* de l'Alentejo. ◆ *m, f* habitant *m* (-e *f)* de l'Alentejo.

Alentejo [ɐlɛ̃ˈtɐʒu] *m :* **o ~** l'Alentejo.

Cette province, de grande dimension mais peu peuplée, s'étend sur près d'un tiers du territoire portugais. Considéré comme le grenier du Portugal, l'Alentejo est cependant en proie à la sécheresse pendant la majeure partie de l'année. Les maisons y sont petites et badigeonnées de blanc pour se protéger de la chaleur et de la lumière. Les chants de l'Alentejo (dont les chœurs masculins sont la forme la plus caractéristique) s'inspirent de la dureté du travail, et par là rappellent un peu les negro spirituals. L'Alentejo se distingue aussi par la richesse de sa cuisine, avec des plats typiques comme l'« açorda » (soupe au pain), et de son artisanat, avec la production de ses célèbres tapis d'Arraiolos.

alergia [ɐlɐɾˈʒiɐ] f allergie f.
alérgico, ca [ɐˈlɛɾʒiku, -kɐ] adj allergique.
alerta [ɐˈlɛɾtɐ] adv sur ses gardes. ◆ m alerte f.
aletria [ɐlɐˈtɾiɐ] f vermicelle m.
alfa [ˈaɫfɐ] m → **comboio**.
alfabético, ca [aɫfɐˈbɛtiku, -kɐ] adj alphabétique.
alfabeto [aɫfɐˈbɛtu] m alphabet m.
alface [aɫˈfasɐ] f laitue f.
alfacinha [aɫfɐˈsiɲɐ] mf (fam) surnom donné aux habitants de Lisbonne.
alfaiate [aɫfɐˈjatɐ] m tailleur m.
alfândega [aɫˈfɐ̃dɐgɐ] f douane f.
alfazema [aɫfɐˈzemɐ] f lavande f.
alfinete [aɫfiˈnetɐ] m (de costura) épingle f; (jóia) broche f; ~ **de gravata** épingle à cravate.
alfinete-de-ama [aɫfiˌnetɐˈdjemɐ] (pl **alfinetes-de-ama** [aɫfiˌnetɐʒˈdjemɐ]) m épingle f à nourrice.
alforreca [aɫfuˈʀɛkɐ] f méduse f.
alga [ˈaɫgɐ] f algue f.
algarismo [aɫgɐˈɾiʒmu] m chiffre m.
Algarve [aɫˈgaɾvɐ] m : o ~ l'Algarve f.

ALGARVE

Province la plus méridionale du Portugal, elle est la dernière à avoir été reconquise. La culture musulmane y a donc exercé une forte influence. Jouissant d'un climat assez agréable, elle se prête au tourisme, grâce notamment à de grandes plages de sable blanc et à une mer qui, en raison de sa proximité avec la Méditerranée, est tiède et très calme. Au cours des dernières décennies, la fréquentation massive de touristes étrangers a fait de l'Algarve une des régions du Portugal qui dispose des installations les plus sophistiquées pour les accueillir.

algarvio, via [aɫgɐɾˈviu, -viɐ] adj de l'Algarve. ◆ m, f Algarvien m (-enne f).
algazarra [aɫgɐˈzaʀɐ] f vacarme m.
álgebra [ˈaɫʒɐbɾɐ] f algèbre f.
algemas [aɫˈʒemɐʃ] fpl menottes fpl.
algibeira [aɫʒiˈbeiɾɐ] f poche f.
algo [ˈaɫgu] pron quelque chose.
algodão [aɫguˈdɐ̃u] m coton m; ~ **doce** barbe f à papa.
alguém [aɫˈgẽi] pron quelqu'un; **ser** ~ être quelqu'un.
algum, ma [aɫˈgũ, -mɐ] (mpl -**ns** [-ʃ], fpl -**s** [-ʃ]) adj (ger) un (une), quelque; (em negativas) aucun (aucune). ◆ pron (indicando pessoa) quelqu'un; (indicando coisa) quelque; (em interrogativas: indicando pessoa) quelqu'un; (indicando coisa): **queres** ~/**alguns?** tu en veux un/quelques-uns?; ~ **dia** un jour; **algumas vezes** quelquefois; **em alguns casos** dans certains cas; **tens** ~ **problema?** tu as un problème?; **alguns não vieram** certains ne sont pas venus; **alguma coisa** quelque chose; **alguma vez te hás-de enganar** tu finiras par te tromper; **não há melhora alguma** il n'y a aucune amélioration. ❑ **alguma** f (fam: patifaria) quelque chose.
algures [aɫˈguɾɐʃ] adv quelque part.
alheio, alheia [ɐˈʎɐju, ɐˈʎɐjɐ]

adj (de outrem) d'autrui; *(desconhecido)* étranger(-ère); *(distraído)* distrait(-e).

alheira [ɐˈʎɐirɐ] *f* saucisse à l'ail.

alho [ˈaʎu] *m* ail *m*; ~ **francês** poireau *m*.

alho-porro [ˌaʎuˈpoʀu] *(pl* **alhos-porros** [aʎuʃˈpoʀuʃ]) *m* poireau *m*.

ali [ɐˈli] *adv* là, là-bas; **ele nasceu** ~ c'est là qu'il est né; ~ **ao fundo** là-bas au fond; **aqui e** ~ çà et là; **até** ~ jusque là; **logo** ~ à cet endroit là; **por** ~ par là.

aliado, da [ɐˈljaðu, -ðɐ] *adj & m, f* allié(-e).

aliança [ɐˈljãsɐ] *f* alliance *f*.

aliar [ɐˈljar] *vt* allier.

❑ **aliar-se** *vp* s'allier.

aliás [ɐˈljaʃ] *adv* d'ailleurs.

álibi [ˈalibi] *m* alibi *m*.

alicate [ɐliˈkatɐ] *m* pince *f (outil).*

alice [ɐˈlisi] *f (Br)* anchois *m*.

alicerce [ɐliˈsɛrsɐ] *m* fondations *fpl.*

aliciante [ɐliˈsjẽtɐ] *adj* alléchant(-e).

aliciar [ɐliˈsjar] *vt* allécher.

alienado, da [ɐljeˈnaðu, -ðɐ] *adj* aliéné(-e).

alimentação [ɐlimẽtɐˈsẽu] *f* alimentation *f*.

alimentar [ɐlimẽˈtar] *(pl* **-es** [-əʃ]) *adj* alimentaire. ◆ *vt (pessoa, animal)* nourrir; *(máquina)* alimenter.

❑ **alimentar-se** *vp* se nourrir, s'alimenter.

alimentício, cia [ɐlimẽˈtisju, -sjɐ] *adj* nourrissant(-e); *(massas, géneros)* alimentaire.

alimento [ɐliˈmẽtu] *m (comida)* aliment *m*; *(nutrição)* nourriture *f*.

❑ **alimentos** *mpl (Port: JUR)* pension *f* alimentaire.

alinhado, da [ɐliˈɲaðu, -ðɐ] *adj*

(em linha) aligné(-e); *(sério)* rangé(-e).

alinhamento [ɐliɲɐˈmẽtu] *m (INFORM)* alignement *m*.

alinhar [ɐliˈɲar] *vt* aligner.

alinhavar [ɐliɲɐˈvar] *vt* faufiler.

alisar [ɐliˈzar] *vt* lisser.

alistar [ɐliʃˈtar] *vt* enrôler.

❑ **alistar-se** *vp (em exército)* s'engager; *(em partido)* entrer.

aliviar [ɐliˈvjar] *vt (peso)* alléger; *(dor)* soulager.

alívio [ɐˈlivju] *m* allègement *m*; *(de dor, preocupação)* soulagement *m*.

alma [ˈalmɐ] *f* âme *f*.

almoçar [almuˈsar] *vi* déjeuner. ◆ *vt* prendre au déjeuner.

almoço [alˈmosu] *m* déjeuner *m*.

almofada [almuˈfaðɐ] *f (de cama)* oreiller *m*; *(de sofá)* coussin *m*; *(de carimbo)* tampon *m* encreur.

almôndega [alˈmõndəgɐ] *f* boulette *f (de viande).*

alô [aˈlo] *interj (Br: ao telefone)* allô!; *(saudação)* salut!

alojamento [ɐluʒɐˈmẽtu] *m* logement *m*.

alojar [ɐluˈʒar] *vt* loger.

❑ **alojar-se** *vp* se loger.

alpendre [alˈpẽndrɐ] *m (telheiro)* auvent *m*; *(pórtico)* porche *m*.

alpercata [alpɐrˈkatɐ] *f* espadrille *f*.

alperce [alˈpɛrsɐ] *m* abricot *m*.

Alpes [ˈalpəʃ] *mpl* : **os** ~ les Alpes *fpl.*

alpinismo [alpiˈniʒmu] *m* alpinisme *m*; **fazer** ~ faire de l'alpinisme.

alpinista [alpiˈniʃtɐ] *mf* alpiniste *mf*.

alta [ˈaltɐ] *f (de preço, valor)* hausse *f*; *(de doença)* fin de l'arrêt *maladie; (de cidade)* ville *f* haute; **ter ~ *(de hospital)*** avoir l'autorisation de sortie.

altar [aɫˈtar] *(pl* **-es** [-əʃ]) *m* autel *m.*

alteração [aɫtəɾɛˈsẽu] *(pl* **-ões** [-õiʃ]) *f* changement *m;* **sem ~** inchangé.

alterar [aɫtəˈrar] *vt* modifier, changer.

alternar [aɫtərˈnar] *vt* alterner.

alternativa [aɫtərnɛˈtivɐ] *f* alternative *f.*

altifalante [aɫtifɛˈlẽntə] *m (Port)* haut-parleur *m.*

altitude [aɫtiˈtuðə] *f* altitude *f.*

altivez [aɫtiˈveʃ] *f* suffisance *f.*

altivo, va [aɫˈtivu, -vɐ] *adj* hautain(-e).

alto, ta [ˈaɫtu, -tɐ] *adj (pessoa)* grand(-e); *(objecto, qualidade)* haut(-e); *(preço)* élevé(-e); *(som, voz)* fort(-e). ◆ *m* haut *m.* ◆ *adv* fort; *(relativo a posição)* haut. ◆ *interj* halte!; **alta costura** haute couture; **ao ~** debout; **do ~ de** du haut de; **por ~** en diagonale.

alto-falante [ˌautfaˈlẽtʃi] *m (Br)* = **altifalante.**

altura [aɫˈturɐ] *f* hauteur *f; (de pessoa)* taille *f; (de som)* puissance *f; (ocasião, momento)* moment *m; (época)* époque *f;* **ter um metro de ~** mesurer un mètre de haut; **a certa** OU **dada ~** à un moment donné; **nessa ~** à l'époque; **por ~ de** au moment de; **estar à ~ de** être à la hauteur de.

alucinação [ɐlusinɛˈsẽu] *(pl* **-ões** [-õiʃ]) *f* hallucination *f.*

alucinante [ɐlusiˈnẽntə] *adj* hallucinant(-e).

aludir [ɐluˈðir]: **aludir a** *v + prep* faire allusion à, évoquer.

alugar [ɐluˈgar] *vt* louer.

❑ **alugar-se** *vp* : **'aluga-se'** 'à louer'; **'alugam-se quartos'** 'chambres à louer'.

aluguel [ɐluˈgɛu] *(pl* **-éis** [-ɛiʃ]) *m (Br)* = **aluguer.**

aluguer [ɐluˈgɛr] *(pl* **-es** [-əʃ]) *m (Port)* loyer *m.*

aluir [ɐˈlwir] *vi* s'écrouler.

alumiar [ɐluˈmjar] *vt* éclairer.

alumínio [ɐluˈminju] *m* aluminium *m.*

aluno, na [ɐˈlunu, -nɐ] *m, f* élève *mf.*

alusão [ɐluˈzẽu] *(pl* **-ões** [-õiʃ]) *f* allusion *m;* **fazer ~ a** faire allusion à.

alvejar [aɫvəˈʒar] *vt* viser; *(atirar)* tirer.

alvo [ˈaɫvu] *m* cible *f.*

alvorada [aɫvuˈraðə] *f* aube *f.*

alvoroço [aɫvuˈrosu] *m (gritaria)* vacarme *m; (excitação)* agitation *f.*

amabilidade [ɐmɐbɛliˈðaðə] *f* amabilité *f.*

amaciador [ɐmɐsjɐˈðor] *(pl* **-es** [-əʃ]) *m (de cabelo)* après-shampooing *m; (para roupa)* assouplissant *m.*

amador, ra [ɐmɐˈðor, -rɐ] *(mpl* **-es** [-əʃ], *fpl* **-s** [-ʃ]) *adj & m, f* amateur.

amadurecer [ɐmɐðurɛˈser] *vi* mûrir.

âmago [ˈɐmɐgu] *m* cœur *m (du problème).*

amainar [ɐmaiˈnar] *vt* amener *(voile).* ◆ *vi* se calmer *(tempête).*

amaldiçoar [ɐmaɫdiˈswar] *vt* maudire.

amálgama [ɐˈmaɫgɐmɐ] *f (fig)* mélange *m.*

amalgamar [ɐmaɫgɐˈmar] *vt* mélanger.

amamentar [ɐmɐmẽnˈtar] *vt* allaiter.

amanhã [ɐmɐˈɲẽ] *adv* demain. ◆ *m* : **o ~** l'avenir *m.*

amanhecer [ɐmɐɲɛˈser] *m* lever *m* du jour. ◆ *v impess* : **amanhece** le jour se lève.

amansar [emẽ'sar] *vt* dompter.

amante [ɐ'mẽntə] *mf* amant *m* (maîtresse *f*). ◆ *adj* : ~ **de** amateur de.

amanteigado, da [emẽnteiˈgaðu, -ðe] *adj* (*queijo*) fait(-e); (*molho*) au beurre.

amar [ɐ'mar] *vt* aimer.

amarelado, da [emɐrɐˈlaðu, -ðe] *adj* jaunâtre.

amarelinha [amareˈliɲe] *f* (*Br*) marelle *f*.

amarelo, la [emɐˈrɛlu, -le] *adj* jaune. ◆ *m* jaune *m*.

amargar [emɐrˈgar] *vi* avoir un goût amer.

amargo, ga [ɐ'margu, -ge] *adj* amer(-ère).

amarrar [emɐˈʀar] *vt* attacher; (*barco*) amarrer.

amarrotado, da [emɐʀuˈtaðu, -ðe] *adj* froissé(-e).

amarrotar [emɐʀuˈtar] *vt* froisser.

amassar [emɐˈsar] *vt* (*farinha, pão*) pétrir; (*cimento*) malaxer; (*carro*) cabosser.

amável [ɐ'mavɛɫ] (*pl* **-eis** [-ɐiʃ]) *adj* aimable.

Amazonas [emɐˈzoneʃ] *m* : **o ~** l'Amazone *m*.

Amazónia [emɐˈzɔnje] *f* (*Port*) : **a ~** l'Amazonie *f*.

ℹ️ AMAZÓNIA

L'Amazonie, qui s'étend sur près de 5 millions de kilomètres carrés, est la plus grande forêt équatoriale du monde. Elle représente un tiers du territoire brésilien et déborde sur le Pérou, la Colombie et le Venezuela. Ce réservoir biologique, où l'on trouve des milliers d'espèces animales et végétales, n'en est pas moins constamment menacé par les grandes entreprises qui en exploitent le bois et le sous-sol.

Amazônia [amaˈzonje] *f* (*Br*) = **Amazónia**.

âmbar ['ẽmbar] *m* ambre *m*.

ambição [ẽmbiˈsẽu] (*pl* **-ões** [-õiʃ]) *f* ambition *f*.

ambientador [ẽmbjẽnteˈðor] (*pl* **-es** [-əʃ]) *m* parfum *m* d'ambiance; (*vaporizador*) désodorisant *m*.

ambiente [ẽm'bjẽntə] *adj* ambiant(-e). ◆ *m* (*ar*) atmosphère *f*; (*meio social*) milieu *m*; (*atmosfera*) ambiance *f*.

ambiguidade [ẽmbigwiˈðaðe] *f* ambiguïté *f*.

ambíguo, gua [ẽm'bigwu, -gwe] *adj* ambigu(-uë).

âmbito ['ẽmbitu] *m* cadre *m* (*limites*).

ambos, bas ['ẽmbuʃ, -beʃ] *adj pl* les deux. ◆ *pron pl* tous les deux (toutes les deux).

ambrosia [ẽmbrɔˈzie] *f* gâteau de type baba cuit dans du sirop.

ambulância [ẽmbuˈlẽsje] *f* ambulance *f*.

ambulante [ẽmbuˈlẽntə] *adj* ambulant(-e).

ambulatório [ẽmbulaˈtɔrju] *m* (*Br*) (*de hospital*) service *m* de consultations externes; (*de escola, fábrica*) infirmerie *f*.

ameaça [ɐ'mjasɐ] *f* menace *f*; **sob ~** sous la menace.

ameaçar [emjɐˈsar] *vt* menacer.

amedrontar [emɐðrõn'tar] *vt* effrayer.

amêijoa [ɐ'meiʒwe] *f* palourde *f*; **~s à Bulhão Pato** *palourdes mijotées à l'ail et au citron*; **~s na cataplana** *palourdes à la viande*.

ameixa [ɐ'meiʃe] *f* prune *f*.

amêndoa [ɐ'mẽndwe] *f* amande

f; ~ **amarga** *liqueur d'amande amère.*

amendoeira [ɐmēn'dwɐirɐ] f amandier m.

amendoim [ɐmēn'dwĩ] (pl **-ns** [-ʃ]) m cacahuète f; ~ **torrado** cacahuète grillée.

ameno, na [ɐ'menu, -nɐ] adj agréable.

América [ɐ'mɛrikɐ] f: **a** ~ l'Amérique f; **a** ~ **Central** l'Amérique centrale; **a** ~ **do Norte** l'Amérique du Nord; **a** ~ **du Sul** l'Amérique du Sud; **a** ~ **Latina** l'Amérique latine.

americano, na [ɐmɐri'kɐnu, -nɐ] adj américain(-e). ◆ m, f Américain m (-e f).

ametista [ɐmɐ'tiʃtɐ] f améthyste f.

amianto [ɐ'mjɐ̃ntu] m amiante m.

amido [ɐ'miðu] m amidon m; ~ **de milho** amidon de maïs.

amieiro [ɐ'mjɐiru] m aulne m.

amigável [ɐmi'gavɛɫ] (pl **-eis** [-ɐiʃ]) adj amiable.

amígdalas [ɐ'miɡðɐlɐʃ] fpl: **as** ~ les amygdales fpl.

amigdalite [ɐmiɡðɐ'litɐ] f amygdalite f.

amigo, ga [ɐ'miɡu, -ɡɐ] adj ami(-e); (gesto, palavra) amical(-e). ◆ m, f ami m (-e f); **ser** ~ **de ajudar** aider volontiers.

amistoso, osa [ɐmiʃ'tozu, -ɔzɐ] adj amical(-e).

amizade [ɐmi'zaðɐ] f amitié f.

amnésia [ɐm'nɛzjɐ] f amnésie f.

amnistia [ɐmnɐʃ'tiɐ] f (Port) amnistie f.

amolação [amola'sɐ̃u] (pl **-ões** [-õiʃ]) f (Br: maçada) ennui m (problème).

amolar [ɐmu'lar] vt (carro, metal) bosseler; (afiar) aiguiser; (Br: aborrecer) ennuyer.

amolecer [ɐmulɐ'ser] vt amollir.

amoníaco [ɐmu'niɐku] m ammoniac m.

amontoar [ɐmõn'twar] vt (papéis) entasser; (riquezas) amasser; (trabalho) accumuler. ❑ **amontoar-se** vp (folhas) s'amonceler; (papéis) s'entasser; (trabalho) s'accumuler.

amor [ɐ'mor] (pl **-es** [-əʃ]) m amour m; **fazer** ~ faire l'amour.

amora [ɐ'mɔrɐ] f mûre f.

amordaçar [ɐmurðɐ'sar] vt bâillonner.

amoroso, osa [ɐmu'rozu, -ɔzɐ] adj (carinhoso, lindo) attachant(-e); (ligação, conquista) amoureux(-euse).

amor-perfeito [ɐ,morpər-'fɐitu] (pl **amores-perfeitos** [ɐ,morɐʃpər'fɐituʃ]) m pensée f.

amor-próprio [ɐ,mor'prɔpriu] m amour-propre m.

amortecedor [ɐmurtəsɐ'ðor] (pl **-es** [-əʃ]) m amortisseur m.

amortização [ɐmurtizɐ'sɐ̃u] (pl **-ões** [-õiʃ]) f amortissement m (en économie).

amortizar [ɐmurti'zar] vt amortir (en économie).

amostra [ɐ'mɔʃtrɐ] f (de produto) échantillon m; (prova) preuve f; ~ **grátis** échantillon gratuit.

amparar [ɐ̃mpɐ'rar] vt (ao cair) retenir; (numa desgraça) soutenir; (os pobres) aider.

amparo [ɐ̃m'paru] m soutien m.

ampliação [ɐ̃mpliɐ'sɐ̃u] (pl **-ões** [-õiʃ]) f (de fotografia) agrandissement m.

ampliar [ɐ̃mpli'ar] vt (fotografia) agrandir.

amplificador [ɐ̃mplɐfikɐ'ðor] (pl **-es** [-əʃ]) m (de som) amplificateur m.

amplificar [ɐ̃mplɐfi'kar] vt (som) amplifier.

amplitude [ɐ̃mpli'tuðə] f ampleur f.

amplo, **pla** ['ẽmplu, -plɐ] *adj (quarto, quintal)* grand(-e); *(estrada, maioria)* large.

ampola [ẽm'polɐ] *f* ampoule *f (médicament)*.

amputar [ẽmpu'tar] *vt* amputer.

amuado, **da** [ɐ'mwaðu, -ðɐ] *adj* boudeur(-euse).

amuar [ɐ'mwar] *vi* bouder.

anã → **anão**.

anacronismo [enɐkru'niʒmu] *m* anachronisme *m*.

anagrama [enɐ'gremɐ] *m* anagramme *f*.

analfabeto, **ta** [enaɫfɐ'bɛtu, -tɐ] *adj & m, f* analphabète.

analgésico [enaɫ'ʒɛziku] *m* analgésique *m*.

analisar [enɐli'zar] *vt (examinar)* analyser.

análise [ɐ'nalizɐ] *f* analyse *f*; **fazer ~s** faire des analyses; **em última ~** en dernière analyse.

analista [enɐ'liʃtɐ] *mf* analyste *mf*.

analogia [enɐlu'ʒiɐ] *f* analogie *f*.

ananás [enɐ'naʃ] *(pl* **-ases** [-azɐʃ]) *m* ananas *m*.

anão, **ã** [ɐ'nẽu, -ẽ] *(mpl* **-ões** [-õiʃ], *fpl* **-s** [-ʃ]) *m, f* nain *m (-e f)*.

anarquia [enɐr'kiɐ] *f* anarchie *f*.

anatomia [enɐtu'miɐ] *f* anatomie *f*.

anca ['ẽkɐ] *f* hanche *f*.

anchovas [ẽ'ʃovɐʃ] *fpl* anchois *mpl*.

ancinho [ẽ'siɲu] *m* râteau *m*.

âncora ['ẽkurɐ] *f* ancre *f*.

andaime [ẽ'daimɐ] *m* échafaudage *m*.

andamento [ẽdɐ'mẽtu] *m (rumo)* cours *m*; *(de conversa)* tour *m*; *(de acontecimento)* tournure *f*; *(velocidade)* allure *f*; *(MÚS)* andante *m*; **em ~** *(em progresso)* en cours; *(comboio)* en marche.

andar [ẽ'dar] *(pl* **-es** [-ɐʃ]) *m (de edifício)* étage *m*; *(maneira de caminhar)* démarche *f*. ◆ *vi (caminhar)* marcher; *(estar)* être. ◆ *vt (caminhar)* parcourir; **ele hoje anda triste** il est triste aujourd'hui; **ele anda por aí** il est quelque part par là; **ele anda a construir uma casa** il est en train de construire une maison; **~ de avião** voyager en avion; **~ de bicicleta** faire du vélo; **~ a cavalo** faire du cheval; **~ a pé** marcher; **o ~ de baixo** l'étage du dessous; **o ~ de cima** l'étage du dessus.

Andes ['ẽdɐʃ] *mpl*: **os ~** les Andes *fpl*.

andorinha [ẽdu'riɲɐ] *f (ave)* hirondelle *f*.

Andorra [ẽ'dorɐ] *s* Andorre *f*.

anedota [enɐ'ðɔtɐ] *f* blague *f*; *(pequena história)* anecdote *f*; *(pessoa)* phénomène *m*.

anel [ɐ'nɛɫ] *(pl* **-éis** [-ɛiʃ]) *m (com pedra)* bague *f*; *(sem pedra)* anneau *m*; *(de cabelo)* boucle *f*; *(de corrente)* maillon *m*; **~ de noivado** bague de fiançailles.

anemia [enɐ'miɐ] *f* anémie *f*.

anestesia [enɐʃtɐ'ziɐ] *f* anesthésie *f*; **~ geral** anesthésie générale; **~ local** anesthésie locale.

anestesiar [enɐʃtɐ'zjar] *vt* anesthésier.

anexar [enɛk'sar] *vt* mettre en annexe; **~ a** joindre à.

anexo, **xa** [ɐ'nɛksu, -ksɐ] *adj* annexe. ◆ *m* annexe *f*.

anfiteatro [ẽfi'tjatru] *m* amphithéâtre *m*.

angariar [ẽgɐ'rjar] *vt (dinheiro)* collecter.

angina [ẽ'ʒinɐ] *f*: **~ de peito** angine *f* de poitrine. ❏ **anginas** *fpl* angine *f*.

anglicano, **na** [ẽgli'kɐnu, -nɐ] *adj* anglican(-e).

Angola [ẽ'gɔlɐ] *s* Angola *m*.

angolano, na [ẽŋgu'lɐnu, -nɐ] *adj* angolais(-e). ◆ *m, f* Angolais *m* (-e *f*).

angra ['ẽŋgrɐ] *f* anse *f* (baie).

angu [ẽŋ'gu] *m* ≃ polenta *f*.

ângulo ['ẽŋgulu] *m* angle *m*.

angústia [ẽŋ'guʃtjɐ] *f* angoisse *f*.

animação [ɐnimɐ'sẽu] *f* animation *f*.

animado, da [ɐni'maðu, -ðɐ] *adj* animé(-e).

animador, ra [ɐnimɐ'ðor, -rɐ] (*mpl* -es [-əʃ], *fpl* -s [-ʃ]) *adj* encourageant(-e).

animal [ɐni'maɫ] (*pl* -ais [-aiʃ]) *m* animal *m*; ~ **doméstico** animal domestique; ~ **selvagem** animal sauvage.

animar [ɐni'mar] *vt* (*alegrar, organizar*) animer; (*dar ânimo a*) encourager.

❏ **animar-se** *vp* (*alegrar-se*) s'animer.

ânimo ['ɐnimu] *m* courage *m*.

aniquilar [ɐniki'lar] *vt* anéantir.

anis [ɐ'niʃ] (*pl* -es [-zəʃ]) *m* (*licor*) anisette *f*; (*planta*) anis *m*.

anistia [aniʃ'tʃiɐ] *f* (*Br*) = **amnistia**.

aniversário [ɐnivər'sarju] *m* anniversaire *m*; **feliz ~!** bon anniversaire!

anjo ['ẽʒu] *m* ange *m*.

ano ['ɐnu] *m* année *f*; **quantos ~s tens?** quel âge as-tu?; **faço anos amanhã** demain, c'est mon anniversaire; ~ **bissexto** année bissextile; ~ **lectivo** année scolaire; **Ano Novo** nouvel an; ~ **após** ~ d'année en année.

anões → **anão**.

anoitecer [ɐnoitə'ser] *m* : **ao** ~ à la tombée de la nuit. ◆ *v impess* : **anoitece** la nuit tombe.

anomalia [ɐnɔmɐ'liɐ] *f* anomalie *f*.

anoraque [ɐnɔ'rakə] *m* anorak *m*.

anorexia [ɐnurɛk'siɐ] *f* anorexie *f*.

anormal [ɐnɔr'maɫ] (*pl* -ais [-aiʃ]) *adj & mf* anormal(-e).

anormalidade [ɐnɔrmɐli'ðaðə] *f* anormalité *f*.

anotação [ɐnutɐ'sẽu] (*pl* -ões [-õiʃ]) *f* note *f* (remarque).

anotar [ɐnu'tar] *vt* noter.

ânsia ['ẽsjɐ] *f* anxieté *f*.

ansiar [ẽ'sjar]: **ansiar por** *v* + *prep* aspirer à.

ansiedade [ẽsjɐ'ðaðɐ] *f* anxieté *f*.

ansioso, osa [ẽ'sjozu, -ɔzɐ] *adj* anxieux(-euse); **estar ~ por fazer algo** avoir envie de faire qqch.

antebraço [ẽntə'brasu] *m* avant-bras *m*.

antecedência [ẽntəsə'ðẽsjɐ] *f* antériorité *f*; **com ~** à l'avance.

antecedente [ẽntəsə'ðẽntə] *adj* précédent(-e).

❏ **antecedentes** *mpl* antécédents *mpl*.

antecipação [ẽntəsipɐ'sẽu] (*pl* -ões [-õiʃ]) *f* anticipation *f*.

antecipadamente [ẽntəsipa- ðɐ'mẽntɐ] *adv* à l'avance.

antecipar [ẽntəsi'par] *vt* avancer.

❏ **antecipar-se** *vp* prendre les devants.

antemão [ẽntə'mẽu]: **de antemão** *adv* auparavant.

antena [ẽn'tenɐ] *f* antenne *f*; ~ **parabólica** antenne parabolique.

anteontem [ẽn'tjõntẽi] *adv* avant-hier.

antepassado [ẽntɐpɐ'saðu] *m* ancêtre *m*.

anterior [ẽntə'rjor] (*pl* -es [-əʃ]) *adj* précédent(-e), d'avant; ~ **a** antérieur à.

antes ['ẽntəʃ] *adv* avant; (*de preferência*) plutôt; ~ **assim** c'est mieux ainsi; ~ **de** avant de; ~ **de**

mais (nada) d'abord; **quanto ~** dès que possible.

antever [ẽntə'ver] *vt* prévoir.

antiaderente ['ẽntjeđə'rẽntə] *adj* antiadhésif(-ive).

antibiótico [ẽnti'bjɔtiku] *m* antibiotique *m*.

anticaspa [ẽnti'kaʃpɐ] *adj inv* antipelliculaire.

anticoncepcional [ẽntikõsɛpsju'naɫ] (*pl* -ais [-aiʃ]) *adj* contraceptif(-ive).

anticonceptivo [ẽntikõsɛp'tivu] *m* contraceptif *m*.

anticongelante [ẽntikõʒə'lẽntə] *adj* antigivrant(-e). ◆ *m* antigel *m*.

anticorpo [ẽnti'korpu] *m* anticorps *m*.

antidepressivo [ẽntiđəprə'sivu] *m* antidépresseur *m*.

antídoto [ẽn'tiđutu] *m* antidote *m*.

antigamente [ẽ,tigɐ'mẽntə] *adv* autrefois.

antigo, ga [ẽn'tigu, -gɐ] *adj* ancien(-enne).

antiguidade [ẽntigwi'đađə] *f* ancienneté *f*; **a Antiguidade** l'Antiquité *f*.
❑ **antiguidades** *fpl* antiquités *fpl*.

antipatia [ẽntipɐ'tiɐ] *f* antipathie *f*.

antipático, ca [ẽnti'patiku, -kɐ] *adj* antipathique.

antipatizar [ẽntipɐti'zar] *vi* : **eu antipatizo com ele** il m'est antipathique.

antiquado, da [ẽnti'kwađu, -đɐ] *adj* (*pessoa*) vieux jeu; (*objecto*) démodé(-e); (*ideia*) dépassé(-e).

antiquário [ẽnti'kwarju] *m* antiquaire *m*.

anti-séptico, ca [ẽnti'sɛptiku, -kɐ] *adj* antiseptique.

antologia [ẽntulu'ʒiɐ] *f* anthologie *f*.

anual [ɐ'nwaɫ] (*pl* -ais [-aiʃ]) *adj* annuel(-elle).

anuir [ɐ'nwir] *vi* acquiescer.

anulação [ɐnulɐ'sɐu] (*pl* -ões [-õiʃ]) *f* annulation *f*.

anular [ɐnu'lar] *vt* annuler. ◆ *m* annulaire *m*.

anunciar [ɐnũ'sjar] *vt* annoncer; (*produto*) faire de la publicité pour.

anúncio [ɐ'nũsju] *m* (*aviso*) annonce *f*; (*de produto*) publicité *f*.

ânus ['ɐnuʃ] *m* anus *m*.

anzol [ẽ'zɔɫ] (*pl* -óis [-ɔiʃ]) *m* hameçon *m*.

ao [au] = **a** + **o**; → **a**.

aonde [ɐ'õndə] *adv* où; ~ **quer que...** où que...

aos [auʃ] = **a** + **os**; → **a**.

apagado, da [ɐpɐ'gađu, -đɐ] *adj* éteint(-e); (*escrita, pessoa*) effacé(-e).

apagar [ɐpɐ'gar] *vt* éteindre; (*escrita, desenho*) effacer.

apaixonado, da [ɐpaiʃu'nađu, -đɐ] *adj* (*enamorado*) amoureux(-euse); (*exaltado*) passionné(-e); **estar ~ por** être amoureux de.

apaixonante [ɐpaiʃu'nẽntə] *adj* passionnant(-e).

apaixonar [ɐpaiʃu'nar] *vt* passionner.
❑ **apaixonar-se** *vp* tomber amoureux(-euse); ~**-se por** tomber amoureux de.

apalermado, da [ɐpɐlər'mađu, đɐ] *adj* abruti(-e).

apalpar [ɐpaɫ'par] *vt* tâter; ~ **o terreno** tâter le terrain.

apanhar [ɐpɐ'nar] *vt* (*levantar do chão*) ramasser; (*agarrar, contrair*) attraper; (*surpreender, pescar*) prendre; ~ **chuva** prendre la pluie; ~ **sol** prendre le soleil.

aparador [ɐpɐrɐ'đor] (*pl* -es [-əʃ]) *m* buffet *m*.

apara-lápis [ɐparɐˈlapiʃ] *m inv* taille-crayon *m*.

aparar [ɐpɐˈrar] *vt* retenir; *(barba)* tailler; *(sebe, lápis)* tailler.

aparecer [ɐpɐrɐˈser] *vi (apresentar-se)* venir; *(surgir)* apparaître; *(algo perdido)* réapparaître.

aparelhagem [ɐpɐrɐˈʎaʒẽi] *(pl* **-ns** [-ʃ]) *f* : ~ **(de som)** chaîne *f* (hi-fi).

aparelho [ɐpɐˈreʎu] *m* appareil *m*; ~ **digestivo** appareil digestif; ~ **para os dentes** appareil dentaire.

aparência [ɐpɐˈrẽsjɐ] *f* apparence *f*.

aparentar [ɐpɐrẽˈtar] *vt* avoir l'air; **ele não aparenta ter a idade que tem** il ne fait pas son âge.

aparente [ɐpɐˈrẽtɐ] *adj* apparent(-e).

Apart. *(abrev de* **apartamento)** appt.

apartado [ɐpɐrˈtaðu] *m (Port)* boîte *f* postale.

apartamento [ɐpɐrtɐˈmẽtu] *m* appartement *m*.

apatia [ɐpɐˈtiɐ] *f* apathie *f*.

apavorado, da [ɐpɐvuˈraðu, -ðɐ] *adj* épouvanté(-e).

apeadeiro [ɐpjɐˈðeiru] *m (Port)* halte *f*.

apear-se [ɐˈpjarsɐ] *vp* : ~ **de** *(veículo)* descendre de.

apelar [ɐpɐˈlar] *vi* : ~ **para** *(JUR)* faire appel en; *(compreensão, bondade)* faire appel à.

apelido [ɐpɐˈliðu] *m* nom *m* (de famille).

apelo [ɐˈpelu] *m* appel *m*; **fazer um** ~ **a** faire un appel à.

apenas [ɐˈpenɐʃ] *adv (somente)* juste. ◆ *conj (logo que)* dès que.

apêndice [ɐˈpẽdisɐ] *m* appendice *m (organe)*.

apendicite [ɐpẽdiˈsitɐ] *f* appendicite *f*.

aperceber-se [ɐpɐrsɐˈbersɐ] *vp* : ~ **de algo** se rendre compte de qqch; ~ **de que** se rendre compte que.

aperfeiçoamento [ɐpɐrfɐiswɐˈmẽtu] *m* perfectionnement *m*.

aperfeiçoar [ɐpɐrfɐiˈswar] *vt* perfectionner.

aperitivo [ɐpɐriˈtivu] *m* apéritif *m*.

apertado, da [ɐpɐrˈtaðu, -ðɐ] *adj* serré(-e).

apertar [ɐpɐrˈtar] *vt (interruptor)* appuyer sur; *(casaco, vestido)* fermer; *(cordões)* attacher; *(comprimir)* serrer.

aperto [ɐˈpertu] *m (de parafuso)* serrage *m*; *(aglomeração)* foule *f*; *(fig: dificuldade)* situation *f* difficile; ~ **de mão** poignée *f* de main.

apesar [ɐpɐˈzar]: **apesar de** *prep* bien que.

apetecer [ɐpɐtɐˈser] *vt* avoir envie de; **apetece-me um bolo** j'ai envie d'un gâteau.

apetite [ɐpɐˈtitɐ] *m* appétit *m*; **bom** ~! bon appétit!

apetitoso, osa [ɐpɐtiˈtozu, -ɔzɐ] *adj (gostoso)* délicieux(-euse); *(tentador)* appétissant(-e).

apetrecho [ɐpɐˈtreiʃu] *m* attirail *m*; **~s de pesca** attirail de pêche.

apimentado, da [ɐpimẽˈtaðu, -ðɐ] *adj (com pimenta)* poivré(-e); *(picante)* relevé(-e).

apinhado, da [ɐpiˈɲaðu, -ðɐ] *adj* : ~ **de** bourré de.

apitar [ɐpiˈtar] *vi (carro)* klaxonner; *(comboio, árbitro)* siffler.

apito [ɐˈpitu] *m* sifflet *m*.

aplaudir [ɐplauˈðir] *vt & vi* applaudir.

aplauso [ɐˈplauzu] *m* applaudissements *mpl*.

aplicação [ɐplikɐˈsɐ̃u] *(pl* **-ões** [-õiʃ]) *f* application *f*.

aplicado, da [ɐpli'kaðu, -ðɐ] *adj* appliqué(-e).

aplicar [ɐpli'kar] *vt* appliquer; *(curativo)* administrer; *(injecção)* faire.

apoderar-se [ɐpuðə'rarsə]: **apoderar-se de** *vp + prep* s'emparer de.

apodrecer [ɐpuðrə'ser] *vt & vi* pourrir.

apoiar [ɐpo'jar] *vt* soutenir; *(ideia)* défendre; **~ algo em algo** appuyer qqch sur qqch.
❑ **apoiar-se** *vp* s'appuyer; **~-se em** s'appuyer sur.

apoio [ɐ'poju] *m (físico)* support *m; (verbal, económico)* soutien *m; (de cadeira)* accoudoir *m; (para a cabeça)* appui-tête *m.*

apólice [ɐ'pɔlisə] *f :* **~ (de seguro)** police *f* d'assurance.

apontador [ɐpõnta'dox] *(pl* **-es** [-iʃ]) *m (Br: de lápis)* taille-crayon *m.*

apontamento [ɐpõntɐ'mẽntu] *m* note *f;* **tirar ~s** prendre des notes.

apontar [ɐpõn'tar] *vt (arma)* pointer; *(com dedo, ponteiro)* montrer; *(tomar nota de)* noter; *(razões, argumentos)* avancer.

aporrinhação [ɐpoxiɲa'sɐ̃u] *(pl* **-ões** [-õiʃ]) *f (Br: fam : aborrecimento)*: **é uma ~** c'est embêtant.

após [ɐ'pɔʃ] *prep (depois de)* après. ◆ *adv (depois)* après.

após-barba [ɐpɔiʒ'baxbɐ] *adj (Br)* → **loção.**

aposentado, da [ɐpozẽn'tadu, -dɐ] *adj & m, f* retraité(-e).

aposentadoria [ɐpozẽntado'riɐ] *f* retraite *f.*

aposento [ɐpu'zẽntu] *m (de casa)* chambre *f; (do Rei)* appartements *mpl.*

aposta [ɐ'pɔʃtɐ] *f* pari *m.*

apostar [ɐpuʃ'tar] *vt* parier.

apostila [ɐpoʃ'tʃilɐ] *f (Br: em universidade)* polycopié *m.*

apóstrofo [ɐ'pɔʃtrufu] *m* apostrophe *f.*

aprazível [ɐprɐ'zivɛɫ] *(pl* **-eis** [-ɐiʃ]) *adj* plaisant(-e).

apreciação [ɐprəsjə'sɐ̃u] *(pl* **-ões** [-õiʃ]) *f* appréciation *f.*

apreciar [ɐprə'sjar] *vt (avaliar)* estimer; *(observar)* observer; *(gostar)* apprécier.

apreender [ɐpriẽn'der] *vt* saisir.

apreensão [ɐpriẽ'sɐ̃u] *(pl* **-ões** [-õiʃ]) *f (de bens, produtos)* saisie *f; (de novos conhecimentos)* acquisition *f; (preocupação)* appréhension *f.*

apreensivo, va [ɐpriẽ'sivu, -vɐ] *adj* inquiet(-ète).

aprender [ɐprẽn'der] *vt & vi* apprendre; **~ a fazer algo** apprendre à faire qqch.

aprendiz [ɐprẽn'diʃ] *(pl* **-es** [-zəʃ]) *m* apprenti *m.*

aprendizagem [ɐprẽndi'zaʒẽi] *f* apprentissage *m.*

aprendizes → **aprendiz.**

apresentação [ɐprəzẽntɐ'sɐ̃u] *(pl* **-ões** [-õiʃ]) *f* présentation *f.*

apresentador, ra [ɐprəzẽnte'dor, -rɐ] *(mpl* **-es** [-əʃ], *fpl* **-s** [-ʃ]) *m, f* présentateur *m* (-trice *f*).

apresentar [ɐprəzẽn'tar] *vt* présenter.
❑ **apresentar-se** *vp* se présenter; **~-se a alguém** se présenter à qqn.

apressado, da [ɐprə'sadu, -dɐ] *adj (pessoa)* pressé(-e); *(decisão)* hâtif(-ive); *(conclusão)* hâtif(-ive).

apressar-se [ɐprə'sarsə] *vp* se presser.

aprofundar [ɐprufũn'dar] *vt* approfondir.

aprovação [ɐpruvə'sɐ̃u] *(pl* **-ões** [-õiʃ]) *f (consentimento)* approbation *f; (em exame)* réussite *f.*

aprovado, da [ɐpru'vaðu, -ðɐ] *adj :* **ser ~** *(EDUC)* être reçu.

aprovar [ɐpru'var] *vt (autorizar)* approuver; *(em exame)* recevoir.

aproveitador, ra [ɐpruveitɐ'ðor, -rɐ] *(mpl* **-es** [-əʃ]*, fpl* **-s** [-ʃ]*) adj (pej: abusador)* profiteur(-euse). ◆ *m, f* profiteur *m* (-euse *f*).

aproveitamento [ɐpruveitɐ'mēntu] *m (CULIN)* utilisation des restes; *(EDUC)*: **ter bom/mau ~** bien/mal travailler *(à l'école)*.

aproveitar [ɐpruvei'tar] *vt (ocasião, férias)* profiter de; *(utilizar)* se servir de.

❑ **aproveitar-se de** *vp + prep (pej)* profiter de.

aproximadamente [ɐprɔ-si,maðɐ'mēntɐ] *adv* à peu près.

aproximado, da [ɐprɔsi'maðu, -ðɐ] *adj* approximatif(-ive).

aproximar [ɐprɔsi'mar] *vt* rapprocher.

❑ **aproximar-se** *vp* s'approcher; **~-se de** s'approcher de.

aptidão [ɐpti'ðēu] *(pl* **-ões** [-õiʃ]*) f* aptitude *f*.

apto, ta ['aptu, -tɐ] *adj* apte.

Apto. *(Br) (abrev de* **apartamento***)* appt.

apunhalar [ɐpuɲɐ'lar] *vt* poignarder.

apuração [ɐpurɐ'sēu] *(pl* **-ões** [-õiʃ]*) f (em prova)* sélection *f; (de votos)* décompte *m*.

apurado, da [ɐpu'raðu, -ðɐ] *adj* sélectionné(-e).

apurar [ɐpu'rar] *vt (seleccionar)* sélectionner; *(contas, factos)* éplucher.

apuro [ɐ'puru] *m (fig: dificuldade)* problème *m;* **estar em ~s** être dans le pétrin; **meter-se em ~s** se mettre dans le pétrin.

aquarela [akwa'rɛlɐ] *f (Br)* aquarelle *f*.

aquário [ɐ'kwarju] *m* aquarium *m*.

❑ **Aquário** *m* Verseau *m*.

aquático, ca [ɐ'kwatiku, -kɐ] *adj* aquatique.

aquecedor [ɐkɛsɐ'ðor] *(pl* **-es** [-əʃ]*) m* radiateur *m*.

aquecer [ɐkɛ'ser] *vt & vi* réchauffer.

❑ **aquecer-se** *vp* se réchauffer.

aquecimento [ɐkɛsi'mēntu] *m* chauffage *m;* **~ central** chauffage central.

aqueduto [ɐkɐ'ðutu] *m* aqueduc *m*.

àquela = **a** + **aquela**; → **aquele**.

aquele, aquela [ɐ'kelɐ, ɐ'kɛlɐ] *adj* ce (celle). ◆ *pron* celui (celle); **~ que** celui qui; **pede àquele homem/àquela mulher** demande à cet homme-là/cette femme-là.

àquele = **a** + **aquele**; → **aquele**.

aqui [ɐ'ki] *adv* ici; **até ~** jusqu'ici; **logo ~** juste ici; **por ~** par ici.

aquilo [ɐ'kilu] *pron* cela; **~ que** ce que.

àquilo = **a** + **aquilo**; → **aquilo**.

aquisição [ɐkɐzi'sēu] *(pl* **-ões** [-õiʃ]*) f* acquisition *f*.

ar ['ar] *(pl* **-es** [-əʃ]*) m* air *m;* **ter ~ de** avoir l'air; **ele tem ~ de estar doente** il a l'air malade; **~ condicionado** air conditionné; **ao ~** en l'air; **ao ~ livre** en plein air; **por ~** par avion.

árabe ['arɐbɐ] *adj* arabe. ◆ *mf* Arabe *mf*.

aragem [ɐ'raʒēi] *(pl* **-ns** [-ʃ]*) f* brise *f*.

arame [ɐ'ramɐ] *m* fil *m* de fer; **~ farpado** fil de fer barbelé; **ir aos ~s** *(fam)* monter sur ses grands chevaux.

aranha [ɐ'rɐɲɐ] *f* araignée *f*.

arara [ɐ'rarɐ] *f* ara *m*.

arbitragem [ɐrbi'traʒēi] *(pl* **-ns** [-ʃ]*) f* arbitrage *m*.

arbitrar [ɐrɓi'trar] *vt* arbitrer.

árbitro ['arɓitru] *m* arbitre *m*.

arborizado, da [ɐrɓuri'zaðu, -ðɐ] *adj (área)* boisé(-e); *(rua, alameda)* bordé(-e) d'arbres; *(jardim)* planté(-e) d'arbres.

arbusto [ɐr'ɓuʃtu] *m* arbuste *m*.

arca ['arkɐ] *f* coffre *m*.

arcaico, ca [ɐr'kaiku, -kɐ] *adj* archaïque.

archote [ɐr'ʃɔtɐ] *m* flambeau *m*.

arco ['arku] *m* arc *m*; *(brinquedo)* cerceau *m*.

arco-íris [ar'kwiriʃ] *(pl* **arcos-íris** [ˌarku'ziriʃ]) *m* arc-en-ciel *m*.

ardente [ɐr'ðẽntɐ] *adj* ardent(-e).

arder [ɐr'ðer] *vi* brûler.

ardor [ɐr'ðor] *(pl* **-es** [-əʃ]) *m (de pele)* brûlure *f*; *(de estômago)* brûlure *f* d'estomac; *(fig: paixão)* ardeur *f*.

ardósia [ɐr'ðɔzjɐ] *f* ardoise *f*.

árduo, dua ['arðwu, -ðwɐ] *adj* ardu(-e).

área ['arjɐ] *f* zone *f*; *(fig: campo de acção)* domaine *m*; **(grande)** ~ surface *f* de réparation; ~ **de serviço** aire *f* de repos.

areal [ɐ'rjaɫ] *(pl* **-ais** [-aiʃ]) *m* grève *f (rivage)*.

areia [ɐ'rejɐ] *f* sable *m*.

arejar [ɐrə'ʒar] *vt* aérer. ◆ *vi* prendre l'air.

arena [ɐ'renɐ] *f (de circo)* piste *f*; *(de praça de touros)* arène *f*.

arenoso, osa [ɐrə'nozu, -ɔzɐ] *adj* sablonneux(-euse).

arenque [ɐ'rẽŋkɐ] *m* hareng *m*.

Argentina [ɐrʒẽn'tinɐ] *f*: **a** ~ l'Argentine *f*.

argila [ɐr'ʒilɐ] *f* argile *f*.

argola [ɐr'ɡɔlɐ] *f (anel)* anneau *m*; *(de porta)* heurtoir *m*.

❏ **argolas** *fpl (DESP, brincos)* anneaux *mpl*.

argumentação [ɐrgumẽn-

te'sẽu] *(pl* **-ões** [-õiʃ]) *f* argumentation *f*.

argumentar [ɐrgumẽn'tar] *vt* soutenir. ◆ *vi* discuter.

argumento [ɐrgu'mẽntu] *m* argument *m*; *(de filme)* scénario *m*.

ária ['arjɐ] *f* aria *f*.

árido, da ['ariðu, -ðɐ] *adj* aride.

Áries ['ariʃ] *m (Br)* Bélier *m*.

arma ['armɐ] *f* arme *f*; ~ **branca** arme blanche; ~ **de fogo** arme à feu.

armação [ɐrmɐ'sẽu] *(pl* **-ões** [-õiʃ]) *f* armature *f*; *(de animal)* bois *mpl*; *(de óculos)* monture *f*.

armadilha [ɐrmɐ'ðiʎɐ] *f* piège *m*.

armado, da [ɐr'maðu, -ðɐ] *adj* armé(-e).

armadura [ɐrmɐ'ðurɐ] *f (de cavaleiro)* armure *f*; *(de edifício)* ossature *f*; *(em cimento)* armature *f*.

armamento [ɐrmɐ'mẽntu] *m* armement *m*.

armar [ɐr'mar] *vt (munir de armas)* armer; *(tenda)* monter.

❏ **armar-se** *vp*: ~**-se em valente** jouer les durs.

armário [ɐr'marju] *m* armoire *f*.

armazém [ɐrmɐ'zẽi] *(pl* **-ns** [-ʃ]) *m (de mercadorias)* magasin *m*; *(de venda a grosso)* halle *f*; **grande** ~ grand magasin.

aro ['aru] *m (de janela)* montant *m*; *(de roda)* jante *f*.

aroma [ɐ'romɐ] *m* arôme *m*; **com** ~ **de** aromatisé à.

arpão [ɐr'pẽu] *(pl* **-ões** [-õiʃ]) *m* harpon *m*.

arqueologia [ɐrkjulu'ʒiɐ] *f* archéologie *f*.

arquibancada [axkibẽŋ'kaðɐ] *f (Br: de estádio)* gradins *mpl*.

arquipélago [ɐrki'pɛlegu] *m* archipel *m*.

arquitecto, ta [ɐrki'tɛtu, -tɐ] *m, f (Port)* architecte *mf*.

arquitectura [ɐrkitɛ'turɐ] *f (Port)* architecture *f*.

arquiteto, ta [axki'tɛtu, -tɐ] *m, f (Br)* = arquitecto.

arquitetura [axki'tɛturɐ] *f (Br)* = arquitectura.

arquivo [ɐr'kivu] *m (local)* archives *fpl; (móvel)* classeur *m* à tiroirs; *(Br: INFORM)* fichier *m*.

arraial [ɐʀɐ'jał] *(pl* **-ais** [-aiʃ]*) m* fête *f* foraine.

arrancar [ɐʀɛ̃ŋ'kar] *vt* arracher. ◆ *vi* démarrer; ~ **algo das mãos de alguém** arracher qqch des mains à qqn; ~ **de** quitter.

arranha-céus [ɐˌʀɐɲɐ'sɛuʃ] *m inv* gratte-ciel *m inv*.

arranhão [ɐʀɐ'ɲɐ̃u] *(pl* **-ões** [-õiʃ]*) m (em pele)* égratignure *f; (em carro)* éraflure *f*.

arranhar [ɐʀɐ'ɲar] *vt (pele)* égratigner; *(parede, carro)* érafler; *(fig: instrumento)* gratter; *(fig: língua)* baragouiner. ❏ **arranhar-se** *vp* s'égratigner.

arranjar [ɐʀɐ̃'ʒar] *vt (reparar)* réparer; *(adquirir)* obtenir.

arranque [ɐ'ʀɐ̃kɐ] *m → motor*.

arrasar [ɐʀɐ'zar] *vt (destruir)* ravager; *(fig: emocionalmente)* anéantir.

arrastadeira [ɐʀɐʃtɐ'ðeirɐ] *f* bassin *m (urinoir)*.

arrastar [ɐʀɐʃ'tar] *vt* traîner.

arrecadar [ɐʀɐkɐ'ðar] *vt (objecto)* ranger; *(dinheiro)* amasser.

arredondado, da [ɐʀɐðõn'daðu, -ðɐ] *adj (forma)* arrondi(-e); *(fig: valor)* rond(-e).

arredondar [ɐʀɐðõn'dar] *vt* arrondir.

arredores [ɐʀɐ'ðɔrɐʃ] *mpl* environs *mpl*.

arrefecer [ɐʀɐfɛ'ser] *vi (tempo, ar)* se rafraîchir; *(comida)* refroidir; *(fig: entusiasmo)* retomber.

arregaçar [ɐʀɐgɐ'sar] *vt* retrousser.

arreios [ɐ'ʀɐjuʃ] *mpl* harnais *m*.

arremedar [ɐʀɐmɐ'ðar] *vt* singer.

arremessar [ɐʀɐmɐ'sar] *vt* lancer.

arrendamento [ɐʀɛ̃ndɐ'mɛ̃ntu] *m* location *f*.

arrendar [ɐʀɛ̃n'dar] *vt* louer.

arrendatário, ria [ɐʀɛ̃ndɐ'tarju, -rjɐ] *m, f* locataire *mf*.

arrepender-se [ɐʀɐpɛ̃n'dersɐ] *vp* : ~ **de (ter feito) algo** regretter (d'avoir fait) qqch.

arrepiar [ɐʀɐ'pjar] *vt (pêlo)* hérisser. ❏ **arrepiar-se** *vp* frissonner.

arrepio [ɐʀɐ'piu] *m* frisson *m*.

arriscado, da [ɐʀiʃ'kaðu, -ðɐ] *adj (perigoso)* risqué(-e); *(corajoso)* audacieux(-euse).

arriscar [ɐʀiʃ'kar] *vt (pôr em risco)* risquer. ❏ **arriscar-se** *vp* : ~~-se a prendre le risque de, risquer de.

arrogância [ɐʀu'gɛ̃sjɐ] *f* arrogance *f*.

arrogante [ɐʀu'gɛ̃ntɐ] *adj* arrogant(-e).

arrombar [ɐʀõm'bar] *vt* forcer *(une porte)*.

arrotar [ɐʀu'tar] *vi* roter; *(bebé)* faire un rot.

arroto [ɐ'ʀotu] *m* rot *m*.

arroz [ɐ'ʀoʃ] *m* riz *m*; ~ **de cabidela** *riz au sang*; ~ **de lampreia** *riz à la lamproie*; ~ **de pato** *riz au canard*; ~ **à valenciana** ≃ paella *f*.

arroz-doce [ɐʀoz'dosɐ] *m* riz *m* au lait.

arruaça [ɐ'ʀwasɐ] *f* chahut *m*.

arruaceiro, ra [ɐʀwɐ'seiru, -rɐ] *m, f* chahuteur *m* (-euse *f*).

arrufada [ɐʀu'faðɐ] *f* : ~ **(de Coimbra)** *brioche dorée*.

arrumado, da [ɐʀu'maðu, -ðɐ]

adj (pessoa) ordonné(-e); *(em ordem)* rangé(-e); *(fig: resolvido)* classé(-e).

arrumar [ɐʀuˈmar] *vt* ranger.

arte [ˈartə] *f* art *m*; *~s marciais* arts martiaux; **a sétima** ~ le septième art.

artéria [ɐrˈtɛrjɐ] *f* artère *f*.

arterial [ɐrtəˈrjaɫ] *(pl* -ais [-aiʃ]) *adj* → **pressão, tensão**.

artesanato [ɐrtɐzeˈnatu] *m* artisanat *m*.

articulação [ɐrtikulɐˈsɐu] *(pl* -ões [-õiʃ]) *f* articulation *f*.

artificial [ɐrtɐfiˈsjaɫ] *(pl* -ais [-aiʃ]) *adj* artificiel(-elle).

artigo [ɐrˈtigu] *m* article *m*; *'~s a declarar'* 'marchandises à déclarer'; *~s de primeira necessidade* articles de première nécessité; *~ de fundo* article de fond.

artista [ɐrˈtiʃtɐ] *mf* artiste *mf*.

artístico, ca [ɐrˈtiʃtiku, -kɐ] *adj* artistique.

artrite [ɐrˈtritɐ] *f* arthrite *f*.

árvore [ˈarvurə] *f* arbre *m*.

as [ɐʃ] → **a**.

ás [aʃ] *(pl* ases [ˈazəʃ]) *m* as *m*; **ser um** ~ être un as.

às [aʃ] = **a** + **as**; → **a**.

asa [ˈazɐ] *f (de ave, avião)* aile *f*; *(de utensílio)* anse *f*.

asa-delta [ˌazɐˈdɛɫtɐ] *(pl* asas-delta [ˌazɐʒˈdɛɫtɐ]) *f* delta-plane *m*.

asco [ˈaʃku] *m* dégoût *m*.

asfalto [ɐʃˈfaɫtu] *m* asphalte *m*.

asfixia [ɐʃfikˈsiɐ] *f* asphyxie *f*.

Ásia [ˈazjɐ] *f*: **a** ~ l'Asie *f*.

asiático, ca [ɐˈzjatiku, -kɐ] *adj* asiatique. ◆ *m, f* Asiatique *mf*.

asma [ˈaʒmɐ] *f* asthme *m*.

asmático, ca [ɐʒˈmatiku, -kɐ] *adj & m, f* asthmatique.

asneira [ɐʒˈnɐirɐ] *f (tolice)* ânerie *f*; *(obscenidade)* grossièreté *f*.

asno [ˈaʒnu] *m (burro)* âne *m*. ◆ *adj (fig: estúpido)* bête.

aspargo [ɐʃˈpaxgu] *m (Br)* asperge *f*.

aspecto [ɐʃˈpɛtu] *m* aspect *m*.

áspero, ra [ˈaʃpəru, -rɐ] *adj (pele, superfície)* rugueux(-euse); *(tecido)* rêche.

aspirador [ɐʃpireˈdor] *(pl* -es [-əʃ]) *m* aspirateur *m*.

aspirar [ɐʃpiˈrar] *vt* aspirer.
❑ **aspirar a** *v + prep (desejar)* aspirer à.

aspirina® [ɐʃpiˈrinɐ] *f* aspirine *f*; *~ efervescente* aspirine effervescente.

asqueroso, osa [ɐʃkəˈrozu, -ɔzɐ] *adj* répugnant(-e).

assado, da [ɐˈsaðu, -ðɐ] *adj (CULIN)* rôti(-e); *(pele de bebé)* irrité(-e). ◆ *m (de carne)* rôti *m*; *(de peixe)* poisson *m* au four.

assadura [ɐsɐˈðurɐ] *f* grillade *f*.

assalariado, da [ɐsɐlɐˈrjaðu, -ðɐ] *m, f* salarié *m* (-e *f*).

assaltante [ɐsaɫˈtẽtɐ] *mf* cambrioleur *m*.

assaltar [ɐsaɫˈtar] *vt (pessoa, banco)* attaquer; *(casa)* cambrioler.

assalto [ɐˈsaɫtu] *m (a pessoa, banco)* attaque *f*; *(a casa)* cambriolage *m*; *(em boxe)* round *m*; *~ à mão armada* attaque *f* à main armée.

assar [ɐˈsar] *vt* rôtir.

assassinar [ɐsɐsiˈnar] *vt* assassiner.

assassínio [ɐsɐˈsinju] *m* assassinat *m*.

assassino, na [ɐsɐˈsinu, -nɐ] *m, f* assassin *m*.

assediar [ɐsəˈðjar] *vt* harceler.

assédio [ɐˈsɛðju] *m* harcèlement *m*; *~ sexual* harcèlement sexuel.

assegurar [ɐsəguˈrar] *vt* assurer.
❑ **assegurar-se** *vp*: *~-se de que* s'assurer que.

asseio [ɐˈsɐju] *m (limpeza)* propreté *f*; *(elegância)* soin *m*.

assembleia [ɐsēm'blɐjɐ] f assemblée f; ~ **geral** assemblée générale; **Assembleia da República** assemblée nationale portugaise, ≃ Assemblée f nationale.

assemelhar-se [ɐsəmə'ʎarsə]: **assemelhar-se a** vp + prep ressembler à.

assento [ɐ'sēntu] m siège m.

assim [ɐ'sĩ] adv & conj ainsi; ~, **sim!** là, oui!; **como ~?** comment çà?; ~ **mesmo** comme ça; ~, ~ comme ci, comme ça; ~ **que** dès que.

assimilar [ɐsəmi'lar] vt assimiler.

assinar [ɐsi'nar] vt s'abonner à. ◆ vi signer; ~ **o nome** signer.

assinatura [ɐsinɐ'turɐ] f (nome escrito) signature f; (de revista, comboio) abonnement m.

assistência [ɐsɐʃ'tēsjɐ] f assistance f; ~ **médica** soins mpl.

assistir [ɐsɐʃ'tir] vt assister. ❏ **assistir a** v + prep assister à.

assoalho [a'soaʎu] m (Br) parquet m.

assoar [ɐ'swar] vt moucher. ❏ **assoar-se** vp se moucher.

assobiar [ɐsu'bjar] vi siffler.

assobio [ɐsu'biu] m (som) sifflement m; (apito) sifflet m.

associação [ɐsusjɐ'sēu] (pl **-ões** [-õiʃ]) f association f; ~ **de ideias** association d'idées.

assombrado, da [ɐsōm'braðu, -ðɐ] adj hanté(-e).

assombro [ɐ'sōmbru] m étonnement m.

assunto [ɐ'sũntu] m sujet m; ~ **encerrado!** c'est une affaire classée!

assustador, ra [ɐsuʃtɐ'ðor, -rɐ] (mpl **-es** [-əʃ], fpl **-s** [-ʃ]) adj effrayant(-e).

assustar [ɐsuʃ'tar] vt faire peur. ❏ **assustar-se** vp avoir peur.

asterisco [ɐʃtɐ'riʃku] m astérisque m.

astral [aʃ'trau] (pl **-ais** [-aiʃ]) m (Br: fam) moral m.

astro ['aʃtru] m astre m.

astrologia [ɐʃtrulu'ʒiɐ] f astrologie f.

astronauta [ɐʃtrɔ'nautɐ] mf astronaute mf.

astronomia [ɐʃtrunu'miɐ] f astronomie f.

astúcia [ɐʃ'tusjɐ] f astuce f.

atacadista [ɐtɐkɐ'ðiʃtɐ] mf grossiste mf.

atacado [ɐtɐ'kaðu] m : **por ~** en gros.

atacador [ɐtɐkɐ'ðor] (pl **-es** [-əʃ]) m (Port) lacet m.

atacante [ɐtɐ'kēntɐ] adj & mf attaquant(-e).

atacar [ɐtɐ'kar] vt attaquer.

atadura [ata'durɐ] f (Br) bandage m.

atalho [ɐ'taʎu] m raccourci m.

ataque [ɐ'takɐ] m attaque f; (de doença) crise f; ~ **cardíaco** crise cardiaque.

atar [ɐ'tar] vt attacher; (sapatos) lacer.

atarracado, da [ɐtɐrɐ'kaðu, -ðɐ] adj trapu(-e).

até [ɐ'tɛ] prep jusque. ◆ adv même; **vá ~ à igreja** allez jusqu'à l'église; ~ **ao meio-dia** jusqu'à midi; ~ **agora** jusqu'à présent; ~ **amanhã!** à demain!; ~ **logo!** à tout à l'heure!; ~ **mais!** à plus tard!; ~ **que enfim!** enfin!; ~ **porque** pour la bonne raison que.

atear [ɐ'tjar] vt attiser; ~ **o fogo a** mettre le feu à.

ateia → **ateu.**

ateliê [atə'lje] m (Br) = **atelier.**

atelier [atə'lje] m (Port) atelier m.

atemorizar [ɐtəmuri'zar] vt effrayer.

atenção [ɐtē'sēu] (pl **-ões** [-õiʃ]) f attention f; (cortesia) attentions *fpl.* ◆ *interj* attention!; **chamar a ~ de alguém para algo** attirer l'attention de qqn sur qqch; **estar com ~** être attentif.

atender [ɐtẽn'der] *vt (telefone)* répondre à; *(em loja)* servir; *(em hospital)* s'occuper de. ◆ *vi* répondre.

atendimento [ɐtẽndi'mẽntu] *m* accueil *m*; *(em hospital)* prise *f* en charge.

atentado [ɐtẽn'taðu] *m* attentat *m*.

atenuante [ɐtə'nwẽntə] *f* circonstance *f* atténuante.

atenuar [ɐtə'nwar] *vt* atténuer.

aterragem [ɐtə'raʒẽi] *(pl* -ns [-ʃ]) *f (Port)* atterrissage *m*.

aterrar [ɐtə'rar] *vi (Port)* atterrir. ◆ *vt* épouvanter.

aterrissagem [atexi'saʒẽi] *(pl* -ns [-ʃ]) *f (Br)* = **aterragem**.

aterrissar [atexi'sax] *vi (Br)* = **aterrar**.

aterro [ɐ'teru] *m* remblai *m*.

aterrorizar [ɐtəruri'zar] *vt* terroriser.

atestado [ɐtəʃ'taðu] *m (declaração escrita)* attestation *f*; **~ médico** certificat *m* médical; **~ de óbito** certificat *m* de décès.

ateu, ateia [ɐ'teu, ɐ'tejɐ] *m, f* athée *mf*.

atiçar [ɐti'sar] *vt* attiser.

atingir [ɐti'ʒir] *vt* atteindre; *(afectar)* toucher; *(compreender)* saisir; *(abranger)* concerner.

atirar [ɐti'rar] *vt* lancer. ◆ *vi* tirer.

atitude [ɐti'tuðə] *f* attitude *f*.

Atlântico [ɐt'lẽntiku] *m* : **o ~** l'Atlantique *m*.

atlas ['atləʃ] *m inv* atlas *m*.

atleta [ɐt'lɛtɐ] *mf* athlète *mf*.

atletismo [ɐtlɛ'tiʒmu] *m* athlétisme *m*.

atmosfera [ɐtmuʃ'fɛrɐ] *f* atmosphère *f*.

ato ['atu] *m (Br)* = **acto**.

atómico, ca [ɐ'tɔmiku, -kɐ] *adj* atomique.

ator, atriz [a'tox, a'triʃ] *(mpl* -es [-iʃ], *fpl* -es [-iʃ]) *m, f (Br)* = **actor**.

atordoado, da [ɐtuɾ'ðwaðu, -ðɐ] *adj* étourdi(-e).

atores → **ator**.

atormentado, da [ɐtuɾmẽn'taðu, -ðɐ] *adj* tourmenté(-e).

atração [atra'sẽu] *(pl* -ões [-õiʃ]) *f (Br)* = **atracção**.

atracção [ɐtra'sẽu] *(pl* -ões [-õiʃ]) *f (Port: de íman)* attraction *f*; *(de local, espectáculo)* attrait *m*; *(fig: simpatia)* attirance *f*.

atractivo, va [ɐtra'tivu, -vɐ] *adj (Port: pessoa)* séduisant(-e); *(local)* attrayant(-e). ◆ *m (encanto)* attrait *m*.

atraente [ɐtrɐ'ẽntə] *adj (bonito)* attirant(-e); *(agradável)* attrayant(-e).

atraiçoar [ɐtrai'swar] *vt* trahir. ❏ **atraiçoar-se** *vp* se trahir.

atrair [ɐtrɐ'ir] *vt* attirer.

atrapalhar [ɐtrɐpɐ'ʎar] *vt (confundir)* perturber; *(dificultar)* gêner. ❏ **atrapalhar-se** *vp (em discurso)* se troubler; *(face ao perigo)* s'affoler.

atrás [ɐ'traʃ] *adv* derrière; **há dias ~** il y a quelques jours; **~ de** *(no espaço)* derrière; *(no tempo)* après; **ficar de pé ~** *(fig)* se tenir sur ses gardes.

atrasado, da [ɐtrɐ'zaðu, -ðɐ] *adj* arriéré(-e); *(comboio, autocarro)* en retard; **chegar ~** arriver en retard; **estar ~** être en retard.

atrasar [ɐtrɐ'zar] *vi* avoir du retard. ◆ *vt (trabalho)* prendre du retard dans; *(fig: prejudicar)* retarder. ❏ **atrasar-se** *vp* être en retard.

atraso [ɐ'trazu] *m* retard *m*.

atrativo, va [atra'tʃivu, -vɐ] *adj (Br)* = **atractivo**.

através [ɐtrɐ'vɛʃ]: **através de** *prep (pelo meio de)* à travers; *(por meio de)* par.

atravessar [ɐtrɐvɐ'sar] *vt* traverser; *(pôr ao través)* mettre en travers.

atrelado, da [ɐtrɐ'laðu, -ðɐ] *adj* attelé(-e). ◆ *m* attelage *m*.

atrever-se [ɐtrɐ'versə]: **atrever-se a** *vp + prep* oser.

atrevido, da [ɐtrɐ'viðu, -ðɐ] *adj (audaz)* hardi(-e); *(malcriado)* effronté(-e).

atrevimento [ɐtrɐvi'mēntu] *m* effronterie *f*.

atribuir [ɐtri'bwir] *vt* attribuer.

atributo [ɐtri'butu] *m* attribut *m*.

átrio ['atriu] *m* entrée *f*; *(de estação de metro)* salle *f* des guichets.

atrito [ɐ'tritu] *m* frottement *m*. ❑ **atritos** *mpl* frictions *fpl*.

atriz → **ator**.

atropelamento [ɐtrupɐlɐ'mēntu] *m* : **houve um ~ na rua** quelqu'un a été renversé par une voiture.

atropelar [ɐtrupɐ'lar] *vt* renverser.

atual [a'twau] *(pl* **-ais** [-aiʃ]*) adj (Br)* = actual.

atuar [a'twax] *vi (Br)* = actuar.

atum [ɐ'tũ] *m* thon *m*.

aturdido, da [ɐtur'ðiðu, -ðɐ] *adj* étourdi(-e).

audácia [au'ðasjɐ] *f* audace *f*.

audição [auði'sēu] *(pl* **-ões** [-õiʃ]*) f* audition *f*.

audiência [au'ðjēsjɐ] *f (JUR)* audience *f*.

audiovisual [,audjovi'zwał] *(pl* **-ais** [-aiʃ]*) adj* audiovisuel(-elle).

auditório [auði'tɔrju] *m (público ouvinte)* auditoire *m*; *(casa de espectáculos)* auditorium *m*.

auge ['auʒə] *m (de carreira)* sommet *m*; **no ~ da festa** quand la fête battait son plein.

aula ['aulɐ] *f* cours *m (leçon)*.

aumentar [aumēn'tar] *vt & vi* augmenter.

aumento [au'mēntu] *m (de preço)* hausse *f*; *(de ordenado)* augmentation *f*; *(de trabalho)* surcroît *m*.

auréola [au'rɛulɐ] *f* auréole *f*.

aurora [au'rɔrɐ] *f* aurore *f*; **~ boreal** aurore boréale.

auscultador [auʃkułtɐ'ðor] *m (de telefone)* écouteur *m*. ❑ **auscultadores** *mpl (de hi-fi, walkman)* casque *m*.

ausência [au'zēsjɐ] *f* absence *f*.

ausentar-se [auzēn'tarsə] *vp* s'absenter.

ausente [au'zēntɐ] *adj* absent(-e).

Austrália [auʃ'traljɐ] *f* : **a ~** l'Australie *f*.

australiano, na [auʃtrɐ'ljɐnu, -nɐ] *adj* australien(-enne). ◆ *m, f* Australien *m* (-enne *f*).

Áustria ['auʃtriɐ] *f* : **a ~** l'Autriche *f*.

austríaco, ca [auʃ'triɐku, -kɐ] *adj* autrichien(-enne). ◆ *m, f* Autrichien *m* (-enne *f*).

autenticar [autēnti'kar] *vt (JUR: documento, assinatura)* certifier.

autêntico, ca [au'tēntiku, -kɐ] *adj (verdadeiro)* authentique; *(JUR)* certifié(-e).

autobrilhante [,autɔbri'ʎēntɐ] *m (para sapatos)* polish *m*.

autocarro [autɔ'karu] *m (entre cidades)* car *m*; *(em cidade)* bus *m*; **apanhar o ~** prendre le bus/le car.

autoclismo [,autɔ'kliʒmu] *m* chasse *f* d'eau; **puxar o ~** tirer la chasse.

autocolante [,autɔku'łēntɐ] *adj* autocollant(-e). ◆ *m* autocollant *m*.

autodomínio [,autɔðu'minju] *m* maîtrise *f* de soi.

autódromo [au'tɔɖrumu] *m* circuit *m* automobile.

auto-estima [ˌautɔəʃ'time] *f* amour-propre *m*.

auto-estrada [ˌautɔʃ'traɖe] *f* autoroute *f*.

autografar [autugrɐ'far] *vt* signer un autographe sur.

autógrafo [au'tɔgrefu] *m* autographe *m*.

autolocadora [ˌautoluka'dore] *f (Br)* agence *f* de location de véhicules.

automático, ca [autu'matiku, -ke] *adj* automatique.

automatização [autumɐtize'sēu] (*pl* **-ões** [-õiʃ]) *f* automatisation *f*.

automobilismo [autumuɓi'liʒmu] *m* sport *m* automobile.

automobilista [autumuɓi'liʃte] *mf* automobiliste *mf*.

automotora [autɔmu'tore] *f* autorail *m*.

automóvel [autu'mɔvɛɫ] (*pl* **-eis** [-ɐiʃ]) *m* automobile *f*.

autópsia [au'tɔpsjɐ] *f (MED)* autopsie *f*.

autor, ra [au'tor, -rɐ] (*mpl* **-es** [-əʃ], *fpl* **-s** [-ʃ]) *m, f* auteur *m*.

auto-retrato [autɔrɐ'tratu] *m* auto-portrait *m*.

autoridade [auturi'ɖaɖɐ] *f* autorité *f*.

autorização [auturize'sēu] (*pl* **-ões** [-õiʃ]) *f* autorisation *f*.

autorizar [auturi'zar] *vt* autoriser.

auxiliar [ausə'ljar] (*pl* **-es** [-əʃ]) *adj* auxiliaire. ◆ *mf* auxiliaire *mf*; *(em hospital)* aide-soignant *m* (-e *f*). ◆ *vt* aider.

auxílio [au'silju] *m* aide *f*.

auxílio-desemprego [auˌsiljudʒizēm'pregu] (*pl* **auxílios-desemprego** [auˌsiljuʒdʒizēm'pregu]) *m (Br)* allocation *f* chômage.

Av. *(abrev de* **avenida)** av.

avalanche [ɐve'lẽʃə] *f* avalanche *f*.

avaliação [ɐvelje'sēu] (*pl* **-ões** [-õiʃ]) *f* évaluation *f*.

avaliar [ɐvɐ'ljar] *vt* évaluer; **a ~ por** *(a julgar por)* à en juger par.

avançado, da [ɐvē'saɖu, -ɖe] *adj (país)* en avance; *(método, sistema)* avancé(-e); *(pessoa)* évolué(-e). ◆ *m, f (DESP)* avant *m*. ◆ *m (de caravana)* auvent *m*.

avançar [ɐvē'sar] *vi (ir para a frente)* avancer; *(aproximar-se)* s'avancer.

avarento, ta [ɐvɐ'rēntu, -te] *adj* avare.

avaria [ɐvɐ'riɐ] *f* panne *f*.

avariado, da [ɐvɐ'rjaɖu, -ɖe] *adj* en panne.

ave ['avɐ] *f* oiseau *m*.

aveia [ɐ'vejɐ] *f* avoine *f*.

avelã [ɐvə'lē] *f* noisette *f*.

avenca [ɐvēŋke] *f* cheveu-de-Vénus *m (fougère)*.

avenida [ɐvə'niɖɐ] *f* avenue *f*.

avental [ɐvēn'taɫ] (*pl* **-ais** [-aiʃ]) *m* tablier *m*.

aventura [ɐvēn'ture] *f* aventure *f*; **partir à ~** partir à l'aventure.

aventureiro, ra [ɐvēntu'reiru, -rɐ] *m, f* aventurier *m* (-ère *f*).

averiguação [ɐvɐrigwe'sēu] (*pl* **-ões** [-õiʃ]) *f (investigação)* recherche *f*; *(inquérito policial)* enquête *f*.

averiguar [ɐveri'gwar] *vt (investigar)* enquêter sur; *(verdade)* vérifier.

avesso [ɐ'vesu] *m* envers *m*. ◆ *adj* : **~ a** hostile à; **pelo ~** à l'envers.

avestruz [ɐvəʃ'truʃ] (*pl* **-es** [-zəʃ]) *f* autruche *f*.

avião [ɐ'vjēu] (*pl* **-ões** [-õiʃ]) *m* avion *m*; **'por ~'** 'par avion'.

ávido, da ['aviɖu, -ɖe] *adj* : **~ de** avide de.

aviões → avião.

avisar [ɐvi'zar] vt avertir.

aviso [ɐ'vizu] m (sinal, letreiro) écriteau m; (advertência) avertissement m; (notificação) avis m; ~ **de recepção** accusé m de réception.

avistar [ɐviʃ'tar] vt apercevoir.

avô, avó [ɐ'vo, ɐ'vɔ] m, f grand-père m (grand-mère f).

avós [ɐ'vɔʃ] mpl (avó e avô) grands-parents mpl.

avulso, sa [ɐ'vułsu, -sɐ] adj détaché(-e). ◆ adv en vrac.

axila [ɐk'silɐ] f aisselle f.

azar [ɐ'zar] (pl -es [-əʃ]) m (falta de sorte) malchance f; (acaso) hasard m; **estar com** ~ ne pas avoir de chance; **por** ~ par malchance.

azarado, da [ɐzɐ'raðu, -ðɐ] adj malchanceux(-euse).

azares → azar.

azedar [ɐzə'dar] vi tourner (lait).

azedo, da [ɐ'zeðu, -ðɐ] adj (sopa) aigre; (laranja) acide.

azeite [ɐ'zɐitə] m huile f d'olive.

azeitona [ɐzɐi'tonɐ] f olive f; ~**s pretas** olives noires; ~**s recheadas** olives farcies; ~**s retalhadas** olives concassées.

azevinho [ɐzɐ'viɲu] m houx m.

azinheira [ɐzi'ɲɐirɐ] f chêne m liège.

azul [ɐ'zuł] (pl azuis [ɐ'zuiʃ]) adj bleu(-e). ◆ m bleu m.

azul-claro, azul-clara [ɐ,zuł-'klaru, ɐ,zuł'klarɐ] (mpl **azul-claros** [ɐ,zuł'klaruʃ], fpl **azul-claras** [ɐ,zuł'klarɐʃ]) adj bleu clair inv.

azulejo [ɐzu'lɐiʒu] m azulejo m.

---

i **AZULEJOS**

Cet art a été introduit dans la péninsule ibérique par les Arabes. Ornant la quasi-totalité des monuments et des églises catholiques depuis les XVᵉ et XVIᵉ siècles, les azulejos ont beaucoup contribué à enrichir l'architecture portugaise religieuse et profane. Considérés comme une des principales richesses du patrimoine artistique du pays, de nombreux azulejos anciens peuvent être admirés au Musée national de l'Azulejo, hébergé par le Couvent de la Mère de Dieu, à Lisbonne.

---

azul-escuro, azul-escura [ɐ,zuləʃ'kuru, ɐ,zuləʃ'kurɐ] (mpl **azul-escuros** [ɐ,zułəʃ'kuruʃ], fpl **azul-escuras** [ɐ,zułəʃ'kurɐʃ]) adj bleu foncé inv.

azul-marinho [ɐ,zułmɐ'riɲu] adj inv bleu marine.

azul-turquesa [ɐ,zułtur'kezɐ] adj inv turquoise.

B

baba ['baɐ̯ɐ] *f* bave *f*.
babá [ba'ba] *f (Br)* nourrice *f*.
babar-se [bɐ'barsə] *vp* baver.
baby-sitter [ˌbɐiɐ̯bi'sitɐr] *f* baby-sitter *f*.
bacalhau [bɐkɐ'ʎau] *m* morue *f*; ~ **assado (na brasa)** morue grillée; ~ **à Brás** *hachis de morue et de frites*; ~ **cru desfiado** *morue crue à l'huile et au vinaigre*; ~ **à Gomes de Sá** *hachis de morue, de pommes de terre à l'eau et d'œufs durs en rondelles*; ~ **à Lagareiro** *tranches de morue panées et cuites au four*; ~ **com natas** morue à la crème; ~ **podre** *hors-d'œuvre à base de morue coupée en petits cubes*; ~ **à Zé do Pipo** ≃ brandade *f* de morue.

---

i BACALHAU

Pêchée dans les mers glacées du Nord et séchée au soleil portugais, la morue est connue comme « o fiel amigo » (l'amie fidèle, celle sur qui on peut toujours compter). Ce poisson, autrefois bon marché, a toujours été très prisé en cuisine dans tout le pays. Elle peut être apprêtée de bien des manières, de sorte que l'on a coutume de dire qu'il y a « cent façons de préparer un plat de morue ». Au réveillon de Noël, la tradition portugaise veut que l'on mange de la morue cuite avec des pommes de terre, du chou et un œuf.

bacia [bɐ'siɐ] *f* bassin *m*; *(recipiente)* bassine *f*.
baço, ça ['basu, -sɐ] *adj (metal)* terni(-e); *(sem brilho)* mat(-e); **o vidro está ~** on ne voit pas à travers la vitre.
bacon ['bɐikɐn] *m* bacon *m*.
bactéria [bɐk'tɛrjɐ] *f* bactérie *f*.
badejo [ba'deʒu] *m (Br)* merlan *m*.
badminton [bɐd'mĩntɐn] *m* badminton *m*.
bafo ['bafu] *m* haleine *f*.
baforada [bɐfu'raðɐ] *f* bouffée *f*.
bagaço [bɐ'gasu] *m (Port)* marc *m* (de raisin).
bagageira [bɐgɐ'ʒɐirɐ] *f* coffre *m*.
bagageiro [bɐgɐ'ʒɐiru] *m* bagagiste *m*.
bagagem [bɐ'gaʒɐ̃i] *(pl* **-ns** [-ʃ]*) f* bagage *m*; **depositar a ~** déposer les bagages; **despachar a ~** enregistrer les bagages.
bagatela [bɐgɐ'tɛlɐ] *f* bagatelle *f*.
bago ['bagu] *m* grain *m*.

bagunça [baˈgũsɐ] f (Br) pagaille f.

Bahia [bɐˈiɐ] f (Br) Bahia.

---

i BAHIA

On dit qu'à Bahia, au nord-est du Brésil, il y a 365 églises, une pour chaque jour de l'année. En réalité, il y en a beaucoup plus. Outre les sanctuaires religieux, l'État de Bahia compte de nombreux sanctuaires naturels qui s'étendent sur ses plus de 1000 kilomètres de plages, d'îles et de baies. Sa capitale, Salvador, est la Rome noire de l'Amérique latine. Les Afro-Brésiliens y ont développé leur culture, caractérisée par un heureux mariage entre catholicisme et cultes apportés du continent-mère, l'Afrique.

---

baía [bɐˈiɐ] f baie f.
❑ **Baía** f (Port) = Bahia.
bailado [baiˈlaðu] m ballet m.
bailarino, na [bailɐˈrinu, -nɐ] m, f danseur m (-euse f).
baile [ˈbailə] m bal m.
bainha [bɐˈiɲɐ] f (de calças, saia) ourlet m; (de espada) fourreau m.
Bairrada [baiˈʀaðɐ] f: a ~ région du centre du Portugal, réputée pour ses vins et son cochon de lait.
bairro [ˈbaiʀu] m quartier m; ~ de lata (Port) bidonville m.
baixa [ˈbaiʃɐ] f (de cidade) ville f basse; (médica) congé m (de) maladie; (de preço) baisse f; (durante os saldos) réduction f.
baixar [baiˈʃar] vt & vi baisser.
❑ **baixar-se** vp se baisser.
baixo, xa [ˈbaiʃu, -ʃɐ] adj bas (basse); (pessoa) petit(-e). ◆ adv (falar, rir) tout bas; (relativo a posição) bas. ◆ m (instrumento) basse f; em ~ en bas; mais ~ plus bas; (pessoa, objecto) plus petit; (falar) moins fort; o mais ~la mais baixa le plus petit/la plus petite; (preço, valor) le plus bas/la plus basse; para ~ en bas; (mais abaixo) plus bas; por ~ de sous; estar em ~ (Port) ne pas avoir le moral.
bala [ˈbalɐ] f (de arma) balle f; (Br: rebuçado) bonbon m; à prova de ~ pare-balles.
balança [bɐˈlɐ̃sɐ] f balance f.
❑ **Balança** f (Port) Balance f.
balançar [bɐlɐ̃ˈsar] vt balancer. ◆ vi (baloiço) se balancer; (barco) tanguer.
balancé [bɐlɐ̃ˈsɛ] m balançoire f.
balão [bɐˈlɐ̃u] (pl -ões [-õiʃ]) m (de borracha) ballon m; (de transporte) ballon m dirigeable; soprar no ~ (fam) souffler dans le ballon.
balbuciar [baɫbuˈsjar] vt & vi balbutier.
balbúrdia [baɫˈburdjɐ] f (desordem) bazar m; (barulho) vacarme m.
balcão [baɫˈkɐ̃u] (pl -ões [-õiʃ]) m (de bar, loja) comptoir m; (de teatro, casa) balcon m; ~ nobre (Br: de teatro) loge f; ~ simples (Br: de teatro) balcon m.
balde [ˈbaɫdə] m seau m.
baldeação [baudjaˈsɐ̃u] (pl -ões [-õiʃ]) f (Br) correspondance f; fazer ~ prendre une correspondance.
balé [baˈlɛ] m (Br) = ballet.
baleia [bɐˈlɐjɐ] f baleine f.
baliza [bɐˈlizɐ] f buts mpl.
ballet [baˈle] m (Port) ballet m.
balneário [baɫˈnjarju] m vestiaire m.
balões → balão.
baloiço [bɐˈloisu] m balançoire f.
bálsamo [ˈbaɫsɐmu] m baume m.

bambu [bɐ̃m'bu] *m* bambou *m*.

banal [bɐ'naɫ] (*pl* **-ais** [-aiʃ]) *adj* banal(-e).

banana [bɐ'nɐnɐ] *f* banane *f*.

bananada [bana'nadɐ] *f* (*Br*) *pâte de fruit à la banane*.

bananeira [bɐnɐ'nɐirɐ] *f* bananier *m*.

banca ['bɐ̃kɐ] *f* (*de cozinha*) plan *m* de travail; (*de trabalho*) établi *m*; (*de mercado*) étal *m*; (*FIN*) banque *f*; ~ **de jornais** (*Br*) kiosque *m* à journaux.

bancada [bɐ̃'kadɐ] *f* (*Port*) gradins *mpl*.

banco ['bɐ̃ku] *m* (*de cozinha*) tabouret *m*; (*de carro*) siège *m*; (*FIN*) banque *f*; (*de hospital*) urgences *fpl*; ~ **de areia** banc *m* de sable; ~ **de dados** banque de données; ~ **de jardim** banc *m*.

banda ['bɐ̃dɐ] *f* (*lado*) côté *m*; (*margem*) rive *f*; (*filarmónica*) fanfare *f*; (*de rock*) groupe *m*; **pôr de** ~ (*fig*) mettre de côté; ~ **desenhada** (*Port*) bande *f* dessinée; ~ **sonora** bande-son *f*; **à** ~ de travers.

bandarilha [bɐ̃dɐ'riʎɐ] *f* banderille *f*.

bandeira [bɐ̃'dɐirɐ] *f* drapeau *m*; (*em transporte público*) panonceau actionné par le chauffeur du bus pour indiquer la direction; **rir a** ~**s despregadas** rire à gorge déployée.

bandeja [bɐ̃'dɐiʒɐ] *f* plateau *m*.

bandejão [bɐ̃de'ʒɐ̃u] (*pl* **-ões** [-õiʃ]) *f* (*Br*) plateau-repas *m*.

bandido, da [bɐ̃'didu, -dɐ] *m*, *f* bandit *m*.

bando ['bɐ̃du] *m* (*de aves*) volée *f*; (*de criminosos*) bande *f*.

bandolim [bɐ̃du'lĩ] (*pl* **-ns** [-ʃ]) *m* mandoline *f*.

bangaló [bɐ̃gɐ'lɔ] *m* (*Port*) bungalow *m*.

bangalô [bɐ̃ga'lo] *m* (*Br*) = bangaló.

banha ['bɐɲɐ] *f*: ~ (**de porco**) saindoux *m*.

banheira [bɐ'ɲɐirɐ] *f* baignoire *f*.

banheiro [bɐ'ɲɐiru] *m* (*de praia, piscina*) maître *m* nageur; (*Br: quarto de banho*) salle *f* de bains.

banhista [bɐ'ɲiʃtɐ] *mf* baigneur *m* (-euse *f*).

banho ['bɐɲu] *m* bain *m*; **tomar** ~ prendre un bain; **tomar um** ~ / ~**s de sol** prendre un bain/des bains de soleil.

banho-maria [ˌbɐɲumɐ'riɐ] *m* bain-marie *m*; **cozer em** ~ cuire au bain-marie.

banir [bɐ'nir] *vt* bannir *m*.

banjo ['bɐ̃ʒu] *m* banjo *m*.

banquete [bɐ̃'ketɐ] *m* banquet *m*.

baptismo [ba'tiʒmu] *m* (*Port*) baptême *m* (*cérémonie*).

baptizado [bati'zadu] *m* (*Port*) baptême *m* (*réception*).

bar ['bar] (*pl* **-es** [-əʃ]) *m* bar *m*.

baralhar [bɐrɐ'ʎar] *vt* (*cartas de jogar*) battre; (*confundir*) brouiller. ❐ **baralhar-se** *vp* s'embrouiller.

baralho [bɐ'raʎu] *m*: ~ (**de cartas**) jeu *m* de cartes.

barão [bɐ'rɐ̃u] (*pl* **-ões** [-õiʃ]) *m* baron *m*.

barata [bɐ'ratɐ] *f* cafard *m*.

barato, ta [bɐ'ratu, -tɐ] *adj* pas cher (pas chère). ◆ *adv* (*comprar*) bon marché; (*vender*) à bas prix. ◆ *m* (*Br: fam*) : **foi o maior** ~ ça a été super; **o mais** ~ le moins cher.

barba ['barbɐ] *f* barbe *f*; **fazer a** ~ se raser.

barbante [bax'bɐ̃tʃi] *m* (*Br*) ficelle *f*.

barbatana [bɐrbɐ'tɐnɐ] *f* (*de peixe*) nageoire *f*; (*de nadador*) palme *f*.

barbeador [baxbjɐ'dox] (*pl* **-es**

[-iʃ]) *m (Br)*: ~ **(elétrico)** rasoir *m* (électrique).

barbear-se [bɐrˈbjarsə] *vp* se raser.

barbeiro [bɐrˈbɐiru] *m* coiffeur *m* pour hommes.

barca [ˈbaxkɐ] *f (Br)* barque *f; (de travessia)* bac *m*.

barco [ˈbarku] *m* bateau *m;* ~ **a motor** bateau à moteur; ~ **rabelo** *bateau à fond plat qui descendait le Douro chargé de tonneaux de vin de Porto;* ~ **a remos** bateau à rames; ~ **à vela** bateau à voile.

bares → **bar**.

barman [ˈbarmēn] *(pl* **-s** [-ʃ]) *m* barman *m*.

barões → **barão**.

baronesa [bɐruˈnezɐ] *f* baronne *f*.

barra [ˈbaʀɐ] *f* barre *f; (Br: de rio)* embouchure *f; (Br: fam : situação)* galère *f*. ◆ *m : ser um* ~ **em** être fort en.

barraca [bɐˈʀakɐ] *f (de feira)* baraque *f; (de bairro de lata)* baraquement *m; (de campismo)* bungalow *m*.

barraco [baˈxaku] *m (Br: fam)* baraque *f*.

barragem [bɐˈʀaʒēi] *(pl* **-ns** [-ʃ]) *f* barrage *m*.

barranco [bɐˈʀēnku] *m* ravin *m*.

barrar [bɐˈʀar] *vt :* ~ **pão com manteiga** beurrer du pain; ~ **com paté** tartiner du pâté.

barreira [bɐˈʀɐirɐ] *f (de rio, estrada)* bord *m; (DESP)* haie *f; (fig: obstáculo)* embûche *f*.

barrento, ta [bɐˈʀēntu, -tɐ] *adj* boueux(-euse).

barrete [bɐˈʀetə] *m* bonnet *m;* **enfiar o** ~ *(Port: fam)* se faire avoir.

barriga [bɐˈʀigɐ] *f* ventre *m;* ~ **da perna** mollet *m;* **de** ~ **para cima** sur le dos; **de** ~ **para baixo** sur le ventre; **ter a** ~ **a dar horas** avoir une faim de loup.

barriga-de-freira [bɐˌʀigɐdəˈfreirɐ] *(pl* **barrigas-de-freira** [bɐˌʀigɐʒdɐˈfreirɐ]) *f* confiserie parfumée à la cannelle, riche en jaune d'œuf.

barril [bɐˈʀit] *(pl* **-is** [-iʃ]) *m (de cerveja)* baril *m; (de vinho)* tonneau *m*.

barro [ˈbaʀu] *m* terre *f* glaise.

barroco, ca [bɐˈʀoku, -kɐ] *adj* baroque. ◆ *m* baroque *m*.

barulhento, ta [bɐruˈʎēntu, -tɐ] *adj* bruyant(-e).

barulho [bɐˈruʎu] *m (ruído)* bruit *m; (confusão)* raffut *m;* **pouco** ~! du calme!

base [ˈbazɐ] *f (suporte)* base *f; (centro de operações)* base *f* (militaire); *(de maquilhagem)* fond *m* de teint; ~ **de dados** base de données.

basebol [bɐizɐˈbɔt] *m* base-ball *m*.

básico, ca [ˈbaziku, -kɐ] *adj (ensino)* obligatoire; *(produto)* de base; *(fundamental)* essentiel(-elle).

basílica [bɐˈzilikɐ] *f* basilique *f*.

basquete [ˈbaʃketɐ] *m* = **basquetebol**.

basquetebol [ˌbaʃketɐˈbɔt] *m (Port)* basket-ball *m*.

basta [ˈbaʃtɐ] *interj* ça suffit!

bastante [bɐʃˈtēntɐ] *adj & adv (muito)* beaucoup; *(suficiente)* assez; **tenho** ~ **frio** j'ai très froid.

bastar [bɐʃˈtar] *vi* suffire.

bastidores [bɐʃtiˈdɔrɐʃ] *mpl* coulisses *fpl*.

bata [ˈbatɐ] *f* blouse *f*.

batalha [bɐˈtaʎɐ] *f* bataille *f;* ~ **naval** bataille navale.

batata [bɐˈtatɐ] *f* pomme *f* de terre; ~**s assadas** pommes de terre rissolées; ~**s cozidas** pommes de terre bouillies; ~ **doce** patate *f* douce; ~**s fritas** frites *fpl;* ~ **palha** pommes *fpl* allumettes.

bate-chapas [ˌbatəˈʃapɐʃ] *m inv* carrossier *m*.

batedeira [bɐtɐˈðɐirɐ] *f*: ~ **(eléctrica)** batteur *m* (électrique).

bátega [ˈbatəgɐ] *f* averse *f*.

batente [bɐˈtẽtə] *m (meia-porta)* battant *m*; *(aldraba)* heurtoir *m*.

bate-papo [ˌbatʃiˈpapu] *(pl* **bate-papos** [ˌbatʃiˈpapuʃ]) *m (Br)* causette *f*.

bater [bɐˈter] *vt & vi* battre; ~ **a** *(porta, janela)* frapper à; ~ **com algo contra/em algo** frapper qqch contre/sur qqch; **bati com a cabeça na parede** je me suis cogné la tête contre le mur; ~ **os dentes** claquer des dents; ~ **em** *(agredir)* frapper; *(ir de encontro a)* rentrer dans; ~ **à máquina** *(Br)* taper à la machine; ~ **papo** *(Br)* discuter; ~ **o pé** taper du pied; ~ **com o pé** donner un coup de pied; ~ **com a porta** claquer la porte; ~ **a bota** *(fam)* casser sa pipe.

bateria [bɐtɐˈriɐ] *f* batterie *f*.

baterista [bɐtɐˈriʃtɐ] *mf* batteur *m* (-euse *f*).

batida [baˈtʃidɐ] *f (Br: de veículo)* accident *m*; *(de polícia)* descente *f*; *(bebida)* batida *f*, *cocktail à base d'eau-de-vie et de sucre de canne.*

batido [bɐˈtiðu] *m (Port)* milkshake *m*.

batismo [baˈtʃiʒmu] *m (Br)* = **baptismo**.

batizado [batʃiˈzadu] *m (Br)* = **baptizado**.

batom [baˈtõ] *(pl* **-ns** [-ʃ]) *m* rouge *m* à lèvres; ~ **para o cieiro** *(Port)* baume *m* protecteur pour les lèvres.

batota [bɐˈtɔtɐ] *f* tricherie *f*; **fazer** ~ tricher.

batuque [baˈtuki] *m (Br)* *accompagnement de percussions dans la samba ou lors des cérémonies religieuses du candomblé.*

baú [baˈu] *m* coffre *m*.

baunilha [bauˈniʎɐ] *f* vanille *f*.

bazar [bɐˈzar] *(pl* **-es** [-əʃ]) *m* bazar *m*.

BCG *m* BCG *m*.

beata [ˈbjatɐ] *f* mégot *m*.

bêbado, da [ˈbeβɐðu, -ðɐ] *adj* ivre. ◆ *m, f* ivrogne *mf*.

bebé [bɛˈbɛ] *m (Port)* bébé *m*; '~ **a bordo**' 'bébé à bord'.

bebê [beˈbe] *m (Br)* = **bebé**.

bebedeira [bɐbɐˈðɐirɐ] *f* ivresse *f*; **apanhar uma** ~ se soûler.

beber [bɐˈber] *vt & vi* boire.

bebida [bɐˈβiðɐ] *f* boisson *f*; ~ **alcoólica** boisson alcoolisée.

beça [ˈbɛsɐ]: **à beça** *adv (Br: fam)* vachement.

beco [ˈbeku] *m* ruelle *f*; ~ **sem saída** impasse *f*.

bege [ˈbɛʒɐ] *adj inv* beige.

begónia [bɐˈgɔnjɐ] *f (Port)* bégonia *m*.

begônia [beˈgonjɐ] *f (Br)* = **begónia**.

beija-flor [ˌbɐiʒɐˈflor] *(pl* **beija-flores** [ˌbɐiʒɐˈflorɐʃ]) *m* colibri *m*.

beijar [bɐiˈʒar] *vt* embrasser. ❑ **beijar-se** *vp* s'embrasser.

beijo [ˈbɐiʒu] *m* baiser *m*.

beira [ˈbɐirɐ] *f* bord *m*; **à** ~ **de** au bord de.

beira-mar [ˌbɐirɐˈmar] *f* bord *m* de mer; **à** ~ au bord de la mer.

beira-rio [ˌbɐirɐˈriu] *f*: **à** ~ *(pequeno)* au bord de la rivière; *(grande)* au bord du fleuve.

belas-artes [ˌbɛlɐˈzartɐʃ] *fpl* beaux-arts *mpl*.

beldade [bɛɬˈdaðɐ] *f* beauté *f*.

Belém [bə'lɐ̃i] s Belém, *quartier de Lisbonne.*

---

i BELÉM

C'est l'un des quartiers les plus connus de Lisbonne. Situé à l'embouchure du Tage, il abrite divers monuments importants, comme le monastère des Hiéronymites, les musées de la Marine, de l'Art populaire et, le plus visité de Lisbonne, celui des Carrosses. Initialement construite au XVᵉ siècle comme fortification du Tage, la tour de Belém est un joyau d'architecture manuéline qui rend hommage aux découvertes de l'époque. Le quartier abrite également le palais de Belém, résidence officielle du président de la République. Belém est enfin le lieu d'origine des célèbres tartelettes à la crème appelés « pastéis de Belém ».

---

beleza [bə'lezɐ] *f* beauté *f*; *(Br: festa)* merveille *f*; *(Br: comida)* régal *m*; **que ~!** que c'est beau!
belga ['bɛłgɐ] *adj* belge. ◆ *mf* Belge *mf*.
Bélgica ['bɛłʒikɐ] *f*: **a ~** la Belgique.
beliche [bə'liʃə] *m (cama)* lits *mpl* superposés; *(em comboio)* couchette *f*.
beliscão [bəliʃ'kɐ̃u] *(pl* **-ões** [-õiʃ]) *m* pincement *m*.
beliscar [bəliʃ'kar] *vt* pincer.
beliscões → beliscão.
belo, la ['bɛlu, -lɐ] *adj* beau (belle).
bem [bɐ̃i] *m* bien *m*; **praticar o ~** faire le bien.
◆ *adv* **1.** *(ger)* bien; **dormiu ~?** vous avez bien dormi?; **fez ~!** vous avez bien fait!; **sente-se ~?** vous vous sentez bien?; **estar ~** être bien; *(de saúde)* aller bien;

queria uma bebida ~ gelada je voudrais une boisson bien glacée; **quero um copo de leite ~ quente** je veux un verre de lait bien chaud; **é um quarto ~ grande** c'est une chambre bien grande; **é um lugar ~ bonito** c'est un endroit bien beau; **foi ~ ali** c'était bien là; **não é ~ assim** ce n'est pas tout à fait ça; **não é ~ aqui, é mais abaixo** ce n'est pas tout à fait ici, c'est un peu plus bas. **2.** *(suficiente)*: **estar ~** suffire. **3.** *(com cheirar, saber)* bon; **souberam-me ~ estas férias** ces vacances m'ont vraiment plu. **4.** *(com passar)* bon (bonne); **passem ~ meus senhores!** bonne continuation, messieurs!; **passou ~, senhor Costa?** comment allez-vous, monsieur Costa? **5.** *(em locuções)*: **a ~ ou a mal** bon gré, mal gré; **eu ~ que te avisei** je t'avais bien prévenu; **~ como** ainsi que; **~ feito!** bien fait!; **está ~!** ça suffit!; **muito ~!** très bien!; **ou ~... ou ~...** ou bien... ou bien...; **se ~ que** bien que.
◆ *adj inv (pej)*: **gente ~** des gens bien; **menino ~** fils à papa.
❑ **bens** *mpl* biens *mpl*; **bens imóveis** OU **de raiz** biens immobiliers; **bens de consumo** biens de consommation.
bem-disposto, osta [bɐ̃idiʃ'poʃtu, -ɔʃtɐ] *adj* : **estar ~** être de bonne humeur.
bem-estar [bɐ̃iʃ'tar] *m* bien-être *m*.
bem-vindo, da [bɐ̃i'vĩndu, -dɐ] *adj* bienvenu(-e).
bendizer [bɐ̃ndi'zer] *vt* faire les louanges de.
beneficência [bənəfi'sẽsjɐ] *f* bienfaisance *f*.
beneficiar [bənəfi'sjar] *vt* avantager.

benefício [bənəˈfisju] *m* avantage *m*.

benéfico, ca [bəˈnɛfiku, -kɐ] *adj (vantajoso)* avantageux(-euse); *(saudável)* bénéfique.

benevolência [bənəvuˈlẽsjɐ] *f* bienveillance *f*.

bengala [bẽˈgalɐ] *f* canne *f*.

bengaleiro [bẽgɐˈleiru] *m (em casa de espectáculos)* vestiaire *m*; *(cabide)* porte-manteau *m*.

benigno, gna [bəˈnignu, -gnɐ] *adj* bénin(-igne).

benzer [bẽˈzer] *vt* bénir.
❑ **benzer-se** *vp* se signer.

berbequim [bərbəˈkĩ] *(pl* **-ns** [-ʃ]) *m (Port)* perceuse *f*.

berbigão [bərbiˈgẽu] *(pl* **-ões** [-õiʃ]) *m* coque *f*.

berço [ˈbersu] *m* berceau *m*.

beringela [bərĩˈʒɛlɐ] *f (Port)* aubergine *f*.

berinjela [berĩˈʒɛlɐ] *f (Br)* = **beringela**.

berloque [bərˈlɔkə] *m* breloque *f*.

berma [ˈbermɐ] *f* bas-côté *m*.

bermuda [bexˈmudɐ] *f (Br)* = **bermudas**.

bermudas [bərˈmudɐʃ] *fpl (Port)* bermuda *m*.

besouro [bəˈzoru] *m* hanneton *m*.

besta [ˈbeʃtɐ] *f* bête *f (de* somme); **que ~!** quel idiot!

besteira [beʃˈteirɐ] *f (Br: fam) (asneira)* bêtise *f*; *(insignificância)* broutille *f*.

bestial [bəʃˈtjał] *(pl* **-ais** [-aiʃ]) *adj (Port: fam : formidável)* génial(-e).

besugo [bəˈzugu] *m* daurade *f*.

besuntar [bəzũˈtar] *vt (untar)* enduire; *(sujar com gordura)* tacher de graisse; **~ algo com algo** enduire qqch de qqch.

betão [bəˈtẽu] *m (Port)* béton *m*.

beterraba [bətəˈʀabɐ] *f* betterave *f*.

betoneira [bətuˈneirɐ] *f* bétonnière *f*.

bétula [ˈbɛtulɐ] *f* bouleau *m*.

bexiga [bəˈʃigɐ] *f* vessie *f*; **~s doidas** *(fam)* varicelle *f*.

bezerro, a [bəˈzeʀu, -ɐ] *m, f* veau *m*, génisse *f*.

B.I. *(abrev de* **Bilhete de Identidade)** carte *f* d'identité.

biberão [bibəˈʀẽu] *(pl* **-ões** [-õiʃ]) *m* biberon *m*.

Bíblia [ˈbibliɐ] *f* Bible *f*.

biblioteca [bibliuˈtɛkɐ] *f* bibliothèque *f*; **~ itinerante** ≃ bibliobus *m*.

bica [ˈbikɐ] *f (de água)* fontaine *f*; *(Port: café)* express *m*; **~ cheia** *(Port)* café *m* allongé; **~ curta** *(Port)* café *m* serré.

bicar [biˈkar] *vt & vi* picorer.

bicha [ˈbiʃɐ] *f (Port)* queue *f*; *(Br: fam)* pédé *m*.

bicho [ˈbiʃu] *m* bestiole *f*.

bicicleta [bəsiˈklɛtɐ] *f* bicyclette *f*; **andar de ~** faire du vélo.

bico [ˈbiku] *m* pointe *f*; *(de lápis)* mine *f*; *(de ave)* bec *m*; *(de sapato)* bout *m*; *(de fogão)* feu *m*.

bidé [biˈdɛ] *m (Port)* bidet *m*.

bidê [biˈde] *m (Br)* = **bidé**.

bifana [biˈfɐnɐ] *f* tranche de porc souvent servie en sandwich.

bife [ˈbifə] *m (de peixe)* filet *m*; *(de vaca)* bifteck *m*; *(de peru)* escalope *f*.

bifurcação [bifurkɐˈsẽu] *(pl* **-ões** [-õiʃ]) *f* bifurcation *f*.

bigode [biˈgɔdə] *m* moustache *f*.

bijutaria [biʒutəˈriɐ] *f* bijouterie *f*.

bilha [ˈbiʎɐ] *f (de água)* cruche *f*; *(de gás)* bouteille *f*.

bilhão [biˈʎẽu] *(pl* **-ões** [-õiʃ]) *num (Port)* = **bilião**; *(Br: mil milhões)* milliard *m*.

bilhar [biˈʎar] (*pl* **-es** [-əʃ]) *m* billard *m*; **jogar** ~ jouer au billard.

bilhete [biˈʎetə] *m* billet *m*; ~ **de ida** aller *m*; ~ **de ida e volta** aller retour *m*; ~ **de identidade** *(Port)* carte *f* d'identité; ~ **postal** carte *f* postale; ~ **simples** ticket *m*.

ⓘ BILHETE DE IDENTIDADE

Pièce d'identité la plus importante des citoyens portugais, la carte d'identité est obligatoire et permet de voyager dans toute la Communauté européenne sans passeport. Elle est nécessaire au Portugal pour effectuer toutes sortes d'opérations, notamment le paiement par chèque.

---

bilheteira [biʎəˈteirə] *f (Port)* guichet *m*.

bilheteria [biʎeteˈriɐ] *f (Br)* = **bilheteira**.

bilhões → **bilhão**.

bilião [biˈljɐ̃u] (*pl* **-ões** [-õiʃ]) *num* (*Port*: milhão de milhões) billion *m*; (*Br*) = **bilhão**.

bilingue [biˈlĩŋɡə] *adj (Port)* bilingue.

bilíngüe [biˈlĩŋɡwi] *adj (Br)* = **bilingue**.

biliões → **bilião**.

bílis [ˈbiliʃ] *f* bile *f*.

bingo [ˈbĩŋɡu] *m* bingo *m*.

binóculo [biˈnɔkulu] *m* jumelles *fpl*.

biologia [bjuluˈʒiɐ] *f* biologie *f*.

biólogo, ga [ˈbjɔlugu, -ɡɐ] *m, f* biologiste *mf*.

biombo [ˈbjõmbu] *m* paravent *m*.

biopsia [bjɔpˈsiɐ] *f* biopsie *f*.

biqueira [biˈkeirɐ] *f* pointe *f*.

biquíni [biˈkini] *m* bikini *m*.

birra [ˈbiʀɐ] *f* moue *f*; **fazer** ~ bouder.

bis [ˈbiʃ] *interj* bis!

bisavô, vó [bizeˈvo, -ˈvɔ] *m, f* arrière-grand-père *m* (arrière-grand-mère *f*).

bisavós [bizeˈvɔʃ] *mpl* (*bisavô e bisavó*) arrière-grands-parents *mpl*.

biscoito [biʃˈkoitu] *m* biscuit *m*.

bisnaga [biʒˈnaɡɐ] *f* tube *m*.

bisneto, ta [biʒˈnɛtu, -tɐ] *m, f* arrière-petit-fils *m* (arrière-petite-fille *f*).

bispo [ˈbiʃpu] *m* évêque *m*.

bissexto [biˈseiʃtu] *adj m* → **ano**.

bisteca [biʃˈtɛkɐ] *f (Br)* bifteck *m*.

bisturi [biʃtuˈri] *m* bistouri *m*.

bit [ˈbitə] *m* bit *m*.

bitoque [biˈtɔkɐ] *m* bifteck avec un œuf à cheval, des frites, du riz et de la salade verte.

bizarro, a [biˈzaʀu, -ɐ] *adj* bizarre.

blasfemar [blɐʃfɐˈmar] *vi* blasphémer.

blasfémia [blɐʃˈfɛmjɐ] *f (Port)* blasphème *m*.

blasfêmia [blaʃˈfemjɐ] *f (Br)* = **blasfémia**.

blazer [ˈblɛizɛr] (*pl* **-es** [-əʃ]) *m* blazer *m*.

bloco [ˈblɔku] *m* bloc *m*; (*de apontamentos, notas*) bloc-notes *m*; (*de apartamentos*) immeuble *m*.

bloquear [bluˈkjar] *vt* bloquer.

blusa [ˈbluzɐ] *f* chemisier *m*.

blusão [bluˈzɐ̃u] (*pl* **-ões** [-õiʃ]) *m* blouson *m*.

boa¹ → **bom**.

boa² [ˈboɐ] *f* boa *m*.

boas-festas [ˌboɐʃˈfɛʃtɐʃ] *fpl*: **dar as** ~ adresser ses vœux.

boas-noites [ˌboɐʃˈnoitɐʃ] *fpl*: **dar as** ~ dire bonsoir.

boas-vindas [ˌboɐʒ'vīndɐʃ] *fpl* :
dar as ~ a alguém souhaiter la
bienvenue à qqn.
boate ['bwatʃi] *f (Br)* boîte *f*.
boato ['bwatu] *m* bruit *m (rumeur)*.
bobagem [boˈbaʒēi] *(pl* **-ns** [-ʃ])
f (Br: tolice) bêtise *f*.
bobina [boˈbinɐ] *f* bobine *f*.
bobo, ba ['bobu, -bɐ] *adj*
idiot(-e).
boca ['bokɐ] *f (de pessoa)* bouche
f; (de animal) gueule *f; (de túnel)*
entrée *f; (de rua, caminho)* début
m; (de rio) embouchure *f; (de
forno, fogão)* feu *m; (Port: fam :
dito provocatório)* pique *f*.
boca-de-incêndio [ˌbokɐ-
dʒˈsēndju] *(pl* **bocas-de-incêndio**
[ˌbokɐʒdʒˈsēndju]) *f (Port)* bouche *f*
d'incendie.
bocado [buˈkaðu] *m* bout *m;* **há
~** il y a un instant.
bocal [buˈkał] *(pl* **-ais** [-aiʃ]) *m*
embouchure *f (d'instrument)*.
bocejar [busəˈʒar] *vi* bâiller.
bochecha [buˈʃeʃɐ] *f* joue *f*.
bochechar [buʃəˈʃar] *vi* se gargariser.
boda ['boðɐ] *f (de casamento)*
mariage *m (réception); (de baptizado)* baptême *m (réception);* **~s
de ouro** noces *fpl* d'or; **~s de
prata** noces *fpl* d'argent.
bode ['bɔðə] *m* bouc *m;* **~ expiatório** bouc émissaire.
bofetada [bufəˈtaðɐ] *f* gifle *f*.
boi ['boi] *m* bœuf *m*.
bóia ['bɔjɐ] *f (de natação, barco)*
bouée *f; (de pesca, carburador)*
flotteur *m*.
boião [boˈjɐ̃u] *(pl* **-ões** [-õiʃ]) *m*
pot *m*.
boiar [boˈjar] *vi* faire la planche.
boina ['bɔjnɐ] *f* casquette *f;
(basca)* béret *m*.
boiões → **boião**.

bola¹ ['bɔlɐ] *f* : **~ de carne** *pain à
la viande*.
bola² ['bɔlɐ] *f (de ténis)* balle *f;
(de futebol, rugby)* ballon *m; (de
bilhar)* boule *f; (de sabão)* bulle *f;*
não estar bom da ~ *(fam)* ne pas
tourner rond; **~ de Berlim** beignet *m*.
bolacha [buˈlaʃɐ] *f* biscuit *m;* **~
de água e sal** biscuit salé.
bolbo ['bołbu] *m* bulbe *m*.
boleia [buˈlɐjɐ] *f (Port)* auto-stop
m; **apanhar uma ~** être pris en
stop; *(suj: um conhecido)* être raccompagné; **dar uma ~** prendre en
stop; *(suj: um conhecido)* raccompagner; **pedir ~** faire du stop; *(a
colega, amigo)* demander à être
raccompagné.
boletim [bulɐˈtĩ] *(pl* **-ns** [-ʃ]) *m
(de notícias)* bulletin *m (d'informations); (revista)* bulletin *m;* **~
meteorológico** bulletin météorologique.
bolha ['boʎɐ] *f (em pele)*
ampoule *f; (em líquido)* bulle *f*.
Bolívia [buˈlivjɐ] *f* : **a ~** la Bolivie.
bolo ['bolu] *m* gâteau *m;* **~ inglês**
cake *m;* **~ rei** ≃ galette *f* des Rois.
bolo-podre [ˌboluˈpoðrɐ] *(pl*
bolos-podres [ˌboluʃˈpoðraʃ]) *m
(em Portugal)* gâteau aux noix parfumé au porto et à la cannelle; *(no
Brasil)* gâteau au tapioca fait à base
de farine de manioc ou de blé.
bolor [buˈlor] *m* moisissure *f*.
bolota [buˈlɔtɐ] *f* gland *m*.
bolsa ['bołsɐ] *f (para dinheiro)*
bourse *f; (mala)* sac *m (à main);* **~
de estudos** bourse d'études; **~ de
valores** bourse de valeurs.
bolso ['bołsu] *m* poche *f*.
bom, boa ['bõ, 'boɐ] *(mpl* **bons**
['bõʃ], *fpl* **boas** ['boɐʃ]) *adj* bon
(bonne); *(gesto, tempo)* beau
(belle); **o doente já está ~** le
malade est guéri; **é ~ para a**

saúde c'est bon pour la santé; **sapatos ~s para dançar** des chaussures bien pour danser; **seria ~ se pudesses ficar** ce serait bien si tu pouvais rester; **tudo ~?** *(Br)* ça va?

bomba ['bōmbɐ] *f (de ar)* pompe *f*; *(de água)* pompe *f* (à eau); *(explosivo)* bombe *f*; **~ atómica** bombe atomique; **~ de gasolina** pompe à essence.

bombardear [bōmbɐɾ'dʒar] *vt* bombarder.

bombazina [bōmbɐ'zinɐ] *f* velours *m* côtelé.

bombeiro [bōm'beiru] *m* pompier *m*; **os ~s** les pompiers.

bombo ['bōmbu] *m* grosse caisse *f*.

bombom [bōm'bō] *(pl* **-ns** [-ʃ]) *m* bonbon *m*.

bondade [bōn'dadɐ] *f* bonté *f*.

bonde ['bōndʒi] *m (Br)* tramway *m*; **andar de ~** prendre le tramway.

bondoso, osa [bōn'dozu, -ɔzɐ] *adj* bon (bonne).

boné [bɔ'nɛ] *m* casquette *f*.

boneca [bu'nɛkɐ] *f* poupée *f*; **~ de trapos** poupée de chiffon.

boneco [bu'nɛku] *m (brinquedo)* jouet *m*; *(desenho)* dessin *m*; **~ de neve** bonhomme *m* de neige.

bonito, ta [bu'nitu, -tɐ] *adj* beau (belle); *(objecto, mulher)* joli(-e); *(momento)* bon (bonne). ◆ *m* thon *m*.

bons → **bom**.

bónus ['bɔnuʃ] *m inv (Port: de empresa)* prime *f*; *(de loja)* cadeau *m*; *(de caminho-de-ferro)* réduction *f*.

bônus ['bonuʃ] *m inv (Br)* = **bónus**.

borboleta [burbu'letɐ] *f* papillon *m*.

borbulha [bur'buʎɐ] *f (de pele)* bouton *m*; *(de sumo, água, champanhe)* bulle *f*.

borbulhar [burbu'ʎar] *vi (líquido)* pétiller.

borda ['bɔrdɐ] *f* bord *m*; **à ~ de água** au bord de l'eau.

bordado, da [bur'dadu, -dɐ] *adj* brodé(-e). ◆ *m* broderie *f*.

bordar [bur'dar] *vt & vi* broder.

bordel [bur'dɛt] *(pl* **-éis** [-ɛiʃ]) *m* maison *f* close.

bordo ['bɔrdu] *m* bord *m*; **a ~** à bord.

borra ['bɔrɐ] *f (de café)* marc *m*; *(de vinho)* lie *f*.

borracha [bu'raʃɐ] *f (cauchu)* caoutchouc *m*; *(de apagar)* gomme *f*.

borracheiro [boxa'ʃeiru] *m (Br)* garagiste spécialisé dans la réparation de pneus.

borrão [bu'rɐ̃u] *(pl* **-ões** [-ōiʃ]) *m* tache *f*.

borrasca [bu'raʃkɐ] *f* bourrasque *f*.

borrego, ga [bu'regu, -gɐ] *m, f* agneau *m*.

borrifar [buri'far] *vt* : **~ algo com algo** asperger qqch de qqch.

borrões → **borrão**.

bosque ['bɔʃkɐ] *m* bois *m*.

bossa ['bɔsɐ] *f* bosse *f*; **~ nova** bossa-nova *f*.

---

i **BOSSA NOVA**

La bossa nova est née dans les années 50 et emprunte à la fois à la samba et au jazz. Créée par des musiciens tels que Tom Jobim et João Gilberto, cette musique rythmée est à la fois intimiste et syncopée. Mondialement connue, la « Garota de Ipanema » (Fille d'Ipanema), a été interprétée par Frank Sinatra et est la plus célèbre des chansons se rattachant à cette forme de musique.

bota ['bɔtɐ] f (calçado) bottine f; (de cano alto) botte f.
botânica [bu'tɐnikɐ] f (ciência) botanique f; → **botânico**.
botânico, ca [bu'tɐniku, -kɐ] m, f botaniste mf. ◆ adj → **jardim**.
botão [bu'tɐ̃w] (pl -ões [-õiʃ]) m bouton m; ~ **de punho** bouton de manchette.
bote ['bɔtə] m canot m; ~ **salvavidas** canot de sauvetage.
botequim [bɔtʃi'kĩ] (pl -ns [-ʃ]) m (Br) bistrot m.
botija [bu'tiʒɐ] f (Port: de gás) bonbonne f; (de água quente) bouillotte f.
botijão [bɔtʃi'ʒɐ̃w] (pl -ões [-õiʃ]) m : ~ **de gás** (Br) bonbonne f de gaz.
botões → **botão**.
boutique [bu'tikɐ] f (Port) boutique f.
boxe ['bɔksə] m boxe f.
B.P. (abrev de Banco de Portugal) Banque du Portugal.
braçadeira [brɐsɐ'dɐirɐ] f (de cano, mangueira) collier m de serrage; (de cortina) embrasse f.
bracelete [brasɐ'lɛtɐ] m ou f bracelet m.
braço ['brasu] m (de pessoa, rio, mar) bras m; (de árvore) branche f; (de viola, violino, violoncelo) manche m; **ver-se** OU **estar a ~s com** se trouver OU être aux prises avec; **de ~ dado** bras dessus, bras dessous.
bradar [brɐ'ðar] vt crier. ◆ vi hurler.
braguilha [brɐ'giʎɐ] f braguette f.
branco, ca ['brɐ̃ŋku, -kɐ] adj blanc (blanche). ◆ m, f Blanc m (Blanche f). ◆ m blanc m; **em ~** en blanc.
brandir [brɐ̃'dir] vt brandir.
brando, da ['brɐ̃du, -dɐ] adj

conciliant(-e); **cozer em lume ~** cuire à feu doux.
brasa ['brazɐ] f braise f.
brasão [brɐ'zɐ̃w] (pl -ões [-õiʃ]) m blason m.
Brasil [brɐ'ziɫ] m : **o ~** le Brésil.
brasileiro, ra [brɐzi'lɐiru, -rɐ] adj brésilien(-enne). ◆ m, f Brésilien m (-enne f).
Brasília [brɐ'ziljɐ] s Brasilia.

---

i BRASÍLIA

Capitale du Brésil, Brasilia est, en outre, un monument à la gloire de l'architecture moderne. Fondée en 1960, elle a été placée très exactement au centre géographique du pays. Ses palais et ses édifices, aux lignes simples et élégantes, sont disséminés le long de ses larges avenues, symbolisant vitesse et efficacité. C'est à Brasilia que se trouvent le palais du Planalto, siège du gouvernement, et les tours jumelles qui abritent le Congrès national brésilien.

---

brasões → **brasão**.
bravio, via [brɐ'viu, -viɐ] adj (terreno) en friche; (terra) en jachère; (animal) farouche.
bravo, va ['bravu, -vɐ] adj (pessoa) vaillant(-e); (animal) sauvage; (mar) démonté(-e); (Br: fig: com raiva) fâché(-e). ◆ interj bravo!
brejo ['brɛʒu] m (Br) marais m.
breve ['brɛvɐ] adj bref(-ève); **em ~** bientôt; **até ~!** à bientôt!
brevemente [,brɛvɐ'mẽtɐ] adv bientôt.
briga ['brigɐ] f bagarre f.
brigada [bri'gaðɐ] f (de trânsito) brigade f; (de trabalhadores) équipe f.

brilhante [briˈʎɛ̃ntə] *adj* brillant(-e). ◆ *m* brillant *m*.

brilhar [briˈʎar] *vi* briller.

brilho [ˈbriʎu] *m* éclat *m*.

brincadeira [brĩŋkeˈdeirɐ] *f (jogo)* jeu *m*; *(gracejo)* plaisanterie *f*.

brincalhão, lhona [brĩŋkeˈʎɐ̃u, -ˈʎonɐ] *(mpl* **-ões** [-ˈõiʃ], *fpl* **-s** [-ʃ]) *adj & m*, *f* farceur(-euse).

brincar [brĩŋˈkar] *vi (criança)* jouer; *(gracejar)* plaisanter.

brinco [ˈbrĩŋku] *m* boucle *f* d'oreille.

brincos-de-princesa [ˌbrĩŋkuʒdəpriˈseze] *mpl* fuchsia *m*.

brindar [brĩnˈdar] *vt* offrir. ◆ *vi* porter un toast; ~ **à saúde de alguém** boire à la santé de qqn.

brinde [ˈbrĩndə] *m* cadeau *m*; **fazer um** ~ porter un toast.

brinquedo [brĩŋˈkeðu] *m* jouet *m*.

brisa [ˈbrizɐ] *f* brise *f*.

BRISA [ˈbrizɐ] *(abrev de* **auto-estradas de Portugal)** *société d'exploitation des autoroutes portugaises.*

britânico, ca [briˈtɐniku, -kɐ] *adj* britannique. ◆ *m*, *f* Britannique *mf*.

broa [ˈbroɐ] *f* pain *m* de maïs; **~s de mel** *petits gâteaux au miel*.

broca [ˈbrɔkɐ] *f* fraise *f (outil)*.

broche [ˈbrɔʃɐ] *m* broche *f*.

brochura [bruˈʃurɐ] *f* brochure *f*.

brócolis [ˈbrɔkoliʃ] *mpl (Br)* = **brócolos**.

brócolos [ˈbrɔkuluʃ] *mpl (Port)* brocoli *m*.

broinhas [bruˈiɲɐʃ] *fpl*: ~ **(de Natal)** *confiseries de Noël à la citrouille et aux fruits secs*.

bronca [ˈbrõŋkɐ] *f (fam) (confusão)* histoire *f*; *(Br: repreensão)* engueulade *f*.

bronquite [brõŋˈkitɐ] *f* bronchite *f*.

bronze [ˈbrõzɐ] *m* bronze *m*.

bronzeado, da [brõˈzjaðu, -ðɐ] *adj* bronzé(-e). ◆ *m* bronzage *m*.

bronzeador [brõzjeˈðor] *(pl* **-es** [-əʃ]) *m* crème *f* solaire.

bronzear-se [brõˈzjarsɐ] *vp* bronzer.

brotar [bruˈtar] *vi (água)* jaillir; *(flor, planta)* pousser.

bruços [ˈbrusuʃ] *mpl* brasse *f*; **de** ~ sur le ventre.

bruma [ˈbrumɐ] *f* brume *f*.

brusco, ca [ˈbruʃku, -kɐ] *adj* brusque.

brushing [ˈbrɛʃĩŋ] *m* brushing *m*.

brutal [bruˈtał] *(pl* **-ais** [-aiʃ]) *adj* brutal(-e).

bruto, ta [ˈbrutu, -tɐ] *adj* brut(-e); *(estúpido)* abruti(-e); **à bruta** brutalement; **em** ~ brut(-e).

bruxa [ˈbruʃɐ] *f* sorcière *f*.

bucho [ˈbuʃu] *m* panse *f*.

búfalo [ˈbufelu] *m* buffle *m*.

bufê [buˈfe] *m (Br)* = **bufete**.

bufete [buˈfetɐ] *m (Port)* buffet *m*; *(de teatro)* buvette *f*.

bugigangas [buʒiˈgɐ̃ŋgeʃ] *fpl* bricoles *fpl*.

bule [ˈbulə] *m* théière *f*.

Bulgária [bułˈgarjɐ] *f*: **a** ~ la Bulgarie.

búlgaro, ra [ˈbułgeru, -rɐ] *adj* bulgare. ◆ *m*, *f* Bulgare *mf*. ◆ *m (língua)* bulgare *m*.

bulldozer [bułˈdɔzɛr] *(pl* **-es** [-əʃ]) *m* bulldozer *m*.

bunda [ˈbũndɐ] *f (Br: fam)* fesses *fpl*.

buraco [buˈraku] *m* trou *m*.

burla [ˈburlɐ] *f* escroquerie *f*.

burlão, lona [burˈlɐ̃u, -lonɐ] *(mpl* **-ões** [-õiʃ], *fpl* **-s** [-ʃ]) *m*, *f* escroc *m*.

burocracia [burukrɐ'siɐ] *f*
bureaucratie *f*.
burro, a ['buʀu, -ɐ] *m, f* âne *m*
(ânesse *f*). ◆ *adj* âne.
busca ['buʃkɐ] *f* recherche *f*; **em**
~ **de** à la recherche de.
buscar [buʃ'kar] *vt* chercher; **ir** ~
aller chercher.
bússola ['busulɐ] *f* boussole *f*.
bustiê [buʃ'tʃie] *m (Br)* bustier *m*.

busto ['buʃtu] *m* buste *m*.
butique [bu'tʃiki] *f (Br)* = **boutique**.
buzina [bu'zinɐ] *f* klaxon *m*.
buzinar [buzi'nar] *vi* klaxonner.
búzio ['buzju] *m* bulot *m*.
B.V. *(abrev de* **Bombeiros
Voluntários)** pompiers bénévo-
les.

C

c/ *(abrev de* **conta de banco)** compte *m (bancaire)*.

cá ['ka] *adv* ici; **andar de ~ para lá** faire les cent pas.

C.a *(abrev de* **Companhia)** Cie.

cabana [kɐ'bɐnɐ] *f* cabane *f*.

cabeça [kɐ'besɐ] *f* tête *f; (fig: dirigente)* chef *m;* **por ~** par personne; **à ~ de** à la tête de; **de ~ para baixo** sens dessus dessous; **não ter pés nem ~** n'avoir ni queue ni tête; **perder a ~** perdre la tête; **ter a ~ a andar à roda** avoir la tête qui tourne.

cabeçada [kɐbɐ'sadɐ] *f (pancada)* coup *m* de tête; *(em futebol)* tête *f*.

cabeçalho [kɐbɐ'saʎu] *m* chapeau *m (dans un journal)*.

cabeceira [kɐbɐ'sɐirɐ] *f (de cama)* chevet *m; (de mesa)* bout *m*.

cabeçudo, da [kɐbɐ'sudu, -dɐ] *adj* têtu(-e).

cabedal [kɐbɐ'dał] *(pl* **-ais** [-aiʃ]) *m* cuir *m*.

cabeleira [kɐbɐ'lɐirɐ] *f (verdadeira)* chevelure *f; (postiça)* perruque *f*.

cabeleireiro, ra [kɐbɐlɐi-'rɐiru, -rɐ] *m, f* coiffeur *m* (-euse *f*). ◆ *m* salon *m* de coiffure; **ir ao ~** aller chez le coiffeur.

cabelo [kɐ'belu] *m* cheveu *m;* **o ~** les cheveux; **ir cortar o ~** aller se faire couper les cheveux.

caber [kɐ'ber] *vi* tenir; **a mala não cabe no armário** la valise ne rentre pas dans l'armoire; **não cabe mais ninguém** il n'y a plus de place.

❑ **caber a** *v + prep* : **cabe-me a mim fazer esse trabalho** c'est à moi de faire ce travail.

cabide [kɐ'bidɐ] *m* porte-manteau *m*.

cabidela [kɐbi'dɛlɐ] *f volaille cuite dans son sang*.

cabine [kɐ'binɐ] *f* cabine *f; (de avião)* cabine *f* de pilotage.

cabisbaixo, xa [kɐbiʒ'baiʃu, -ʃa] *adj (fig)* abattu(-e).

cabo ['kabu] *m (de utensílio)* manche *m; (de terra)* cap *m; (de electricidade)* câble *m; (corda grossa)* corde *f; (de exército)* caporal *m;* **até ao ~** jusqu'au bout; **ao ~ de** au bout de; **o ~ do mundo** le bout du monde; **ao fim e ao ~** au bout du compte; **dar ~ de algo** *(fam)* mettre qqch en l'air.

Cabo-Verde [,kabu'verdɐ] *s* Cap-Vert *m*.

cabo-verdiano, na [,kabuvɐr-'djenu, -nɐ] *adj* cap-verdien(-enne). ◆ *m, f* Cap-verdien *m* (-enne *f*).

cabra ['kabrɐ] *f* chèvre *f*.

cabrito [kɐ'britu] *m* chevreau *m;* **~ assado** chevreau rôti.

caça ['kasɐ] f (acção) chasse f; (animal caçado) gibier m. ♦ m avion m de chasse; ~ **submarina** pêche f sous-marine.

caçador, ra [kɐsɐ'đor, -rɐ] (mpl -es [-əʃ], fpl -s [-ʃ]) m, f chasseur m (-euse f).

cação [kɐ'sɐ̃u] m roussette f.

caçar [kɐ'sar] vt chasser.

caçarola [kɐsɐ'rɔlɐ] f (de barro) marmite f; (tacho) casserole f.

cacau [kɐ'kau] m cacao m.

cacetada [kɐsə'tađɐ] f coup m de bâton.

cacete [kɐ'setɐ] m (pau) trique f; (pão) ≃ baguette f.

cachaça [kɐ'ʃasɐ] f eau-de-vie de canne à sucre.

ℹ CACHAÇA

La « cachaça » ou « pinga » est l'eau de vie que l'on tire de la canne à sucre et constitue l'une des passions des Brésiliens. Ayant une forte teneur en alcool, elle est également appelée « água-que-passarinho-não-bebe » (l'eau que ne boivent pas les petits oiseaux). Elle est utilisée dans de nombreux cocktails, comme la « caipirinha » avec du citron et du sucre ou les « batidas » avec des fruits. Quand on la boit pure, il est de tradition, avant d'avaler la première gorgée, d'en verser un petit peu sur le sol en offrande à son saint protecteur de la mythologie du candomblé. Certaines marques ont des noms curieux comme « Levanta-Defunto » (lève-défunt), « Mata-Sogra » (tue-belle-mère) ou « Xixi-do-Diabo » (pipi du diable).

---

caché [ka'ʃe] m (Port) cachet m (d'artiste).

cachê [ka'ʃe] m (Br) = **caché**.

cachecol [kaʃə'kɔɫ] (pl **-óis** [-ɔiʃ]) m écharpe f.

cachimbo [kɐ'ʃĩmbu] m pipe f.

cacho ['kaʃu] m (de uvas) grappe f; (de flores) gerbe f; (de cabelo) mèche f; (de banana) régime m.

cachorro [kɐ'ʃoru] m (Port: cão pequeno) chiot m; (Br: qualquer cão) chien m; ~ **(quente)** hot-dog m.

cacifo [kɐ'sifu] m (cofre) coffre m; (armário) casier m.

caçoila [kɐ'soilɐ] f (baixa) poêle f; (alta) casserole f.

cacto ['katu] m cactus m.

cada [kɐđɐ] adj chaque; (com regularidade) tous les (toutes les); ~ **dois dias** tous les deux jours; **uma pessoa em** ~ **dez** une personne sur dix; ~ **qual** chacun(-e); ~ **um/uma** chacun/chacune; **um/uma de** ~ **vez** un/une à la fois; ~ **vez mais** de plus en plus; ~ **vez que** chaque fois que; ~ **um por si** chacun pour soi.

cadarço [ka'daxsu] m (Br) lacet m.

cadastro [kɐ'đaʃtru] m casier m judiciaire.

cadáver [kɐ'đavɛr] (pl **-es** [-əʃ]) m cadavre m.

cadê [ka'de] adv (Br: fam) : ~**...?** où est passé...?

cadeado [kɐ'đjađu] m cadenas m.

cadeia [kɐ'đejɐ] f (prisão) prison f; (fila) chaîne f.

cadeira [kɐ'đeirɐ] f (assento) chaise f; (disciplina) chaire f; ~ **de rodas** fauteuil m roulant.

cadela [kɐ'đɛlɐ] f chienne f.

cadência [kɐ'đẽsjɐ] f cadence f.

caderno [kɐ'đɛrnu] m cahier m.

caducar [kɐđu'kar] vi (passaporte, visa) être périmé(-e); (prazo) expirer.

caduco, ca [kɐ'đuku, -kɐ] adj gâteux(-euse).

cães → **cão**.

café [kɐ'fɛ] *m* café *m*; ~ **com leite** café au lait; ~ **da manhã** *(Br)* petit déjeuner *m*; ~ **moído** café moulu; ~ **solúvel** café soluble.

ℹ️ CAFÉ

Après les repas ou au travail pendant les pauses, Portugais et Brésiliens ne peuvent se passer de leur café (« bica », comme on dit le plus souvent au Portugal et « cafezinho » au Brésil.
Mais au Portugal, le café est aussi un endroit où l'on peut consommer diverses boissons et certains plats. Présent dans toutes les agglomérations, le café est en outre un lieu de convivialité fréquenté par tous les Portugais. De nombreux cafés, comme « A Brasileira », dans le quartier du Chiado à Lisbonne, sont devenus célèbres, des mouvements littéraires, artistiques ou politiques y ayant vu le jour.

---

cafeína [kɐfɐ'inɐ] *f* caféine *f*.
cafeteira [kɐfɐ'teirɐ] *f* cafetière *f*.
cafezinho [kafe'ziɲu] *m (Br)* express *m*.
cágado ['kagɐðu] *m* tortue *f*.
caiar [kɐ'jar] *vt* blanchir à la chaux.
caibo ['kaiβu] → **caber**.
cãibra ['kɐ̃imbrɐ] *f* crampe *f*.
caipira [kai'pirɐ] *adj (Br)* plouc. ◆ *mf (Br)* péquenaud *m* (-e *f*).
caipirinha [kaipi'riɲɐ] *f* boisson à base d'alcool de canne à sucre et de citron.
cair [kɐ'ir] *vi (objecto, pessoa)* tomber; *(roupa)* aller; *(água, luz)* tomber; ~ **bem** plaire; ~ **mal** ne pas plaire; *(comida)* ne pas digérer; ~ **na realidade** se rendre à l'évidence; ~ **em si** reprendre ses esprits; **nessa não caio eu!** on ne m'y prendra pas!
cais ['kaiʃ] *m inv* quai *m*; ~ **de embarque** quai d'embarquement.
caixa ['kaiʃɐ] *f* caisse *f*; *(de papel)* boîte *f*; *(de arma)* chargeur *m*. ◆ *mf* caissier *m* (-ère *f*); ~ **alta** majuscule *f*; ~ **automático** caisse automatique; ~ **baixa** bas-de-casse *m*; ~ **de câmbio** *(Br)* boîte de vitesses; ~ **craniana** boîte crânienne; ~ **de crédito** banque *f* de crédit; ~ **do correio** boîte aux lettres; ~ **de fósforos** boîte d'allumettes; ~ **de pagamento** caisse; ~ **registadora** caisse (enregistreuse); ~ **toráxica** cage *f* thoracique; ~ **de velocidades** *(Port)* boîte de vitesses.
caixão [kai'ʃɐ̃u] *(pl* -**ões** [-'õiʃ]) *m* cercueil *m*.
caixeiro [kai'ʃeiru] *m* : ~ **viajante** représentant *m* (de commerce).
caixilho [kai'ʃiʎu] *m* cadre *m*.
caixões → **caixão**.
caixote [kai'ʃɔtɐ] *m* caisse *f*; ~ **do lixo** poubelle *f*.
caju [ka'ʒu] *m* noix *f* de cajou.
cal ['kal] *f* chaux *f*.
calado, da [kɐ'laðu, -ðɐ] *adj* silencieux(-euse); **está ~!** tais-toi!
calafrio [kɐlɐ'friu] *m* frisson *m*.
calamidade [kɐlɐmi'ðaðɐ] *f* calamité *f*.
calão [kɐ'lɐ̃u] *m* argot *m*.
calar-se [kɐ'larsɐ] *vp* se taire; **cala-te!** tais-toi!
Calç. *(abrev de* **Calçada**) rue *f*.
calça ['kausɐ] *m (Br)* = **calças**.
calçada [kał'saðɐ] *f (rua calcetada)* rue *f* pavée.
calçadeira [kałsɐ'ðeirɐ] *f* chausse-pied *m*.

calçado, da [kaɬˈsaðu, -ðɐ] *adj* *(pessoa)* chaussé(-e); *(rua)* pavé(-e). ♦ *m* chaussure *f*; **muito** ~ beaucoup de chaussures.

calcanhar [kaɬkɐˈɲar] *(pl* -es [-əʃ]*) m* talon *m*.

calcar [kaɬˈkar] *vt (pisar)* piétiner, tasser.

calçar [kaɬˈsar] *vt (sapatos)* mettre; *(meias, luvas)* enfiler; *(rua, passeio)* paver; **que número calça?** quelle est votre pointure?; **calço 37** je chausse du 37.

calcário [kaɬˈkarju] *m* calcaire *m*.

calças [ˈkaɬsɐʃ] *fpl (Port)* pantalon *m*.

calcinha [kauˈsiɲɐ] *f (Br)* culotte *f*.

cálcio [ˈkaɬsju] *m* calcium *m*.

calço [ˈkaɬsu] *m (cunha)* cale *f*; ~ **de travão** plaquette *f* (de frein).

calções [kaɬˈsõiʃ] *mpl* short *m*; ~ **de banho** maillot *m* de bain.

calculadora [kaɬkulɐˈðɔrɐ] *f* machine *f* à calculer; ~ **de bolso** calculette *f*.

calcular [kaɬkuˈlar] *vt (número, valor)* calculer; *(conjecturar)* supposer.

cálculo [ˈkaɬkulu] *m* calcul *m*; **pelos meus** ~s d'après mes calculs.

calda [ˈkaɬdɐ] *f* sirop *m*.

caldeira [kaɬˈðɐirɐ] *f* chaudière *f*.

caldeirada [kaɬðɐiˈraðɐ] *f* ≃ bouillabaisse *f*.

caldo [ˈkaɬdu] *m* bouillon *m*; *(Br: suco de fruto, planta)* jus *m*; ~ **de cana** *(Br)* sirop *m* de canne à sucre; ~ **verde** soupe *f* au chou.

calendário [kɐlẽˈdarju] *m* calendrier *m*.

calhamaço [kɐʎɐˈmasu] *m* *(fam)* pavé *m (livre)*.

calhar [kɐˈʎar] *vi* : **calhou viajarmos juntos** il se trouve que nous

avons voyagé ensemble; **calha-me a mim lavar a louça** c'est à moi de faire la vaisselle; ~ **bem/mal** tomber bien/mal; **se** ~ si ça se trouve; **vir a** ~ tomber à pic.

calhau [kɐˈʎau] *m* grosse pierre *f*.

calibragem [kɐliˈbraʒẽi] *(pl* -ns [-ʃ]*) f*: ~ **(dos pneus)** équilibrage *m* des roues.

calibre [kɐˈlibrɐ] *m* calibre *m*; *(fig)* envergure *f*.

cálice [ˈkalisɐ] *m (sagrado)* calice *m*; *(copo)* verre *m* à pied.

calista [kɐˈliʃtɐ] *mf* pédicure *mf*.

calma [ˈkaɬmɐ] *f* calme *m*. ♦ *interj* du calme!; **ter** ~ être calme.

calmante [kaɬˈmẽtɐ] *m* calmant *m*. ♦ *adj* calmant(-e).

calmo, ma [ˈkaɬmu, -mɐ] *adj* calme.

calo [ˈkalu] *m (de pé)* cor *m*; *(de mão)* durillon *m*.

caloiro, ra [kɐˈloiru, -rɐ] *m, f* bizut *m*.

calor [kɐˈlor] *m* chaleur *f*; **estar com** OU **ter** ~ avoir chaud; **estar** ~ faire chaud.

caloria [kɐluˈriɐ] *f* calorie *f*.

calorífero, ra [kɐluˈrifɐru, -rɐ] *adj* calorifère. ♦ *m* calorifère *m*.

calúnia [kɐˈlunjɐ] *f* calomnie *f*.

calvo, va [ˈkaɬvu, -vɐ] *adj* chauve.

cama [ˈkɐmɐ] *f* lit *m*; ~ **de bebé** berceau *m*; ~ **de campismo** lit de camp; ~ **de casal** lit double.

camada [kɐˈmaðɐ] *f* couche *f*; *(fam : relativo a doença)*: **ele está com uma** ~ **de febre** il a une sacrée fièvre; **a** ~ **do ozono** la couche d'ozone.

camaleão [kɐmɐˈljẽu] *(pl* -ões [-õiʃ]*) m* caméléon *m*.

câmara [ˈkɐmɐrɐ] *f*: ~ **escura** chambre *f* noire; ~ **fotográfica** appareil *m* photo; ~ **municipal** municipalité *f*; *(edifício)* mairie *f*; ~ **de vídeo** Camescope® *m*.

camarada [kɐmɐ'raðɐ] *mf* camarade *mf*.

câmara-de-ar [ˌkɐmɐrɐ'ðar] *(pl* **câmaras-de-ar** [ˌkɐmɐrɐʒ'dar]) *f* chambre *f* à air.

camarão [kɐmɐ'rɐ̃u] *(pl* **-ões** [-'õiʃ]) *m* crevette *f*.

camarata [kɐmɐ'ratɐ] *f* dortoir *m*.

camarim [kɐmɐ'rĩ] *(pl* **-ns** [-ʃ]) *m* loge *f*.

camarões → camarão.

camarote [kɐmɐ'rɔtɐ] *m (de navio)* cabine *f; (de teatro)* loge *f*.

cambalear [kɐ̃mbɐ'ljar] *vi* tituber.

cambalhota [kɐ̃mbɐ'ʎɔtɐ] *f (intencional)* galipette *f; (reviravolta)* bouleversement *m;* **dar uma ~** tomber.

câmbio ['kɐ̃mbju] *m* change *m; (Br: de veículo)* levier *m* de vitesse.

cambraia [kɐ̃m'brajɐ] *f* batiste *f*.

camelo [kɐ'melu] *m (animal)* chameau *m*.

camelô [kɐmə'lo] *m (Br)* camelot *m*.

camião [ka'mjɐ̃u] *(pl* **-ões** [-õiʃ]) *m (viatura)* camion *m*.

caminhada [kɐmi'ɲaðɐ] *f (caminho percorrido ou a percorrer):* **fazer uma ~** marcher.

caminhar [kɐmi'ɲar] *vi (andar)* marcher.

caminho [kɐ'miɲu] *m* chemin *m;* **a ~** en route; **a ~ de** en route pour; **de ~** *(seguidamente)* dans la foulée; *(ao mesmo tempo)* au passage; **pelo ~** en chemin.

caminho-de-ferro [kɐˌmiɲu-ðə'fɛru] *(pl* **caminhos-de-ferro** [kɐˌmiɲuʒdə'fɛru]) *m (Port)* chemin *m* de fer.

camiões → camião.

camioneta [kamju'nɛtɐ] *f* camionnette *f; (para passageiros)* car *m*.

camionista [kamju'niʃtɐ] *mf* camionneur *m*.

camisa [kɐ'mizɐ] *f* chemise *f;* **~ (de dormir)** *(Port)* chemise de nuit.

camisa-de-forças [kɐˌmizɐ-ðɐ'forsɐʃ] *(pl* **camisas-de-forças** [kɐˌmizɐʒdɐ'forsɐʃ]) *f* camisole *f* de force.

camiseta [kɐmi'zetɐ] *f (Br)* chemisette *f*.

camisinha [kami'ziɲɐ] *f (Br: fam)* capote *f* (anglaise).

camisola [kɐmi'zɔlɐ] *f (Port: de lã, algodão)* pull(-over) *m; (Br: de dormir)* chemise *f* de nuit; **~ de gola alta** *(Port)* pull à col roulé; **~ interior** *(Port)* tricot *m* de corps; **~ de manga curta** *(Port)* pull à manches courtes.

camomila [kɐmu'milɐ] *f* camomille *f*.

campainha [kɐ̃mpɐ'iɲɐ] *f (de porta, alarme)* sonnette *f; (sino pequeno)* clochette *f*.

campanário [kɐ̃mpɐ'narju] *m* clocher *m*.

campanha [kɐ̃m'pɐɲɐ] *f* campagne *f;* **~ eleitoral** campagne électorale; **~ de Verão/Inverno** soldes *mpl* d'été/d'hiver.

campeão, ã [kɐ̃m'pjɐ̃u, -ɐ̃] *(mpl* **-ões** [-õiʃ], *fpl* **-s** [-ʃ]) *m, f* champion *m* (-onne *f*).

campeonato [kɐ̃mpju'natu] *m* championnat *m*.

campestre [kɐ̃m'pɛʃtrɐ] *adj (cenário)* champêtre; *(flor)* des champs; *(vida)* à la campagne.

campismo [kɐ̃m'piʒmu] *m* camping *m;* **~ selvagem** camping sauvage.

campista [kɐ̃m'piʃtɐ] *mf* campeur *m* (-euse *f*).

campo ['kɐ̃mpu] *m (zona rural)* campagne *f; (de desporto)* terrain *m; (terreno)* champ *m;* **~ de futebol** terrain de football; **~ de golfe**

terrain de golf; **~ de jogos** aire f de jeux; **~ de squash** (Port) salle f de squash; **~ de ténis** (Port) court m de tennis; **~ de tiro** champ de tir.

camponês, esa [kẽmpu'neʃ, -ezɐ] (mpl **-eses** [-ezəʃ], fpl **-s** [-ʃ]) m, f paysan m (-anne f).

camuflagem [kɐmu'flaʒẽi] (pl **-ns** [-ʃ]) f camouflage m.

camuflar [kɐmu'flar] vt camoufler.

camurça [kɐ'mursɐ] f daim m.

cana ['kɐnɐ] f canne f; **~ de pesca** (Port) canne à pêche.

Canadá [kɐnɐ'da] m : **o ~** le Canada.

cana-de-açúcar [ˌkɐnɐdɐ'su-kar] (pl **canas-de-açúcar** [ˌkɐnɐʒ-dɐ'sukar]) f canne f à sucre.

canadense [kana'dẽsi] adj & mf (Br) = **canadiano**.

canadiana [kɐnɐ'djɐnɐ] f (casaco) duffle-coat m; (tenda) canadienne f; → **canadiano**.

canadiano, na [kɐnɐ'djɐnu, -nɐ] adj (Port) canadien(-enne). ♦ m, f (Port) Canadien m (-enne f).

canal [kɐ'naɫ] (pl **-ais** [-aiʃ]) m canal m; (de televisão) chaîne f; **o Canal da Mancha** la Manche.

canalha [kɐ'naʎɐ] f (Port: fam) marmaille f. ♦ mf canaille f.

canalização [kɐnɐlizɐ'sɐu] (pl **-ões** [-õiʃ]) f canalisation f.

canalizador, ra [kɐnɐlizɐ'dor, -rɐ] (mpl **-es** [-əʃ], fpl **-s** [-ʃ]) m, f (Port) plombier m.

canalizar [kɐnɐli'zar] vt canaliser.

canapé [kɐnɐ'pɛ] m canapé m (siège).

canapê [kana'pe] m (Br) canapé m (apéritif).

canário [kɐ'narju] m canari m.

canastra [kɐ'naʃtrɐ] f corbeille f.

canção [kɐ'sɐu] (pl **-ões** [-õiʃ]) f chanson f.

cancela [kẽ'sɛlɐ] f (de casa, jardim) grille f; (de passagem de nível) barrière f.

cancelamento [kẽsɐlɐ'mẽtu] m annulation f.

cancelar [kẽsɐ'lar] vt annuler.

câncer ['kẽsex] (pl **-es** [-iʃ]) m (Br) = **cancro**.
❏ **Câncer** m (Br: signo do Zodíaco) Cancer m.

cancerígeno, na [kẽsɐ'riʒɐnu, -nɐ] adj cancérigène.

canções → **canção**.

cancro ['kẽkru] m (Port) cancer m.

candeeiro [kẽn'djeiru] m lustre m; (de mesa) lampe f; **~ a petróleo** lampe à pétrole.

candelabro [kẽndɐ'labru] m candélabre m.

candidato, ta [kẽndi'datu, -tɐ] m, f candidat m (-e f); **ser ~ a algo** être candidat à qqch.

candomblé [kẽndõm'blɛ] m candomblé m, culte d'origine africaine, surtout pratiqué dans la région de Bahia au Brésil.

---

i **CANDOMBLÉ**

Le candomblé est la religion afro-brésilienne mêlée de spiritisme qui marie le catholicisme et les cultes de magie africains. Elle a été élaborée pendant la période de l'esclavage par des peuples d'origine yorouba, gêgê et bantoue. Son panthéon comprend diverses divinités - les « orixás » - toujours associées à un saint de l'église catholique. Ogum, par exemple, est associé à Saint-Georges, Oxóssi à Saint Sébastien, Oxalá à Jésus, et Iemanjá, la reine de la mer, à la Vierge Marie. Les cérémonies du candomblé sont marquées par des transes et des possessions, avec la manifestation d'esprits attirés par les cantiques, les danses et le chant des « batuques » (percussions).

---

caneca [kɐ'nɛkɐ] f chope f.

canela [kɐ'nɛlɐ] f (condimento) cannelle f; (de perna) tibia m.

caneta [kɐ'netɐ] f stylo m; ~ **de feltro** stylo feutre; ~ **de tinta permanente** stylo plume.

cangalheiro [kẽŋgɐ'ʎeiru] m croque-mort m.

canguru [kẽŋgu'ru] m kangourou m.

canhão [kɐ'ɲɐ̃u] (pl **-ões** [-õiʃ]) m canon m (arme).

canhoto, ota [kɐ'ɲotu, -ɔtɐ] adj & m, f gaucher(-ère).

canibal [kɐni'baɫ] (pl **-ais** [-aiʃ]) mf cannibale mf.

caniço [kɐ'nisu] m jonc m.

canil [kɐ'niɫ] (pl **-is** [-iʃ]) m chenil m.

caninha [ka'niɲɐ] f (Br) tafia m, eau-de-vie de canne à sucre.

canis → canil.

canivete [kɐni'vetɐ] m canif m.

canja ['kẽʒɐ] f: ~ **(de galinha)** bouillon m de poule; **é ~!** c'est du gâteau!

cano ['kɐnu] m (de água, gás) conduite f; (de arma) canon m; (de bota) tige f; ~ **de esgoto** conduite d'égout.

canoa [kɐ'noɐ] f canot m.

canoagem [kɐ'nwaʒẽi] f canoë m; **fazer** ~ faire du canoë.

cansaço [kẽ'sasu] m fatigue f.

cansado, da [kẽ'sadu, -dɐ] adj : **estar** ~ être fatigué.

cansar [kẽ'sar] vt fatiguer. ☐ **cansar-se** vp se fatiguer.

cansativo, va [kẽsɐ'tivu, -vɐ] adj fatigant(-e).

cantar [kẽn'tar] vt & vi chanter.

cantarolar [kẽnteru'lar] vt & vi chantonner.

cantiga [kẽn'tigɐ] f chanson f.

cantil [kẽn'tiɫ] (pl **-is** [-iʃ]) m gourde f.

cantina [kẽn'tinɐ] f cantine f.

cantis → cantil.

canto ['kẽntu] m (esquina) coin m; (forma de cantar) chant m.

cantor, ra [kẽn'tor, -rɐ] (mpl **-es** [-əʃ], fpl **-s** [-ʃ]) m, f chanteur m (-euse f).

canudo [kɐ'nudu] m (tubo) tuyau m; (fam : diploma de curso) parchemin m.

cão ['kɐ̃u] (pl **cães** ['kɐ̃iʃ]) m chien m; ~ **de guarda** chien de garde.

caos ['kauʃ] m chaos m.

caótico, ca [kɐ'ɔtiku, -kɐ] adj chaotique.

capa ['kapɐ] f (peça de vestuário) cape f; (de livro, caderno) couverture f; (dossier escolar) classeur m; (de plástico) pochette f; ~ **impermeável** cape imperméable.

capacete [kɐpɐ'setɐ] m (de protecção) casque m.

capacidade [kɐpɐsi'dadɐ] f capacité f.

capar [kɐ'par] vt châtrer.

capaz [kɐ'paʃ] (pl **-es** [-zəʃ]) adj capable; **ser** ~ **de fazer algo** être capable de faire qqch; **é** ~ **de chover** il se peut qu'il pleuve; **sou** ~ **de não sair hoje** aujourd'hui, il se peut que je ne sorte pas.

capela [kɐ'pɛlɐ] f chapelle f.

capitã → capitão.

capitães → capitão.

capital [kɐpi'taɫ] (pl **-ais** [-aiʃ]) f capitale f. ◆ m capital m.

capitalismo [kɐpitɐ'liʒmu] m capitalisme m.

capitalista [kɐpitɐ'liʃtɐ] adj & mf capitaliste.

capitão, ã [kɐpi'tɐ̃u, -ɐ̃] (mpl **-ães** [-ɐ̃iʃ], fpl **-s** [-ʃ]) m, f capitaine m.

capítulo [kɐ'pitulu] *m* chapitre *m*.

capô [ka'po] *m* capot *m*.

capoeira [kɐ'pweirɐ] *f (para galinhas)* poulailler *m*; *(prática desportiva)* combat-danse de Bahia.

ⓘ CAPOEIRA

L a capoeira est un mélange entre la lutte, le jeu et la danse. Les Noirs d'Afrique l'ont introduite au Brésil comme une forme de résistance à l'esclavage. Elle est aujourd'hui enseignée dans des écoles à travers tout le pays. Les participants jouent en cercle, deux par deux, au rythme du « berimbau » et des timbales, pendant que les autres chantent.

---

capota [kɐ'pɔtɐ] *f (de carro)* capote *f*.

capotar [kɐpu'tar] *vi* se renverser *(une voiture)*.

capote [kɐ'pɔtɐ] *m* houppelande *f*.

cappuccino [kɐpu'tʃinu] *m* cappuccino *m*.

capricho [kɐ'priʃu] *m* caprice *m*.

Capricórnio [kɐpri'kɔrnju] *m* Capricorne *m*.

cápsula ['kapsulɐ] *f* capsule *f*.

captar [kɐp'tar] *vt* capter.

capuz [kɐ'puʃ] *(pl* **-es** [-zɐʃ]*) m* capuche *f*.

caqui [ka'ki] *m* kaki *m (couleur)*.

cara ['karɐ] *f (de pessoa)* visage *m*; *(aspecto)* air *m*. ♦ *m (Br: fam)* type *m*; ~**s ou coroas?** pile ou face?; ~ **a** ~ face à face; **dar de** ~**s com** *(fig)* tomber sur; **ir à** ~ **de alguém** *(fam)* casser la figure à qqn; **não vou com a** ~ **dele** il ne me revient pas; **ter** ~ **de poucos amigos** avoir une sale tête.

carabina [kɐrɐ'binɐ] *f* carabine *f*.

caracol [kɐrɐ'kɔł] *(pl* **-óis** [-ɔiʃ]*) m (animal)* escargot *m*; *(de cabelo)* boucle *f*.

carácter [kɐ'ratɛr] *(pl* **caracteres** [kɐrɐ'tɛrɐʃ]*) m (Port)* caractère *m*.

característica [kɐrɐtɐ'riʃtikɐ] *f* caractéristique *f*.

característico, ca [kɐrɐtɐ'riʃtiku, -kɐ] *adj* caractéristique.

carambola [kɐrɐ̃'bɔlɐ] *f* carambole *f (fruit)*.

caramelo [kɐrɐ'mɛlu] *m* caramel *m*.

caranguejo [kɐrɐ̃'geiʒu] *m* crabe *m*.

❑ **Caranguejo** *m (Port)* Cancer *m*.

carapau [kɐrɐ'pau] *m* chinchard *m*; ~**s assados** chinchards grillés; ~**s de escabeche** chinchards à l'escabèche.

caratê [kara'te] *m (Br)* = **karaté**.

caráter [ka'ratex] *m (Br)* = **carácter**.

caravana [kɐrɐ'vɐnɐ] *f (Port)* caravane *f*.

carbonizado, da [kɐrbuni'zaðu, -ðɐ] *adj* carbonisé(-e).

carbono [kɐr'bɔnu] *m* carbone *m*.

carburador [kɐrbure'ðor] *(pl* **-es** [-ɐʃ]*) m* carburateur *m*.

carcaça [kɐr'kasɐ] *f (pão)* petit pain *m*.

cardápio [kax'dapju] *m (Br)* menu *m*.

cardíaco, ca [kɐr'ðieku, -kɐ] *adj* cardiaque.

cardo ['karðu] *m* chardon *m*.

cardume [kɐr'ðumɐ] *m* banc *m* de poissons.

careca [kɐ'rɛkɐ] *adj (pessoa)* chauve; *(pneu)* lisse. ♦ *f* calvitie *f*.

carecer [kɐrɐ'ser]: **carecer de** *v*

+ *prep* manquer de; *(precisar de)* avoir besoin de.

carência [ke'rēsje] *f (falta)* carence *f*; *(necessidade)* manque *m*.

careta [ke'rete] *f* grimace *f*; **fazer ~s** faire des grimaces.

carga ['karge] *f* charge *f*; *(de veículo)* cargaison *f*; **~ máxima** charge maximum.

cargo ['kargu] *m (função)* poste *m*; *(responsabilidade)* charge *f*; **estar/deixar a ~ de** être/laisser à la charge de; **ter a ~** avoir à charge.

cariado, da [ke'rjaðu, -ðe] *adj* carié(-e).

caricatura [kerike'ture] *f* caricature *f*.

carícia [ke'risje] *f* caresse *f*.

caridade [keri'ðaðe] *f* charité *f*.

cárie ['karje] *f* carie *f*.

caril [ke'rił] *m* curry *m*.

carimbar [kerĩ'bar] *vt* tamponner *(un passeport)*.

carimbo [ke'rĩmbu] *m* tampon *m*.

carinho [ke'riɲu] *m* tendresse *f*.

carioca [ke'rjɔke] *mf* Carioca *mf*. ◆ *m (Port)* café *m* léger; **~ de limão** *(Port)* boisson chaude au zeste de citron servie dans une tasse à café.

carisma [ke'riʒme] *m* charisme *m*.

carnal [ker'nał] *(pl* **-ais** [-ajʃ]*) adj* charnel(-elle).

Carnaval [kerne'vał] *m* carnaval *m*.

ⓘ CARNAVAL

Pour le carnaval, tout s'arrête au Brésil pendant quatre jours. De la nuit du samedi au matin du mercredi des Cendres, généralement en février, les Brésiliens oublient la pauvreté et sortent dans les rues pour boire, chanter et danser. Peu de vêtements et beaucoup de samba, de sueur et de bière, tels sont les ordres du roi Momo, grand orchestrateur du carnaval, auxquels obéit ce déchaînement.
Cette fête d'origine religieuse est avant tout le prétexte de réjouissances païennes. C'est sous son influence qu'au Portugal, on fête le mardi du carnaval avec des chars allégoriques, transportant des personnes diversement costumées, qui défilent en musique et font grand tapage. On profite de ces défilés pour s'exutoire face à la dureté de la vie, pour critiquer les personnalités publiques et s'en moquer. Le roi et la reine des carnavals portugais sont parfois des vedettes de feuilletons télévisés brésiliens invitées pour l'occasion.

---

carne ['karne] *f (tecido muscular)* chair *f*; *(de comer)* viande *f*; **~ de borrego** agneau *m*; **~ estufada** estouffade *f*; **~s frias** charcuterie *f*; **em ~ e osso** en chair et en os; **~ picada** viande hachée; **~ de porco** viande de porc; **~ de porco à alentejana** porc aux palourdes; **~ de vaca** viande de bœuf.

carnê [kax'ne] *m (Br)* carnet *m*.

carneiro [ker'neiru] *m (animal)* bélier *m*; *(carne)* mouton *m*. ❏ **Carneiro** *m (Port)* Bélier *m*.

carniceiro [kerni'seiru] *m (Port)* boucher *m*.

carnudo, da [ker'nuðu, -ðe] *adj* charnu(-e).

caro, ra ['karu, -re] *adj* cher(-ère).

carochinha [kerɔ'ʃiɲe] *f* → **história**.

caroço [ke'rosu] *m (de fruto)* noyau *m*; *(em corpo)* kyste *m*.

carona [ka'ronɐ] f *(Br)* auto-stop m; **pegar** ~ être pris en stop; **dar uma** ~ prendre en stop; *(suj: um conhecido)* raccompagner; **pedir** ~ faire du stop.

carpete [kar'pɛtɐ] f *(Port)* tapis m; *(Br)* moquette f.

carpinteiro [kɐrpĩn'tɐiru] m charpentier m.

carraça [kɐ'Rasɐ] f tique f.

carrapicho [kɐRɐ'piʃu] m chignon m.

carregado, da [kɐRɐ'gaðu, -ðɐ] adj chargé(-e); *(cor)* foncé(-e); *(tempo)* lourd(-e).

carregador [kɐRɐgɐ'ðor] *(pl -es* [-əʃ]) m porteur m.

carregar [kɐRɐ'gar] vt charger; *(transportar)* porter. ◆ vi *(pesar)* peser; *(fazer pressão em)* appuyer; ~ **em algo** appuyer sur qqch; 'carregue no botão' 'appuyez sur le bouton'; 'carregue para abrir' 'pour ouvrir, appuyer'.

carreira [kɐ'Rɐirɐ] f *(profissão)* carrière f; *(fileira)* rangée f; *(de transportes colectivos)* navette f; *(pequena corrida)* course f.

carreiro [kɐ'Rɐiru] m *(caminho)* sentier m; *(de formigas)* colonne f.

carril [kɐ'Riɫ] *(pl -is* [-iʃ]) m rail m.

carrinha [kɐ'Riɲɐ] f camionnette f.

carrinho [kɐ'Riɲu] m : ~ **de bebé** landau m; ~ **de mão** brouette f; ~ **de supermercado** chariot m; ~**s de choque** autos fpl tamponneuses.

carris → **carril**

carro ['kaRu] m voiture f; ~ **alegórico** char m *(de carnaval)*; ~ **aluguer** voiture de location; ~ **de corrida** voiture de course; ~ **de praça** *(Port)* taxi m.

carroça [kɐ'Rɔsɐ] f charrette f.

carroçaria [kɐRusɐ'riɐ] f carrosserie f.

carrossel [kɐRɔ'sɛɫ] *(pl -éis* [-ɛiʃ]) m manège m.

carruagem [kɐ'Rwaʒɐ̃i] *(pl -ns* [-ʃ]) f *(Port: vagão)* voiture f.

carruagem-cama [kɐ,Rwaʒɐ̃i'kɐmɐ] *(pl* **carruagens-cama** [kɐ,Rwaʒɐ̃iʃ'kɐmɐ]) f *(Port)* wagon-lit m.

carruagem-restaurante [kɐ,Rwaʒɐ̃iRɐʃtau'Rɐ̃tɐ] *(pl* **carruagens-restaurante** [kɐ,Rwaʒɐ̃iʒRɐʃtau'Rɐ̃tɐ]) f *(Port)* wagon-restaurant m.

carta ['kartɐ] f *(epístola)* lettre f; *(mapa)* carte f; *(de baralho)* carte f (à jouer); *(de curso)* diplôme m; ~ **de apresentação** lettre de motivation; ~ **(de condução)** *(Port)* permis m de conduire; ~ **registada** lettre recommandée.

cartão [kɐr'tɐ̃u] *(pl -ões* [-õiʃ]) m carte f; *(papelão)* carton m; ~ **bancário** carte bancaire; ~ **de crédito** carte de crédit; ~ **de embarque/ desembarque** carte d'embarquement/de débarquement; ~ **jovem** carte jeune; ~ **multibanco** *(Port)* carte de retrait; ~ **postal** *(Br)* carte postale.

cartão-de-visita [kɐr,tɐ̃uðəvə'zitɐ] *(pl* **cartões-de-visita** [kɐr,tõiʒðəvə'zitɐ]) m carte f de visite.

cartaz [kɐr'taʃ] *(pl -es* [-zəʃ]) m *(de publicidade)* affiche f.

carteira [kɐr'tɐirɐ] f *(de dinheiro)* portefeuille m; *(mala de senhora)* sac m à main; *(de sala de aula)* pupitre m; *(Br: de identificação, profissional)* carte f; ~ **de identidade** *(Br)* carte d'identité; ~ **de motorista** *(Br)* permis m de conduire.

carteirista [kɐrtɐi'riʃtɐ] mf pickpocket m.

carteiro [kɐr'tɐiru] m facteur m.

cárter ['kartɛr] *(pl -es* [-əʃ]) m carter m.

cartões → **cartão**.

cartolina [kɛrtu'linɐ] f bristol m.

cartório [kɐr'tɔrju] m étude f (de notaire); **Cartório Notarial** Étude f.

cartucho [kɐr'tuʃu] m (para mercadoria) cornet m; (munição) cartouche f; (embrulho) paquet m.

caruru [karu'ru] m (CULIN) crevettes sautées à la sauce piquante.

carvalho [kɐr'vaʎu] m chêne m.

carvão [kɐr'vɐ̃u] m charbon m; ~ **de lenha** charbon de bois.

casa ['kazɐ] f maison f; (de botão) boutonnière f; ~ **de banho** (Port) salle f de bains; (em restaurante) toilettes fpl; ~ **de câmbio** (Br) bureau m de change; ~ **de fado** petit restaurant où l'on écoute du fado; ~ **de frios** (Br) charcuterie f; ~ **de pasto** restaurant bon marché; ~ **de saúde** maison de santé; ~ **solarenga** (Port) manoir m; ~ **da sorte** (Port) ≃ la Française des Jeux; **faça como se estivesse em sua ~!** faites comme chez vous!

casaco [kɐ'zaku] m veste f; ~ **comprido** manteau m; ~ **de malha** gilet m.

casado, da [kɐ'zaðu, -ðɐ] adj marié(-e).

casal [kɐ'zał] (pl -ais [-ajʃ]) m (macho e fêmea) couple m; (povoação) hameau m.

casamento [kɐzɐ'mẽntu] m mariage m.

casar [kɐ'zar] vt marier. ◆ vi se marier.

❏ **casar-se** vp se marier.

casca ['kaʃkɐ] f (de fruto) peau f; (de árvore, laranja) écorce f; (de ovo) coquille f; (de cebola) pelure f; (de ervilha, feijão-verde) cosse f.

cascalho [kɐʃ'kaʎu] m gravier m.

cascata [kɐʃ'katɐ] f cascade f.

cascavel [kɐʃkɐ'vɛł] (pl -éis [-ɛjʃ]) f serpent m à sonnette.

casco ['kaʃku] m (de vinho) fût m; (de navio) coque f; (de animal) sabot m.

caseiro, ra [kɐ'zɐiru, -rɐ] adj (doce, comida, pão) (fait) maison; (pessoa) casanier(-ère). ◆ m, f métayer m (-ère f).

casino [kɐ'zinu] m casino m.

caso ['kazu] m (circunstância) cas m; (acontecimento) affaire f. ◆ conj : **no** ~ **de** au cas où; **'em** ~ **de emergência...'** 'en cas d'urgence...'; **'em** ~ **de incêndio...'** 'en cas d'incendie...'; **em todo o** ~ en tout cas; **em último** ~ en dernier ressort; **não fazer** ~ **de algo/alguém** ne pas faire cas de qqch/qqn.

caspa ['kaʃpɐ] f pellicule f.

casquilho [kɐʃ'kiʎu] m douille f.

casquinha [kɐʃ'kiɲɐ] f (de prata, ouro) plaqué m; (Br: de sorvete) cornet m.

cassete [ka'sɛtɐ] f (áudio) cassette f; ~ **(de vídeo)** cassette vidéo.

cassetete [kasɐ'tɛtɐ] m matraque f.

castanha [kɐʃ'tɐɲɐ] f (fruto do castanheiro) châtaigne f; (fruto do cajueiro) noix f de cajou; ~**s assadas** marrons mpl chauds.

castanheiro [kɐʃtɐ'ɲeiru] m châtaignier m.

castanho, nha [kɐʃ'tɐɲu, -ɲɐ] adj (olhos, roupa) marron; (cabelo) châtain. ◆ m (madeira) châtaignier m; (cor) marron m.

castelo [kɐʃ'tɛlu] m château m.

castiçal [kɐʃti'sał] (pl -ais [-ajʃ]) m chandelier m.

castidade [kɐʃti'ðaðɐ] f chasteté f.

castigar [kɐʃti'gar] vt punir.

castigo [kɐʃ'tigu] m (punição) punition f; (divino) châtiment m.

casto, ta ['kaʃtu, -tɐ] adj chaste.

castor [kɐʃ'tor] (pl -es [-əʃ]) m castor m.

castrar [keʃˈtrar] *vt* castrer.
casual [keˈzwał] (*pl* **-ais** [-aiʃ]) *adj* fortuit(-e).
casualidade [kezweliˈðaðə] *f* hasard *m*; **por ~** par hasard.
casulo [keˈzulu] *m* cocon *m*.
catacumbas [keteˈkũbeʃ] *fpl* catacombes *fpl*.
catálogo [keˈtalugu] *m* (*de vendas, produtos*) catalogue *m*; (*Br: de livros*) catalogue *m* (de bibliothèque).
catamarã [ketemeˈrẽ] *m* catamaran *m*.
cataplana [keteˈplene] *f sorte de poêle typique de l'Algarve.*
catarata [keteˈrate] *f* cataracte *f*; **as ~s do Iguaçu** les chutes *fpl* d'Iguaçu.

Les chutes d'Iguaçu (on en dénombre 275) se situent à la frontière entre le Brésil, l'Argentine et le Paraguay, au milieu d'une dense forêt tropicale. Chaque chute a une hauteur moyenne de 65 mètres. D'étroits ponts en bois traversent les précipices, permettant ainsi aux visiteurs de s'approcher du spectacle.

---

catarro [keˈtaʀu] *m* toux *f* (du fumeur).
catástrofe [keˈtaʃtrufə] *f* catastrophe *f*.
catatua [keteˈtue] *f* cacatoès *m*.
cata-vento [keteˈvẽtu] (*pl* **cata-ventos** [keteˈvẽtuʃ]) *m* girouette *f*.
catedral [keteˈðrał] (*pl* **-ais** [-aiʃ]) *f* cathédrale *f*.
categoria [ketəguˈrie] *f* (*grupo, posição*) catégorie *f*; (*qualidade*) classe *f*; **de ~** de qualité.

cativar [ketiˈvar] *vt* captiver.
cativeiro [ketiˈveiru] *m* : **em ~** en captivité.
católico, ca [keˈtɔliku, -ke] *adj* & *m, f* catholique.
catorze [keˈtorzə] *num* quatorze; → **seis**.
caução [kauˈsẽu] (*pl* **-ões** [-õiʃ]) *f* caution *f*; **pagar ~** payer une caution.
cauda [ˈkauðe] *f* (*de animal, fila*) queue *f*; (*de manto, vestido*) traîne *f*; **na ~** en queue.
caudal [kauˈðał] (*pl* **-ais** [-aiʃ]) *m* débit *m*.
caule [ˈkaulə] *m* tige *f*.
causa [ˈkauze] *f* cause *f*; (*JUR: acção judicial*) affaire *f*; **por ~ de** à cause de.
causar [kauˈzar] *vt* causer; **~ danos** faire des dégâts.
cautela [kauˈtɛlɐ] *f* (*cuidado*) précaution *f*; (*de lotaria*) billet *m*; **ter ~ com** faire attention à; **com ~** avec prudence; **à** ou **por ~** par prudence.
cauteloso, osa [kauteˈlozu, -ɔze] *adj* prudent(-e).
cavaca [keˈvake] *f* (*biscoito*) petit gâteau recouvert de sucre glace; (*de lenha*) copeau *m*.
cavala [keˈvale] *f* maquereau *m*.
cavalaria [kevaleˈrie] *f* cavalerie *f*.
cavaleiro [keveˈleiru] *m* (*que monta a cavalo*) cavalier *m*; (*em tourada*) torero *m* à cheval; (*medieval*) chevalier *m*.
cavalete [keveˈlete] *m* chevalet *m*.
cavalgar [kevałˈgar] *vi* chevaucher. ◆ *vt* (*égua, ginete*) chevaucher; (*obstáculo, barreira*) sauter.
cavalheiro [keveˈʎeiru] *m* gentleman *m*.
cavalinho-de-pau [keveˌliɲuðəˈpau] (*pl* **cavalinhos-de-pau** [keveˌliɲuʒdəˈpau]) *m* cheval *m* à bascule.

cavalo [kɐ'valu] *m* cheval *m*.

cavanhaque [kɐvɐ'ɲakə] *m* bouc *m (barbe)*.

cavaquinho [kɐvɐ'kiɲu] *m* petite guitare *f*.

cavar [kɐ'var] *vt* bêcher. ◆ *vi (fam)* filer.

cave ['kavə] *f (Port)* cave *f*.

caveira [kɐ'veirɐ] *f* tête *f* de mort.

caverna [kɐ'vɛrnɐ] *f* caverne *f*.

caviar [kɐ'vjar] *m* caviar *m*.

cavidade [kɐvi'daðə] *f* cavité *f*.

caxemira [kɐʃə'mirɐ] *f* cachemire *m*.

c/c *(abrev de* **conta corrente***)* c.c.

CD *m (abrev de* **compact disc***)* CD *m*.

CD-i *m (abrev de* **compact disc-interactivo***)* CD-I *m*.

CD-ROM [seðe'rɔmə] *m* CD-ROM *m*.

CE *f (abrev de* **Comunidade Europeia***)* CE *f*.

cear ['sjar] *vi* souper. ◆ *vt* prendre au souper.

cebola [sə'bolɐ] *f* oignon *m*.

cebolada [səbu'laðɐ] *f* sauce *f* à l'oignon.

cebolinha [səbu'liɲɐ] *f* petit oignon *m; (Br)* ciboulette *f*.

cebolinho [səbu'liɲu] *m (Port)* ciboulette *f*.

ceder [sə'ðer] *vt* céder. ◆ *vi* céder; *(chuva)* se calmer; *(vento)* tomber; **'ceder a passagem'** 'cédez le passage'.

cedilha [sə'ðiʎɐ] *f* cédille *f*.

cedo ['seðu] *adv* tôt; *(depressa)* vite; **muito ~** très tôt; **desde ~** depuis longtemps; **mais ~ ou mais tarde** tôt ou tard.

cedro ['seðru] *m (árvore)* cèdre *m; (madeira)* bois *m* de cèdre.

cegar [sə'gar] *vt (suj: luz, raiva)* aveugler; *(suj: doença)* rendre aveugle. ◆ *vi* devenir aveugle.

cegarrega [sɛgɐ'ʀɛgɐ] *f* cigale *f*.

cego, ga ['sɛgu, -gɐ] *adj (pessoa)* aveugle; *(faca)* émoussé(-e). ◆ *m, f* aveugle *mf*; **às cegas** à l'aveuglette.

cegonha [sə'goɲɐ] *f* cigogne *f*.

ceia ['sɐjɐ] *f* souper *m*.

cela ['sɛlɐ] *f* cellule *f*.

celebração [sələbrɐ'sɐ̃u] *(pl* -ões [-õiʃ]*) f* célébration *f*.

celebrar [sələ'brar] *vt* célébrer; *(contrato)* passer.

célebre ['sɛləbrə] *adj* célèbre.

celebridade [sələbri'daðə] *f* célébrité *f*.

celeiro [sə'leiru] *m* grenier *m (à grain)*.

celibatário, ria [səlibɐ'tarju, -rjɐ] *adj* célibataire.

celibato [səli'batu] *m* célibat *m*.

celofane [sələ'fanə] *m* Cellophane® *f*.

célula ['sɛlulə] *f (ANAT)* cellule *f*.

cem ['sẽi] *num* cent; → **seis**.

cemitério [səmi'tɛrju] *m* cimetière *m*.

cena ['senɐ] *f* scène *f*; **estar em ~** être à l'affiche; **entrar em ~** entrer en scène.

cenário [sə'narju] *m (de peça teatral, programa televisivo)* décor *m; (panorama)* cadre *m*.

cenoura [sə'norɐ] *f* carotte *f*.

censo ['sẽsu] *m* recensement *m*.

censura [sẽ'surɐ] *f* censure *f*.

centavo [sẽ'tavu] *m* ≃ centime *m*.

centeio [sẽ'tɐju] *m* seigle *m*.

centelha [sẽ'tɐʎɐ] *f* étincelle *f*.

centena [sẽ'tenɐ] *f* centaine *f*.

centenário [sẽtɐ'narju] *m* centenaire *m*.

centésimo, ma [sẽ'tɛzimu, -mɐ] *num* centième; → **sexto**.

centígrado [sẽ'tigreðu] *adj m* → **grau**.

centímetro [sẽ'timɐtru] *m* centimètre *m*.

cento ['sēntu] *m* cent *m inv*; **por ~** pour cent.

centopeia [sēntu'peje] *f* mille-pattes *m inv*.

central [sēn'traɫ] (*pl* **-ais** [-aiʃ]) *adj* central(-e); *(problema)* principal(-e). ◆ *f (de instituição, organização)* siège *m* social; *(de electricidade, energia atómica)* centrale *f*; **~ eléctrica** *(Port)* centrale électrique; **~ nuclear** *(Port)* centrale nucléaire; **~ telefónica** central *m* téléphonique.

centrar [sēn'trar] *vt (atenção)* fixer; *(esforço)* concentrer; *(texto, página)* centrer.

centro ['sēntru] *m* centre *m*; **~ da cidade** centre-ville *m*; **~ comercial** centre commercial; **~ de saúde** dispensaire *m*.

centroavante [ˌsēntroa'vēntʃi] *m (Br)* avant-centre *m*.

céptico, ca ['sɛ(p)tiku, -ke] *adj & m, f* sceptique.

cera ['sere] *f (de vela, chão)* cire *f*; *(de ouvido)* cérumen *m*; **~ depilatória** cire dépilatoire.

cerâmica [se'remike] *f* céramique *f*.

ceramista [sere'miʃte] *mf* céramiste *mf*.

cerca ['serke] *f* clôture *f*. ◆ *adv* : **~ de** environ; **há ~ de uma semana** il y a environ une semaine.

cercar [ser'kar] *vt* entourer.

cereal [se'rjal] (*pl* **-ais** [-aiʃ]) *m* céréale *f*.

cérebro ['sɛrebru] *m* cerveau *m*.

cereja [se'reiʒe] *f* cerise *f*.

cerimónia [seri'mɔnje] *f (Port)* cérémonie *f*.

cerimônia [seri'monje] *f (Br)* = **cerimónia**.

cerrado, da [se'xaðu, -ðe] *adj (nevoeiro)* épais(-aisse).

certeza [ser'teze] *f* certitude *f*; **dar a ~** confirmer; **ter a ~ de que**

être certain(-e) que; **de ~** c'est sûr; **com ~!** certainement!

certidão [serti'ðēu] (*pl* **-ões** [-õiʃ]) *f* acte *m (document)*.

certificado [sertefi'kaðu] *m* certificat *m*.

certificar-se [sertefi'karse] *vp* s'assurer.

certo, ta ['sɛrtu, -te] *adj (conta, resposta)* bon (bonne); *(horas)* juste; *(resultado, vitória)* sûr(-e); *(determinado)* certain(-e). ◆ *adv* correctement. ◆ *m* : **o ~ é que...** ce qui est sûr, c'est que...; **ao ~** *(exactamente)* au juste; *(provavelmente)* certainement; **dar ~** marcher; **não bater ~** *(conta)* ne pas tomber juste; *(história)* ne pas tenir debout.

cerveja [ser'veiʒe] *f* bière *f*; **~ imperial** (bière) pression; **~ preta** bière brune.

cervejaria [serveʒe'rie] *f* brasserie *f*.

cervical [servi'kaɫ] (*pl* **-ais** [-aiʃ]) *adj* cervical(-e).

cessar [se'sar] *vi* s'achever. ◆ *vt* cesser.

cesta ['seʃte] *f* panier *m*.

cesto ['seʃtu] *m* corbeille *f*; **~ do lixo** poubelle *f*; **~ dos papéis** corbeille à papier; **~ de vime** panier *m* en osier.

cético, ca ['sɛtʃiku, -ke] *adj & m, f (Br)* = **céptico**.

cetim [se'tĩ] *m* satin *m*.

céu ['sɛu] *m* ciel *m*; **~ da boca** palais *m*; **a ~ aberto** *(fig)* à ciel ouvert.

cevada [se'vaðe] *f (planta)* orge *f*; *(bebida)* café *m* d'orge.

chá ['ʃa] *m* thé *m*; **~ dançante** thé dansant; **~ com limão** thé citron; **~ de limão** infusion *f* au zest de citron.

chacal [ʃe'kaɫ] (*pl* **-ais** [-aiʃ]) *m* chacal *m*.

chacota [ʃe'kɔte] *f* moquerie *f*.

chafariz [ʃɐfɐ'riʃ] (pl -es [-zəʃ]) m fontaine f publique.

chafurdar [ʃɐfur'ðar] vi patauger.

chaga ['ʃagɐ] f plaie f.

chalé [ʃa'lɛ] m chalet m.

chaleira [ʃɐ'leirɐ] f bouilloire f.

chama ['ʃɐmɐ] f flamme f.

chamada [ʃɐ'maðɐ] f (de telefone) appel m; (de exame) session f; **fazer a ~** faire l'appel; **~ a cobrar** appel en PCV; **~ interurbana** communication f interurbaine; **~ local** communication f locale.

chamar [ʃɐ'mar] vt appeler. ◆ vi sonner.
❑ **chamar-se** vp s'appeler; **como é que te chamas?** comment t'appelles-tu?; **chamo-me...** je m'appelle...

chaminé [ʃɐmi'nɛ] f (de casa, lareira) cheminée f; (de fogão) conduit m; (de candeeiro) verre m de lampe.

champanhe [ʃẽm'pɐɲɐ] m champagne m.

champô [ʃẽm'po] m (Port) shampoing m.

chamuscar [ʃɐmuʃ'kar] vt flamber.

chance ['ʃẽsɐ] f occasion f.

chanfana [ʃẽ'fɐnɐ] f (CULIN) chèvre au vin servie en cassolette.

chantagear [ʃẽntɐ'ʒjar] vt faire du chantage à.

chantagem [ʃẽn'taʒẽi] (pl -ns [-ʃ]) f chantage m.

chantilly [ʃẽnti'li] m chantilly f.

chão [ʃẽu] m sol m (terre).

chapa ['ʃapɐ] f (Port: carroçaria) tôle f; (Br: placa, matrícula) plaque f d'immatriculation.

chapéu [ʃɐ'pɛu] m (de homem, senhora) chapeau m; (de sol) parasol m; (de chuva) parapluie m; **é de se lhe tirar o ~** chapeau!

chapéu-de-chuva [ʃɐ,pɛu-ðə'ʃuvɐ] (pl **chapéus-de-chuva** [ʃɐ,pɛuʒdə'ʃuvɐ]) m parapluie m.

chapéu-de-sol [ʃɐ,pɛuðɐ'sɔł] (pl **chapéus-de-sol** [ʃɐ,pɛuʒdə'sɔł]) m parasol m.

charco ['ʃarku] m (poça de água) flaque f; (lamaçal) bourbier m.

charcutaria [ʃɐrkutɐ'riɐ] f charcuterie f (produits).

charme ['ʃarmɐ] m charme m.

charneca [ʃɐr'nɛkɐ] f lande f.

charrete [ʃa'ʀɛtɐ] f charrette f.

charro ['ʃaʀu] m (Port: fam : de liamba) pétard m.

charter ['ʃartɛr] (pl -es [-əʃ]) m : **(voo) ~** (vol) charter m.

charuto [ʃɐ'rutu] m cigare m.

chassis [ʃa'si] m inv châssis m.

chatear [ʃɐ'tjar] vt embêter.

chatice [ʃɐ'tisɐ] f (fam) barbe f; **que ~!** quelle barbe!

chato, ta ['ʃatu, -tɐ] adj (prato, pé) plat(-e); (fam : aborrecido) casse-pieds (inv).

chauvinista [ʃovi'niʃtɐ] mf chauvin m (-e f).

chave ['ʃavɐ] f clé f.

chave-de-fendas [ʃavɐðɐ'fẽndɐʃ] (pl **chaves-de-fendas** [ʃa-vɐʒdɐ'fẽndɐʃ]) f tournevis m.

chave-de-ignição [ʃavɐði-gni'sẽu] (pl **chaves-de-ignição** [ʃavɐʒdigni'sẽu]) f clé f de contact.

chave-inglesa [ʃavĩŋ'glezɐ] (pl **chaves-inglesas** [ʃavɐʒĩŋ'glezɐʃ]) f clé f anglaise.

chaveiro [ʃɐ'veiru] m porte-clés m inv.

chávena ['ʃavɐnɐ] f tasse f.

check-in [ʃɛ'kinɐ] (pl **check-ins** [ʃɛ'kinɐʃ]) m enregistrement m des bagages; **fazer o ~** enregistrer.

check-up [ʃɛ'kɛpɐ] (pl **check-ups** [ʃɛ'kɛpɐʃ]) m check-up m inv.

chefe ['ʃɛfɐ] mf chef m.

chefe-de-estação [ʃɛfɐðəʃtɐˈsẽu] (mpl **chefes-de-estação** [ˌʃɛfəʒdəʃtɐˈsẽu]) mf chef m de gare.

chegada [ʃəˈgaðɐ] f arrivée f.

❑ **chegadas** fpl arrivées fpl; **~s internacionais** arrivées des vols internationaux; **~s domésticas** arrivées des vols nationaux.

chegado, da [ʃəˈgaðu, -ðɐ] adj (amigo, parente) proche; (quarto, cadeira) d'à côté.

chegar [ʃəˈgar] vi (a lugar) arriver; (momento, altura, hora) venir; (ser suficiente) suffire; **~ bem** être bien arrivé(-e); **~ ao fim** toucher à sa fin.

❑ **chegar-se** vp (aproximar-se) s'approcher; (afastar-se) se pousser; **~-se a** (aproximar-se de) s'approcher de.

cheia [ˈʃɐjɐ] f crue f.

cheio, cheia [ˈʃɐju, ˈʃɐjɐ] adj plein(-e); **~ de** plein de; **estou ~** (saciado) je n'en peux plus; (Br: fig: de situação, problema) j'en ai assez.

cheirar [ʃɐjˈrar] vt & vi sentir; **~ bem** sentir bon; **~ mal** sentir mauvais.

cheiro [ˈʃɐjru] m odeur f.

cheque [ˈʃɛkə] m (de banco) chèque m; (em xadrez) échec m; **~ em branco** chèque en blanc; **~ sem fundos** OU **sem provisão** chèque sans provision; **~ pré-datado** chèque postdaté; **~ de viagem** chèque de voyage; **~ visado** chèque certifié.

cheque-mate [ˌʃɛkəˈmatə] (pl **cheque-mates** [ˌʃɛkəˈmatəʃ]) m échec m et mat.

cherne [ˈʃɛrnə] m mérou m.

chiar [ˈʃjar] vi (porta, portão) grincer; (pneu) crisser; (rato, porco) couiner.

chiça [ˈʃisɐ] interj (fam) mince!

chiclete [ʃiˈklɛtʃi] m (Br) chewing-gum m.

chicória [ʃiˈkɔrjɐ] f chicorée f.

chicote [ʃiˈkɔtə] m fouet m.

chifre [ˈʃifrə] m corne f.

Chile [ˈʃilə] m : **o ~** le Chili.

chimarrão [ʃimɐˈʀẽu] m maté corsé sans sucre.

chimpanzé [ʃĩpẽˈzɛ] m chimpanzé m.

China [ˈʃinɐ] f : **a ~** la Chine.

chinelos [ʃiˈnɛluʃ] mpl mules fpl; **~ (de quarto)** chaussons mpl.

chinês, esa [ʃiˈneʃ, -ezɐ] (mpl **-es** [-zeʃ], fpl **-s** [-ʃ]) adj chinois(-e). ◆ m, f Chinois m (-e f). ◆ m (língua) chinois m; **isso para mim é ~** ça, pour moi, c'est du chinois.

chinó [ʃiˈnɔ] m moumoute f.

chique [ˈʃikə] adj chic.

chispalhada [ʃiʃpɐˈʎaðɐ] f ragoût de pieds et d'oreilles de porc aux haricots.

chispe [ˈʃiʃpə] m pied m de porc.

chita [ˈʃitɐ] f percale f.

chiu [ˈʃiu] interj chut!

chocalhar [ʃukɐˈʎar] vt agiter. ◆ vi tinter.

chocalho [ʃuˈkaʎu] m sonnaille f.

chocante [ʃuˈkẽtə] adj choquant(-e).

chocar [ʃuˈkar] vi se heurter; (veículos) se rentrer dedans; (galinha) couver. ◆ vt choquer; (fam : doença) couver; **~ com** heurter; (veículo) rentrer dans.

chocho, cha [ˈʃoʃu, -ʃɐ] adj desséché(-e).

chocolate [ʃukuˈlatə] m chocolat m; **~ branco** chocolat blanc; **~ de leite** chocolat au lait; **~ preto** OU **negro** chocolat noir; **~ em pó** chocolat en poudre.

chofer [ʃoˈfɛr] (pl **-es** [-əʃ]) m chauffeur m.

chope [ˈʃopi] m (Br) demi m (bière).

choque [ˈʃɔkə] m choc m.

choramingar [ʃuremĩŋ'gar] *vi* pleurnicher.

chorão [ʃu'rẽu] (*pl* **-ões** [-õiʃ]) *m* (*árvore*) saule *m* pleureur; (*brinquedo*) baigneur *m*.

chorar [ʃu'rar] *vt & vi* pleurer; ~ **de riso** pleurer de rire; **é de comer e ~ por mais** on en redemande.

chorinho [ʃu'riɲu] *m* musique instrumentale de Rio.

choro [ʃoru] *m* pleurs *mpl*.

chorões → chorão.

choupo [ʃopu] *m* peuplier *m*.

chouriça [ʃo'risɐ] *f*: ~ **de carne** saucisse *f*; ~ **de sangue** boudin *m*; ~ **de vinho** saucisse préparée avec du vin.

chouriço [ʃo'risu] *m* chorizo *m*.

chover [ʃu'ver] *v impess* pleuvoir; ~ **a cântaros** pleuvoir des cordes; ~ **a potes** pleuvoir à verse.

chuchu [ʃu'ʃu] *m* cristophine *f* (*légume tropical*); **pra ~** (*Br: fam*) vachement.

chulé [ʃu'lɛ] *m* (*fam*) frometon *m*.

chulo [ʃulu] *m* (*Port: fam*) maquereau *m*.

chumaço [ʃu'masu] *m* épaulette *f*.

chumbar [ʃũm'bar] *vt* plomber. ♦ *vi* (*fam*) être collé(-e); **ele chumbou no exame** il a été recalé à l'examen; **ele chumbou o ano** il a été collé.

chumbo [ʃũmbu] *m* (*material*) plomb *m*; (*de dente*) plombage *m*; (*fam : reprovação*) recalage *m*.

chupa-chupa [ʃupɐ'ʃupɐ] (*pl* **chupa-chupas** [ʃupɐ'ʃupɐʃ]) *m* sucette *f*.

chupar [ʃu'par] *vt* sucer.

chupeta [ʃu'petɐ] *f* tétine *f*.

churrascaria [ʃuʀɐʃkɐ'riɐ] *f* grill *m* (*restaurant*).

churrasco [ʃu'ʀaʃku] *m* grillade *f*.

churrasquinho [ʃuʀaʃ'kiɲu] *m* (*Br*) brochette *f*.

churro [ʃuʀu] *m* long beignet cylindrique.

chutar [ʃu'tar] *vt* shooter dans. ♦ *vi* shooter.

chuteira [ʃu'teirɐ] *f* chaussure *f* de football.

chuva [ʃuvɐ] *f* pluie *f*; **estar de ~** être à la pluie; ~ **molha tolos** ou **molha parvos** crachin *m*.

chuveiro [ʃu'veiru] *m* douche *f*.

chuviscar [ʃuviʃ'kar] *vi* pleuviner.

chuvoso, osa [ʃu'vozu, -ɔzɐ] *adj* pluvieux(-euse).

Cia (*abrev de* **Companhia**) Cie.

ciberespaço [siberɐʃ'pasu] *m* cyberespace *m*.

cibernética [sibɐr'nɛtikɐ] *f* cybernétique *f*.

cibernético [sibɐr'nɛtiku] *adj m* cyber-.

cicatriz [sikɐ'triʃ] (*pl* **-es** [-zɐʃ]) *f* cicatrice *f*.

cicatrizar [sikɐtri'zar] *vi* (*ferida*) cicatriser.

cicatrizes → cicatriz.

cicerone [sisɐ'rɔnɐ] *m* guide *m*.

ciclismo [si'kliʒmu] *m* cyclisme *m*; **fazer ~** faire du cyclisme.

ciclista [si'kliʃtɐ] *mf* cycliste *mf*.

ciclo [siklu] *m* cycle *m*.

ciclomotor [siklɔmu'tor] (*pl* **-es** [-əʃ]) *m* cyclomoteur *m*.

ciclone [si'klɔnɐ] *m* cyclone *m*.

cidadania [siðɐðɐ'niɐ] *f* citoyenneté *f*.

cidadão, ã [siðɐ'ðẽu, -ẽ] (*mpl* **-ãos** [-ẽuʃ], *fpl* **-s** [-ʃ]) *m, f* citoyen *m* (-enne *f*).

cidade [si'ðaðɐ] *f* ville *f*; ~ **universitária** cité *f* universitaire.

cieiro [si'eiru] *m* (*Port*) gerçure *f*.

ciência [sjẽsjɐ] *f* science *f*; ~**s físico-químicas** physique-chimie *f*; ~**s naturais** sciences naturelles;

~s da Terra e da vida sciences de la vie et de la Terre.

ciente ['sjẽntɐ] *adj* conscient(-e); **estar ~ de** être conscient de.

científico, ca [sjẽn'tifiku, -kɐ] *adj* scientifique.

cientista [sjẽn'tiʃtɐ] *mf* scientifique *mf.*

cifra ['sifrɐ] *f (número)* chiffre *m*; *(cômputo total)* nombre *m.*

cigano, na [si'ɡɐnu, -nɐ] *m, f* Gitan *m (-e f).*

cigarra [si'ɡaʀɐ] *f* cigale *f.*

cigarreira [siɡɐ'ʀeirɐ] *f* porte-cigarettes *m inv.*

cigarrilha [siɡɐ'ʀiʎɐ] *f* cigarillo *m.*

cigarro [si'ɡaʀu] *m* cigarette *f*; **~s com filtro/sem filtro** cigarettes filtre/sans filtre; **~s fortes/suaves** cigarettes fortes /légères; **~s gigantes** cigarettes longues; **~s mentolados** cigarettes mentholées.

cilada [si'laðɐ] *f* traquenard *m*; **cair na ~** tomber dans un traquenard.

cilindro [si'lĩndru] *m (forma geométrica)* cylindre *m*; *(rolo)* rouleau *m*; *(de aquecimento de água)* chauffe-eau *m* électrique.

cílio ['silju] *m* cil *m.*

cima ['simɐ] *f*: **de ~** d'en haut; *(vizinho)* du dessus; **de ~ abaixo** de haut en bas; **de ~ de** de; **sai de ~ da mesa** descends de la table; **em ~** en haut; **em ~ de** sur; **mais para ~** plus haut; **para ~ de** *(no espaço)* sur; *(quantidade)* plus de; **por ~ de** par-dessus.

cimbalino [sĩmbɐ'linu] *m* café *m.*

cimeira [si'meirɐ] *f* sommet *m.*

cimentar [simẽn'tar] *vt* cimenter.

cimento [si'mẽntu] *m* ciment *m.*

cimo ['simu] *m* haut *m.*

cinco ['sĩŋku] *num* cinq; → **seis.**

cineasta [si'njaʃtɐ] *mf* cinéaste *mf.*

cinema [si'nemɐ] *m* cinéma *m.*

cinemateca [sinɐmɐ'tɛkɐ] *f* cinémathèque *f.*

cine-teatro [ˌsinɐ'tjatru] *(pl* **cine-teatros** [ˌsinɐ'tjatruʃ]) *m salle qui peut servir à la fois de théâtre et de cinéma.*

cínico, ca ['siniku, -kɐ] *adj* cynique.

cinismo [si'niʒmu] *m* cynisme *m.*

cinquenta [sĩŋ'kwẽntɐ] *num* cinquante; → **seis.**

cinta ['sĩntɐ] *f (de pessoa, vestido)* taille *f*; *(peça de vestuário)* gaine *f.*

cintilar [sĩnti'lar] *vi* scintiller.

cinto ['sĩntu] *m* ceinture *f*; **~ de segurança** ceinture de sécurité.

cintura [sĩn'turɐ] *f* taille *f*; **~ industrial** zone *f* industrielle; **~ verde** ceinture *f* verte.

cinza ['sĩzɐ] *f* cendre *f.* ◆ *adj (Br)* gris(-e). ◆ *m (Br)* gris *m.* ❑ **cinzas** *fpl* cendres *fpl.*

cinzeiro [sĩ'zeiru] *m* cendrier *m.*

cinzel [sĩ'zɛl] *(pl* **-éis** [-ɛjʃ]) *m* ciseau *m.*

cinzento, ta [sĩ'zẽntu, -tɐ] *adj* gris(-e). ◆ *m* gris *m.*

cio ['siu] *m* rut *m.*

cipreste [si'prɛʃtɐ] *m* cyprès *m.*

circo ['sirku] *m* cirque *m.*

circuito [sir'kwitu] *m* circuit *m*; **~ eléctrico** circuit électrique; **~ turístico** circuit touristique.

circulação [sirkulɐ'sẽu] *f* circulation *f.*

circular [sirku'lar] *(pl* **-es** [-əʃ]) *adj (redondo)* circulaire. ◆ *f (carta, documento)* circulaire *f.* ◆ *vi* circuler; **'circule pela direita'** 'serrez à droite'.

círculo ['sirkulu] *m* cercle *m*; **~ polar** cercle polaire.

circunferência [sirkũfɐ'rẽsjɐ] *f* circonférence *f.*

circunflexo [sirkũ'flɛksu] *adj m* → **acento**.

circunstância [sirkũʃ'tẽsjɐ] *f* circonstance *f*; **nas ~s** dans ces circonstances.

círio ['sirju] *m* cierge *m*.

cirurgia [sirur'ʒiɐ] *f* chirurgie *f*; **~ plástica** chirurgie plastique.

cirurgião, ã [sirur'ʒjẽu, -ẽ] (*mpl* **-ões** [-õiʃ], *fpl* **-s** [-ʃ]) *m, f* chirurgien *m*.

cirúrgico, ca [si'rurʒiku, -kɐ] *adj* chirurgical(-e).

cirurgiões → **cirurgião**.

cisco ['siʃku] *m* poussière *f (dans l'œil)*.

cisma ['siʒmɐ] *f* fixation *f*.

cisne ['siʒnɐ] *m* cygne *m*.

cisterna [siʃ'tɛrnɐ] *f* citerne *f*.

cistite [siʃ'titɐ] *f* cystite *f*.

citação [sitɐ'sẽu] (*pl* **-ões** [-õiʃ]) *f* citation *f*.

citar [si'tar] *vt* citer.

cítrico ['sitriku] *adj m* → **ácido**.

citrinos [si'trinuʃ] *mpl* agrumes *mpl*.

ciúme ['sjumɐ] *m* jalousie *f*; **ter ~s de alguém** être jaloux de qqn.

ciumento, ta [sju'mẽtu, -tɐ] *adj* jaloux(-ouse).

cívico, ca ['siviku, -kɐ] *adj* civique.

civil [si'vit] (*pl* **-is** [-iʃ]) *adj* civil(-e).

civilização [sivɐlizɐ'sẽu] (*pl* **-ões** [-õiʃ]) *f* civilisation *f*.

civilizar [sivɐli'zar] *vt* civiliser.

civis → **civil**.

cl. (*abrev de* **centilitro**) cl.

clamar [klɐ'mar] *vi (protestar)* réclamer; *(bradar)* crier.

clamor [klɐ'mor] (*pl* **-es** [-əʃ]) *m* clameur *f*.

clandestino, na [klẽdɐʃ'tinu, -nɐ] *adj & m, f* clandestin(-e).

claque ['klakɐ] *f* supporters *mpl*.

clara ['klarɐ] *f* blanc *m* d'œuf.

clarabóia [klɐrɐ'bɔjɐ] *f* œil-de-bœuf *m*.

clarão [klɐ'rẽu] (*pl* **-ões** [-õiʃ]) *m* lueur *f*.

clarear [klɐ'rjar] *vi* s'éclaircir.

clarete [klɐ'retɐ] *m* clairette *f*.

clareza [klɐ'rezɐ] *f*: **falar com ~** parler clairement.

claridade [klɐri'ðaðɐ] *f* clarté *f*.

clarinete [klɐri'netɐ] *m* clarinette *f*.

claro, ra ['klaru, -rɐ] *adj* clair (-e). ◆ *adv* clairement; **~ que sim!** bien sûr que oui!; **é ~!** c'est sûr!; **passar a noite em ~** passer une nuit blanche.

clarões → **clarão**.

classe ['klasɐ] *f (EDUC: turma)* classe *f; (categoria)* catégorie *f*; **ter ~ (pessoa, carro)** avoir de la classe; **de primeira/segunda ~** première /deuxième classe; **~ social** classe sociale; **~ turística** classe loisirs.

clássico, ca ['klasiku, -kɐ] *adj* classique.

classificação [klɐsɐfikɐ'sẽu] (*pl* **-ões** [-õiʃ]) *f* classement *m*.

classificados [klɐsɐfi'kaðuʃ] *mpl* annonces *fpl* classées.

classificar [klɐsɐfi'kar] *vt* classer.

❏ **classificar-se** *vp* se qualifier.

claustro ['klauʃtru] *m* cloître *m*.

cláusula ['klauzulɐ] *f* clause *f*.

clave ['klavɐ] *f* clé *f*; **~ de sol** clé de sol.

clavícula [klɐ'vikulɐ] *f* clavicule *f*.

clemência [klɐ'mẽsjɐ] *f* clémence *f*.

clero ['klɛru] *m* clergé *m*.

cliché [kli'ʃe] *m* cliché *m*.

cliente [kli'ẽtɐ] *mf* client *m* (-e *f*).

clientela [kliẽ'tɛlɐ] *f* clientèle *f*.

clima ['klimɐ] *m* climat *m*.

clímax ['klimaks] *m inv* apogée *f*; **atingir o ~** *(carreira)* atteindre son apogée; *(festa)* battre son plein.

clínica ['klinikɐ] *f* clinique *f*; **~ dentária** cabinet *m* dentaire; **~ geral** médecine *f* générale.

clínico ['kliniku] *m* : **~ (geral)** médecin *m* généraliste.

clipe ['klipə] *m* trombone *m*.

cloro ['klɔru] *m* chlore *m*.

clube ['kluβə] *m* club *m*; **~ de futebol** club de football; **~ de vídeo** vidéoclub *m*.

cm. *(abrev de* **centímetro***)* cm.

coador [kwɐ'ðor] *(pl* **-es** [-əʃ]*) m (utensílio)* passoire *f*.

coagir [kwɐ'ʒir] *vt (obrigar)* contraindre.

coagular [kwɐgu'lar] *vt & vi* coaguler.

coágulo ['kwagulu] *m* caillot *m*.

coalhar [kwɐ'ʎar] *vt & vi* cailler.

coar ['kwar] *vt (líquido)* filtrer; *(leite)* passer.

cobaia [ku'βajɐ] *f* cobaye *m*.

cobarde [ku'βarðɐ] *adj & mf* lâche.

cobardia [kuβer'ðiɐ] *f* lâcheté *f*.

coberta [ku'βɛrtɐ] *f (de cama)* couvre-lit *m*; *(de navio)* pont *m*.

coberto, ta [ku'βɛrtu, -tɐ] *adj* couvert(-e). ◆ *m* auvent *m*; **pôr a ~** mettre à l'abri.

cobertor [kubər'tor] *(pl* **-es** [-əʃ]*) m* couverture *f*.

cobertura [kubər'turɐ] *f* couverture *f*; *(Br: apartamento)* appartement avec terrasse au dernier étage d'un immeuble.

cobiça [ku'βisɐ] *f* convoitise *f*.

cobiçar [kuβi'sar] *vt* convoiter.

cobra ['kɔβrɐ] *f* serpent *m*.

cobrador, ra [kuβrɐ'ðor, -rɐ] *(mpl* **-es** [-əʃ]*, fpl* **-s** [-ʃ]*) m, f* receveur *m* (-euse *f*).

cobrança [ku'βrɐ̃sɐ] *f* recouvrement *m*; **'~ pelo guarda-freio'** *panonceau qui signale que le billet peut être vendu par le conducteur du tramway*; **'~ pelo motorista'** *panonceau qui signale que le billet peut être vendu par le chauffeur du bus*; **enviar algo à ~** envoyer qqch contre remboursement.

cobrar [ku'βrar] *vt (dinheiro)* encaisser; *(impostos)* prélever; *(dívida)* recouvrer.

cobre ['kɔβrɐ] *m* cuivre *m*.

cobrir [ku'βrir] *vt* couvrir.

cocada [ko'kaðɐ] *f* gâteau à la noix de coco, ≃ congolais *m*.

coçado, da [ku'saðu, -ðɐ] *adj* râpé(-e).

cocaína [kokɐ'inɐ] *f* cocaïne *f*.

coçar [ku'sar] *vt* gratter.
❑ **coçar-se** *vp* se gratter.

cóccix ['kɔksis] *m inv* coccyx *m*.

cócegas ['kɔsəgəʃ] *fpl* chatouilles *fpl*; **fazer ~** faire des chatouilles; **ter ~** être chatouilleux(-euse).

coceira [ku'sɐjrɐ] *f* démangeaison *f*.

coche ['kɔʃə] *m* carrosse *m*.

cochichar [kuʃi'ʃar] *vt & vi* chuchoter.

cochilo [ko'ʃilu] *m (Br)*: **tirar um ~** faire un somme.

coco ['koku] *m* noix *f* de coco.

cócoras ['kɔkurəʃ] *fpl* : **de ~** accroupi(-e); **pôr-se de ~** s'accroupir.

côdea ['kodjɐ] *f* croûte *f (de pain)*.

código ['kɔðigu] *m* code *m*; **~ de barras** code-barres *m*; **~ civil** code civil; **~ da estrada** code de la route; **~ postal** code postal.

codorniz [kuður'niʃ] *(pl* **-es** [-zəʃ]*) f* caille *f*.

coelho ['kweʎu] *m* lapin *m*; **~ à caçadora** lapin sauté au vin blanc et à la tomate.

coentros [ˈkwẽntruʃ] *mpl* coriandre *f*.

coerência [kweˈrẽsjɐ] *f* cohérence *f*.

coerente [kweˈrẽntə] *adj* cohérent(-e).

cofre [ˈkɔfrə] *m* coffre *m*.

cofre-forte [ˌkɔfrəˈfɔrtə] (*pl* **cofres-fortes** [ˌkɔfrəʃˈfɔrtəʃ]) *m* coffre-fort *m*.

cofre-nocturno [ˌkɔfrəno'turnu] (*pl* **cofres-nocturnos** [ˌkɔfrəʒno'turnuʃ]) *m* coffre *m* nocturne.

cogitar [kuʒi'tar] *vt* réfléchir à. ♦ *vi* réfléchir.

cogumelo [kugu'mɛlu] *m* champignon *m*; **~s salteados** champignons sautés à la poêle.

coice [ˈkoisɐ] *m* (*de cavalo, burro*) ruade *f*; (*de arma*) recul *m*.

coincidência [kwĩsiˈðẽsjɐ] *f* coïncidence *f*; **por ~** par coïncidence.

coincidir [kwĩsiˈðir] *vi* coïncider.

❑ **coincidir com** *v + prep* coïncider avec.

coisa [ˈkoizɐ] *f* chose *f*; (*deseja*) **mais alguma ~?** vous désirez autre chose?; **não ser grande ~** ne pas valoir grand-chose; **alguma ~** quelque chose; **~ nenhuma** rien du tout; **~ de** l'affaire de; **mais ~ menos ~** à peu près.

coitado, da [koi'taðu, -ðɐ] *adj* pauvre. ♦ *interj* le pauvre!

cola [ˈkɔlɐ] *f* colle *f*.

colaborar [kulɐβu'rar] *vi* collaborer.

colapso [ku'lapsu] *m* malaise *m*.

colar [ku'lar] (*pl* **-es** [-əʃ]) *m* collier *m*. ♦ *vt & vi* coller.

❑ **colar de** *v + prep* (*Br*) copier sur.

colarinho [kulɐ'riɲu] *m* col *m*.

colcha [ˈkoɬʃɐ] *f* dessus-de-lit *m inv*.

colchão [koɬˈʃẽu] (*pl* **-ões** [-õiʃ]) *m* matelas *m*; **~ de molas** matelas à ressorts; **~ de palha** paillasse *f*.

colcheia [koɬˈʃɐjɐ] *f* croche *f*.

colchete [koɬˈʃetɐ] *m* (*de vestuário*) crochet *m*; (*sinal de pontuação*) accolade *f*.

colchões → colchão.

coleção [kole'sɐu] (*pl* **-ões** [-õiʃ]) *f* (*Br*) = colecção.

colecção [kule'sɐu] (*pl* **-ões** [-õiʃ]) *f* (*Port*) collection *f*; **~ de selos** collection de timbres; **fazer ~ de** faire la collection de.

coleccionador, ra [kulɛsjunɐ'ðor, -rɐ] (*mpl* **-es** [-əʃ], *fpl* **-s** [-ʃ]) *m, f* (*Port*) collectionneur *m* (-euse *f*).

coleccionar [kulɛsju'nar] *vt* (*Port*) collectionner.

colecções → colecção.

colecionar [kolesjo'nax] *vt* (*Br*) = coleccionar.

coleções → coleção.

colectivo, va [kulɛ'tivu, -vɐ] *adj* (*Port*) (*decisão*) collectif(-ive); (*transporte*) en commun.

colega [ku'lɛgɐ] *mf* collègue *mf*; **~ de carteira** voisin *m* (-e *f*) (*en classe*); **~ de trabalho** collègue de travail; **~ de turma** camarade *mf* de classe.

colégio [ku'lɛʒju] *m* collège *m*; **~ interno** internat *m*.

coleira [ku'lɐirɐ] *f* collier *m*.

cólera [ˈkɔlərɐ] *f* (*raiva*) colère *f*; (*MED*) choléra *m*.

colérico, ca [ku'lɛriku, -kɐ] *adj* colérique.

colesterol [kulɐʃtɐ'rɔɬ] *m* cholestérol *m*.

colete [ku'letɐ] *m* gilet *m*; **~ salva-vidas** gilet de sauvetage.

coletivo, va [kole'tʃivu, -vɐ] *adj* (*Br*) = colectivo.

colheita [ku'ʎɐitɐ] *f* (*de vinho*) cru *m*; (*de cereal*) récolte *f*.

colher¹ [ku'ʎer] *vt* cueillir.

colher² [ku'ʎɛr] (*pl* **-es** [-əʃ]) *f* (*utensílio doméstico*) cuiller *f*; (*quantidade*) cuillerée *f*; ~ **de café** cuiller à moka; ~ **de chá** (*utensílio*) petite cuiller; (*quantidade*) cuiller à café; ~ **de pau** cuiller en bois; ~ **de sopa** cuiller à soupe.

colibri [kuli'bri] *m* colibri *m*.

cólica ['kɔlikə] *f* colique *f*.

colidir [kuli'dir] *vi* se heurter; ~ **com** heurter.

coligação [kuligɐ'sẽu] (*pl* **-ões** [-õiʃ]) *f* coalition *f*.

colina [ku'linɐ] *f* colline *f*.

colisão [kuli'zẽu] (*pl* **-ões** [-õiʃ]) *f* collision *f*.

collants [kɔ'lẽʃ] *mpl* collants *mpl*.

colmeia [koł'mejɐ] *f* ruche *f*.

colo ['kɔlu] *m* giron *m*; **ao** ~ dans les bras.

colocação [kulukɐ'sẽu] (*pl* **-ões** [-õiʃ]) *f* (*emprego*) affectation *f*.

colocar [kulu'kar] *vt* poser; (*pôr num lugar*) mettre; (*empregar pessoa*) placer.

Colômbia [ku'lõmbjɐ] *f*: **a** ~ la Colombie.

cólon ['kɔlɔn] *m* côlon *m*.

colónia [ku'lɔnjɐ] *f* (*Port*) colonie *f*; (*perfume*) eau *f* de Cologne; ~ **de férias** colonie de vacances.

colônia [ko'lonjɐ] *f* (*Br*) = **colónia**.

coloquial [kulu'kjał] (*pl* **-ais** [-aiʃ]) *adj* familier(-ère).

colóquio [ku'lɔkju] *m* colloque *m*.

colorante [kulu'rẽntɐ] *m* colorant *m*.

colorau [kulu'rau] *m* paprika *m*.

colorido, da [kulu'riðu, -ðɐ] *adj* coloré(-e).

colorir [kulu'rir] *vt* (*dar cor a*) colorer; (*desenho, livro*) colorier.

coluna [ku'lunɐ] *f* colonne *f*; (*de rádio, hi-fi*) haut-parleur *m*; ~ **vertebral** colonne vertébrale.

com [kõ] *prep* avec; **estar** ~ **dor de cabeça** avoir mal à la tête; **estar** ~ **fome** avoir faim; **estar** ~ **pressa** être pressé(-e).

coma ['komɐ] *m* OU *f* coma *m*.

comandante [kumẽn'dẽntə] *m* commandant *m*.

comandar [kumẽn'dar] *vt* commander.

comando [ku'mẽndu] *m* commande *f*; (*de exército, navio*) commandement *m*; **estar no** ~ **de algo** être aux commandes de qqch; ~ **automático** ouverture des portes automatique; ~ **manual das portas** ouverture manuelle des portes.

combate [kõm'batɐ] *m* combat *m*; ~ **de boxe** combat de boxe.

combater [kõmbɐ'ter] *vi* combattre.

combinação [kõmbinɐ'sẽu] (*pl* **-ões** [-õiʃ]) *f* combinaison *f*; (*acordo*) arrangement *m*; (*plano*) plan *m*.

combinar [kõmbi'nar] *vt* (*unir, misturar*) combiner; (*planear*) prévoir. ♦ *vi* (*cores, roupas*) être assorti(-e); **está combinado!** c'est entendu!; ~ **com** être assorti à; ~ **algo com alguém** s'arranger avec qqn sur qqch.

comboio [kõm'bɔju] *m* (*Port: de caminho-de-ferro*) train *m*; **apanhar o** ~ prendre le train; **perder o** ~ rater le train; ~ **alfa** ≃ train Corail; ~ **directo** train direct; ~ **intercidades** train desservant les grandes villes; ~ **inter-regional** train direct desservant une région; ~ **rápido** train express; ~ **regional** ≃ train omnibus.

combustível [kõmbuʃ'tivɛl] (*pl* **-eis** [-ɐiʃ]) *m* combustible *m*.

começar [kumə'sar] *vt & vi* commencer; ~ **a fazer algo** commencer à faire qqch; ~ **de** commencer (en partant) de; ~ **por** commencer par; ~ **por fazer algo** commencer par faire qqch; **para** ~ pour commencer.

começo [ku'mesu] *m* début *m*.

comédia [ku'mɛɗjɐ] *f* comédie *f*.

comediante [kumə'ɗjēntə] *mf* comédien *m* (-enne *f*).

comemorar [kuməmu'rar] *vt* commémorer.

comentar [kumēn'tar] *vt* dire; *(analisar)* commenter.

comentário [kumēn'tarju] *m* commentaire *m*.

comer [ku'mer] *(pl* -es [-əʃ]) *m (alimento)* nourriture *f*; *(refeição)* repas *m*. ◆ *vt (alimento)* manger; *(em xadrez, damas)* souffler. ◆ *vi (alimentar-se)* manger.

comercial [kumər'sjał] *(pl* -ais [-aiʃ]) *adj* commercial(-e).

comercialização [kumərsjɐlizɐ'sēu] *f* commercialisation *f*.

comercializar [kumərsjɐli'zar] *vt* commercialiser.

comerciante [kumər'sjēntə] *mf* commerçant *m* (-e *f*).

comércio [ku'mɛrsju] *m* commerce *m*.

comeres → comer.

comestível [kuməʃ'tivɛł] *(pl* -eis [-ɐiʃ]) *adj* comestible.

cometer [kumə'ter] *vt* commettre.

comichão [kumi'ʃēu] *(pl* -ões [-õiʃ]) *f* démangeaison *f*; **fazer** ~ gratter.

comício [ku'misju] *m* meeting *m*.

cómico, ca ['kɔmiku, -kɐ] *adj (Port)* comique.

cômico, ca ['komiku, -kɐ] *adj (Br)* = **cómico**.

comida [ku'miɗɐ] *f (alimento)* nourriture *f*; *(refeição)* repas *m*; ~

para bebé aliments *mpl* pour bébés; ~ **congelada** produits *mpl* surgelés.

comigo [ku'migu] *pron* avec moi.

comilão, lona [kumi'lēu, -lonɐ] *(mpl* -ões [-õiʃ], *fpl* -s [-ʃ]) *m, f (fam)* goinfre *mf*.

cominhos [ku'miɲuʃ] *mpl* cumin *m*.

comissão [kumi'sēu] *(pl* -ões [-õiʃ]) *f* commission *f*.

comissário [kumi'sarju] *m (de polícia)* commissaire *m*; *(de navio)* commissaire *m* de la Marine; ~ **de bordo** steward *m*.

comissões → comissão.

comité [kɔmi'tɛ] *m (Port)* comité *m*.

comitê [kɔmi'te] *m (Br)* = **comité**.

como ['komu] *adv* **1.** *(ger)* comme; ~ **quem não quer nada** mine de rien; ~ **se de nada fosse** comme si de rien n'était; ~ **ele é inteligente!** comme il est intelligent!; ~ **é difícil arranjar lugar para estacionar!** comme il est difficile de trouver une place pour stationner!; ~ **te enganas!** comme tu te trompes!; ~ **o tempo passa depressa!** que le temps passe vite!; **a** ~ **são as maçãs?** à combien sont les pommes?

2. *(de que maneira)* comment; ~? comment?; ~ **está?** comment allez-vous?; ~ **se nada estivesse a acontecer** comme si de rien n'était; **fiz** ~ **tu** j'ai fait comme toi. ◆ *conj* comme; **é bonita** ~ **a mãe** elle est jolie comme sa mère; **é tão alto** ~ **o irmão** il est aussi grand que son frère; ~ **queira!** comme vous voulez!; **seja** ~ **for** n'importe comment; **as cidades grandes** ~ **Lisboa...** les grandes villes comme Lisbonne...; ~ **entrada quero uma sopa** je veux une soupe en entrée; **que tem ~ sobremesa?** qu'avez-vous en dessert?; **~ pai tenho uma opinião diferente** en tant que père, j'ai un avis différent; **~ estávamos atrasados fomos de táxi** comme nous étions en retard, nous avons pris un taxi; **~ não atendiam pensámos que não estavam** comme ils ne répondaient pas, nous avons pensé qu'ils n'étaient pas là; **~ deve ser** comme il se doit.

comoção [kumu'sēu] (*pl* **-ões** [-õiʃ]) *f* émoi *m*.

cómoda ['kɔmuɗɐ] *f* (*Port*) commode *f*.

cômoda ['komodɐ] *f* (*Br*) = **cómoda**.

comodidade [kumuɗi'ɗaɗɐ] *f* commodité *f*.

comodismo [kumu'ɗiʒmu] *m* : **ele age por ~** il ne fait que ce qui l'arrange.

comodista [kumu'ɗiʃtɐ] *mf* : **é um ~** il ne fait que ce qui l'arrange.

cómodo, da ['kɔmuɗu, -ɗɐ] *adj* (*Port*) confortable.

cômodo, da ['komodu, -dɐ] *adj* (*Br*) = **cómodo**.

comovedor, ra [kumuvɐ'ɗor, -rɐ] (*mpl* **-es** [-əʃ], *fpl* **-s** [-ʃ]) *adj* émouvant(-e).

comovente [kumu'vēntɐ] *adj* émouvant(-e).

comover [kumu'ver] *vt* émouvoir.

❑ **comover-se** *vp* s'émouvoir.

comovido, da [kumu'viɗu, -ɗɐ] *adj* ému(-e).

compacto, ta [kõm'paktu, -tɐ] *adj* compact(-e); (*denso*) épais (-aisse). ◆ *m* (*CD*) Compact Disc® *m*; (*Br*: *disco de vinil*) 45 tours *m*.

compaixão [kõmpai'ʃēu] *f* compassion *f*.

companheiro, ra [kõmpɐ-'ɲeiru, -rɐ] *m, f* compagnon *m* (compagne *f*); (*de turma, carteira*) camarade *mf*.

companhia [kõmpɐ'ɲiɐ] *f* compagnie *f*; (*de teatro, circo*) troupe *f*; **fazer ~ a alguém** tenir compagnie à qqn; **~ de aviação** compagnie aérienne; **~ de navegação** compagnie maritime; **~ de seguros** compagnie d'assurance; **em ~ de alguém** en compagnie de qqn.

comparação [kõmpɐrɐ'sēu] (*pl* **-ões** [-õiʃ]) *f* comparaison *f*; **não ter ~ com** être sans comparaison avec; **em ~ com** par rapport à.

comparar [kõmpɐ'rar] *vt* comparer; **~ algo a** OU **com algo** comparer qqch à OU avec qqch.

comparecer [kõmpɐrɐ'ser] *vi* venir; (*perante o juiz*) comparaître; **~ a algo** assister à qqch.

compartilhar [kõmpɐrti'ʎar] *vt* : **~ algo com alguém** partager qqch avec qqn.

compartimento [kõmpɐrti'mēntu] *m* (*de carruagem*) compartiment *m*; (*de casa*) pièce *f*.

compartir [kõmpɐr'tir] *vt* répartir.

compasso [kõm'pasu] *m* (*objecto*) compas *m*; (*MÚS*) mesure *f*.

compatível [kõmpɐ'tivɛɬ] (*pl* **-eis** [-ɐiʃ]) *adj* : **~ (com)** compatible (avec).

compatriota [kõmpɐtri'ɔtɐ] *mf* compatriote *mf*.

compensação [kõmpēsɐ'sēu] (*pl* **-ões** [-õiʃ]) *f* (*vantagem*) compensation *f*; (*indemnização*) dédommagement *m*.

compensar [kõmpē'sar] *vt* (*indemnizar*) dédommager; (*recompensar*) récompenser; **não compensa o esforço** le jeu n'en vaut pas la chandelle.

competência [kõmpɐ'tēsjɐ] *f*

(aptidão) compétence f; *(responsabilidade)* compétences fpl.

competente [kõmpə'tẽntə] *adj* compétent(-e).

competição [kõmpəti'sẽu] *(pl -ões* [-õiʃ]*) f* concurrence f; *(desportiva)* compétition f.

competir [kõmpə'tir] *vi (em competição desportiva)* être en compétition; *(economicamente)* se faire concurrence; ~ **com** *(pessoas)* rivaliser avec; *(empresas)* être en concurrence avec.

competitivo, va [kõmpəti'tivu, -və] *adj (preço)* compétitif(-ive).

compilar [kõmpi'lar] *vt* compiler.

complacente [kõmplɐ'sẽntə] *adj* complaisant(-e).

complementar [kõmpləmẽn'tar] *(pl -es* [-əʃ]*) adj* complémentaire.

complemento [kõmplə'mẽntu] *m* complément m; *(em comboio)* supplément m.

completamente [kõm,plɛtɐ-'mẽntə] *adv* complètement.

completar [kõmplɐ'tar] *vt (preencher)* compléter; *(terminar)* finir.

completo, ta [kõm'plɛtu, -tə] *adj* complet(-ète); *(terminado)* fini(-e); **'completo'** 'complet'.

complexo, xa [kõm'plɛksu, -ksə] *adj* complexe. ♦ *m (turístico, industrial, etc)* complexe m.

complicação [kõmplikɐ'sẽu] *(pl -ões* [-õiʃ]*) f* complication f.

complicado, da [kõmpli'kaðu, -ðə] *adj* compliqué(-e).

complicar [kõmpli'kar] *vt* compliquer.

❏ **complicar-se** *vp* se compliquer.

componente [kõmpu'nẽntə] *m* composant m. ♦ *f* composante f.

compor [kõm'por] *vt* composer;

(consertar) réparer; *(arrumar)* ranger.

❏ **compor-se** *vp* s'arranger.

❏ **compor-se de** *vp + prep* se composer de.

comporta [kõm'pɔrtə] *f* vanne f.

comportamento [kõmpurtɐ-'mẽntu] *m* comportement m.

comportar [kõmpur'tar] *vt (conter em si)* comporter; *(admitir)* permettre.

❏ **comportar-se** *vp* bien se conduire.

composição [kõmpuzi'sẽu] *(pl -ões* [-õiʃ]*) f* composition f.

compositor, ra [kõmpuzi'tor, -rə] *(mpl* **-es** [-əʃ]*, fpl* **-s** [-ʃ]*) m, f* compositeur m (-trice f).

composto, osta [kõm'poʃtu, -ɔʃtə] *adj* composé(-e). ♦ *m* composé m; **ser** ~ **por** être composé de.

compostura [kõmpuʃ'turə] *f* tenue f *(éducation)*.

compota [kõm'pɔtə] *f* compote f.

compra ['kõmprə] *f* achat m; **fazer** ~**s** faire les courses; **ir às** ~**s** aller faire les courses.

comprar [kõm'prar] *vt* acheter.

compreender [kõmpriẽn'der] *vt* comprendre.

compreensão [kõmpriẽ'sẽu] *f* compréhension f.

compreensivo, va [kõmpriẽ'sivu, -və] *adj* compréhensif(-ive).

compressa [kõm'prɛsə] *f* compresse f; ~ **esterilizada** compresse stérile.

comprido, da [kõm'priðu, -ðə] *adj* long (longue); **ao** ~ en long.

comprimento [kõmpri'mẽntu] *m* longueur f.

comprimido, da [kõmpri'miðu, -ðə] *adj (reduzido)* comprimé(-e); *(apertado)* serré(-e).

◆ *m* comprimé *m*; ~ **para dormir** somnifère *m*; ~ **para as dores** antalgique *m*; ~ **para o enjoo** anti-nauséeux *m*.

comprimir [kõmpri'mir] *vt (apertar)* compresser; *(reduzir de volume)* comprimer.

comprometer [kõmprumə'ter] *vt* compromettre.

❑ **comprometer-se** *vp* se compromettre; ~**-se a fazer algo** s'engager à faire qqch.

compromisso [kõmpru'misu] *m (obrigação)* engagement *m*; *(acordo)* compromis *m*; **tenho um** ~ je ne suis pas libre.

comprovação [kõmpruve'sɐ̃u] *(pl* **-ões** [-õiʃ]) *f (prova)* preuve *f*; *(confirmação)* confirmation *f*.

comprovar [kõmpru'var] *vt (provar)* prouver; *(confirmar)* confirmer.

computador [kõmpute'đor] *(pl* **-es** [-əʃ]) *m* ordinateur *m*; ~ **pessoal** PC *m*.

comum [ku'mũ] *(pl* **-ns** [-ʃ]) *adj (frequente)* courant(-e); *(vulgar)* ordinaire; *(partilhado)* commun(-e).

comunhão [kumu'ɲɐ̃u] *(pl* **-ões** [-õiʃ]) *f (RELIG)* communion *f*; *(em casamento)*: ~ **(de bens)** communauté *f* (de biens); ~ **de adquiridos** communauté légale OU réduite aux acquêts.

comunicação [kumunike'sɐ̃u] *(pl* **-ões** [-õiʃ]) *f* communication *f*; *(comunicado)* communiqué *m*.

comunicado [kumuni'kađu] *m* communiqué *m*.

comunicar [kumuni'kar] *vt & vi* communiquer; ~ **a alguém algo** communiquer qqch à qqn; ~ **com** communiquer avec.

comunidade [kumuni'đađə] *f (grupo de pessoas)* communauté *f*; *(local)* foyer *m*; **a Comunidade Europeia** la Communauté européenne.

comunismo [kumu'niʒmu] *m* communisme *m*.

comunista [kumu'niʃtɐ] *adj & mf* communiste.

comuns → comum.

comutar [kumu'tar] *vt (pena)* commuer.

conceber [kõsə'ƀer] *vt* concevoir.

conceder [kõsə'đer] *vt* accorder; *(prémio)* décerner.

conceito [kõ'sɐitu] *m* concept *m*.

conceituado, da [kõsɐi'twađu, -đɐ] *adj* reconnu(-e).

concelho [kõ'sɐʎu] *m* ≃ commune *f*.

concentração [kõsɐ̃ntre'sɐ̃u] *(pl* **-ões** [-õiʃ]) *f* concentration *f*; *(de pessoas)* tas *m*.

concentrado, da [kõsɐ̃n'trađu, -đɐ] *adj* concentré(-e). ◆ *m* : ~ **de tomate** concentré *m* de tomate.

concentrar [kõsɐ̃n'trar] *vt* concentrer; *(atenção)* fixer.

❑ **concentrar-se** *vp* se concentrer; *(agrupar-se)* se rassembler; ~**-se em algo** *(estudo, trabalho)* se concentrer sur qqch; *(lugar)* se regrouper sur.

concepção [kõsɛ'sɐ̃u] *(pl* **-ões** [-õiʃ]) *f* conception *f*.

concerto [kõ'sertu] *m* concert *m*.

concessão [kõsə'sɐ̃u] *(pl* **-ões** [-õiʃ]) *f (de prémio, bolsa)* attribution *f*; *(de desconto)* accord *m*; *(permissão)* autorisation *f*.

concessionária [kõsesjo'narjɐ] *f (Br)* = concessionário.

concessionário [kõsəsju'narju] *m (Port)* concessionnaire *m*; ~ **automóvel** concessionnaire automobile.

concessões → concessão.

concha ['kõʃɐ] *f (molusco)* coquillage *m*; *(de sopa)* louche *f*.

conciliação [kõsiljɐˈsẽu] (*pl -ões* [-õiʃ]) *f* conciliation *f*.

conciliar [kõsiˈljar] *vt* concilier; ~ **o sono** trouver le sommeil.

concluir [kõŋkluˈir] *vt* conclure.

conclusão [kõŋkluˈzẽu] (*pl -ões* [-õiʃ]) *f* conclusion *f*; **em** ~ pour conclure.

concordância [kõŋkurˈdẽsjɐ] *f* concordance *f*; **em** ~ **com** en accord avec.

concordar [kõŋkurˈdar] *vi* être d'accord; ~ **em fazer algo** être d'accord pour faire qqch; ~ **com** être d'accord avec.

concorrência [kõŋkuˈʀẽsjɐ] *f* concurrence *f*.

concorrente [kõŋkuˈʀẽntɐ] *adj* concurrent(-e). ◆ *mf* (*em concurso, competição*) concurrent *m* (-e *f*); (*em disputa*) adversaire *mf*.

concorrer [kõŋkuˈʀer] *vi* concourir; ~ **a algo** (*a emprego*) postuler à.

concretizar [kõŋkrɐtiˈzar] *vt* concrétiser.

concreto, ta [kõŋˈkrɛtu, -tɐ] *adj* concret(-ète). ◆ *m* (*Br*) béton *m*.

concurso [kõŋˈkursu] *m* concours *m*; (*de televisão, rádio*) jeu *m*.

conde [ˈkõndɐ] *m* comte *m*.

condenação [kõndɐnɐˈsẽu] (*pl -ões* [-õiʃ]) *f* condamnation *f*.

condenar [kõndɐˈnar] *vt* condamner.

condensação [kõndẽsɐˈsẽu] *f* condensation *f*.

condensado [kõndẽˈsaðu] *adj m* → **leite**.

condensar [kõndẽˈsar] *vt* condenser.

condescendência [kõndɐʃˈsẽnˈdẽsjɐ] *f* condescendance *f*.

condescendente [kõndɐʃsẽnˈdẽntɐ] *adj* condescendant(-e).

condescender [kõndɐʃsẽnˈder]

vi : ~ **em fazer algo** condescendre à faire qqch.

condessa [kõnˈdesɐ] *f* comtesse *f*.

condição [kõndiˈsẽu] (*pl -ões* [-õiʃ]) *f* condition *f*; **estar em boas/más condições** être en bon/mauvais état.

condicionado, da [kõndɐsjuˈnaðu, -ðɐ] *adj* réglementé(-e).

condicional [kõndɐsjuˈnał] *m* conditionnel *m*.

condicionar [kõndɐsjuˈnar] *vt* conditionner.

condições → **condição**.

condimentar [kõndimẽnˈtar] *vt* assaisonner.

condimento [kõndiˈmẽntu] *m* condiment *m*.

condizer [kõndiˈzer] *vi* être assorti(-e); ~ **com** être assorti à.

condolências [kõnduˈlẽsjɐʃ] *fpl* condoléances *fpl*; **as minhas** ~ toutes mes condoléances.

condomínio [kõnduˈminju] *m* (*em prédio de andares*) syndicat *m* des copropriétaires; (*taxas*) charges *fpl*.

condómino [kõnˈdɔminu] *m* (*Port*) copropriétaire *m*.

condômino [kõndominu] *m* (*Br*) = **condómino**.

condor [kõnˈdor] (*pl -es* [-əʃ]) *m* condor *m*.

condução [kõnduˈsẽu] *f* conduite *f*.

conduta [kõnˈdutɐ] *f* (*tubo, cano*) conduit *m*; (*comportamento*) conduite *f*; ~ **de gás** conduite de gaz; ~ **de lixo** vide-ordures *m inv*.

condutor, ra [kõnduˈtor, -ɾɐ] (*mpl -es* [-əʃ], *fpl -s* [-ʃ]) *adj & m, f* conducteur(-trice).

conduzir [kõnduˈzir] *vt & vi* conduire; ~ **a** conduire à.

cone [ˈkɔnɐ] *m* (*Port: de gelado*) cornet *m*; (*forma geométrica*) cône *m*.

conexão [kunɛk'sɐ̃u] (*pl* **-ões** [-õiʃ]) *f* connexion *f*.

confecção [kõfɛ(k)'sɐ̃u] (*pl* **-ões** [-õiʃ]) *f* (*de peça de vestuário*) confection *f*; (*de prato culinário*) préparation *f*.

confeccionar [kõfɛ(k)sju'nar] *vt* (*peça de vestuário*) confectionner; (*prato culinário*) préparer.

confecções → confecção.

confeitaria [kõfɐitɐ'riɐ] *f* (*Port*) confiserie *f*; (*Br*) salon *m* de thé.

conferência [kõfɐ'rẽsjɐ] *f* conférence *f*.

conferir [kõfə'rir] *vt* vérifier. ♦ *vi* coïncider.

confessar [kõfə'sar] *vt* avouer.
❏ **confessar-se** *vp* se confesser.

confessionário [kõfəsju'narju] *m* confessionnal *m*.

confiança [kõ'fjɐ̃sɐ] *f* confiance *f*; (*familiaridade*) familiarité *f*; **ter ~ em** avoir confiance en; **ele é de ~** c'est quelqu'un de confiance.

confiar [kõ'fjar] *vt* : **~ algo/alguém a alguém** confier qqch/qqn à qqn.
❏ **confiar em** *v + prep* (*pessoa*) avoir confiance en, faire confiance à; (*futuro*) avoir confiance en; (*resultados*) avoir confiance dans.

confidência [kõfi'ðẽsjɐ] *f* confidence *f*.

confidencial [kõfiðẽ'sjał] (*pl* **-ais** [-aiʃ]) *adj* confidentiel(-elle).

confirmação [kõfirmɐ'sɐ̃u] (*pl* **-ões** [-õiʃ]) *f* confirmation *f*.

confirmar [kõfir'mar] *vt* confirmer.
❏ **confirmar-se** *vp* se confirmer.

confiscar [kõfiʃ'kar] *vt* confisquer.

confissão [kõfi'sɐ̃u] (*pl* **-ões** [-õiʃ]) *f* confession *f*.

conflito [kõ'flitu] *m* conflit *m*; (*desavença*) démêlé *m*.

conformar-se [kõfur'marsə]

vp se résigner; **~ com** se résigner à.

conforme [kõ'fɔrmə] *conj* comme. ♦ *prep* (*dependendo de como*) selon, d'après; (*de acordo com*) conformément à.

conformidade [kõfurmi'ðaðə] *f* conformité *f*; **em ~ com** en conformité avec.

confortar [kõfur'tar] *vt* réconforter.

confortável [kõfur'tavɛł] (*pl* **-eis** [-ɐiʃ]) *adj* confortable.

conforto [kõ'fortu] *m* (*bem-estar*) confort *m*; (*consolo*) réconfort *m*.

confraternizar [kõfrɐtɐr-ni'zar] *vi* fraterniser; **~ com** fraterniser avec.

confrontação [kõfrõtɐ'sɐ̃u] (*pl* **-ões** [-õiʃ]) *f* confrontation *f*.

confrontar [kõfrõ'tar] *vt* (*enfrentar*) être confronté(-e) à; (*comparar*) confronter.
❏ **confrontar-se** *vp* se confronter; **~-se com** se confronter à.

confronto [kõ'frõtu] *m* (*encontro conflituoso*) affrontement *m*; (*comparação*) confrontation *f*.

confundir [kõfũ'dir] *vt* confondre.
❏ **confundir-se** *vp* se tromper; **~-se com** se confondre avec.

confusão [kõfu'zɐ̃u] (*pl* **-ões** [-õiʃ]) *f* confusion *f*; **armar ~** causer des problèmes; **fazer ~** confondre.

confuso, sa [kõ'fuzu, -zɐ] *adj* confus(-e).

confusões → confusão.

congelado, da [kõʒə'laðu, -ðɐ] *adj* congelé(-e).

congelador [kõʒəlɐ'ðor] (*pl* **-es** [-əʃ]) *m* (*Port*) congélateur *m*.

congelar [kõʒə'lar] *vt* & *vi* congeler.

congestão [kõʒəʃ'tɐ̃u] (*pl* **-ões** [-õiʃ]) *f* congestion *f*.

congestionado, da [kõʒəʃ-tjuˈnaðu, -ðɐ] *adj* congestionné(-e).

congestionamento [kõʒəʃ-tjuneˈmẽntu] *m (de trânsito)* encombrement *m*.

congestionar [kõʒəʃtjuˈnar] *vt (trânsito)* congestionner.

congestões → congestão.

congratular [kõŋgretuˈlar] *vt* féliciter.

congresso [kõŋˈgrɛsu] *m* congrès *m*.

conhaque [kɔˈɲakə] *m* cognac *m*.

conhecedor, ra [kuɲəsəˈðor, -rɐ] *(mpl* **-es** [-əʃ], *fpl* **-s** [-ʃ]) *m, f* connaisseur *m* (-euse *f*).

conhecer [kuɲəˈser] *vt* connaître; *(reconhecer)* reconnaître.

conhecido, da [kuɲəˈsiðu, -ða] *adj* connu(-e). ◆ *m, f* connaissance *f*.

conhecimento [kuɲəsiˈmẽntu] *m* connaissance *f*; **dar ~ de algo a alguém** faire part de qqch à qqn; **tomar ~ de algo** prendre connaissance de qqch; **é do ~ de toda a gente que...** il est connu que...
❑ **conhecimentos** *mpl (contactos)* relations *fpl*; *(cultura)* connaissances *fpl*.

conjugado [kõʒuˈgadu] *m (Br)* studio *m*.

cônjuge [ˈkõʒuʒə] *mf* conjoint *m*.

conjunção [kõʒũˈsẽu] *(pl* **-ões** [-õiʃ]) *f* conjonction *f*.

conjuntiva [kõʒũnˈtivɐ] *f* conjonctive *f*.

conjuntivite [kõʒũntiˈvitə] *f* conjonctivite *f*.

conjuntivo [kõʒũnˈtivu] *m* subjonctif *m*.

conjunto [kõˈʒũntu] *m* ensemble *m*; *(de rock)* groupe *m*; *(de copos, pratos)* service *m*.

connosco [kõˈnoʃku] *pron (Port)* avec nous.

conosco [koˈnoʃku] *pron (Br)* = connosco.

conquanto [kõŋˈkwẽntu] *conj* quoique.

conquista [kõŋˈkiʃtɐ] *f* conquête *f*.

conquistar [kõŋkiʃˈtar] *vt* conquérir; *(posição, trabalho)* obtenir.

consciência [kõʃˈsjẽsjə] *f* conscience *f*; **ter ~ de algo** avoir conscience de qqch; **tomar ~ de algo** prendre conscience de qqch; **ter a ~ pesada** avoir mauvaise conscience.

consciente [kõʃˈsjẽntə] *adj* conscient(-e). ◆ *m* : **o ~** le conscient; **estar ~ de algo** être conscient de qqch.

consecutivo, va [kõsəkuˈtivu, -vɐ] *adj* consécutif(-ive).

conseguinte [kõsəˈgĩntə]: **por conseguinte** *conj* par conséquent.

conseguir [kõsəˈgir] *vt* obtenir; **~ fazer algo** réussir à faire qqch.

conselho [kõˈseʎu] *m* conseil *m*; **dar ~s** donner des conseils.

consenso [kõˈsẽsu] *m* consensus *m*.

consentimento [kõsẽntiˈmẽntu] *m* consentement *m*.

consentir [kõsẽnˈtir] *vt* consentir.

consequência [kõsəˈkwẽsjə] *f* conséquence *f*; **em** OU **como ~** en conséquence.

consertar [kõsərˈtar] *vt* réparer.

conserto [kõˈsertu] *m* réparation *f*.

conserva [kõˈsɛrvɐ] *f* : **de ~** en conserve.
❑ **conservas** *fpl* conserves *fpl*.

conservação [kõsərveˈsẽu] *f* conservation *f*; *(de natureza, animais)* protection *f*.

conservar [kõsərˈvar] *vt (natu-*

reza, animais) protéger; *(objecto, monumento, alimento)* conserver.

conservatório [kõsərve'tɔrju] *m* conservatoire *m*.

consideração [kõsiđəre'sẽu] *(pl* **-ões** [-õiʃ]*)* f considération *f*; **ter algo em ~** prendre qqch en considération.

considerar [kõsiđə'rar] *vt* considérer; **~ que** considérer que.

❑ **considerar-se** *vp* se considérer comme.

considerável [kõsiđə'ravɛɫ] *(pl* **-eis** [-ɐiʃ]*)* adj considérable.

consigo [kõ'sigu] *pron (com ele, ela)* avec lui (avec elle); *(com você)* avec vous; *(com eles, elas)* avec eux (avec elles); **~ mesmo** OU **próprio** *(com ele)* avec lui; **ter dinheiro ~** avoir de l'argent sur soi; **ele traz uma arma ~** il a une arme sur lui.

consistência [kõsiʃ'tẽsjɐ] *f* consistance *f*.

consistente [kõsiʃ'tẽntə] *adj* consistant(-e).

consistir [kõsəʃ'tir]: **consistir em** *v + prep (ser composto por)* consister en; *(basear-se em)* consister à.

consoada [kõsu'adɐ] *f (no Natal)* réveillon *m (repas du 24 décembre)*.

consoante [kõ'swẽntɐ] *f* consonne *f*. ♦ *prep* selon.

consola [kõ'sɔlɐ] *f* console *f*.

consolar [kõsu'lar] *vt* consoler.

❑ **consolar-se** *vp* se régaler.

consomé [kõsɔ'mɛ] *m (Port)* consommé *m*.

consomê [kõso'me] *m (Br)* = **consomé**.

conspícuo, cua [kõʃ'pikwu, -kwɐ] *adj* manifeste.

conspiração [kõʃpirɐ'sẽu] *(pl* **-ões** [-õiʃ]*)* f conspiration *f*.

constante [kõʃ'tẽntɐ] *adj* constant(-e).

constar [kõʃ'tar] *v impess* : **~ que** dire que.

❑ **constar de** *v + prep (consistir em)* consister en; *(figurar em)* figurer dans.

constatar [kõʃtɐ'tar] *vt* : **~ que** constater que.

consternado, da [kõʃtər'nađu, -đɐ] *adj* consterné(-e).

constipação [kõʃtipɐ'sẽu] *(pl* **-ões** [-õiʃ]*)* f rhume *m*.

constipado, da [kõʃti'pađu, -đɐ] *adj* : **estar ~** être enrhumé.

constipar-se [kõʃti'parsə] *vp* s'enrhumer.

constituição [kõʃtitwi'sẽu] *(pl* **-ões** [-õiʃ]*)* f constitution *f*.

constituir [kõʃti'twir] *vt* constituer.

constranger [kõʃtrẽ'ʒer] *vt (obrigar)* contraindre; *(embaraçar)* gêner.

❑ **constranger-se** *vp* se sentir gêné(-e).

constrangimento [kõʃtrẽʒi'mẽntu] *m (obrigação)* contrainte *f*; *(embaraço)* gêne *f*.

construção [kõʃtru'sẽu] *(pl* **-ões** [-õiʃ]*)* f construction *f*.

construir [kõʃtru'ir] *vt* construire.

construtivo, va [kõʃtru'tivu, -vɐ] *adj* constructif(-ive).

construtor [kõʃtru'tor] *(pl* **-es** [-əʃ]*)* m constructeur *m*.

cônsul ['kõsuɫ] *(pl* **-es** [-əʃ]*)* mf consul *m*.

consulado [kõsu'lađu] *m* consulat *m*.

cônsules → **cônsul**.

consulta [kõ'suɫtɐ] *f* consultation *f*.

consultar [kõsuɫ'tar] *vt* consulter.

consultório [kõsuɫ'tɔrju] *m* cabinet *m (de consultation)*.

consumidor, ra [kõsumi'đor,

-rɐ] (*mpl* -es [-əʃ], *fpl* -s [-ʃ]) *m, f* consommateur *m* (-trice *f*).

consumir [kõsu'mir] *vt (gastar)* consommer; *(destruir)* consumer. ◆ *vi* consommer.

consumo [kõ'sumu] *m* consommation *f*.

conta ['kõntɐ] *f (de restaurante, café)* addition *f*; *(de banco)* compte *m*; *(de colar)* perle *f*; **a ~, por favor** l'addition, s'il vous plaît; **abrir uma ~** ouvrir un compte; **dar-se ~ de que** se rendre compte que; **fazer de ~ que** faire comme si; **ter em ~** tenir compte de; **tomar ~ de** s'occuper de; **~ bancária** compte bancaire; **~ corrente** compte courant; **~ à ordem** compte à vue; **à ~ de** aux frais de; **vezes sem ~** à plusieurs reprises.

contabilidade [kõntɐbɐli'ðaðə] *f* comptabilité *f*.

contabilista [kõntɐbɐ'liʃtɐ] *mf* comptable *mf*.

contactar [kõntɐ(k)'tar] *vt (Port)* contacter.

contacto [kõn'ta(k)tu] *m (Port)* contact *m*; **entrar em ~ com** prendre contact avec.

contador [kõntɐ'ðor] (*pl* -es [-əʃ]) *m* compteur *m*.

contagem [kõn'taʒẽi] (*pl* -ns [-ʃ]) *f (de gasto de água, de luz)* relevé *m*; *(de votos)* dépouillement *m*.

contagiar [kõntɐ'ʒjar] *vt* contaminer.

contágio [kõn'taʒju] *m* contagion *f*.

contagioso, osa [kõntɐ'ʒjozu, -ɔzɐ] *adj* contagieux(-euse).

conta-gotas [,kõntɐ'gotɐʃ] *m inv* compte-gouttes *m inv*.

contaminação [kõntɐmi-nɐ'sɐ̃u] (*pl* -ões [-õiʃ]) *f* contamination *f*.

contaminar [kõntɐmi'nar] *vt* contaminer.

conta-quilómetros [,kõntɐ-ki'lɔmɐtruʃ] *m inv* compteur *m (kilométrique)*.

contar [kõn'tar] *vt* compter; *(narrar, explicar)* raconter. ◆ *vi* compter; **~ algo a alguém** raconter qqch à qqn; **~ fazer algo** compter faire qqch; **~ com** compter sur.

contato [kõn'tatu] *m (Br)* = **contacto**.

contemplar [kõntẽm'plar] *vt (paisagem, pintura)* contempler; *(ideia, possibilidade)* envisager; **~ alguém com algo** récompenser qqn de qqch.

contemporâneo, nea [kõntẽmpu'rɐnju, -njɐ] *adj & m, f* contemporain(-e).

contentamento [kõntẽntɐ-'mẽntu] *m* joie *f*.

contentar [kõntẽn'tar] *vt* faire plaisir.

❏ **contentar a** *v + prep* faire plaisir à.

❏ **contentar-se com** *vp + prep* se contenter de.

contente [kõn'tẽntɐ] *adj* content(-e).

contentor [kõntẽn'tor] (*pl* -es [-əʃ]) *m* container *m*; **~ do lixo** benne *f* à ordures.

conter [kõn'ter] *vt* contenir.

❏ **conter-se** *vp* se retenir.

conterrâneo, nea [kõntɐ'ʀɐ-nju, -njɐ] *m, f* concitoyen *m* (-enne *f*).

contestação [kõntɐʃtɐ'sɐ̃u] (*pl* -ões [-õiʃ]) *f (resposta)* réponse *f*; *(polémica)* contestation *f*.

contestar [kõntɐʃ'tar] *vt (replicar)* répondre; *(refutar, JUR)* contester.

conteúdo [kõn'tjuðu] *m (de recipiente)* contenu *m*; *(de carta, texto)* teneur *f*.

contexto [kõn'tɐiʃtu] *m* contexte *m*.

contigo [kõn'tigu] *pron* avec toi.

continente [kõnti'nẽntə] *m* continent *m*.

continuação [kõntinwɐ'sẽu] *f* suite *f*.

continuamente [kõn,tinwɐ'mẽntə] *adv* continuellement.

continuar [kõnti'nwar] *vt & vi* continuer; ~ **a fazer algo** continuer à faire qqch; ~ **com algo** continuer qqch.

contínuo, nua [kõn'tinwu, -nwɐ] *adj (sem interrupção)* continu(-e); *(repetido)* continuel(-elle). ◆ *m, f* = appariteur *m*.

conto ['kõntu] *m (mil escudos)* mille escudos; *(história)* conte *m*.

contornar [kõntur'nar] *vt* contourner.

contra ['kõntrɐ] *prep* contre. ◆ *m* : **pesar** OU **ver os prós e os ~s** peser le pour et le contre.

contra-ataque [kõntra'takə] *(pl* **contra-ataques** [kõntra'takəʃ])* *m* contre-attaque *f*.

contrabaixo [kõntrɐ'baiʃu] *m* contrebasse *f*.

contrabando [kõntrɐ'bẽndu] *m (de mercadorias)* contrebande *f*; *(mercadoria)* produit *m* de contrebande.

contracepção [,kõntrɐsɛ(p)-'sẽu] *f* contraception *f*.

contraceptivo, va [,kõntrɐsɛ(p)'tivu, -vɐ] *adj* contraceptif(-ive). ◆ *m* contraceptif *m*.

contradição [,kõntrɐdi'sẽu] *(pl* **-ões** [-õiʃ])* *f* contradiction *f*.

contradizer [,kõntrɐdi'zer] *vt* contredire.

contrafilé [kõntrɐfi'lɛ] *m (Br)* faux-filet *m*.

contra-indicação [,kõntrɐĩndikɐ'sẽu] *(pl* **contra-indicações** [,kõntrɐĩndikɐ'sõiʃ])* *f (de medicamento)* contre-indication *f*.

contrair [kõntrɐ'ir] *vt* contrac-

ter; *(vício, hábito)* prendre; ~ **matrimónio** se marier.

contramão [kõntra'mẽu] *f* sens *m* inverse; **ir pela** ~ rouler en sens inverse.

contrapartida [,kõntrɐper'tiðɐ] *f* contrepartie *f*; **em** ~ en contrepartie.

contrariar [kõntrɐ'rjar] *vt (contradizer)* contredire; *(aborrecer)* contrarier.

contrariedade [kõntrɐrje'ðaðɐ] *f* contrariété *f*.

contrário, ria [kõn'trarju, -rjɐ] *adj (oposto)* contraire; *(adversário)* adverse. ◆ *m* : **o** ~ le contraire; **ser** ~ **a algo** être opposé à qqch; **de** ~ sinon; **muito pelo** ~ bien au contraire; **em sentido** ~ en sens inverse.

contra-senso [,kõntrɐ'sẽsu] *(pl* **contra-sensos** [,kõntrɐ'sẽsuʃ])* *m (absurdo)* non-sens *m*; *(em tradução)* contresens *m*.

contrastar [kõntrɐʃ'tar] *vt* mettre en contraste. ◆ *vi* contraster; ~ **com** contraster avec.

contraste [kõn'traʃtɐ] *m* contraste *m*; **em** ~ **com** en contraste avec.

contratar [kõntrɐ'tar] *vt (pessoa)* engager; *(serviço)* passer un contrat pour.

contratempo [,kõntrɐ'tẽmpu] *m* contretemps *m*.

contrato [kõn'tratu] *m* contrat *m*.

contribuinte [kõntri'bwĩntɐ] *mf* contribuable *mf*.

contribuir [kõntri'bwir] *vi* apporter (une contribution); ~ **para algo** contribuer à qqch; ~ **com dinheiro (para)** participer financièrement (à).

controlar [kõntru'lar] *vt* contrôler.

❏ **controlar-se** *vp* se contrôler.

controle [kõn'troli] *m (Br)* = **controlo**.

controlo [kõn'trolu] *m (Port)* contrôle *m; (comando)* commande *f*; ~ **remoto** télécommande *f*.

controvérsia [kõntru'vɛrsjɐ] *f* controverse *f*.

controverso, sa [kõntru'vɛrsu, -sɐ] *adj* controversé(-e).

contudo [kõn'tuðu] *conj* cependant.

contusão [kõntu'zɐ̃u] *(pl* -ões [-õiʃ]) *f* contusion *f*.

convalescença [kõvɐlɐʃ'sẽsɐ] *f* convalescence *f*.

convenção [kõvẽ'sɐ̃u] *(pl* -ões [-õiʃ]) *f* convention *f*.

convencer [kõvẽ'ser] *vt* convaincre; ~ **alguém a fazer algo** convaincre qqn de faire qqch.; ~ **alguém de algo** convaincre qqn de qqch.
❑ **convencer-se** *vp* être convaincu(-e); ~**-se de que** être convaincu que.

convencido, da [kõvẽ'siðu, -ðɐ] *adj* prétentieux(-euse).

convencional [kõvẽsju'naɫ] *(pl* -ais [-aiʃ]) *adj (pessoa)* conformiste; *(regra, atitude, sinal)* conventionnel(-elle).

convenções → convenção.

conveniente [kõvə'njẽntɐ] *adj (hora, momento)* opportun(-e); **é ~ ir à reunião** il vaut mieux aller à la réunion.

convento [kõ'vẽntu] *m* couvent *m*.

conversa [kõ'vɛrsɐ] *f* conversation *f*; ~ **fiada** parlote *f*; **não ir na ~** ne pas marcher (dans la combine).

conversar [kõvɐr'sar] *vi* discuter; ~ **com** discuter avec.

conversível [kõvɛr'siveu] *(pl* -eis [-ɐiʃ]) *m (Br)* décapotable *f*.

converter [kõvɐr'ter] *vt* : ~ **algo em** convertir qqch en; ~ **alguém em algo** faire de qqn qqch.
❑ **converter-se** *vp* se convertir;

~**-se a** se convertir à; ~**-se em** devenir.

convés [kõ'vɛʃ] *(pl* -eses [-ɛzəʃ]) *m* pont *m* supérieur.

convidado, da [kõvi'ðaðu, -ðɐ] *adj & m, f* invité(-e).

convidar [kõvi'ðar] *vt* inviter.

convir [kõ'vir] *vi* convenir; *(admitir)* reconnaître; **convém analisar a situação** il serait bon d'analyser la situation.

convite [kõ'vitə] *m* invitation *f*.

convivência [kõvi'vẽsjɐ] *f (vida em comum)* cohabitation *f*; *(familiaridade)* convivialité *f*.

conviver [kõvi'ver]: **conviver com** *v + prep (ter convivência com)* vivre avec; *(amigos, colegas)* fréquenter.

convívio [kõ'vivju] *m (convivência)* convivialité *f*; *(festa)* fête *f*.

convocar [kõvu'kar] *vt* convoquer; ~ **alguém para algo** convoquer qqn à qqch.

convosco [kõ'voʃku] *pron* avec vous.

convulsão [kõvuɫ'sɐ̃u] *(pl* -ões [-õiʃ]) *f (física)* convulsion *f*; *(social)* agitation *f*.

cooperação [kwopɐrɐ'sɐ̃u] *(pl* -ões [-õiʃ]) *f* coopération *f*.

cooperar [kwopə'rar] *vi* coopérer.

cooperativa [kwopɐrɐ'tivɐ] *f* coopérative *f*.

coordenar [kworðə'nar] *vt* coordonner.

copa [ˈkɔpɐ] *f (divisão de casa)* office *m; (de árvore)* cime *f; (de chapéu)* calotte *f; (Br: torneio desportivo)* coupe *f*.
❑ **copas** *fpl (naipe de cartas)* cœur *m*.

cópia [ˈkɔpjɐ] *f* copie *f*.

copiar [ku'pjar] *vt & vi* copier.

copo [ˈkɔpu] *m* verre *m*; **tomar** OU **beber um** ~ prendre OU boire un verre; **estar com os ~s** *(fam)* avoir un coup dans l'aile.

copo-d'água [ˌkɔpuˈdagwɛ] (*pl* **copos-d'água** [ˌkɔpuʒˈdagwɛ]) *m* vin *m* d'honneur.

coqueiro [koˈkeiru] *m* cocotier *m*.

coquetel [kɔkəˈtɛɫ] (*pl* **-éis** [-ɛiʃ]) *m* cocktail *m*.

cor¹ [ˈkɔr]: **de cor** *adv*: **aprender/saber algo de ~** apprendre/savoir qqch par cœur; **saber algo de ~ e salteado** savoir qqch sur le bout des doigts.

cor² [ˈkor] (*pl* **-es** [-əʃ]) *f* couleur *f*; **mudar de ~** changer de couleur; **perder a ~** déteindre; **de ~** de couleur (*personne*).

coração [kuraˈsɐ̃u] (*pl* **-ões** [-õiʃ]) *m* cœur *m*; **ter bom ~** avoir bon cœur.

corado, da [kɔˈradu, -dɐ] *adj* doré(-e); **ficar ~** (*pessoa*) rougir.

coragem [kuˈraʒɐ̃i] *f* courage *m*. ◆ *interj* bon courage!

corais → **coral**.

corajoso, osa [kuraˈʒozu, -ɔzɐ] *adj* courageux(-euse).

coral [kuˈraɫ] (*pl* **-ais** [-aiʃ]) *m* (*organismo*) chorale *f*; (*substância*) corail *m*.

corante [kɔˈrɐ̃tɐ] *m* colorant *m*; **'sem ~s nem conservantes'** 'sans colorant ni conservateur'.

corar [kɔˈrar] *vi* (*ruborizar-se*) rougir. ◆ *vt* (*frango, assado, etc*) faire dorer.

Corcovado [kurkuˈvadu] *m*: **o ~** le Corcovado.

---

i CORCOVADO

Au sommet du « morro do Corcovado » (colline du Corcovado), le Christ Rédempteur accueille Rio de Janeiro les bras ouverts. La statue, haute de 30 mètres, a été offerte par la France aux habitants de Rio. Il faut monter au Corcovado pour comprendre pourquoi Rio est connue sous le nom de « ville merveilleuse ».

---

corda [ˈkɔrdɐ] *f* corde *f*; (*de relógio, brinquedo*) ressort *m*; **~ de saltar** corde à sauter; **~s vocais** cordes vocales; **dar ~ a** remonter.

cordão [kurˈdɐ̃u] (*pl* **-ões** [-õiʃ]) *m* (*Port: de sapatos*) lacet *m*; (*jóia*) chaîne *f*; **~ umbilical** cordon *m* ombilical.

cordeiro [kurˈdeiru] *m* agneau *m*.

cordel [kurˈdɛɫ] (*pl* **-éis** [-ɛiʃ]) *m* ficelle *f*; **~ da roupa** (*Port*) corde *f* à linge.

cor-de-laranja [ˌkordɐlɐˈrɐ̃ʒɐ] *adj inv* orange.

cor-de-rosa [ˌkordɐˈrɔzɐ] *adj inv* rose.

cordial [kurˈdjaɫ] (*pl* **-ais** [-aiʃ]) *adj* cordial(-e).

cordilheira [kurdiˈʎeirɐ] *f* cordillère *f*.

cordões → **cordão**.

cores → **cor**.

coreto [koˈretu] *m* kiosque *m*.

corinto [koˈrĩtu] *m* raisin *m* de Corinthe.

córnea [ˈkɔrnjɐ] *f* cornée *f*.

corneta [kurˈnetɐ] *f* cornet *m* (à pistons).

cornflakes [kɔrnˈflɛiks] *mpl* corn flakes *mpl*.

coro [ˈkoru] *m* chœur *m*; **em ~** en chœur.

coroa [kuˈroɐ] *f* couronne *f*.

corpo [ˈkorpu] *m* corps *m*.

corporal [kurpuˈraɫ] (*pl* **-ais** [-aiʃ]) *adj* → **odor**.

correção [koxeˈsɐ̃u] (*pl* **-ões** [-õiʃ]) *f* (*Br*) = **correcção**.

correcção [kuRɛˈsɐ̃u] (*pl* **-ões** [-õiʃ]) *f* (*Port*) correction *f*.

correções → **correção**.

correctamente [kuˌʀɛtɐˈmēntə] *adv (Port)* correctement.

correcto, ta [kuˈʀɛtu, -tɐ] *adj (Port)* correct(-e).

corrector [kuʀɛˈtor] (*pl* **-es** [-əʃ]) *m (Port)* correcteur *m*.

corredor, ra [kuʀəˈðor, -ʀɐ] (*mpl* **-es** [-əʃ], *fpl* **-s** [-ʃ]) *m, f* coureur *m* (-euse *f*). ◆ *m* couloir *m*.

correia [kuˈʀɐjɐ] *f* courroie *f*; ~ **da ventoinha** courroie du ventilateur.

correio [kuˈʀɐju] *m* poste *f*; *(pessoa)* facteur *m*; *(correspondência)* courrier *m*; ~ **azul** *(Port)* ≃ Chronopost *m*; ~ **electrónico** courrier électronique; ~ **expresso** courrier express; **pelo** ~ par courrier, par la poste.

corrente [kuˈʀēntə] *adj* courant(-e). ◆ *f* courant *m*; *(de ar)* courant *m* d'air; *(cadeia de metal, de bicicleta)* chaîne *f*; **estar ao** ~ **de algo** être au courant de qqch; **pôr alguém ao** ~ **de algo** mettre qqn au courant de qqch; ~ **alternada** courant alternatif.

correr [kuˈʀer] *vi* courir; *(água, lágrimas, rio)* couler; *(tempo)* s'écouler. ◆ *vt* courir; ~ **as cortinas** tirer les rideaux; ~ **com alguém** mettre qqn à la porte; **fazer algo a** ~ faire qqch en vitesse.

correspondência [kuʀəʃpōnˈdēsjɐ] *f* correspondance *f*.

correspondente [kuʀəʃpōnˈdēntɐ] *adj & mf* correspondant(-e).

corresponder [kuʀəʃpōnˈder] *vi (equivaler)* correspondre; *(retribuir)* remercier; ~ **a** correspondre à.

❑ **corresponder-se** *vp* correspondre; ~**-se com alguém** correspondre avec qqn.

correto [koˈxɛtu] *adj (Br)* = correcto.

corretor, ra [kuʀəˈtor, -ʀɐ] (*mpl* **-es** [-əʃ], *fpl* **-s** [-ʃ]) *m, f* courtier *m* (-ère *f*).

corrida [kuˈʀiðɐ] *f (de velocidade, táxi)* course *f*; *(tourada)* corrida *f*; ~ **de automóveis** course automobile; ~ **de cavalos** course de chevaux; ~ **à Portuguesa** *corrida sans mise à mort du taureau*; **de** ~ *(à pressa)* à toute vitesse; *(por alto)* à la va-vite.

corrigir [kuʀiˈʒir] *vt* corriger. ❑ **corrigir-se** *vp* se corriger.

corrimão [kuʀiˈmēu] (*pl* **-s** [-ʃ] OU **-ões** [-õiʃ]) *m (de escada)* rampe *f*; *(de varanda)* balustrade *f*.

corrimento [kuʀiˈmēntu] *m (de vagina)* pertes *fpl*.

corrimões → **corrimão**.

corroborar [kuʀubuˈrar] *vt* corroborer.

corromper [kuʀōmˈper] *vt* corrompre.

corrupção [kuʀupˈsēu] (*pl* **-ões** [-õiʃ]) *f* corruption *f*; ~ **de menores** détournement *m* de mineur.

corrupto, ta [kuˈʀuptu, -tɐ] *adj* corrompu(-e).

cortar [kurˈtar] *vt* couper; *(rua, estrada)* barrer. ◆ *vi* couper; ~ **em algo** réduire qqch; ~ **relações (com alguém)** couper les ponts (avec qqn). ❑ **cortar-se** *vp* se couper.

corta-unhas [kɔrtɐˈuɲɐʃ] *m inv* coupe-ongles *m inv*.

corte [ˈkɔrtə] *m* coupure *f*; *(redução)* réduction *f*; ~ **de cabelo** coupe *f* de cheveux.

cortejo [kurˈtɐiʒu] *m* cortège *m*; ~ **fúnebre** cortège funèbre.

cortesia [kurtəˈziɐ] *f* courtoisie *f*.

cortiça [kurˈtisɐ] *f* liège *m*.

cortina [kurˈtinɐ] *f* rideau *m*.

cortinados [kurtiˈnaðuʃ] *mpl* rideaux *mpl*.

coruja [kuˈruʒɐ] *f* chouette *f*.

corvina [kurˈvinɐ] *f* sciène *f* *(poisson)*.

corvo [ˈkorvu] *m* corbeau *m*.

cós [ˈkɔʃ] *m inv* ceinture *f*.

coser [kuˈzer] *vt & vi* coudre.

cosmético [kuʒˈmɛtiku] *m* cosmétique *m*.

cosmopolita [kuʒmupuˈlitɐ] *adj* cosmopolite.

costa [ˈkɔʃtɐ] *f (junto ao mar)* côte *f*; *(de montanha)* pente *f*; **dar à ~** accoster.
❏ **costas** *fpl (de pessoa, mão)* dos *m*; *(de cadeira)* dossier *m*.

costela [kuʃˈtɛlɐ] *f* côte *f*.

costeleta [kuʃtəˈletɐ] *f* côtelette *f*.

costumar [kuʃtuˈmar] *vt* : **~ fazer algo** avoir l'habitude de faire qqch; **costuma chover no Inverno** en général, il pleut en hiver.

costume [kuʃˈtumə] *m (hábito)* habitude *f*; *(uso social)* coutume *f*; **como de ~** comme d'habitude; **por ~** par habitude.

costura [kuʃˈturɐ] *f* couture *f*; *(de operação cirúrgica)* cicatrice *f*.

costurar [kuʃtuˈrar] *vt* coudre.

cotação [kutɐˈsɐ̃u] *(pl* **-ões** [-õiʃ]*) f (de pergunta, em exame, teste)* barème *m*; *(de mercadoria, moeda, título)* cours *m*; *(actividade na Bolsa)* cotation *f*.

cotidiano [kotʃiˈdʒjɐnu] *adj & m (Br)* = **quotidiano**.

cotonetes [kɔtɔˈnɛtəʃ] *mpl* Cotons-Tiges® *mpl*.

cotovelada [kutuvəˈlaðɐ] *f* coup *m* de coude.

cotovelo [kutuˈvelu] *m* coude *m*.

cotovia [kutuˈviɐ] *f* alouette *f*.

coube [ˈkoβə] → **caber**.

couchette [kuˈʃɛtɐ] *f* couchette *f*.

couraça [koˈrasɐ] *f (de tartaruga, cágado)* carapace *f*.

courgette [kurˈʒɛtɐ] *f* courgette *f*.

couro [ˈkoru] *m* cuir *m*; **~ cabeludo** cuir chevelu.

couve [ˈkovɐ] *f* chou *m*; **~ lombarda** chou vert de Milan; **~ à mineira** chou en lanière frit à l'ail; **~ portuguesa** chou moellier; **~ roxa** chou rouge.

couve-de-Bruxelas [ˌkovɐðəβruˈʃɛləʃ] *(pl* **couves-de-Bruxelas** [ˌkovəʒdəβruˈʃɛləʃ]*) f* chou *m* de Bruxelles.

couve-flor [ˌkovɐˈflor] *(pl* **couves-flores** [ˌkovəʃˈflorəʃ]*) f* chou-fleur *m*.

couve-galega [ˌkovɐɡɐˈleɡɐ] *(pl* **couves-galegas** [ˌkovəʒɡɐˈleɡəʃ]*) f* chou *m* moellier.

couvert [kuˈvɛr] *m* pain, beurre et apéritifs, facturés à part dans les restaurants.

cova [ˈkɔvɐ] *f* trou *m*; *(sepultura)* fosse *f*.

coveiro [kuˈveiru] *m* fossoyeur *m*.

coxa [ˈkoʃɐ] *f* cuisse *f*; **~ de galinha** cuisse de poulet; *(receita)* beignet *m* de poulet.

coxia [kuˈʃiɐ] *f (em casa de espectáculos)* allée *f*; *(cavalariça)* box *m*.

coxo, xa [ˈkoʃu, -ʃɐ] *adj* boiteux(-euse).

cozer [kuˈzer] *vt* cuire.

cozido, da [kuˈziðu, -ðɐ] *adj* cuit(-e). ◆ *m* : **~ (à portuguesa)** sorte de pot-au-feu.

cozinha [kuˈziɲɐ] *f* cuisine *f*.

cozinhar [kuziˈɲar] *vt* cuisiner. ◆ *vi* cuisiner, faire la cuisine.

cozinheiro, ra [kuziˈɲeiru, -rɐ] *m, f* cuisinier *m* (-ère *f*).

CP *f (abrev de* **Caminhos de Ferro Portugueses)* ≃ SNCF *f*.

crachá [kraˈʃa] *m* badge *m*.

crânio [ˈkrɛnju] *m* crâne *m*.

craque ['krakə] *mf (fam)* bête *f.*

cratera [krɛ'tɛrɐ] *f* cratère *m.*

cravar [krɛ'var] *vt (unhas, dentes)* planter; *(fam : dinheiro)* taper; *(fam : cigarros)* taxer; **~ os olhos em** fixer son regard sur.

cravinho [krɛ'viɲu] *m* clou *m* de girofle.

cravo ['kravu] *m (flor)* œillet *m*; *(em pele)* verrue *f.*

creche ['krɛʃə] *f* crèche *f.*

credencial [krɐdẽnsi'aɫ] *(pl -ais* [-aiʃ]) *f* autorisation *qu'un médecin généraliste donne à son patient pour consulter un spécialiste.*

crediário [krɛ'dʒjarju] *m (Br)* paiement *m* à crédit.

Credifone® [krɛdi'fɔnə] *m (Port)* carte *f* téléphonique.

crédito ['krɛditu] *m* crédit *m*; **compra/venda a ~** achat/vente à crédit.

credor, ra [krɛ'dor, -rɐ] *(mpl -es* [-əʃ], *fpl -s* [-ʃ]) *m, f* créancier *m* (-ère *f*).

crédulo, la ['krɛduɫu, -ɫɐ] *adj* crédule.

cremar [krɐ'mar] *vt* incinérer.

crematório [krɐmɐ'tɔrju] *m* crématorium *m.*

creme ['krɛmə] *m* crème *f*; **~ da barba** crème à raser; **~ de base** fond *m* de teint; **~ hidratante** crème hydratante; **~ de limpeza** lait *m* démaquillant; **~ de noite** crème de nuit; **~ rinse** *(Br)* après-shampooing *m inv.*

cremoso, osa [krɐ'mozu, -ɔzɐ] *adj* crémeux(-euse).

crença ['krẽsɐ] *f* croyance *f.*

crente ['krẽtə] *mf* croyant *m* (-e *f*).

crepe ['krɛpə] *m (CULIN)* crêpe *f*; *(tecido)* crêpe *m.*

crepúsculo [krɐ'puʃkulu] *m* crépuscule *m.*

crer ['krer] *vt* : **~ que** croire que,

croire; **é de ~ que** il se peut que; **ver para ~** voir pour croire.

crescente [krɐʃ'sẽtɐ] *m (fase da lua)* croissant *m*; *(fermento de pão)* levain *m.*

crescer [krɐʃ'ser] *vi (plantas)* pousser; *(pessoas)* grandir; *(subir)* augmenter; *(aumentar)* monter; *(sobejar)* rester.

crespo, pa ['krɛʃpu, -pɐ] *adj (cabelo)* crépu(-e); *(rugoso)* rêche.

cretino, na [krɐ'tinu, -nɐ] *m, f* crétin *m* (-e *f*).

cria ['kriɐ] *f* petit *m (d'un animal).*

criado, da [kri'aðu, -ðɐ] *m, f* valet *m* (bonne *f*); **os ~s** les domestiques; **~ de quarto** valet de chambre.

criador, ra [kriɐ'ðor, -rɐ] *(mpl -es* [-əʃ], *fpl -s* [-ʃ]) *m, f (inventor)* créateur *m* (-trice *f*); *(de animais)* éleveur *m* (-euse *f*).

criança [kri'ẽsɐ] *f* enfant *mf*; **~ de colo** enfant en bas âge; **em ~, eu...** *(na infância)* quand j'étais petit, je...; **ser uma ~** se conduire comme un enfant.

criar [kri'ar] *vt* élever; *(inventar)* créer. ◆ *vi* s'infecter.
❏ **criar-se** *vp (produzir-se)* se former; *(fundar-se)* se créer; *(crescer)* grandir.

criatividade [kriɐtɐvi'ðaðə] *f* créativité *f.*

criativo, va [kriɐ'tivu, -vɐ] *adj* créatif(-ive).

criatura [kriɐ'turɐ] *f* créature *f.*

crime ['krimə] *m* crime *m.*

criminalidade [kriminɐli'ðaðə] *f* criminalité *f.*

criminoso, osa [krimi'nozu, -ɔzɐ] *m, f* criminel *m* (-elle *f*).

crina ['krinɐ] *f* crinière *f.*

crisântemo [kri'zẽtɐmu] *m* chrysanthème *m.*

crise ['krizə] *f* crise *f.*

crista ['kriʃtɐ] *f* crête *f*; **estar na ~ da onda** être dans le vent.

cristã → **cristão**.

cristal [kriʃtał] (*pl* **-ais** [-aiʃ]) *m* cristal *m*.

cristaleira [kriʃteˈleire] *f* vitrine *f (meuble)*.

cristão, ã [kriʃˈtɐ̃u, -ɐ̃] *adj & m, f* chrétien(-enne).

critério [kriˈtɛrju] *m* critère *m*.

crítica [ˈkritike] *f* critique *f*.

criticar [kritiˈkar] *vt* critiquer.

crivo [ˈkrivu] *m (de farinha, areia, etc)* crible *m; (de regador)* pomme *f* d'arrosoir.

crocante [krɔˈkɐ̃te] *adj* croustillant(-e).

croché [krɔˈʃɛ] *m (Port)* crochet *m (tricot)*.

crochê [krɔˈʃe] *m (Br)* = **croché**.

crocodilo [krukuˈɖilu] *m* crocodile *m*.

cromo [ˈkrɔmu] *m* image *f*.

crónica [ˈkrɔnike] *f (Port)* chronique *f*.

crônica [ˈkronike] *f (Br)* = **crónica**.

crónico, ca [ˈkrɔniku, -ke] *adj (Port: doença)* chronique.

crônico, ca [ˈkroniku, -ke] *adj (Br)* = **crónico**.

cronológico, ca [krunuˈłɔʒiku, -ke] *adj* chronologique.

cronometrar [krunumeˈtrar] *vt* chronométrer.

cronómetro [kruˈnɔmetru] *m (Port)* chronomètre *m*.

cronômetro [kroˈnometru] *m (Br)* = **cronómetro**.

croquete [krɔˈkɛte] *m* croquette *f*.

crosta [ˈkrɔʃte] *f (de ferida)* croûte *f; (da Terra)* écorce *f*.

cru, crua [ˈkru, ˈkrue] *adj* cru(-e).

crucial [kruˈsjał] (*pl* **-ais** [-aiʃ]) *adj* crucial(-e).

crucifixo [krusəˈfiksu] *m* crucifix *m*.

cruel [kruˈɛł] (*pl* **-éis** [-ˈɛiʃ]) *adj* cruel(-elle).

cruz [ˈkruʃ] (*pl* **-es** [-zəʃ]) *f* croix *f*; **a Cruz Vermelha** la Croix-Rouge.

cruzamento [kruzeˈmẽtu] *m* croisement *m; (na cidade)* carrefour *m*.

cruzar [kruˈzar] *vt* traverser; *(pernas, braços)* croiser.
❏ **cruzar-se** *vp* se croiser; **~-se com alguém** croiser qqn.

cruzeiro [kruˈzeiru] *m (de navio)* croisière *f; (antiga unidade monetária do Brasil)* cruzeiro *m*.

CTT *mpl (abrev de* **Correios e Telecomunicações de Portugal***)* ≈ la Poste.

cu [ˈku] *m (vulg)* cul *m*.

Cuba libre [kuˈbeˈlibrə] *f* rhum-Coca *m*.

cúbico, ca [ˈkubiku, -ke] *adj (metro)* cube; *(raiz, forma)* cubique.

cubículo [kuˈbikulu] *m* réduit *m*.

cubo [ˈkubu] *m* cube *m*; **~ de gelo** glaçon *m*.

cuco [ˈkuku] *m* coucou *m*.

cuecas [ˈkwɛkeʃ] *fpl* slip *m*.

cuidado, da [kuiˈɖaɖu, -ɖe] *adj* soigné(-e). ◆ *m* attention *f*. ◆ *interj* attention!; **ter ~** faire attention; **ao ~ de alguém** à l'attention de qqn; *(responsabilidade)* confié à qqn; **com ~** en faisant attention; *(conduzir)* prudemment; *(trabalhar)* soigneusement.

cuidar [kuiˈɖar]: **cuidar de** *v + prep* prendre soin de.
❏ **cuidar-se** *vp* prendre soin de soi.

cujo, ja [ˈkuʒu, -ʒe] *pron* dont; **o livro cuja capa...** le livre dont la couverture...

culinária [kuliˈnarje] *f* art *m* culinaire.

culminar [kułmiˈnar]: **culmi-**

nar em *v* + *prep* être couronné(-e) par.

culpa [ˈkuɫpɐ] *f* faute *f*; **ter ~ de algo** être coupable de qqch; **tenho a ~** c'est de ma faute; **por ~ de** à cause de.

culpado, da [kuɫˈpaðu, -ɐ] *adj* coupable.

cultivar [kuɫtiˈvar] *vt* cultiver. ❑ **cultivar-se** *vp* se cultiver.

culto, ta [ˈkuɫtu, -tɐ] *adj* cultivé(-e). ◆ *m* culte *m*.

cultura [kuɫˈturɐ] *f* culture *f*.

cultural [kuɫtuˈraɫ] (*pl* **-ais** [-aiʃ]) *adj* culturel(-elle).

culturismo [kuɫtuˈriʒmu] *m* body-building *m*.

cume [ˈkumɐ] *m* sommet *m*.

cúmplice [ˈkũmplisɐ] *mf* complice *mf*.

cumplicidade [kũmpləsiˈðaðɐ] *f* complicité *f*.

cumprimentar [kũmprimẽnˈtar] *vt* saluer.

cumprimento [kũmpriˈmẽntu] *m* salut *m*.
❑ **cumprimentos** *mpl* salutations *fpl*; **com os melhores ~s** *(em carta)* sincères salutations; **dar ~s a alguém** présenter ses respects à qqn.

cumprir [kũmˈprir] *vt* *(tarefa, missão)* accomplir; *(ordem)* exécuter; *(promessa)* tenir; *(pena)* purger; *(lei)* respecter. ◆ *v impess*: **cumpre-lhe fazer as contas** c'est à lui de faire les comptes.

cúmulo [ˈkumulu] *m* comble *m*; **é o ~!** c'est le comble!; **para ~** qui plus est.

cunha [ˈkuɲɐ] *f* coin *m*.

cunhado, da [kuˈɲaðu, -ɐ] *m, f* beau-frère *m* (belle-sœur *f*).

cunhar [kuˈɲar] *vt* frapper *(la monnaie)*.

cupão [kuˈpɐ̃u] (*pl* **-ões** [-õiʃ]) *m* *(Port: de loja)* bon *m* d'achat; *(de acção, obrigação)* coupon *m*.

cupom [kuˈpõ] (*pl* **-ns** [-ʃ]) *m (Br)* = **cupão**.

cúpula [ˈkupulɐ] *f* *(abóbada)* coupole *f*; *(telhado)* dôme *m*.

cura [ˈkurɐ] *f* *(de doença)* guérison *f*; *(de queijo)* affinage *m*; *(pelo fumo)* fumage *m*; *(no sal)* salage *m*; *(pelo calor)* séchage *m*.

curar [kuˈrar] *vt* *(doença, ferida)* guérir; *(queijo)* affiner; *(secar)* faire sécher; *(fumar)* fumer; *(salgar)* saler. ◆ *vi* guérir.
❑ **curar-se** *vp* guérir.

curativo [kurɐˈtivu] *m* pansement *m*.

curinga [kuˈrĩŋgɐ] *m* *(de jogo de cartas)* joker *m*; *(Br: em futebol)* polyvalent *m*.

curiosidade [kurjuziˈðaðɐ] *f* curiosité *f*.

curioso, osa [kuˈrjozu, -ɔzɐ] *adj & m, f* curieux(-euse).

curral [kuˈraɫ] (*pl* **-ais** [-aiʃ]) *m* étable *f*.

currículo [kuˈrikulu] *m* CV *m*.

curso [ˈkursu] *m* *(de especialização, universidade, etc)* année *f*; *(alunos de um curso)* promotion *f*; *(de rio)* cours *m*; **ter um ~ de algo** avoir un diplôme de qqch; **~ intensivo** stage *m* intensif; **~ superior** études *fpl* supérieures; **em ~** en cours.

cursor [kurˈsor] (*pl* **-es** [-əʃ]) *m* curseur *m*.

curtido, da [kurˈtiðu, -ɐ] *adj* *(fam)* génial(-e).

curtir [kurˈtir] *vt* *(peles, couros)* tanner; *(fam : gostar)* s'éclater. ◆ *vi (fam)* s'éclater.

curto, ta [ˈkurtu, -tɐ] *adj* court(-e); **a ~ prazo** à court terme.

curto-circuito [ˌkurtusirˈkwitu] (*pl* **curtos-circuitos** [ˌkurtuʃirˈkwituʃ]) *m* court-circuit *m*.

curva [ˈkurvɐ] *f* *(de estrada, caminho)* virage *m*; *(de corpo)* forme f, rondeur f; **ir dar uma ~** *(fam)* aller faire un tour.

curvar [kur'var] *vt* courber; *(flexionar)* plier.

❑ **curvar-se** *vp* se courber; *(fig)* s'incliner.

cuscuz [kuʃ'kuʃ] *m (tipo de massa alimentícia)* semoule f; *(prato árabe)* couscous m; *(prato brasileiro) gâteau salé à la farine de maïs cuit à la vapeur.*

cuspir [kuʃ'pir] *vt & vi* cracher.

cuspo ['kuʃpu] *m* salive f.

custa ['kuʃtɐ]: **à custa de** *prep (de sacrifícios)* au prix de; *(do Estado)* aux frais de.

❑ **custas** *fpl* frais *mpl*.

custar [kuʃ'tar] *vt* coûter; **custa muito a fazer** c'est pénible à faire; **quanto custa?** combien ça coûte?; **custe o que ~** coûte que coûte.

custo ['kuʃtu] *m* coût *m*; *(fig)* peine f; **~ de vida** coût de la vie; **a ~** avec peine.

cutia [ku'tiɐ] f agouti m.

cutícula [ku'tikulɐ] f cuticule f.

c.v. *m (abrev de* **curriculum vitae***)* CV *m*.

c/v *(abrev de* **cave***)* sous-sol *m*.

D

da [dɐ] = de + a; → **de**.

dá ['da] → **dar**.

dactilografar [dɐ(k)tilugrɐ'far] vt (Port) dactylographier.

dactilógrafo, fa [dɐ(k)ti'lɔgrɐfu, -fɐ] m, f (Port) dactylo mf.

dádiva ['dadivɐ] f don m.

dado, da ['daðu, -ðɐ] adj (sociável) ouvert(-e); (determinado) donné(-e). ♦ m donnée f; (de jogar) dé m; **~ que** étant donné que.

❑ **dados** mpl (jogo) dés mpl; (INFORM) données fpl; **jogar ~s** jouer aux dés.

daí [dɐ'i] adv = de + aí; **~ em** OU **por diante** depuis; **sai ~!** sors de là!; **anda ~!** allez,viens!; **~ a um mês/ano** un mois/an après; **e ~?** et alors?

dali [dɐ'li] adv = de + ali, de là-bas; **~ a uma semana** une semaine plus tard; **~ em** OU **por diante** depuis.

daltónico, ca [daɫ'tɔniku, -kɐ] adj & m, f (Port) daltonien(-enne).

daltônico, ca [dau'toniku, -kɐ] adj & m, f (Br) = **daltónico**.

dama ['damɐ] f dame f; **~ de honor** (Port) demoiselle f d'honneur; **~ de honra** (Br) demoiselle f d'honneur.

❑ **damas** fpl dames fpl; **jogar ~s** jouer aux dames.

damasco [dɐ'maʃku] m abricot m.

dança ['dɐ̃sɐ] f danse f; **~s folclóricas** danses folkloriques.

dançar [dɐ̃'sar] vt & vi danser.

danceteria [dɐ̃sete'riɐ] f (Br) dancing m.

danificar [dɐnɐfi'kar] vt endommager.

dano ['dɐnu] m dommage m.

dantes ['dɐ̃tɐʃ] adv autrefois.

dão ['dɐ̃u] → **dar**.

Dão ['dɐ̃u] m fleuve du Portugal qui arrose la région de Beira Alta.

daquela [dɐ'kɛlɐ] = de + aquela; → **de**.

daquele [dɐ'kelə] = de + aquele; → **de**.

daqui [dɐ'ki] adv = de + aqui, d'ici; **~ a um ano/mês** d'ici un an/mois; **~ a pouco** d'ici peu; **~ em** OU **por diante** à partir de maintenant, dorénavant.

daquilo [dɐ'kilu] = de + aquilo; → **aquilo**.

dar ['dar] vt **1.** (ger) donner; **~ algo a alguém** donner qqch à qqn; **ela dá aulas numa escola** elle donne des cours dans une école; **~ prazer/pena/medo** faire plaisir/de la peine/peur; **isto vai ~ muito que fazer** ça va donner beaucoup de travail; **o passeio deu-me fome** la promenade m'a

donné faim; **ele dá muitos pro-blemas** il pose beaucoup de problèmes; **ainda não deu sinal de si** il n'a pas encore donné signe de vie; **ele começa a ~ sinais de cansaço** il commence à donner des signes de fatigue; **~ um berro** pousser un cri; **~ um pontapé a alguém** donner un coup de pied à qqn; **~ um passeio** faire une promenade; **~ uma festa** faire une fête; **~ um empurrão a alguém** bousculer qqn.
2. *(lucros, ganhos)* rapporter.
3. *(filme, programa)* passer; **está a ~ um bom filme** on passe un bon film.
4. *(dizer)* dire; **ele deu-me as boas-noites** il m'a dit bonsoir.
♦ *vi* **1.** *(horas)* sonner; **já deram as cinco** cinq heures ont déjà sonné.
2. *(condizer):* **~ com** aller avec; **as cores não dão umas com as outras** les couleurs ne vont pas ensemble.
3. *(proporcionar):* **~ de beber a** donner à boire à; **~ de comer a** donner à manger à.
4. *(em locuções):* **dá igual** OU **no mesmo** c'est du pareil au même; **dá no mesmo se ele viu ou não** qu'il l'ait vu ou pas, ça n'a aucune importance; **~-se ares de importante** faire l'important; **~ à língua** *(desvendar segredo)* ne pas savoir tenir sa langue; *(falar)* bavarder; **~ de si** *(roupa)* se détendre; *(sapatos)* s'élargir; *(terreno)* céder; **~ nas vistas** se faire remarquer.
❑ **dar com** *v + prep (encontrar, descobrir)* trouver; **nunca darei com o lugar** je ne trouverai jamais l'endroit.
❑ **dar em** *v + prep (resultar)* se terminer; *(tornar-se)* devenir; **vou ~ em doido** je vais devenir fou.
❑ **dar para** *v + prep (servir para, ser útil para)* servir à; *(suj: va-*

randa, janela) donner sur; *(ser suficiente para)* (y) avoir assez de; *(ser possível)* pouvoir; **o pão não dá para todos** il n'y a pas assez de pain pour tout le monde; **não vai ~ para eu chegar a horas** je ne pourrai pas être à l'heure.
❑ **dar por** *v + prep (aperceber-se de)* s'apercevoir; **dei por mim a gritar** je me suis surpris à crier; **não dei por nada** je ne m'en suis pas rendu compte.
❑ **dar-se** *vp :* **~-se bem/mal com algo** aimer/ne pas aimer qqch; **~-se bem/mal com alguém** s'entendre bien/mal avec qqn; **~-se por vencido** se considérer comme vaincu.
dardo ['darðu] *m* javelot *m*.
❑ **dardos** *mpl* fléchettes *fpl*; **jo-gar ~s** jouer aux fléchettes.
das [dɐʃ] = **de** + **as**; → **de**.
data ['datɐ] *f* date *f*; **~ de nasci-mento** date de naissance.
datilografar [datilograˈfar] *vt* *(Br)* = **dactilografar**.
d.C. *(abrev de* **depois de Cristo**) apr.J-C.
de [də] *prep* **1.** *(ger)* de; **o carro daquele rapaz** la voiture de ce garçon; **a recepção do hotel** la réception de l'hôtel; **a casa é dela** la maison est à elle; **um copo ~ água** un verre d'eau; **fala-me ~ ti** parle-moi de toi; **um livro ~ inglês** un livre d'anglais; **os pas-sageiros do avião** les passagers de l'avion; **um produto do Brasil** un produit du Brésil; **sou do Porto** je suis de Porto; **chegámos ~ madrugada** nous sommes arrivés de bonne heure; **partimos às três da tarde** nous sommes partis à trois heures de l'après-midi; **trabalho das nove às cinco** je travaille de neuf heures à cinq heures; **chorar ~ alegria** pleurer de joie; **morrer ~ frio** mourir de froid; **cheio ~ gente** plein de

monde; **digno ~ atenção** digne d'attention; **lindo ~ morrer** beau à mourir; **difícil ~ esquecer** difficile à oublier; **o melhor ~ todos** le meilleur de tous; **um destes dias volto** un de ces jours, je reviendrai; **um desses hotéis serve** l'un de ces hôtels fera l'affaire; **uma daquelas cadeiras é para mim** l'une de ces chaises est pour moi; **um filme ~ Manoel de Oliveira** un film de Manoel de Oliveira; **o último livro ~ Saramago** le dernier livre de Saramago.

2. *(indica matéria)* en; **um relógio ~ ouro** une montre en or; **um bolo ~ bacalhau** une croquette de morue; **um bolo ~ chocolate** un gâteau au chocolat.

3. *(usado em descrições, determinações)* en; **o senhor ~ negro** le monsieur en noir; **uma camisola ~ manga curta** un pull à manches courtes; **uma nota ~ mil escudos** un billet de mille escudos.

4. *(indica uso)* à; **uma máquina ~ calcular** une machine à calculer; **a sala ~ espera** la salle d'attente; **a porta da entrada** la porte d'entrée.

5. *(indica modo)* en; **viajou ~ jipe** il a voyagé en Jeep; **deitou-se ~ lado** il s'est couché sur le côté; **está tudo ~ pernas para o ar** tout est sens dessus dessous; **morreu ~ repente** il est mort subitement.

6. *(introduz complemento directo)*: **desconfiar ~ alguém** se méfier de qqn; **gostar ~ algo/alguém** aimer qqch/qqn; **tenho ~ ir às compras** je dois aller faire des courses.

7. *(em superlativos)* que ele; **é mais rápido do que este** il est plus rapide que celui-ci.

8. *(indica série)* tout (toute); **~ dois em dois dias** tous les deux jours; **~ quinze em quinze minutos** toutes les quinze minutes; **~ três em três metros** tous les trois mètres.

debaixo [dəˈbaiʃu] *adv* dessous; **~ de** sous.

debate [dəˈbatə] *m* débat *m*.

debater [dəbɐˈter] *vt* débattre. ❏ **debater-se** *vp* se débattre.

débil [ˈdɛbił] *(pl* **-beis** [-ˈbɐiʃ]*) adj* faible. ◆ *mf*: **~ mental** débile *mf* mental(-e *f).*

debitar [dəbiˈtar] *vt* débiter.

débito [ˈdɛbitu] *m* débit *m*.

debruçar-se [dəbruˈsarsə] *vp* se pencher; **~ sobre algo** se pencher sur qqch.

década [ˈdɛkɐdɐ] *f* décennie *f*; **na ~ de oitenta/noventa** dans les années quatre-vingts/quatre-vingt-dix.

decadência [dəkɐˈdẽsjɐ] *f* décadence *f*.

decadente [dəkɐˈdẽtə] *adj* décadent(-e).

decapitar [dəkɐpiˈtar] *vt* décapiter.

decência [dəˈsẽsjɐ] *f* décence *f*.

decente [dəˈsẽtə] *adj* décent(-e).

decepar [dəsəˈpar] *vt* tronquer.

decepção [dəsɛˈsẽu] *(pl* **-ões** [-ˈõiʃ]*) f* déception *f*.

decidido, da [dəsiˈðiðu, -ðɐ] *adj* décidé(-e).

decidir [dəsiˈðir] *vt* décider; **~ fazer algo** décider de faire qqch. ❏ **decidir-se** *vp* se décider; **~-se a fazer algo** se décider à faire qqch.

decifrar [dəsiˈfrar] *vt* déchiffrer.

decimal [dɛsiˈmał] *(pl* **-ais** [-aiʃ]*) adj* décimal(-e).

décimo, ma [ˈdɛsimu, -mɐ] *num* dixième. ◆ *m* billet d'une série de 10 grâce auquel on peut gagner le dixième du gros lot; **o ~ segundo ano** *(Port)* dernière année d'études secondaires, ≃ terminale *f*, → **sexto.**

decisão [dəsi'zɐ̃u] (*pl* **-ões** [-õiʃ]) *f* décision *f*.

declamar [dəklɐ'mar] *vt* réciter. ◆ *vi* déclamer.

declaração [dəklɐrɐ'sɐ̃u] (*pl* **-ões** [-õiʃ]) *f* déclaration *f*; **~ amigável (de acidente automóvel)** constat *m* à l'amiable.

declarar [dəkla'rar] *vt* déclarer; **'nada a ~'** 'rien à déclarer'. ❏ **declarar-se** *vp* se déclarer.

declínio [də'klinju] *m* déclin *m*.

declive [də'klivə] *m* pente *f*.

DECO ['dɛku] *f (abrev de* **Defesa do Consumidor***) association portugaise pour la défense des consommateurs.*

decolar [deko'lar] *vi (Br)* = **descolar.**

decomposição [dəkõmpuzi'sɐ̃u] (*pl* **-ões** [-õiʃ]) *f* décomposition *f*.

decoração [dəkurɐ'sɐ̃u] (*pl* **-ões** [-õiʃ]) *f* décoration *f*.

decorar [dəku'rar] *vt (ornamentar)* décorer; *(memorizar)* apprendre par cœur.

decorativo, va [dəkurɐ'tivu, -vɐ] *adj* décoratif(-ive).

decorrente [dəku'ʀẽntə] *adj* : **~ de** qui résulte de.

decote [də'kɔtə] *m* décolleté *m*; **~ em bico** OU **em V** col *m* en V; **~ redondo** col *m* rond.

decrescer [dəkrəʃ'ser] *vi* décroître.

decretar [dəkrə'tar] *vt* décréter.

decreto [də'krɛtu] *m* décret *m*.

decreto-lei [də,krɛtu'lɐi] (*pl* **decretos-lei** [də,krɛtuʒ'lɐi]) *m* ordonnance *f*.

decurso [də'kursu] *m* : **no ~ de** au cours de.

dedal [də'daɬ] (*pl* **-ais** [-aiʃ]) *m* dé *m* à coudre.

dedão [de'dɐ̃u] (*pl* **-ões** [-õiʃ]) *m (Br)* gros orteil *m*.

dedicação [dədikɐ'sɐ̃u] (*pl* **-ões** [-õiʃ]) *f* dévouement *m*.

dedicar [dədi'kar] *vt (livro, música, obra, etc)* dédier; *(tempo, atenção, energias)* consacrer. ❏ **dedicar-se a** *vp* + *prep* se consacrer à.

dedo ['deðu] *m* doigt *m*; *(do pé)* doigt *m* de pied; **pôr o ~ no ar** lever le doigt.

dedões → **dedão.**

dedução [dədu'sɐ̃u] (*pl* **-ões** [-õiʃ]) *f* déduction *f*.

deduzir [dədu'zir] *vt* déduire.

defeito [də'fɐitu] *m* défaut *m*.

defeituoso, osa [dəfɐi'twozu, -ɔzɐ] *adj (produto)* défectueux(-euse).

defender [dəfẽn'der] *vt* défendre. ❏ **defender-se** *vp* se défendre; **~-se de** se défendre de.

defensor, ra [dəfẽ'sor, -rɐ] (*mpl* **-es** [-əʃ], *fpl* **-s** [-ʃ]) *m, f* défenseur *m*.

deferimento [dəfəri'mẽntu] *m* autorisation *f*; **pede ~** *formule utilisée à la fin d'une demande administrative.*

defesa [də'fezɐ] *f* défense *f*; *(de tese)* soutenance *f*.

défice ['dɛfisə] *m* déficit *m*.

deficiência [dəfi'sjẽsjɐ] *f (de máquina)* défaillance *f*; *(de vitaminas, renal)* déficience *f*; *(física)* handicap *m*.

deficiente [dəfi'sjẽntə] *adj (máquina)* défaillant(-e); *(pessoa)* handicapé(-e). ◆ *mf* handicapé *m* (-e *f*); **~ físico** handicapé physique; **~ mental** handicapé mental; **~ motor** handicapé moteur.

definição [dəfəni'sɐ̃u] (*pl* **-ões** [-õiʃ]) *f* définition *f*.

definir [dəfə'nir] *vt* définir. ❏ **definir-se** *vp* se définir.

definitivamente [dəfəni,tivɐ'mẽntə] *adv (para sempre)* définitivement; *(sem dúvida)* décidément.

definitivo, va [dəfəni'tivu, -vɐ] *adj* définitif(-ive).

deformação [dəfurmɐ'sɐ̃u] *(pl -ões* [-õiʃ]) *f* déformation *f*; ~ **profissional** déformation professionnelle.

deformar [dəfur'mar] *vt* déformer.

defrontar [dəfrõn'tar] *vt* affronter.

defronte [də'frõntə] *adv* en face; ~ **de** en face de.

defumado, da [dəfu'maðu, -ðɐ] *adj* fumé(-e).

defumar [dəfu'mar] *vt* fumer.

degelo [də'ʒelu] *m* dégel *m*.

degolar [dəgu'lar] *vt* égorger.

degradante [dəgrɐ'ðẽntə] *adj* dégradant(-e).

degradar [dəgrɐ'ðar] *vt* avilir.
❑ **degradar-se** *vp (danificar-se)* se dégrader; *(aviltar-se)* s'avilir.

degrau [də'grau] *m* marche *f*.

degustação [dəguʃtɐ'sɐ̃u] *f* dégustation *f*.

degustar [dəguʃ'tar] *vt* déguster.

dei ['dɐi] → **dar**.

deitar [dɐi'tar] *vt (estender)* étendre; *(pessoa)* allonger; *(para dormir)* coucher; *(Port: verter)* fuir; *(lançar)* lancer; *(líquido)* verser; *(sal)* mettre. ◆ *vi (ferida)* suppurer; ~ **abaixo** *(derrubar)* abattre; ~ **cartas no correio** *(Port)* poster des lettres; ~ **ao chão** renverser; ~ **a fazer algo** *(Br)* se mettre à faire qqch; ~ **fora algo**, ~ **algo fora** *(Port: pôr no lixo)* jeter qqch; ~ **fora** *(verter)* déborder; *(vomitar)* rendre; ~ **sangue** *(Port: sangrar)* saigner; ~ **sangue pelo nariz** *(Port)* saigner du nez.
❑ **deitar-se** *vp (na cama)* se coucher; *(no chão)* s'allonger.

deixa ['dɐiʃɐ] *f* réplique *f*.

deixar [dɐi'ʃar] *vt* laisser; *(casa, mulher)* quitter; *(estudos)* arrêter; *(esperar)* attendre; ~ **algo por fazer** ne pas faire qqch; ~ **algo para** *(adiar)* remettre qqch à; *(guardar)* garder qqch pour; ~ **algo de parte** laisser qqch de côté; ~ **alguém/algo em paz** laisser qqn/qqch tranquille; ~ **alguém para trás** devancer qqn; ~ **algo para trás** laisser qqch de côté. ◆ *vi* : ~ **de fazer algo** arrêter de faire qqch; **não ~ de fazer algo** ne pas oublier de faire qqch; ~ **alguém fazer algo** laisser qqn faire qqch; ~ **cair** laisser tomber.
❑ **deixar-se** *vp* : ~**-se fazer algo** se laisser; ~**-se levar por** *(emoção)* se laisser aller à; *(enganar)* se faire avoir par; ~**-se de fazer algo** arrêter de faire qqch; ~**-se de algo** renoncer à qqch.

dela ['dɛlɐ] = **de** + **ela**; → **de**.

dele ['delə] = **de** + **ele**; → **de**.

delegacia [delega'siɐ] *f (Br)* ≃ commissariat *m* (de police).

delegado, da [dele'gadu, -dɐ] *m, f (Br: de polícia)* commissaire *m*; *(de turma)* délégué *m* (-e *f*); *(de país, governo, instituição)* représentant *m* (-e *f*).

deleitar [dəlɐi'tar] *vt* apprécier.
❑ **deleitar-se com** *vp + prep (com comida)* se délecter de; *(com música)* prendre du plaisir à.

delgado, da [dɛɫ'gadu, -dɐ] *adj* mince.

deliberação [dəliβɐrɐ'sɐ̃u] *(pl -ões* [-õiʃ]) *f* délibération *f*.

deliberar [dəliβɐ'rar] *vt* délibérer sur. ◆ *vi* délibérer.

delicadeza [dəlikɐ'ðezɐ] *f* délicatesse *f*.

delícia [də'lisjɐ] *f* délice *m*.

delicioso, osa [dəli'sjozu, -ɔzɐ] *adj* délicieux(-euse).

delinear [dəli'njar] *vt* ébaucher.

delinquência [dəlĩŋ'kwẽsjɐ] *f*

(Port) délinquance *f*; ~ **juvenil** délinquance juvénile.

delinqüência [delĩŋ'kwẽsjɐ] *f* *(Br)* = **delinquência.**

delinquente [dəlĩŋ'kwẽntə] *mf* *(Port)* délinquant *m* (-e *f*).

delirante [dəli'rẽntə] *adj (fig)* délirant(-e).

delirar [dəli'rar] *vi* délirer.

delírio [də'lirju] *m* délire *m*.

delito [də'litu] *m* délit *m*.

demais [dɐ'majʃ] *adv* trop.
♦ *pron* : **os/as** ~ les autres; **isto já é** ~! trop, c'est trop!; **ser** ~ être super.

demasia [dɐmɐ'ziɐ]: **em demasia** *adv* trop.

demasiado, da [dɐmɐ'zjaðu, -ðɐ] *adj* trop de. ♦ *adv* trop; ~**s livros** trop de livres; **demasiada comida** trop à manger.

demência [də'mẽsjɐ] *f* démence *f*.

demente [də'mẽntə] *adj & mf* dément(-e).

demissão [dəmi'sɐ̃u] *(pl* **-ões** [-õiʃ]) *f* démission *f*; **pedir** ~ donner sa démission.

demitir [dəmi'tir] *vt* démettre.
❏ **demitir-se** *vp* démissionner.

democracia [dəmukre'siɐ] *f* démocratie *f*.

democrata [dəmu'kratɐ] *adj & mf* démocrate.

democrático, ca [dəmu'-kratiku, -kɐ] *adj* démocratique.

demolição [dəmuli'sɐ̃u] *(pl* **-ões** [-õiʃ]) *f* démolition *f*.

demolir [dəmu'lir] *vt* démolir.

demónio [də'mɔnju] *m (Port)* démon *m*.

demônio [de'monju] *m (Br)* = **demónio.**

demonstração [dəmõʃtrɐ'sɐ̃u] *(pl* **-ões** [-õiʃ]) *f (exposição)* démonstration *f*; *(prova)* preuve *f*; *(Port: manifestação)* manifestation *f*.

demonstrar [dəmõʃ'trar] *vt (explicar)* montrer; *(provar)* démontrer; *(revelar)* faire preuve de.

demora [dɐ'mɔrɐ] *f* retard *m*; **sem** ~ tout de suite.

demorado, da [dəmu'raðu, -ðɐ] *adj (longo)* long (longue); *(lento)* lent(-e).

demorar [dəmu'rar] *vi (levar tempo)* durer; *(tardar)* tarder; *(ocupar)* prendre du temps. ♦ *vt (tardar)* mettre; *(atrasar)* retenir.
❏ **demorar-se** *vp (atrasar-se)* s'attarder; *(levar tempo)* mettre longtemps; *(ficar)* rester; **vais** ~ **muito?** tu en as pour longtemps?; **não vou** ~ je ne serai pas long.

dendê [dẽn'de] *m* huile *f* de palme.

denegrir [dənə'grir] *vt (fig)* dénigrer.

dengue ['dẽŋgɐ] *f* dengue *f*; ~ **hemorrágica** dengue hémorragique.

denominação [dənuminɐ'sɐ̃u] *(pl* **-ões** [-õiʃ]) *f (designação)* dénomination *f*; *(para vinho)* appellation *f*.

denotar [dənu'tar] *vt* dénoter.

densidade [dẽsi'ðaðɐ] *f* densité *f*.

denso, sa ['dẽsu, -sɐ] *adj* dense.

dentada [dẽn'taðɐ] *f*: **dar uma** ~ croquer; *(em pessoa)* mordre *f*.

dentadura [dẽntɐ'ðurɐ] *f (natural)* dentition *f*; *(postiça)* dentier *m*.

dente ['dẽntə] *m* dent *f*; *(de elefante, elefante marinho)* défense *f*; ~ **de alho** gousse *f* d'ail; ~**s postiços** dentier *m*; ~ **do siso** dent de sagesse.

dentífrico, ca [dẽn'tifriku, -kɐ] *adj* dentifrice. ♦ *m* dentifrice *m*.

dentista [dẽn'tiʃtɐ] *mf* dentiste *mf*.

dentre ['dẽntrə] = **de** + **entre**; → **entre.**

dentro ['dẽntru] *adv* dedans, à l'intérieur; ~ **de algo** dans qqch; **aí** ~ là-dedans; ~ **em pouco** OU **em breve** d'ici peu; **por** ~ à l'intérieur; **lavar o carro por** ~ laver l'intérieur de la voiture; **por** ~ **de casa** par la maison; **estar por** ~ **de algo** s'y connaître en qqch.

denúncia [də'nũsjɐ] *f* dénonciation *f*; *(roubo)* déclaration *f*.

denunciar [dənũ'sjar] *vt* dénoncer; *(roubo)* déclarer.

deparar [dəpe'rar]: **deparar com** *v + prep* rencontrer.
❏ **deparar-se com** *vp + prep* se trouver face à.

departamento [dəperte-'mẽntu] *m* département *m*.

dependência [dəpẽn'dẽsjɐ] *f* dépendance *f*.

dependente [dəpẽn'dẽntə] *adj* dépendant(-e).

depender [dəpẽn'der] *vi* : **depende...** ça dépend...
❏ **depender de** *v + prep* être dépendant(-e) de; *(de circunstâncias, tempo)* dépendre de.

depilar [dəpi'lar] *vt* épiler.

depilatório, ria [dəpilɐ'tɔrju, -rjɐ] *adj* dépilatoire. ◆ *m* dépilatoire *m*.

depoimento [dəpoi'mẽntu] *m* déposition *f*.

depois [də'poi∫] *adv* après; ~ **de** après; ~ **se vê!** on verra plus tard!; **e ~?** et alors?; **deixar algo para** ~ remettre qqch à plus tard; **ficar para** ~ laisser pour plus tard; **dias** ~ quelques jours après; **semanas/anos** ~ des semaines/ des années après; ~ **de amanhã** après-demain; **logo** ~ tout de suite après; ~ **que** depuis que.

depor [də'por] *vi* faire une déposition. ◆ *vt* démettre.

depositar [dəpuzi'tar] *vt* déposer; ~ **confiança em alguém** placer sa confiance en qqn.

❏ **depositar-se** *vp* se déposer.

depósito [də'pɔzitu] *m* dépôt *m*; *(reservatório)* réservoir *m*; **ateste** OU **encha o** ~, **por favor** *(Port)* le plein, s'il vous plaît; ~ **de bagagens** *(Br)* consigne *f* automatique; ~ **de gasolina** *(Port)* réservoir *m*; ~ **a prazo** dépôt à terme.

depravação [dəpreve'sẽu] *(pl* **-ões** [-õi∫]*)* *f* dépravation *f*.

depreciação [dəprəsje'sẽu] *(pl* **-ões** [-õi∫]*)* *f* dépréciation *f*.

depressa [də'prɛsɐ] *adv* vite. ◆ *interj* vite!; **é preciso andar** ~ **com isso** il faut faire vite.

depressão [dəprə'sẽu] *(pl* **-ões** [-õi∫]*)* *f* dépression *f*; ~ **económica** crise *f* économique.

deprimente [dəpri'mẽntə] *adj* déprimant(-e).

deprimir [dəpri'mir] *vt* déprimer.

deputado, da [dəpu'taðu, -ðɐ] *m, f* député *m* (-e *f*).

deriva [də'rivɐ] *f* : **andar à** ~ aller à la dérive.

derivar [dəri'var] *vi* dériver.
❏ **derivar de** *v + prep* dériver de.

dermatologista [dɛrmɐtu-lu'ʒi∫tɐ] *mf* dermatologue *mf*.

derramamento [dəʀɐmɐ-'mẽntu] *m (de líquido)* déversement *m*; *(de lágrimas, sangue)* effusion *f*.

derramar [dəʀɐ'mar] *vt (líquido)* renverser; *(lágrimas, sangue)* verser; *(farinha, feijão, batatas)* répandre.

derrame [də'ʀɐmɐ] *m* hémorragie *f*.

derrapagem [dəʀɐ'paʒẽi] *(pl* **-ns** [-∫]*)* *f* dérapage *m*.

derrapar [dəʀɐ'par] *vi* déraper.

derreter [dəʀə'ter] *vt* faire fondre.
❏ **derreter-se** *vp* fondre.

derrota [də'ʀɔtɐ] *f* défaite *f*.

derrotar [dəʀu'tar] *vt (vencer)* battre; *(MIL)* vaincre.

derrubar [dəɾu'ɓaɾ] vt renverser.

desabafar [dəzɐbɐ'faɾ] vi se confier.

desabamento [dəzɐbɐ'mẽntu] m (de terra) glissement m; (de pedras) éboulis m; (de edifício) effondrement m.

desabar [dəza'ɓaɾ] vi s'effondrer.

desabitado, da [dəzɐbi'taɗu, -ɗɐ] adj (edifício) inhabité(-e); (região) dépeuplé(-e).

desabotoar [dəzɐbu'twaɾ] vt déboutonner.

desabrigado, da [dəzɐbri'gaɗu, -ɗɐ] adj (sem casa, lar) sans abri; (local) inabrité(-e), exposé(-e).

desabrochar [dəzɐbru'ʃaɾ] vi éclore.

desacompanhado, da [dəzɐkõmpɐ'ɲaɗu, -ɗɐ] adj seul(-e).

desaconselhar [dəzɐkõsɐ'ʎaɾ] vt : ~ algo (a alguém) déconseiller qqch (à qqn).

desaconselhável [dəzɐkõsɐ'ʎavɛɬ] (pl -eis [-ɐiʃ]) adj déconseillé(-e).

desacordado, da [dəzɐkur'ɗaɗu, -ɗɐ] adj inconscient(-e).

desacostumado, da [dəzɐkuʃtu'maɗu, -ɗɐ] adj : estar ~ de fazer algo perdre l'habitude de faire qqch.

desacreditar [dəzɐkrɐɗi'taɾ] vt discréditer.

❏ **desacreditar-se** vp se discréditer.

desactualizado, da [dəzɐtwɐli'zaɗu, -ɗɐ] adj (Port) dépassé(-e).

desafinado, da [dəzɐfi'naɗu, -ɗɐ] adj (instrumento musical) désaccordé(-e); (voz) faux (fausse).

desafinar [dəzɐfi'naɾ] vi (pessoa) chanter faux; (instrumento) sonner faux.

desafio [dəzɐ'fiu] m défi m; (Port: de futebol, basquetebol, etc) match m.

desafortunado, da [dəzɐfurtu'naɗu, -ɗɐ] adj malheureux(-euse).

desagradar [dəzɐgrɐ'ɗaɾ]: **desagradar a** v + prep déplaire à.

desaguar [dəza'gwaɾ] vi : ~ em se jeter dans.

desajeitado, da [dəzɐʒɐi'taɗu, -ɗɐ] adj maladroit(-e).

desalinhado, da [dəzɐli'ɲaɗu, -ɗɐ] adj (pessoa) négligé(-e); (em desordem) désordonné(-e).

desalinho [dəzɐ'liɲu] m (em forma de vestir) négligence f; (desordem) désordre m; em ~ en désordre.

desalojar [dəzɐlu'ʒaɾ] vt déloger.

desamarrar [dəzɐmɐ'ʀaɾ] vt détacher.

desamparado, da [dəzɐ̃mpɐ'raɗu, -ɗɐ] adj délaissé(-e).

desamparar [dəzɐ̃mpɐ'raɾ] vt délaisser.

desanimado, da [dəzɐni'maɗu, -ɗɐ] adj découragé(-e).

desanimar [dəzɐni'maɾ] vt décourager. ◆ vi se décourager.

desânimo [də'zɐnimu] m découragement m.

desanuviar [dəzɐnu'vjaɾ] vi (céu) se dégager; (fig: espairecer) se changer les idées; ~ o espírito (fig) s'aérer l'esprit.

desaparafusar [dəzɐpɐrɐfu'zaɾ] vt dévisser.

desaparecer [dəzɐpɐrə'seɾ] vi disparaître.

desaparecido, da [dəzɐpɐrə'siɗu, -ɗɐ] adj & m, f disparu(-e).

desaparecimento [dəzɐpɐrəsi'mẽntu] m disparition f.

desapertar [dəzɐpɐr'taɾ] vt (cinto, sapatos) desserrer; (casaco) déboutonner; (nó) dénouer.

desapontado, da [dəzepõn'taðu, -ðɐ] *adj* déçu(-e).

desapontamento [dəzepõntɐ'mẽntu] *m* déception *f*.

desapontar [dəzepõn'tar] *vt* décevoir.

desarmamento [dəzɐrme'mẽntu] *m* désarmement *m*.

desarmar [dəzɐr'mar] *vt* désarmer; *(tenda, cama, estante)* démonter.

desarranjado, da [dəzɐʀẽ'ʒaðu, -ðɐ] *adj (desordenado)* désordonné(-e); *(transtornado)* dérangé(-e).

desarranjar [dəzɐʀẽ'ʒar] *vt* déranger.

desarrumado, da [dəzɐʀu'maðu, -ðɐ] *adj (pessoa)* désordonné(-e); *(em desordem)* dérangé(-e).

desarrumar [dəzɐʀu'mar] *vt* déranger.

desarticulado, da [dəzɐrtiku'laðu, -ðɐ] *adj* démis(-e).

desassossego [dəzɐsu'segu] *m (inquietação)* tourment *m*; *(perturbação)* trouble *m*.

desastrado, da [dəzɐʃ'traðu, -ðɐ] *adj* gauche.

desastre [də'zaʃtrə] *m (de automóvel)* accident *m*; *(desgraça)* malheur *m*.

desatar [dəzɐ'tar] *vt* défaire. ◆ *vi* : ~ **a fazer algo** se mettre à faire qqch.

desatento, ta [dəzɐ'tẽntu, -tɐ] *adj* inattentif(-ive).

desatino [dəzɐ'tinu] *m (fam)* poisse *f*.

desavença [dəzɐ'vẽsɐ] *f* dispute *f*.

desavergonhado, da [dəzɐvɐrgu'ɲaðu, -ðɐ] *adj & m, f* effronté(-e).

desbaratar [dəʒbɐrɐ'tar] *vt* gaspiller.

desbastar [dəʒbɐʃ'tar] *vt (cabelo)* désépaissir.

desbotado, da [dəʒbu'taðu, -ðɐ] *adj* défraîchi(-e).

desbotar [dəʒbu'tar] *vt* faire déteindre. ◆ *vi* déteindre.

desbravar [dəʒbrɐ'var] *vt* défricher.

descabido, da [dəʃkɐ'biðu, -ðɐ] *adj* déplacé(-e).

descafeinado, da [dəʃkɐfɐi'naðu, -ðɐ] *adj* décaféiné(-e). ◆ *m* décaféiné *m*.

descalçar [dəʃkaɫ'sar] *vt* déchausser.

descalço, ça [dəʃ'kaɫsu, -sɐ] *pp* → **descalçar**. ◆ *adj* nu-pieds, pieds nus.

descampado, da [dəʃkẽm'paðu, -ðɐ] *adj* découvert(-e). ◆ *m* terrain *m* vague.

descansado, da [dəʃkẽ'saðu, -ðɐ] *adj* tranquille; **fique ~!** soyez tranquille!; **dormir ~** dormir sur ses deux oreilles.

descansar [dəʃkẽ'sar] *vi* se reposer.

descanso [dəʃ'kẽsu] *m* repos *m*; *(Br)* dessous-de-plat *m inv*.

descapotável [dəʃkɐpu'tavɛɫ] *(pl -eis* [-ɐiʃ]) *adj (Port)* décapotable.

descarado, da [dəʃkɐ'raðu, -ðɐ] *adj* effronté(-e).

descaramento [dəʃkɐrɐ'mẽntu] *m* effronterie *f*.

descarga [dʒiʃ'kaxgɐ] *f (Br: de vaso sanitário)* chasse *f* d'eau; *(descarregamento)* déchargement *m*; *(de arma)* décharge *f*; **dar a ~** *(Br)* tirer la chasse; **~ eléctrica** décharge électrique.

descarregar [dəʃkɐʀɐ'gar] *vt* décharger.

❏ **descarregar-se** *vp* se décharger.

descarrilamento [dəʃkɐʀilɐ'mẽntu] *m* déraillement *m*.

descarrilar [dəʃkɐʀi'lar] *vi* dérailler.

descartar-se [dəʃkɐrˈtarsə]: descartar-se de *vp + prep* se débarrasser de.

descartável [dəʃkɐrˈtavɛl] (*pl* -eis) [-ɐiʃ] *adj* jetable.

descascar [dəʃkɐʃˈkar] *vt* éplucher.

descendência [dəʃsẽnˈdẽsjɐ] *f* descendance *f*.

descendente [dəʃsẽnˈdẽntə] *mf* descendant *m* (-e *f*).

descender [dəʃsẽnˈder]: descender de *v + prep* descendre de.

descentralizar [dəʃsẽntrɐliˈzar] *vt* décentraliser.

descer [dəʃˈser] *vt* (*escadas, rua, montanha*) descendre; (*estores, cortinas*) baisser. ◆ *vi* (*temperatura, preço*) baisser; (*de cavalo, carro, autocarro*) descendre; ~ de descendre de.

descida [dəʃˈsidɐ] *f* descente *f*; (*de preço, valor*) baisse *f*; '~ perigosa' 'descente dangereuse'.

descoberta [dəʃkuˈbɛrtɐ] *f* découverte *f*.

descobrimento [dəʃkubriˈmẽntu] *m* découverte *f*; os Descobrimentos les grandes découvertes.

---

i DESCOBRIMENTOS

L'âge d'or de l'histoire du Portugal commence avec la conquête de Ceuta en 1415. Il est jalonné par des événements comme le passage du Cap de Bonne Espérance en 1488 et la découverte du Brésil en 1500. Les découvertes portugaises ont largement contribué à l'histoire universelle puisque grâce aux exploits de ses navigateurs, le peuple portugais découvrit des terres et des mers que les Européens ne connaissaient pas auparavant.

descobrir [dəʃkuˈbrir] *vt* découvrir; (*achar*) trouver.

descolagem [dəʃkuˈlaʒẽi] (*pl* -ns [-ʃ]) *f* (*Port*) décollage *m*.

descolar [dəʃkuˈlar] *vt & vi* décoller.

descoloração [dəʃkulurɐˈsẽu] (*pl* -ões [-õiʃ]) *f* décoloration *f*.

descompor [dəʃkõmˈpor] *vt* réprimander.

descompostura [dəʃkõmpuʃˈturɐ] *f* réprimande *f*; **passar uma ~ a alguém** tirer les oreilles à qqn.

descomunal [dəʃkumuˈnał] (*pl* -ais [-aiʃ]) *adj* immense.

desconcentrar [dəʃkõsẽnˈtrar] *vt* déconcentrer.

desconfiar [dəʃkõˈfjar] *vt* : ~ que (*suspeitar que*) douter que. ❑ **desconfiar de** *v + prep* (*não ter confiança em*) se méfier de; (*suspeitar de*) douter de.

desconfortável [dəʃkõfurˈtavɛł] (*pl* -eis [-ɐiʃ]) *adj* inconfortable.

desconforto [dəʃkõˈfortu] *m* inconfort *m*.

descongelar [dəʃkõʒəˈlar] *vt* décongeler.

desconhecer [dəʃkuɲəˈser] *vt* ignorer.

desconhecido, da [dəʃkuɲəˈsiɖu, -ɖɐ] *adj & m, f* inconnu(-e).

desconsolado, da [dəʃkõsuˈlaɖu, -ɖɐ] *adj* morose; (*fam*) fade.

descontar [dəʃkõnˈtar] *vt* (*deduzir*) décompter; (*cheque, letra*) escompter.

descontentamento [dəʃkõntẽntɐˈmẽntu] *m* mécontentement *m*.

desconto [dəʃˈkõntu] *m* (*dedução*) décompte *m*; (*para reforma*) cotisation *f*.

descontraído, da [dəʃkõntrɐ'i-ɖu, -ɖɐ] *adj* détendu(-e).

descontrair [dəʃkõntrɐ'ir] *vt* détendre.

❑ **descontrair-se** *vp* se détendre.

descontrolado, da [dəʃkõntru'laɖu, -ɖɐ] *adj (agitado)* déchaîné(-e); *(furioso)* hors-de-soi; *(máquina)* déréglé(-e).

descontrolar-se [dəʃkõntru'larsə] *vp* s'emporter.

desconversar [dəʃkõvər'sar] *vi* détourner la conversation.

descortinar [dəʃkurti'nar] *vt* distinguer.

descoser [dəʃku'zer] *vt* découdre.

❑ **descoser-se** *vp* se découdre.

descrever [dəʃkrɐ'ver] *vt* décrire.

descrição [dəʃkri'sẽu] *(pl* -ões [-õiʃ]) *f* description *f*.

descuidado, da [dəʃkui'ɖaɖu, -ɖɐ] *adj* négligé(-e).

descuidar [dəʃkui'ɖar] *vt* négliger.

❑ **descuidar-se** *vp (distrair-se)* ne pas faire attention; *(esquecer-se de)* oublier.

descuido [dəʃ'kuiɖu] *m* moment *m* d'inattention.

desculpa [dəʃ'kuɬpɐ] *f* excuse *f*; **pedir ~ a alguém por algo** s'excuser auprès de qqn de qqch.

desculpar [dəʃkuɬ'par] *vt* excuser; **desculpe! magoei-o?** excusez-moi! je vous ai fait mal?; **desculpe, pode dizer-me as horas?** excusez-moi, pouvez-vous me donner l'heure?

❑ **desculpar-se** *vp* s'excuser; **~-se** *vp* prétexter.

desde ['deʒdə] *prep* de; *(relativamente a tempo)* depuis; **~ que** *(a partir do momento em que)* depuis que; *(se)* à condition que.

desdém [dəʒ'dẽi] *m* dédain *m*.

desdenhar [dəʒdɐ'ɲar] *vt* dédaigner. ◆ *vi* : **~ de algo** critiquer qqch.

desdentado, da [dəʒdẽn'taɖu, -ɖɐ] *adj* édenté(-e).

desdizer [dəʒdi'zer] *vt* contredire.

❑ **desdizer-se** *vp* se dédire.

desdobrar [dəʒdu'brar] *vt (jornal, roupa, tecido)* déplier; *(subdividir)* dédoubler.

desejar [dəzə'ʒar] *vt* désirer; *(ansiar)* souhaiter; **o que é que deseja?** que désirez-vous?; **deseja mais alguma coisa?** vous désirez autre chose?; **desejo-lhe boa sorte!** je vous souhaite bonne chance!

desejo [də'zɐiʒu] *m (vontade)* envie *f*; *(anseio)* souhait *m*; *(apetite sexual)* désir *m*.

deselegante [dəzilɐ'gẽntə] *adj (comportamento)* inélégant(-e); *(pessoa)* grossier(-ère).

desembaciar [dəzẽmbɐ'sjar] *vt (vidro)* désembuer; *(óculos)* nettoyer.

desembaraçado, da [dəzẽmbɐrɐ'saɖu, -ɖɐ] *adj (expedito)* sans complexes.

desembaraçar [dəzẽmbɐrɐ'sar] *vt (cabelo)* démêler.

❑ **desembaraçar-se** *vp* se dépêcher; **~-se de algo** se débarasser de qqch.

desembaraço [dəzẽmbɐ'rasu] *m* aisance *f*.

desembarcar [dəzẽmbɐr'kar] *vt & vi* débarquer.

desembarque [dəzẽm'barkə] *m (de carga, passageiros)* débarquement *m*; *(Br: de estação, aeroporto)* arrivées *fpl*; **'desembarque'** *(Br)* 'arrivées'.

desembocar [dəzẽmbu'kar] *vi* : **~ em** *(rua, caminho)* déboucher sur; *(rio)* se jeter dans.

desembolsar [dəzẽmboɬ'sar] *vt (fam)* débourser.

desembrulhar [dəzẽmbru'ʎar] vt déballer.

desempatar [dəzẽmpɐ'tar] vt départager.

desempenhar [dəzẽmpə'ɲar] vt (trabalho, tarefa) accomplir; (função) remplir; (papel em peça, filme) jouer.

desempenho [dəzẽm'pɐɲu] m (de função, obrigação, trabalho) accomplissement m; (de pessoa em filme, peça) jeu m; (de máquina) fonctionnement m.

desemperrar [dəzẽmpə'ʀar] vt débloquer.

desempregado, da [dəzẽmprə'gaðu, -ðɐ] m, f chômeur m (-euse f).

desemprego [dəzẽm'pregu] m chômage m; **estar no ~** être au chômage.

desencadear [dəzẽŋkɐ'djar] vt déclencher.
❑ **desencadear-se** vp se déchaîner.

desencaixar [dəzẽŋkai'ʃar] vt retirer.
❑ **desencaixar-se** vp se déboîter.

desencaixotar [dəzẽŋkai-ʃu'tar] vt dépaqueter.

desencantar [dəzẽŋkẽn'tar] vt (fig: achar) dénicher; (desiludir) décevoir.

desencontrar-se [dəzẽŋkõn'trarsə] vp se manquer.

desencorajar [dəzẽŋkurɐ'ʒar] vt décourager.

desencostar [dəzẽŋkuʃ'tar] vt écarter.
❑ **desencostar-se** vp : **~-se de** s'écarter de.

desenferrujar [dəzẽfəʀu'ʒar] vt (tirar a ferrugem de) dérouiller; (fig: desentorpecer) dégourdir; (fig: língua) délier.

desenfreado, da [dəzẽfri'aðu, -ðɐ] adj effréné(-e).

desenganado, da [dəzẽgɐ-'naðu, -ðɐ] adj (doente) détrompé(-e).

desenganar [dəzẽgɐ'nar] vt (doente) enlever tout espoir de guérison à; (tirar ilusões a) détromper, ouvrir les yeux à.

desengonçado, da [dəzẽŋ-gõ'saðu, -ðɐ] adj (pessoa) dégingandé(-e); (desarticulado) disloqué(-e).

desenhar [dəzə'ɲar] vt dessiner.
❑ **desenhar-se** vp se dessiner.

desenho [də'zɐɲu] m dessin m; **~s animados** dessins animés.

desenlace [dəzẽ'lasə] m dénouement m.

desenrolar [dəzẽʀu'lar] vt dérouler.
❑ **desenrolar-se** vp se dérouler.

desentendido, da [dəzẽntẽn-'diðu, -ðɐ] adj : **fazer-se de ~** faire celui qui ne comprend pas.

desenterrar [dəzẽntə'ʀar] vt déterrer.

desentupir [dəzẽntu'pir] vt déboucher.

desenvolver [dəzẽvoɫ'ver] vt (país, economia) développer; (esforço, capacidades) déployer.
❑ **desenvolver-se** se développer.

desenvolvido, da [dəzẽvoɫ-'viðu, -ðɐ] adj développé(-e).

desenvolvimento [dəzẽ-voɫvi'mẽntu] m développement m.

desequilibrar-se [dəzikəli-'brarsə] vp perdre l'équilibre.

deserto, ta [də'zɛrtu, -tɐ] adj (despovoado) désert(-e); (ansioso): **estar ~ para fazer algo** avoir hâte de faire qqch. ◆ m désert m.

desesperado, da [dəzəʃpə'raðu, -ðɐ] adj désespéré(-e).

desesperar [dəzəʃpə'rar] vt (encolerizar) exaspérer; (levar ao desespero) désespérer.

desfalecer [dəʃfɐlə'ser] vi défaillir.

desfavorável [dəʃfɐvu'ravɛɫ] (pl -eis [-ɐiʃ]) adj défavorable.

desfazer [dəʃfɐ'zer] vt défaire; (dúvida, engano) dissiper; (contrato, noivado) rompre; (reduzir a polpa) écraser.

❑ **desfazer-se** vp se défaire; ~-se em (em pedaços) se casser en; (em desculpas) se confondre en.

❑ **desfazer-se de** vp + prep se débarrasser de.

desfecho [dəʃ'feiʃu] m issue f.

desfeita [dəʃ'feitɐ] f offense f.

desfeito, ta [dəʃ'feitu, -tɐ] adj défait(-e); (em polpa) écrasé(-e); (fig: pessoa) décomposé(-e); (fig: amassado) cabossé(-e).

desfiar [dəʃ'fjar] vt (bacalhau) effeuiller.

❑ **desfiar-se** vp s'effilocher.

desfigurar [dəʃfigu'rar] vt (feições de pessoa) défigurer; (fig: verdade) déformer.

desfiladeiro [dəʃfilɐ'ðeiru] m défilé m.

desfilar [dəʃfi'lar] vi défiler.

desfile [dəʃ'filɐ] m défilé m.

desforra [dəʃ'fɔʀɐ] f revanche f.

desfrutar [dəʃfru'tar]: **desfrutar de** v + prep (possuir) disposer de; (tirar proveito de) jouir de.

desgastante [dəʒgɐʃ'tẽtɐ] adj épuisant(-e).

desgastar [dəʒgɐʃ'tar] vt (fig: cansar) épuiser; (gastar) user.

❑ **desgastar-se** vp s'user.

desgostar [dəʒguʃ'tar] vt décevoir; **não** ~ **de** aimer bien.

❑ **desgostar-se com** vp + prep ne pas plaire à; **desgostei-me com o que ele fez** ce qu'il a fait ne m'a pas plu.

desgosto [dəʒ'goʃtu] m (infelicidade) chagrin m; (mágoa) peine f.

desgraça [dəʒ'grasɐ] f malheur m.

desgrenhado, da [dəʒgrɐ'naðu, -ðɐ] adj ébouriffé(-e).

desidratação [dəziðrɐtɐ'sɐ̃u] (pl -ões [-õiʃ]) f déshydratation f.

desidratado, da [dəziðrɐ'taðu, -ðɐ] adj déshydraté(-e).

desidratar [dəziðrɐ'tar] vt déshydrater.

❑ **desidratar-se** vp se déshydrater.

design [di'zainɐ] m design m.

designação [dəzignɐ'sɐ̃u] (pl -ões [-õiʃ]) f désignation f.

designar [dəzig'nar] vt désigner.

designer [di'zainɛr] mf designer m.

desiludir [dəzilu'ðir] vt décevoir.

❑ **desiludir-se com** vp + prep être déçu(-e) de.

desilusão [dəzilu'zɐ̃u] (pl -ões [-õiʃ]) f désillusion f.

desimpedido, da [dəzĩpɐ'ðiðu, -ðɐ] adj libre.

desimpedir [dəzĩpɐ'ðir] vt dégager.

desinchar [dəzĩ'ʃar] vi dégonfler.

desinfectante [dəzĩfɛ'tẽtɐ] adj (Port) désinfectant(-e). ♦ m (Port) désinfectant m; ~ **para a boca** bain m de bouche.

desinfectar [dəzĩfɛ'tar] vt (Port) désinfecter.

desinfetar [dʒizĩfe'tax] vt (Br) = **desinfectar**.

desinibido, da [dəzini'ɓiðu, -ðɐ] adj sans complexes.

desintegrar-se [dəzĩtɐ'grarsɐ] vp se désintégrer.

desinteressado, da [dəzĩtɐrɐ'saðu, -ðɐ] adj désintéressé(-e).

desinteressar-se [dəzĩtɐrɐ'sarsɐ]: **desinteressar-se de** vp + prep se désintéresser de.

desinteresse [dəzĩtɐ'resɐ] m (falta de interesse) indifférence f; (abnegação) désintérêt m; (pelo dinheiro) désintéressement m.

desistência [dəziʃ'tẽsjɐ] f (de reserva, de voo) annulation f; (de corrida) désistement m.

desistir [dəziʃ'tir] vi renoncer; ~ de algo annuler qqch; ~ de fazer algo arrêter de faire qqch; ~ de estudar abandonner les études.

desleal [dəʒ'ljał] (pl -ais [-aiʃ]) adj déloyal(-e).

desleixado, da [dəʒlei'ʃaðu, -ɐ] adj négligé(-e).

desleixo [dəʒ'leiʃu] m négligence f.

desligado, da [dəʒli'gaðu, -ɐ] adj (da corrente) débranché(-e); (apagado) éteint(-e); (pessoa) détaché(-e).

desligar [dəʒli'gar] vt (telefone) raccrocher; (da corrente) débrancher; (apagar) éteindre.

deslizar [dəʒli'zar] vi glisser.

deslize [dəʒ'lizɐ] m (fig) maladresse f.

deslocado, da [dəʒlu'kaðu, -ɐ] adj (perna, pulso, osso) démis(-e); (desambientado): sentir-se ~ ne pas être dans son élément.

deslocar [dəʒlu'kar] vt (membro) se démettre.

❏ **deslocar-se** vp (suj: membro) se démettre; ~-se a se rendre à; ~-se com se déplacer avec; ~-se de se déplacer en.

deslumbrante [dəʒlũm'brẽtə] adj éblouissant(-e).

deslumbrar [dəʒlũm'brar] vt éblouir.

desmaiado, da [dəʒmɐ'jaðu, -ɐ] adj (desfalecido) évanoui(-e); (desbotado) passé(-e).

desmaiar [dəʒmɐ'jar] vi s'évanouir.

desmaio [dəʒ'maju] m évanouissement m.

desmamar [dəʒmɐ'mar] vt sevrer.

desmancha-prazeres [dəʒˌmẽʃɐpre'zerɐʃ] mf inv rabat-joie m inv.

desmanchar [dəʒmẽ'ʃar] vt (desmontar) défaire; (máquina) démonter; (camisola) détricoter; (bainha) découdre; (penteado) décoiffer; (casamento, noivado) rompre.

❏ **desmanchar-se** vp (multidão) se disperser; (mecanismo) se démonter.

desmarcar [dəʒmɐr'kar] vt (consulta, reserva) annuler; (encontro) décommander.

desmedido, da [dəʒmə'ðiðu, -ɐ] adj démesuré(-e).

desmentido [dəʒmẽ'tiðu] m démenti m.

desmentir [dəʒmẽ'tir] vt (negar) démentir; (contradizer) infirmer.

desmesurado, da [dəʒmə-zu'raðu, -ɐ] adj démesuré(-e).

desmontar [dəʒmõn'tar] vt démonter; (fig) dénouer.

❏ **desmontar de** v + prep descendre de.

desmoralizar [dəʒmureli'zar] vt démoraliser.

desmoronamento [dəʒmu-runɐ'mẽntu] m (de terra) éboulement m; (de casa) écroulement m.

desmoronar [dəʒmuru'nar] vt démolir.

❏ **desmoronar-se** vp s'écrouler.

desnatado [dəʒnɐ'taðu] adj m → leite.

desnecessário, ria [dəʒnə-sə'sarju, -rjɐ] adj (dispensável) superflu(-e); (inútil) inutile.

desnível [dəʒ'nivɛł] (pl -eis [-ɐiʃ]) m (de terreno) dénivellation f; (de valor) écart m; (cultural, social) différence f.

desobedecer [dəzobəðə'ser]: desobedecer a v + prep (pai, mãe, superior) désobéir à; (leis, regras, ordens) enfreindre.

desobediência [dəzobəˈdjēsjɐ] f *(a pai, mãe, superior)* désobéissance f; *(a leis, regras, ordens)* infraction f.

desobediente [dəzobəˈdjēntɐ] adj désobéissant(-e).

desobstruir [dəzobʃtruˈir] vt *(desimpedir)* dégager; *(cano)* déboucher.

desocupado, da [dəzokuˈpaðu, -ðɐ] adj inoccupé(-e).

desocupar [dəzokuˈpar] vt libérer.

desodorante [dʒizodoˈrētʃi] adj & m *(Br)* = **desodorizante**.

desodorizante [dəzoduriˈzēntə] adj *(Port)* déodorant(-e). ◆ m *(Port)* déodorant m.

desonesto, ta [dəzuˈnɛʃtu, -tɐ] adj malhonnête.

desordem [dəˈzɔrðēi] f désordre m; **em** ~ en désordre.

desorganizado, da [dəzorgɐniˈzaðu, -ðɐ] adj *(pessoa)* désordonné(-e); *(papéis, quarto)* en désordre; *(serviço)* désorganisé(-e).

desorientação [dəzorjēntɐˈsɐ̃u] f désorientation f.

desorientado, da [dəzorjēnˈtaðu, -ðɐ] adj *(sem saber a direcção)* perdu(-e); *(desnorteado)* désorienté(-e).

despachar [dəʃpɐˈʃar] vt expédier.
❏ **despachar-se** vp se dépêcher.

despedida [dəʃpɐˈðiðɐ] f adieux mpl; **é a hora da** ~ c'est le moment de se dire au revoir.

despedir [dəʃpɐˈðir] vt renvoyer.
❏ **despedir-se** vp *(dizer adeus)* dire au revoir; *(demitir-se)* démissionner.

despejar [dəʃpɐˈʒar] vt *(de casa, apartamento)* expulser; *(líquido, lixo)* vider.

despejo [dəʃˈpɐiʒu] m *(de apartamento, casa)* expulsion f.

❏ **despejos** mpl *(lixo)* ordures fpl.

despensa [dəʃˈpēsɐ] f cellier m; *(pequena)* garde-manger m inv.

despenteado, da [dəʃpēnˈtjaðu, -ðɐ] adj décoiffé(-e).

despentear [dəʃpēnˈtjar] vt décoiffer.
❏ **despentear-se** vp se décoiffer.

despercebido, da [dəʃpɐrsɐˈbiðu, -ðɐ] adj inaperçu(-e); **fazer-se de** ~ faire semblant de ne pas comprendre; **passar** ~ passer inaperçu.

desperdiçar [dəʃpɐrðiˈsar] vt gaspiller; *(oportunidade)* rater; *(talento)* gâcher; *(tempo)* perdre; *(saúde)* user.

desperdício [dəʃpɐrˈðisju] m gaspillage m; *(de oportunidade, talento)* gâchis m; *(de tempo)* perte f.
❏ **desperdícios** mpl déchets mpl.

despertador [dəʃpɐrtɐˈðor] *(pl* -es [-əʃ]) m réveil m.

despertar [dəʃpɐrˈtar] vt *(acordar)* réveiller; *(fig: estimular)* éveiller; *(fig: dar origem a)* déclencher. ◆ vi se réveiller.

despesa [dəʃˈpezɐ] f dépense f.
❏ **despesas** fpl *(de empresa, organismo)* dépenses fpl; *(de deslocação)* frais mpl.

despido, da [dəʃˈpiðu, -ðɐ] adj *(nu)* nu(-e).

despir [dəʃˈpir] vt déshabiller.
❏ **despir-se** vp se déshabiller.

desportista [dəʃpurˈtiʃtɐ] mf sportif m (-ive f).

desportivo, va [dəʃpurˈtivu, -vɐ] adj *(Port)* sportif(-ive).

desporto [dəʃˈportu] m *(Port)* sport m.

despregar [dəʃprɐˈgar] vt arracher.
❏ **despregar-se** vp tomber.

desprender [dəʃprēnˈder] vt détacher.

❏ **desprender-se** *vp* se détacher.

despreocupado, da [dəʃpriokuˈpaðu, -ðɐ] *adj* détendu(-e).

desprevenido, da [dəʃprəvəˈniðu, -ðɐ] *adj* pris(-e) au dépourvu.

desprezar [dəʃprəˈzar] *vt* mépriser.

desproporcionado, da [dəʃprupursjuˈnaðu, -ðɐ] *adj* disproportionné(-e).

desqualificar [dəʃkwɐlɐfiˈkar] *vt* disqualifier.

desquitado, da [dʒiʃkiˈtadu, -dɐ] *adj (Br)* séparé(-e).

dessa [ˈdɛsɐ] = de + essa; → **de**.

desse [ˈdesə] = de + esse; → **de**.

desta [ˈdɛʃtɐ] = de + esta; → **de**.

destacar [dəʃtɐˈkar] *vt (separar)* détacher; *(enfatizar)* souligner.

❏ **destacar-se** *vp (distinguir-se)* ressortir; *(pessoa)* se distinguer.

destacável [dəʃtɐˈkavɛɫ] *(pl -eis* [-ɐiʃ]) *adj* détachable. ◆ *m (de formulário)* partie *f* détachable; *(de revista, jornal)* supplément *m*.

destapar [dəʃtɐˈpar] *vt (frasco)* ouvrir; *(pescoço, panela)* découvrir.

destaque [dəʃˈtakə] *m (ênfase)* importance *f*; **de ~** marquant (-e).

deste [ˈdeʃtə] = de + este; → **de**.

destemido, da [dəʃtəˈmiðu, -ðɐ] *adj* intrépide.

destilada [dəʃtiˈlaðɐ] *adj f* → **água**.

destilar [dəʃtiˈlar] *vt* distiller.

destinar [dəʃtiˈnar] *vt* : **~ dinheiro para** mettre de l'argent de côté pour; **~ algo para** garder qqch pour.

❏ **destinar-se a** *vp + prep (ter por fim)* être destiné(-e) à; *(ser endereçado a)* s'adresser à.

destinatário, ria [dəʃtinɐˈtarju, -rjɐ] *m, f* destinataire *mf*.

destino [dəʃˈtinu] *m (de viagem)* destination *f*; *(fim)* but *m*; **o ~ le** destin; **com ~ a** à destination de.

destituir [dəʃtiˈtwir] *vt* destituer.

destrancar [dəʃtrɐ̃ˈkar] *vt* ouvrir.

destreza [dəʃˈtrezɐ] *f* adresse *f*.

destro, tra [ˈdeʃtru, -trɐ] *adj* adroit(-e); *(que usa a mão direita)* droitier(-ère).

destroços [dəʃˈtrɔsuʃ] *mpl (de naufrágio)* débris *mpl*; *(de edifício)* gravats *mpl*.

destruição [dəʃtruiˈsɐ̃u] *f* destruction *f*.

destruir [dəʃtruˈir] *vt* détruire.

desuso [dəˈzuzu] *m* : **em ~** vieilli(-e).

desvalorização [dəʒvəlurizeˈsɐ̃u] *(pl -ões* [-õiʃ]) *f* dévalorisation *f*.

desvalorizar [dəʒvəluriˈzar] *vt* dévaluer.

❏ **desvalorizar-se** *vp* se dévaluer.

desvantagem [dəʒvɐ̃ˈtaʒɐ̃i] *(pl -ns* [-ʃ]) *f* désavantage *m*.

desviar [dəʒˈvjar] *vt* dévier; *(dinheiro)* détourner.

❏ **desviar-se** *vp (afastar-se do caminho)* faire un détour; **~-se de** *(perigo)* éviter; *(assunto)* s'écarter de.

desvio [dəʒˈviu] *m (estrada secundária)* déviation *f*; *(de caminho)* détour *m*; *(de dinheiro)* détournement *m*.

detalhe [dəˈtaʎ ə] *m* détail *m*.

detectar [dətɛˈtar] *vt* détecter.

detector [dətɛˈtor] *(pl -es* [-əʃ]) *m* détecteur *m*; **~ de incêndios** détecteur d'incendie.

detenção [dətɛ̃ˈsɐ̃u] *(pl -ões* [-õiʃ]) *f* détention *f*.

deter [dəˈter] *vt (parar, prender)* arrêter; *(conter)* retenir.

❑ **deter-se** *vp (parar)* s'arrêter; *(conter-se)* se retenir.

detergente [dətər'ʒẽntə] *m (para louça)* liquide *m* vaisselle; *(para roupa)* lessive *f*.

deterioração [dətərjure'sẽu] *f* détérioration *f*.

deteriorar [dətərju'rar] *vt* détériorer.

❑ **deteriorar-se** *vp* se détériorer.

determinação [dətərmine'sẽu] *(pl* -ões [-õiʃ]) *f* détermination *f*; *(resolução)* résolution *f*; *(ordem)* ordre *m*.

determinar [dətərmi'nar] *vt (calcular)* déterminer; *(decidir)* décider; *(ordenar)* ordonner.

detestar [dətəʃ'tar] *vt* détester.

detrás [də'traʃ] *adv (relativo a espaço)* derrière; *(relativo a tempo)* après; ~ **de** *(relativo a espaço)* derrière; *(relativo a tempo)* après; **por** ~ **de** derrière.

detritos [də'tl ituʃ] *mpl (de edifício)* gravats *mpl*; *(lixo)* déchets *mpl*.

deturpar [dətur'par] *vt* déformer.

deu [deu] → **dar**.

deus, sa ['deuʃ, -zɐ] *(mpl* -es [-zəʃ], *fpl* -s [-ʃ]) *m, f* dieu *m* (déesse *f*).

❑ **Deus** *m* Dieu *m*.

devagar [dəvɐ'gar] *adv* lentement.

dever [də'ver] *(pl* -es [-əʃ]) *m* devoir *m*. ◆ *vt* : ~ **algo a alguém** devoir qqch à qqn; ~ **fazer algo** devoir faire qqch; **deves lavar os dentes** tu dois te laver les dents; **ele deve estar atrasado** il doit être en retard; ~ **cívico** devoir civique.

❑ **deveres** *mpl* devoirs *mpl*.

devidamente [də,viðe'mẽntə] *adv* dûment.

devido, da [də'viðu, -ðɐ] *adj* dû (due); ~ **a** à cause de.

devolução [dəvulu'sẽu] *(pl* -ões [-õiʃ]) *f (de dinheiro)* remboursement *m*; *(de cheque)* refus *m*; *(de compra)* reprise *f*; *(de produto, objecto perdido, emprestado)* retour *m*.

devolver [dəvoł'ver] *vt (dinheiro)* rembourser; *(cheque)* refuser; *(produto)* retourner; *(compra)* reprendre; *(objecto perdido, emprestado)* rendre.

devorar [dəvu'rar] *vt* dévorer.

dez ['dɛʃ] *num* dix; → **seis**.

dezanove [dəzɐ'nɔvə] *num (Port)* dix-neuf; → **seis**.

dezasseis [dəzɐ'sɐiʃ] *num (Port)* seize; → **seis**.

dezassete [dəzɐ'sɛtə] *num (Port)* dix-sept; → **seis**.

dezembro [de'zẽmbru] *m (Br)* = **Dezembro**.

Dezembro [də'zẽmbru] *m (Port)* décembre *m*; → **Setembro**.

dezena [də'zenɐ] *f* dizaine *f*.

dezenove [dize'nɔvi] *num (Br)* = **dezanove**.

dezesseis [dize'seiʃ] *num (Br)* = **dezasseis**.

dezessete [dize'sɛti] *num (Br)* = **dezassete**.

dezoito [də'zɔitu] *num* dix-huit; → **seis**.

DF *(Br) (abrev de* **Distrito Federal)** DF.

dia ['diɐ] *m* jour *m*; **bom** ~! bonjour!; **do** ~ du jour; **durante o** ~ pendant la journée; **estar em** ~ être à jour; **já é de** ~ il fait jour; **qualquer** ~ un de ces jours; **no** ~ **seguinte** le lendemain; **no** ~ **vinte** le vingt; **nos nossos** ~**s** de nos jours; **por** ~ par jour; **pôr algo em** ~ *(actualizar)* mettre qqch à jour; *(em conversa)* faire le point sur qqch; **pôr-se em** ~ se mettre à jour; **todos os** ~**s** tous les jours; **um** ~ **destes** un de ces jours; ~ **azul** ≃ période bleue/blanche; ~

de anos anniversaire *m*; **o ~ a ~** le quotidien; **~ de folga** jour de congé; **~ das mentiras** 1er avril; **Dia da República** *5 octobre, jour anniversaire de la première république portugaise*; **~ Santo** jour saint; **~ de semana** jour de la semaine; **~ de Todos-os-Santos** Toussaint *f*; **~ útil** jour ouvrable.

diabetes [djɐˈβɛtɐʃ] *f inv* diabète *m*.

diabético, ca [djɐˈβɛtiku, -kɐ] *adj & m, f* diabétique.

diabo [ˈdjaβu] *m* diable *m*; **porque ~?** *(fam)* pourquoi donc?

diafragma [djɐˈfragmɐ] *m* diaphragme *m*.

diagnóstico [djɐgˈnɔʃtiku] *m* diagnostic *m*.

dialecto [djɐˈlɛtu] *m* *(Port)* dialecte *m*.

dialeto [djaˈlɛtu] *m* *(Br)* = **dialecto**.

dialogar [djɐluˈgar] *vi* dialoguer.

diálogo [ˈdjalugu] *m* dialogue *m*.

diamante [djɐˈmɐ̃tɐ] *m* diamant *m*.

diâmetro [ˈdjamɐtru] *m* diamètre *m*.

diante [ˈdjɐ̃tɐ]: **diante de** *prep (à frente de em tempo)* avant; *(à frente de em espaço)* devant; *(perante)* face à.

dianteira [djɐ̃ˈtɐirɐ] *f* avant *m*; **tomar a ~** prendre de l'avance; *(antecipar-se)* prendre les devants.

diapositivo [djɐpuziˈtivu] *m* diapositive *f*.

diária [ˈdjarjɐ] *f prix d'une nuit d'hôtel*.

diariamente [ˌdjarjɐˈmɐ̃tɐ] *adv* tous les jours.

diário, ria [ˈdjarju, -rjɐ] *adj* quotidien(-enne). ◆ *m* journal *m* (intime).

diarreia [djɐˈʀɐjɐ] *f (Port)* diarrhée *f*.

diarréia [dʒjaˈxɛjɐ] *f (Br)* = **diarreia**.

dica [ˈdikɐ] *f (fam)* piste *f*.

dicionário [disjuˈnarju] *m* dictionnaire *m*; **~ de bolso** dictionnaire de poche.

dictafone® [diktɐˈfɔnə] *m* dictaphone *m*.

didáctico, ca [diˈðatiku, -kɐ] *adj (Port)* didactique.

didático, ca [dʒiˈdatʃiku, -kɐ] *adj (Br)* = **didáctico**.

diesel [ˈdizɛɫ] *adj inv* diesel.

dieta [ˈdjɛtɐ] *f* régime *m*.

dietético, ca [djɛˈtɛtiku, -kɐ] *adj* diététique.

difamar [difɐˈmar] *vt* diffamer.

diferença [difɐˈrẽsɐ] *f* différence *f*.

diferenciar [difɐrẽˈsjar] *vt* différencier.

diferente [difɐˈrẽtɐ] *adj* différent(-e).

difícil [diˈfisiɫ] *(pl* **-ceis** [-sɐiʃ]*)* *adj* difficile.

dificuldade [dɐfikuɫˈdaðɐ] *f* difficulté *f*.

dificultar [dɐfikuɫˈtar] *vt* rendre difficile.

difundir [difũˈdir] *vt* diffuser.

difusão [difuˈzɐ̃u] *f* diffusion *f*.

digerir [diʒɐˈrir] *vt* digérer.

digestão [diʒɐʃˈtɐ̃u] *f* digestion *f*.

digestivo, va [diʒɐʃˈtivu, -vɐ] *adj* digestif(-ive). ◆ *m* digestif *m*.

digital [diʒiˈtaɫ] *(pl* **-ais** [-aiʃ]*)* *adj* digital(-e), numérique.

digitalizador [diʒitɐlizɐˈðor] *(pl* **-es** [-əʃ]*)* *m* convertisseur *m* numérique; *(de imagem)* scanner *m*.

digitar [diʒiˈtar] *vt (palavra)* taper; *(número)* composer.

dígito [ˈdiʒitu] *m* chiffre *m*.

dignidade [digniˈðaðɐ] *f* dignité *f*.

dilatar [dilɐ'tar] *vt (metal)* dilater; *(prazo)* prolonger.
❑ **dilatar-se** *vp* se dilater.

dilema [di'lemɐ] *m* dilemme *m*.

diluir [di'lwir] *vt* diluer.

dimensão [dimẽ'sɐ̃u] *(pl* -ões [-õiʃ]) *f* dimension *f*.

diminuir [dəmi'nwir] *vi* diminuer. ◆ *vt (preço, som)* baisser; *(velocidade, despesas)* réduire.

diminutivo [dəminu'tivu] *m* diminutif *m*.

Dinamarca [dinɐ'markɐ] *f* : **a ~** le Danemark.

dinamarquês, esa [dinɐmɐr-'keʃ, -ezɐ] *(mpl* -eses [-ezaʃ], *fpl* -s [-ʃ]) *adj* danois(-e). ◆ *m, f* Danois *m* (-e *f*). ◆ *m (língua)* danois *m*.

dinâmico, ca [di'nɐmiku, -kɐ] *adj* dynamique.

dinamismo [dinɐ'miʒmu] *m (fig)* dynamisme.

dinamite [dinɐ'mitɐ] *f* dynamite *f*.

dínamo ['dinɐmu] *m* dynamo *f*.

dinastia [dinɐʃ'tiɐ] *f* dynastie *f*.

dinheiro [di'ɲeiru] *m* argent *m*; **ter ~** avoir de l'argent; **~ miúdo** monnaie *f*; **~ trocado** monnaie *f*.

dinossauro [dinɔ'sauru] *m* dinosaure *m*.

dióspiro ['djɔʃpiru] *m* kaki *m (fruit)*.

diploma [di'plomɐ] *m* diplôme *m*.

dique ['dikɐ] *m* digue *f*.

direção [dʒire'sɐ̃u] *(pl* -ões [-õiʃ]) *f (Br)* = **direcção**.

direcção [dirɛ'sɐ̃u] *(pl* -ões [-õiʃ]) *f* direction *f*; *(Port: endereço)* adresse *f*.

direções → **direção**.

directo, ta [di'rɛtu, -tɐ] *adj (Port)* direct(-e); **em ~** en direct.

director, ra [dirɛ'tor, -rɐ] *(mpl* -es [-əʃ], *fpl* -s [-ʃ]) *m, f* directeur *m* (-trice *f*).

direita [di'reitɐ] *f* : **a ~** la droite; **à ~** à droite; **virar à ~** tourner à droite; **pela ~** à droite; **ser de ~** être de droite.

direito, ta [di'reitu, -tɐ] *adj* droit(-e). ◆ *m* droit *m*. ◆ *adv (Br)* correctement; **ir ~ a** aller droit à; **pôr-se ~** se tenir droit; **os ~s humanos** les droits de l'homme; **a ~** tout droit; **não há ~!** ce n'est pas juste!

direto, ta [dʒi'rɛtu, -tɐ] *adj (Br)* → **directo**.

dirigente [diri'ʒẽtɐ] *mf* dirigeant *m* (-e *f*).

dirigir [dəri'ʒir] *vt* diriger; *(Br: veículo)* conduire. ◆ *vi (Br)* conduire; **~ algo a alguém** adresser qqch à qqn; **~ algo para** diriger qqch vers.
❑ **dirigir-se a** *vp + prep (falar directamente a)* s'adresser à; *(local)* se diriger vers; **~-se para** se diriger vers; **'este aviso dirige-se a todos os utentes'** 'avis à tous les usagers'.

dirigível [diri'ʒivɐɬ] *(pl* -eis [-ɐiʃ]) *m* dirigeable *m*.

discar [diʃ'kar] *vt* composer *(un numéro)*. ◆ *vi* faire le numéro.

disciplina [dɐʃi'plinɐ] *f (EDUC)* matière *f*; *(ordem e respeito)* discipline *f*.

disc-jóquei [disk'ʒɔkɐi] *(pl* **disc-jóqueis** [disk'ʒɔkɐiʃ]) *mf* disc-jockey *mf*.

disco ['diʃku] *m* disque *m*; *(de telefone)* cadran *m*; **~s de algodão** disques démaquillants; **~ compacto** Compact Disc® *m*; **~ rígido** disque dur; **~ voador** soucoupe *f* volante.

discordar [diʃkur'dar] *vi* ne pas être d'accord; **~ de alguém em algo** ne pas être d'accord avec qqn sur qqch.

discórdia [diʃ'kɔrdjɐ] *f (desarmonia)* discorde *f*.

discoteca [diʃkuˈtɛkɐ] f discothèque f; *(local de venda)* disquaire m.

discreto, ta [diʃˈkrɛtu, -tɐ] adj discret(-ète).

discriminação [diʃkrɐmiˈnɐ'sɐ̃u] f discrimination f.

discriminar [diʃkrɐmiˈnar] vt *(distinguir)* différencier, faire une discrimination entre; *(detalhar)* détailler.

discurso [diʃˈkursu] m discours m; ~ **directo/indirecto** discours direct/indirect.

discussão [diʃkuˈsɐ̃u] *(pl* -ões [-õiʃ]) f *(debate)* discussion f; *(briga)* dispute f.

discutir [diʃkuˈtir] vt discuter de. ◆ vi se disputer.

disenteria [dizɛntɐˈriɐ] f dysenterie f.

disfarçar [diʃfɐrˈsar] vt *(encobrir)* masquer; *(medo)* cacher. ◆ vi faire comme si de rien n'était; **isso, disfarça!** c'est ça, fait l'innocent!

❏ **disfarçar-se** vp se déguiser; ~**-se de** se déguiser en.

disfarce [diʃˈfarsɐ] m déguisement m.

dislexia [diʒlɛkˈsiɐ] f dyslexie f.

disléxico, ca [diʒˈlɛksiku, -kɐ] adj & m, f dyslexique.

disparador [diʃpɐrɐˈdor] *(pl* -es [-ɐʃ]) m *(de máquina fotográfica)* déclencheur m; *(de arma)* gachette f.

disparar [diʃpɐˈrar] vt tirer. ◆ vi *(arma)* tirer; *(máquina fotográfica)* déclencher.

disparatado, da [diʃpɐrɐˈtaðu, -ðɐ] adj insensé(-e).

disparate [diʃpɐˈratɐ] m bêtise f.

dispensar [diʃpẽˈsar] vt se passer de; ~ **alguém de algo** dispenser qqn de qqch; ~ **algo a alguém** donner qqch à qqn; *(emprestar)* prêter qqch à qqn.

dispersar [diʃpɐrˈsar] vt disperser. ◆ vi se disperser.

❏ **dispersar-se** vp se disperser.

disperso, sa [diʃˈpɛrsu, -sɐ] pp → **dispersar**.

disponível [diʃpuˈnivɛɫ] *(pl* -eis [-ɐiʃ]) adj disponible; *(casa de banho)* libre.

dispor [diʃˈpor] vt disposer.

❏ **dispor de** v + prep disposer de; *(de posição, influência)* jouir de.

❏ **dispor-se a** vp + prep se proposer de.

dispositivo [diʃpuziˈtivu] m dispositif m.

disposto, osta [diʃˈpoʃtu, -ɔʃtɐ] adj prêt(-e); **estar ~ a fazer algo** être prêt à faire qqch; **bem ~** de bonne humeur; **mal ~** *(de mau humor)* de mauvaise humeur; *(mal do estômago)* indisposé.

disputa [diʃˈputɐ] f *(competição)* lutte f; *(discussão)* dispute f.

disputar [diʃpuˈtar] vt disputer.

disquete [diʃˈkɛtɐ] f disquette f.

dissimular [disimuˈlar] vt dissimuler.

dissipar [disiˈpar] vt dissiper.

❏ **dissipar-se** vp se dissiper.

disso [ˈdisu] = **de + isso**; → **isso**.

dissolver [disoɫˈver] vt dissoudre.

❏ **dissolver-se** vp se dissoudre.

dissuadir [diswɐˈðir] vt dissuader.

distância [diʃˈtɐ̃sjɐ] f distance f; **a que ~ fica?** est-ce que c'est loin?; *(cidade)* c'est à combien de kilomètres?; **fica a um quilómetro de ~** c'est à un km.

distanciar [diʃtɐ̃ˈsjar] vt *(separar)* éloigner; *(por intervalos)* espacer.

❏ **distanciar-se** vp s'éloigner; ~**-se de** *(afastar-se de)* s'éloigner de; *(de pelotão)* se détacher de; *(diferenciar-se de)* être éloigné de.

distante [diʃˈtẽntə] *adj (local)* éloigné(-e); *(tempo)* reculé(-e); *(pessoa)* distant(-e).

distinção [dəʃtĩˈsẽu] *(pl* **-ões** [-õiʃ]*) f* distinction *f*; *(em exame, estudos)* mention *f*.

distinguir [dəʃtũɲˈgir] *vt* distinguer.

❏ **distinguir-se** *vp* se distinguer.

distinto, ta [dəʃˈtĩntu, -tɐ] *adj* distinct(-e); *(pessoa)* distingué(-e).

disto [ˈdiʃtu] = **de** + **isto**; → **isto**.

distorção [diʃturˈsẽu] *(pl* **-ões** [-õiʃ]*) f (de imagem, som)* distorsion *f*; *(de verdade)* déformation *f*.

distração [dʒiʃtraˈsẽu] *(pl* **-ões** [-õiʃ]*) f (Br)* = **distracção**.

distracção [diʃtraˈsẽu] *(pl* **-ões** [-õiʃ]*) f (Port)* distraction *f*.

distrações → **distração**.

distraído, da [diʃtreˈiðu, -ðɐ] *adj* distrait(-e).

distrair [diʃtreˈir] *vt* distraire.

❏ **distrair-se** *vp (divertir-se)* se distraire; *(descuidar-se)* se laisser distraire.

distribuição [dəʃtribwiˈsẽu] *(pl* **-ões** [-õiʃ]*) f* distribution *f*.

distribuidor, ra [deʃtribwiˈðor, -rɐ] *(mpl* **-es** [-əʃ]*, fpl* **-s** [-ʃ]*) m, f* distributeur *m* (-trice *f*). ◆ *m* distributeur *m*.

distrito [dəʃˈtritu] *m (em Portugal)* ≃ département *m*; *(no Brasil)* district *m*; **Distrito Federal** capitale *f* administrative, *nom donné à Brasília, capitale administrative du Brésil.*

distúrbio [diʃˈturβju] *m* trouble *m*.

ditado [diˈtaðu] *m (de texto, frase)* dictée *f*; *(provérbio)* dicton *m*.

ditador, ra [diteˈðor, -rɐ] *(mpl* **-es** [-əʃ]*, fpl* **-s** [-ʃ]*) m, f* dictateur *m*.

ditadura [diteˈðurɐ] *f* dictature *f*.

ditar [diˈtar] *vt* dicter.

dito, ta [ˈditu, -tɐ] *pp* → **dizer**.

ditongo [diˈtõŋgu] *m* diphtongue *f*.

diurno, na [ˈdjurnu, -nɐ] *adj* pendant la journée.

divã [diˈvẽ] *m* divan *m*.

divagar [divɐˈgar] *vi (afastar-se do assunto)* faire des digressions; *(devanear)* divaguer; *(caminhar ao acaso)* errer.

diversão [divɐrˈsẽu] *(pl* **-ões** [-õiʃ]*) f (distracção)* distraction *f*; *(em parque)* attraction *f*; **fazer uma manobra de ~** faire diversion.

diverso, sa [diˈvɛrsu, -sɐ] *adj* différent(-e).

❏ **diversos, sas** *adj pl (vários)* divers(-e); *(muitos)* plusieurs.

diversões → **diversão**.

divertido, da [divɐrˈtiðu, -ðɐ] *adj* drôle.

divertimento [divɐrtiˈmẽntu] *m* divertissement *m*.

divertir [divɐrˈtir] *vt* amuser.

❏ **divertir-se** *vp* s'amuser.

dívida [ˈdiviðɐ] *f* dette *f*.

dividendos [dəviˈðẽnduʃ] *mpl* dividendes *mpl*.

dividir [dəviˈðir] *vt* diviser; *(repartir)* partager. ◆ *vi* diviser.

❏ **dividir-se** *vp (separar-se)* se séparer; *(ramificar-se)* se diviser.

divino, na [diˈvinu, -nɐ] *adj* divin(-e); *(sublime)* exquis(-e).

divisão [dəviˈzẽu] *(pl* **-ões** [-õiʃ]*) f* division *f*; *(de casa)* pièce *f*; *(de comida, bens, trabalho)* partage *m*.

divisas [dəviˈzɐʃ] *fpl* devises *fpl*.

divisões → **divisão**.

divorciado, da [divurˈsjaðu, -ðɐ] *adj* divorcé(-e).

divorciar-se [divurˈsjarsə] *vp* divorcer; **~ de alguém** divorcer de qqn.

divórcio [diˈvɔrsju] *m* divorce *m*.

divulgar [divuɫ'gar] *vt (informação, ideia)* divulguer; *(produto, serviço)* promouvoir.

dizer [di'zer] *vt* dire; ~ **algo a alguém** dire qqch à qqn; ~ **a alguém que** dire à qqn de OU que; **eu disse-lhe que se calasse** je lui ai dit de se taire; **como se diz...?** comment dit-on...?

DJ [di'ʒɐi] *mf (abrev de* **discjóquei)** DJ.

do [du] = **de + o**; → **o**.

doação [dwɐ'sɐ̃u] *(pl* **-ões** [-õiʃ]) *f* donation *f*.

doar [dwar] *vt* faire don de.

dobra [ˈdɔbrɐ] *f* pli *m*.

dobrada [du'braðɐ] *f* tripes *fpl*.

dobradiça [dubrɐ'disɐ] *f* charnière *f*.

dobrado, da [du'braðu, -ðɐ] *adj (papel, peça de roupa)* plié(-e); *(Port: filme, programa de TV)* doublé(-e).

dobrar [du'brar] *vt* plier; *(costas)* courber; *(Port: filme, programa de TV)* doubler. ◆ *vi* doubler; ~ **a esquina** tourner au coin de la rue.
❑ **dobrar-se** *vp* se courber.

dobro [ˈdobru] *m* : **o** ~ le double.

doca [ˈdɔkɐ] *f* dock *m*.

doçaria [dusɐ'riɐ] *f* pâtisserie *f*; ~ **caseira** gâteaux *mpl* maison.

doce [ˈdosɐ] *adj (bebida, comida)* sucré(-e); *(pessoa)* doux (douce). ◆ *m* sucrerie *f*; ~ **de ovos** crème riche en jaune d'œuf.

dóceis → **dócil**.

docente [du'sẽtɐ] *adj & mf* enseignant(-e).

dócil [ˈdɔsiɫ] *(pl* **-ceis** [-sɐiʃ]) *adj (animal)* docile; *(pessoa)* facile.

documentação [dukumẽtɐ'sɐ̃u] *f* papiers *mpl*.

documentário [dukumẽ'tarju] *m* documentaire *m*.

documento [duku'mẽtu] *m (de identificação)* papier *m*; *(testemunho escrito)* document *m*.

doçura [du'surɐ] *f (fig)* douceur *f*.

doença [ˈdwẽsɐ] *f* maladie *f*; ~ **venérea** maladie vénérienne.

doente [ˈdwẽtɐ] *adj & mf* malade; ~ **mental** malade mental.

doentio, tia [dwẽ'tiu, -'tiɐ] *adj (lugar, atmosfera)* malsain(-e); *(pessoa)* maladif(-ive).

doer [ˈdwer] *vi* faire mal.

doido, da [ˈdoiðu, -ðɐ] *adj & m, f* fou (folle); **ser** ~ **por** être fou de; ~ **varrido** fou à lier.

dois, duas [ˈdoiʃ, ˈduɐʃ] *num* deux; ~ **a** ~ deux par deux; → **seis**.

dólar [ˈdɔlar] *(pl* **-es** [-əʃ]) *m* dollar *m*.

doleiro [do'lɐiru] *m (Br)* revendeur de dollars au marché noir.

dolorido, da [dulu'riðu, -ðɐ] *adj* courbattu(-e).

doloroso, osa [dulu'rozu, -ɔzɐ] *adj* douloureux(-euse).

dom [ˈdõ] *(pl* **-ns** [-ʃ]) *m* don *m (qualité)*.

domador, ra [dumɐ'ðor, -rɐ] *(mpl* **-es** [-əʃ]*, fpl* **-s** [-ʃ]*)* m, f* dompteur *m* (-euse *f*).

doméstica [du'mɛʃtikɐ] *f* femme *f* au foyer.

domesticado, da [dumɐʃti'kaðu, -ðɐ] *adj* apprivoisé(-e).

domesticar [dumɐʃti'kar] *vt* apprivoiser.

doméstico, ca [du'mɛʃtiku, -kɐ] *adj* domestique; *(tarefa)* ménager(-ère).

domicílio [dumi'silju] *m* domicile *m*.

dominar [dumi'nar] *vt* maîtriser; *(país)* dominer.
❑ **dominar-se** *vp* se maîtriser.

domingo [du'mĩngu] *m* dimanche *m*; → **sexta-feira**.

domínio [du'minju] *m* maîtrise *f*; *(autoridade)* domination *f*; *(sector, campo, território)* domaine *m*.

dominó [dɔmi'nɔ] *m* domino *m*; **jogar ~** jouer aux dominos.

dona ['donɐ] *f* : **~ Isabel X** Madame X; **~ de casa** maîtresse *f* de maison; → **dono**.

donde ['dõndɐ] *adv* = **de** + **onde**; *(de que lugar)* d'où.

dono, na ['donu, -nɐ] *m, f* propriétaire *mf*; *(de cão)* maître *m* (-esse *f*).

dons → **dom**.

dopar [du'par] *vt* doper.

dor ['dor] *(pl* **-es** [-ɐʃ]*) f* douleur *f*; **~ de barriga** mal *m* de ventre; **~ de cabeça** mal *m* de tête; **~ de costas** mal *m* au dos; **dor de dentes** mal *m* de dents; **~ de cotovelo** *(fig)* jalousie *f*; **~ de estômago** douleur d'estomac; **~ de garganta** mal *m* de gorge; **ter ~ de ouvidos** avoir mal aux oreilles.

dormente [dur'mẽntɐ] *adj* engourdi(-e).

dormida [dur'miɖɐ] *f* : '**~ e pequeno almoço**' 'nuit avec petit-déjeuner compris'.

dormir [dur'mir] *vi* dormir.
♦ *vt* : **~ a sesta** faire la sieste.

dormitório [durmi'tɔrju] *m* dortoir *m*.

dosagem [du'zaʒẽi] *(pl* **-ns** [-ʃ]*) f* dose *f*; *(operação)* dosage *m*.

dose ['dɔzɐ] *f* dose *f*; *(de comida)* part *f*; **uma ~** une portion; **meia ~** *la moitié d'une portion servie pour une personne au restaurant.*

dossiê [do'sje] *m (Br)* = **dossier**.

dossier [dɔ'sje] *m (Port)* dossier *m*; **~ (escolar)** classeur *m*.

dotado, da [du'taɖu, -ɖɐ] *adj* doué(-e).

dou ['do] → **dar**.

dourado, da [do'raɖu, -ɖɐ] *adj* doré(-e).

Douro ['doru] *m* : **o ~** le Douro.

DOURO

Deuxième fleuve du Portugal, bien qu'il ait sa source en Espagne, il donne son nom à la région qu'il arrose, située au nord du pays entre les Beiras (au sud), le Minho (à l'ouest) et Trás-Os-Montes (à l'est). C'est une contrée de collines fertiles, où s'étendent les vignes qui ont donné naissance au célèbre porto, ainsi qu'à d'autres vins typiques de la région. Autrefois utilisé pour le transport de marchandises, le Douro est aujourd'hui parcouru par des bateaux de plaisance.

---

doutor, ra [do'tor, -rɐ] *(mpl* **-es** [-ɐʃ], *fpl* **-s** [-ʃ]*) m, f (pessoa doutorada)* docteur *m*; *(Br: médico)* docteur *m*.

Doutor, ra [do'tor, -rɐ] *m, f (forma de tratamento)* Docteur *m*.

doutrina [do'trinɐ] *f* doctrine *f*.

doze ['dozɐ] *num* douze; → **seis**.

Dr. *(abrev de* **Doutor***) titre donné à tous les licenciés;* **~ João X** Monsieur X.

Dra. *(abrev de* **Doutora***) titre donné à toutes les licenciées;* **~ Isabel X** Madame X.

dragão [drɐ'gɐ̃u] *(pl* **-ões** [-õiʃ]*) m* dragon *m*.

dragar [drɐ'gar] *vt* draguer *(une rivière)*.

drágea ['draʒjɐ] *f (Br)* → **drageia**.

drageia [drɐ'ʒejɐ] *f (Port)* dragée *f*.

dragões → **dragão**.

drama ['drɛmɐ] *m* drame *m*.

dramatizar [drɐmɐti'zar] *vt* faire un drame de.

dramaturgo, ga [drɐmɐ'turgu, -gɐ] *m, f* dramaturge *mf*.

drástico, ca ['draʃtiku, -kɐ] *adj (solução)* radical(-e); *(medida)* draconien(-enne).

drenar [drɐ'nar] *vt* drainer.

dreno ['drenu] *m* drain *m*.

driblar [dri'blar] *vt & vi* dribbler.

drinque ['drĩki] *m (Br)* drink *m*.

drive ['draivɐ] *f* lecteur *m*.

droga ['drɔgɐ] *f* drogue *f*; *(coisa de má qualidade)* cochonnerie *f*. ♦ *interj* mince!

drogado, da [dru'gaðu, -ðɐ] *m, f* drogué *m* (-e *f*).

drogar [dru'gar] *vt* droguer. ❑ **drogar-se** *vp* se droguer.

drogaria [drugɐ'riɐ] *f* droguerie *f*.

dto. *(abrev de direito)* dte.

duas → **dois**.

dublar [du'blax] *vt (Br)* = **dobrar**.

ducha ['duʃɐ] *f (Br)* = **duche**.

duche ['duʃɐ] *m (Port)* douche *f*; **tomar um ~** prendre une douche.

duende ['dwẽdɐ] *m* lutin *m*.

dum [dũ] = **de** + **um**; → **um**.

duma ['dumɐ] = **de** + **uma**; → **um**.

dumas ['dumɐʃ] = **de** + **umas**; → **um**.

duna ['dunɐ] *f* dune *f*.

duns [dũʃ] = **de** + **uns**; → **um**.

dupla ['duplɐ] *f (par)* couple *m*; *(Br: em música)* duo *m*.

dúplex ['duplɛks] *m inv* duplex *m*.

duplicado [dupli'kaðu] *m* double *m*; **em ~** en double.

duplicar [dupli'kar] *vt & vi* doubler.

duplo, pla ['duplu, -plɐ] *adj* double. ♦ *m* : **o ~** le double.

duração [durɐ'sẽu] *f* durée *f*.

duradouro, ra [durɐ'doru, -rɐ] *adj* durable.

durante [du'rẽtɐ] *prep* pendant.

durar [du'rar] *vi* durer.

durex [du'rɛks] *adj (Br)* → **fita**.

dureza [du'rezɐ] *f* dureté *f*.

durmo ['durmu] → **dormir**.

duro, ra ['duru, -rɐ] *adj* dur(-e).

dúvida ['duviðɐ] *f* doute *m*; **estar em ~** se demander; **pôr em ~** mettre en doute; **sem ~!** bien sûr!; **tirar ~s** expliquer.

duvidoso, osa [duvi'ðozu, -ɔzɐ] *adj* louche; *(oferta)* douteux(-euse).

duzentos, tas [du'zẽtuʃ, -tɐʃ] *num* deux cents; → **seis**.

dúzia ['duzjɐ] *f* douzaine *f*; **uma ~ de ovos** une douzaine d'œufs; **vender à ~** vendre à la douzaine; **meia ~** une demi-douzaine.

E

e [i] *conj* et.

E. *(abrev de* **Este***)* E.

é ['ɛ] → **ser**.

ébano ['ɛbɐnu] *m (árvore)* ébénier *m*; *(madeira)* ébène *f*.

ébrio, ébria ['ɛbriu, 'ɛbriɐ] *adj* ivre.

ebulição [ibuli'sɐ̃u] *f* ébullition *f*.

écharpe [e'ʃarpɐ] *f* écharpe *f*.

eclipse [i'klipsɐ] *m* éclipse *f*.

eco ['ɛku] *m* écho *m*.

ecoar [i'kwar] *vi* résonner.

ecografia ['ɛkɔgrɐ'fiɐ] *f* échographie *f*.

ecologia [ikulu'ʒiɐ] *f* écologie *f*.

ecológico, ca [iku'lɔʒiku, -kɐ] *adj* écologique.

economia [ikɔnu'miɐ] *f* économie *f*.

❏ **economias** *fpl* économies *fpl*.

económico, ca [iku'nɔmiku, -kɐ] *adj (Port)* économique; *(pessoa)* économe.

econômico, ca [eko'nomiku, -kɐ] *adj (Br)* = **económico**.

economista [ikɔnu'miʃtɐ] *mf* économiste *mf*.

economizar [ikunumi'zar] *vt & vi* économiser.

ecrã ['ɛkrɐ̃] *m* écran *m*.

ECU ['ɛku] *m (abrev de* **European Currency Unit***)* Ecu *m*.

eczema [ɛg'zemɐ] *m* eczéma *m*.

edição [idi'sɐ̃u] *(pl* **-ões** [-õiʃ]*) f* édition *f*.

edifício [idɐ'fisju] *m* immeuble *m*.

edifício-garagem [edʒi-fisjuga'raʒɐ̃i] *(pl* **edifícios--garagens** [edʒifisjuʒga'raʒɐ̃i]*) m (Br)* parking *m*.

editar [idi'tar] *vt* éditer.

editor, ra [idi'tor, -rɐ] *(mpl* **-es** [-əʃ]*, fpl* **-s** [-ʃ]*) m, f* éditeur *m* (-trice *f*).

editora [idi'torɐ] *f* maison *f* d'édition; → **editor**.

editores → **editor**.

EDP *f (abrev de* **Electricidade de Portugal***)* ≃ EDF.

edredão [idrɐ'ðɐ̃u] *(pl* **-ões** [-õiʃ]*) m (Port)* édredon *m*; *(espesso)* couette *f*.

edredom [edre'dõ] *(pl* **-ns** [-ʃ]*) m (Br)* = **edredão**.

educação [iduke'sɐ̃u] *f* éducation *f*.

educado, da [idu'kaðu, -ðɐ] *adj* bien élevé(-e).

educar [idu'kar] *vt* éduquer.

efectivamente [ifɛtivɐ'mɛntɐ] *adv (Port)* effectivement.

efectivo, va [ifɛ'tivu, -vɐ] *adj (Port: real)* effectif(-ive); *(funcionário, empregado)* titulaire. ◆ *m (Port: categoria de professor)* professeur *m* titulaire.

efectuar [ifɛ'twar] vt (Port) effectuer.

efeito [i'feitu] m effet m; **com ~** en effet; **sem ~** sans effet; (contrato) non avenu.

efervescente [ifərvəʃ'sēntə] adj → **aspirina**.

efetivo, va [efe'tʃivu, -və] adj (Br) = **efectivo**.

efetuar [efe'twax] vt (Br) = **efectuar**.

eficácia [ifi'kasjɐ] f efficacité f.

eficaz [ifi'kaʃ] (pl -es [-zəʃ]) adj efficace.

eficiência [ifə'sjēsjɐ] f efficacité f.

eficiente [ifə'sjēntə] adj efficace.

efusivo, va [ifu'zivu, -və] adj expansif(-ive).

egoísmo [i'gwiʒmu] m égoïsme m.

egoísta [i'gwiʃtə] adj & mf égoïste.

égua [ˈɛgwɐ] f jument f.

eis [ˈeiʃ] adv voilà; **~ senão quando** et voilà que.

eixo [ˈeiʃu] m (de roda) essieu m; (de máquina) axe m.

ejaculação [iʒɛkulɐ'sēu] (pl -ões [-õiʃ]) f éjaculation f.

ejacular [iʒɛku'lar] vt & vi éjaculer.

ela → **ele**.

elaboração [ilɐbure'sēu] f élaboration f.

elaborar [ilɐbu'rar] vt élaborer; (lista) établir.

elasticidade [ileʃtɐsi'ɖaɖə] f élasticité f.

elástico, ca [i'laʃtiku, -kə] adj élastique. ◆ m élastique m.

ele, ela [ˈelə, ˈɛlə] pron il (elle); (com preposição) lui (elle); **é ~/ela** c'est lui/elle; **e ~/ela?** et lui/elle?; **~ mesmo** OU **próprio/ela mesma** OU **própria** lui-même/elle-même; **para eles/elas** pour eux/elles.

electricidade [iletrɐsi'ɖaɖə] f (Port) électricité f.

electricista [iletrɐ'siʃtə] mf (Port) électricien m (-enne f).

eléctrico, ca [i'letriku, -kə] adj (Port) électrique. ◆ m (Port) tramway m.

electrizar [iletri'zar] vt (Port: fig: público) chauffer.

electrodoméstico [i‚letrɔɖu'mɛʃtiku] m (Port) électroménager m.

electrónica [ile'trɔnikə] f (Port) électronique f.

electrónico, ca [ile'trɔniku, -kə] adj (Port) électronique.

elefante [ilɐ'fēntə] m éléphant m.

elegância [ilɐ'gēsjɐ] f élégance f.

elegante [ilɐ'gēntə] adj (esbelto) mince; (distinto) élégant(-e).

eleger [ilɐ'ʒer] vt (ministro, director, deputado) élire; (sistema, método, manual) choisir.

eleição [ilei'sēu] (pl -ões [-õiʃ]) f (de ministro, director, Miss Mundo) élection f; (sistema, método, manual) choix m.

❑ **eleições** fpl élections fpl.

eleito, ta [i'leitu, -tə] pp → **eleger**. ◆ adj élu(-e).

eleitor, ra [ilei'tor, -rə] (mpl -es [-əʃ], fpl -s [-ʃ]) m, f électeur m (-trice f).

elementar [ilɐmēn'tar] (pl -es [-əʃ]) adj élémentaire.

elemento [ilɐ'mēntu] m élément m; (de equipa, grupo) membre m.

❑ **elementos** mpl éléments mpl.

elétrico, ca [e'letriku, -kə] adj & m (Br) = **eléctrico**.

eletrônica [ele'trɔnikə] f (Br) = **electrónica**.

elevação [ilɐvɐ'sēu] (pl -ões [-õiʃ]) f hauteur f (en géographie).

elevado, da [ilɐ'vaɖu, -ɖə] adj élevé(-e).

elevador [ilǝvɐ'ďor] (*pl* **-es** [-ǝʃ])
m ascenseur *m*.

elevar [ilǝ'var] *vt* élever; *(preço,
imposto)* augmenter.

❏ **elevar-se** *vp* s'élever; **~-se nos
ares** s'envoler.

eliminar [ilǝmi'nar] *vt* éliminer;
(possibilidade, hipótese) écarter.

elite [ɛ'litǝ] *f* élite *f*.

elo ['ɛlu] *m* chaînon *m*; **~ de ligação** *(fig)* lien *m*.

elogiar [ilu'ʒjar] *vt* faire l'éloge
de.

elogio [ilu'ʒiu] *m* éloge *m*.

eloquência [ilu'kwẽsjɐ] *f (Port)*
éloquence *f*.

eloquente [ilu'kwẽtɐ] *adj
(Port)* éloquent(-e).

eloqüente [elo'kwẽtʃi] *adj (Br)*
= eloquente.

em [ẽi] *prep* **1.** *(no interior de)*
dans; **vivo no norte** je vis dans le
nord; **os papéis estão naquela
gaveta** les papiers sont dans ce tiroir; **a chave está na fechadura** la
clé est dans la serrure; **fica no
nordeste** c'est au nord-est; **estou
na cama** je suis au lit.

2. *(em certo ponto de)* dans; **na
rua** dans la rue; **~ casa** à la maison; **no trabalho** au travail; **~ minha casa** chez moi.

3. *(sobre)* sur; **coloca uma jarra
nesta mesa** mets un vase sur
cette table; **a chave está na porta**
la clé est sur la porte; **põe isso no
chão** mets cela par terre.

4. *(relativo a cidade, país)* à; **~
Londres/Paris** à Londres/Paris;
no Brasil au Brésil; **nos Estados
Unidos** aux États-Unis; **~ Portu-
gal/França** au Portugal/en France.

5. *(indica tempo)* en; *(dia)* le;
(época) à; **ele nasceu ~ 1970/num
sábado** il est né en 1970/un samedi; **no dia 25** le 25; **vou de férias no Verão/Natal** je pars en
vacances en été/à Nöel; **estou de
volta numa semana** je suis de

retour dans une semaine; **leio
muito nas férias** je lis beaucoup
pendant les vacances; **nos nossos
dias** de nos jours.

6. *(indica modo)* en; **paguei ~
escudos** j'ai payé en escudos;
respondi-lhe ~ português je lui ai
répondu en portugais; **ele res-
pondeu-me num tom muito
seco** il m'a répondu d'un ton très
sec; **~ voz baixa** à voix basse;
sardinha grelhada na brasa sardine grillée sur la braise.

7. *(indica assunto)* en; **é um perito ~ economia** c'est un expert
en économie; **nisso dos computadores, é o melhor** en matière
d'ordinateurs, c'est le meilleur;
sou licenciada ~ Letras/Direito
je suis licenciée ès lettres/en
droit; **doutorado ~ Medicina**
docteur en médecine.

8. *(indica estado)* en; **não descer
com o comboio ~ movimento**
ne pas descendre du train en
marche.

9. *(introduz complemento)* en; **cair
~ desuso** tomber en désuétude;
não penses nele ne pense pas à
lui.

emagrecer [imɛgrǝ'ser] *vi* maigrir.

emancipado, da [imẽsi'paďu,
-ďɐ] *adj* émancipé(-e).

emaranhado, da [imɛrɐ'ɲa-
ďu, -ďɐ] *adj (cabelo, fios)* em-
mêlé(-e); *(vegetação)* enchevê-
tré(-e).

embaciado, da [ẽbɐ'sjaďu,
-ďɐ] *adj* embué(-e).

embaciar [ẽbɐ'sjar] *vt* embuer.

embaixada [ẽbai'ʃaďɐ] *f*
ambassade *f*.

embaixador, ra [ẽbaiʃɐ'ďor,
-rɐ] *(mpl* **-es** [-ǝʃ], *fpl* **-s** [-ʃ]) *m, f*
ambassadeur *m* (-drice *f*).

embaixatriz [ẽbaiʃɐ'triʃ] *(pl
-es [-zǝʃ]) *f* ambassadrice *f*.

embaixo [ẽm'baiʃu] *adv (Br: em espaço)* en bas; *(em lista)* en dernier; ~ **de** sous.

embalagem [ẽmbɐ'laʒẽi] *(pl -ns [-ʃ])* f emballage m.

embalar [ẽmbɐ'lar] vt *(produto)* emballer; *(bebé)* bercer.

embaraçar [ẽmbɐrɐ'sar] vt gêner.

☐ **embaraçar-se** vp être gêné(-e).

embaraço [ẽmbɐ'rasu] m gêne f.

embarcação [ẽmbɐrkɐ'sẽu] *(pl -ões [-õiʃ])* f embarcation f.

embarcar [ẽmbɐr'kar] vi embarquer; ~ **em** *(navio, avião)* embarquer à bord de; *(comboio)* monter dans; *(aventura, negócio)* s'embarquer dans.

embarque [ẽm'barkə] m embarquement m; **zona/local de** ~ zone/salle d'embarquement.

embebedar-se [ẽmbəbə'-ðarsə] vp se saoûler.

embeber [ẽmbə'ber] vt imbiber; ~ **algo em algo** imbiber qqch de qqch.

embelezar [ẽmbələ'zar] vt embellir.

emblema [ẽm'blemɐ] m emblème m.

embora [ẽm'bɔrɐ] *conj* bien que. ◆ *adv* : **ir** ~ s'en aller; **ir-se** ~ s'en aller; **ele foi-se** ~ il est parti.

emboscada [ẽmbuʃ'kaðɐ] f embuscade f.

embraiagem [ẽmbrɐ'jaʒẽi] *(pl -ns [-ʃ])* f *(Port)* embrayage m.

embreagem [ẽmbri'aʒẽi] *(pl -ns [-ʃ])* f *(Br)* = **embraiagem**.

embriagar-se [ẽmbriɐ'garsə] vp se saoûler.

embrulhar [ẽmbru'ʎar] vt *(presente, produto)* emballer; *(agasalhar)* couvrir; *(misturar)* emmêler.

embrulho [ẽm'bruʎu] m paquet m.

embutido, da [ẽmbu'tiðu, -ðɐ] *adj* encastré(-e).

emendar [imẽn'dar] vt corriger.

☐ **emendar-se** vp se corriger.

ementa [i'mẽntɐ] f *(Port)* menu m; ~ **turística** menu touristique.

emergência [imər'ʒẽsjɐ] f urgence f.

emigração [imigrɐ'sẽu] f émigration f.

emigrante [imi'grẽntə] mf émigrant m (-e f).

emigrar [imi'grar] vi émigrer; ~ **para** émigrer en.

emissão [imi'sẽu] *(pl -ões [-õiʃ])* f émission f.

emissor, ra [imi'sor, -rɐ] *(mpl -es [-əʃ], fpl -s [-ʃ])* adj émetteur(-trice). ◆ m émetteur m.

emissora [imi'sorɐ] f station f *(de radio)*.

emissores → **emissor**.

emitir [imi'tir] vt émettre.

emoção [imu'sẽu] *(pl -ões [-õiʃ])* f émotion f.

emoldurar [imoɫdu'rar] vt encadrer.

emotivo, va [imu'tivu, -vɐ] adj émotif(-ive).

empacotar [ẽmpɐku'tar] vt emballer.

empada [ẽm'paðɐ] f chausson m; ~ **de galinha** chausson au poulet.

empadão [ẽmpɐ'ðẽu] *(pl -ões [-õiʃ])* m hachis m Parmentier.

empadinha [ẽmpa'dʒiɲɐ] f *(Br)* = **empada**; ~ **de camarão** chausson aux crevettes; ~ **de palmito** chausson aux cœurs de palmier; ~ **de queijo** chausson au fromage.

empadões → **empadão**.

empalhar [ẽmpɐ'ʎar] vt empailler.

empanturrar [ẽmpẽntu'rar] vt : ~ **alguém com algo** gaver qqn de qqch.

❑ **empanturrar-se** *vp* se gaver.

empatar [ẽmpɐ'tar] *vi* être à égalité. ◆ *vt (estorvar)* gêner; *(dinheiro)* immobiliser.

empate [ẽm'patə] *m* match *m* nul; ~**a dois** deux partout.

empenado, da [ẽmpɐ'naðu, -ðɐ] *adj (porta)* qui a joué; *(roda)* voilé(-e).

empenhar [ẽmpɐ'ɲar] *vt* mettre en gage.

❑ **empenhar-se** *vp (esforçar-se)* faire des efforts; *(endividar-se)* s'endetter; ~**-se em algo** s'investir dans qqch.

empestar [ẽmpɛʃ'tar] *vt* empester.

empilhar [ẽmpi'ʎar] *vt* empiler.

empinar-se [ẽmpi'narsə] *vp* se cabrer.

emplastro [ẽm'plaʃtru] *m* emplâtre *m*.

empobrecer [ẽmpubrə'ser] *vt* appauvrir. ◆ *vi* s'appauvrir.

empolgante [ẽmpoɫ'gẽtə] *adj* prenant(-e).

empreender [ẽmpriẽn'der] *vt* entreprendre.

empreendimento [ẽmpriẽndi'mẽntu] *m* entreprise *f*.

empregado, da [ẽmprɐ'gaðu, -ðɐ] *m, f (em casa)* employé *m* (-e *f*) de maison; *(em restaurante)* serveur *m* (-euse *f*); *(em empresa)* employé *m* (-e *f*); ~ **de balcão** vendeur *m* *(au comptoir)*; ~ **de bar** serveur; ~ **doméstico** domestique *m*; ~ **de mesa** serveur.

empregar [ẽmprɐ'gar] *vt* employer.

❑ **empregar-se** *vp (arranjar emprego)* trouver un emploi; *(utilizar-se)* s'employer.

emprego [ẽm'pregu] *m* emploi *m*; **o** ~ l'emploi.

empregue [ẽm'prɛgə] → **empregar**.

empresa [ẽm'prezɐ] *f* entreprise *f*.

emprestado, da [ẽmprəʃ'taðu, -ðɐ] *adj* prêté(-e); **pedir algo** ~ emprunter qqch.

emprestar [ẽmprəʃ'tar] *vt* : ~ **algo a alguém** prêter qqch à qqn.

empréstimo [ẽm'prɛʃtimu] *m* prêt *m*; **fazer um** ~ *(cliente)* faire un emprunt; *(banco)* faire un prêt.

empunhar [ẽmpu'ɲar] *vt* empoigner.

empurrão [ẽmpu'ʀẽu] *(pl* -**ões** [-õiʃ]) *m* coup *m*; **dar um** ~ pousser.

empurrar [ẽmpu'ʀar] *vt* pousser; **'empurre' 'poussez'**.

empurrões → **empurrão**.

ENATUR [ɛna'tur] *(abrev de* **Empresa Nacional de Turismo**) *Office du tourisme portugais.*

encabeçar [ẽŋkɐbə'sar] *vt* être à la tête de.

encadernação [ẽŋkɐdɐrnɐ'sẽu] *(pl* -**ões** [-õiʃ]) *f* reliure *f*.

encaixar [ẽŋkai'ʃar] *vt (meter em encaixe)* s'emboîter; *(fig: meter na cabeça)* se mettre dans la tête.

❑ **encaixar-se** *vp (em encaixe)* s'emboîter; *(enquadrar-se)* s'intégrer.

encaixe [ẽŋ'kaiʃə] *m* jointure *f*; ~ **do flash** glissière *f* porte-accessoires.

encaixotar [ẽŋkaiʃu'tar] *vt* emballer.

encalhar [ẽŋkɐ'ʎar] *vt* faire échouer. ◆ *vi* s'échouer.

encaminhar [ẽŋkɐmi'ɲar] *vt (fig)* guider; ~ **algo/alguém para** orienter qqch/qqn vers; ~ **um pedido para alguém** faire parvenir une demande à qqn.

❑ **encaminhar-se para** *vp + prep* se diriger vers.

encanador, ra [ẽŋkana'dox, -rɐ] *(mpl* -**es** [-iʃ], *fpl* -**s** [-ʃ]) *m, f (Br)* plombier *m*.

encantador, ra [ẽŋkẽntɐ'ðor,

-re] *(mpl* **-es** [-əʃ], *fpl* **-s** [-ʃ]) *adj* charmant(-e).

encantar [ēŋkēn'tar] *vt* enchanter.

encaracolado, da [ēŋkɐɾɐku'laðu, -ðɐ] *adj* bouclé(-e).

encarar [ēŋkɐ'rar] *vt (pessoa)* dévisager; *(problema, situação, possibilidade)* affronter.

❏ **encarar com** *v + prep* tomber sur.

encardido, da [ēŋkɐɾ'ðiðu, -ðɐ] *adj* jauni(-e).

encarnado, da [ēŋkɐɾ'naðu, -ðɐ] *adj* rouge.

encarregado, da [ēŋkɐʀɐ'gaðu, -ðɐ] *m, f* responsable *mf*.

encarregar [ēŋkɐʀə'gar] *vt* : ~ **alguém de fazer algo** charger qqn de faire qqch.

encastrado, da [ēŋkeʃ'traðu, -ðɐ] *adj (embutido)* encastré(-e); *(pedra em jóia)* incrusté(-e).

encenação [ēsɐnɐ'sēu] *(pl* **-ões** [-õiʃ]) *f* mise *f* en scène.

encenar [ēsɐ'nar] *vt* mettre en scène.

encerar [ēsɐ'rar] *vt* cirer.

encerrado, da [ēsɐ'ʀaðu, -ðɐ] *adj* clos(-e); **'encerrado'** 'fermé'.

encerramento [ēsɐʀɐ'mēntu] *m (de concerto, espectáculo)* clôture *f*; *(de loja)* fermeture *f*.

encerrar [ēsɐ'ʀar] *vt* clore; *(loja)* fermer.

encharcar [ēʃɐr'kar] *vt* inonder.

❏ **encharcar-se** *vp (espaço)* s'inonder; *(pessoa)* se tremper.

enchente [ē'ʃēntɐ] *f* inondation *f*; *(de rio)* crue *f*; *(de gente, coisas)* flot *m*.

enchidos [ē'ʃiðuʃ] *mpl* charcuterie *f*.

enchova [ē'ʃovɐ] *f* = anchova.

encoberto, ta [ēŋku'bɛrtu, -tɐ] *adj (céu, tempo)* couvert(-e); *(oculto)* caché(-e).

encolher [ēŋku'ʎer] *vt (ombros)* hausser; *(pernas)* plier; *(barriga)* rentrer. ◆ *vi (roupa)* rétrécir.

❏ **encolher-se** *vp (retrair-se)* être intimidé(-e); *(para fazer algo)* ne pas oser; ~-**se no seu canto** rester dans son coin.

encomenda [ēŋku'mēndɐ] *f* commande *f*; ~ **postal** colis *m* postal.

encomendar [ēŋkumēn'dar] *vt* commander; ~ **algo a alguém** commander qqch à qqn.

encontrar [ēŋkōn'trar] *vt (objecto procurado)* trouver; *(pessoa por acaso)* rencontrer.

❏ **encontrar-se** *vp* se retrouver; ~-**se com alguém** rencontrer qqn.

encontro [ēŋ'kōntru] *m (desportivo)* rencontre *f*; *(compromisso)* rendez-vous *m*.

encorajar [ēŋkurɐ'ʒar] *vt* encourager.

encorpado, da [ēŋkur'paðu, -ðɐ] *adj (pessoa)* corpulent(-e); *(vinho)* corsé(-e).

encosta [ēŋ'kɔʃtɐ] *f* versant *m*.

encostar [ēŋkuʃ'tar] *vt (cabeça)* appuyer; *(carro)* ranger; *(porta)* pousser; ~ **algo a algo** adosser qqch contre qqch.

❏ **encostar-se** *vp* : ~-**se a** s'adosser à.

encosto [ēŋ'koʃtu] *m* dossier *m*.

encruzilhada [ēŋkruzi'ʎaðɐ] *f* carrefour *m*.

endereço [ēndɐ'resu] *m* adresse *f*.

endireitar [ēndirei'tar] *vt* redresser; *(pernas)* déplier; *(objecto caído)* relever.

❏ **endireitar-se** *vp* se redresser.

endívia [ēn'divjɐ] *f* endive *f*.

endoidecer [ēndoiðɐ'ser] *vt* rendre fou (folle). ◆ *vi* devenir fou (folle).

endossar [ēndu'sar] *vt* endosser.

endurance [ēndu'rēsə] *m* endurance *f*.

endurecer [ēndurə'ser] *vt & vi* durcir.

energia [inər'ʒiɐ] *f* énergie *f*; ~ **eólica** énergie éolienne; ~ **nuclear** énergie nucléaire; ~ **solar** énergie solaire.

enevoado, da [inə'vwaðu, -ðɐ] *adj* nuageux(-euse).

enfarte [ē'fartə] *m* infarctus *m*.

ênfase [ē̃fɐzɐ] *f* emphase *f*.

enfatizar [ēfeti'zar] *vt* souligner.

enfeitiçar [ēfɐiti'sar] *vt* ensorceler.

enfermagem [ēfər'maʒēi] *f*: **ela tirou um curso de** ~ elle a fait des études d'infirmière.

enfermaria [ēfərmɐ'riɐ] *f* infirmerie *f*.

enfermeiro, ra [ēfər'mɐiru, -rɐ] *m, f* infirmier *m* (-ère *f*).

enferrujar [ēfɐʀu'ʒar] *vt & vi* rouiller.

enfiar [ē'fjar] *vt* enfiler; ~ **algo em algo** mettre qqch dans qqch.

enfim [ē'fĩ] *adv (finalmente)* enfin; *(em conclusão)* finalement.

enforcar [ēfur'kar] *vt* pendre.
❏ **enforcar-se** *vp* se pendre.

enfraquecer [ēfrɐkə'ser] *vt* affaiblir. ◆ *vi* s'affaiblir.

enfrentar [ēfrēn'tar] *vt* affronter.

enfurecer [ēfurə'ser] *vt* mettre en colère.
❏ **enfurecer-se** *vp* se mettre en colère.

enganado, da [ēŋgɐ'naðu, -ðɐ] *adj*: **estar** ~ se tromper; **ser** ~ être trompé.

enganar [ēŋgɐ'nar] *vt* tromper.
❏ **enganar-se** *vp* se tromper; **~-se em algo** se tromper de qqch.

engano [ēŋ'gɐnu] *m* erreur *f*.

engarrafado, da [ēŋgɐʀɐ'faðu, -ðɐ] *adj (líquido)* en bouteille; *(trânsito)* embouteillé(-e).

engarrafamento [ēŋgɐʀɐfɐ'mēntu] *m (de líquido)* mise *f* en bouteille; *(de trânsito)* embouteillage *m*.

engasgar-se [ēŋgɐʒ'garsə] *vp (ao comer, beber)* s'étrangler; *(ao falar)* bafouiller.

engenharia [ēʒəɲɐ'riɐ] *f* ingénierie *f*.

engenheiro, ra [ēʒə'ɲɐiru, -rɐ] *m, f* ingénieur *m*.

engenhoso, osa [ēʒə'ɲozu, -ɔzɐ] *adj* ingénieux(-euse).

engessar [ēʒə'sar] *vt* plâtrer.

englobar [ēŋglu'bar] *vt* englober.

engodo [ēŋ'goðu] *m* appât *m*.

engolir [ēŋgu'lir] *vt* avaler.

engomar [ēŋgu'mar] *vt* repasser.

engordar [ēŋgur'ðar] *vi (pessoa)* grossir; *(alimento)* faire grossir. ◆ *vt* engraisser.

engordurado, da [ēŋgurðu'raðu, -ðɐ] *adj* gras (grasse).

engraçado, da [ēŋgrɐ'saðu, -ðɐ] *adj* drôle.

engravidar [ēŋgrɐvi'ðar] *vi* tomber enceinte. ◆ *vt* mettre enceinte.

engraxate [ēŋgrɐ'ʃatʃi] *m (Br)* cireur *m* de chaussures.

engraxar [ēŋgrɐ'ʃar] *vt (calçado)* cirer; *(Port: fam)* fayoter avec.

engrenagem [ēŋgrɐ'naʒēi] *(pl -ns [-ʃ]) f* engrenage *m*.

engrossar [ēŋgru'sar] *vt (sopa)* épaissir; *(molho)* lier. ◆ *vi* épaissir.

enguia [ēŋ'giɐ] *f* anguille *f*.

enguiçar [ēŋgi'sar] *vi* tomber en panne.

enigma [i'nigmɐ] *m* énigme *f*.

enjoado, da [ē'ʒwaðu, -ðɐ] *adj* qui a mal au cœur.

enjoar [ẽ'ʒwar] *vi (em avião, autocarro)* avoir mal au cœur; *(em barco)* avoir le mal de mer. ◆ *vt (comida)* écœurer.

enjoo [ẽ'ʒou] *m (Port)* nausée *f*; *(em barco)* mal *m* de mer.

enjôo [ẽ'ʒou] *m (Br)* = enjoo.

enlatado, da [ẽlɐ'taðu, -ðɐ] *adj (comida)* en boîte; *(Br: cultura, filme)* se dit des séries télévisées et de la culture d'importation de bas étage.
❏ **enlatados** *mpl* conserves *fpl*.

enlouquecer [ẽlokɐ'ser] *vt* rendre fou (folle). ◆ *vi* devenir fou (folle).

enorme [i'nɔrmɐ] *adj* énorme.

enquanto [ẽŋ'kwentu] *conj* pendant que; ~ **(que)** tandis que; **por** ~ pour l'instant.

enraivecer [ẽraivɐ'ser] *vt* enrager.

enraivecido, da [ẽraivɐ'siðu, -ðɐ] *adj* enragé(-e).

enredo [ẽ'reðu] *m* intrigue *f*.

enriquecer [ẽrikɐ'ser] *vt (tornar rico)* enrichir; *(melhorar)* améliorer. ◆ *vi* s'enrichir.

enrolar [ẽru'lar] *vt* rouler; *(cabelo)* mettre en plis.

enroscar [ẽruʃ'kar] *vt* visser.
❏ **enroscar-se** *vp (cobra, gato, cão)* se mettre en boule; *(enrodilhar-se)* se recroqueviller.

enrugar [ẽru'gar] *vt (roupa, papel)* chiffonner; *(pele)* rider. ◆ *vi* se rider.

ensaiar [ẽsɐ'jar] *vt (peça, dança)* répéter; *(sistema)* essayer.

ensaio [ẽ'saju] *m* essai *m*; *(de peça, dança)* répétition *f*.

enseada [ẽ'sjaðɐ] *f* anse *f (baie)*.

ensinamento [ẽsinɐ'mẽntu] *m* enseignement *m*.

ensinar [ẽsi'nar] *vt (em escola, universidade)* enseigner; *(caminho, direcção)* indiquer; ~ **alguém a fazer algo** apprendre à qqn à faire qqch; ~ **algo a alguém** apprendre qqch à qqn.

ensino [ẽ'sinu] *m* enseignement *m*.

ensolarado, da [ẽsulɐ'raðu, -ðɐ] *adj* ensoleillé(-e).

ensopado [ẽsu'paðu] *m* ragoût servi sur du pain; ~ **de borrego** ragoût de mouton servi sur du pain.

ensopar [ẽsu'par] *vt* tremper.
❏ **ensopar-se** *vp* se tremper.

ensurdecedor, ra [ẽsurðɐsɐ'ðor, -rɐ] *(mpl* -es [-əʃ], *fpl* -s [-ʃ]) *adj* assourdissant(-e).

ensurdecer [ẽsurðɐ'ser] *vt* assourdir. ◆ *vi* devenir sourd(-e).

entalar [ẽntɐ'lar] *vt (dedo, pé)* se pincer; *(lençol)* border.

entanto [ẽn'tẽntu]: **no entanto** *conj* cependant.

então [ẽn'tẽu] *adv (naquele tempo)* à l'époque; *(nesse caso)* alors. ◆ *interj* alors!; **desde** ~ depuis.

enteado, da [ẽn'tjaðu, -ðɐ] *m, f* beau-fils *m* (belle-fille *f*).

entender [ẽntẽn'der] *vt (perceber)* comprendre; *(ser da opinião que)* penser. ◆ *vi* comprendre; **dar a** ~ **que** faire comprendre que.
❏ **entender de** *v + prep (saber de)* s'y connaître en.
❏ **entender-se** *vp (chegar a acordo)* s'entendre; ~**-se com alguém** s'entendre avec qqn; ~**-se com algo** se débrouiller avec qqch.

enternecedor, ra [ẽntɐrnɐsɐ'ðor, -rɐ] *(mpl* -es [-əʃ], *fpl* -s [-ʃ]) *adj* attendrissant(-e).

enternecer [ẽntɐrnɐ'ser] *vt* attendrir.

enterrar [ẽntɐ'rar] *vt* enterrer.
❏ **enterrar-se** *vp* s'enfoncer.

enterro [ẽn'teru] *m* enterrement *m*.

entoação [ẽntwɐ'sẽu] *(pl* -ões [-õiʃ]) *f* intonation *f*.

entornar [ẽntur'nar] *vt* renverser.

entorse [ēn'tɔrsə] f entorse f.

entortar [ēntur'tar] vt tordre.

entrada [ēn'traðɐ] f entrée f; (bilhete para espectáculo) place f; (pagamento inicial) acompte m, arrhes fpl; **boas ~s!** bonne année!; 'entrada' 'entrée'; '~ livre' 'entrée libre'; '~ proibida' 'entrée interdite'; **como ~, o que deseja?** que désirez-vous en entrée?

entranhas [ēn'trɐɲɐʃ] fpl entrailles fpl.

entrar [ēn'trar] vi rentrer; **~ em algo** entrer dans qqch; (no carro) monter dans qqch; (participar em) participer à qqch; (ingressar em) rentrer dans qqch; **~ com algo** donner qqch; **entro em férias amanhã** je suis en vacances à partir de demain.

entre ['ēntrə] prep entre; (no meio de muitos) parmi; (reciprocidade) à nous tous; **aqui ~ nós** entre nous; **~ si** entre eux; **~ os franceses** chez les Français.

entreaberto, ta [ēntriɐ'bɛrtu, -tɐ] adj entrouvert(-e).

entreajuda [ˌēntriɐ'ʒuðɐ] f entraide f.

entrecosto [ēntrə'koʃtu] m travers m (de porc).

entrega [ēn'trɛgɐ] f (de encomenda, mercadoria, carta) livraison f; (rendição) reddition f; (de prémio, teste) remise f; **~ ao domicílio** livraison à domicile.

entregar [ēntrə'gar] vt : **~ algo a alguém** remettre qqch à qqn; (encomenda) livrer qqch à qqn. ❏ **entregar-se** vp se rendre; **~-se a** (abandonar-se a) se livrer à; (dedicar-se a) se consacrer à.

entrelinha [ēntrə'liɲɐ] f interligne m.

entremeada [ēntrə'mjaðɐ] f poitrine f.

entremeado, da [ēntrə'mjaðu, -ðɐ] adj (carne, toucinho) entrelardé(-e).

entretanto [ēntrə'tēntu] adv entre-temps. ◆ conj (Br) cependant.

entreter [ēntrə'ter] vt distraire. ❏ **entreter-se** vp (divertir-se) se distraire; (ocupar-se) s'occuper.

entrevado, da [ēn'trevaðu, -ðɐ] adj paralysé(-e).

entrevista [ēntrə'viʃtɐ] f (conversa) entretien m; (na imprensa) interview f.

entrevistador, ra [ēntrəviʃtɐðor, -rɐ] (mpl -es [-əʃ], fpl -s [-ʃ]) m, f interviewer m.

entristecer [ēntriʃtə'ser] vt attrister. ◆ vi s'attrister.

entroncamento [ēntrõŋkɐ'mēntu] m (de caminho-de-ferro) poste m d'aiguillage; (de estrada) embranchement m.

Entrudo [ēn'truðu] m : **o ~** Mardi m gras.

entupido, da [ēntu'piðu, -ðɐ] adj bouché(-e).

entupir [ēntu'pir] vt boucher. ❏ **entupir-se** vp se boucher.

entusiasmar [ēntuzjəʒ'mar] vt enthousiasmer. ❏ **entusiasmar-se** vp s'enthousiasmer.

entusiasmo [ēntu'zjaʒmu] m enthousiasme m.

entusiasta [ēntu'zjaʃtɐ] adj enthousiaste; **ser ~ de algo** être un passionné de qqch.

enumeração [inumərɐ'sēu] (pl -ões [-õiʃ]) f énumération f.

enumerar [inumə'rar] vt énumérer.

enunciado [inū'sjaðu] m énoncé m.

enunciar [inū'sjar] vt énoncer.

envelhecer [ēvɐʎɐ'ser] vt & vi vieillir.

envelope [ēvɐ'lɔpə] m enveloppe f.

envenenamento [ēvənɐnɐ'mēntu] m empoisonnement m.

envenenar [ẽvənə'nar] vt empoisonner.
□ **envenenar-se** vp s'empoisonner.

enveredar [ẽvərə'dar]: **enveredar por** v + prep (caminho) prendre; (fig: estudos) opter pour.

envergonhado, da [ẽvərgu'ɲaðu, -ðɐ] adj timide; **ficar ~** avoir honte.

envergonhar [ẽvərgu'ɲar] vt faire honte à.
□ **envergonhar-se** vp (ter vergonha) avoir honte; (intimidar-se) être intimidé(-e).

envernizar [ẽvərni'zar] vt vernir.

enviar [ẽ'vjar] vt envoyer.

envidraçado, da [ẽvidrɐ'saðu, -ðɐ] adj vitré(-e).

envio [ẽ'viu] m envoi m.

enviuvar [ẽvju'var] vi devenir veuf (veuve).

envolver [ẽvoɫ'ver] vt (incluir) englober; (embrulhar) envelopper; (misturar) mélanger; (rodear) entourer.
□ **envolver-se em** vp + prep être mêlé(-e) à.

enxada [ẽ'ʃaðɐ] f pioche f.

enxaguar [ẽʃɐ'gwar] vt rincer.

enxame [ẽ'ʃɐmɐ] m essaim m.

enxaqueca [ẽʃɐ'kɛkɐ] f migraine f.

enxergar [ẽʃər'gar] vt (descortinar) entrevoir; (avistar) apercevoir.

enxerto [ẽ'ʃertu] m greffe f.

enxofre [ẽ'ʃofrɐ] m soufre m.

enxotar [ẽʃu'tar] vt chasser (faire fuir).

enxugar [ẽʃu'gar] vt (roupa) faire sécher; (mãos) se sécher. ◆ vi sécher.

enxurrada [ẽʃu'ʀaðɐ] f torrent m.

enxuto, ta [ẽ'ʃutu, -tɐ] adj sec (sèche).

eólica [e'ɔlikɐ] adj f → **energia**.

eosina® [i'ozinɐ] f (Port) éosine f, ≃ Mercurochrome® m.

epidemia [ipidɐ'miɐ] f épidémie f.

epilepsia [ipilɛp'siɐ] f épilepsie f.

epílogo [i'pilugu] m épilogue m.

episódio [ipi'zɔðju] m épisode m.

epitáfio [ipi'tafju] m épitaphe f.

época ['ɛpukɐ] f époque f; **~ alta/baixa** haute/basse saison f; **~ balnear** saison f d'été.

equação [ikwɐ'sẽu] (pl **-ões** [-õiʃ]) f équation f.

Equador [ikwɐ'ðor] m : **o ~** l'Équateur m.

equilibrar [ikəli'brar] vt équilibrer.
□ **equilibrar-se** vp s'équilibrer.

equilíbrio [ikə'libriu] m équilibre m.

equipa [i'kipɐ] f (Port: em desporto) équipe f.

equipamento [ikipɐ'mẽtu] m équipement m.

equipar [iki'par] vt équiper.
□ **equipar-se** vp (DESP) s'équiper.

equiparar [ikipɐ'rar] vt comparer.
□ **equiparar-se** vp : **~-se a** se comparer à.

equipe [e'kipi] f (Br) = **equipa**.

equitação [ikitɐ'sẽu] f équitation f.

equivalente [ikivɐ'lẽtɐ] adj équivalent(-e). ◆ m : **o ~** l'équivalent.

equivocar-se [ikivu'karsə] vp se tromper.

equívoco [i'kivuku] m erreur f.

era[1] ['ɛrɐ] f ère f.

era[2] ['ɛrɐ] → **ser**.

erecto, ta [i'rɛktu, -tɐ] adj (Port) (em pé) dressé(-e); (direito) raide.

ereto, **ta** [e'rɛtu, -tɐ] *adj (Br)* = erecto.

erguer [ir'ger] *vt* lever.

❏ **erguer-se** *vp (pessoa)* se lever; *(edifício)* se dresser.

eriçado, **da** [iri'saðu, -ðɐ] *adj (pêlo)* hérissé(-e); *(cabelo)* emmêlé(-e).

erigir [irə'ʒir] *vt* ériger.

ermida [ir'miðɐ] *f* petite église *f*.

erosão [iru'zẽu] *f* érosion *f*.

erótico, **ca** [i'rɔtiku, -kɐ] *adj* érotique.

erotismo [iru'tiʒmu] *m* érotisme *m*.

erradicar [iRɐði'kar] *vt* éradiquer.

errado, **da** [i'Raðu, -ðɐ] *adj (conta)* faux (fausse); *(decisão, estrada)* mauvais(-e); *(raciocínio)* erroné(-e).

errar [i'Rar] *vt (em contas)* se tromper dans; *(no caminho)* se tromper de. ◆ *vi (enganar-se)* faire une erreur; *(vaguear)* errer.

erro ['eRu] *m (engano)* erreur *f*; *(ortográfico)* faute *f*.

errôneo, **nea** [i'Rɔnju, -njɐ] *adj (Port)* erronné(-e).

errôneo, **nea** [e'xonju, -njɐ] *adj (Br)* = errôneo.

erudição [iruði'sẽu] *f* érudition *f*.

erudito, **ta** [iru'ðitu, -tɐ] *adj* érudit(-e).

erupção [irup'sẽu] *(pl -ões* [-õiʃ]) *f* éruption *f*.

erva ['ɛrvɐ] *f* herbe *f*; **~s de molho** *garniture de légumes verts hachés*.

erva-cidreira [ɛrvɐ'sidreirɐ] *f* mélisse *f*.

erva-doce [ɛrvɐ'dosɐ] *f (para peixe)* fenouil *m*; *(para bolos)* anis *m*.

erva-mate [ɛrvɐ'matɐ] *f* maté *m*.

ervanário [ɛrvɐ'narju] *m* herboriste *m*.

ervilha [ir'viʎɐ] *f* petit pois *m*.

ervilhas-de-cheiro [ir.viʎɐʒdɐ'ʃeiru] *fpl* pois *mpl* de senteur.

és ['ɛʃ] → **ser**.

esbaforido, **da** [ɐʒbɐfu'riðu, -ðɐ] *adj* essoufflé(-e).

esbanjar [ɐʒbẽ'ʒar] *vt (dinheiro)* gaspiller.

esbarrar [ɐʒbɐ'Rar] *vi* : ~ **com** *(chocar com)* se heurter à; *(deparar-se com)* se trouver face à; ~ **em algo** *(chocar com algo)* heurter qqch; *(deparar-se com)* affronter.

esbelto, **ta** [ɐʒ'bɛltu, -tɐ] *adj* svelte.

esboço [ɐʒ'bosu] *m* esquisse *f*.

esbofetear [ɐʒbufɐ'tjar] *vt* gifler.

esburacar [ɐʒburɐ'kar] *vt* trouer; *(parede, rua)* faire des trous dans.

❏ **esburacar-se** *vp* se remplir de trous.

Esc. *(abrev de* **escudo***)* escudo *m (monnaie du Portugal)*.

escabeche [ɐʃkɐ'bɛʃɐ] *m* escabèche *f*.

escada [ɐʃ'kaðɐ] *f (de casa, edifício, etc)* escalier *m*; *(portátil)* échelle *f*; ~ **de caracol** escalier en colimaçon; ~ **rolante** escalator *m*.

escadote [ɐʃkɐ'ðɔtɐ] *m* échelle *f*.

escala [ɐʃ'kalɐ] *f* échelle *f*; *(de avião, navio)* escale *f*; *(MÚS)* gamme *f*; **fazer ~** faire escale; **em grande ~** à grande échelle.

escalada [ɐʃkɐ'laðɐ] *f* escalade *f*.

escalão [ɐʃkɐ'lẽu] *(pl -ões* [-õiʃ]) *m* échelon *m*.

escalar [ɐʃkɐ'lar] *vt* escalader.

escaldar [ɐʃkaɫ'dar] *vt* blanchir. ◆ *vi* brûler.

❏ **escaldar-se** *vp* se brûler.

escalfado, **da** [ɐʃkaɫ'faðu, -ðɐ] *adj (Port: ovo)* poché(-e).

escalfar [əʃkaɫ'far] vt (Port: ovo) pocher.

escalões → escalão.

escalope [əʃkɐ'lɔpə] m escalope f; ~s de novilho escalope panée; (fritos) escalope milanaise.

escama [əʃ'kɐmɐ] f écaille f.

escamar [əʃkɐ'mar] vt écailler.

escandalizar [əʃkɐ̃ndɐli'zar] vt scandaliser. ◆ vi choquer.

❏ **escandalizar-se** vp être scandalisé(-e).

escândalo [əʃ'kɐ̃ndɐlu] m scandale m.

escangalhar [əʃkɐ̃ŋgɐ'ʎar] vt (desmanchar) démonter; (cama) défaire.

❏ **escangalhar-se** vp s'écrouler.

escaninho [əʃkɐ'niɲu] m casier m.

escanteio [iʃkɐ̃n'teju] m (Br) corner m.

escapar [əʃkɐ'par] vi (prisioneiro) s'échapper; (gás, água) fuir; ~ a échapper à.

❏ **escapar-se** vp (escoar-se) fuir; (fugir) s'échapper.

escape [əʃ'kapə] m pot m d'échappement.

escapulir [iʃkapu'lix] vi (Br: fam) se tirer.

❏ **escapulir-se** vp (Port: fugir) s'échapper; (de uma maçada) se défiler.

escaravelho [əʃkɐrɐ'veʎu] m scarabée m.

escarlate [əʃkɐr'latə] adj écarlate.

escarlatina [əʃkɐrlɐ'tinɐ] f scarlatine f.

escárnio [əʃ'karnju] m raillerie f.

escarpado, da [əʃkɐr'paðu, -ðɐ] adj escarpé(-e).

escarrar [əʃkɐ'ʀar] vi cracher.

escassez [əʃkɐ'seʃ] f pénurie f.

escasso, a [əʃ'kasu, -ɐ] adj (pouco) rare; (produção, recursos) limité(-e).

escavação [əʃkɐvɐ'sɐ̃u] (pl -ões [-õiʃ]) f fouilles fpl.

escavar [əʃkɐ'var] vt creuser.

esclarecer [əʃklɐrɐ'ser] vt (pessoa) comprendre, éclairer; (mistério) éclaircir; (ponto) clarifier.

esclarecimento [əʃklɐrəsi'mɛ̃ntu] m (informação) renseignement m; (explicação) éclaircissement m.

escoar [əʃ'kwar] vt (líquido) faire couler; (produtos) écouler.

❏ **escoar-se** vp s'écouler.

escocês, esa [əʃku'seʃ, -ezɐ] (mpl -eses [-ezəʃ], fpl -s [-ʃ]) adj écossais(-e). ◆ m, f Écossais m (-e f).

Escócia [əʃ'kɔsjɐ] f: a ~ l'Écosse f.

escola [əʃ'kɔlɐ] f école f; ~ de condução auto-école f; ~ politécnica école supérieure d'enseignement technique; ~ primária école primaire; ~ pública école publique; ~ de samba école de samba; ~ secundária lycée m.

escolar [əʃku'lar] (pl -es [-əʃ]) adj scolaire.

escolha [əʃ'koʎɐ] f choix m; à ~ au choix.

escolher [əʃku'ʎer] vt & vi choisir.

escombros [əʃ'kõmbruʃ] mpl décombres mpl.

esconder [əʃkõn'der] vt cacher.

❏ **esconder-se** vp se cacher.

esconderijo [əʃkõndɐ'riʒu] m cachette f.

escondidas [əʃkõn'diðeʃ]: às escondidas adv en cachette.

escondido, da [əʃkõn'diðu, -ðɐ] adj caché(-e).

escorar [əʃkɔ'rar] vt étayer.

escorpião [əʃkur'pjɐ̃u] (pl -ões [-õiʃ]) m scorpion m.

❏ **Escorpião** m Scorpion m.

escorrega [əʃku'ʀɛgɐ] m toboggan m.

escorregadio, dia [əʃkuʀəgɐ'ðiu, -ðiɐ] *adj* glissant(-e).

escorregar [əʃkuʀə'gar] *vi* glisser.

escorrer [əʃku'ʀer] *vt* égoutter. ◆ *vi* goutter.

escotilha [əʃku'tiʎɐ] *f* écoutille *f*.

escova [əʃ'kovɐ] *f* brosse *f*; ~ **de dentes** brosse à dents; ~ **das unhas** brosse à ongles.

escovar [əʃku'var] *vt* brosser.

escravatura [əʃkrɐvɐ'tuɾɐ] *f* esclavage *m*.

escravo, va [əʃ'kravu, -vɐ] *m, f* esclave *mf*.

escrever [əʃkrə'ver] *vt & vi* écrire; ~ **à máquina** taper à la machine.

❑ **escrever-se** *vp* s'écrire.

escrevinhar [əʃkrəvi'ɲar] *vt* griffonner.

escrita [əʃ'kritɐ] *f (caligrafia)* écriture *f*.

escrito, ta [əʃ'kritu, -tɐ] *pp* → **escrever**. ◆ *adj* écrit(-e); **por** ~ par écrit.

escritor, ra [əʃkri'tor, -rɐ] *(mpl -es* [-əʃ]*, fpl -s* [-ʃ]*) m, f* écrivain *m*.

escritório [əʃkri'tɔrju] *m* bureau *m*; *(de advogado)* cabinet *m*.

escritura [əʃkri'tuɾɐ] *f* acte *m (notarié)*.

escrivaninha [əʃkrivɐ'niɲɐ] *f* secrétaire *m*.

escrúpulo [əʃ'krupulu] *m* scrupule *m*; **não ter ~s** ne pas avoir de scrupules.

escudo [əʃ'kuðu] *m (unidade monetária)* escudo *m*; *(arma)* bouclier *m*.

esculpir [əʃkuɫ'pir] *vt* sculpter.

escultor, ra [əʃkuɫ'tor, -rɐ] *(mpl -es* [-əʃ]*, fpl -s* [-ʃ]*) m, f* sculpteur *m (-trice f)*.

escultura [əʃkuɫ'tuɾɐ] *f* sculpture *f*.

escuras [əʃ'kuɾɐʃ]: **às escuras** *adv* dans le noir.

escurecer [əʃkuɾə'ser] *vi (céu)* s'assombrir; *(noite)* tomber. ◆ *vt (cor)* foncer; *(quarto)* faire le noir dans; **está a começar a** ~ il commence à faire nuit.

escuridão [əʃkuɾi'ðɐ̃ũ] *f* obscurité *f*.

escuro, ra [əʃ'kuru, -rɐ] *adj* sombre; *(cor)* foncé(-e); *(sem luz)* obscur(-e). ◆ *m* obscurité *f*; **ficar no** ~ *(fig)* ne rien comprendre.

escutar [əʃku'tar] *vt* écouter. ◆ *vi* ausculter.

escuteiro, ra [əʃku'teiru, -rɐ] *m, f* scout *m (-e f)*.

esfaquear [əʃfɐ'kjar] *vt* donner un coup de couteau à.

esfarelar [əʃfɐɾə'lar] *vt* émietter.

❑ **esfarelar-se** *vp* s'émietter.

esfarrapado, da [əʃfɐʀɐ'paðu, -ðɐ] *adj* déchiré(-e).

esfera [əʃ'fɛɾɐ] *f* sphère *f*.

esférico, ca [əʃ'fɛɾiku, -kɐ] *adj* sphérique. ◆ *m (Port)* ballon *m* de football.

esferográfica [əʃfɛɾɔ'grafikɐ] *f* stylo *m* bille.

esferovite [əʃfɛɾɔ'vitɐ] *m* polystyrène *m*.

esfoladela [əʃfulɐ'ðɛlɐ] *f* écorchure *f*.

esfolar [əʃfu'lar] *vt* écorcher.

esfomeado, da [əʃfɔ'mjaðu, -ðɐ] *adj* affamé(-e).

esforçado, da [əʃfur'saðu, -ðɐ] *adj* travailleur(-euse).

esforçar-se [əʃfur'sarsə] *vp* faire des efforts.

esfregão [əʃfrɐ'gɐ̃ũ] *(pl -ões* [-õiʃ]*) m (de louça)* tampon *m* à récurer.

esfregar [əʃfrɐ'gar] *vt* frotter; *(louça)* récurer.

esfregões → **esfregão**.

esfregona [əʃfrɐ'gonɐ] *f* balai-serpillière *m*.

esfriar [əʃfri'ar] *vi (Br)* refroidir; *(tempo)* se refroidir.

esfuziante [əʃfu'zjēntə] *adj* débordant(-e).

esganar [əʒgɐ'nar] *vt* étrangler.

esganiçado, da [əʒgɐni'saðu, -ðɐ] *adj (voz)* perçant(-e); *(som)* strident(-e).

esgotado, da [əʒgu'taðu, -ðɐ] *adj* épuisé(-e).

esgotamento [əʒgutɐ'mēntu] *m* épuisement *m*.

esgotar [əʒgu'tar] *vt* épuiser.

❏ **esgotar-se** *vp (produto)* être épuisé(-e); *(extenuar-se)* s'épuiser.

esgoto [əʒ'gotu] *m* égoût *m*.

esgrima [əʒ'grimɐ] *f* escrime *f*.

esgueirar-se [əʒgɐi'rarsə] *vp (partir)* s'éclipser; *(de uma maçada)* se défiler.

esguichar [əʒgi'ʃar] *vt* asperger de. ◆ *vi* gicler.

esguicho [əʒ'giʃu] *m (jacto de água)* jet *m* d'eau; *(repuxo)* fontaine *f*; *(de mangueira)* jet *m*.

esguio, guia [əʒ'giu, -'giɐ] *adj* elancé(-e).

eslavo, va [əʒ'lavu, -vɐ] *adj* slave. ◆ *m, f* Slave *mf*.

esmagador, ra [əʒmɐgɐ'ðor, -rɐ] *(mpl* -es [-əʃ], *fpl* -s [-ʃ]) *adj* écrasant(-e).

esmagar [əʒmɐ'gar] *vt* écraser.

esmalte [əʒ'maltə] *m* émail *m*.

esmeralda [əʒmə'ralðɐ] *f* émeraude *f*.

esmerar-se [əʒmə'rarsə] *vp* s'appliquer.

esmigalhar [əʒmigɐ'ʎar] *vt (pão, broa, bolo)* émietter; *(vidro, porcelana)* briser.

❏ **esmigalhar-se** *vp (pão, broa, bolo)* s'émietter; *(vidro, porcelana)* se briser.

esmola [əʒ'mɔlɐ] *f* aumône *f*.

esmurrar [əʒmu'rar] *vt* donner des coups de poing à; *(fam)* esquinter.

espaçar [əʃpɐ'sar] *vt* espacer.

espacial [əʃpɐ'sjal] *(pl* -ais [-aiʃ]) *adj* spatial(-e).

espaço [əʃ'pasu] *m* espace *m*; **o ~** l'espace; **há ~ para muitas pessoas** il y a beaucoup de place.

espaçoso, osa [əʃpɐ'sozu, -ɔzɐ] *adj* spacieux(-euse).

espada [əʃ'paðɐ] *f* épée *f*.

❏ **espadas** *fpl (naipe de cartas)* pique *m*.

espadarte [əʃpɐ'ðartə] *m* espadon *m*.

espaguete [iʃpa'gɛtʃi] *m (Br)* = **esparguete**.

espairecer [əʃpairɐ'ser] *vi* se changer les idées.

espalhar [əʃpɐ'ʎar] *vt (dispersar)* éparpiller; *(notícia)* répandre; *(boato)* faire courir; *(massa, manteiga)* étaler.

❏ **espalhar-se** *vp (dispersar-se)* s'éparpiller; *(fam : estatelar-se)* s'étaler; *(notícia)* se répandre; *(boato)* courir.

espanador [əʃpɐnɐ'ðor] *(pl* -es [-əʃ]) *m* plumeau *m* (à poussière).

espancar [əʃpēn'kar] *vt* rouer de coups.

Espanha [əʃ'pɐɲɐ] *f*: **a ~** l'Espagne *f*.

espanhol, la [əʃpɐ'ɲɔl, -lɐ] *(mpl* -óis [-ɔiʃ], *fpl* -s [-ʃ]) *adj* espagnol(-e). ◆ *m* Espagnol *m* (-e *f*). ◆ *m (língua)* espagnol *m*.

espantalho [əʃpēn'taʎu] *m* épouvantail *m*.

espantar [əʃpēn'tar] *vt (causar espanto)* étonner; *(afugentar)* faire fuir; *(fig: perturbar o sono)* faire perdre; *(combater o sono)* lutter contre.

❏ **espantar-se** *vp (admirar-se)* s'étonner; *(fugir)* fuir.

espanto [əʃ'pēntu] *m (admiração)* étonnement *m*; *(susto)* frayeur *f*.

esparadrapo [iʃpara'drapu] *m (Br)* sparadrap *m*.

espargo [əʃ'pargu] *m* asperge *f*.

esparguete [əʃpar'ɡɛtə] *m* (*Port*) spaghetti *m*.

esparregado [əʃpɛʀə'ɡaðu] *m* garniture de légumes verts hachés.

espartilho [əʃpɐr'tiʎu] *m* corset *m*.

espasmo [əʃ'paʒmu] *m* spasme *m*.

espátula [əʃ'patulɐ] *f* spatule *f*.

especial [əʃpə'sjał] (*pl* **-ais** [-aiʃ]) *adj* (*interesse, sabor, cor*) particulier(-ère); (*edição, enviado, efeito*) spécial(-e); (*pessoa, obra de arte*) extraordinaire; **em ~** en particulier, particulièrement.

especialidade [əʃpəsjɛli'ðaðə] *f* spécialité *f*.

especialista [əʃpəsjɛ'liʃtə] *adj & mf* spécialiste.

especiarias [əʃpəsjɛ'riɐʃ] *fpl* épices *fpl*.

espécie [əʃ'pɛsjə] *f* espèce *f*; **a ~ humana** l'espèce humaine; **uma ~ de** une espèce de.

especificar [əʃpəsəfi'kar] *vt* (*explicar*) spécifier; (*ponto*) préciser.

espécime [əʃ'pɛsimə] *m* spécimen *m*.

espectacular [əʃpɛteku'lar] (*pl* **-es** [-əʃ]) *adj* (*Port*) spectaculaire.

espectáculo [əʃpɛ'takulu] *m* (*Port*) spectacle *m*; **~ de luzes e som** spectacle son et lumière; **~ de variedades** spectacle de variétés.

espectador, ra [əʃpɛ(k)tɐ'ðor, -rɐ] (*mpl* **-es** [-əʃ], *fpl* **-s** [-ʃ]) *m, f* spectateur *m* (-trice *f*).

espectro [əʃ'pɛktru] *m* spectre *m*.

especulação [əʃpɛkulɐ'sɐ̃u] (*pl* **-ões** [-õiʃ]) *f* spéculation *f*.

especular [əʃpɛku'lar] *vi* spéculer; **~ sobre** spéculer sur.

espelho [əʃ'pɐʎu] *m* glace *f*, miroir *m*; **~ retrovisor** rétroviseur *m*.

espera [əʃ'pɛrɐ] *f* attente *f*; **estar à ~ de algo** s'attendre à qqch; **estar à ~ de alguém** attendre qqn.

esperança [əʃpɐ'ʀẽsɐ] *f* (*confiança*) espoir *m*; (*expectativa*) espérance *f*.

esperar [əʃpɐ'rar] *vt* (*aguardar*) attendre; (*ter esperança em*) espérer. ♦ *vi* attendre; **como era de ~** comme il fallait s'y attendre; **~ que** espérer que; **fazer alguém ~** faire attendre qqn; **ir ~ alguém** aller attendre qqn.

esperma [əʃ'pɛrmɐ] *m* sperme *m*.

espertalhão, lhona [əʃpɐrtɐ-'ʎɐ̃u, -ʎɔnɐ] (*mpl* **-ões** [-õiʃ], *fpl* **-s** [-ʃ]) *m, f* malin *m* (-igne *f*).

esperteza [əʃpɐr'tezɐ] *f* ruse *f*.

esperto, ta [əʃ'pɛrtu, -tɐ] *adj* (*astuto*) rusé(-e); (*activo*) éveillé(-e).

espesso, a [əʃ'pesu, -ɐ] *adj* épais(-aisse).

espessura [əʃpɐ'surɐ] *f* épaisseur *f*.

espetáculo [iʃpɛ'takulu] *m* (*Br*) = **espectáculo**.

espetada [əʃpɐ'taðɐ] *f* brochette *f*; **~ mista** brochette de viandes de bœuf et de porc mélangées.

espetar [əʃpɐ'tar] *vt* enfoncer.
❑ **espetar-se** *vp* se piquer.

espeto [əʃ'petu] *m* (*de ferro*) broche *f*; (*de pau*) pieu *m*.

espevitado, da [əʃpɐvi'taðu, -ðɐ] *adj* vif (vive).

espezinhar [əʃpɛzi'ɲar] *vt* piétiner; (*sujar*) salir.

espia [əʃ'piɐ] *f* (*cabo*) hauban *m*; → **espião**.

espião, pia [əʃ'pjɐ̃u, -'piɐ] (*mpl* **-ões** [-õiʃ], *fpl* **-s** [-ʃ]) *m, f* espion *m* (-onne *f*).

espiar [əʃ'pjar] *vt* épier.

espiga [əʃ'piɡɐ] *f* épi *m*.

espinafre [əʃpi'nafrə] *m* épinard *m*.

espingarda [əʃpĩŋ'gaɾđɐ] f fusil m.

espinha [əʃ'piɲɐ] f (de pessoa) dos m; (de peixe) arête f; ~ **dorsal** colonne f vertébrale.

espinho [əʃ'piɲu] m (de rosa, silva) épine f; (de porco-espinho) piquant m.

espiões → espião.

espiral [əʃpi'ɾaɫ] (pl -ais [-aiʃ]) f spirale f; **em** ~ en spirale.

espírito [əʃ'piɾitu] m esprit m.

espiritual [əʃpiɾi'twaɫ] (pl -ais [-aiʃ]) adj spirituel(-elle).

espirrar [əʃpi'ʀaɾ] vi (dar espirros) éternuer; (esguichar) gicler.

esplanada [əʃplɐ'nađɐ] f terrasse f (de café).

esplêndido, da [əʃ'plẽdiđu, -đɐ] adj splendide.

esplendor [əʃplẽ'doɾ] m splendeur f.

espoleta [əʃpu'letɐ] f amorce f (d'explosif).

esponja [əʃ'põʒɐ] f éponge f; **passar uma** ~ **sobre algo** (fig) passer l'éponge sur qqch.

espontaneidade [əʃpõtɐnei'-đađɐ] f spontanéité f.

espontâneo, nea [əʃpõ'tɐ-nju, -njɐ] adj spontané(-e).

espora [əʃ'pɔɾɐ] f éperon m.

esporádico, ca [əʃpu'ɾađiku, -kɐ] adj sporadique.

esporte [iʃ'pɔxtʃi] m (Br) = desporto.

esportivo, va [iʃpɔxtʃivu, -vɐ] adj (Br) = desportivo.

esportista [iʃpɔxtʃiʃtɐ] mf (Br) = desportista.

esposo, sa [əʃ'pozu, -zɐ] m, f époux m (épouse f).

espreguiçar-se [əʃpɾəgi'saɾsə] vp s'étirer.

espreita [əʃ'pɾeitɐ]: **à espreita** adv aux aguets.

espreitar [əʃpɾei'taɾ] vt (espiar) épier; (presa) guetter.

espremedor [əʃpɾəmə'doɾ] (pl -es [-əʃ]) m presse-citron m.

espremer [əʃpɾə'meɾ] vt presser.

espuma [əʃ'pumɐ] f (de mar) écume f; (de sabão, banho) mousse f.

espumante [əʃpu'mɐtɐ] adj (vinho) mousseux(-euse). ◆ m mousseux m.

espumoso, osa [əʃpu'mozu, -ɔzɐ] adj & m = espumante.

Esq. (abrev de **esquerdo**) gauche.

esquadra [əʃ'kwađɐ] f (Port) commissariat m (de police).

esquadro [əʃ'kwađu] m équerre f.

esquecer [əʃke'seɾ] vt oublier.

❑ **esquecer-se** vp oublier; ~-**se de algo/fazer algo** oublier qqch/de faire qqch.

esquecido, da [əʃke'siđu, -đɐ] adj & m, f étourdi(-e).

esquecimento [əʃkɛsi'mẽtu] m oubli m.

esqueleto [əʃkə'letu] m (de pessoa, animal) squelette m; (armação) ossature f.

esquema [əʃ'kemɐ] m (diagrama) schéma m; (sistema) moyen m.

esquentador [əʃkẽtɐ'doɾ] (pl -es [-əʃ]) m chauffe-eau m inv.

esquentar [əʃkẽ'taɾ] vt chauffer.

esquerda [əʃ'keɾđɐ] f: **a** ~ la gauche; **à** ~ à gauche; **virar à** ~ tourner à gauche; **pela** ~ à gauche; **ser de** ~ être de gauche.

esquerdo, da [əʃ'keɾđu, -đɐ] adj gauche.

esqui [əʃ'ki] m ski m; ~ **aquático** ski nautique.

esquiar [əʃ'kjaɾ] vi skier.

esquilo [əʃ'kilu] m écureuil m.

esquina [əʃ'kinɐ] f coin m; **fazer** ~ **(com)** faire l'angle (avec).

esquisito, ta [əʃkə'zitu, -tɐ] adj (estranho) bizarre; (picuinhas) difficile.

esquivar-se [əʃki'varsə] vp s'esquiver; ~ **a fazer algo** s'arranger pour ne pas faire qqch.

esquivo, va [əʃ'kivu, -vɐ] adj farouche.

esse, essa ['esə, 'ɛsɐ] adj ce (cette). ◆ pron celui-là (celle-là); **essa é boa!** elle est bien bonne celle-là!; **só faltava mais essa!** il ne manquait plus que ça!

essência [i'sẽsjɐ] f essence f.

essencial [isẽ'sjaɫ] (pl -ais [-aiʃ]) adj essentiel(-elle). ◆ m : **o** ~ l'essentiel m.

esta → **este**[1].

está [əʃ'ta] → **estar**.

estabelecer [əʃtəblə'ser] vt fixer.

❏ **estabelecer-se** vp s'installer.

estabelecimento [əʃtəblə-si'mẽntu] m établissement m; ~ **de ensino** établissement m (scolaire).

estabilidade [əʃtəbili'dadə] f stabilité f.

estabilizador [əʃtəbilize'dor] (pl -es [-əʃ]) m : ~ **(de corrente)** stabilisateur m de courant.

estábulo [əʃ'tabulu] m étable f.

estaca [əʃ'takɐ] f piquet m.

estação [əʃtɐ'sẽu] (pl -ões [-õiʃ]) f (de comboio, autocarro) gare f; (do ano, turismo, vendas) saison f; ~ **de águas** (Br) cure f thermale; (cidade) station f thermale; ~ **de correios** bureau m de poste; ~ **de serviço** station-service f.

estacionamento [əʃtɐsjunɐ-'mẽntu] m (acto) stationnement m; (lugar) place f; **'~ privado'** 'parking privé'; **'~ proibido'** 'défense de stationner'.

estacionar [əʃtɐsju'nar] vt garer. ◆ vi se garer; (inflação) stagner.

estações → **estação**.

estadia [əʃtɐ'diɐ] f séjour m (temps passé).

estádio [əʃ'tadju] m (de futebol, atletismo) stade m; (fase) période f.

estadista [əʃtɐ'diʃtɐ] mf homme m d'État.

estado [əʃ'tadu] m état m; **em bom/mau** ~ en bon/mauvais état; ~ **civil** état civil; ~ **físico** état de santé.

❏ **Estado** m : **o Estado** l'État m; **os Estados Unidos** les États-Unis mpl.

estalagem [əʃtɐ'laʒẽi] (pl -ns [-ʃ]) f hôtel-restaurant m.

estalar [əʃtɐ'lar] vi (porcelana, vidro, barro) se fendre; (osso, lenha) craquer; (lume) crépiter. ◆ vt : ~ **a língua** faire claquer sa langue; ~ **os dedos** claquer des doigts.

estalido [əʃtɐ'lidu] m (estalo agudo) claquement m; (crepitação) crépitement m.

estalo [əʃ'talu] m craquement m; (fam) baffe f.

estampado, da [əʃtẽm'padu, -dɐ] adj imprimé(-e).

estancar [əʃtẽn'kar] vt (líquido) étancher. ◆ vi (sangue) arrêter de couler.

estância [əʃ'tẽsjɐ] f (Br: quinta) grande exploitation agricole; ~ **balnear** station f balnéaire; ~ **de férias** centre m touristique; ~ **hidromineral** (Br) station f thermale; ~ **termal** station f thermale.

estanho [əʃ'tɐɲu] m étain m.

estante [əʃ'tẽntɐ] f étagère f.

estão [əʃ'tẽu] → **estar**.

estapafúrdio, dia [əʃtɐpɐ'furdju, -djɐ] adj (excêntrico) extravagant(-e); (esquisito) biscornu(-e).

estar [əʃ'tar] vi **1.** (ger) être; (em casa) être là; **ele estará lá à hora certa** il sera là à l'heure; **estarei**

no emprego às dez je serai au bureau à dix heures; **o João não está** João n'est pas là; **não estou para ninguém** je n'y suis pour personne; **está avariado** il est en panne; ~ **bem/mal de saúde** être en bonne/mauvaise santé; **está muito calor/frio** il fait très chaud/froid; **como está?** comment allez-vous?; **estou com fome/medo/febre** j'ai faim/peur/de la fièvre; **ele estará de férias duas semanas** il sera en vacances pendant deux semaines; **estive em casa toda a tarde** je suis resté chez moi tout l'après-midi; **estive à espera uma hora** j'ai attendu pendant une heure.

2. (em locuções): **está bem!** OU **certo!** c'est ça!; **está bem!** d'accord!; **está lá?** (ao telefone) allô!

❑ **estar a** v + prep (relativo a preço) être à; (Port: seguido de infinitivo) être en train de; **a gasolina está a 150 Esc. o litro** l'essence est à 150 escudos le litre; **está a chover** il pleut; **estou a estudar** je travaille.

❑ **estar de** v + prep : ~ **de baixa/férias** être en congé de maladie/en vacances; ~ **de bebé** être enceinte; ~ **de calças** être en pantalon; ~ **de vigia** monter la garde.

❑ **estar para** v + prep être sur le point de; **ele está para chegar** il est sur le point d'arriver; **estou para sair** je suis sur le point de sortir; **não estou para brincadeiras** je ne suis pas d'humeur à plaisanter; **estava para te telefonar, mas esqueci-me** je comptais te téléphoner mais j'ai oublié; **estava mesmo agora para te telefonar** je m'apprêtais justement à te téléphoner.

❑ **estar perante** v + prep être face à.

❑ **estar por** v + prep (apoiar) être pour; (por realizar): **a cama está por fazer** le lit n'est pas fait.

❑ **estar sem** v + prep ne pas avoir.

estardalhaço [əʃtɐrdɐˈʎasu] m tapage m.

estarrecer [əʃtɐʀəˈser] vt terrifier.

estatal [əʃtɐˈtaɫ] (pl -ais [-aiʃ]) adj d'État.

estático, ca [əʃˈtatiku, -kɐ] adj (imóvel) statique.

estátua [əʃˈtatwɐ] f statue f.

estatura [əʃtɐˈturɐ] f (tamanho de pessoa) stature f; (valor) envergure f.

estatuto [əʃtɐˈtutu] m statut m.

este¹, esta [ˈeʃtɐ, ˈɛʃtɐ] adj ce (cette).
◆ pron celui-ci (celle-ci); ~ **mês/ano** ce mois-ci/cette année.

este² [ˈɛʃtɐ] m Est m; **a** ~ à l'est; **a** ~ **de** à l'est de; **no** ~ à l'est.

esteira [əʃˈtɐirɐ] f natte f.

estendal [əʃtẽˈdaɫ] (pl -ais [-aiʃ]) m (Port) séchoir m à linge.

estender [əʃtẽˈder] vt (braços, pernas) tendre; (jornal) ouvrir; (peça de roupa) étendre; (prazo, estadia) prolonger.

❑ **estender-se** vp s'étendre.

estenografia [əʃtɐnugrɐˈfiɐ] f sténo f.

estepe [əʃˈtɛpɐ] f steppe f.

estéreis → estéril.

estereofónico, ca [əʃtɛrjɔˈfɔniku, -kɐ] adj (Port) stéréophonique.

estereofônico, ca [iʃterjoˈfoniku, -kɐ] adj (Br) = estereofónico.

estéril [əʃˈtɛriɫ] (pl -reis [-ʀɐiʃ]) adj stérile.

esterilizar [əʃtɐrɐliˈzar] vt (desinfectar) stériliser.

estética [əʃˈtɛtikɐ] f esthétique f.

estetoscópio [əʃtɛtɔʃˈkɔpju] m stéthoscope m.

esteve [əˈʃtevə] → **estar**.

estiar [əʃˈtjar] vi *(parar de chover)* arrêter de pleuvoir; *(tempo)* se lever.

estibordo [əʃtiˈbɔrðu] m tribord m.

esticar [əʃtiˈkar] vt *(braço, perna)* étendre; *(elástico, corda, fio)* tendre; **ir ~ as pernas** se dégourdir les jambes.

❏ **esticar-se** vp s'étirer.

estigma [əʃˈtigmɐ] m stigmate m.

estilhaçar [əʃtiʎɐˈsar] vt briser.

❏ **estilhaçar-se** vp se briser.

estilhaço [əʃtiˈʎasu] m éclat m.

estilo [əʃˈtilu] m style m.

estima [əʃˈtimɐ] f estime f.

estimar [əʃtiˈmar] vt estimer.

estimativa [əʃtimɐˈtivɐ] f estimation f.

estimulante [əʃtimuˈlɐ̃tɐ] adj *(incentivador)* encourageant(-e); *(excitante)* stimulant(-e). ◆ m stimulant m.

estimular [əʃtimuˈlar] vt stimuler.

estipular [əʃtipuˈlar] vt *(determinar)* fixer; *(suj: lei)* stipuler.

estivador, ra [əʃtivɐˈðor, -rɐ] *(mpl* -es [-əʃ], *fpl* -s [-ʃ]) m, f arrimeur m.

estive [əʃˈtivɐ] → **estar**.

estofo [əʃˈtofu] m rembourrage m.

estojo [əʃˈtoʒu] m étui m; ~ **(dos lápis)** trousse f; ~ **de primeiros-socorros** trousse de secours.

estômago [əʃˈtomɐgu] m estomac m.

estontear [əʃtõˈtjar] vt tourner la tête.

estore [əʃˈtɔrɐ] m store m.

estorninho [əʃturˈniɲu] m étourneau m.

estou [əʃˈto] → **estar**.

estourado, da [əʃtoˈraðu, -ðɐ] adj *(fam)* crevé(-e).

estourar [əʃtoˈrar] vt *(balão, bola)* crever; *(fam : gastar)* claquer. ◆ vi *(balão, bola, pneu)* crever; *(bomba, explosivo)* éclater.

estouro [əʃˈtoru] m *(de bola, balão, pneu)* éclatement m; *(detonação)* détonation f; **de ~** *(fam)* du tonnerre.

estrábico, ca [əʃˈtraβiku, -kɐ] adj : **ser ~** loucher.

estrabismo [əʃtrɐˈβiʒmu] m strabisme m.

estrada [əʃˈtraðɐ] f route f; ~ **de ferro** *(Br)* chemin m de fer; ~ **secundária** route secondaire.

estrado [əʃˈtraðu] m estrade f.

estragado, da [əʃtrɐˈgaðu, -ðɐ] adj *(leite)* tourné(-e); *(carne)* avarié(-e); *(iogurte)* périmé(-e); *(fruta)* gâté(-e); *(aparelho, máquina)* abîmé(-e).

estragão [əʃtrɐˈgɐ̃u] m estragon m.

estragar [əʃtrɐˈgar] vt *(aparelho, máquina)* abîmer; *(desperdiçar)* gâcher.

❏ **estragar-se** vp *(comida)* se gâter; *(leite)* tourner.

estrangeiro, ra [əʃtrɐ̃ˈʒeiru, -rɐ] adj & m, f étranger(-ère). ◆ m : **o ~** l'étranger m; **no ~** à l'étranger.

estrangular [əʃtrɐ̃guˈlar] vt étrangler.

estranhar [əʃtrɐˈɲar] vt sentir la différence de.

estranho, nha [əʃˈtrɐɲu, -ɲɐ] adj étrange. ◆ m, f étranger m (-ère f) *(un inconnu)*.

estratégia [əʃtrɐˈtɛʒjɐ] f stratégie f.

estrear [əʃtriˈar] vt étrenner.

❏ **estrear-se** vp *(filme)* sortir sur les écrans; **a peça estreia-se no sábado** la première de la pièce aura lieu samedi.

estreia [əʃˈtrejɐ] f *(Port: de actor)* premier rôle m; *(de peça teatral, filme)* première f.

estréia [iʃ'trɛjɐ] f (Br) = estreia.

estreitar [əʃtrɐi'tar] vt (roupa) faire rétrécir. ◆ vi rétrécir.

estreito, ta [əʃ'trɐitu, -tɐ] adj étroit(-e); (roupa) serré(-e). ◆ m détroit m.

estrela [əʃ'trelɐ] f étoile f; (de cinema, teatro) star f; ~ **cadente** étoile filante; **ver ~s** voir trente-six chandelles.

estremecer [əʃtrɐmə'ser] vt faire trembler. ◆ vi (tremer) trembler; (assustar-se) frémir.

estria [əʃ'triɐ] f (em pele) vergeture f; (em superfície) strie f.

estribo [əʃ'tribu] m étrier m.

estridente [əʃtri'ðēntə] adj strident(-e).

estrofe [əʃ'trɔfə] f strophe f.

estrondo [əʃ'trõndu] m fracas m; **de ~** (fig) du tonnerre.

estropiar [əʃtru'pjar] vt estropier.

estrume [əʃ'trumə] m fumier m.

estrutura [əʃtru'turɐ] f structure f.

estuário [əʃ'twarju] m estuaire m.

estudante [əʃtu'ðēntə] mf étudiant m (-e f).

estudar [əʃtu'ðar] vt & vi étudier.

estúdio [əʃ'tuðju] m studio m; (de pintor, escultor, arquitecto) atelier m.

estudioso, osa [əʃtu'ðjozu, -ɔzɐ] adj studieux(-euse).

estudo [əʃ'tuðu] m : **os ~s** les études fpl; (análise) étude f; **em ~** à l'étude.

estufa [əʃ'tufɐ] f (de jardim) serre f; (de fogão) chauffe-assiettes m inv; (tipo de fogão) poêle m.

estufado, da [əʃtu'faðu, -ðɐ] adj en ragoût. ◆ m ragoût m; (de coelho) civet m; (de vitela) blanquette f.

estupefação [iʃtupefa'sɐ̃u] f (Br) = estupefacção.

estupefacção [əʃtupəfa'sɐ̃u] f (Port) stupéfaction f.

estupefaciente [əʃtupəfɐ'sjēntə] m stupéfiant m.

estupefacto, ta [əʃtupə'fa(k)tu, -tɐ] adj (Port) stupéfait(-e).

estupefato, ta [iʃtupe'fatu, -tɐ] adj (Br) = estupefacto.

estupendo, da [əʃtu'pēndu, -dɐ] adj (extraordinário) formidable; (óptimo) parfait(-e).

estupidez [əʃtupi'ðeʃ] f stupidité f.

estúpido, da [əʃ'tupiðu, -ðɐ] m, f idiot m (-e f).

estupro [əʃ'tupru] m stupre m.

estuque [əʃ'tukɐ] m stuc m.

esvaziar [əʒvɐ'zjar] vt vider.

esvoaçar [əʒvwɐ'sar] vi (ave) voltiger.

etapa [i'tapɐ] f étape f; (de doença, estudo) stade m; **fazer algo por ~s** faire qqch par étapes.

éter ['ɛtɐr] m éther m.

eternidade [itərni'ðaðə] f éternité f; **demorar uma ~** durer une éternité; **esperar uma ~** attendre une éternité.

eterno, na [i'tɛrnu, -nɐ] adj éternel(-elle).

ética ['ɛtikɐ] f éthique f.

ético, ca ['ɛtiku, -kɐ] adj éthique.

etílico [i'tiliku] adj m → álcool.

etiqueta [iti'ketɐ] f (social) bienséance f; (rótulo) étiquette f.

étnico, ca ['ɛtniku, -kɐ] adj ethnique.

eu ['eu] pron (sujeito) je; (complemento) moi; **sou ~** c'est moi; **e ~?** et moi?; ~ **mesmo** OU **próprio** moi-même.

E.U.A. mpl (abrev de Estados Unidos da América) USA mpl.

eucalipto [euke'liptu] m eucalyptus m.

eufemismo [eufə'miʒmu] *m* euphémisme *m*.

euforia [eufu'riɐ] *f* euphorie *f*.

Eurocheque® [eurɔ'ʃɛkə] *m* eurochèque *m*.

Europa [eu'rɔpɐ] *f* : **a ~** l'Europe *f*.

europeu, peia [euru'peu, -pɐjɐ] *adj* européen(-enne). ◆ *m, f* Européen *m* (-enne *f*).

evacuação [ivɛkwɐ'sɐu] (*pl* **-ões** [-õiʃ]) *f* évacuation *f*.

evacuar [ivɛ'kwar] *vt* évacuer.

evadir-se [iva'ðirsə] *vp* s'évader.

Evangelho [ivɐ̃'ʒɛʎu] *m* : **o ~** l'Évangile *m*.

evaporar [ivɐpu'rar] *vt* évaporer.
❏ **evaporar-se** *vp (líquido)* s'évaporer; *(fig: desaparecer)* disparaître.

evasão [iva'zɐu] (*pl* **-ões** [-õiʃ]) *f* évasion *f*; *(evasiva)* détour *m*.

evasiva [ivɐ'zivɐ] *f* échappatoire *f*.

evasivo, va [ivɛ'zivu, -vɐ] *adj* évasif(-ive).

evasões → **evasão**.

evento [i'vẽtu] *m* événement *m*.

eventual [ivẽ'twaɫ] (*pl* **-ais** [-aiʃ]) *adj* éventuel(-elle).

evidência [ivi'ðẽsjɐ] *f* évidence *f*.

evidenciar [iviðẽ'sjar] *vt* mettre en évidence.
❏ **evidenciar-se** *vp (tornar-se claro)* être évident(-e); *(destacar-se)* se distinguer.

evidente [ivi'ðẽtə] *adj* évident(-e); **como é ~** évidemment.

evitar [ivi'tar] *vt* éviter; **~ que algo aconteça** éviter que qqch n'arrive.

evocar [ivu'kar] *vt* évoquer.

evolução [ivulu'sɐu] *f* évolution *f*.

evoluir [ivu'lwir] *vi* évoluer.

exactamente [i,zatɛ'mẽtə] *adv* exactement. ◆ *interj* tout à fait!

exactidão [izɛti'ðɐu] *f* exactitude *f*; **com ~** exactement.

exacto, ta [i'zatu, -tɐ] *adj* précis(-e); *(correcto)* exact(-e).

exagerar [izɐʒɛ'rar] *vt* exagérer.

exagero [izɛ'ʒeru] *m* exagération *f*; **sem ~** sans exagérer; **é um ~!** c'est exagéré!

exalar [izɛ'lar] *vt* exhaler.

exaltado, da [izaɫ'taðu, -ðɐ] *adj* en colère.

exaltar [izaɫ'tar] *vt (elogiar)* faire l'éloge de; *(irritar)* énerver.
❏ **exaltar-se** *vp* s'emporter.

exame [i'zɐmə] *m* examen *m*.

examinar [izɐmi'nar] *vt* examiner.

exaustão [izauʃ'tɐu] *f* épuisement *m*.

exausto, ta [i'zauʃtu, -tɐ] *adj* épuisé(-e).

exaustor [izauʃ'tor] (*pl* **-es** [-əʃ]) *m* hotte *f (de cuisine)*.

exceção [e(ʃ)se'sɐu] (*pl* **-ões** [-õiʃ]) *f (Br)* = **excepção**.

excedente [əʃsə'ðẽtə] *m* excédent *m*.

exceder [əʃsə'ðer] *vt* dépasser.
❏ **exceder-se** *vp (exagerar)* exagérer; *(enfurecer-se)* s'emporter; **~-se no sal** mettre trop de sel; **~-se na bebida** boire trop.

excelente [əʃsə'lẽtə] *adj* excellent(-e).

excêntrico, ca [əʃ'sẽtriku, -kɐ] *adj* excentrique.

excepção [əʃsɛ'sɐu] (*pl* **-ões** [-õiʃ]) *f (Port)* exception *f*; **à** ou **com a ~ de** à l'exception de; **fora de ~** sans exception.

excepcional [əʃsesju'naɫ] (*pl* **-ais** [-aiʃ]) *adj* exceptionnel(-elle).

excepções → excepção.

excepto [əʃ'sɛtu] *prep (Port)* excepté; **todos os dias ~ ao domingo** tous les jours sauf le dimanche.

excerto [əʃ'sertu] *m* extrait *m*.

excessivo, va [əʃsə'sivu, -vɐ] *adj* excessif(-ive).

excesso [əʃ'sɛsu] *m* excès *m*; **em ~ trop**; **~ de peso** *(relativo a bagagem)* surcharge *f*; *(relativo a pessoa)* excès de poids; **~ de velocidade** excès de vitesse.

exceto [e(ʃ)'sɛtu] *prep (Br)* = **excepto**.

excitação [əʃsite'sɐ̃u] *f* excitation *f*.

excitado, da [əʃsi'taðu, -ðɐ] *adj* excité(-e).

excitante [əʃsi'tɐ̃tə] *adj* excitant(-e).

exclamação [əʃklɐmɐ'sɐ̃u] *(pl -ões* [-õiʃ]) *f* exclamation *f*.

exclamar [əʃklɐ'mar] *vi* s'exclamer, s'écrier.

excluir [əʃklu'ir] *vt* exclure.

exclusivo, va [əʃklu'zivu, -vɐ] *adj* exclusif(-ive). ♦ *m* exclusivité *f*; **ter o ~ de** avoir l'exclusivité de.

excursão [əʃkur'sɐ̃u] *(pl -ões* [-õiʃ]) *f* excursion *f*.

execução [izɐku'sɐ̃u] *f (de objecto)* fabrication *f*; *(de trabalho, plano, projecto)* exécution *f*; *(de prato culinário)* confection *f*; **pôr algo em ~** mettre qqch à exécution.

executar [izɐku'tar] *vt* exécuter; *(música, cena teatral)* interpréter.

executivo, va [izɐku'tivu, -vɐ] *m, f* cadre *mf*.

exemplar [izẽm'plar] *(pl -es* [-əʃ]) *adj* exemplaire. ♦ *m (de espécie, raça)* spécimen *m*; *(de planta)* variété *f*; *(de livro, revista)* exemplaire *m*; *(de colecção)* pièce *f*.

exemplo [i'zẽmplu] *m* exemple *m*; **por ~** par exemple; **a título de ~** à titre d'exemple.

exercer [izər'ser] *vt* exercer.

exercício [izər'sisju] *m* exercice *m*.

exercitar [izɐrsi'tar] *vt (cão)* dresser; *(pernas, braços)* faire bouger.

❑ **exercitar-se** *vp (fazer exercício físico)* faire de l'exercice; *(músculos)* faire travailler; *(desportista)* s'entraîner; *(pianista)* s'exercer.

exército [i'zɛrsitu] *m* armée *f*.

exibição [izɐbi'sɐ̃u] *(pl -ões* [-õiʃ]) *f* représentation *f*; *(de quadros, esculturas)* exposition *f*; *(ostentação)* spectacle *m*.

exibir [izɐ'bir] *vt (filme)* projeter; *(peça teatral)* représenter; *(quadro, escultura)* exposer; *(dotes, capacidades)* montrer.

❑ **exibir-se** *vp* s'exhiber.

exigência [izɐ'ʒẽsjə] *f* exigence *f*.

exigir [izɐ'ʒir] *vt* exiger.

existência [izɐʃ'tẽsjə] *f* existence *f*.

existir [izɐʃ'tir] *vi* exister.

êxito ['eizitu] *m* succès *m*; **ter ~** avoir du succès.

Exma. *(abrev de* **excelentíssima**): **~ Senhora Directora** Madame la Directrice.

Exmo. *(abrev de* **excelentíssimo**): **~ Senhor Director** Monsieur le Directeur.

exorcismo [izur'siʒmu] *m* exorcisme *m*.

exorcista [izur'siʃtə] *mf* exorciste *m*.

exortação [izurtɐ'sɐ̃u] *(pl -ões* [-õiʃ]) *f* exhortation *f*.

exótico, ca [i'zɔtiku, -kɐ] *adj* exotique *m*.

expansão [əʃpɐ̃'sɐ̃u] *(pl -ões* [-õiʃ]) *f (progresso)* expansion *f*; *(alegria)* débordement *m*; *(alargamento)* extension *f*.

expansivo, va [əʃpẽ'sivu, -vɐ] *adj* expansif(-ive).

expansões → **expansão**.

expectativa [əʃpɛ(k)tɐ'tivɐ] *f* expectative *f*; **estar/ficar na ~** être dans l'expectative.

expediente [əʃpə'djẽntə] *m (de repartição, estabelecimento comercial)* service *m*; *(correspondência)* correspondance *f*.

expedir [əʃpə'ðir] *vt* expédier.

experiência [əʃpə'rjẽsjɐ] *f* expérience *f*; **com ~** expérimenté(-e).

experiente [əʃpə'rjẽntə] *adj* expérimenté(-e).

experimentar [əʃpərimẽn'tar] *vt* essayer; *(comida, bebida)* goûter; *(emoção)* connaître; *(sensação)* avoir.

expirar [əʃpi'rar] *vt & vi* expirer.

explicação [əʃplikɐ'sẽu] *(pl* **-ões** [-õiʃ]*) f* explication *f*; *(aula privada)* cours *m* particulier.

explicar [əʃpli'kar] *vt* expliquer. ❏ **explicar-se** *vp* s'expliquer.

explícito, ta [əʃ'plisitu, -tɐ] *adj* explicite.

explodir [əʃplu'ðir] *vi* exploser.

exploração [əʃplurɐ'sẽu] *f* exploitation *f*; *(investigação)* exploration *f*.

explorar [əʃplu'rar] *vt (investigar)* explorer; *(abusar de)* exploiter.

explosão [əʃplu'zẽu] *(pl* **-ões** [-õiʃ]*) f* explosion *f*.

expor [əʃ'por] *vt* exposer. ❏ **expor-se a** *vp* + *prep* s'exposer à.

exportação [əʃpurtɐ'sẽu] *(pl* **-ões** [-õiʃ]*) f* exportation *f*.

exportar [əʃpur'tar] *vt* exporter.

exposição [əʃpuzi'sẽu] *(pl* **-ões** [-õiʃ]*) f* exposition *f*; **em ~** en exposition.

exposto, osta [əʃ'poʃtu, -ɔʃtɐ] *adj* exposé(-e).

expressão [əʃprɐ'sẽu] *(pl* **-ões** [-õiʃ]*) f* expression *f*; **~ escrita/oral** expression écrite/orale.

expressar [əʃprɐ'sar] *vt* exprimer. ❏ **expressar-se** *vp* s'exprimer.

expressivo, va [əʃprə'sivu, -vɐ] *adj* expressif(-ive).

expresso, a [əʃ'prɛsu, -ɐ] *adj (correio)* express; *(ordem)* formel(-elle); *(vontade, desejo, ideia)* exprimé(-e). ◆ *m (comboio)* express *m*; *(autocarro)* autobus *m* direct.

expressões → **expressão**.

exprimir [əʃpri'mir] *vt* exprimer. ❏ **exprimir-se** *vp* s'exprimer.

expropriar [əʃprupri'ar] *vt* exproprier.

expulsar [əʃpuł'sar] *vt* expulser.

expulso, sa [əʃ'pułsu, -sɐ] *pp* → **expulsar**. ◆ *adj* expulsé(-e).

extensão [əʃtẽ'sẽu] *f (dimensão espacial)* étendue *f*; *(dimensão temporal)* durée *f*; *(aumento espacial)* agrandissement *m*; *(aumento temporal)* prolongation *f*; *(eléctrica)* rallonge *f*.

extenso, sa [əʃ'tẽsu, -sɐ] *adj* long (longue); *(vasto)* étendu(-e); **escrever algo por ~** écrire qqch en toutes lettres.

extenuado, da [əʃtə'nwaðu, -ðɐ] *adj* exténué(-e).

extenuante [əʃtə'nwẽntə] *adj* exténuant(-e).

exterior [əʃtɐ'rjor] *(pl* **-es** [-əʃ]*) adj* extérieur(-e). ◆ *m (parte exterior)* extérieur *m*; *(aparência)* dehors *mpl*; **o ~** *(Br)* l'étranger *m*.

externo, na [əʃ'tɛrnu, -nɐ] *adj (Port)* extérieur(-e).

extinção [əʃtĩn'sẽu] *f* disparition *f*; **em vias de ~** en voie de disparition.

extinguir [əʃtīŋˈgir] *vt (fogo)* éteindre; *(lei, norma)* abolir.

❑ **extinguir-se** *vp (apagar-se)* s'éteindre; *(desaparecer)* disparaître.

extinto, ta [əʃˈtĩntu, -tɐ] *pp* → **extinguir**. ◆ *adj (fogo)* éteint(-e); *(norma, lei)* aboli(-e); *(espécie animal, vegetal)* disparu(-e).

extintor [əʃtĩnˈtor] *(pl* **-es** [-əʃ]) *m* extincteur *m.*

extra [ˈɐiʃtrɐ] *adj* supplémentaire. ◆ *pref* extra. ◆ *m (de automóvel)* option *f; (em despesa)* extra *m; (em emprego)* prime *f.*

extração [iʃtraˈsɐ̃u] *(pl* **-ões** [-õiʃ]) *f (Br)* = **extracção**.

extracção [əʃtraˈsɐ̃u] *(pl* **-ões** [-õiʃ]) *f (Port)* extraction *f; (de lotaria)* tirage *m* au sort.

extrações → **extração**.

extracto [əʃˈtratu] *m (Port)* extrait *m; (de conta bancária)* relevé *m.*

extraditar [əʃtrɐɖiˈtar] *vt* extrader.

extrair [əʃtrɐˈir] *vt* extraire; *(dente)* arracher; *(órgão)* retirer; *(número de lotaria)* tirer au sort; ~ **algo de algo** tirer qqch de qqch.

extraordinário, ria [əʃtrɐorɖiˈnarju, -rjɐ] *adj* extraordinaire.

extrato [iʃˈtratu] *m (Br)* = **extracto**.

extravagância [əʃtrɐvɐˈgɐ̃sjɐ] *f (capricho)* lubie *f.*

extraviado, da [əʃtrɐˈvjaɖu, -ɖɐ] *adj* égaré(-e).

extraviar [əʃtrɐˈvjar] *vt* égarer. ❑ **extraviar-se** *vp* s'égarer.

extremidade [əʃtrɐmiˈɖaɖə] *f* extrémité *f.*

extremo, ma [əʃˈtremu, -mɐ] *adj* extrême. ◆ *m* extrême *m;* **de um ~ ao outro** d'un bout à l'autre; **chegar aos ~s de** en arriver à.

extrovertido, da [əʃtrɔvərˈtiɖu, -ɖɐ] *adj* extraverti(-e).

exuberante [izubɐˈrɛ̃ntɐ] *adj* exubérant(-e); *(roupa)* excentrique.

exumar [izuˈmar] *vt* exhumer.

ex-voto [ɛksˈvɔtu] *m* ex-voto *m inv.*

F

fábrica ['faƀrikɐ] f usine f.
fabricante [fɐƀri'kɐ̃ntɐ] m fabricant m.
fabricar [fɐƀri'kar] vt fabriquer.
fabrico [fɐ'ƀriku] m fabrication f.
fabuloso, osa [fɐƀu'lozu, -ɔzɐ] adj fabuleux(-euse).
faca ['fakɐ] f couteau m.
face ['fasɐ] f (rosto) visage m; (de poliedro) face f; (superfície) surface f; **fazer ~ a** faire face à; **em ~** en face; **em ~ de** face à; **~ a ~** face à face; **à ~ da Terra** à la surface de la terre.
fáceis → **fácil**.
fachada [fɐ'ʃaðɐ] f façade f.
fácil ['fasił] (pl **-ceis** [-sɐiʃ]) adj facile.
facilidade [fɐsɐli'ðaðɐ] f facilité f; **com ~** facilement.
facilitar [fɐsɐli'tar] vt (tornar fácil) faciliter; (tornar possível) entraîner; **em ~ algo a alguém** fournir qqch à qqn.
faço ['fasu] → **fazer**.
facto ['fa(k)tu] m (Port) fait m; **ser ~ consumado** être un fait accompli; **de ~** effectivement; **pelo ~ de** du fait que.
factor, ra [fa'tor, -rɐ] (mpl **-es** [-əʃ], fpl **-s** [-ʃ]) m, f (Port) employé de gare chargé de la livraison et de l'expédition des bagages. ◆ m (Port) facteur m.

factual [fɐk'twał] (pl **-ais** [-aiʃ]) adj (Port) basé(-e) sur les faits.
factura [fa'turɐ] f (Port) facture f.
faculdade [fɐkuł'ðaðə] f faculté f.
facultativo, va [fɐkułtɐ'tivu, -vɐ] adj facultatif(-ive).
fada ['faðɐ] f fée f.
fadiga [fɐ'ðigɐ] f fatigue f.
fadista [fɐ'ðiʃtɐ] mf chanteur m (-euse f) de fado.
fado ['faðu] m (música) fado m; (destino) destin m.

ⓘ FADO

G enre musical typiquement portugais, il est chanté en solo par les « fadistas », avec accompagnement à la viole et à la guitare portugaise. Il existe deux principaux types de fado, celui de Lisbonne et celui de Coimbra, qui diffèrent par leur rythme et par leurs accords. Toutefois, l'un et l'autre se font l'écho du sentiment très portugais de la « saudade » (vague à l'âme). Le fado de Coimbra est étroitement lié aux traditions académiques de son université qui est la plus ancienne du Portugal. Il est chanté par des hommes uniquement, dans la rue ou en société. A l'inverse, le fado de Lisbonne est chanté aussi bien par des hommes que par des femmes dans les typiques « casas de fado » (maisons du fado).

---

fagulha [fɐ'guʎɐ] f étincelle f.

faia ['fajɐ] f hêtre m.

faiança [fɐ'jɐ̃sɐ] f faïence f.

faisão [fai'zɐ̃u] (pl **-ões** [-õiʃ]) m faisan m.

faísca [fɐ'iʃkɐ] f (de metal, lume) étincelle f; (raio) foudre f.

faisões → faisão.

faixa ['faiʃɐ] f (em estrada) voie f; (para cintura) ceinture f (en tissu); (ligadura) bandage m; (de idades) tranche f; ~ **(de pedestres)** (Br) passage m piétons; ~ **de rodagem** chaussée f.

fala ['falɐ] f (dom de falar) parole f; (em teatro) réplique f; **ser de poucas ~s** ne pas être très bavard.

fala-barato [ˌfalɐbɐ'ratu] mf inv moulin m à paroles.

falador, ra [fɐlɐ'dor, -rɐ] (mpl **-es** [-əʃ], fpl **-s** [-ʃ]) adj & m, f bavard(-e).

falar [fɐ'lar] vi parler. ◆ vt (língua) parler; (dizer) dire; ~ **com alguém** parler à qqn; ~ **de** parler de; **para** ~ **a verdade** à vrai dire; **sem** ~ **em** sans parler de; ~ **claro** parler clairement; ~ **a sério** parler sérieusement; ~ **pelos cotovelos** avoir la langue bien pendue.

falcão [faɫ'kɐ̃u] (pl **-ões** [-õiʃ]) m faucon m.

falecer [fɐlɐ'ser] vi décéder.

falecido, da [fɐlɐ'sidu, -dɐ] m, f défunt m (-e f).

falecimento [fɐlɐsi'mẽtu] m décès m.

falência [fɐ'lẽsjɐ] f faillite f; **ir à** ~ faire faillite.

falha ['faʎɐ] f (lacuna) manque m; (de luz) coupure f; (de terreno) faille f; (em sistema, programa) défaillance f.

falhar [fɐ'ʎar] vt (tentativa, tiro) rater; (encontro) manquer. ◆ vi (não acertar) rater son coup; (errar) se tromper; (máquina) ne plus marcher; (travões) lâcher; (motor) avoir des ratés.

falido, da [fɐ'lidu, -dɐ] adj : **ele está** ~ il a fait faillite.

falir [fɐ'lir] vi faire faillite.

falsário, ria [faɫ'sarju, -rjɐ] m, f faussaire mf.

falsidade [faɫsi'dadɐ] f fausseté f.

falsificar [faɫsɐfi'kar] vt falsifier.

falso, sa ['faɫsu, -sɐ] adj faux (fausse). ◆ adv (jurar) faire un faux serment.

falta ['faɫtɐ] f faute f; (carência) manque m; (de assistência, pontualidade) absence f; (infracção) infraction f; ~ **de apetite** manque d'appétit; ~ **de ar** manque d'air; ~ **de atenção** inattention f; **fazer** ~ manquer; **ter** ~ **de algo** avoir besoin de qqch; **ele faz-me** ~ il me manque; **sinto** ~ **da minha família** ma famille me manque; **à** ~ **de melhor** faute de mieux; **fazer algo sem** ~ faire qqch sans faute; **por** ~ **de** faute de.

faltar [faɫ'tar] vi (não haver) manquer; (estar ausente) être absent(-e); **falta muito para as férias** les vacances sont encore loin; **falta pouco para o comboio chegar** le train va bientôt arriver; **faltam 5 km para lá chegar** il reste 5 km à faire; **era só o que faltava!** il ne manquait plus que ça!; ~ **às aulas** ne pas aller en cours; ~ **ao emprego** ne pas aller travailler.

fama ['fɐmɐ] f *(reputação)* réputation f; *(notoriedade)* célébrité f; **ter ~ de** avoir la réputation de.

família [fɐ'miljɐ] f famille f; **em ~** en famille.

familiar [fɐmə'ljar] *(pl* **-es** [-əʃ]) *adj* familial(-e); *(conhecido)* familier(-ère). ◆ *m* membre *m* de la famille.

faminto, ta [fɐ'mĩtu, -tɐ] *adj* affamé(-e).

famoso, osa [fɐ'mozu, -ɔzɐ] *adj* célèbre.

fanático, ca [fɐ'natiku, -kɐ] *adj & m, f* fanatique.

faneca [fɐ'nɛkɐ] f tacaud *m (poisson)*.

fantasia [fɐ̃tɐ'ziɐ] f fantaisie f; *(disfarce)* déguisement *m*.

fantasiar [fɐ̃tɐ'zjar] *vi* rêver. ❑ **fantasiar-se** *vp* se déguiser; **~-se de** se déguiser en.

fantasma [fɐ̃'taʒmɐ] *m* fantôme *m*.

fantástico, ca [fɐ̃'taʃtiku, -kɐ] *adj* fantastique. ◆ *interj* fantastique!

fantoche [fɐ̃'tɔʃə] *m* marionnette f.

farda ['fardɐ] f uniforme *m*.

farei [fɐ'rɐj] → **fazer**.

farelo [fɐ'rɛlu] *m* son *m (céréale)*.

faringe [fɐ'rĩʒə] f pharynx *m*.

farinha [fɐ'riɲɐ] f farine f; **~ de centeio** farine de seigle; **~ integral** farine complète; **~ de milho** farine de maïs; **~ de rosca** *(Br)* chapelure f; **~ de trigo** farine de blé.

farinheira [fɐri'ɲɐjrɐ] f saucisse de porc à base de farine ou de miettes de pain.

farmacêutico, ca [fɐrmɐ-'sewtiku, -kɐ] *adj* pharmaceutique. ◆ *m, f* pharmacien *m* (-enne f).

farmácia [fɐr'masjɐ] f pharmacie f.

faro ['faru] *m* flair *m*.

farofa [fɐ'rɔfɐ] f farine de manioc grillée ou cuite dans du beurre, souvent mélangée avec des œufs, des olives et de la viande.

farófias [fɐ'rɔfjɐʃ] *fpl* ≃ œufs *mpl* à la neige.

farol [fɐ'rɔł] *(pl* **-óis** [-ɔjʃ]) *m* phare *m*; **~ alto** *(Br)* feux *mpl* de route; **~ baixo** *(Br)* feux *mpl* de croisement.

farolim [fɐru'lĩ] *(pl* **-ns** [-ʃ]) *m* feu *m* arrière.

farpa ['farpɐ] f *(de agulha)* pointe f; *(em tourada)* banderille f; *(em pele)* écharde f.

farpado [fɐr'paðu] *adj m* → **arame**.

farra ['faRɐ] f *(fam : divertimento)* foire f.

farrapo [fɐ'Rapu] *m* chiffon *m*.

farsa ['farsɐ] f farce f.

fartar-se [fɐr'tarsə]: **fartar-se** *vp (comida)* se gaver; *(cansar-se)* se lasser; **~-se de** *(comida)* se gaver de; *(trabalho)* en avoir assez de.

farto, ta ['fartu, -tɐ] *adj* rassasié(-e); **estar ~ de** en avoir assez de.

fartura [fɐr'turɐ] f abondance f. ❑ **farturas** *fpl* longs beignets cylindriques vendus dans les fêtes foraines.

fascinante [fɐʃsi'nɐ̃tɐ] *adj* fascinant(-e).

fascinar [fɐʃsi'nar] *vt* fasciner.

fascismo [fɐ'ʃiʒmu] *m* fascisme *m*.

fascista [fɐ'ʃiʃtɐ] *adj & mf* fasciste.

fase ['fazə] f phase f.

fastidioso, osa [fɐʃti'ðjozu, -ɔzɐ] *adj* fastidieux(-euse).

fatal [fɐ'tał] *(pl* **-ais** [-ajʃ]) *adj* fatal(-e).

fatalidade [fɐtɐli'ðaðə] f fatalité f.

fatia [fɐ'tiɐ] f tranche f.

fatigante [fəti'gẽntə] *adj* fatigant(-e).

Fátima ['fatimə] *s* Fatima.

ℹ️ FÁTIMA

Cette ville, où se dresse le plus grand sanctuaire catholique du pays, est située au centre du Portugal. On dit que le 13 mai 1917, Notre-Dame y est apparue à trois petits bergers et que d'autres apparitions ont suivi. Ce miracle a transformé Fatima en lieu de pèlerinage pour les chrétiens du monde entier, en particulier lors des jours anniversaires des miracles (13 mai et 13 octobre). Quatre millions de pèlerins s'y rendent chaque année.

---

fato ['fatu] *m (Port: conjunto)* costume *m; (de festa)* tenue *f; (Br) =* **facto**; ~ **de banho** *(Port)* maillot *m* de bain; ~ **completo** *(Port)* complet *m;* ~ **de ginástica** *(Port)* justaucorps *m;* ~ **de mergulhador** *(Port)* combinaison *f* de plongée; ~ **de treino** *(Port)* survêtement *m;* **não ter nenhum** ~ ne rien avoir à se mettre.

fato-macaco [fatumɐˈkaku] *(pl* **fatos-macacos** [fatuʒmɐˈkakuʃ]) *m (Port)* bleu *m* de travail.

fator [fa'tox] *(pl* **-es** [-iʃ]) *m (Br) =* **factor**.

fatura [fa'turɐ] *f (Br) =* **factura**.

fauna ['faunɐ] *f* faune *f.*

favas ['favɐʃ] *fpl* fèves *fpl;* ~ **à portuguesa** *fèves cuisinées avec du chorizo et de la viande de porc.*

favela [fa'vɛlɐ] *f (Br)* bidonville *m.*

ℹ️ FAVELAS

Les favelas ne ressemblent en rien aux grandes villes du Brésil des cartes postales. Elles se composent de pauvres cabanes agglutinées sur les versants des collines et expriment, de façon confuse mais toujours créative, la misère dans laquelle se débat une population décidée à survivre. Certaines de ces favelas comptent des centaines de milliers d'habitants.

---

favor [fe'vor] *(pl* **-es** [-əʃ]) *m* service *m; (do público)* faveur *f;* '**é** ~ **fechar a porta**' 'prière de fermer la porte'; **faça** ~ **de entrar** entrez, je vous en prie; **faz** ~ s'il vous plaît; **fazer um** ~ **a alguém** rendre service à qqn; **ser a** ~ **de** être en faveur de; *(partidário de)* être pour; **se faz** ~ s'il vous plaît; **por** ~ s'il vous plaît.

favorável [fevu'ravɛɫ] *(pl* **-eis** [-ɐiʃ]) *adj (resposta)* favorable; *(tempo)* propice.

favorito, ta [fevu'ritu, -tɐ] *adj* favori(-ite).

fax ['faksə] *(pl* **-es** [-əʃ]) *m* fax *m;* **enviar** OU **mandar um** ~ envoyer un fax.

faz [faʃ] → **fazer**.

fazenda [fe'zẽndɐ] *f (Br: quinta)* exploitation *f* agricole; *(Port: terreno)* terre *f; (tecido)* tissu *m.*

fazendeiro, ra [fazẽn'deiru, -rɐ] *m, f (Br)* exploitant *m* (-e *f*) agricole.

fazer [fe'zer] *vt* **1.** *(ger)* faire; ~ **barulho** faire du bruit; ~ **uma pergunta** poser une question; ~ **planos/um vestido** faire des projets/une robe; **vamos** ~ **uma festa** nous allons faire une fête; **devias** ~ **mais exercício** tu devrais faire plus d'exercice; **~ alguém rir/ chorar** faire rire/pleurer qqn; **o chocolate faz borbulhas** le chocolat donne des boutons.

2. *(transformar)* mettre, rendre; **~ algo em pedaços** mettre qqch en pièces; **~ alguém feliz** rendre qqn heureux.

3. *(anos)*: **faço anos amanhã** demain, c'est mon anniversaire; **fazemos cinco anos de casados** ça fait cinq ans que nous sommes mariés.

◆ *vi* **1.** *(em teatro, cinema)*: **fazer de** jouer.

2. *(aparentar)*: **~ como se** faire comme si.

3. *(causar)*: **~ bem/mal a algo/ alguém** faire du bien/du mal à qqch/qqn.

4. *(obrigar)*: **~ (com) que** faire (en sorte) que.

◆ *v impess* **1.** *(Br)*: **faz frio/calor** il fait froid/chaud.

2. *(exprime tempo)* faire; **faz um ano que não o vejo** ça fait un an que je ne le vois pas; **faz tempo que estou à espera** ça fait longtemps que j'attends; **ele partiu faz três meses** ça fait trois mois qu'il est parti.

3. *(importar)*: **não faz mal se está partido** ça ne fait rien si c'est cassé; **não te preocupes, não faz mal!** ne t'inquiète pas, ça ne fait rien!; **tanto faz** c'est pareil.

❏ **fazer-se** *vp* se faire; **~-se com** se faire avec.

❏ **fazer-se de** *vp* + *prep* faire; **~-se de tolo/esperto** faire l'idiot/le malin; **~-se de desentendido** faire semblant de ne pas comprendre.

fé ['fɛ] *f* foi *f*; **de boa/má ~ de** bonne / mauvaise foi; **à falsa ~** en traître.

febra ['fɛbrɐ] *f* viande *f* maigre; **~s de porco** tranches *fpl* de porc.

febre ['fɛbrɐ] *f* fièvre *f*.

febre-dos-fenos [ˌfɛbrɐˈðuʃfenuʃ] *f* rhume *m* des foins.

fechado, da [fɐˈʃaðu, -ðɐ] *adj* fermé(-e); *(luz)* éteint(-e); *(couve)* pommé(-e); *(negócio)* conclu(-e); '**~ para balanço'** 'fermé pour cause d'inventaire'; '**~ para férias'** 'fermeture annuelle'; '**~ para obras'** 'fermé pour travaux'.

fechadura [fɐʃɐˈðurɐ] *f* serrure *f*.

fechar [fɐˈʃar] *vt* fermer; *(luz)* éteindre; *(negócio)* conclure. ◆ *vi (ferida)* se cicatriser; *(estabelecimento)* fermer; **~ algo à chave** fermer qqch à clef.

❏ **fechar-se** *vp (encerrar-se)* s'enfermer; *(calar-se)* se fermer.

fecho ['feʃu] *m (de porta)* loquet *m*; *(de mala)* fermeture *f*; *(de janela)* poignée *f*; *(de colar)* fermoir *m*; *(de peça de vestuário)*: **~ (éclair)** fermeture *f* Éclair®; *(de espectáculo, acontecimento)* fin *f*.

fécula ['fɛkulɐ] *f* fécule *f*; **~ de batata** fécule de pomme de terre.

fecundar [fɐkũnˈdar] *vt* féconder.

feder [fɐˈðer] *vi* empester.

federação [fɐðɐrɐˈsɐ̃u] *(pl* **-ões** [-õiʃ]) *f* fédération *f*.

fedor [fɐˈðor] *m* puanteur *f*.

feijão [fɐiˈʒɐ̃u] *(pl* **-ões** [-õiʃ]) *m* haricot *m*.

feijão-frade [fɐiʒɐ̃uˈfraðɐ] *(pl* **feijões-frades** [fɐiʒõiʃˈfraðɐʃ]) *m* dolic *m*, *sorte de haricot blanc*.

feijão-mulatinho [feiˌʒɐ̃umulaˈtiɲu] *(pl* **feijões-mulatinhos** [fɐiˌʒõiʒmulaˈtiɲuʃ]) *m (Br)* *sorte de haricot rouge*.

feijão-preto [fɐiʒɐ̃uˈpretu] *(pl* **feijões-pretos** [fɐiʒõiʃˈpretuʃ]) *m* haricot *m* noir.

feijão-tropeiro [fɐiˌʒɐ̃utruˈpeiru] *(pl* **feijões-tropeiros** [fɐiˌʒõiʃtruˈpeiruʃ]) *m plat de haricots noirs accompagné de farine de manioc*.

feijão-verde [fɐiʒĕu'verðə] (*pl* **feijões-verdes** [fɐiʒõiʒ'verðəʃ]) *m* haricot *m* vert.

feijoada [fɐi'ʒwaðɐ] *f plat de haricots secs, de viande de porc et de légumes souvent accompagné de riz;* ~ **brasileira** *plat de haricots noirs servi avec du chou en lamelles, du porc et de la farine de manioc;* ~ **à trasmontana** *feijoada servie avec beaucoup de légumes.*

ℹ️ FEIJOADA

La feijoada à la brésilienne est composée de haricots noirs. On y ajoute de la viande séchée, du lard, des côtelettes, du saucisson, de l'andouille, et quelques ingrédients moins ordinaires, tels l'oreille de porc. Elle est servie avec du riz blanc, de la « farofa » (farine de manioc), du chou et une orange pelée. Plus qu'un plat typique, elle offre l'occasion de se rassembler. Traditionnellement servie le samedi matin, elle est arrosée de bière et de « caipirinha » et se déguste jusqu'à la nuit, de préférence au son des sambas.
Au Portugal, la feijoada est aussi un plat traditionnel, mais ses ingrédients sont légèrement différents. Elle est faite à base de haricots rouges ou blancs et de viande de porc de préférence salée (lard, tripes et saucisses). Dans certaines régions, on y met aussi du chou et de la carotte.

---

feijões → feijão.
feio, feia ['fɐju, 'fɐjɐ] *adj* (*rosto, forma, objecto*) laid(-e); (*atitude, comportamento*) vilain(-e); (*situação, caso, problema*) sale.

feira ['fɐirɐ] *f* marché *m*; (*de gado*) foire *f*; (*de automóvel, livro*) salon *m*; ~ **da ladra** (*Port*) ≃ marché *m* aux puces; ~ **popular** (*Port*) fête *f* foraine.
feitiçaria [fɐitisɐ'riɐ] *f* sorcellerie *f*.
feiticeiro, ra [fɐiti'sɐiru, -rɐ] *m, f* sorcier *m* (-ère *f*).
feitiço [fɐi'tisu] *m* sort *m*; **lançar um** ~ jeter un sort.
feitio [fɐi'tiu] *m* (*carácter*) caractère *m*; (*de peça de vestuário*) modèle *m*.
feito, ta ['fɐitu, -tɐ] *pp* → **fazer**. ◆ *adj* fait(-e). ◆ *m* exploit *m*; **está um homem** ~ c'est devenu un homme; ~ **à mão** fait à la main; ~ **sob medida** fait sur mesure; ~ **de** fait à base de; **dito e** ~ aussitôt dit, aussitôt fait.
feixe ['fɐiʃɐ] *m* (*de palha*) botte *f*; (*de lenha*) fagot *m*; (*Br: de luz*) faisceau *m*.
fel ['fɛł] *m* (*bílis*) bile *f*; (*sabor amargo*) goût *m* amer.
felicidade [fɐlisi'ðaðɐ] *f* (*contentamento*) bonheur *m*; (*boa sorte*) chance *f*; ~**s!** bonne chance!; (*para os noivos*) tous nos vœux de bonheur!
felicitar [fɐlisi'tar] *vt* féliciter; ~ **alguém por algo** féliciter qqn pour qqch.
felino [fɐ'linu] *m* félin *m*.
feliz [fɐ'liʃ] (*pl* **-es** [-zɐʃ]) *adj* heureux(-euse); (*bem executado*) réussi(-e); ~ **Ano Novo!** bonne année!; ~ **Natal!** joyeux Noël!
felizmente [fɐliʒ'mĕtɐ] *adv* heureusement.
felpudo, da [fɛł'puðu, -ðɐ] *adj* (*toalha*) moelleux(-euse); (*tapete, cão*) à poils longs.
feltro ['fɛłtru] *m* feutre *m*.
fêmea ['femjɐ] *f* femelle *f*; (*objecto*) prise *f* femelle.
feminino, na [fɐmɐ'ninu, -nɐ] *adj* féminin(-e). ◆ *m* féminin *m*.

feminismo [fəmə'niʒmu] *m* féminisme *m*.

feminista [fəmə'niʃtɐ] *mf* féministe *mf*.

fenda ['fẽndɐ] *f (em terra, chão)* crevasse *f*; *(em parede)* fente *f*.

fender [fẽn'der] *vt* fendre.
❑ **fender-se** *vp* se fendre.

feno ['fenu] *m* foin *m*.

fenomenal [fənumə'nał] *(pl* **-ais** [-aiʃ]*) adj* phénoménal(-e).

fenómeno [fə'nɔmənu] *m (Port)* phénomène *m*.

fenômeno [fe'nomenu] *m (Br)* = **fenómeno**.

fera ['fɛrɐ] *f* fauve *m*.

feriado [fə'rjaðu] *m* jour *m* férié; **~ nacional** fête *f* nationale.

férias ['fɛrjɐʃ] *fpl* vacances *fpl*; **irl estar de** OU **em ~** partir/être en vacances.

ferida [fə'riðɐ] *f* blessure *f*; → **ferido**.

ferido, da [fə'riðu, -ðɐ] *adj & m, f* blessé(-e).

ferimento [fəri'mẽntu] *m* blessure *f*.

ferir [fə'rir] *vt* blesser.
❑ **ferir-se** *vp* se blesser.

fermentar [fərmẽn'tar] *vi* fermenter.

fermento [fər'mẽntu] *m* levain *m*; **~ em pó** levure *f*.

feroz [fə'rɔʃ] *(pl* **-es** [-zəʃ]*) adj* féroce.

ferradura [fəʀɐ'ðurɐ] *f (de cavalo)* fer *m* à cheval; *(bolo)* pâtisserie en forme de fer à cheval fourrée à la crème.

ferragens [fə'ʀaʒẽiʃ] *fpl* → **loja**.

ferramenta [fəʀɐ'mẽntɐ] *f* outil *m*; *(conjunto de instrumentos)* outils *mpl*.

ferrão [fə'ʀẽu] *(pl* **-ões** [-õiʃ]*) m* dard *m*.

ferreiro [fə'ʀeiru] *m* forgeron *m*.

ferrinhos [fə'ʀiɲuʃ] *mpl* triangle *m (en musique)*.

ferro ['fɛʀu] *m (de passar roupa)* fer *m* à repasser; *(metal)* fer *m*.

ferrões → **ferrão**.

ferrolho [fə'ʀoʎu] *m* verrou *m*.

ferro-velho [ˌfɛʀu'vɛʎu] *(pl* **ferros-velhos** [ˌfɛʀuʒ'vɛʎuʃ]*) m* ferrailleur *m*.

ferrovia [fɛxo'viɐ] *f (Br)* chemin *m* de fer.

ferrugem [fə'ʀuʒẽi] *f* rouille *f*; *(de chaminé)* suie *f*.

ferry-boat [ˌfɛʀi'bout] *(pl* **ferry-boats** [ˌfɛʀi'boutʃ]*) m* ferry-boat *m*.

fértil ['fɛrtił] *(pl* **-teis** [-tɐiʃ]*) adj* fertile.

fertilidade [fərtəli'ðaðə] *f* fertilité *f*.

fertilizante [fərtəli'zẽntə] *m* engrais *m*.

fervedor [fərvə'ðor] *(pl* **-es** [-əʃ]*) m* pot *m* à lait.

ferver [fər'ver] *vt* faire bouillir.
♦ *vi* bouillir.

fervor [fər'vor] *m* ferveur *f*.

fervura [fər'vurɐ] *f* ébullition *f*; **até levantar ~** jusqu'à ébullition.

festa ['fɛʃtɐ] *f* fête *f*; **Boas ~s!** joyeuses fêtes!; **~s juninas** *(no Brasil)*, **~s dos Santos Populares** *(em Portugal)* fêtes religieuses célébrées au mois de juin *(Saint-Antoine, Saint-Jean, Saint-Pierre)*; **uma vez por ~** *(fig)* une fois tous les trente-six du mois.
❑ **festas** *fpl* caresses *fpl*; **fazer ~s a** caresser.

festejar [fəʃtə'ʒar] *vt* fêter.

festim [fəʃ'tĩ] *(pl* **-ns** [-ʃ]*) m* festin *m*.

festival [fəʃti'vał] *(pl* **-ais** [-aiʃ]*) m* festival *m*.

fétido, da ['fɛtiðu, -ðɐ] *adj* fétide.

feto ['fɛtu] *m (planta)* fougère *f*; *(embrião)* fœtus *m*.

fevereiro [feve'reiru] *m (Br)* = Fevereiro.

Fevereiro [fəvə'reiru] *m (Port)* février *m*; → **Setembro**.

fez ['feʃ] → **fazer**.

fezes ['fɛzəʃ] *fpl* selles *fpl*.

fiação [fja'sẽu] *(pl* **-ões** [-õiʃ]) *f* filature *f*.

fiambre ['fjẽmbrə] *m* jambon *m* blanc.

fiar ['fjar] *vt* filer. ◆ *vi* faire crédit.

❑ **fiar-se em** *vp* + *prep* se fier à.

fiasco ['fjaʃku] *m* fiasco *m*.

fibra ['fibrə] *f* fibre *f; (fig: coragem)* cran *m*; ~ **(acrílica)** fibre acrylique.

ficar [fi'kar] *vi* rester; *(estar situado)* être; *(tornar-se)* devenir; **ficou corado** il est devenu tout rouge; **ficou triste com a notícia** la nouvelle l'a rendu triste; **ficou surpreendido** il a été surpris; ~ **bem/mal** *(maneiras)* être bien/mal; *(roupa)* aller bien/mal; ~ **bem** *(aluno, bolo)* réussir; ~ **mal** *(aluno, bolo)* rater; ~ **a ler** lire; ~ **a trabalhar** travailler; ~ **com algo** *(adquirir)* prendre qqch; *(guardar)* garder qqch; ~ **de fazer algo** devoir faire qqch; ~ **em primeiro lugar** arriver en premier; ~ **por** revenir à; ~ **sem algo** perdre qqch.

❑ **ficar-se por** *vp* + *prep (limitar-se a)* se contenter de; **eu fico-me por aqui** j'en reste là.

ficção [fik'sẽu] *f* fiction *f*.

ficha ['fiʃə] *f* fiche *f; (eléctrica)* prise *f; (EDUC: teste)* contrôle *m*; ~ **dupla/tripla** double/triple prise.

fichário [fi'ʃarju] *m* fichier *m*.

ficheiro [fi'ʃeiru] *m* fichier *m*.

fictício, cia [fik'tisju, -sjɐ] *adj* fictif(-ive).

fidelidade [fiðəli'ðaðə] *f* fidélité *f*; ~ **(conjugal)** fidélité.

fiel ['fjɛł] *(pl* **-éis** [-ɛiʃ]) *adj & m* fidèle.

fígado ['figɐðu] *m* foie *m*.

figas ['figɐʃ] *fpl* : **fazer** ~ croiser les doigts.

figo ['figu] *m* figue *f*; ~**s secos** figues sèches.

figueira [fi'geirɐ] *f* figuier *m*.

figura [fi'gurɐ] *f (forma exterior)* silhouette *f; (desenho, imagem)* figure *f*; **fazer boa/má** ~ bien/mal s'en sortir; **fazer** ~ **de urso** se casser les dents; *(numa festa)* faire mauvais effet.

figurante [figu'rẽtɐ] *mf* figurant *m* (-e *f*).

figurar [figu'rar]: **figurar em** *v* + *prep (em filme, peça teatral)* être figurant(-e) dans; *(em livro, dicionário)* figurer dans; *(em lista)* figurer sur.

figurino [figu'rinu] *m* magazine *m* de mode.

fila ['filɐ] *f* file *f; (de pessoas)* queue *f*; **em** ~ **(indiana)** en file indienne.

filarmónica [filɐr'mɔnikɐ] *f (Port)* orchestre *m* philharmonique.

filarmônica [filax'monikɐ] *f (Br)* = **filarmónica**.

filatelia [filɐtə'liɐ] *f* philatélie *f*.

filé [fi'lɛ] *m (Br) (de peixe)* filet *m; (de carne)* steak *m*.

fileira [fi'leirɐ] *f* rangée *f*.

filete [fi'lɛtɐ] *m (Port: de peixe)* filet *m; (de carne)* bifteck *m*; ~**s (de pescada)** *filets de colin.*

filho, lha ['fiʎu, -ʎɐ] *m, f* fils *m* (fille *f*); **os** ~**s** les enfants; ~ **da puta** *(vulg)* fils de pute.

filhó [fi'ʎɔ] *(pl* **-oses** [-ɔzəʃ]) *f beignet de potiron.*

filhote [fi'ʎɔtə] *m* petit *m (d'un animal).*

filial [fi'ljał] *(pl* **-ais** [-aiʃ]) *f* filiale *f*.

filigrana [fili'grɐnɐ] *f* filigrane *f*.

filmadora [fiumɐ'dorɐ] *f (Br)*: ~ **(de vídeo)** Caméscope® *m*.

filmar [fiɫ'mar] *vt* filmer.

filme ['fiɫmə] *m (de cinema)* film *m; (de máquina fotográfica)* pellicule *f*.

filosofia [filuzu'fiɐ] *f* philosophie *f*.

filósofo, fa [fi'lɔzufu, -fɐ] *m, f* philosophe *mf*.

filtrar [fiɫ'trar] *vt* filtrer.

filtro ['fiɫtru] *m* filtre *m*.

fim ['fĩ] *(pl* **-ns** [-ʃ]) *m (de filme, acção)* fin *f; (de estrada)* bout *m; (objectivo)* but *m;* **ter por ~** avoir pour but; **ter um ~ em vista** avoir un objectif en vue; **o ~ do mundo** le bout du monde; *(RELIG)* la fin du monde; **a ~ de** afin de; **no ~** finalement; **ao ~ e ao cabo** tout compte fait; **um sem ~ de** une infinité de; **está a ~ de ir ao cinema.** *(Br)* ça te dit d'aller au cinéma?

fim-de-semana [ˌfĩdəsə'mɐnɐ] *(pl* **fins-de-semana** [ˌfĩʒdəsə'mɐnɐ]) *m* week-end *m*.

Finados [fi'naduʃ] *mpl :* **os ~** la Toussaint.

final [fi'naɫ] *(pl* **-ais** [-aiʃ]) *adj* final(-e); *(esforço)* ultime. ◆ *m* fin *f*. ◆ *f* finale *f*.

finalidade [finɐli'ðaðɐ] *f (objectivo)* but *m; (de máquina)* fonction *f*.

finalista [finɐ'liʃtɐ] *mf* élève *mf* de dernière année.

finanças [fi'nɐsɐʃ] *fpl* finances *fpl;* **as Finanças** l'hôtel *m* des Impôts.

fingir [fĩ'ʒir] *vt* faire semblant de.

finlandês, esa [fĩlɐ̃'deʃ, -ezɐ] *(mpl* **-eses** [-ezɐʃ], *fpl* **-s** [-ʃ]) *adj* finlandais(-e). ◆ *m, f* Finlandais *m* (-e *f*). ◆ *m (língua)* finois *m*.

Finlândia [fĩ'lɐ̃djɐ] *f:* **a ~** la Finlande.

fino, na ['finu, -nɐ] *adj* fin(-e); *(roupa de Verão)* léger(-ère);

(roupa, hotel, restaurante) raffiné(-e); *(educado)* distingué(-e). ◆ *m (bière)* pression *f*.

fins → **fim**.

fio ['fiu] *m* fil *m; (de líquido)* filet *m;* **~ dental** fil dentaire; **~s de ovos** *jaune d'œuf servant à décorer les pâtisseries;* **perder o ~ à meada** perdre le fil.

firma ['fixmɐ] *f (Br)* société *f*.

firme ['firmɐ] *adj (estável)* stable; *(sólido)* solide; *(fixo)* ferme.

firmeza [fir'mezɐ] *f* fermeté *f; (estabilidade)* stabilité *f; (solidez)* solidité *f*.

fiscal [fiʃ'kaɫ] *(pl* **-ais** [-aiʃ]) *adj* fiscal(-e). ◆ *mf* contrôleur *m* (-euse *f*); *(das finanças)* inspecteur *m* (-trice *f*) des impôts.

fisco ['fiʃku] *m* fisc *m*.

física [fizikɐ] *f* physique *f;* → **físico**.

físico, ca ['fiziku, -kɐ] *adj* physique. ◆ *m* physique *m*. ◆ *m, f* physicien *m* (-enne *f*).

fisionomia [fizjunu'miɐ] *f* physionomie *f*.

fisioterapia [ˌfizjɔtərɐ'piɐ] *f* physiothérapie *f*.

fita ['fitɐ] *f (tira de tecido)* ruban *m; (fingimento)* feinte *f; (filme)* film *m;* **~ adesiva** *(Port)* ruban adhésif; **~ (de cabelo)** ruban *m;* **~durex®** *(Br)* Scotch® *m;* **~ isoladora** *(Port)* ruban isolant; **~ (para máquina de escrever)** ruban; **~ métrica** mètre *m (de couturière);* **~ de vídeo** *(Br)* cassette *f* vidéo; **fazer ~s** faire semblant; **fazer uma ~** faire toute une histoire.

fita-cola [ˌfitɐ'kɔlɐ] *f inv (Port)* Scotch® *m*.

fitar [fi'tar] *vt* regarder fixement.

fivela [fi'vɛlɐ] *f* boucle *f*.

fixador [fikse'ðor] *(pl* **-es** [-əʃ]) *m* fixateur *m*.

fixar [fik'sar] *vt (tornar fixo)* fixer; *(aprender de cor)* retenir.

❑ **fixar-se** *vp* se fixer.

fixo, xa ['fiksu, -ksɐ] *adj* fixe.

fixo → **fixar**.

fiz ['fiʃ] → **fazer**.

flamengo [flɐ'mēŋgu] *adj m* → **queijo**.

flamingo [flɐ'mĩŋgu] *m* flamant *m*.

flanco ['flɐ̃ŋku] *m* flanc *m*.

flanela [flɐ'nɛlɐ] *f* flanelle *f*.

flash ['flaʃ] *m* flash *m*.

flauta ['flautɐ] *f* flûte *f*; ~ **de bisel** flûte à bec; ~ **de pã** flûte de Pan.

flecha ['flɛʃɐ] *f* flèche *f*.

fleuma ['fleumɐ] *f* flegme *m*.

flexível [flɛk'sivɛł] (*pl* **-eis** [-ɐiʃ]) *adj* (*maleável*) flexible; (*plástico, pessoa*) souple.

flippers ['flipɛrs] *mpl* flipper *m*; **jogar** ~ jouer au flipper.

floco ['flɔku] *m* touffe *f*; ~ **de neve** flocon de neige; ~**s de aveia** flocons d'avoine; ~**s de milho** flocons de maïs.

flor ['flor] (*pl* **-es** [-əʃ]) *f* fleur *f*; **em** ~ en fleur; **à** ~ **da pele** à fleur de peau; **na** ~ **da idade** dans la fleur de l'âge.

floresta [flu'rɛʃtɐ] *f* forêt *f*.

florido, da [flu'riðu, -ðɐ] *adj* (*árvores, campos, jardins*) fleuri(-e); (*tecido, papel*) à fleurs.

florista [flu'riʃtɐ] *mf* fleuriste *mf*. ◆ *f*: **ir à** ~ aller chez le fleuriste.

fluência [flu'ēsjɐ] *f* aisance *f*.

fluentemente [fluēntə'mēntə] *adv* couramment.

fluido, da [flu'iðu, -ðɐ] *adj* fluide. ◆ *m* fluide *m*.

fluminense [flumi'nēsə] *adj* de l'État de Rio de Janeiro.

flúor ['fluɔr] *m* fluor *m*.

fluorescente [fluɾəʃ'sēntə] *adj* fluorescent(-e).

flutuante [flu'twēntə] *adj* (*objecto*) flottant(-e); (*preço, infla-*

ção) fluctuant(-e); (*temperatura*) variable.

flutuar [flu'twar] *vi* flotter.

fluvial [flu'vjał] (*pl* **-ais** [-aiʃ]) *adj* fluvial(-e).

fluxo ['fluksu] *m* flux *m*; (*de imigração, emigração*) vague *f*.

fobia [fu'ðiɐ] *f* phobie *f*.

focinho [fu'siɲu] *m* (*de animal*) museau *m*; (*de porco*) groin *m*.

foco ['fɔku] *m* foyer *m*; (*de atenção*) centre *m*; (*lâmpada*) spot *m*.

fofo, fa ['fofu, -fɐ] *adj* (*tecido, material*) doux (douce); (*colchão*) douillet(-ette); (*bolo*) moelleux(-euse); (*bibelot*) mignon (-onne).

fofoca [fo'fɔkɐ] *f* (*Br*) ragots *mpl*.

fogão [fu'gɐ̃u] (*pl* **-ões** [-õiʃ]) *m* cuisinière *f*; (*de sala*) poêle *m*.

foge ['fɔʒə] → **fugir**.

fogem ['fɔʒēm] → **fugir**.

fogo ['fogu] *m* feu *m*; ~ **posto** incendie *m* d'origine criminelle.

fogo-de-artifício [,foguðərtɐ'fisju] (*pl* **fogos-de-artifício** [,fɔguʒðərtɐ'fisju]) *m* feu *m* d'artifice.

fogões → **fogão**.

fogueira [fu'gɐirɐ] *f* feu *m*.

foguetão [fugɐ'tɐ̃u] (*pl* **-ões** [-õiʃ]) *m* fusée *f*.

foguete [fu'getɐ] *m* pétard *m*.

foguetões → **foguetão**.

foi ['foi] → **ser, ir**.

foice ['foisɐ] *f* faucille *f*.

folar [fu'lar] (*pl* **-es** [-əʃ]) *m* gâteau décoré d'un œuf dur offert à Pâques.

folclore [foł'klɔrɐ] *m* folklore *m*.

folclórico, ca [foł'klɔriku, -kɐ] *adj* folklorique.

fôlego ['folɐgu] *m* souffle *m*; **tomar** ~ prendre son souffle.

folga ['fɔłgɐ] *f* (*de trabalho*) coupure *f*; (*espaço livre*) jeu *m*; **estar de** ~ être en congé.

folha ['foʎɐ] f (de planta, árvore) feuille f; (de jornal, livro, revista) page f; (de serra, serrote) lame f; ~ **de alumínio** feuille d'aluminium; ~ **de cálculo** feuille de calcul; ~ **de linhas** feuille de papier rayé; ~ **lisa** feuille blanche; ~ **quadriculada** feuille quadrillée; ~ **(de papel)** feuille (de papier).

folha-de-flandres [ˌfoʎɐðəˈflɛ̃ndrəʃ] (pl **folhas-de-flandres** [ˌfoʎɐʒdəˈflɛ̃ndrəʃ]) f fer-blanc m.

folhado, da [fuˈʎaðu, -ðɐ] adj feuilleté(-e). ♦ m feuilleté m.

folhagem [fuˈʎaʒẽi] f feuillage f.

folhear [fuˈʎjar] vt feuilleter.

folheto [fuˈʎetu] m prospectus m; (livro) brochure f.

folho [foˈʎu] m volant m; **uma saia de** ~ une jupe à volants.

folia [fuˈliɐ] f fête f.

folião, liona [fuˈljɐ̃u, -ljonɐ] (mpl **-ões** [-õiʃ], fpl **-s** [-ʃ]) m, f fêtard m (-e f).

fome ['fɔmə] f faim f; **passar** ~ connaître la faim.

fone ['fɔni] m (Br) écouteur m.

fonética [fuˈnɛtikɐ] f phonétique f.

fontanário [fõntɐˈnariu] m fontaine f.

fonte ['fõntə] f (chafariz) fontaine f; (de cabeça) tempe f; (fig: de texto, trabalho, informação) source f.

fora ['fɔrɐ] adv (no exterior) dehors; (no estrangeiro) à l'étranger. ♦ prep (excepto) excepté; (além de) en dehors de. ♦ interj dehors!; **amanhã vou estar** ~ demain, je ne serai pas là; **conduzir** ~ **de mão** mordre sur la ligne blanche; **estar/ficar** ~ **de si** être hors de soi; **ficar de** ~ **de** ne pas prendre part à; ~ **de série** hors du commun; **lá** ~ (no exterior) dehors; (no estrangeiro) à l'étranger; **por aí** ~

par là; (e sucessivamente) et ainsi de suite; **por esse país** ~ à travers le pays; **dar um** ~ **em alguém** (Br: fam) envoyer promener qqn.

foram [foˈrɐ̃u] → ser, ir.

força ['forsɐ] f force f; **as** ~**s armadas** forces armées; ~ **de vontade** volonté f; **à** ~ par la force; **de** ~ **maior** de force majeure; **por** ~ à tout prix.

forcado [furˈkaðu] m torero chargé d'immobiliser le taureau.

forçar [furˈsar] vt forcer.

forjar [furˈʒar] vt contrefaire.

forma[1] ['fɔrmɐ] f forme f; (maneira) façon f; **de** ~ **que** bien que; **de qualquer** ~ de toute façon; **em** ~ **de** en forme de; **estar em** ~ être en forme.

forma[2] ['fɔrmɐ] f (Port: de bolos) moule m; (de sapatos) forme f.

fôrma ['foxmɐ] f (Br) = **forma**[2].

formação [furmɐˈsɐ̃u] (pl **-ões** [-õiʃ]) f formation f.

formal [furˈmaɬ] (pl **-ais** [-aiʃ]) adj (cerimonioso) solennel(-elle); (categórico) formel(-elle); (sério) sérieux(-euse); (linguagem) soutenu(-e).

formalidade [furmɐliˈðaðɐ] f formalité f.

formar [furˈmar] vt former. ❑ **formar-se** vp terminer ses études (à l'université); ~**se em** être diplômé en.

formatar [furmɐˈtar] vt formater.

formidável [furmiˈðavɛɬ] (pl **-eis** [-ɐiʃ]) adj formidable.

formiga [furˈmigɐ] f fourmi f.

formoso, osa [furˈmozu, -ɔzɐ] adj beau (belle).

fórmula ['fɔrmulɐ] f formule f; **Fórmula I** Formule 1.

formular [furmuˈlar] vt formuler.

formulário [furmuˈlarju] m formulaire m.

fornecedor, ra [furnəsə'ðor, -rɐ] *(mpl* **-es** [-əʃ]*, fpl* **-s** [-ʃ]*) m, f* fournisseur *m; (fam : de droga)* revendeur *m.*

fornecer [furnə'ser] *vt* fournir; ~ **algo a alguém** fournir qqch à qqn.
❑ **fornecer-se** *vp* s'approvisionner.

fornecimento [furnəsi'mẽntu] *m* approvisionnement *m.*

forno ['fornu] *m* four *m.*

forquilha [fur'kiʎɐ] *f* fourche *f.*

forrar [fu'ʀar] *vt (peça de vestuário)* doubler; *(livro)* couvrir; *(gaveta)* recouvrir.

forró [fo'xɔ] *m (Br)* bal *m* populaire.

fortalecer [furtələ'ser] *vt* fortifier.

fortaleza [furtɐ'lezɐ] *f* forteresse *f.*

forte ['fɔrtɐ] *adj* fort(-e); *(corda)* solide. ◆ *m* fort *m;* **essa é ~!** elle est bien bonne!

fortuna [fur'tunɐ] *f (riqueza)* fortune *f.*

fósforo ['fɔʃfuru] *m* allumette *f.*

fossa ['fɔsɐ] *f* fosse *f;* **estar na ~** *(fig)* avoir le moral à zéro.

fóssil ['fɔsił] *(pl* **-eis** [-ɐiʃ]*) m* fossile *m.*

fosso ['fosu] *m* fossé *m.*

foste ['foʃtɐ] → **ser, ir.**

foto ['fɔtɔ] *f* photo *f.*

fotocópia [fɔtɔ'kɔpjɐ] *f* photocopie *f.*

fotografar [futugrɐ'far] *vt* photographier.

fotografia [futugrɐ'fiɐ] *f* photographie *f;* ~ **tipo passe** photo *f* d'identité.

fotógrafo, fa [fu'tɔgrɐfu, -fɐ] *m, f* photographe *mf.*

fotómetro [fu'tɔmətru] *m* posemètre *m.*

foz ['fɔʃ] *f* embouchure *f.*

fração [fra'sẽu] *(pl* **-ões** [-õiʃ]*) f (Br)* = **fracção.**

fracasso [frɐ'kasu] *m* échec *m.*

fracção [fra'sẽu] *(pl* **-ões** [-õiʃ]*) f (Port)* fraction *f.*

fraco, ca ['fraku, -kɐ] *adj* faible; *(pessoa)* chétif(-ive); *(corda)* fin(-e); *(chuva)* fin(-e); *(bebida)* léger(-ère); *(qualidade)* mauvais(-e); **ter um ~ por** *(fig: paixão)* avoir un faible pour; **não dar parte de ~** ne pas s'avouer vaincu.

frações → **fração.**

fractura [fra'turɐ] *f* fracture *f.*

frade ['fraðɐ] *m* frère *m.*

frágil ['fraʒił] *(pl* **-geis** [-ʒɐiʃ]*) adj* fragile.

fragmento [frag'mẽntu] *m (pedaço)* fragment *m; (de obra literária, manuscrito)* extrait *m.*

fragrância [frɐ'grẽsjɐ] *f* senteur *f.*

fralda ['frałðɐ] *f* couche *f;* **~s descartáveis** couches-culottes *fpl.*

framboesa [frẽm'bwezɐ] *f* framboise *f.*

França ['frẽsɐ] *f:* **a ~** la France.

francamente [.frẽŋkɐ'mẽntɐ] *adv* franchement. ◆ *interj* franchement!

francês, esa [frẽ'seʃ, -ezɐ] *(mpl* **-eses** [-ezəʃ]*, fpl* **-s** [-ʃ]*) adj* français(-e). ◆ *m, f* Français *m* (-e *f*). ◆ *m (língua)* français *m.*

franco, ca ['frẽŋku, -kɐ] *adj (sincero)* franc (franche); **para ser ~** pour être franc.

frango ['frẽŋgu] *m (ave)* poulet *m; (fam : em futebol)* but *m* facile; ~ **assado** poulet rôti; ~ **de churrasco** *poulet grillé qui peut être accompagné de sauce piquante;* ~ **na púcara** *poulet mijoté avec des oignons, des tomates et du porto.*

franja ['frẽʒɐ] *f* frange *f.*

franqueza [frẽŋ'kezɐ] *f* franchise *f;* **com ~** franchement.

franquia [frẽŋ'kiɐ] *f* affranchissement *m*.

franzino, na [frẽ'zinu, -nɐ] *adj* chétif(-ive).

fraqueza [frɐ'kezɐ] *f* faiblesse *f*; *(fome)* faim *f*; *(cansaço)* coup *m* de barre.

frasco ['fraʃku] *m* flacon *m*.

frase ['frazə] *f* phrase *f*.

fraude ['frauɖə] *f* fraude *f*.

frear [fre'ax] *vi (Br)* freiner.

freguês, esa [frɐ'geʃ, -ezɐ] *(mpl* **-eses** [-ezəʃ], *fpl* **-s** [-ʃ]) *m, f* client *m* (-e *f*).

freio ['freju] *m (de veículo)* frein *m*; *(de cavalo)* mors *m*.

freixo ['freiʃu] *m* frêne *m*.

frenético, ca [frɐ'nɛtiku, -kɐ] *adj* frénétique.

frente ['frẽtə] *f (parte dianteira)* devant *m*; *(de veículo)* avant *m*; *(em meteorologia)* front *m*; **dar de ~ com** tomber sur; **fazer ~** *(a um problema)* faire face; *(a uma pessoa)* tenir tête; **ir para a ~ com** faire avancer; **~ fria/quente** front froid/chaud; **à ~** en tête; **à ~ de** *(no espaço)* devant; *(no tempo)* avant; **de ~** *(olhar)* en face; *(foto)* de face; *(encontro)* nez à nez; **em ~** en face; **em ~ de** en face de; **~ a** en face de; **~ a ~** face à face.

frequência [frɐ'kwẽsjɐ] *f* fréquence *f*; **com ~** fréquemment.

frequentar [frɐkwẽ'tar] *vt* fréquenter; *(curso)* assister à.

frequentemente [frɐ,kwẽtɐ'mẽtɐ] *adv* fréquemment.

frescão [freʃ'kɐu] *(pl* **-ões** [-õiʃ]) *m (Br)* autocar *m* climatisé.

fresco, ca ['freʃku, -kɐ] *adj* frais (fraîche); *(pessoa)* sans-gêne; *(licencioso)* grivois(-e). ◆ *m (Port)* fresque *f*; **casado de ~** jeune marié; **fresca ou natural?** vous désirez de l'eau glacée ou pas?; **'pintado de ~'** 'peinture fraîche'; **pôr-se ao ~** *(fam)* se faire la malle.

frescobol [freʃko'bɔu] *m (Br)* tennis *m* de plage.

frescões → **frescão**.

frescura [freʃ'kurɐ] *f* fraîcheur *f*.

fressura [frɐ'surɐ] *f* abats *mpl*.

frete ['frɛtɐ] *m* fret *m*; *(fam)* corvée *f*.

frevo ['frevu] *m* musique et danse du carnaval de Pernambouc.

fricção [frik'sɐu] *(pl* **-ões** [-õiʃ]) *f (esfregação)* friction *f*; *(atrito)* frottement *m*.

frieira [fri'eirɐ] *f* engelure *f*.

frieza [fri'ezɐ] *f* froideur *f*.

frigideira [friʒi'ɖeirɐ] *f* poêle *f (à frire)*.

frigorífico [frigu'rifiku] *m* réfrigérateur *m*.

frio, fria ['friu, 'friɐ] *adj* froid(-e). ◆ *m* froid *m*; **estar ~** faire froid; **ter ~** avoir froid; **um ~ de rachar** *(fam)* un froid de canard.

❏ **frios** *mpl (Br: carnes frias)* charcuterie *f*.

frisar [fri'zar] *vt (cabelo)* friser; *(fig: enfatizar)* souligner.

fritar [fri'tar] *vt* frire.

frito, ta ['fritu, -tɐ] *adj* frit(-e); **estar ~** *(fam)* être dans de beaux draps.

❏ **fritos** *mpl* friture *f*.

frízer ['frizɛx] *(pl* **-es** [-iʃ]) *m (Br) (de geladeira)* freezer *m*; *(congelador)* congélateur *m*.

fronha ['fronɐ] *f* taie *f* d'oreiller.

fronte ['frõtɐ] *f (testa)* front *m*.

fronteira [frõ'teirɐ] *f* frontière *f*; **além ~s** au-delà des frontières.

frota ['frɔtɐ] *f (de navios, aviões)* flotte *f*; *(de veículos)* parc *m*.

frustrado, da [fruʃ'traɖu, -ɖɐ] *adj (pessoa)* frustré(-e); *(tentativa)* avorté(-e).

frustrante [fruʃ'trẽtɐ] *adj* frustrant(-e).

fruta ['frutɐ] *f* fruits *mpl*; **~ em**

calda fruits au sirop; ~ **da época** fruits de saison.

fruta-do-conde [ˌfrutɐdu'-kõndɐ] (*pl* **frutas-do-conde** [ˌfrutɐʒdu'kõndɐ]) *f* anone *f*.

frutaria [frutɐ'riɐ] *f*: **ir à ~** aller chez le marchand de fruits.

fruto ['frutu] *m* fruit *m*; ~**s secos** fruits secs.

fubá [fu'ba] *m farine de maïs ou de riz.*

fuga ['fugɐ] *f* fuite *f*; **pôr-se em ~** prendre la fuite; **em ~** en fuite.

fugir [fu'ʒir] *vi* fuir; ~ **a fazer algo** éviter de faire qqch; ~ **a alguém** échapper à qqn; ~ **a algo** (*pergunta*) éluder qqch; ~ **de** s'enfuir de; ~ **a bom ~** prendre ses jambes à son cou.

fugitivo, **va** [fuʒi'tivu, -vɐ] *adj & m, f* fugitif(-ive).

fui [fuj] → **ser**, **ir**.

fulano, **na** [fu'lɐnu, -nɐ] *m, f* Untel *m* (Unetelle *f*).

fuligem [fu'liʒɐ̃j] *f* suie *f*.

fulo, **la** ['fulu, -lɐ] *adj* (*fam*) furax; **ficar ~ da vida** être en pétard.

fumaça [fu'masɐ] *f* fumée *f* épaisse.

fumado, **da** [fu'maðu, -ðɐ] *adj* fumé(-e).

fumador, **ra** [fumɐ'ðor, -rɐ] (*mpl* -**es** [-əʃ], *fpl* -**s** [-ʃ]) *m, f* (*Port*) fumeur *m* (-euse *f*).

fumante [fu'mẽntʃi] *mf* (*Br*) fumeur *m* (-euse *f*).

fumar [fu'mar] *vt & vi* fumer.

fumo ['fumu] *m* fumée *f*.

função [fũ'sɐ̃u] (*pl* -**ões** [-õjʃ]) *f* fonction *f*; **exercer a ~ de** exercer la fonction de; ~ **pública** fonction publique.

funcho ['fuʃu] *m* fenouil *m*.

funcionamento [fũsjunɐ-'mẽntu] *m* (*de máquina*) fonctionnement *m*; (*de estabelecimento*) ouverture *f*; **em ~** en marche.

funcionar [fũsju'nar] *vi* (*máquina*) fonctionner; (*estabelecimento*) ouvrir; ~ **a pilhas** marcher à piles.

funcionário, **ria** [fũsju'narju, -rjɐ] *m, f* employé *m* (-e *f*); ~ **público** fonctionnaire *m*.

funções → **função**.

fundação [fũndɐ'sɐ̃u] (*pl* -**ões** [-õjʃ]) *f* (*instituição*) fondation *f*; (*alicerce*) fondations *fpl*.

fundamental [fũndɐmẽn'tał] (*pl* -**ais** [-ajʃ]) *adj* fondamental(-e).

fundamento [fũndɐ'mẽntu] *m* (*motivo*) motif *m*; (*justificação*) fondement *m*; **sem ~** sans fondement.

fundar [fũn'dar] *vt* fonder; ~ **algo em algo** fonder qqch sur qqch.

fundido, **da** [fũn'diðu, -ðɐ] *adj* fondu(-e).

fundir [fũn'dir] *vt* (*metal*) fondre; (*empresas*) fusionner.

❏ **fundir-se** *vp* fondre; (*lâmpada*) griller.

fundo, **da** ['fũndu, -dɐ] *adj* profond(-e). ◆ *m* (*de rio, piscina, poço*) fond *m*; (*em economia*) fonds *m*; **ir ao ~ da questão** aller au fond du problème; **sem ~** sans fond.

fúnebre ['funɐbrə] *adj* funèbre.

funeral [funɐ'rał] (*pl* -**ais** [-ajʃ]) *m* funérailles *fpl*.

fungo ['fũŋgu] *m* (*em pele, mucosa*) champignon *m*; (*organismo vegetal*) moisissure *f*.

funil [fu'nił] (*pl* -**is** [-iʃ]) *m* entonnoir *m*.

furacão [furɐ'kɐ̃u] (*pl* -**ões** [-õjʃ]) *m* ouragan *m*.

furadeira [furɐ'dɐirɐ] *f* (*Br*) perceuse *f*.

furado, **da** [fu'raðu, -ðɐ] *adj* (*pneu*) crevé(-e); (*saco, orelha*) percé(-e).

furador [furɐ'ðor] (*pl* -**es** [-əʃ]) *m* perforeuse *f*.

furar [fu'rar] *vt (folha)* perforer; *(pneu)* crever; *(saco, orelhas)* percer; ~ **a bicha** resquiller.

furgão [fur'gɐ̃u] *(pl* **-ões** [-õiʃ]) *m* fourgon *m*.

fúria ['furjɐ] *f* fureur *f*.

furnas ['furnɐʃ] *fpl* geysers typiques des Açores et de Madère.

furo ['furu] *m (em pneu)* crevaison *f*; *(em saco, orelha)* trou *m*.

furtar [fur'tar] *vt* voler.

❑ **furtar-se a** *vp + prep* se dérober à.

furúnculo [fu'rũŋkulu] *m* furoncle *m*.

fusão [fu'zɐ̃u] *(pl* **-ões** [-õiʃ]) *f* fusion *f*.

fusíveis [fu'ziveiʃ] *mpl* plombs *mpl*.

fuso ['fuzu] *m* : ~ **horário** fuseau *m* horaire.

fusões → fusão.

futebol [futə'bɔł] *m* football *m*.

fútil ['futił] *(pl* **-teis** [-tɐiʃ]) *adj* futile; *(vão)* vain(-e).

futilidade [futəli'ðaðə] *f* futilité *f*; *(inutilidade)* inutilité *f*.

futuro, ra [fu'turu, -rɐ] *adj* futur(-e). ◆ *m* futur *m*; *(perspectivas)* avenir *m*; **de** ~ dorénavant; **no** ~ à l'avenir; **para o** ~ pour plus tard; **ter** ~ avoir de l'avenir.

fuzil [fu'ził] *(pl* **-is** [-iʃ]) *m* fusil *m*.

fuzileiro [fuzi'leiru] *m* fusilier *m*.

fuzis → fuzil.

G

gabar [gɐˈbar] *vt* vanter.

❑ **gabar-se** *vp* : ~**-se de algo** se vanter de qqch.

gabardina [gɐbɐrˈdinɐ] *f (Port)* gabardine *f*.

gabinete [gɐbiˈnetə] *m (compartimento)* bureau *m*; *(escritório)* cabinet *m*.

gado [ˈgaðu] *m* bétail *m*.

gaélico [gɐˈɛliku] *m* gaélique *m*.

gafanhoto [gɐfɐˈɲotu] *m* sauterelle *f*.

gafe [ˈgafə] *f* gaffe *f*.

gaguejar [gɐgəˈʒar] *vi* bégayer.

gaguez [gɐˈgeʃ] *f* bégaiement *m*.

gaiato, ta [gɐˈjatu, -tɐ] *m, f* gamin *m* (-e *f*).

gaio [ˈgaju] *m* geai *m*.

gaiola [gɐˈjɔlɐ] *f* cage *f* (à oiseaux).

gaita [ˈgaitɐ] *f* pipeau *m*. ◆ *interj* zut!

gaita-de-foles [ˌgaitɐðəˈfɔləʃ] *(pl* **gaitas-de-foles** [ˌgaitɐʒdəˈfɔləʃ]) *f* cornemuse *f*.

gaivota [gaiˈvɔtɐ] *f (ave)* mouette *f*; *(embarcação)* pédalo *m*.

gajo, ja [ˈgaʒu, -ʒɐ] *m, f (Port: fam)* mec *m* (nana *f*).

gala [ˈgalɐ] *f* gala *m*.

galão [gɐˈlɐ̃u] *(pl* **-ões** [-õiʃ]) *m* café au lait servi dans un grand verre.

galáxia [gɐˈlaksjɐ] *f* galaxie *f*.

galera [gaˈlɛrɐ] *f (Br: fam)* gens *mpl*.

galeria [gɐləˈriɐ] *f* galerie *f*; *(local para compras)* galerie *f* marchande; ~ **de arte** galerie d'art.

galês, esa [gɐˈleʃ, -ezɐ] *(mpl* **-eses** [-ezəʃ], *fpl* **-s** [-ʃ]) *adj* gallois(-e). ◆ *m, f* Gallois *m* (-e *f*). ◆ *m (língua)* gallois *m*.

galeto [gaˈletu] *m (Br)* coquelet *m*.

galgo [ˈgałgu] *m* lévrier *m*.

galheteiro [gɐʎəˈteiru] *m* huilier *m*.

galho [ˈgaʎu] *m (de árvore)* branche *f*; *(de veado)* corne *f*.

galinha [gɐˈliɲɐ] *f* poule *f*.

galinheiro [gɐliˈɲeiru] *m* poulailler *m*.

galo [ˈgalu] *m* coq *m*; *(fam)* bosse *f*.

galochas [gɐˈlɔʃɐʃ] *fpl* bottes *fpl* en caoutchouc.

galões → **galão**.

galopar [gɐluˈpar] *vi* galoper.

gama [ˈgɐmɐ] *f* gamme *f*.

gambas [ˈgɐ̃mbɐʃ] *fpl* gambas *fpl*.

gamela [gɐˈmɛlɐ] *f (de porcos)* auge *f*; *(para o pão)* pétrin *m*.

gamo [ˈgɐmu] *m* daim *m*.

gana [ˈgɐnɐ] *f (fome)* fringale *f*;

(ódio) rage f; *(desejo)* envie f; **ter ~s de** avoir envie de; **ter ~s a alguém** en vouloir à mort à qqn.

ganância [gɐ'nɐ̃sjɐ] f cupidité f.

ganancioso, osa [gɐnɐ̃'sjozu, -ɔzɐ] adj cupide.

gancho ['gɐ̃ʃu] m *(peça curva)* crochet m; *(de cabelo)* épingle f à cheveux.

ganga ['gɐ̃gɐ] f jean m.

gangorra [gɐ̃'goxɐ] f *(Br)* balançoire f.

gangrena [gɐ̃'grenɐ] f gangrène f.

gangue ['gɐ̃gi] f *(Br: fam)* bande f *(de copains)*; *(de ladrões)* gang m.

ganhar [gɐ'ɲar] vt gagner; *(medo, peso, velocidade)* prendre; *(prémio)* remporter; *(bolsa)* recevoir. ◆ vi gagner; **~ a alguém** *(Port)* battre qqn; **~ de alguém** *(Br)* battre qqn; **~ com algo** y gagner; **isso vai fazer com que ele ganhe juízo** cela va lui mettre du plomb dans la cervelle; **~ respeito** respecter; **~a vida** OU **o pão** gagner sa vie.

ganho ['gɐɲu] m gain m.

ganir [gɐ'nir] vi glapir.

ganso ['gɐ̃su] m *(fêmea)* oie f; *(macho)* jars m.

ganzado, da [gɐ̃'zaðu, -ðɐ] adj *(fam)* fait(-e).

garagem [gɐ'raʒɐ̃i] *(pl -ns* [-ʃ]) f garage m.

garanhão [gɐrɐ'ɲɐ̃u] *(pl -ões* [-ɔ̃iʃ]) m étalon m.

garantia [gɐrɐ̃'tiɐ] f garantie f.

garantir [gɐrɐ̃'tir] vt garantir; **~ que** assurer que.

garça ['garsɐ] f héron m.

garçom [gax'sõ] *(pl -ns* [-ʃ]) m *(Br)* = garçon.

garçon [gar'sõ] m *(Port)* serveur m.

garçonete [garso'nɛtʃi] f *(Br)* serveuse f.

garçons → garçon.

gare ['garɐ] f quai m *(de gare)*.

garfo ['garfu] m *(utensílio)* fourchette f; *(de bicicleta)* fourche f; **ser um bom ~** avoir un bon coup de fourchette.

gargalhada [gɐrgɐ'ʎaðɐ] f éclat m de rire; **dar uma ~** éclater de rire.

gargalo [gɐr'galu] m goulot m.

garganta [gɐr'gɐ̃tɐ] f gorge f.

gargarejar [gɐrgɐrɐ'ʒar] vi se gargariser.

gari [ga'ri] m *(Br)* balayeur m.

garoto, ta [gɐ'rotu, -tɐ] m, f *(miúdo)* gamin m (-e f); *(Br: namorado)* petit ami m (petite amie f). ◆ m *(Port)* café au lait servi dans une tasse.

garoupa [gɐ'ropɐ] f mérou m.

garra ['garɐ] f *(de animal)* griffe f; *(fig: talento, genica)* trempe f; **ter ~** en vouloir.

garrafa [gɐ'rafɐ] f bouteille f; **~ térmica** Thermos® m.

garrafão [gɐrɐ'fɐ̃u] *(pl -ões* [-ɔ̃iʃ]) m bonbonne f.

garrote [gɐ'rɔtɐ] m garrot m.

garupa [gɐ'rupɐ] f croupe f.

gás ['gaʃ] *(pl gases* ['gazɐʃ]) m gaz m; **~ butano** butane m; **~ lacrimogénio** gaz lacrymogène f; **a todo o ~** à toute allure. ❑ **gases** fpl gaz mpl.

gaseificada [gɐzeifi'kaðɐ] adj f → água.

gases → gás.

gasóleo [ga'zɔlju] m diesel m, gazole m.

gasolina [gɐzu'linɐ] f essence f; **~ sem chumbo** essence sans plomb; **~ super** super m.

gasosa [gɐ'zɔzɐ] f limonade f.

gastar [gɐʃ'tar] vt consommer; *(dinheiro)* dépenser; *(tempo)* mettre; *(produto)* utiliser; *(sola de sapato)* user.

❏ **gastar-se** *vp* s'user; **o detergente gastou-se todo** il n'y a plus de lessive.

gasto, ta ['gaʃtu, -tɐ] *pp* → **gastar**. ◆ *adj (dinheiro)* dépensé(-e); *(calças, sapatos)* usé(-e); *(água, electricidade)* consommé(-e). ◆ *m* dépense *f*.

gástrico, ca ['gaʃtriku, -kɐ] *adj* gastrique.

gastrite [gɐʃ'tritɐ] *f* gastrite *f*.

gastrónomo, ma [gɐʃ'trɔnumu, -mɐ] *m, f (Port)* gastronome *mf*.

gastrônomo, ma [gaʃ'tronumu, -mɐ] *m, f (Br)* = **gastrónomo**.

gatilho [gɐ'tiʎu] *m* gâchette *f*.

gatinhar [gɐti'ɲar] *vi* marcher à quatre pattes.

gato, ta ['gatu, -tɐ] *m, f* chat *m* (chatte *f*); *(Br: fam)* beau mec *m* (belle nana *f*).

gatuno, na [gɐ'tunu, -nɐ] *m, f* voleur *m* (-euse *f*).

gaveta [gɐ'vetɐ] *f* tiroir *m*.

gaze ['gazɐ] *f* gaze *f*.

gazela [gɐ'zɛlɐ] *f* gazelle *f*.

gazeta [gɐ'zetɐ] *f* gazette *f*; **fazer ~** *(Port: fam)* sécher les cours.

geada ['ʒjaðɐ] *f (camada)* givre *m*; *(baixa de temperatura)* gel *m*.

geladeira [ʒela'deirɐ] *f (Br)* réfrigérateur *m*.

gelado, da [ʒɐ'laðu, -ðɐ] *adj (mãos, pés)* gelé(-e); *(sobremesa)* glacé(-e). ◆ *m* glace *f*.

gelar [ʒɐ'lar] *vt & vi* geler.

gelataria [ʒɐletɐ'riɐ] *f* glacier *m*.

gelatina [ʒɐlɐ'tinɐ] *f* gélatine *f*.

geleia [ʒɐ'lɐjɐ] *f (Port)* gelée *f*.

geléia [ʒɛ'lɛjɐ] *f (Br)* = **geleia**.

gelo ['ʒelu] *m* glace *f*; *(de bebida)* glaçon *m*; *(de água)* gel *m*; *(na estrada)* verglas *m*; **de ~** de glace; **quebrar o ~** *(fig)* briser la glace.

gema ['ʒemɐ] *f* jaune *m* d'œuf; **de ~** de souche.

gémeo, mea ['ʒɛmju, -mjɐ] *adj (Port)* jumeau(-elle). ◆ *m, f*: **os ~s** les jumeaux; **o meu irmão ~** mon frère jumeau.

❏ **Gémeos** *m inv* Gémeaux *mpl*.

gêmeo, mea ['ʒemju, -mjɐ] *adj (Br)* = **gémeo**.

gemer [ʒɐ'mer] *vi* gémir.

gemido [ʒɐ'miðu] *m* gémissement *m*.

gene ['ʒɛnɐ] *m* gène *m*.

general [gɐnɐ'raɫ] *(pl -ais* [-aiʃ]) *m* général *m*.

generalizar [gɐnɐreli'zar] *vt & vi* généraliser.

❏ **generalizar-se** *vp* se généraliser.

género ['ʒɛnɐru] *m (Port)* genre *m*; **o ~ humano** le genre humain.

❏ **géneros** *mpl (Port)* denrées *fpl*; **~s alimentícios** denrées alimentaires.

gênero ['ʒeneru] *m (Br)* = **género**.

generosidade [ʒɐnɐruzi'ðaðɐ] *f* générosité *f*.

generoso, osa [ʒɐnɐ'rozu, -ɔzɐ] *adj* généreux(-euse).

genética [ʒɐ'nɛtikɐ] *f* génétique *f*.

gengibre [ʒẽ'ʒibrɐ] *m* gingembre *m*.

gengivas [ʒẽ'ʒiveʃ] *fpl* gencives *fpl*.

genial [ʒɐ'njaɫ] *(pl -ais* [-aiʃ]) *adj* génial(-e).

génio ['ʒɛnju] *m (Port: pessoa)* génie *m*; *(irascibilidade)* caractère *m*; **ter mau ~** avoir mauvais caractère.

gênio ['ʒenju] *m (Br)* = **génio**.

genital [ʒɐni'taɫ] *(pl -ais* [-aiʃ]) *adj* génital(-e).

genro ['ʒẽ ru] *m* gendre *m*.

gente ['ʒẽtɐ] *f* gens *mpl*; *(fam : família)* famille *f*; **a ~ vai comer** on va manger; **toda a ~** tout le monde.

❑ **gentes** *fpl* : as ~s les habitants *mpl*.

gentil [ʒẽn'tił] (*pl* **-is** [-iʃ]) *adj* gentil(-ille).

genuíno, na [ʒə'nwinu, -nɐ] *adj* véritable.

geografia [ʒjugrɐ'fiɐ] *f* géographie *f*.

geologia [ʒjulu'ʒiɐ] *f* géologie *f*.

geometria [ʒjumə'triɐ] *f* géométrie *f*; ~ **descritiva** géométrie descriptive.

geração [ʒɛrɐ'sẽu] (*pl* **-ões** [-õiʃ]) *f* génération *f*.

gerador [ʒɛrɐ'dor] (*pl* **-es** [-əʃ]) *m* générateur *m*.

geral [ʒə'rał] (*pl* **-ais** [-aiʃ]) *adj* général(-e). ◆ *f* places les moins chères, ≃ poulailler *m*; **de um modo** ~ en général; **em** ~ en général; **no** ~ en général.

geralmente [ʒərał'mẽntə] *adv* généralement.

gerânio [ʒə'rɐnju] *m* géranium *m*.

gerar [ʒə'rar] *vt* engendrer.

❑ **gerar-se** *vp* s'engager.

gerência [ʒə'rẽsjɐ] *f* gérance *f*.

gerente [ʒə'rẽntə] *mf* gérant *m* (-e *f*).

gerir [ʒə'rir] *vt* gérer.

germe ['ʒɛrmə] *m* germe *m*.

gesso ['ʒesu] *m* plâtre *m*.

gesticular [ʒəʃtiku'lar] *vi* gesticuler.

gesto ['ʒɛʃtu] *m* geste *m*.

gibi [ʒi'bi] *m* (*Br*) BD *f*.

gigante [ʒi'gɐntə] *adj* géant(-e). ◆ *m* géant *m*.

gigantones [ʒigẽn'tonəʃ] *mpl* personnages gigantesques traditionnels des défilés du carnaval.

gilete [ʒi'lɛtə] *f* (*Port*) rasoir *m* (jetable).

gim ['ʒĩ] (*pl* **-ns** [-ʃ]) *m* gin *m*; **um** ~ **tónico** gin tonic.

gimnodesportivo [ˌʒimnɔdəʃpur'tivu] *adj m* → **pavilhão**.

ginásio [ʒi'nazju] *m* gymnase *m*.

ginasta [ʒi'naʃtə] *mf* gymnaste *mf*.

ginástica [ʒi'naʃtikɐ] *f* gymnastique *f*; **fazer** ~ faire de la gymnastique.

gincana [ʒĩŋ'kɐnɐ] *f* gymkhana *m*.

ginecologia [ˌʒinɛkulu'ʒiɐ] *f* gynécologie *f*.

ginecologista [ˌʒinɛkulu'ʒiʃtɐ] *mf* gynécologue *mf*.

ginja ['ʒĩʒɐ] *f* griotte *f*.

ginjinha [ʒĩ'ʒiɲɐ] *f* griottes *fpl* à l'eau-de-vie.

gins → **gim**.

gira-discos [ʒirɐ'diʃkuʃ] *m inv* (*Port*) tourne-disque *m*.

girafa [ʒi'rafɐ] *f* girafe *f*; (*Port*: medida de cerveja) chope *f*.

girar [ʒi'rar] *vt & vi* tourner.

girassol [ʒirɐ'sɔł] (*pl* **-óis** [-ɔiʃ]) *m* tournesol *m*.

gíria ['ʒirjɐ] *f* (médica, académica) jargon *m*.

giro, ra ['ʒiru, -rɐ] *adj* (*Port*: fam : bonito) mignon(-onne). ◆ *m* (passeio) tour *m*; (de polícia, vigilante) ronde *f*; **dar um** ~ faire un tour.

giz ['ʒiʃ] *m* craie *f*.

glacial [glɐ'sjał] (*pl* **-ais** [-aiʃ]) *adj* glacial(-e).

gladíolo [glɐ'ðiulu] *m* glaïeul *m*.

glândula ['glẽndulɐ] *f* glande *f*.

glaucoma [glau'komɐ] *m* glaucome *m*.

glicerina [glisə'rinɐ] *f* glycérine *f*.

global [glu'bał] (*pl* **-ais** [-aiʃ]) *adj* global(-e).

globo ['globu] *m* globe *m*.

glóbulo ['glɔbulu] *m* globule *m*.

glória ['glɔrjɐ] *f* gloire *f*.

glossário [glu'sarju] *m* glossaire *m*.

glutão, tona [glu'tẽu, -tonɐ]

(*mpl* **-ões** [-õiʃ], *fpl* **-s** [-ʃ]) *m, f* glouton *m* (-onne *f*).

G.N.R. *f (abrev de* **Guarda Nacional Republicana***)* ≃ gendarmerie *f*. ◆ *m* ≃ gendarme *m*.

Goa [ˈgoɐ] *s* Goa.

goela [ˈgwɛlɐ] *f* gosier *m*.

goiaba [goˈjaβɐ] *f* goyave *f*.

goiabada [gojɐˈβaðɐ] *f pâte de fruit à la goyave.*

gol [ˈgou] (*pl* **-es** [-liʃ]) *m (Br)* = golo.

gola [ˈgɔlɐ] *f* col *m*.

gole [ˈgɔlɐ] *m* gorgée *f*.

goleiro [goˈleiru] *m (Br)* gardien *m* de but.

goles → **gol**.

golfe [ˈgoɫfɐ] *m* golf *m*.

golfinho [goɫˈfiɲu] *m* dauphin *m*.

golfo [ˈgoɫfu] *m* golfe *m*.

golo [ˈgolu] *m (Port)* but *m*.

golpe [ˈgɔɫpɐ] *m* coup *m*; *(incisão)* coupure *f*; *(ferimento)* blessure *f*; ~ **de Estado** coup d'État; ~ **de mestre** coup de maître.

goma [ˈgomɐ] *f (de certos vegetais)* gomme *f*; *(para roupa)* amidon *m*.

gomo [ˈgomu] *m* quartier *m*.

gôndola [ˈgõndulɐ] *f* gondole *f*.

gongo [ˈgõŋgu] *m* gong *m*.

gordo, da [ˈgorðu, -ðɐ] *adj (pessoa, animal)* gros (grosse); *(substância, alimento)* gras (grasse).

gordura [gurˈðurɐ] *f* graisse *f*.

gorduroso, osa [gurðuˈrozu, -ɔzɐ] *adj* gras (grasse).

gorila [guˈrilɐ] *m* gorille *m*.

gorjeta [gurˈʒetɐ] *f* pourboire *m*.

gorro [ˈgoru] *m* bonnet *m*.

gostar [guʃˈtar]: **gostar de** *v + prep* aimer; ~ **de fazer algo** aimer faire qqch.

gosto [ˈgoʃtu] *m (sabor)* goût *m*; *(apreciação)* plaisir *m*; **com todo o** ~! avec plaisir!; ~**s não se discutem** des goûts et des couleurs, on ne discute pas; **muito** ~ **em conhecê-lo** enchanté de faire votre connaissance; **dar** ~ **ver** faire plaisir; **fazer** ~ **em** être heureux de; **ter** ~ **de** *(Br)* avoir un goût de; **tomar o** ~ **a algo** prendre goût à qqch; **bom/mau** ~ bon/mauvais goût.

gota [ˈgotɐ] *f* goutte *f*; ~**s para os olhos** gouttes pour les yeux; ~**s para o nariz** gouttes pour le nez; ~ **a** ~ goutte à goutte.

goteira [guˈteirɐ] *f (cano)* gouttière *f*; *(fenda)* fuite *f*.

gotejar [gutəˈʒar] *vi* goutter.

governo [guˈvernu] *m* gouvernement *m*; ~ **civil** ≃ préfecture *f*.

gozar [guˈzar] *vt* profiter de. ◆ *vi*: **estás a** ~**?** *(fam)* tu veux rire?; ~ **com** *(fam)* se moquer de; ~ **de** jouir de, bénéficier de.

gr. *(abrev de* **grama***)* g.

Grã-Bretanha [grẽmbrɐˈtɐɲɐ] *f*: **a** ~ la Grande-Bretagne.

graça [ˈgrasɐ] *f (gracejo)* plaisanterie *f*; *(humor)* humour *m*; *(elegância, atractividade)* grâce *f*; **achar** ~ trouver drôle; **deixar sem** ~ décontenancer; **ter** ~ être drôle; ~ **sa** grâce à; **de** ~ gratuitement.

gracejar [grɐsəˈʒar] *vi* plaisanter.

gracejo [grɐˈseiʒu] *m* plaisanterie *f*.

gracioso, osa [grɐˈsjozu, -ɔzɐ] *adj* gracieux(-euse).

grade [ˈgraðə] *f (vedação)* grille *f*; *(de cerveja, coca-cola)* caisse *f*.

graduação [grɐðwɐˈsẽu] (*pl* **-ões** [-õiʃ]) *f* graduation *f*; *(em universidade)* diplôme *m* de fin d'études universitaires, ≃ licence *f*; *(de bebida)* degré *m*.

graduado, da [grɐˈðwaðu, -ðɐ] *adj* gradué(-e). ◆ *m, f* diplômé *m* (-e *f*); *(MIL)* gradé *m*.

gradual [grɐ'đwaɫ] (*pl* **-ais** [-aiʃ]) *adj* graduel(-elle).

graduar-se [grɐ'đwarsə] *vp* obtenir un diplôme universitaire.

grafia [grɐ'fiɐ] *f (maneira de escrever)* écriture *f*; *(ortografia)* graphie *f*.

gráfico ['grafiku] *m* graphique *m*.

gralha ['graʎɐ] *f (ave)* corneille *f*; *(erro tipográfico)* coquille *f*.

grama[1] ['grɐmɐ] *m* gramme *m*.

grama[2] ['grɐmɐ] *f (Br)* gazon *m*.

gramado [gra'mađu] *m (Br)* pelouse *f*.

gramar [grɐ'mar] *vt (Port: fam : gostar de)* adorer; *(fam : aguentar)* encaisser.

gramática [grɐ'matikɐ] *f* grammaire *f*.

gramofone [grɐmɔ'fɔnə] *m* phonographe *m*.

grampeador [grẽmpja'dox] (*pl* **-es** [-iʃ]) *m (Br)* agrafeuse *f*.

grampear [grẽm'pjar] *vt (Br: folhas, papéis)* agrafer; *(telefone)* mettre sur écoute.

grampo ['grẽmpu] *m (Br: de cabelo)* barrette *f*; *(para grampeador)* agrafe *f*.

granada [grɐ'nađɐ] *f* grenade *f (arme)*.

grande ['grẽndə] *adj* grand(-e); ~ **penalidade** penalty *m*.

granito [grɐ'nitu] *m* granite *m*.

granizo [grɐ'nizu] *m* grêle *f*.

granulado, da [grɐnu'lađu, -đɐ] *adj* granulé(-e).

grão ['grẽu] *m (grão-de-bico)* pois *m* chiche; *(de arroz, trigo, cevada, café)* grain *m*.

grão-de-bico [ˌgrẽundə'biku] *m* pois *m* chiche.

grasnar [grɐʒ'nar] *vi (corvo)* croasser; *(ganso)* cacarder; *(pato)* cancaner.

gratidão [grɐti'đẽu] *f* gratitude *f*.

gratificação [grɐtəfikɐ'sẽu] (*pl* **-ões** [-õiʃ]) *f (gorjeta)* gratification *f*; *(remuneração)* prime *f*.

gratificante [grɐtəfi'kẽntə] *adj* gratifiant(-e).

gratificar [grɐtəfi'kar] *vt* gratifier.

gratinado, da [grɐti'nađu, -đɐ] *adj* gratiné(-e).

gratinar [grɐti'nar] *vi* gratiner.

grátis ['gratiʃ] *adv* gratuitement. ◆ *adj inv* gratuit(-e).

grato, ta ['gratu, -tɐ] *adj* reconnaissant(-e).

grau ['grau] *m (medida)* degré *m*; *(título académico)* titre *m*; **primeiro/segundo** ~ *(Br)* premier/deuxième cycle; **~s centígrados** degrés centigrades.

---

i PRIMEIRO E SEGUNDO GRAUS

Le système éducatif brésilien comporte deux cycles. Après un cours d'alphabétisation (CA), les enfants abordent le premier cycle, qui s'étale sur huit ans (de la première à la huitième). Beaucoup ne franchissent pas cette étape et doivent abandonner l'école pour travailler. Des milliers d'enfants n'arrivent même pas en quatrième: dès l'âge de sept ou huit ans, ils doivent déjà lutter pour survivre. Pour le petit nombre d'entre eux qui réussit à dépasser ce stade, le second cycle va de la première à la troisième. Ce n'est qu'alors que l'élève peut tenter d'entrer à l'université.

---

gravação [grɐvɐ'sẽu] (*pl* **-ões** [-õiʃ]) *f* enregistrement *m*.

gravador [grɐvɐ'đor] (*pl* **-es** [-əʃ]) *m* magnétophone *m*.

gravar [grɛ'var] *vt (música, conversa)* enregistrer; *(em metal, jóia)* graver.

gravata [grɛ'vatɛ] *f* cravate *f*.

grave ['gravɛ] *adj* grave.

grávida ['graviðɛ] *adj f* enceinte.

gravidade [grɛvi'ðaðə] *f* gravité *f*.

gravidez [grɛvi'ðeʃ] *f* grossesse *f*.

gravura [grɛ'vurɛ] *f* gravure *f*.

graxa ['graʃɛ] *f* cirage *m*; **dar ~ a** *(fam)* fayoter.

Grécia ['grɛsjɛ] *f*: **a ~** la Grèce.

grego, ga ['gregu, -gɛ] *adj* grec (grecque). ◆ *m, f* Grec *m* (Grecque *f*). ◆ *m (língua)* grec *m*.

grelha ['grɛʎɛ] *f (de fogão, assar)* grille *f*; *(de automóvel)* calandre *f*; *(Port: de televisão, rádio)* grille *f* de programmes; **~ de partida** *(Port)* grille de départ.

grelhado, da [grɛ'ʎaðu, -ðɛ] *adj* grillé(-e). ◆ *m* grillade *f*.

grelhador [grɛʎɛ'ðor] *(pl* **-es** [-əʃ]) *m* gril *m*; *(de jardim)* barbecue *m*.

grelhar [grɛ'ʎar] *vt* griller.

grelo ['grelu] *m (de couve, batata, alho, etc)* pousse *f*; *(de estudante)* ruban qui sert de signe distinctif aux étudiants d'avant-dernière année de licence.

❏ **grelos** *mpl* pousses de navet ou de choux.

grená [grɛ'na] *adj* grenat *(inv)*.

greta ['grɛtɛ] *f* fissure *f*.

❏ **gretas** *fpl* gerçures *fpl*.

gretado, da [grɛ'taðu, -ðɛ] *adj* gercé(-e).

greve ['grɛvɛ] *f* grève *f*; **fazer ~** faire la grève; **em ~** en grève; **~ de fome** grève de la faim.

grilo ['grilu] *m* grillon *m*.

grinalda [gri'nalðɛ] *f* guirlande *f*.

gripe ['gripɛ] *f* grippe *f*.

grisalho, lha [gri'zaʎu, -ʎɛ] *adj* grisonnant(-e).

gritar [gri'tar] *vt & vi* crier; **~ com alguém** crier sur qqn.

grito ['gritu] *m* cri *m*; **de ~s** *(Port)* super.

groselha [grɔ'zeʎɛ] *f* groseille *f*.

grosseiro, ra [gru'sɛiru, -rɛ] *adj* grossier(-ère).

grosso, ossa ['grosu, -ɔsɛ] *adj* épais(-aisse); *(livro, voz)* gros (grosse); *(Br: mal-educado)* grossier(-ère); *(Port: fam : embriagado)* fait(-e).

grotesco, ca [gru'teʃku, -kɛ] *adj* grotesque.

grua ['gruɛ] *f* grue *f*.

grunhido [gru'ɲiðu] *m* grognement *m*.

grunhir [gru'ɲir] *vi* grogner.

grupo ['grupu] *m* groupe *m*; **em ~** en groupe; **~s de risco** population *f* à risque; **~ sanguíneo** groupe sanguin.

gruta ['grutɛ] *f* grotte *f*.

guache ['gwaʃɛ] *m* gouache *f*.

guaraná [gwara'na] *m* guarana *m, boisson riche en caféine*; **~ natural** guarana naturel; **~ em pó** guarana en poudre.

---

i GUARANÁ

Le guarana est une graine aux propriétés stimulantes et thérapeutiques, découverte par les Indiens de la forêt amazonienne au Brésil. On en extrait de la poudre qui est ensuite dissoute dans de l'eau et utilisée pour préparer des rafraîchissements et des sirops. Ce produit naturel à forte teneur en caféine est employé contre la fatigue, la diarrhée et les névralgies.

---

guarda ['gwarɗɐ] mf agent m de police. ◆ f garde f; **a Guarda Nacional Republicana** ≃ gendarmerie f.
❏ **guardas** fpl garde-corps m inv.

guarda-chuva [gwarɗɐ'ʃuvɐ] (pl **guarda-chuvas** [gwarɗɐ'ʃuvʃ]) m parapluie m.

guarda-costas [gwarɗɐ'kɔʃtɐʃ] mf inv garde m du corps.

guarda-fatos [gwarɗɐ'fatuʃ] m inv (Port) penderie f.

guarda-fiscal [gwarɗɐfiʃ'kaɫ] (pl **guardas-fiscais** [gwarɗɐʃfiʃ-kaiʃ]) mf douanier m.

guarda-florestal [gwarɗɐflurɐʃ'taɫ] (pl **guardas-florestais** [gwarɗɐʃflurɐʃ'taiʃ]) mf garde m forestier.

guarda-freios [gwarɗɐ'frejuʃ] mf inv (Port) conducteur m de tramway.

guarda-jóias [gwarɗɐ'ʒɔjɐʃ] m inv coffret m à bijoux.

guarda-lamas [gwarɗɐ'lɐmɐʃ] m inv (Port) pare-chocs m inv.

guarda-louça [gwarɗɐ'losɐ] (pl **guarda-louças** [gwarɗɐ'losɐʃ]) m buffet m.

guardanapo [gwarɗɐ'napu] m serviette f (de table); **~s de papel** serviettes en papier.

guarda-nocturno [gwarɗɐno'turnu] (pl **guardas-nocturnos** [gwarɗɐʒno'turnuʃ]) m gardien m de nuit.

guardar [gwar'ɗar] vt garder; (arrecadar) ranger; (roupa) rentrer.

guarda-redes [gwarɗɐ'ʀeɗɐʃ] m inv (Port) gardien m de but.

guarda-rios [gwarɗɐ'ʀiuʃ] m inv garde-pêche m.

guarda-roupa [gwarɗɐ'ʀopɐ] (pl **guarda-roupas** [gwarɗɐ'ʀopɐʃ]) m (móvel) penderie f; (de peça teatral, filme) costumes mpl.

guarda-sol [gwarɗɐ'sɔɫ] (pl **guarda-sóis** [gwarɗɐ'sɔiʃ]) m parasol m.

guarda-vassouras [gwarɗɐvɐ'soreʃ] m inv plinthe f.

guarda-vestidos [gwarɗɐvɐʃ'tiɗuʃ] m inv penderie f.

guarnecido, da [gwɐrnɐ'siɗu, -ɗɐ] adj garni(-e).

guarnição [gwɐrni'sɐu] (pl **-ões** [-õiʃ]) f garniture f.

Guatemala [gwɐtɐ'malɐ] f: **a ~** le Guatemala.

gude ['guɗʒi] m (Br) jeu d'enfant qui se joue avec des billes ou des pépins.

guelra ['gɛɫʀɐ] f: **as ~s** les branchies fpl.

guerra ['gɛʀɐ] f guerre f; **fazer ~ a** faire la guerre à; **em pé de ~** sur le pied de guerre.

guia ['giɐ] mf guide mf. ◆ m guide m; **~ intérprete** guide mf interprète; **~ turístico** guide m.

guiador [gjɐ'ɗor] (pl **-es** [-əʃ]) m (Port: de automóvel) volant m; (de bicicleta) guidon m.

guiar [gjar] vt guider; (automóvel, autocarro) conduire. ◆ vi conduire.

guiché [gi'ʃɛ] m (Port) guichet m.

guichê [gi'ʃe] m (Br) = guiché.

guidom [gi'dõ] (pl **-ns** [-ʃ]) m (Br) = guiador.

guilhotina [giʎu'tinɐ] f guillotine f.

guincho ['gĩʃu] m (som) couinement m; (máquina) treuil m.

guindaste [gĩn'daʃtɐ] m grue f.

Guiné-Bissau [giˌnɛbi'sau] f: **a ~** la Guinée-Bissau.

guineense [gi'njẽsɐ] adj guinéen(-enne). ◆ mf Guinéen m (-enne f).

guisado, da [gi'zaɗu, -ɗɐ] adj mijoté(-e). ◆ m ragoût m.

guisar [gi'zar] vt faire mijoter.

guitarra [gi'taʀɐ] *f* guitare *f;* ~ **portuguesa** guitare de fado.

guitarrista [gitɐ'ʀiʃtɐ] *mf* guitariste *mf.*

guizo ['gizu] *m* grelot *m; (de bebé)* hochet *m.*

gula ['gulɐ] *f* gourmandise *f.*

guloseima [gulu'zɐimɐ] *f* friandise *f.*

guloso, osa [gu'lozu, -ɔzɐ] *adj & m, f* gourmand(-e).

gume ['gumə] *m* tranchant *m.*

guri, ria [gu'ri, -riɐ] *m, f (Br)* enfant *mf.*

H

h. *(abrev de* **hora***)* h.

há [ˈa] → **haver**.

hábil [ˈabił] *(pl* **-beis** [-ˈbɐiʃ]*) adj* habile.

habilidade [ɐbɐliˈdaðə] *f* habileté *f*.
❏ **habilidades** *fpl* tours *mpl*.

habilitação [ɐbɐliteˈsɐ̃u] *f* aptitude *f*.
❏ **habilitações** *fpl* diplômes *mpl*.

habitação [ɐbiteˈsɐ̃u] *(pl* **-ões** [-ˈõiʃ]*) f* habitation *f*.

habitante [ɐbiˈtɐ̃tə] *mf* habitant *m* (-e *f*).

habitar [ɐbiˈtar] *vt & vi* habiter; **habitar em** habiter à; **habito na rua Luís de Camões** j'habite rue Luís de Camões.

hábito [ˈabitu] *m* habitude *f*; *(de religioso)* habit *m*; **como é ~** comme d'habitude; **ter o ~ de fazer algo** avoir l'habitude de faire qqch; **por ~** par habitude.

habitual [ɐbiˈtwał] *(pl* **-ais** [-aiʃ]*) adj* habituel(-elle).

habitualmente [ɐbitwałˈmẽtə] *adv* d'habitude.

habituar [ɐbiˈtwar] *vt :* **~ alguém a algo/a fazer algo** habituer qqn à qqch/à faire qqch.
❏ **habituar-se** *vp* s'habituer; **~-se a** s'habituer à.

hálito [ˈalitu] *m* haleine *f*; **mau ~** mauvaise haleine.

hall [ˈɔł] *m (de casa)* entrée *f*; *(de teatro, hotel)* hall *m*; **~ (da entrada)** hall (d'entrée).

haltere [ałˈtɛrə] *m* haltère *f*.

halterofilia [ałtɛrɔfiˈliɐ] *f* haltérophilie *f*.

hambúrguer [ẽmˈburgɛr] *(pl* **-es** [-əʃ]*) m* steak *m* haché; *(sandes)* hamburger *m*.

hangar [ẽŋˈgar] *(pl* **-es** [-əʃ]*) m* hangar *m*.

hardware [arˈdwɛrə] *m* matériel *m*.

harmonia [ɐrmuˈniɐ] *f* harmonie *f*.

harmónica [ɐrˈmɔnikɐ] *f (Port)* harmonica *m*.

harmônica [axˈmonikɐ] *f (Br)* = **harmónica**.

harpa [ˈarpɐ] *f* harpe *f*.

haste [ˈaʃtɐ] *f (de bandeira)* hampe *f*; *(de árvore)* branche *f*.

haver [ɐˈver] *v aux* **1.** *(antes de verbos transitivos)* avoir; **como ele não havia comido estava com fome** comme il n'avait pas mangé, il avait faim; **havíamos reservado antes** nous avions réservé avant.
2. *(antes de verbos de movimento, estado ou permanência)* être; **ele havia chegado há pouco** il était arrivé depuis peu.
◆ *v impess* **1.** *(ger)* y avoir; **há um**

café muito bom ao fim da rua il y a un très bon café au bout de la rue; **não há ninguém na rua** il n'y a personne dans la rue; **não há correio amanhã** il n'y a pas de courrier demain.

2. *(exprime tempo)* faire; **estou à espera há dez minutos** ça fait dix minutes que j'attends; **há séculos que lá não vou** ça fait des siècles que je n'y vais pas; **há três dias que não o via** ça faisait trois jours que je ne le voyais pas.

3. *(exprime obrigação)*: **há que fazer algo** il faut faire qqch.

4. *(em locuções)*: **haja o que houver** quoiqu'il arrive; **não há de quê!** il n'y a pas de quoi!

❏ **haver-se com** *vp + prep* : ~-**se com alguém** avoir affaire à qqn.

❏ **haver de** *v + prep* : **ele havia de ter chegado mais cedo** il aurait dû arriver plus tôt; **um dia, hei-de ir ao Brasil** un jour, j'irai au Brésil.

❏ **haveres** *mpl (pertences)* affaires *fpl*; *(bens)* biens *mpl*.

haxixe [ɐ'ʃiʃə] *m* haschich *m*.

hectare [ɛk'tarə] *m* hectare *m*.

hélice ['ɛlisə] *f* hélice *f*.

helicóptero [ili'kɔptəru] *m* hélicoptère *m*.

hélio ['ɛlju] *m* hélium *m*.

hematoma [imɐ'tomɐ] *m* hématome *m*.

hemofílico, ca [ɛmɔ'filiku, -kɐ] *m, f* hémophile *mf*.

hemorragia [imuʀɐ'ʒiɐ] *f* hémorragie *f*; ~ **cerebral** hémorragie cérébrale; ~ **nasal** saignement *m* de nez.

hemorróidas [imu'ʀɔiɐʃ] *fpl* hémorroïdes *fpl*.

hepatite [ipa'titə] *f* hépatite *f*.

hera ['ɛrɐ] *f* lierre *m*.

herança [i'ʀɐ̃sɐ] *f* héritage *m*.

herbicida [ɛɾbi'sidɐ] *m* désherbant *m*.

herdar [iɾ'ðaɾ] *vt* hériter de.

herdeiro, ra [iɾ'ðeiru, -rɐ] *m, f* héritier *m* (-ère *f*).

hermético, ca [iɾ'mɛtiku, -kɐ] *adj* hermétique.

hérnia ['ɛɾnjɐ] *f* hernie *f*.

herói [i'rɔi] *m* héros *m*.

heroína [i'rwinɐ] *f* héroïne *f*.

hesitação [izitɐ'sɐ̃u] *(pl* -**ões** [-õiʃ]) *f* hésitation *f*.

hesitar [izi'taɾ] *vi* hésiter.

heterossexual [ɛtɛrɔsɛk'swał] *(pl* -**ais** [-aiʃ]) *adj & mf* hétérosexuel(-elle).

hibernar [ibəɾ'naɾ] *vi* hiberner.

híbrido, da ['ibriðu, -ðɐ] *adj* hybride.

hidratante [iðrɐ'tɛ̃tɐ] *adj* hydratant(-e).

hidroavião [ˌiðrɔɐ'vjɐ̃u] *(pl* -**ões** [-õiʃ]) *m* hydravion *m*.

hidrófilo [i'ðrɔfilu] *adj m* hydrophile.

hidrogénio [iðrɔ'ʒɛnju] *m (Port)* hydrogène *m*.

hidrogênio [idro'ʒenju] *m (Br)* = hidrogénio.

hierarquia [jerɐɾ'kiɐ] *f* hiérarchie *f*.

hífen ['ifɛn] *(pl* -**es** [-əʃ]) *m* tiret *m*.

hifenização [ifənizɐ'sɐ̃u] *f* césure *f*.

hi-fi [aiˈfai] *m (abrev de* **high-fidelity)** hi-fi *f*.

higiene [i'ʒjɛnə] *f* hygiène *f*.

hilariante [ilɐ'rjɛ̃tɐ] *adj* hilarant(-e).

hino ['inu] *m* hymne *m*.

hipermercado [ˌipɛrmɐɾ'kaðu] *m* hypermarché *m*.

hipertensão [ˌipɛɾtɛ̃'sɐ̃u] *f* hypertension *f*.

hípico, ca ['ipiku, -kɐ] *adj* hippique.

hipismo [i'piʒmu] *m* hippisme *m*.

hipnotismo [ipnɔ'tiʒmu] *m* hypnotisme *m*.

hipocondríaco, ca [ipɔkõn'drieku, -ke] *m, f* hypocondriaque *mf*.

hipocrisia [ipɔkrɔ'ziɐ] *f* hypocrisie *f*.

hipócrita [i'pɔkritɐ] *mf* hypocrite *mf*.

hipódromo [i'pɔdrumu] *m* hippodrome *m*.

hipopótamo [ipu'pɔtemu] *m* hippopotame *m*.

hipoteca [ipu'tɛke] *f* hypothèque *f*.

hipótese [i'pɔtəzə] *f (suposição)* hypothèse *f*; *(possibilidade)* chance *f*; **não ter ~** n'avoir aucune chance; **em ~ alguma** en aucun cas; **na melhor das ~s** dans le meilleur des cas; **por ~** par exemple.

histeria [iʃtə'riɐ] *f* hystérie *f*.

histérico, ca [iʃ'tɛriku, -ke] *adj* hystérique.

história [iʃ'tɔrjɐ] *f* histoire *f*; **~ da Arte** histoire de l'Art; **~ da carochinha** histoire à dormir debout; **~s aos quadradinhos** bande *f* dessinée.

hobby ['ɔbi] *(pl* **hobbies** ['ɔbiʃ]) *m* hobby *m*.

hoje ['oʒə] *adv* aujourd'hui; **~ em dia** à l'heure actuelle; **até ~** jusqu'à présent; **de ~** d'aujourd'hui; **de ~ a oito/quinze dias** d'ici huit/quinze jours; **de ~ em diante** dorénavant; **por ~** aujourd'hui.

Holanda [u'lɐ̃ndɐ] *f* : **a ~** la Hollande.

holandês, esa [ulɐ̃n'deʃ, -ezɐ] *(mpl* **-eses** [-ezəʃ], *fpl* **-s** [-ʃ]) *adj* hollandais(-e). ◆ *m, f* Hollandais *m* (-e *f*).

holofote [ɔlɔ'fɔtə] *m* projecteur *m*.

homem ['ɔmɐ̃i] *(pl* **-ns** [-ʃ]) *m* homme *m*.

❑ **Homem** *m* : **o Homem** l'Homme; **'homens'** 'messieurs'.

homenagear [omɐnɐ'ʒjar] *vt* rendre hommage à.

homenagem [omɐ'naʒɐ̃i] *(pl* **-ns** [-ʃ]) *f* hommage *m*.

homens → homem.

homicida [omi'sidɐ] *mf* meurtrier *m* (-ère *f*).

homicídio [omi'sidju] *m* homicide *m*; **~ involuntário** homicide involontaire.

homossexual [ɔmɔsɛk'swal] *(pl* **-ais** [-aiʃ]) *adj & mf* homosexuel(-elle).

honestidade [onɐʃti'dadɐ] *f* honnêteté *f*.

honesto, ta [o'nɛʃtu, -tɐ] *adj* honnête.

honorário [onu'rarju] *adj* honoraire.

❑ **honorários** *mpl* honoraires *mpl*.

honra ['õrɐ] *f* honneur *m*; **ter a ~ de fazer algo** avoir l'honneur de faire qqch; **em ~ de** en l'honneur de.

honrado, da [õ'radu, -dɐ] *adj* honnête.

honrar [õ'rar] *vt (dívida)* honorer.

❑ **honrar-se de** *vp + prep* avoir l'honneur de.

honroso, osa [õ'rozu, -ɔzɐ] *adj* honorable.

hóquei ['ɔkɐi] *m* hockey *m*; **~ em patins** hockey sur patins; **~ sobre o gelo** hockey sur glace.

hora ['ɔrɐ] *f* heure *f*; **que ~s são?** quelle heure est-il?; **a que ~s é...?** à quelle heure est...?; **são ~s de...** il est l'heure de...; **está na ~ de...** il est temps de...; **na ~ H** à l'heure H; **~s extraordinárias** heures supplémentaires; **~ de ponta** *(Port)* heure de pointe; **~s vagas** temps *m* libre; **a ~s** à l'heure; **~ a ~** à toute heure; **de ~ em ~** toutes les heures; ~s e ~s des heures et des heures; **em cima da ~** juste; *(na hora certa)* pile; **à última da ~** au dernier moment.

horário [o'rarju] *m* horaire *m*; ~ **de atendimento** heures *fpl* d'ouverture; ~ **de funcionamento** heures *fpl* d'ouverture; ~ **nobre** heures *fpl* de grande écoute.

horizontal [orizõn'taɫ] *(pl* -ais [-ajʃ]) *adj* horizontal(-e).

horizonte [ori'zõntə] *m* horizon *m*.

horóscopo [o'rɔʃkupu] *m* horoscope *m*.

horrendo, da [u'rẽndu, -dɐ] *adj* affreux(-euse).

horripilante [oʀipi'lẽntə] *adj* terrifiant(-e).

horrível [o'ʀivɛɫ] *(pl* -eis [-ɛjʃ]) *adj* horrible.

horror [o'ʀor] *(pl* -es [-əʃ]) *m* horreur *f*; **que ~!** quelle horreur!; **ter ~ a algo** avoir horreur de qqch; **um ~ de** *(fam)* un tas de; **dizer ~es de alguém** raconter des horreurs sur qqn.

horta ['ɔrtɐ] *f* potager *m*.

hortaliça [ortɐ'lisɐ] *f* légumes *mpl* (verts).

hortelã [ortɐ'lẽ] *f* menthe *f*.

hortelã-pimenta [ortɐ,lẽpi'mẽntɐ] *f* menthe *f* poivrée.

hortênsia [or'tẽsjɐ] *f* hortensia *m*.

horticultor, ra [ortikuɫ'tor, -rɐ] *(mpl* -es [-əʃ], *fpl* -s [-ʃ]) *m, f* horticulteur *m* (-trice *f*).

hortigranjeiros [oxtigrẽ'ʒejruʃ] *mpl (Br) produits horticoles et de l'élevage.*

hospedagem [oʃpə'daʒẽj] *f* hébergement *m*.

hospedar [oʃpə'dar] *vt* héberger.

❏ **hospedar-se** *vp* loger; **~-se em** loger chez; *(em hotel)* descendre à.

hóspede ['ɔʃpədə] *mf* hôte *m*.

hospedeira [oʃpə'dejrɐ] *f (Port)*: ~ **(de bordo)** hôtesse *f* de l'air.

hospício [oʃ'pisju] *m* hospice *m*.

hospital [oʃpi'taɫ] *(pl* -ais [-ajʃ]) *m* hôpital *m*.

hospitaleiro, ra [oʃpitɐ'lejru, -rɐ] *adj* hospitalier(-ère).

hospitalidade [oʃpitɐli'dadɐ] *f* hospitalité *f*.

hostil [oʃ'tiɫ] *(pl* -is [-iʃ]) *adj* hostile.

hotel [o'tɛɫ] *(pl* -éis [-ɛjʃ]) *m* hôtel *m*.

houve ['ovə] → **haver**.

hovercraft [,ovɛr'kraftə] *m* hovercraft *m*.

humanidade [umɐni'dadɐ] *f* humanité *f*; **a ~** l'humanité. ❏ **humanidades** *fpl* lettres *fpl* classiques.

humanitário, ria [umɐni'tarju, -rjɐ] *adj* humanitaire.

humano, na [u'mɐnu, -nɐ] *adj* humain(-e). ◆ *m* humain *m*.

humidade [umi'dadɐ] *f (Port)* humidité *f*.

húmido, da ['umidu, -dɐ] *adj (Port)* humide.

humildade [umiɫ'dadɐ] *f* humilité *f*.

humilde [u'miɫdɐ] *adj* humble.

humilhação [umiʎɐ'sɐ̃u] *(pl* -ões [-õjʃ]) *f* humiliation *f*.

humilhante [umi'ʎẽntɐ] *adj* humiliant(-e).

humilhar [umi'ʎar] *vt* humilier. ❏ **humilhar-se** *vp* s'humilier.

humor [u'mor] *m* humour *m*; **estar de bom/mau ~** être de bonne/mauvaise humeur.

humorista [umu'riʃtɐ] *mf* humoriste *mf*.

húngaro, ra ['ũŋgɐru, -rɐ] *adj* hongrois(-e). ◆ *m, f* Hongrois *m* (-e *f*). ◆ *m (língua)* hongrois *m*.

Hungria [ũŋ'griɐ] *f*: **a ~** la Hongrie.

hurra ['uʀɐ] *interj* hourra!

I

ia ['iɐ] → **ir**.

iate ['jatɐ] m yacht m.

Ibama [i'bɐmɐ] m (Br) (abrev de **Instituto Brasileiro do Meio Ambiente e Recursos Renováveis**) organisme brésilien pour la défense de l'environnement, ≃ SNPN.

ibérico, ca [i'bɛriku, -kɐ] adj ibérique.

ibero-americano, na [i,bɛrwemɐri'kɐnu, -nɐ] adj latino-américain(-e). ♦ m, f Latino-Américain m (-e f).

içar [i'sar] vt hisser.

ICM/S m (Br) (abrev de **Imposto sobre a circulação de Mercadorias e Serviços**) ≃ TVA f.

ícone ['ikɔnɐ] m icône f.

icterícia [iktɐ'risjɐ] f jaunisse f.

ida ['idɐ] f (partida) allée f; (jornada) voyage m.

idade [i'dadɐ] f âge m; de ~ âgé(-e); de meia ~ d'âge mûr.

ideal [i'djał] (pl -ais [-aiʃ]) adj idéal(-e). ♦ m idéal m.

idealista [idjɐ'liʃtɐ] adj & mf idéaliste.

ideia [i'dɐjɐ] f (Port) idée f; que ~! quelle idée!; mudar de ~s changer d'avis; não fazer ~ n'en avoir aucune idée.

idéia [i'dɐjɐ] f (Br) = **ideia**.

idêntico, ca [i'dẽntiku, -kɐ] adj identique.

identidade [idẽnti'dadɐ] f identité f.

identificação [idẽntɐfike'sɐu] f identification f.

identificar [idẽntɐfi'kar] vt identifier.

❏ **identificar-se** vp s'identifier.

ideologia [idjulu'ʒiɐ] f idéologie f.

idílico, ca [i'diliku, -kɐ] adj idyllique.

idioma [i'djomɐ] m langue f.

idiota [i'djɔtɐ] adj & mf idiot(-e).

ídolo ['idulu] m idole f.

idóneo, nea [i'dɔnju, -njɐ] adj (Port) de confiance.

idôneo, nea [i'donju, -njɐ] adj (Br) = **idóneo**.

idoso, osa [i'dozu, -ɔzɐ] adj âgé(-e). ♦ m, f personne f âgée; os ~s les personnes âgées.

Iemanjá [jemɐ̃'ʒa] f déesse de la mer du Candomblé.

igarapé [igara'pɛ] m (Br) bras m de rivière.

ignição [igni'sɐu] f contact m (allumage).

ignorado, da [ignu'radu, -dɐ] adj ignoré(-e).

ignorância [ignu'rẽsjɐ] f ignorance f.

ignorante [ignu'rẽntɐ] mf ignorant m (-e f).

ignorar [ignu'rar] *vt* : ~ **algo** ignorer qqch; ~ **alguém** ignorer qqn.

igreja [i'grɐiʒɐ] *f* église *f*.

igual [i'gwał] (*pl* **-ais** [-aiʃ]) *adj* (*quantidade, preço, proporção*) égal(-e); (*idêntico*) pareil(-eille); (*parecido*) pareil(-eille). ◆ *m* égal *m*; ~ **a** pareil à; **sem** ~ sans pareil.

igualar [igwe'lar] *vt* égaler.

❏ **igualar-se** *vp* se valoir; **os candidatos igualam-se** les candidats se valent; **~-se a** égaler.

igualdade [igwał'dadɐ] *f* égalité *f*.

igualmente [igwał'mẽntɐ] *adv* également. ◆ *interj* vous de même!

ilegal [ilɐ'gał] (*pl* **-ais** [-aiʃ]) *adj* illégal(-e).

ilegalidade [ilɐgɐli'dadɐ] *f* illégalité *f*.

ilegítimo, ma [ilɐ'ʒitimu, -mɐ] *adj* illégitime.

ilegível [ilɐ'ʒivɛł] (*pl* **-eis** [-ɐiʃ]) *adj* illisible.

ileso, sa [i'lezu, -zɐ] *adj* indemne; **sair ~ de um acidente** sortir indemne d'un accident.

ilha [ˈiʎɐ] *f* île *f*.

ilícito, ta [i'lisitu, -tɐ] *adj* illicite.

ilimitado, da [ilɐmi'tadu, -dɐ] *adj* illimité(-e).

Ilma. = Ilustríssima.

Ilmo. = Ilustríssimo.

ilógico, ca [i'lɔʒiku, -kɐ] *adj* illogique.

iludir [ilu'dir] *vt* tromper.

❏ **iludir-se** *vp* se faire des illusions.

iluminação [iluminɐ'sẽu] *f* éclairage *m*.

iluminado, da [ilumi'nadu, -dɐ] *adj* (*rua*) éclairé(-e); (*árvore de Natal*) illuminé(-e).

iluminar [ilumi'nar] *vt* (*sala, rua*) éclairer; (*monumento*) illuminer.

ilusão [ilu'zẽu] (*pl* **-ões** [-õiʃ]) *f* illusion *f*; **não ter ilusões** ne pas se faire d'illusions; **perder as ilusões** perdre ses illusions.

ilustração [iluʃtrɐ'sẽu] (*pl* **-ões** [-õiʃ]) *f* illustration *f*.

ilustrado, da [iluʃ'tradu, -dɐ] *adj* illustré(-e).

ilustrar [iluʃ'trar] *vt* (*exemplificar*) illustrer.

ilustre [i'luʃtrɐ] *adj* illustre.

ilustríssimo, ma [iluʃ'trisimu, -mɐ] *sup* (*para senhores*) Monsieur; (*para senhoras*) Madame.

imã [ˈimẽ] *m* (*Br*) = **íman**.

imaculado, da [imɐku'ladu, -dɐ] *adj* immaculé(-e).

imagem [i'maʒẽi] (*pl* **-ns** [-ʃ]) *f* image *f*.

imaginação [imɐʒinɐ'sẽu] *f* imagination *f*.

imaginar [imɐʒi'nar] *vt* imaginer.

❏ **imaginar-se** *vp* s'imaginer.

imaginativo, va [imɐʒinɐ'tivu, -vɐ] *adj* imaginatif(-ive).

íman [ˈimẽn] (*pl* **-es** [-ɐnɐʃ]) *m* (*Port*) aimant *m*.

imaturo, ra [imɐ'turu, -rɐ] *adj* immature.

imbatível [ĩmbɐ'tivɛł] (*pl* **-eis** [-ɐiʃ]) *adj* imbattable.

imbecil [ĩmbɐ'sił] (*pl* **-is** [-iʃ]) *adj* & *mf* imbécile.

imediações [imɐdjɐ'sõiʃ] *fpl* alentours *mpl*; **nas ~ de** aux alentours de.

imediatamente [imɐˌdjatɐ'mẽntɐ] *adv* immédiatement.

imediato, ta [imɐ'djatu, -tɐ] *adj* immédiat(-e); **de ~** (*imediatamente*) immédiatement; (*neste momento*) dans l'immédiat.

imenso, sa [i'mẽsu, -sɐ] *adj* immense. ◆ *adv* énormément.

imergir [imər'ʒir] *vt* immerger.

imigração [imigre'sẽu] *f* immigration *f*.

imigrante [imi'grẽntə] *mf* immigrant *m* (-e *f*).

imigrar [imi'grar] *vi* immigrer.

iminente [imi'nẽntə] *adj* imminent(-e).

imitação [imite'sẽu] (*pl* -ões [-õiʃ]) *f* imitation *f*.

imitar [imi'tar] *vt* imiter.

imobiliária [imuƀə'ljarjɐ] *f* (*vendedor*) agence *f* immobilière; (*construtor*) promoteur *m*.

imobilizar [imuƀali'zar] *vt* immobiliser.

❏ **imobilizar-se** *vp* s'immobiliser.

imoral [imu'raɫ] (*pl* -ais [-aiʃ]) *adj* immoral(-e).

imóvel [i'mɔvɛɫ] (*pl* -eis [-ɐiʃ]) *adj* (*parado*) immobile; (*bem*) immobilier(-ère). ◆ *m* (*prédio*) immeuble *m*; (*valor*) bien *m* immobilier.

impaciência [ĩmpɐ'sjẽsjɐ] *f* impatience *f*.

impaciente [ĩmpɐ'sjẽntə] *adj* impatient(-e).

impacto [ĩm'paktu] *m* impact *m*.

ímpar [ĩmpar] (*pl* -es [-əʃ]) *adj* (*número*) impair(-e); (*objecto, acção*) unique.

imparcial [ĩmpɐr'sjaɫ] (*pl* -ais [-aiʃ]) *adj* imparcial(-e).

impasse [ĩm'pasə] *m* impasse *f*.

impecável [ĩmpɐ'kavɛɫ] (*pl* -eis [-ɐiʃ]) *adj* impeccable.

impedido, da [ĩmpɐ'ðiðu, -ðɐ] *adj* (*linha*) occupé(-e); (*caminho, estrada*) coupé(-e).

impedimento [ĩmpɐði'mẽntu] *m* empêchement *m*.

impedir [ĩmpɐ'ðir] *vt* couper; ~ **alguém de fazer algo** empêcher qqn de faire qqch.

impelir [ĩmpə'lir] *vt* pousser.

impenetrável [ĩmpɐnə'travɛɫ] (*pl* -eis [-ɐiʃ]) *adj* impénétrable.

impensável [ĩmpẽ'savɛɫ] (*pl* -eis [-ɐiʃ]) *adj* impensable.

imperador [ĩmpɐrɐ'ðor] (*pl* -es [-əʃ]) *m* empereur *m*.

imperativo, va [ĩmpɐrɐ'tivu, -vɐ] *adj* impératif(-ive). ◆ *m* impératif *m*.

imperatriz [ĩmpɐrɐ'triʃ] (*pl* -es [-zəʃ]) *f* impératrice *f*.

imperdoável [ĩmpɐr'ðwavɛɫ] (*pl* -eis [-ɐiʃ]) *adj* impardonnable.

imperfeição [ĩmpɐrfɐi'sẽu] (*pl* -ões [-õiʃ]) *f* (*defeito*) imperfection *f*.

imperfeito, ta [ĩmpɐr'fɐitu, -tɐ] *adj* imparfait(-e). ◆ *m* imparfait *m*.

imperial [ĩmpɐ'rjaɫ] (*pl* -ais [-aiʃ]) *f* (*Port*) chope *f*.

impermeável [ĩmpɐr'mjavɛɫ] (*pl* -eis [-ɐiʃ]) *adj & m* imperméable.

impertinente [ĩmpɐrti'nẽntə] *adj* impertinent(-e).

imperturbável [ĩmpɐrtur'ƀavɛɫ] (*pl* -eis [-ɐiʃ]) *adj* imperturbable.

impessoal [ĩmpɐ'swaɫ] (*pl* -ais [-aiʃ]) *adj* impersonnel(-elle).

impetuoso, osa [ĩmpɐ'twozu, -ɔzɐ] *adj* impétueux(-euse).

impiedade [ĩmpjɐ'ðaðɐ] *f* impiété *f*.

implacável [ĩmplɐ'kavɛɫ] (*pl* -eis [-ɐiʃ]) *adj* implacable.

implantação [ĩmplẽntɐ'sẽu] *f* implantation *f*.

implementar [ĩmpləmẽn'tar] *vt* (*lei*) mettre en application; (*regime, sistema*) mettre en place.

implicar [ĩmpli'kar] *vt* impliquer.

❏ **implicar com** *v + prep* taquiner.

implícito, ta [ĩm'plisitu, -tɐ] *adj* implicite.

implorar [ĩmplu'rar] *vt* implorer.

imponente [ĩpu'nẽntə] *adj* imposant(-e).

impopular [ĩpupu'lar] (*pl* **-es** [-əʃ]) *adj* impopulaire.

impor [ĩ'por] *vt* imposer.
❑ **impor-se** *vp* s'imposer; ~ **algo a alguém** imposer qqch à qqn.

importação [ĩpurtɐ'sɐ̃u] (*pl* **-ões** [-õiʃ]) *f* importation *f*.

importado, da [ĩpur'taðu, -ðɐ] *adj* importé(-e).

importância [ĩpur'tɐ̃sjɐ] *f* importance *f*.

importante [ĩpur'tɐ̃ntə] *adj* important(-e). ◆ *m* : **o** ~ **é...** l'important c'est...

importar [ĩpur'tar] *vt* (*mercadoria, produto*) importer; (*ideia*) prendre. ◆ *vi* avoir de l'importance.
❑ **importar-se** *vp* : **importa-se de...?** ça ne vous dérange pas de...?; **não importa** ça n'a pas d'importance; **não me importa** ça m'est égal; **pouco importa** peu importe.

imposição [ĩpuzi'sɐ̃u] (*pl* **-ões** [-õiʃ]) *f* imposition *f*.

impossibilitar [ĩpusibɐlitar] *vt* rendre impossible.

impossível [ĩpu'sivɛɫ] (*pl* **-eis** [-ɐiʃ]) *adj* impossible. ◆ *m* : **o** ~ l'impossible *m*; **querer o** ~ vouloir l'impossible.

imposto [ĩ'poʃtu] *m* impôt *m*; ~ **de renda** *(Br)* impôt sur le revenu; ~ **sobre o rendimento** *(Port)* impôt sur le revenu; ~ **sobre o valor acrescentado** *(Port)* taxe *f* sur la valeur ajoutée.

impostor, ra [ĩpuʃ'tor, -rɐ] (*mpl* **-es** [-əʃ], *fpl* **-s** [-ʃ]) *m, f* imposteur *m*.

impotente [ĩpu'tẽntə] *adj* impuissant(-e).

impraticável [ĩprɐti'kavɛɫ] (*pl* **-eis** [-ɐiʃ]) *adj* (*estrada, caminho*) impraticable.

impreciso, sa [ĩprɐ'sizu, -zɐ] *adj* imprécis(-e).

impregnar [ĩprɐg'nar] *vt* imprégner.
❑ **impregnar-se de** *vp* + *prep* s'imprégner de.

imprensa [ĩ'prẽsɐ] *f* presse *f*.

imprescindível [ĩprɐʃsĩ'divɛɫ] (*pl* **-eis** [-ɐiʃ]) *adj* indispensable.

impressão [ĩprɐ'sɐ̃u] (*pl* **-ões** [-õiʃ]) *f* impression *f*; **ter a** ~ **de que** avoir l'impression que; ~ **digital** empreinte *f* digitale; **causar boa** ~ faire bonne impression.

impressionante [ĩprɐsju'nɐ̃ntə] *adj* impressionnant(-e).

impressionar [ĩprɐsju'nar] *vt* impressionner.

impresso, a [ĩ'prɛsu, -ɐ] *adj* imprimé(-e). ◆ *m* formulaire *m*.

impressões → **impressão**.

impressora [ĩprɐ'sorɐ] *f* imprimante *f*.

imprestável [ĩprɐʃ'tavɛɫ] (*pl* **-eis** [-ɐiʃ]) *adj* (*não prestativo*) désobligeant(-e); (*inútil*) inutilisable.

imprevisível [ĩprɐvi'zivɛɫ] (*pl* **-eis** [-ɐiʃ]) *adj* imprévisible.

imprevisto, ta [ĩprɐ'viʃtu, -tɐ] *adj* imprévu(-e). ◆ *m* imprévu *m*.

imprimir [ĩpri'mir] *vt* imprimer.

impróprio, pria [ĩ'prɔpriu, -priɐ] *adj* : ~ **para beber** non potable; ~ **para comer** impropre à la consommation; ~ **para morar** insalubre.

improvável [ĩpru'vavɛɫ] (*pl* **-eis** [-ɐiʃ]) *adj* improbable.

improvisar [ĩpruvi'zar] *vt & vi* improviser.

improviso [ĩpru'vizu] *m* improvisation *f*; **de** ~ à l'improviste.

imprudente [ĩmpru'ðẽntə] *adj* imprudent(-e).

impulsionar [ĩmpuɫsju'nar] *vt* stimuler.

impulsivo, va [ĩmpuɫ'sivu, -və] *adj* impulsif(-ive).

impulso [ĩm'puɫsu] *m (incitamento)* impulsion *f*; *(Port: de chamada telefónica)* unité *f*.

impune [ĩm'punə] *adj* impuni(-e).

impureza [ĩmpu'rezə] *f* impureté *f*.

impuro, ra [ĩm'puru, -rə] *adj* impur(-e).

imundície [imũn'disjə] *f (sujidade)* crasse *f*; *(lixo)* immondices *fpl*.

imune [i'munə] *adj* : ~ **a** *(a doença)* immunisé(-e) contre; *(a ataques)* insensible à.

inábil [i'nabiɫ] *(pl* **-beis** [-ɓeiʃ]) *adj* malhabile.

inabitado, da [inəbi'taðu, -ðə] *adj* inhabité(-e).

inacabado, da [inəkɐ'ɓaðu, -ðə] *adj* inachevé(-e).

inaceitável [inɐsei'tavɛɫ] *(pl* **-eis** [-ɐiʃ]) *adj* inacceptable.

inacessível [inɐsɐ'sivɛɫ] *(pl* **-eis** [-ɐiʃ]) *adj* inaccessible.

inacreditável [inɐkrəði'tavɛɫ] *(pl* **-eis** [-ɐiʃ]) *adj* incroyable.

inactividade [inɐtɐvi'ðaðə] *f (Port)* inactivité *f*.

inactivo, va [ina'tivu, -və] *adj (Port: máquina)* à l'arrêt; *(vulcão)* éteint(-e); *(pessoa)* inactif(-ive).

inadequado, da [inɐðə'kwaðu, -ðə] *adj* inadéquat(-e).

inadiável [inɐ'ðjavɛɫ] *(pl* **-eis** [-ɐiʃ]) *adj (problema)* urgent(-e); *(encontro, reunião)* qui ne peut être reporté(-e).

inadvertido, da [inɐðvər'tiðu, -ðə] *adj* involontaire.

inalador [inɐlɐ'ðor] *(pl* **-es** [-əʃ]) *m* inhalateur *m*.

inalar [inɐ'lar] *vt* inhaler.

inalcançável [inaɫkɐ̃'savɛɫ] *(pl* **-eis** [-ɐiʃ]) *adj* inaccessible.

inanimado, da [inɐni'maðu, -ðə] *adj* inanimé(-e).

inaptidão [inɐpti'ðɐ̃u] *f* inaptitude *f*.

inapto, pta [i'naptu, -ptə] *adj* inapte.

inarticulado, da [inɐrtiku'laðu, -ðə] *adj* inarticulé(-e).

INATEL [ina'tɛɫ] *m (Port) (abrev de* Instituto Nacional de Tempos Livres) *centre de loisirs national*.

inatingível [inɐtĩ'ʒivɛɫ] *(pl* **-eis** [-ɐiʃ]) *adj* inaccessible.

inatividade [inɐtʃivi'dadʒi] *f (Br)* = **inactividade**.

inato, ta ['inatu, -tə] *adj* inné(-e).

inauguração [inauguɾɐ'sɐ̃u] *(pl* **-ões** [-õiʃ]) *f* inauguration *f*.

inaugurar [inaugu'rar] *vt* inaugurer.

incansável [ĩŋkɐ̃'savɛɫ] *(pl* **-eis** [-ɐiʃ]) *adj* infatigable.

incapacidade [ĩŋkɐpɐsi'ðaðə] *f* incapacité *f*.

incapaz [ĩŋkɐ'paʃ] *(pl* **-es** [-zəʃ]) *adj* incapable.

incendiar [ĩsẽn'djar] *vt* mettre le feu à.
❑ **incendiar-se** *vp* prendre feu.

incêndio [ĩ'sẽndju] *m* incendie *m*.

incenso [ĩ'sẽsu] *m* encens *m*.

incentivar [ĩsẽnti'var] *vt* encourager.

incentivo [ĩsẽn'tivu] *m* encouragement *m*; *(dinheiro)* prime *f*.

incerteza [ĩsər'tezə] *f* incertitude *f*; **ficar na** ~ être perplexe.

incerto, ta [ĩ'sɛrtu, -tə] *adj* incertain(-e).

incesto [ĩ'sɛʃtu] *m* inceste *m*.

inchaço [ĩ'ʃasu] *m* boursouflure *f*.

inchado, da [ĩ'ʃaðu, -ðɐ] *adj (tumefacto)* enflé(-e); *(fig: envaidecido)* infatué(-e).

inchar [ĩ'ʃar] *vi* enfler.

incidência [ĩsi'ðẽsjɐ] *f* incidence *f*.

incidente [ĩsi'ðẽntɐ] *m* incident *m*.

incineração [ĩsinɐre'sẽu] *(pl -ões* [-õiʃ]) *f* incinération *f*.

incisivo, va [ĩsi'zivu, -vɐ] *adj* incisif(-ive). ◆ *m* incisive *f*.

incitar [ĩsi'tar] *vt* inciter.

inclemente [ĩŋklɐ'mẽntɐ] *adj* sévère.

inclinação [ĩŋklinɐ'sẽu] *(pl -ões* [-õiʃ]) *f (de objecto, linha, edificio)* inclinaison *f*; *(fig: propensão)* inclination *f*, penchant *m*.

inclinado, da [ĩŋkli'naðu, -ðɐ] *adj* incliné(-e).

inclinar [ĩŋkli'nar] *vt* incliner. ❑ **inclinar-se** *vp* s'incliner.

incluir [ĩŋklu'ir] *vt* inclure; *(conter)* comprendre.

inclusivamente [ĩŋklu‚zivɐ'mẽntɐ] *adv* même.

inclusive [ĩŋklu'zivɛ] *adv* y compris.

incoerente [ĩŋkwe'rẽntɐ] *adj* incohérent(-e).

incógnita [ĩŋ'kɔgnitɐ] *f* inconnue *f*.

incógnito, ta [ĩ'kɔgnitu, -tɐ] *adj* inconnu(-e).

incolor [ĩŋku'lor] *(pl -es* [-əʃ]) *adj* incolore.

incomodar [ĩŋkumu'ðar] *vt (importunar)* déranger; *(afligir)* affecter; **'não ~'** 'ne pas déranger'. ❑ **incomodar-se** *vp* s'inquiéter; **incomoda-se se eu fumar?** cela vous dérange si je fume?

incómodo, da [ĩŋ'kɔmuðu, -ðɐ] *adj (Port)* pas confortable. ◆ *m (Port)* dérangement *m*.

incômodo, da [ĩŋ'komodu, -dɐ] *adj & m (Br)* = **incómodo**.

incomparável [ĩŋkõmpɐ'ravɛɫ] *(pl -eis* [-ɛiʃ]) *adj* incomparable.

incompatível [ĩŋkõmpɐ'tivɛɫ] *(pl -eis* [-ɛiʃ]) *adj* incompatible.

incompetente [ĩŋkõmpɐ'tẽntɐ] *adj & mf* incompétent(-e).

incompleto, ta [ĩŋkõm'plɛtu, -tɐ] *adj* incomplet(-ète).

incomum [ĩŋku'mũ] *(pl -ns* [-ʃ]) *adj* hors du commun.

incomunicável [ĩŋkumuni'kavɛɫ] *(pl -eis* [-ɛiʃ]) *adj (isolado)* injoignable; *(bens)* intransmissible.

incomuns → **incomum**.

inconcebível [ĩŋkõsɐ'ðivɛɫ] *(pl -eis* [-ɛiʃ]) *adj* inconcevable.

incondicional [ĩŋkõndəsju'naɫ] *(pl -ais* [-aiʃ]) *adj (proposta, contrato)* sans condition; *(apoio, rendição, partidário)* inconditionnel(-elle).

inconformado, da [ĩŋkõfur'maðu, -ðɐ] *adj* : **estar ~** ne pas se faire à l'idée de.

inconfundível [ĩŋkõfũn'divɛɫ] *(pl -eis* [-ɛiʃ]) *adj (voz, cheiro)* caractéristique; *(casa, rua)* facilement repérable.

inconsciência [ĩŋkõʃ'sjẽsjɐ] *f* inconscience *f*.

inconsciente [ĩŋkõʃ'sjẽntɐ] *adj* inconscient(-e). ◆ *m* inconscient *m*.

incontestável [ĩŋkõntəʃ'tavɛɫ] *(pl -eis* [-ɛiʃ]) *adj* incontestable.

inconveniência [ĩŋkõvɐ'njẽsjɐ] *f (problema, desvantagem)* inconvénient *m*; *(grosseria)* grossièreté *f*.

inconveniente [ĩŋkõvɐ'njẽntɐ] *adj (pessoa)* grossier(-ère); *(assunto)* déplacé(-e). ◆ *m* inconvénient *m*; **não ver ~ em que** ne pas voir d'inconvénient à ce que.

incorporar [ĩŋkurpu'rar] *vt (unir)* ajouter; *(juntar)* incorporer.

incorrecto, ta [īŋkuˈʀɛtu, -tɐ] *adj (Port)* incorrect(-e).

incorreto, ta [īŋkoˈxɛtu, -tɐ] *adj (Br)* = incorrecto.

incorrigível [īŋkuʀəˈʒivɛł] *(pl -eis* [-ɐiʃ]*) adj* incorrigible.

incrédulo, la [īŋˈkɾɛðulu, -lɐ] *adj* incrédule.

incrível [īŋˈkɾivɛł] *(pl -eis* [-ɐiʃ]*) adj* incroyable; *(pessoa)* étonnant(-e); *(lugar, espectáculo, paisagem)* fantastique.

incubadora [īŋkubɐˈðoɾɐ] *f* couveuse *f*.

inculto, ta [īŋˈkułtu, -tɐ] *adj* inculte.

incumbir [īŋkūmˈbir] *vt* : ~ **alguém de fazer algo** charger qqn de faire qqch.
❑ **incumbir a** *v + prep* : ~ **a alguém fazer algo** être à qqn de faire qqch.
❑ **incumbir-se de** *vp + prep* : ~-**se de fazer algo** se charger de faire qqch.

incurável [īŋkuˈravɛł] *(pl -eis* [-ɐiʃ]*) adj* incurable.

indagar [īdɐˈgar] *vi* rechercher.

indecente [īdɐˈsēntɐ] *adj* indécent(-e).

indecisão [īdɐsiˈzɐu] *(pl -ões* [-õiʃ]*) f* indécision *f*.

indeciso, sa [īdɐˈsizu, -zɐ] *adj* indécis(-e); **estar ~** hésiter.

indecisões → indecisão.

indecoroso, osa [īdɐkuˈrozo, -ɔzɐ] *adj* indécent(-e).

indefeso, sa [īdɐˈfezu, -zɐ] *adj* sans défense.

indefinido, da [īdɐfɐˈniðu, -ðɐ] *adj (prazo)* indéterminé(-e); *(GRAM)* indéfini(-e).

indelicado, da [īdɐliˈkaðu, -ðɐ] *adj* impoli(-e).

indemnização [īdɐmniˈzɐˈsɐu] *(pl -ões* [-õiʃ]*) f (Port)* indemnisation *f*; *(pagamento)* indemnité *f*; **~ por perdas e danos** dommages et intérêts.

indemnizar [īdɐmniˈzar] *vt (Port)* indemniser.

indenizar [īdeniˈzax] *vt (Br)* = indemnizar.

independência [īdɐpēnˈdēsjɐ] *f* indépendance *f*.

independente [īdɐpēnˈdēntɐ] *adj* indépendant(-e).

independentemente [īdɐpēnˌdēntɐˈmēntɐ]: **independentemente de** *prep* indépendamment de.

indescritível [īdɐʃkriˈtivɛł] *(pl -eis* [-ɐiʃ]*) adj* indescriptible.

indesejável [īdɐzɐˈʒavɛł] *(pl -eis* [-ɐiʃ]*) adj (pessoa)* indésirable; *(situação)* gênant(-e).

indestrutível [īdɐʃtruˈtivɛł] *(pl -eis* [-ɐiʃ]*) adj (construção)* indestructible; *(fig: argumento)* irréfutable.

indeterminado, da [īdɐtɐrmiˈnaðu, -ðɐ] *adj* indéterminé(-e).

indevido, da [īdɐˈviðu, -ðɐ] *adj (comportamento)* déplacé(-e); *(hora)* indu(-e).

Índia [īdjɐ] *f* : **a ~** l'Inde *f*.

indiano, na [īˈdjɐnu, -nɐ] *adj* indien(-enne). ◆ *m, f* Indien *m* (-enne *f*) *(d'Inde)*.

indicação [īdikɐˈsɐu] *(pl -ões* [-õiʃ]*) f* indication *f*.

indicador [īdikɐˈðor] *(pl -es* [-əʃ]*) m (dedo)* index *m*; *(de temperatura, conta-quilómetros)* indicateur *m*.

indicar [īdiˈkar] *vt* indiquer.

indicativo, va [īdikɐˈtivu, -vɐ] *adj* indicatif(-ive). ◆ *m* indicatif *m*.

índice [īdisɐ] *m (em livro)* table *f* des matières; *(por ordem alfabética, dedo)* index *m*; *(nível)* indice *m*; **~ de inflação** taux *m* d'inflation.

indiferença [īdifɐˈʀēsɐ] *f* indifférence *f*.

indiferente [ĩndifəˈrẽntə] *adj* indifférent(-e); **é-me ~** ça m'est égal.

indígena [ĩnˈdiʒənə] *adj & mf* indigène.

indigestão [ĩndiʒəˈʃtẽu] *f* indigestion *f*.

indigesto, ta [ĩndiˈʒɛʃtu, -tɐ] *adj* indigeste.

indignação [ĩndignɐˈsẽu] (*pl* -ões [-õiʃ]) *f* indignation *f*.

indigno, gna [ĩnˈdignu, -gnɐ] *adj* indigne.

índio, dia [ĩndju, -djɐ] *adj* indien(-enne). ◆ *m, f* Indien *m* (-enne *f*) (*d'Amérique*).

indirecta [ĩndiˈrɛtɐ] *f* (*Port: fig*) sous-entendu *m*; **mandar uma ~** (*criticar*) lancer une pique; (*insinuar*) faire une allusion.

indirecto, ta [ĩndiˈrɛtu, -tɐ] *adj* (*Port*) indirect(-e).

indireto, ta [ĩndʒiˈrɛtu, -tɐ] *adj* (*Br*) = **indirecto**.

indisciplinado, da [ĩndəʃsipliˈnaðu, -ðɐ] *adj* indiscipliné(-e).

indiscreto, ta [ĩndəʃˈkrɛtu, -tɐ] *adj* indiscret(-ète).

indiscutível [ĩndəʃkuˈtivɛł] (*pl* -eis [-ɐiʃ]) *adj* indiscutable.

indispensável [ĩndəʃpẽˈsavɛł] (*pl* -eis [-ɐiʃ]) *adj* indispensable. ◆ *m* : **o ~** l'indispensable *m*.

indisposição [ĩndəʃpuziˈsẽu] (*pl* -ões [-õiʃ]) *f* malaise *m*.

indisposto, osta [ĩndəʃˈpoʃtu, -ɔʃtɐ] *adj* indisposé(-e).

indistinto, ta [ĩndəʃˈtĩntu, -tɐ] *adj* indistinct(-e).

individual [ĩndɐviˈðwał] (*pl* -ais [-aiʃ]) *adj* individuel(-elle).

indivíduo [ĩndɐˈviðwu] *m* (*pessoa*) individu *m*; (*fam : homem*) type *m*.

índole [ĩndulə] *f* nature *f* (*caractère*).

indolor [ĩnduˈlor] (*pl* -es [-əʃ]) *adj* indolore.

Indonésia [ĩndɔˈnɛzjɐ] *f* : **a ~** l'Indonésie *f*.

indulgência [ĩnduɫˈʒẽsjɐ] *f* indulgence *f*.

indulgente [ĩnduɫˈʒẽntɐ] *adj* indulgent(-e).

indumentária [ĩndumẽnˈtarjɐ] *f* (*pej*) accoutrement *m*.

indústria [ĩnˈduʃtriɐ] *f* industrie *f*.

induzir [ĩnduˈzir] *vt* : **~ alguém a fazer algo** pousser qqn à faire qqch; **~ alguém em erro** induire qqn en erreur.

inédito, ta [iˈnɛðitu, -tɐ] *adj* (*filme, peça de teatro, livro*) inédit(-e); (*acontecimento*) inouï(-e).

ineficaz [inɐfiˈkaʃ] (*pl* -es [-zəʃ]) *adj* inefficace.

inegável [inɐˈgavɛł] (*pl* -eis [-ɐiʃ]) *adj* indéniable.

inércia [iˈnɛrsjɐ] *f* inertie *f*.

inerte [iˈnɛrtɐ] *adj* inerte.

inesgotável [inɐʒguˈtavɛł] (*pl* -eis [-ɐiʃ]) *adj* inépuisable.

inesperado, da [inɐʃpɐˈraðu, -ðɐ] *adj* inattendu(-e).

inesquecível [inɐʃkɛˈsivɛł] (*pl* -eis [-ɐiʃ]) *adj* inoubliable.

inestimável [inɐʃtiˈmavɛł] (*pl* -eis [-ɐiʃ]) *adj* inestimable.

inevitável [inɐviˈtavɛł] (*pl* -eis [-ɐiʃ]) *adj* inévitable.

inexistência [inɐziʃˈtẽsjɐ] *f* inexistence *f*.

inexperiência [inɐʃpɐˈrjẽsjɐ] *f* inexpérience *f*, manque *m* d'expérience.

inexperiente [inɐʃpɐˈrjẽntɐ] *adj* (*sem experiência*) inexpérimenté(-e); (*fig: inocente*) novice.

infalível [ĩfɐˈlivɛł] (*pl* -eis [-ɐiʃ]) *adj* (*método, sistema, plano*) infaillible; (*inevitável*) garanti(-e).

infâmia [ĩˈfɐmjɐ] *f* calomnie *f*.

infância [ĩˈfɐ̃sjɐ] *f* enfance *f*.

infantário [ĩfẽnˈtarju] *m* (*Port*) crèche *f*.

infantil [ĩfẽn'tił] (pl **-is** [-iʃ]) adj
(literatura, programa) pour en-
fants; (pej: imaturo) infantile;
(jogo, linguagem) enfantin(-e).

infecção [ĩfɛ'sẽu] (pl **-ões** [-õiʃ])
f infection f.

infeccioso, osa [ĩfɛ'sjozu, -ɔzɐ]
adj infectieux(-euse).

infecções → infecção.

infectado, da [ĩfɛ'taðu, -ðɐ]
adj infecté(-e).

infectar [ĩfɛ'tar] vt infecter.

infelicidade [ĩfəlisi'ðaðə] f
malheur m; mas que ~! quel malheur!; tive a ~ de j'ai eu le malheur de.

infeliz [ĩfə'liʃ] (pl **-es** [-zəʃ]) adj &
mf malheureux(-euse); ser ~ être
malheureux.

infelizmente [ĩfəliʒ'mẽntə]
adv malheureusement.

inferior [ĩfə'rjor] (pl **-es** [-əʃ]) adj
inférieur(-e); um número ~ de
moins de; piso OU andar ~ étage
du dessous.

inferno [ĩfɛrnu] m : o Inferno
l'enfer m; isto é um ~! c'est l'enfer!; vá para o ~! (fam) allez au
diable!

infestar [ĩfəʃ'tar] vt infester.

infiel [ĩ'fjɛł] (pl **-éis** [-ɛiʃ]) adj infidèle.

infiltrar-se [ĩfił'trarsə] vp s'infiltrer.

ínfimo, ma [ĩfimu, -mɐ] adj
(muito pequeno) infime; (fig: reles,
sem importância) misérable.

infindável [ĩfĩn'davɛł] (pl **-eis**
[-ɐiʃ]) adj interminable.

infinidade [ĩfəni'ðaðə] f infinité f.

infinitivo [ĩfəni'tivu] m infinitif
m.

infinito, ta [ĩfə'nitu, -tɐ] adj
infini(-e). ◆ m infini m.

inflação [ĩfla'sẽu] f inflation f.

inflamação [ĩflɐmɐ'sẽu] (pl
-ões [-õiʃ]) f inflammation f.

inflamado, da [ĩflɐ'maðu, -ðɐ]
adj enflammé(-e).

inflamar [ĩflɐ'mar] vt enflammer.

inflamável [ĩflɐ'mavɛł] (pl **-eis**
[-ɐiʃ]) adj inflammable; '**inflamável**' 'inflammable'.

inflexível [ĩflɛk'sivɛł] (pl **-eis**
[-ɐiʃ]) adj inflexible.

influência [ĩflu'ẽsjɐ] f influence
f; ter ~ avoir de l'influence.

influente [ĩflu'ẽntɐ] adj in-
fluent(-e).

influir [ĩflu'ir]: influir em v +
prep influer sur.

informação [ĩfurmɐ'sẽu] (pl
-ões [-õiʃ]) f information f.
❑ **informações** fpl renseigne-
ments mpl; '**informações**' 'informations'.

informal [ĩfur'mał] (pl **-ais**
[-aiʃ]) adj (linguagem) courant(-e);
(roupa) décontracté(-e).

informar [ĩfur'mar] vt informer;
~ alguém de OU sobre algo informer qqn de OU au sujet de qqch.
❑ **informar-se** vp s'informer;
~-se sobre se renseigner sur.

informática [ĩfur'matikɐ] f
informatique f.

informativo, va [ĩfurmɐ'tivu,
-vɐ] adj d'information.

informatizar [ĩfurmɐti'zar] vt
informatiser.

infortúnio [ĩfur'tunju] m malheur m.

infração [ĩfra'sẽu] (pl **-ões** [-õiʃ])
f (Br) = infracção f.

infracção [ĩfra'sẽu] (pl **-ões**
[-õiʃ]) f (Port) infraction f.

infrações → infração.

infractor, ra [ĩfra'tor, -rɐ] (mpl
-es [-əʃ], fpl **-s** [-ʃ]) m, f (Port)
contrevenant m (-e f).

infrator, ra [ĩfra'tox, -rɐ] (mpl
-es [-iʃ], fpl **-s** [-ʃ]) m, f (Br) = infractor.

infravermelho, lha [ĩfrɐ-
vɐr'mɐʎu, -ʎɐ] adj infrarouge.

infringir [ĩfrĩ'ʒir] *vt* enfreindre.

infrutífero, ra [ĩfru'tifəru, -rɐ] *adj* infructueux(-euse).

infundado, da [ĩfũn'dadu, -dɐ] *adj* infondé(-e).

ingenuidade [ĩʒɐnwi'dadə] *f* naïveté *f*.

ingénuo, nua [ĩ'ʒɛnwu, -nwɐ] *adj & m, f* naïf (naïve).

ingerir [ĩʒə'rir] *vt* absorber.

Inglaterra [ĩɡlɐ'tɛʀɐ] *f*: **a ~** l'Angleterre *f*.

inglês, esa [ĩ'ɡleʃ, -ezɐ] (*mpl* **-eses** [-ezəʃ], *fpl* **-s** [-ʃ]) *adj* anglais(-e). ◆ *m, f* Anglais *m* (-e *f*). ◆ *m (língua)* anglais *m*; **para ~ ver** en mettre plein la vue.

ingratidão [ĩɡrɐti'dɐ̃u] *f* ingratitude *f*.

ingrato, ta [ĩ'ɡratu, -tɐ] *adj* ingrat(-e).

ingrediente [ĩɡrɐ'djẽntə] *m* ingrédient *m*.

íngreme [ĩɡrəmə] *adj (rua, encosta)* escarpé(-e); *(escadas)* raide; *(encosta)* abrupt(-e).

ingresso [ĩ'ɡrɛsu] *m* entrée *f*; *(admissão)* admission *f*.

inhame [i'ɲɛmə] *m* igname *f*.

inibição [inəbi'sɐ̃u] (*pl* **-ões** [-õiʃ]) *f* timidité *f*.

inibido, da [inə'bidu, -dɐ] *adj* timide.

inicial [ini'sjaɫ] (*pl* **-ais** [-aiʃ]) *adj* initial(-e). ◆ *f* initiale *f*.

iniciar [ini'sjar] *vt* commencer; **~ alguém em algo** initier qqn à qqch.

❏ **iniciar-se** *vp* commencer; **~-se em** débuter dans.

iniciativa [inisjɐ'tivɐ] *f* initiative *f*; **ter ~** avoir de l'initiative.

início [i'nisju] *m* début *m*; **no ~** au début; **desde o ~** depuis le début.

inimigo, ga [inə'miɡu, -ɡɐ] *adj & m, f* ennemi(-e).

ininterruptamente [inĩtəʀuptɐ'mẽntə] *adv* sans arrêt.

injeção [ĩʒe'sɐ̃u] (*pl* **-ões** [-õiʃ]) *f (Br)* = **injecção**.

injecção [ĩʒe'sɐ̃u] (*pl* **-ões** [-õiʃ]) *f (Port: MED)* piqûre *f*; **dar uma ~** faire une piqûre.

injeções → **injeção**.

injectar [ĩʒe'tar] *vt (Port)* injecter.

❏ **injectar-se** *vp (Port: fam)* se piquer *(se droguer)*.

injetar [ĩʒe'tax] *vt (Br)* = **injectar**.

injúria [ĩ'ʒurjɐ] *f* injure *f*.

injuriar [ĩʒu'rjar] *vt* injurier.

injustiça [ĩʒuʃ'tisɐ] *f* injustice *f*.

injusto, ta [ĩ'ʒuʃtu, -tɐ] *adj* injuste.

inocência [inu'sẽsjɐ] *f* innocence *f*.

inocentar [inusẽn'tar] *vt*: **~ alguém (de algo)** innocenter qqn (de qqch).

inocente [inu'sẽntə] *adj* innocent(-e); **ser** OU **estar ~** être innocent.

inoculação [inɔkulɐ'sɐ̃u] (*pl* **-ões** [-õiʃ]) *f* inoculation *f*.

inócuo, cua [i'nɔkwu, -kwɐ] *adj* inoffensif(-ive).

inofensivo, va [inufẽ'sivu, -vɐ] *adj* inoffensif(-ive).

inoportuno, na [inupur'tunu, -nɐ] *adj* importun(-e).

inovação [inuve'sɐ̃u] (*pl* **-ões** [-õiʃ]) *f* innovation *f*.

inox [i'nɔksə] *m* Inox® *m*.

inoxidável [inɔksi'davɛɫ] (*pl* **-eis** [-ɐiʃ]) *adj* inoxydable.

inquérito [ĩ'kɛritu] *m* enquête *f*.

inquietação [ĩŋkjɛtɐ'sɐ̃u] *f (agitação)* agitation *f*; *(preocupação)* inquiétude *f*.

inquietante [ĩŋkjɛ'tẽntə] *adj* inquiétant(-e).

inquilino, na [ĩŋkə'linu, -nɐ] *m, f* locataire *mf*.

insaciável [ĩsɐ'sjavɛɫ] (*pl* **-eis** [-ɐiʃ]) *adj* insatiable.

insalubre [ĩsɐ'luɓrə] *adj* insalubre.

insanidade [ĩsɐni'ðaðə] *f* insanité *f (mentale)*.

insatisfação [ĩsɐtɐʃfɐ'sɐ̃u] (*pl* **-ões** [-õiʃ]) *f* insatisfaction *f*.

insatisfatório, ria [ĩsɐtɐʃfɐ'tɔrju, -rjɐ] *adj* insatisfaisant(-e).

insatisfeito, ta [ĩsɐtɐʃ'fɐitu, -tɐ] *adj* insatisfait(-e).

inscrever [ĩʃkrə'veɾ] *vt* inscrire; ~ **alguém em algo** inscrire qqn à qqch.
❑ **inscrever-se** *vp* : ~**-se em** s'inscrire à.

inscrição [ĩʃkri'sɐ̃u] (*pl* **-ões** [-õiʃ]) *f* inscription *f*.

insecticida [ĩsɛti'siðɐ] *m (Port)* insecticide *f*.

insecto [ĩ'sɛtu] *m (Port)* insecte *m*.

insegurança [ĩsəgu'rɐ̃sɐ] *f* insécurité *f*.

inseguro, ra [ĩsə'guru, -rɐ] *adj* : **ele é** ~ il n'est pas sûr de lui.

inseminação [ĩsəmine'sɐ̃u] (*pl* **-ões** [-õiʃ]) *f* : ~ **(artificial)** insémination *f* (artificielle).

insensato, ta [ĩsẽ'satu, -tɐ] *adj (pessoa)* pas raisonnable; *(decisão, comportamento)* insensé(-e).

insensibilidade [ĩsẽsəbeli'ðaðə] *f* insensibilité *f*.

insensível [ĩsẽ'sivɛɫ] (*pl* **-eis** [-ɐiʃ]) *adj (pessoa)* insensible; *(dedos)* engourdi(-e).

inseparável [ĩsəpə'ravɛɫ] (*pl* **-eis** [-ɐiʃ]) *adj* inséparable.

inserir [ĩsə'rir] *vt (colocar)* introduire; *(INFORM: disquete)* insérer.
❑ **inserir-se em** *vp + prep* s'intégrer à.

inseto [ĩ'sɛtu] *m (Br)* = **insecto**.

insidioso, osa [ĩsi'ðjozu, -ɔzɛ] *adj (pessoa)* sournois(-e); *(comportamento, resposta)* insidieux (-euse).

insígnia [ĩ'signjɐ] *f* insigne *f*.

insignificante [ĩsignɐfi'kẽtɐ] *adj* insignifiant(-e).

insincero, ra [ĩsĩ'sɛru, -rɐ] *adj* hypocrite.

insinuar [ĩsi'nwar] *vt* insinuer.

insípido, da [ĩ'sipiðu, -ðɐ] *adj* insipide.

insistência [ĩsiʃ'tẽsjɐ] *f* insistance *f*.

insistente [ĩsiʃ'tẽtɐ] *adj* insistant(-e).

insistir [ĩsiʃ'tir] *vi* insister; ~ **com alguém** insister auprès de qqn; ~ **em fazer algo** insister pour faire qqch.

insociável [ĩsu'sjavɛɫ] (*pl* **-eis** [-ɐiʃ]) *adj* peu sociable.

insolação [ĩsulɐ'sɐ̃u] (*pl* **-ões** [-õiʃ]) *f* insolation *f*.

insolente [ĩsu'lẽtɐ] *adj & mf* insolent(-e).

insólito, ta [ĩ'sɔlitu, -tɐ] *adj (acontecimento)* insolite; *(pessoa)* original(-e).

insónia [ĩ'sɔnjɐ] *f (Port)* insomnie *f*.

insônia [ĩ'sɔnjɐ] *f (Br)* = **insónia**.

insosso, a [ĩ'sosu, -ɐ] *adj* fade.

inspeção [ĩʃpe'sɐ̃u] (*pl* **-ões** [-õiʃ]) *f (Br)* = **inspecção**.

inspecção [ĩʃpɛ'sɐ̃u] (*pl* **-ões** [-õiʃ]) *f (Port: vistoria)* inspection *f*; *(de carro)* contrôle *m* technique.

inspeccionar [ĩʃpɛsju'nar] *vt (Port: revistar)* inspecter.

inspecções → **inspecção**.

inspeções → **inspeção**.

inspector, ra [ĩʃpɛ'tor, -rɐ] (*mpl* **-es** [-əʃ], *fpl* **-s** [-ʃ]) *m, f (Port)* inspecteur *m* (-trice *f*).

inspetor, ra [ĩʃpe'tox, -rɐ] (*mpl* **-es** [-iʃ], *fpl* **-s** [-ʃ]) *m, f (Br)* = **inspector**.

inspiração [ĩʃpire'sẽu] (pl -ões [-õiʃ]) f inspiration f.

inspirador, ra [ĩʃpire'ɗor, -rɐ] (mpl -es [-əʃ], fpl -s [-ʃ]) adj inspirateur(-trice).

inspirar [ĩʃpi'rar] vt inspirer.

instabilidade [ĩʃteɓəli'ɗaɗə] f instabilité f.

instalação [ĩʃtele'sẽu] (pl -ões [-õiʃ]) f installation f; ~ **eléctrica** installation électrique.

❑ **instalações** fpl locaux mpl.

instalar [ĩʃte'lar] vt installer.

❑ **instalar-se** vp s'installer.

instantâneo, nea [ĩʃtẽn'tenju, -njɐ] adj instantané(-e). ◆ m cliché m.

instante [ĩʃ'tẽntə] m instant m; **um ~!** un instant!; **dentro de ~s** dans un instant; **de um ~ para o outro** d'un seul coup; **nesse ~** aussitôt; **num ~** en un instant; **por ~s** par moments; **a todo o ~** à tout instant.

instintivo, va [ĩʃtĩn'tivu, -vɐ] adj instinctif(-ive).

instinto [ĩʃ'tĩntu] m instinct m.

instituição [ĩʃtitwi'sẽu] (pl -ões [-õiʃ]) f institution f.

instituto [ĩʃti'tutu] m institut m; ~ **de beleza** institut de beauté; ~ **de línguas** école f de langues.

instrução [ĩʃtru'sẽu] (pl -ões [-õiʃ]) f instruction f; **'instruções'** 'mode d'emploi'.

instruir [ĩʃtru'ir] vt instruire.

instrumental [ĩʃtrumẽn'taɫ] (pl -ais [-aiʃ]) adj instrumental(-e).

instrumento [ĩʃtru'mẽntu] m instrument m.

instrutivo, va [ĩʃtru'tivu, -vɐ] adj instructif(-ive).

instrutor, ra [ĩʃtru'tor, -rɐ] (mpl -es [-əʃ], fpl -s [-ʃ]) m, f (de tropa) instructeur m; (de condução) moniteur m (-trice f) d'auto-école.

insubordinação [ĩsuɓur-

dine'sẽu] (pl -ões [-õiʃ]) f (mau comportamento) indiscipline f; (rebelião) insubordination f.

insubstituível [ĩsuɓʃti'twivɛɫ] (pl -eis [-ɐiʃ]) adj irremplaçable.

insucesso [ĩsu'sɛsu] m échec m; ~ **escolar** échec scolaire.

insuficiência [ĩsufə'sjẽsjɐ] f insuffisance f; ~ **cardíaca** insuffisance cardiaque.

insuficiente [ĩsufə'sjẽntɐ] adj insuffisant(-e). ◆ m (EDUC) mention f insuffisant.

insuflável [ĩsu'flavɛɫ] (pl -eis [-ɐiʃ]) adj gonflable.

insulina [ĩsu'linɐ] f insuline f.

insultar [ĩsuɫ'tar] vt insulter.

insuperável [ĩsupə'ravɛɫ] (pl -eis [-ɐiʃ]) adj insurmontable.

insuportável [ĩsupur'tavɛɫ] (pl -eis [-ɐiʃ]) adj insupportable.

intacto, ta [ĩn'ta(k)tu, -tɐ] adj (Port) intact(-e).

intato, ta [ĩn'tatu, -tɐ] adj (Br) = intacto.

íntegra [ĩntɐgrɐ] f: **na ~** intégralement.

integral [ĩntɐ'graɫ] (pl -ais [-aiʃ]) adj (total) intégral(-e); (pão, arroz) complet(-ète).

integrar [ĩntɐ'grar] vt intégrer.

❑ **integrar-se** vp s'intégrer.

integridade [ĩntɐgri'ɗaɗə] f intégrité f.

íntegro, gra [ĩntɐgru, -grɐ] adj intègre.

inteiramente [ĩn,tɐire'mẽntə] adv entièrement.

inteirar-se [ĩntɐi'rarsɐ]: **inteirar-se de** vp + prep (informar-se de) se renseigner sur; (descobrir) apprendre.

inteiro, ra [ĩn'tɐiru, -rɐ] adj entier(-ère); **o bolo ~** tout le gâteau; **a cidade inteira** toute la ville.

intelectual [ĩntɐlɛ'twaɫ] (pl -ais [-aiʃ]) adj & mf intellectuel(-elle).

inteligência [ĩntəli'ʒẽsjɐ] *f* intelligence *f*.

inteligente [ĩntəli'ʒẽntɐ] *adj* intelligent(-e).

intenção [ĩntẽ'sẽu] (*pl* -ões [-õiʃ]) *f* intention *f*; **ter ~ de fazer algo** avoir l'intention de faire qqch; **ter segundas intenções** avoir des arrière-pensées; **sem ~** sans le faire exprès; **com a** OU **na melhor das intenções** avec les meilleures intentions.

intensidade [ĩntẽsi'ɖaɖə] *f* intensité *f*.

intensivo, va [ĩntẽ'sivu, -vɐ] *adj* intensif(-ive).

intenso, sa [ĩn'tẽsu, -sɐ] *adj* intense.

interactivo, va [ĩntəra'tivu, -vɐ] *adj* intéractif(-ive).

intercâmbio [ĩntɛr'kẽmbju] *m* échange *m*.

interceder [ĩntərsə'ɖer] *vi* : **~ por alguém** intercéder en faveur de qqn.

interceptar [ĩntərsɛp'tar] *vt* intercepter.

interdição [ĩntərɖi'sẽu] (*pl* -ões [-õiʃ]) *f* interdiction *f*.

interditar [ĩntərɖi'tar] *vt* interdire.

interdito, ta [ĩntər'ɖitu, -tɐ] *adj* interdit(-e); **'~ a menores de 18'** 'interdit aux moins de 18 ans'.

interessado, da [ĩntərə'saɖu, -ɖɐ] *adj* intéressé(-e).

interessante [ĩntərə'sẽntɐ] *adj* intéressant(-e).

interessar [ĩntərə'sar] *vi* être intéressant(-e); **~ a alguém** intéresser qqn.

❑ **interessar-se por** *vp* + *prep* s'intéresser à.

interesse [ĩntə'resɐ] *m* intérêt *m*; **no ~ de** dans l'intérêt de; **por ~** par intérêt; **sem ~** sans intérêt.

interface [ĩntɛr'fasə] *f* interface *f*.

interferência [ĩntɛrfə'rẽsjɐ] *f* interférence *f*.

❑ **interferências** *fpl* interférences *fpl*.

interferir [ĩntɛrfə'rir]: **interferir em** *v* + *prep* intervenir dans.

interfone [ĩntɛr'fɔnə] *m* Interphone® *m*.

interior [ĩntə'rjor] (*pl* -es [-əʃ]) *adj* (*porta*) intérieur(-e); (*quarto*) aveugle. ◆ *m* intérieur *m*.

interjeição [ĩntərʒei'sẽu] (*pl* -ões [-õiʃ]) *f* interjection *f*.

interlocutor, ra [ĩntərluku'tor, -rɐ] (*mpl* -es [-əʃ], *fpl* -s [-ʃ]) *m, f* interlocuteur *m* (-trice *f*).

interlúdio [ĩntər'luɖju] *m* interlude *m*; (*pausa*) intermède *m*.

intermediário, ria [ĩntərmə'ɖjarju, -rjɐ] *m, f* intermédiaire *mf*.

intermédio [ĩntər'mɛɖju] *m* : **por ~ de** par l'intermédiaire de.

interminável [ĩntərmi'navɛɫ] (*pl* -eis [-ɐiʃ]) *adj* interminable.

intermitente [ĩntərmi'tẽntɐ] *adj* intermittent(-e).

internacional [ĩntərnɐsju'naɫ] (*pl* -ais [-aiʃ]) *adj* international(-e).

internar [ĩntər'nar] *vt* (MED) hospitaliser; (*doentes mentais*) interner.

internato [ĩntər'natu] *m* internat *m*.

Internet [ĩntɛr'nɛtə] *f* : **na ~** sur Internet.

interno, na [ĩn'tɛrnu, -nɐ] *adj* interne.

interpretação [ĩntərprətə'sẽu] (*pl* -ões [-õiʃ]) *f* interprétation *f*.

interpretar [ĩntərprə'tar] *vt* interpréter.

intérprete [ĩn'tɛrprətə] *mf* interprète *mf*.

inter-regional [ĩntɛrɐʒju'naɫ] (*pl* **inter-regionais** [ĩntɛrɐʒju'naiʃ]) *adj* → **comboio**.

interrogação [ĩntəruɡɐ'sẽu]

(*pl* **-ões** [-õiʃ]) *f* interrogation *f*; (*pergunta*) question *f*; (*interrogatório*) interrogatoire *m*.

interrogar [ĩntəʀu'gar] *vt* interroger.

interrupção [ĩntəʀup'sẽu] (*pl* **-ões** [-õiʃ]) *f* interruption *f*; **sem ~** sans interruption.

interruptor [ĩntəʀup'tor] (*pl* **-es** [-əʃ]) *m* interrupteur *m*.

interurbano, na [ˌĩntɛrur'βenu, -nɐ] *adj* interurbain(-e).

intervalo [ĩntər'valu] *m* (*de espectáculo*) entracte *m*; (*de programa*) pause *f*; (*de aula*) récréation *f*; (*em universidade*) interclasse *m*.

intervenção [ĩntərvẽ'sẽu] (*pl* **-ões** [-õiʃ]) *f* intervention *f*; **~ cirúrgica** intervention chirurgicale.

intervir [ĩntər'vir] *vi* (*participar*) participer; (*interferir*) intervenir; **~ em** (*interferir em*) intervenir dans; (*participar em*) participer à.

intestino [ĩntəʃ'tinu] *m* intestin *m*; **~ delgado** intestin grêle; **~ grosso** gros intestin.

intimar [ĩnti'mar] *vt* : **~ a comparecer** appeler à comparaître; **~ alguém a fazer algo** intimer à qqn de faire qqch.

intimidação [ĩntəmidɐ'sẽu] (*pl* **-ões** [-õiʃ]) *f* intimidation *f*.

intimidade [ĩntəmi'dadə] *f* intimité *f*.

intimidar [ĩntəmi'dar] *vt* intimider.
❏ **intimidar-se** *vp* être intimidé(-e).

íntimo, ma [ˈĩntimu, -mɐ] *adj* intime. ◆ *m* for *m* intérieur; **ser ~ de alguém** être un intime de qqn; **no ~** au fond.

intolerância [ĩntulə'rẽsjɐ] *f* intolérance *f*.

intolerante [ĩntulə'rẽtə] *adj* (*pessoa*) intolérant(-e); (*lei, atitude*) intransigeant(-e).

intoxicação [ĩntɔksikɐ'sẽu] (*pl* **-ões** [-õiʃ]) *f* intoxication *f*; **~ alimentar** intoxication alimentaire.

intransigente [ĩntrẽzi'ʒẽtə] *adj* intransigeant(-e).

intransitável [ĩntrẽzi'tavɛł] (*pl* **-eis** [-ɛiʃ]) *adj* impraticable.

intransitivo [ĩntrẽzi'tivu] *adj* *m* intransitif.

intransponível [ĩntrẽʃpu'nivɛł] (*pl* **-eis** [-ɛiʃ]) *adj* (*rio, obstáculo*) infranchissable; (*problema*) insurmontable.

intratável [ĩntre'tavɛł] (*pl* **-eis** [-ɛiʃ]) *adj* impossible.

intravenoso, osa [ĩntrɛvə'nozu, -ɔzɐ] *adj* intraveineux(-euse).

intrépido, da [ĩn'trɛpiðu, -ðɐ] *adj* intrépide.

intriga [ĩn'trigɐ] *f* intrigue *f*.

intrigante [ĩntri'gẽtə] *adj* intrigant(-e).

introdução [ĩntruðu'sẽu] (*pl* **-ões** [-õiʃ]) *f* introduction *f*; (*de dados*) saisie *f*; (*de tema*) présentation *f*.

introduzir [ĩntruðu'zir] *vt* (*inserir*) introduire; (*dados*) saisir.

intrometer-se [ĩntrumə'tersə]: **intrometer-se em** *vp* + *prep* se mêler de.

intrometido, da [ĩntrumɐ'ti-ðu, -ðɐ] *adj* indiscret(-ète).

intromissão [ĩntrumi'sẽu] (*pl* **-ões** [-õiʃ]) *f* intrusion *f*.

introvertido, da [ĩntrɔvər'ti-ðu, -ðɐ] *adj* renfermé(-e).

intruso, sa [ĩn'truzu, -zɐ] *m, f* intrus *m* (-e *f*).

intuição [ĩntwi'sẽu] (*pl* **-ões** [-õiʃ]) *f* intuition *f*; **por ~** par intuition.

intuito [ĩn'twitu] *m* objectif *m*; **com o ~ de fazer algo** dans le but de.

inumano, na [inu'menu, -nɐ] *adj* inhumain(-e).

inúmero, ra [i'numəru, -rɐ] *adj* : **inúmeras vezes** je ne sais combien de fois.

inundação [inūndɐ'sẽu] (*pl* -ões [-õiʃ]) *f* inondation *f*.

inundar [inūn'dar] *vt* inonder.

inútil [i'nutił] (*pl* -teis [-tɐiʃ]) *adj* inutile.

inutilmente [i,nutił'mēntə] *adv* inutilement.

invadir [ĩva'dir] *vt* envahir.

invalidez [ĩveli'deʃ] *f* invalidité *f*.

inválido, da [ĩ'validu, -dɐ] *adj & m,f* invalide.

invariável [ĩvɐ'rjavɛł] (*pl* -eis [-ɐiʃ]) *adj* invariable.

invasão [ĩva'zẽu] (*pl* -ões [-õiʃ]) *f* invasion *f*; (*de privacidade*) atteinte *f*.

inveja [ĩvɛ'ʒɐ] *f* envie *f*; **ter ~ de alguém** envier qqn.

invejoso, osa [ĩvɐ'ʒozu, -ɔzɐ] *adj* envieux(-euse).

invenção [ĩvẽ'sẽu] (*pl* -ões [-õiʃ]) *f* invention *f*.

inventar [ĩvẽn'tar] *vt* inventer.

inventário [ĩvẽn'tarju] *m* inventaire *m*.

inventor, ra [ĩvẽn'tor, -rɐ] (*mpl* -es [-əʃ], *fpl* -s [-ʃ]) *m, f* inventeur *m* (-trice *f*).

Inverno [ĩ'vɛrnu] *m* hiver *m*; **no ~** en hiver.

inverosímil [ĩvɐru'zimił] (*pl* -meis [-mɐiʃ]) *adj* (*Port*) invraisemblable.

inverossímil [ĩveru'simiu] (*pl* -meis [-mɐiʃ]) *adj* (*Br*) = **inverosímil**.

inversão [ĩvɐr'sẽu] (*pl* -ões [-õiʃ]) *f* (*troca*) inversion *f*; (*mudança*) changement *m*; **~ de marcha** demi-tour *m*.

inverso, sa [ĩ'vɛrsu, -sɐ] *adj* inverse. ♦ *m* : **o ~** l'inverse *m*.

inversões → **inversão**.

inverter [ĩvɐr'ter] *vt* (*ordem, posição*) inverser; (*sentido, marcha*) changer de.

invés [ĩvɛʃ] *m* : **ao ~ de** au lieu de.

investida [ĩvɐʃ'tidɐ] *f* (*de tropa, touro*) charge *f*; (*tentativa*) essai *m*.

investigação [ĩvɐʃtigɐ'sẽu] (*pl* -ões [-õiʃ]) *f* (*policial*) enquête *f*; (*científica*) recherche *f*.

investigar [ĩvɐʃti'gar] *vt* (*acontecimento, crime*) enquêter sur; (*cientificamente*) faire des recherches sur.

investimento [ĩvɐʃti'mēntu] *m* investissement *m*; **um mau ~** un mauvais placement.

investir [ĩvɐʃ'tir] *vt & vi* investir; **~ em algo** investir dans qqch.

inviável [ĩ'vjavɛł] (*pl* -eis [-ɐiʃ]) *adj* infaisable.

invisível [ĩvi'zivɛł] (*pl* -eis [-ɐiʃ]) *adj* invisible.

invocar [ĩvu'kar] *vt* invoquer.

invólucro [ĩ'vɔlukru] *m* enveloppe *f*.

involuntário, ria [ĩvulūn'tarju, -rjɐ] *adj* involontaire.

iodo ['jodu] *m* iode *m*.

ioga ['jɔgɐ] *f* OU *m* yoga *m*.

iogurte [ju'gurtɐ] *m* yaourt *m*.

iô-iô [jo'jo] (*pl* iô-iôs [jo'joʃ]) *m* yo-yo *m inv*.

ipê [i'pe] *m* arbre tropical à fleurs.

ir ['ir] *vi* **1.** (*ger*) aller; **fomos de autocarro** nous sommes allés en autocar; **iremos a pé** nous irons à pied; **vamos?** on y va?; **ele nunca vai às reuniões** il ne va jamais aux réunions; **não vais à aula?** tu ne vas pas en cours?; **como vais?** comment vas-tu?; **isto não vai nada bem** ça ne va pas du tout; **já vai na quarta volta** il en est au quatrième tour; **vou falar com ele** je vais lui parler; **não vou fazer nada** je ne vais rien faire; **vais gostar** tu vas aimer;

2. (funcionar) marcher; **o carro não quer ~** la voiture ne marche pas.

3. (exprime duração gradual): **vou andando** j'y vais; **vou lendo** je lis; **vou tentando, algum dia consigo** j'essaie et un jour je réussirai.

4. (em locuções): **~ ao ar** tomber à l'eau; **~ ao chão** tomber; **ele ia morrendo** il a failli mourir; **quem vai ao ar perde o lugar** qui va à la chasse perd sa place.

❑ **ir a** v + prep aller à; **vou ao cinema** je vais au cinéma.

❑ **ir de** v + prep **1.** (ir disfarçado) être en; **~ de branco/calças** être en blanc/en pantalon.

2. (partir de) partir en; **vou de férias/viagem** je pars en vacances/en voyage.

❑ **ir por** v + prep prendre; **vá pela esquerda/pelas escadas** prenez à gauche/les escaliers.

❑ **ir-se** vp s'en aller; **~-se abaixo** se laisser aller; **~-se embora** s'en aller; **vamo-nos embora** allons-nous en.

ira ['iɾɐ] f colère f.

irascível [iɾɐʃ'sivɛł] (pl **-eis** [-ɐiʃ]) adj irascible.

íris ['iɾiʃ] f inv iris m.

Irlanda [iɾ'lẽdɐ] f : **a ~** l'Irlande f; **a ~ do Norte** l'Irlande du Nord.

irlandês, esa [iɾlẽ'deʃ, -ezɐ] (mpl **-eses** [-ezɐʃ], fpl **-s** [-ʃ]) adj irlandais(-e). ◆ m, f Irlandais m (-e f). ◆ m (língua) irlandais m.

irmã [iɾ'mẽ] f (freira) sœur f; → **irmão.**

irmão, ã [iɾ'mɐ̃u, -ẽ] m, f frère m (sœur f).

ironia [iru'niɐ] f ironie f.

irra ['iɾɐ] interj nom d'un chien!

irracional [iɾɐsju'naⱡ] (pl **-ais** [-aiʃ]) adj irrationnel(-elle).

irradiação [iɾɐðjɐ'sẽu] (pl **-ões** [-õiʃ]) f irradiation f.

irradiar [iɾɐ'ðjar] vt émettre; **~ luz** rayonner.

irreal [i'ʀjał] (pl **-ais** [-aiʃ]) adj irréel(-elle).

irreconciliável [iʀɐkõsi'ljavɛł] (pl **-eis** [-ɐiʃ]) adj irréconciliable.

irreconhecível [iʀɐkuɲɐ'sivɛł] (pl **-eis** [-ɐiʃ]) adj méconnaissable.

irrecuperável [iʀɐkupɐ'ravɛł] (pl **-eis** [-ɐiʃ]) adj irrécupérable; (doente, viciado) incurable.

irregular [iʀɐgu'lar] (pl **-es** [-əʃ]) adj irrégulier(-ère); (horário) variable.

irrelevante [iʀɐlɐ'vẽtɐ] adj non pertinent(-e).

irremediável [iʀɐmɐ'ðjavɛł] (pl **-eis** [-ɐiʃ]) adj irrémédiable.

irreprimível [iʀɐpɾɐ'mivɛł] (pl **-eis** [-ɐiʃ]) adj (desejo) irrépressible; (alegria) débordant(-e).

irrequieto, ta [iʀɐ'kjɛtu, -tɐ] adj (criança) turbulent(-e).

irresistível [iʀɐzɐʃ'tivɛł] (pl **-eis** [-ɐiʃ]) adj irrésistible.

irresponsável [iʀɐʃpõ'savɛł] (pl **-eis** [-ɐiʃ]) adj irresponsable.

irrigação [iʀigɐ'sẽu] (pl **-ões** [-õiʃ]) f (de terreno) irrigation f.

irrisório, ria [iʀi'zɔrju, -rjɐ] adj dérisoire.

irritação [iʀitɐ'sẽu] (pl **-ões** [-õiʃ]) f irritation f; **~ de pele** OU **cutânea** irritation cutanée.

irritante [iʀi'tẽtɐ] adj agaçant(-e).

irritar [iʀi'tar] vt (chatear) agacer; (pele, garganta, nariz, etc) irriter.

❑ **irritar-se** vp s'énerver.

isca ['iʃkɐ] f appât m.

❑ **iscas** fpl émincé m; **~ (de fígado)** émincé de foie frit à la poêle.

isenção [izẽ'sẽu] (pl **-ões** [-õiʃ]) f exonération f.

isento, ta [i'zẽtu, -tɐ] adj exonéré(-e); **~ de** (de imposto) exonéré de; (de propinas) dispensé de.

isolado, da [izu'laðu, -ðɐ] adj isolé(-e); (pessoa) seul(-e).

isolamento [izulɐ'mẽntu] *m* isolement *m*.

isolar [izu'lar] *vt* isoler.

isopor® [izo'pox] *m* (Br) polystyrène *m*.

isqueiro [iʃ'keiru] *m* (de cigarro) briquet *m*; (de fogão a gás) allume-gaz *m* inv.

isso ['isu] *pron* ça, cela. ◆ *interj* voilà!; **como vai ~?** comment ça va?; **~ não!** ça non!; **~ de** cette histoire de; **nem por ~** pas tellement; **não gosto disso** je n'aime pas ça; **não mexas nisso** laisse ça tranquille; **para ~** pour cela; **por ~** c'est pourquoi; **é por ~ mesmo que...** c'est pour ça que...

istmo ['iʃtmu] *m* isthme *m*.

isto ['iʃtu] *pron* ceci; **disto não quero** je ne veux pas de ça; **~ é** c'est-à-dire; **~ de** cette histoire de; **~ é que é!** ça c'est bien!; **escreve nisto** ecris là-dessus.

Itália [i'taljɐ] *f*: **a ~** l'Italie *f*.

italiana [itɐ'ljɐnɐ] *f* expresso *m*; → **italiano**.

italiano, na [itɐ'ljɐnu, -nɐ] *adj* italien(-enne). ◆ *m, f* Italien *m* (-enne *f*). ◆ *m* (língua) italien *m*.

itálico [i'taliku] *m* italique *m*; **em ~** en italique.

itinerário [itinə'rarju] *m* itinéraire *m*; **~ turístico** circuit *m* touristique.

iúca ['jukɐ] *f* yucca *m*.

IVA ['ivɐ] *m* (Port) (abrev de **Imposto sobre o Valor Acrescentado**) TVA *f*.

J

já ['ʒa] *adv* tout de suite; **até ~!** à tout de suite!; **é para ~!** oui, tout de suite!; **desde ~** par avance; **~ acabei** j'ai fini; **~ agora** tant qu'à faire; **~ era** c'est du passé!; **~ está!** ça y est!; **~ esteve em Lisboa?** vous êtes déjà allé à Lisbonne?; **~ foi a Lisboa?** vous êtes déjà allé à Lisbonne?; **~ não sei o que fazer** je ne sais plus quoi faire; **~ não há quartos** il n'y a plus de chambres; **~ que** puisque.

jabuti [ʒabu'ti] *m* tortue *f* géante.

jabuticaba [ʒɐɓuti'kaɓɐ] *f* baie *f (du myrte)*.

jacarandá [ʒɐkɐɾɐ̃'da] *m* jacaranda *m*.

jacaré [ʒɐkɐ'ɾɛ] *m* caïman *m*.

jacinto [ʒɐ'sĩntu] *m* jacinthe *f*.

jacto ['ʒatu] *m (Port)* jet *m*.

Jacuzzi® [ʒaku'zi] *m* Jacuzzi® *m*.

jade ['ʒaɖə] *m* jade *m*.

jaguar [ʒɐ'gwar] *(pl* **-es** [-əʃ]) *m* jaguar *m*.

jamais [ʒa'majʃ] *adv* jamais.

janeiro [ʒa'neiru] *m (Br)* = **Janeiro**.

Janeiro [ʒɐ'neiru] *m (Port)* janvier *m*; → **Setembro**.

janela [ʒɐ'nɛlɐ] *f* fenêtre *f*.

jangada [ʒɐ̃n'gaɖɐ] *f* radeau *m*.

jantar [ʒɐ̃n'tar] *(pl* **-es** [-əʃ]) *m* dîner. ◆ *vi* dîner. ◆ *vt* manger (au dîner).

jante ['ʒɐ̃ntə] *f* jante *f*.

Japão [ʒɐ'pɐ̃u] *m* : **o ~** le Japon.

japonês, esa [ʒɐpu'neʃ, -ezɐ] *(mpl* **-eses** [-ezəʃ], *fpl* **-s** [-ʃ]) *adj* japonais(-e). ◆ *m, f* Japonais *m* (-e *f*). ◆ *m (língua)* japonais *m*.

jaqueta [ʒa'ketɐ] *f* veste *f*.

jararaca [ʒara'rakɐ] *f* serpent venimeux.

jardim [ʒɐr'ɖĩ] *(pl* **-ns** [-ʃ]) *m* jardin *m*; **~ botânico** jardin botanique; **~ infantil** ≃ maternelle *f*; **~ zoológico** zoo *m*.

jardim-de-infância [ʒɐr,ɖĩndĩ'fẽsjɐ] *(pl* **jardins-de-infância** [ʒɐr,ɖĩʒɖĩfẽsjɐ]) *m* école *f* maternelle.

jardim-escola [ʒɐrɖĩʃ'kɔlɐ] *(pl* **jardins-escolas** [ʒɐrɖĩʃ'kɔləʃ]) *m (Port)* école *f* maternelle.

jardineira [ʒɐrɖi'neirɐ] *f* jardinière *f* de légumes; → **jardineiro**. ❏ **jardineiras** *fpl* salopette *f*.

jardineiro, ra [ʒɐrɖi'neiru, -rɐ] *m, f* jardinier *m* (-ère *f*).

jardins → **jardim**.

jarra ['ʒaʀɐ] *f (para flores)* vase *m*; *(para vinho)* pichet *m*.

jarrão [ʒɐ'ʀɐ̃u] *(pl* **-ões** [-õiʃ]) *m* vase *m*.

jarro ['ʒaʀu] *m (para bebida)* pichet *m*; *(flor)* arum *m*.

jarrões → jarrão.

jasmim [ʒɐʒ'mĩ] (pl -ns [-ʃ]) m jasmin m.

jato ['ʒatu] m (Br) = jacto.

jaula ['ʒaulɐ] f cage f.

javali [ʒɐvɐ'li] m sanglier m.

jazer [ʒɐ'zer] vi gésir; **aqui jaz** ci-gît.

jazigo [ʒɐ'zigu] m caveau m.

jazz ['dʒazə] m jazz m.

jeans ['dʒinəʃ] mpl (Port) jean m. ◆ m inv (Br) jean m.

jeito ['ʒeitu] m (modo) façon f; (comportamento) comportement m; **com** ~ délicatement; (agir) avec tact; **dar um** ~ **ao pé** se tordre la cheville; **dar um** ~ **a algo** arranger qqch; **fazer** ~ (convir) arranger; (ser útil) tomber bien; **fazer um** ~ **a alguém** rendre un service à qqn; **sem** ~ (Br) déconcerté; **ter** ~ **para algo** avoir un don pour qqch; **ter falta de** ~ **para algo** ne pas être doué pour qqch; **de** ~ **nenhum!** sûrement pas!; **estás mesmo a** ~ **para levar uma bofetada** tu vas te recevoir une gifle; **tomar** ~ (Br) s'assagir.

jejum [ʒɐ'ʒũ] (pl -ns [-ʃ]) m jeûne m; **em** ~ à jeun.

Jerónimos [ʒɐ'rɔnimuʃ] mpl: **o Mosteiro dos** ~ monastère situé dans le quartier de Belém à Lisbonne.

MOSTEIRO DOS JERÓNIMOS

La construction de ce monastère, entreprise en 1502 à la demande de Manuel Ier en l'honneur des grands navigateurs portugais, a duré 70 ans. C'est un magnifique exemple d'architecture manuéline, dont la particularité réside notamment dans l'emploi de formes arrondies et de motifs naturalistes et marins sur l'encadrement des fenêtres. Ses cloîtres comptent parmi les plus beaux du pays. Situé à l'origine au bord de l'eau, dans le quartier de Belém, c'est assurément un des monuments les plus intéressants de Lisbonne.

---

jeropiga [ʒeru'pigɐ] f vin cuit consommé traditionnellement avec des marrons chauds à la Toussaint.

jesuíta [ʒɐ'zwitɐ] m chausson à la crème; (RELIG) jésuite m.

jet ski [dʒɛt'ski] m scooter m des mers.

jibóia [ʒi'bɔjɐ] f boa m.

jipe ['ʒipɐ] m Jeep® f.

joalharia [ʒwɐʎɐ'riɐ] f (Port) bijouterie f.

joalheria [ʒwaʎɐ'riɐ] f (Br) = joalharia.

joanete [ʒwɐ'netɐ] m oignon m (sur le pied).

joaninha [ʒwɐ'niɲɐ] f coccinelle f.

joanino, na [ʒwɐ'ninu, -nɐ] adj du règne des rois Jean et en particulier de Jean III.

joelheira [ʒwɛ'ʎeirɐ] f genouillère f.

joelho ['ʒwɛʎu] m genou m; **de** ~**s** à genoux.

jogada [ʒu'gaðɐ] f coup m; (em futebol, basquetebol) action f.

jogar [ʒu'gar] vi jouer. ◆ vt jouer à; (atirar) lancer; ~ **às cartas** jouer aux cartes; ~ **à bola** jouer au ballon; ~ **às escondidas** jouer à cache-cache; ~ **fora** (Br) jeter. ❏ **jogar-se a** vp + prep se jeter sur; **jogou-se ao chão** il s'est jeté par terre.

jogo ['ʒogu] (pl jogos ['ʒɔguʃ]) m (de xadrez) partie f; (de futebol, râguebi, ténis) match m; (de cama, *mesa)* parure *f; (jogos de azar)* jeu *m;* **os Jogos Olímpicos** les jeux Olympiques; ~ **do bicho** *(Br)* loterie clandestine dont les derniers chiffres correspondent à des animaux; ~ **do galo** *(Port)* morpion *m;* ~**s de vídeo** jeux vidéo.

jogo-da-velha [ˌʒoɡudaˈvɛʎe] *(pl* **jogos-da-velha** [ˌʒɔɡuʒdaˈvɛʎe]) *m (Br)* morpion *m.*

jóia [ˈʒɔje] *f (brincos, anel)* bijou *m; (pagamento)* droit *m* d'entrée.

jóquei [ˈʒɔkei] *m* jockey *m.*

jornada [ʒurˈnaɖe] *f (caminhada)* excursion *f; (ciclo de conferências)* journée *f.*

jornal [ʒurˈnaɬ] *(pl* **-ais** [-aiʃ]) *m* journal *m.*

jornaleiro, ra [ʒoxnɐˈleiru, -re] *m, f (Br: vendedor)* vendeur *m* (-euse *f)* de journaux. ◆ *m (Br: local de venda)* kiosque *m* à journaux.

jornalista [ʒurnɐˈliʃtɐ] *mf* journaliste *mf.*

jorrar [ʒuˈʀar] *vi* jaillir.

jovem [ˈʒɔvẽi] *(pl* **-ns** [-ʃ]) *adj & mf* jeune.

jovial [ʒuˈvjaɬ] *(pl* **-ais** [-aiʃ]) *adj* jovial(-e).

joystick [dʒɔiˈstikə] *m* manette *f* de jeux.

juba [ˈʒube] *f* crinière *f.*

judaico, ca [ʒuˈɖaiku, -ke] *adj* juif(-ive).

judeu, dia [ʒuˈɖeu, -ɖie] *m, f* Juif *m* (-ive *f).*

judicial [ʒuɖiˈsjaɬ] *(pl* **-ais** [-aiʃ]) *adj* judiciaire; **o poder** ~ le pouvoir judiciaire.

judiciária [ʒuɖiˈsjarje] *f (Port: polícia judiciária)* police *f* judiciaire; *(local)* commissariat *m.*

judo [ˈʒuɖu] *m (Port)* judo *m.*

judô [ʒuˈdo] *m (Br)* = **judo.**

Jugoslávia [ʒuɡuʒˈlavje] *f (Port):* **a** ~ la Yougoslavie.

juiz, juíza [ˈʒwiʃ, ˈʒwize] *(mpl*

-es [-zəʃ], *fpl* **-s** [-ʃ]) *m, f* juge *m;* ~ **de linha** *(Port)* juge de touche.

juízo [ˈʒwizu] *m* jugement *m.* ◆ *interj* fais attention!; **perder o** ~ perdre la tête; **ter** ~ être raisonnable.

jujuba [ʒuˈʒube] *f (Br)* pâte *f* de fruit.

julgamento [ʒuɬɡɐˈmẽtu] *m (acto)* jugement *m; (audiência em tribunal)* procès *m.*

julgar [ʒuɬˈɡar] *vt (JUR)* juger; *(achar, opinar)* croire. ❑ **julgar-se** *vp:* **ele julga-se o maior** il se croît le meilleur.

julho [ˈʒuʎo] *m (Br)* = **Julho.**

Julho [ˈʒuʎu] *m (Port)* juillet *m;* → **Setembro.**

juliana [ʒuˈljɐne] *f* julienne *f.*

jumento [ʒuˈmẽtu] *m* âne *m.*

junco [ˈʒũŋku] *m* jonc *m.*

junho [ˈʒuɲo] *m (Br)* = **Junho.**

Junho [ˈʒuɲu] *m (Port)* juin *m;* **o dez de** ~ *fête nationale du Portugal;* → **Setembro.**

júnior [ˈʒunjɔr] *(pl* **juniores** [ʒuˈnjɔrəʃ]) *adj* cadet(-ette). ◆ *mf* junior *mf.*

junta [ˈʒũtɐ] *f* joint *m;* **Junta de Freguesia** ≃ mairie *f.*

juntamente [ˌʒũtɐˈmẽtɐ]: **juntamente com** *prep* avec.

juntar [ʒũˈtar] *vt (reunir)* rassembler; *(dinheiro)* mettre de côté; *(adicionar)* ajouter; ~ **o útil ao agradável** joindre l'utile à l'agréable. ❑ **juntar-se** *vp (reunir-se)* se rassembler; *(amancebar-se)* vivre ensemble.

junto, ta [ˈʒũtu, -te] *pp* → **juntar.** ◆ *adj & adv* ensemble; **com as mãos juntas** les mains jointes; ~ **com** avec.

jura [ˈʒure] *f:* **fazer uma** ~ jurer.

juramento [ʒureˈmẽtu] *m* serment *m.*

jurar [ʒuˈrar] *vt & vi* jurer.

júri [ˈʒuri] *m* jury *m.*

jurídico, ca [ʒuˈriɖiku, -kɐ] *adj* juridique.

juros [ˈʒuruʃ] *mpl* intérêts *mpl*.

justeza [ʒuˈstezɐ] *f (precisão)* justesse *f; (imparcialidade)* justice *f.*

justiça [ʒuˈstisɐ] *f* justice *f.*

justificação [ʒuʃtɐfikeˈsẽu] *(pl* -ões [-õiʃ]*) f (razão)* justification *f; (declaração escrita)* attestation *f.*

justificar [ʒuʃtɐfiˈkar] *vt* justifier.

❑ **justificar-se** *vp* se justifier.

justificativa [ʒuʃtɐfikeˈtivɐ] *f* excuse *f.*

justo, ta [ˈʒuʃtu, -tɐ] *adj* juste; *(cingido)* serré(-e); **à justa** *(Port: apanhar o comboio)* de justesse; *(caber)* pile.

juvenil [ʒuvɐˈniɫ] *(pl* -is [-iʃ]*) adj (moda, centro, literatura)* pour les jeunes; *(delinquente, comportamento)* juvénile.

juventude [ʒuvẽˈtuɖɐ] *f (época)* jeunesse *f; (jovens)* jeunes *mpl.*

K

karaokê [kɐraoˈke] *m* karaoké *m*.

karaté [kɐraˈtɛ] *m (Port)* karaté *m*.

kart [ˈkartə] *m* kart *m*.

karting [ˈkartĩŋ] *m* karting *m*.

ketchup [kɛˈtʃɛpə] *m* ketchup *m*.

kg *(abrev de* **quilograma***)* kg.

kispo® [ˈkiʃpu] *m (blusão)* anorak *m*; *(impermeável)* K-way® *m*.

kit [ˈkitə] *m* kit *m*.

kitchenette [kitʃəˈnɛtə] *f* kitchenette *f*.

kiwi [ˈkiwi] *m* kiwi *m*.

km *(abrev de* **quilómetro***)* km.

km/h *(abrev de* **quilómetro por hora***)* km/h.

KO [keiˈɔ] *(abrev de* **knock-out***)* K-O.

L

lá ['la] *adv* là-bas; ~ **está ele a chorar outra vez** le voilà qui pleure à nouveau; ~ **mentir, isso ele não faz** mentir, ça, il ne le fait pas; **para ~ de** au-delà de; **quero ~ saber** ça m'est bien égal; **sei ~!** je n'en sais rien!; **vá ~!** allez!

lã ['lẽ] *f (de ovelha)* laine *f*.

-la [lɐ] *pron (ela)* la; *(você)* vous.

labareda [lɐbɐ'rɛðɐ] *f* flamme *f*.

lábio ['labju] *m* lèvre *f*.

labirinto [lɐbi'rĩntu] *m* labyrinthe *m*.

laboratório [lɐburɐ'tɔrju] *m* laboratoire *m*.

laca ['lakɐ] *f (Port)* laque *f (pour les cheveux)*.

laço ['lasu] *m* nœud *m*; *(de homem)* nœud *m* papillon; *(de parentesco, amizade)* lien *m*.

lacónico, ca [lɐ'kɔniku, -kɐ] *adj* laconique.

lacrar [lɐ'krar] *vt* cacheter.

lacrimogénio [lɐkrimɔ'ʒɛnju] *adj m (Port)* → **gás**.

lacrimogêneo [lakrimo'ʒɛnju] *adj m (Br)* = **lacrimogénio**.

lácteo, tea ['laktju, -tjɐ] *adj (produto)* laitier(-ère).

lacticínios [lɐkti'sinjuʃ] *mpl* produits *mpl* laitiers.

lacuna [lɐ'kunɐ] *f* lacune *f*.

ladeira [lɐ'ðɐirɐ] *f* côte *f*.

lado ['laðu] *m* côté *m*; **andar de um ~ para o outro** faire les cent pas; **ao ~ de** à côté de; **deixar** OU **pôr de ~** laisser OU mettre de côté; ~ **a** ~ côte à côte; **de ~** *(foto)* de profil; *(deitar-se)* sur le côté; **de ~ a ~** de long en large; **de um ~ para o outro** de droite à gauche; **em qualquer ~** partout; **por todo(s) o(s) ~(s)** partout; **não ir** OU **chegar a ~ nenhum** n'arriver à rien; **por um ~... por outro ~...** d'une part... d'autre part...; **o ~ fraco** le point faible; **o vizinho do ~** le voisin d'à côté.

ladrão, ladra [lɐ'ðrẽu, 'laðrɐ] *(mpl* **-ões** [-õiʃ], *fpl* **-s** [-ʃ]) *m, f* voleur *m* (-euse *f*).

ladrilho [lɐ'ðriʎu] *m* carreau *m*.

ladrões → **ladrão**.

lagarta [lɐ'gartɐ] *f* chenille *f*.

lagartixa [lɐgɐr'tiʃɐ] *f* lézard *m*.

lagarto [lɐ'gartu] *m* lézard *m*.

lago ['lagu] *m (natural)* lac *m*; *(de jardim)* bassin *m*.

lagoa [lɐ'goɐ] *f* lagon *m*.

lagosta [lɐ'goʃtɐ] *f* langouste *f*.

lagostim [lɐguʃ'tĩ] *(pl* **-ns** [-ʃ]) *m* langoustine *f*; *(de rio)* écrevisse *f*.

lágrima ['lagrimɐ] *f* larme *f*.

laje ['laʒɐ] *f (de pavimento)* dalle *f*; *(de construção)* revêtement *m*.

lama ['lɐmɐ] *f* boue *f*.

lamacento, ta [lɐmɐ'sẽntu, -tɐ] *adj* boueux(-euse).

lambada [lɛ̃m'baɖɐ] f (dança) lambada f; (fam: bofetada) claque f.
lamber [lɛ̃m'ber] vt lécher; ~ **tudo** (fam) tout avaler.
❑ **lamber-se** vp se lécher.
lamentar [lɐmɛ̃n'tar] vt regretter.
❑ **lamentar-se** vp se lamenter.
lamentável [lɐmɛ̃n'tavɛł] (pl -eis [-ɐiʃ]) adj regrettable.
lâmina ['lɐminɐ] f lame f; ~ **de barbear** lame de rasoir.
lâmpada ['lɛ̃mpɐɖɐ] f ampoule f.
lampião [lɛ̃m'pjɐ̃u] (pl -ões [-õiʃ]) m lanterne f; (de rua) réverbère m.
lampreia [lɛ̃m'prɐjɐ] f lamproie f.
lança ['lɐ̃sɐ] f lance f.
lançar [lɐ̃'sar] vt lancer.
❑ **lançar-se** vp: ~-se a (à água) se jeter à; (à comida) se jeter sur; ~-se sobre se jeter sur.
lance ['lɐ̃sɐ] m lancer m.
lancha ['lɐ̃ʃɐ] f (a remo) barque f; (a motor) hors-bord m inv.
lanchar [lɐ̃'ʃar] vi goûter.
lanche ['lɐ̃ʃɐ] m goûter m.
lanchonete [lɐ̃ʃo'nɛtʃi] f (Br) fast-food m.
lancinante [lɐ̃si'nɛ̃ntɐ] adj lancinant(-e).
lanço ['lɐ̃su] m (em licitação) offre f; ~ **de escadas** volée f.
lânguido, da ['lɐ̃ŋgiɖu, -ɖɐ] adj (voluptuoso) langoureux(-euse).
lantejoula [lɐ̃ntɐ'ʒolɐ] f paillette f.
lanterna [lɐ̃n'tɛrnɐ] f lanterne f; ~ **de bolso** lampe f de poche.
lapela [lɐ'pɛlɐ] f revers m (de veste).
lápide ['lapiɖɐ] f (em monumento, estátua) plaque f; (em túmulo) pierre f tombale.

lápis ['lapiʃ] m inv crayon m; ~ **de cor** crayon de couleur; ~ **de cera** pastel m; ~ **para os olhos** crayon pour les yeux.
lapiseira [lɐpi'zeirɐ] f (no Brasil) portemine m; (em Portugal) stylo m.
lapso ['lapsu] m (de tempo) laps m; (esquecimento) trou m de mémoire; **por** ~ par mégarde.
laquê [la'ke] m (Br) laque f (pour les cheveux).
lar ['lar] (pl -es [-ɘʃ]) m foyer m; ~ **(de idosos)** maison f de retraite.
laranja [lɐ'rɐ̃ʒɐ] f orange f.
laranjada [lɐrɐ̃'ʒaɖɐ] f (Port) orangeade f; (Br) jus m d'orange.
laranjeira [lɐrɐ̃'ʒeirɐ] f oranger m.
lareira [lɐ'reirɐ] f cheminée f.
lares → **lar**.
largada [lɐr'gaɖɐ] f départ m.
largar [lɐr'gar] vt lâcher; (tinta) déteindre; (pêlo) perdre; (velas) larguer; (abandonar) laisser.
largo, ga ['largu, -gɐ] adj (roupa, estrada) large; (quarto, cama) grand(-e). ◆ m (praça) place f; **ter 3 metros de** ~ faire 3 mètres de large; **por** ~s **dias/meses/anos** pour plusieurs jours/mois/années.
largura [lɐr'gurɐ] f largeur f.
laringe [lɐ'rĩʒɐ] f larynx m.
larva ['larvɐ] f larve f.
-las [lɐʃ] pron pl (elas) les; (vocês) vous.
lasanha [lɐ'zɐɲɐ] f lasagnes fpl.
lasca ['laʃkɐ] f éclat m.
laser ['leizɛr] (pl -es [-ɘʃ]) m laser m.
lástima ['laʃtimɐ] f (pena) dommage m; (miséria) misère f.
lastimável [lɐʃti'mavɛł] (pl -eis [-ɐiʃ]) adj (acontecimento, situação) regrettable; (erro) fâcheux(-euse); (estado) piteux(-euse).

lata ['latɐ] f *(material)* métal m; *(objecto)* boîte f; ~ **de conserva** boîte de conserve; ~ **de lixo** *(Br)* poubelle f; **ter a ~ de** *(fam)* avoir le culot de.

latão [lɐ'tẽu] *(pl* **-ões** [-õiʃ]*)* m *(metal)* laiton m; *(vasilha)* bidon m.

latejar [lɐtɐ'ʒar] vi palpiter.

latente [lɐ'tẽtɐ] adj latent(-e).

lateral [lɐtɐ'raɫ] *(pl* **-ais** [-aiʃ]*)* adj latéral(-e).

latido [lɐ'tiðu] m aboiement m.

latifúndio [lɐti'fũdju] m latifundium m, *grand domaine agricole.*

latim [lɐ'tĩ] m latin m.

latino, na [lɐ'tinu, -nɐ] adj latin(-e).

latino-americano, na [lɐtinwɐmɐri'kɐnu, -nɐ] adj latino-américain(-e). ◆ m, f Latino-Américain m (-e f).

latir [lɐ'tir] vi aboyer.

latitude [lɐti'tuðɐ] f latitude f.

latões → **latão**.

lava ['lavɐ] f lave f.

lavabo [lɐ'vabu] m *(lavatório)* lavabo m; *(Br: casa de banho)* toilettes fpl.
❑ **lavabos** mpl *(Port)* toilettes fpl.

lavagante [lɐvɐ'gẽtɐ] m homard m.

lavagem [lɐ'vaʒẽi] *(pl* **-ns** [-ʃ]*)* f lavage m; ~ **automática** lavage automatique; ~ **a seco** nettoyage m à sec; ~ **cerebral** lavage de cerveau.

lava-louça [lavɐ'losɐ] *(pl* **lava-louças** [lavɐ'losɐʃ]*)* m lave-vaisselle m inv.

lavanda [lɐ'vẽdɐ] f lavande f.

lavandaria [lɐvẽdɐ'riɐ] f *(Port)* pressing m; ~ **automática** laverie f automatique; ~ **a seco** pressing.

lavanderia [lavẽdɐ'riɐ] f *(Br)* = **lavandaria.**

lavar [lɐ'var] vt laver; ~ **os dentes** se brosser les dents; ~ **a louça** faire la vaisselle; ~ **a roupa** laver le linge.
❑ **lavar-se** vp se laver.

lavatório [lɐvɐ'tɔrju] m *(Port)* lavabo m.

lavável [lɐ'vavɛɫ] *(pl* **-eis** [-ɐiʃ]*)* adj lavable.

lavrador, ra [lɐvrɐ'ðor, -rɐ] *(mpl* **-es** [-əʃ], *fpl* **-s** [-ʃ]*)* m, f paysan m *(-anne f).*

laxante [lɐ'ʃẽtɐ] adj laxatif(-ive). ◆ m laxatif m.

lazer [lɐ'zer] m loisirs mpl.

Lda *(Port) (abrev de* **limitada)** SARL f.

lê ['le] → **ler.**

leal ['ljaɫ] *(pl* **-ais** [-aiʃ]*)* adj *(pessoa)* loyal(-e); *(animal)* fidèle.

leão ['ljẽu] *(pl* **-ões** [-õiʃ]*)* m lion m.
❑ **Leão** m Lion m.

lebre ['lɛbrɐ] f lièvre m; **comer gato por ~** se faire avoir.

leccionar [lɛsju'nar] vt & vi *(Port)* enseigner.

lecionar [lesjo'nax] vt & vi *(Br)* = **leccionar.**

lectivo, va [lɛ'tivu, -vɐ] adj *(Port) (ano)* scolaire; *(horas)* de cours.

lêem ['leẽ] → **ler.**

legal [lə'gaɫ] *(pl* **-ais** [-aiʃ]*)* adj *(segundo a Lei)* légal(-e); *(Br: fam)* sympa.

legalidade [ləgɐli'ðaðɐ] f légalité f.

legalizar [ləgɐli'zar] vt *(actividade)* légaliser.

legenda [lə'ʒẽdɐ] f légende f.
❑ **legendas** fpl sous-titres mpl.

legislação [ləʒiʒlɐ'sẽu] f législation f.

legitimar [ləʒiti'mar] vt légitimer; *(actividade)* légaliser.

legítimo, ma [lə'ʒitimu, -mɐ]

adj légitime; *(autêntico)* authentique.

legível [lə'ʒivɛł] *(pl* **-eis** [-ɐiʃ]) *adj* lisible.

légua ['lɛgwɐ] *f* lieue *f*; **ficar a ~s de distância de** être très loin de.

legumes [lə'gumɐʃ] *mpl* légumes *mpl*.

lei ['lɐi] *f* loi *f*; **a ~ do menor esforço** la loi du moindre effort; **segundo a ~** d'après la loi.

leilão [lɐi'lɐ̃u] *(pl* **-ões** [-õiʃ]) *m* vente *f* aux enchères.

leio ['lɐiu] → **ler**.

leitão [lɐi'tɐ̃u] *(pl* **-ões** [-õiʃ]) *m* cochon *m* de lait; **~ da Bairrada** cochon de lait à la broche arrosé de vin et de sauce piquante.

leitaria [lɐitɐ'riɐ] *f* crèmerie *f*.

leite ['lɐitɐ] *m* lait *m*; **~ achocolatado** lait chocolaté; **~ condensado** lait concentré; **~ creme** ≃ crème *f* brûlée; **~ em pó** lait en poudre; **~ gordo/meio-gordo/magro** (Port) lait entier/demi-écrémé/écrémé; **~ pasteurizado** lait pasteurisé; **~ ultrapasteurizado** lait UHT; **~ de côco** lait de coco; **~ integral/desnatado** (Br) lait entier/écrémé.

leite-de-onça [ˌlɐitʃi'dʒõsɐ] *m* (Br) cocktail d'eau-de-vie de canne à sucre et de lait concentré.

leiteiro, ra [lɐi'tɐiru, -ɐ] *m, f* laitier *m* (-ère *f*).

leito ['lɐitu] *m* lit *m*.

leitões → **leitão**.

leitor, ra [lɐi'tor, -ɐ] *(mpl* **-es** [-əʃ], *fpl* **-s** [-ʃ]) *m, f* lecteur *m* (-trice *f*). ◆ *m (aparelho)* lecteur *m*.

leitura [lɐi'turɐ] *f* lecture *f*.

lema ['lemɐ] *m* devise *f*.

lembrança [lẽm'brɐ̃sɐ] *f* souvenir *m*; **dá ~s minhas ao teu pai** dis bonjour à ton père de ma part.

lembrar [lẽm'brar] *vt (recordar)*

se souvenir de; *(assemelhar-se a)* rappeler; **~ algo a alguém** rappeler qqch à qqn; **~ alguém de fazer algo** rappeler à qqn de faire qqch.

❏ **lembrar-se** *vp* se souvenir; **~-se de** se souvenir de; **~-se de fazer algo** penser à faire qqch.

leme ['lɛmɐ] *m* gouvernail *m*.

lenço ['lẽsu] *m* mouchoir *m*; **~ (da cabeça)** foulard *m*; **~ de papel** mouchoir en papier; **~ (do pescoço)** écharpe *f*.

lençol [lẽ'sɔł] *(pl* **-óis** [-ɔiʃ]) *m (de cama)* drap *m*; *(de água, petróleo)* nappe *f*.

lenha ['lɛɲɐ] *f* bois *m*.

lente ['lẽtɐ] *f (de câmara de filmar)* objectif *m*; *(de óculos)* verre *m*; **~s de contacto** (Port) lentilles *fpl* de contact; **~s de contacto rígidas/moles** lentilles dures/souples.

lentidão [lẽti'dɐ̃u] *f* lenteur *f*.

lentilhas [lẽ'tiʎɐʃ] *fpl* lentilles *fpl (légume)*.

lento, ta ['lẽtu, -tɐ] *adj* lent(-e).

leoa ['ljoɐ] *f* lionne *f*.

leões → **leão**.

leopardo [lju'parðu] *m* léopard *m*.

lepra ['lɛprɐ] *f* lèpre *f*.

leque ['lɛkɐ] *m* éventail *m*.

ler ['ler] *vt & vi* lire.

lesão [lə'zɐ̃u] *(pl* **-ões** [-õiʃ]) *f (ferida, contusão)* lésion *f*; *(prejuízo)* dommage *m*; *(de direito)* atteinte *f*.

lesar [lə'zar] *vt (ferir)* blesser; *(prejudicar)* porter préjudice à.

lésbica ['lɛʒbikɐ] *f* lesbienne *f*.

lesma ['lɛʒmɐ] *f (animal)* limace *f*; *(fig: pessoa lenta)* traînard *m* (-e *f*).

lesões → **lesão**.

leste ['lɛʃtɐ] *m* est *m*; **a ~ (de)** à

l'est (de); **os países de ~** les pays de l'Est; **estar a ~** *(fam)* avoir la tête ailleurs.

letal [lə'taɫ] *(pl* **-ais** [-aiʃ]) *adj* mortel(-elle).

letivo, va [le'tʃivu, -vɐ] *adj (Br)* = **lectivo**.

letra ['letre] *f (do alfabeto)* lettre *f*; *(maneira de escrever)* écriture *f*; *(título de crédito)* traite *f*; *(de canção)* paroles *fpl*; **~ maiúscula** majuscule *f*; **~ de imprensa** caractères *mpl* d'imprimerie; **~ de fôrma** *(Br)* caractères *mpl* d'imprimerie.
❑ **letras** *fpl (EDUC)* lettres *fpl*.

letreiro [lə'treiru] *m (aviso)* écriteau *m*; *(de loja)* enseigne *f*.

leu ['leu] → **ler**.

léu ['lɛu] *m* : **ao ~** nu(-e).

leucemia [leusə'miɐ] *f* leucémie *f*.

levantamento [ləvɐ̃tɐ'mẽtu] *m (de preços)* relevé *m*; *(de peso)* lever *m*; *(de dinheiro)* retrait *m*; *(de cheque)* encaissement *m*.

levantar [ləvɐ̃'tar] *vt (erguer)* lever; *(peso)* soulever; **~ dinheiro** retirer de l'argent; **~ a mesa** débarrasser la table; **~ um cheque** encaisser un chèque; **~ voo** décoller.
❑ **levantar-se** *vp* se lever.

levar [lə'var] *vt (peso, roupa)* porter; *(transportar)* transporter; *(acompanhar)* emmener; *(dar)* apporter; *(utilizar, cobrar)* prendre; *(poder conter)* contenir; *(fam : porrada, bofetada)* prendre; **~ alguém a fazer algo** conduire qqn à faire qqch; **~ a cabo algo** mener à bien qqch; **~ a mal algo** mal prendre qqch; **~ tempo** prendre du temps; **ele levou muito tempo a decidir-se** il a mis longtemps à se décider; **deixar-se ~** se faire avoir.

leve ['lɛvə] *adj* léger(-ère).

leviandade [ləvjẽ'dadɐ] *f* imprudence *f*.

leviano, na [lə'vjɐnu, -nɐ] *adj (pessoa)* léger(-ère); *(acto)* inconsidéré(-e).

léxico ['lɛksiku] *m* lexique *m*.

lha [ʎɐ] = **lhe + a**; → **lhe**.

lhas [ʎɐʃ] = **lhe + as**; → **lhe**.

lhe [ʎə] *pron (ele, ela)* lui; *(você)* vous; **a folha? já lha dei** la feuille? je la lui ai déjà donnée; **a roupa? ela deu-lha** les vêtements? elle les lui a donnés; **o livro? já lho dei** le livre? je le lui ai déjà donné; **o presente? ela deu-lho** le cadeau? elle vous l'a donné; **os bilhetes? já lhos dei** les billets? je les lui ai déjà donnés; **os jornais? dei-lhos há pouco** les journaux? je les lui ai donnés il n'y a pas longtemps; **as maçãs? já lhas dei** les pommes? je les lui ai déjà données.

lhes [ʎəʃ] *pron pl (eles, elas)* leur; *(vocês)* vous.

lho [ʎu] = **lhe + o** ou **lhes + o**; → **lhe**.

lhos [ʎuʃ] = **lhe +os** ou **lhes + os**; → **lhe**.

li ['li] → **ler**.

libélula [li'bɛlulɐ] *f* libellule *f*.

liberação [liβəre'sẽu] *f* libération *f*.

liberal [liβə'raɫ] *(pl* **-ais** [-aiʃ]) *adj & mf* libéral(-e).

liberalização [liβərelize'sẽu] *f* libéralisation *f*.

liberar [liβə'rar] *vt* libérer; *(consumo)* légaliser.

liberdade [liβər'dadɐ] *f* liberté *f*; **pôr em ~** mettre en liberté; **tomar a ~ de fazer algo** prendre la liberté de faire qqch.

libertar [liβər'tar] *vt* libérer.

liberto, ta [li'βɛrtu, -tɐ] *pp* → **libertar**.

libra ['liβrɐ] *f* livre *f*.
❑ **Libra** *f (Br)* Balance *f*.

lição [li'sɐu] (*pl* **-ões** [-õiʃ]) *f* leçon *f*; **dar uma ~ a alguém** donner une leçon à qqn; **servir de ~** servir de leçon.

licença [li'sɐsɐ] *f* autorisation *f*; **com ~** pardon; **~ de parto** *(Port)* congé *m* de maternité.

licenciado, da [lisẽ'sjaðu, -ðɐ] *m, f* licencié *m* (-e *f*); **~ pela Universidade de Coimbra** diplômé *m* de l'Université de Coimbra.

licenciatura [lisẽsjɐ'turɐ] *f* ≃ licence *f*.

ⓘ LICENCIATURA

C e diplôme universitaire est décerné à tout étudiant ayant achevé des études supérieures d'une durée minimale de 4 ans.

---

liceu [li'seu] *m* lycée *m*.

lições → **lição**.

licor [li'kor] (*pl* **-es** [-əʃ]) *m* liqueur *f*.

lidar [li'dar]: **lidar com** *v + prep (tratar com)* avoir affaire à; *(conviver com)* côtoyer; *(produtos, máquina)* manipuler; **não sei ~ com ele** je ne sais pas m'y prendre avec lui.

líder ['liðɐr] (*pl* **-es** [-əʃ]) *mf* leader *m*.

lido, da ['liðu, -ðɐ] *pp* → **ler**.

liga ['ligɐ] *f (associação)* ligue *f*; *(de meias)* jarretière *f*.

ligação [ligɐ'sɐu] (*pl* **-ões** [-õiʃ]) *f (de amor, amizade)* liaison *f*; *(telefónica)* ligne *f*; *(Port: de autocarro, comboio, avião)* correspondance *f*.

ligado, da [li'gaðu, -ðɐ] *adj (luz, televisão)* allumé(-e); *(na ficha)* branché(-e).

ligadura [ligɐ'ðurɐ] *f* bandage *m*.

ligamento [ligɐ'mẽntu] *m* ligament *m*.

ligar [li'gar] *vt (ferida)* panser; *(luz, televisão)* allumer; *(em tomada)* brancher. ◆ *vi (telefonar)* appeler; **~ para um número** appeler un numéro; **não ligues que ele é doido!** ne fais pas attention, il est fou!

ligeiro, ra [li'ʒɐiru, -rɐ] *adj* léger(-ère).

❑ **ligeiros** *mpl* voitures *fpl*.

lilás [li'laʃ] (*pl* **-ases** [-azəʃ]) *m* lilas *m*. ◆ *adj* parme.

lima ['limɐ] *f* lime *f*; **~ (das unhas)** lime à ongles.

limão [li'mɐu] (*pl* **-ões** [-õiʃ]) *m* citron *m*.

limão-galego [li,mɐuga'legu] (*pl* **limões-galegos** [li,mõiʒga'leguʃ]) *m (Br)* citron *m* vert.

limiar [li'mjar] *m* seuil *m*; **no ~ de algo** à l'aube de qqch.

limitação [limitɐ'sɐu] (*pl* **-ões** [-õiʃ]) *f (de desemprego, natalidade)* limitation *f*; *(de direitos, movimentos)* entrave *f*; *(de terreno)* délimitation *f*.

❑ **limitações** *fpl* limites *fpl*; **ter algumas limitações** être un peu limité.

limitar [limi'tar] *vt (despesas)* limiter; *(terreno)* délimiter; *(movimento)* entraver.

❑ **limitar-se a** *vp + prep* se borner à.

limite [li'mitɐ] *m* limite *f*; **~ de velocidade** limitation *f* de vitesse; **sem ~s** sans limite; **passar dos ~s** *(fig)* dépasser les bornes.

limo ['limu] *m* limon *m*.

limoeiro [li'mwɐiru] *m* citronnier *m*.

limões → **limão**.

limonada [limu'naðɐ] *f* citronnade *f*.

limpador [lĩmpa'dox] (*pl* **-es** [-iʃ]) *m (Br)*: **~ de pára-brisas** = **limpa-pára-brisas**.

limpa-pára-brisas [lĩmpɐpare'brizeʃ] *m inv (Port)* essuie-glace *m*.

limpar [lĩm'par] *vt* nettoyer; *(pratos)* essuyer; *(boca, mãos)* s'essuyer; *(fam : roubar)* dévaliser; ~ **o pó** enlever la poussière.

limpa-vidros [lĩmpɐ'viðruʃ] *m inv (instrumento)* raclette *f*; *(detergente)* produit *m* pour les vitres; *(para carro)* lave-glace *m*.

limpeza [lĩm'pezɐ] *f (acção)* nettoyage *m*; *(qualidade)* propreté *f*; **fazer a** ~ faire le ménage.

limpo, pa ['lĩmpu, -pɐ] *pp* → **limpar**. ◆ *adj (sem sujidade)* propre; *(céu)* dégagé(-e); **estar** OU **ficar** ~ *(fam)* être fauché; **tirar algo a** ~ tirer qqch au clair.

limusine [limu'zinɐ] *f* limousine *f*.

lince ['lĩsɐ] *m* lynx *m*.

lindo, da ['lĩndu, -dɐ] *adj (pessoa, local)* beau (belle).

lingerie [lẽʒɐ'ri] *f* lingerie *f*.

lingote [lĩŋ'gɔtɐ] *m* lingot *m*.

língua ['lĩŋgwɐ] *f* langue *f*; **~s de bacalhau** *langues de morue frites en sauce*; **bater** OU **dar com a** ~ **nos dentes** *(fam)* vendre la mèche; **dar à** ~ *(falar)* papoter; **dobrar a** ~ faire attention à ce que l'on dit; **ter algo debaixo da** ~ avoir qqch sur le bout de la langue.

linguado [lĩŋ'gwaðu] *m* sole *f*.

linguagem [lĩŋ'gwaʒẽi] *(pl* **-ns** [-ʃ]) *f* langage *m*.

linguarudo, da [lĩŋgwɐ'ruðu, -ðɐ] *adj* : **ser** ~ ne pas savoir tenir sa langue.

línguas-de-gato [ˌlĩŋgwɐʒdɐ'gatu] *fpl* langue-de-chat *f*.

lingueta [lĩŋ'gwetɐ] *f* pêne *m*.

linguiça [lĩŋ'gwisɐ] *f saucisse sèche piquante*.

linha ['lĩɲɐ] *f* ligne *f*; *(fio)* fil *m*; ~ **jovem** ligne jeune; **manter a** ~ garder la ligne; ~ **férrea** *(Port)* voie *f* ferrée; **em** ~ aligné(-e).

linho ['lĩɲu] *m* lin *m*.

linóleo [li'nɔlju] *m* linoléum *m*.

liquidação [likiðɐ'sẽu] *(pl* **-ões** [-õiʃ]) *f* règlement *m*; ~ **total** liquidation *f* totale.

liquidar [liki'ðar] *vt (dívida)* régler; *(mercadoria)* liquider; *(matar)* éliminer.

liqüidificador [likwidʒifika'ðox] *(pl* **-es** [-iʃ]) *m (Br)* = **liquidificadora**.

liquidificadora [likiðifikɐ'ðorɐ] *f (Port)* centrifugeuse *f*.

líquido, da ['likiðu, -ðɐ] *adj* liquide; *(COM)* net (nette). ◆ *m* liquide *m*; ~ **para a louça** liquide vaisselle.

lírio ['lirju] *m* lys *m*.

Lisboa [liʒ'boɐ] *s* Lisbonne.

lisboeta [liʒ'bwetɐ] *adj* lisbonnais(-e). ◆ *mf* Lisbonnais *m* (-e *f*).

liso, sa ['lizu, -zɐ] *adj (superfície)* lisse; *(cabelo)* raide; *(folha)* blanc (blanche); **estar/ficar** ~ *(fam)* être fauché.

lista ['liʃtɐ] *f (de compras, tarefas)* liste *f*; *(menu)* carte *f*; ~ **de preços** tarifs *mpl*; ~ **telefónica** *(Port)* annuaire *m*.

listra ['liʃtrɐ] *f* rayure *f*.

literal [litɐ'raɫ] *(pl* **-ais** [-aiʃ]) *adj* littéral(-e).

literário, ria [litɐ'rarju, -rjɐ] *adj* littéraire.

literatura [litɐrɐ'turɐ] *f* littérature *f*; ~ **de cordel** *littérature de hall de gare*.

litígio [li'tiʒju] *m* litige *m*.

litogravura [ˌlitɔgrɐ'vurɐ] *f* lithographie *f*.

litoral [litu'raɫ] *(pl* **-ais** [-aiʃ]) *adj* littoral(-e). ◆ *m* : **o** ~ le littoral.

litro ['litru] *m* litre *m*; **é igual ao** ~ *(fam)* c'est bonnet blanc et blanc bonnet.

lívido, da ['liviðu, -ðɐ] *adj* livide.

livrar [liv'rar]: **livrar-se de** *vp + prep* se débarrasser de; *(não se atrever)* se garder de.

livraria [livrɐ'riɐ] *f* librairie *f*.

livre ['livrə] *adj* libre; **'livre'** 'libre'.

livrete [li'vretə] *m* carte *f* grise.

livro ['livru] *m* livre *m*; **~ de bolso** livre de poche; **~ de cheques** carnet *m* de chèques.

lixa ['liʃɐ] *f* papier *m* de verre.

lixeira [li'ʃeirɐ] *f* décharge *f* *(à ordures)*.

lixívia [lə'ʃivjɐ] *f (Port)* eau *f* de Javel.

lixo ['liʃu] *m* ordures *fpl*.

-lo [lu] *pron (ele)* le; *(você)* vous.

L.° *(abrev de largo)* pl.

lobo ['loβu] *m* loup *m*.

lóbulo ['lɔβulu] *m* lobe *m*.

local [lu'kaɬ] *(pl* **-ais** [-aiʃ]) *m* endroit *m*. ◆ *adj* local(-e).

localidade [lukɐli'ðaðɐ] *f* localité *f*.

localização [lukɐlize'sɐ̃u] *(pl* **-ões** [-õiʃ]) *f* localisation *f*; *(de empresa)* emplacement *m*.

loção [lu'sɐ̃u] *(pl* **-ões** [-õiʃ]) *f* lotion *f*; **~ para depois da barba** *(Port)* after-shave *m inv*; **~ capilar** lotion capillaire; **~ após-barba** *(Br)* after-shave *m inv*.

locatário, ria [lukɐ'tarju, -rjɐ] *m, f* locataire *mf*.

loções → loção.

locomotiva [lukumu'tivɐ] *f* locomotive *f*.

locução [luku'sɐ̃u] *(pl* **-ões** [-õiʃ]) *f (de filme, programa)* commentaire *m*; *(GRAM)* locution *f*.

locutor, ra [luku'tor, -rɐ] *(mpl* **-es** [-əʃ], *fpl* **-s** [-ʃ]) *m, f (de televisão)* présentateur *m* (-trice *f*); *(de rádio)* animateur *m* (-trice *f*).

lodo ['loðu] *m* vase *f*.

lógica ['lɔʒikɐ] *f* logique *f*.

logo ['lɔgu] *adv (imediatamente)* tout de suite; *(em breve, mais tarde)* tout à l'heure; **mais ~** plus tard; **~ de seguida** juste après; **~ que** dès que; **~ agora que** juste au moment où.

logotipo [lɔgɔ'tipu] *m* logo *m*.

loja ['lɔʒɐ] *f* magasin *m*; **~ de artigos desportivos** magasin de sport; **~ de artigos fotográficos** magasin de photographie; **~ de brinquedos** magasin de jouets; **~ de ferragens** quincaillerie *f*; **~ de lembranças** boutique *f* de souvenirs; **~ de produtos dietéticos** magasin de produits diététiques; **~ de velharias** brocante *f*.

lombada [lõm'baðɐ] *f* tranche *f* *(de livre)*.

lombinho [lõm'biɲu] *m* filet *m* mignon.

lombo ['lõmbu] *m* longe *f*; **~ assado** longe de porc grillée.

lombriga [lõm'brigɐ] *f* ver *m*.

lona ['lonɐ] *f* toile *f*.

Londres ['lõndrɐʃ] *s* Londres.

longa-metragem [ˌlõŋgɐmə'traʒɐ̃i] *(pl* **longas-metragens** [ˌlõŋgɐʒmə'traʒɐ̃iʃ]) *f* long-métrage *m*.

longe ['lõʒə] *adv* loin; **~ disso!** bien au contraire!; **ao ~** au loin; **de ~** de loin; **de ~ em ~** de temps en temps; **ir ~ demais** aller trop loin.

longitude [lõʒi'tuðɐ] *f* longitude *f*.

longo, ga ['lõŋgu, -gɐ] *adj* long (longue); **ao ~ dos tempos** au fil des temps; **ao ~ de** le long de.

lontra ['lõntrɐ] *f* loutre *f*.

-los ['luʃ] *pron pl (eles)* les; *(vocês)* vous.

losango [lu'zɐ̃ŋgu] *m* losange *m*.

lotação [lutɐ'sɐ̃u] *(pl* **-ões** [-õiʃ]) *f (de cinema, teatro)* capacité *f*; *(de autocarro)* nombre *m* de places; **'~ esgotada'** 'complet'.

lotaria [lutɐ'riɐ] *f (Port)* loterie *f*;

~ **nacional** *(Port)* loterie nationale.

lote ['lɔtə] *m (de terreno)* lot *m*; *(de prédios)* bâtiment *m*.

loteria [lote'riɐ] *f (Br)* = **lotaria**; ~ **esportiva** *(Br)* loto *m* sportif.

loto ['lotu] *m* loto *m*.

louça ['lose] *f (pratos, chávenas, pires)* vaisselle *f*; *(porcelana)* porcelaine *f*.

louco, ca ['loku, -kɐ] *adj & m, f* fou (folle); **estar/ficar ~ de alegria** être fou de joie; **ser ~ por** être fou de; *(comida)* raffoler de.

loucura [lo'kurɐ] *f* folie *f*.

louro, ra ['loru, -rɐ] *adj* blond(-e). ♦ *m* laurier *m*.

louva-a-deus [,lova'deuʃ] *m inv* mante *f* religieuse.

louvar [lo'var] *vt* chanter les louanges de.

louvável [lo'vavɛɫ] *(pl* **-eis** [-ɐiʃ]) *adj* louable.

LP *m (abrev de* **long-play)** 33 tours *m*.

Ltda *(Br) (abrev de* **limitada)** SARL *f*.

L.te *(abrev de* **Lote)** bat.

lua ['luɐ] *f* lune *f*; **estar com a ~** être de mauvaise humeur; **viver no mundo da ~** être dans la lune.

lua-de-mel [,luɐdə'mɛɫ] *(pl* **luas-de-mel** [,luɐʒdə'mɛɫ]) *f* lune *f* de miel.

luar ['lwar] *m* clair *m* de lune.

lubrificante [luɓrəfi'kẽntɐ] *m* lubrifiant *m*.

lubrificar [luɓrəfi'kar] *vt* lubrifier.

lucidez [lusi'ðeʃ] *f* lucidité *f*.

lúcido, da ['lusiðu, -ðɐ] *adj* lucide.

lúcio ['lusju] *m* brochet *m*.

lucrar [lu'krar]: **lucrar com** *v* + *prep* gagner; **o que é que tu lucras com isso?** qu'est-ce que tu y gagnes?

lucrativo, va [lukrɐ'tivu, -vɐ] *adj (negócio, investimento)* qui rapporte; *(fim)* lucratif(-ive).

lucro ['lukru] *m* bénéfice *m*; ~**s e perdas** profits et pertes.

lúdico, ca ['luðiku, -kɐ] *adj* ludique.

lugar [lu'gar] *(pl* **-es** [-əʃ]) *m (espaço, assento)* place *f*; *(sítio)* endroit *m*; **em primeiro ~** *(em desporto)* à la première place; *(antes)* d'abord; **ter ~** avoir lieu; **em ~ de** au lieu de; **dar o ~ a alguém** céder sa place à qqn; **tomar o ~ de alguém** prendre la place de qqn.

lugar-comum [lu,garku'mũ] *(pl* **lugares-comuns** [lu,garəʃku'mũʃ]) *m* lieu *m* commun.

lugares → **lugar**.

lúgubre ['lugubrɐ] *adj* lugubre.

lula ['lulɐ] *f* calamar *m*; ~**s grelhadas** *calamars grillés*.

lume ['lumə] *m (chama)* feu *m*; *(fogueira)* feu *m* de cheminée; **dar ~ a alguém** donner du feu à qqn.

luminária [lumi'narjɐ] *f (Br)* lampe *f*; ~ **de mesa** lampe *f*; ~ **de pé** lampadaire *m*.

luminosidade [luminuzi'ðaðɐ] *f* lumière *f*.

luminoso, osa [lumi'nozu, -ɔzɐ] *adj* lumineux(-euse).

lunar [lu'nar] *(pl* **-es** [-əʃ]) *adj* lunaire.

lunático, ca [lu'natiku, -kɐ] *m,f* désaxé *m* (-e *f*).

luneta [lu'netɐ] *f (Br)* lunette *f*.

lupa ['lupɐ] *f* loupe *f*.

lustre ['luʃtrɐ] *m* lustre *m*.

lustro ['luʃtru] *m* éclat *m*; **puxar o ~ a algo** faire briller qqch.

luta ['lutɐ] *f* lutte *f*.

lutar [lu'tar] *vi* lutter; ~ **contra** se battre avec; ~ **por** se battre pour.

luto ['lutu] *m* deuil *m*; **estar de ~** être en deuil.

luvas ['luvɐʃ] *fpl* gants *mpl*.

Luxemburgo [luʃẽm'burgu] *m* : **o** ~ le Luxembourg.

luxo ['luʃu] *m* luxe *m*; **de** ~ de luxe.

luxuoso, osa [lu'ʃwozu, -ɔzɐ] *adj* luxueux(-euse).

luxúria [lu'ʃurjɐ] *f* luxure *f*.

luxuriante [luʃu'rjẽntə] *adj* luxuriant(-e).

luz ['luʃ] *(pl* **-es** [-zəʃ]) *f (de sol, lâmpada, lume)* lumière *f*; *(de carro)* phare *m*; *(de casa)* électricité *f*; *(de rua)* éclairage *m*; ~ **do sol** lumière du soleil; **dar à** ~ accoucher; ~**es de perigo** warnings *mpl*; ~**es de presença** veilleuses *fpl*.

luzir [lu'zir] *vi* luire.

Lxª *(abrev de* **Lisboa***)* Lisbonne.

lycra® ['likrɐ] *f* Lycra® *m*.

M

ma [mɐ] = me + a; → me.

má → mau.

maca ['makɐ] f brancard m.

maçã [mɐ'sɐ̃] f pomme f; (da cara) pommette f; ~ **assada** pomme au four.

macabro, bra [mɐ'kabru, -brɐ] adj macabre.

macacão [mɐkɐ'kɐ̃u] (pl -ões [-õiʃ]) m (roupa) bleu m de travail; (calças) salopette f.

macaco, ca [mɐ'kaku, -kɐ] m, f singe m. ◆ m (AUT) cric m.

macacões → macacão.

maçã-de-adão [mɐ,sɐ̃djɐ'dɐ̃u] (pl **maçãs-de-adão** [mɐ,sɐ̃zdjɐ'dɐ̃u]) f pomme f d'Adam.

maçador, ra [mɐsɐ'dor, -rɐ] (mpl **-es** [-əʃ], fpl **-s** [-ʃ]) adj ennuyeux(-euse).

maçaneta [mɐsɐ'netɐ] f poignée f (de porte).

maçapão [mɐsɐ'pɐ̃u] m massepain m.

maçarico [mɐsɐ'riku] m chalumeau m.

maçaroca [mɐsɐ'rɔkɐ] f épi m de maïs.

macarrão [mɐkɐ'ʀɐ̃u] m (Port: tipo de massa) macaronis mpl; (Br: massa) nouilles fpl.

Macau [mɐ'kau] s Macao.

macedónia [mɐsɐ'dɔnjɐ] f macédoine f de légumes; ~ **(de frutas)** salade f de fruits.

macete [mɐ'setɐ] m maillet m.

machado [mɐ'ʃadu] m hache f.

machismo [mɐ'ʃiʒmu] m machisme m.

machista [mɐ'ʃiʃtɐ] adj & m machiste.

macho ['maʃu] adj & m mâle; um homem ~ un homme, un vrai.

machucado, da [maʃu'kadu, -dɐ] adj (Br) blessé(-e).

machucar [maʃu'kax] vt (Br) blesser.

❑ **machucar-se** vp se blesser.

maciço, ça [mɐ'sisu, -sɐ] adj massif(-ive).

macieira [mɐ'sjeirɐ] f pommier m.

❑ **Macieira**® f ≃ Calvados m.

macio, cia [mɐ'siu, -'siɐ] adj doux (douce).

maço ['masu] m maillet m; ~ **(de cigarros)** paquet m de cigarettes; ~ **de folhas** tas m de feuilles.

macumba [ma'kũmbɐ] f macumba f, culte proche du vaudou pratiqué au Brésil.

madeira [mɐ'deirɐ] f bois m. ◆ m (vinho) madère m.

❑ **Madeira** f: **a** ~ Madère.

---

i MADEIRA

La région autonome de Madère, archipel composé des îles de Madère, de Porto Santo, de Selvagens et de Desertas, est aussi connue sous le nom de « Pérola do Atlântico (Perle de l'Atlantique). Madère offre l'un des paysages les plus luxuriants du Portugal, et doit sa renommée à ses fleurs et à ses fruits typiques d'un climat tropical. On y cultive la banane, le fruit de la passion, l'ananas et le raisin muscat, avec lequel est préparé le célèbre madère.

---

madeirense [mɐðɐiˈrẽsə] *adj* de Madère. ♦ *mf* Madérien *m* (-enne *f*).

madeixa [mɐˈðɐiʃɐ] *f* mèche *f*.

madrasta [mɐˈðraʃtɐ] *f* belle-mère *f*.

madrepérola [ˌmaðrəˈpɛrulɐ] *f* nacre *f*.

madressilva [ˌmaðrəˈsitvɐ] *f* chèvrefeuille *m*.

madrinha [mɐˈðriɲɐ] *f (de baptismo)* marraine *f*.

madrugada [mɐðruˈgaðɐ] *f (alvorada)* aube *f; (manhã)* matin *m;* **uma da ~** une heure du matin; **de ~** *(fig)* très tôt.

madrugar [mɐðruˈgar] *vi* se lever de bonne heure.

maduro, ra [mɐˈðuru, -rɐ] *adj* mûr(-e); *(vinho)* fait avec du raisin arrivé à maturité par opposition au vin vert.

mãe [mɐ̃i] *f* mère *f*.

maestro [mɐˈɛʃtru] *m* chef *m* d'orchestre.

magia [mɐˈʒiɐ] *f* magie *f*.

mágico, ca [ˈmaʒiku, -kɐ] *adj* magique. ♦ *m, f* magicien *m* (-enne *f*).

magistrado, da [mɐʒiʃˈtraðu, -ðɐ] *m, f* magistrat *m*.

magnético, ca [mɐgˈnɛtiku, -kɐ] *adj* magnétique.

magnífico, ca [mɐgˈnifiku, -kɐ] *adj* magnifique.

magnitude [mɐgniˈtuðə] *f* grandeur *f*.

magnólia [mɐgˈnɔljɐ] *f* magnolia *m*.

mago, ga [ˈmagu, -gɐ] *m, f* magicien *m* (-enne *f*).

mágoa [ˈmagwɐ] *f* peine *f*.

magoado, da [mɐˈgwaðu, -ðɐ] *adj* blessé(-e); **ficou ~** ça lui a fait de la peine.

magoar [mɐˈgwar] *vt :* **~ alguém** *(fisicamente)* blesser qqn; *(moralmente)* faire de la peine à qqn.

❏ **magoar-se** *vp* se blesser.

magro, gra [ˈmagru, -grɐ] *adj (pessoa, animal)* maigre; *(leite)* écrémé(-e).

maio [ˈmaju] *m (Br)* = Maio.

maiô [maˈjo] *m (Br: de ginástica)* justaucorps *m; (de banho)* maillot *m* de bain.

Maio [ˈmaju] *m (Port)* mai *m;* → Setembro.

maionese [majɔˈnɛzɐ] *f* mayonnaise *f*.

maior [mɐˈjɔr] *(pl* **-es** [-əʃ]) *adj* plus grand(-e). ♦ *mf :* **o/a ~** le plus grand/la plus grande; **em ~ número** plus nombreux(-euses); **ser ~ de idade** être majeur(-e); **a ~ parte** la plupart.

maioria [mɐjuˈriɐ] *f* majorité *f;* **a ~ de** la plupart de.

maioridade [mɐjuriˈðaðə] *f* majorité *f (âge)*.

mais [ˈmaiʃ] *adv* **1.** *(em comparações)* plus; **a Ana é ~ alta/bonita** Ana est plus grande/jolie; **~... do que...** plus... que...; **ela tem ~ um ano do que eu** elle a un an de plus que moi; **a ~ de** OU **em trop**.

2. (como superlativo): **o/a ~** le/la plus; **o ~ inteligente/engraçado** le plus intelligent/drôle.
3. (indica adição) encore; **quero ~ pão** je veux encore du pain; **não quero ~ nada** je ne veux plus rien.
4. (indica intensidade): **que dia ~ bonito!** quelle belle journée!; **que lugar ~ feio!** quel endroit horrible!
5. (indica preferência): **~ vale não ir** il vaut mieux ne pas y aller; **~ vale ficares em casa** il vaut mieux que tu restes à la maison.
6. (em locuções): **de ~ a ~** en plus; **~ ou menos** plus ou moins; (de saúde) comme ci, comme ça; **por ~ que** avoir beau; **por ~ esperto que seja, não consegue fazê-lo** il a beau être adroit, il n'arrive pas à le faire; **sem ~ nem menos** comme ça, sans raison; **uma vez ~, ~ uma vez** une fois de plus; **cada vez ~** de plus en plus; **e que ~, minha senhora?** et avec ça, madame?
♦ adj inv **1.** (em comparações) plus; **eles têm ~ dinheiro** ils ont plus d'argent; **está ~ calor hoje** il fait plus chaud aujourd'hui.
2. (como superlativo) le plus de; **a pessoa que ~ discos vendeu** la personne qui a vendu le plus de disques; **os que ~ dinheiro têm** ceux qui ont le plus d'argent; **quanto ~ cedo melhor** le plus tôt sera le mieux; **o ~ tardar** au plus tard.
3. (indica adição) encore; **~ água, se faz favor** encore de l'eau, s'il vous plaît; **~ alguma coisa?** vous désirez autre chose?; **tenho ~ três dias de férias** j'ai encore trois jours de vacances.
♦ conj : **vou eu ~ o teu pai** nous y allons, ton père et moi.
♦ prep (indica soma) plus; **dois ~ dois, quatro** deux plus deux, quatre.

maitre ['mɛtrə] m (Br) maître m d'hôtel.

major [mɐ'ʒɔr] (pl **-es** [-əʃ]) m commandant m.

mal ['mał] (pl **-es** [-əʃ]) m mal m.
♦ adv mal. ♦ conj (assim que) dès que; **~ cheguei, telefonei logo** dès que je suis arrivé, j'ai téléphoné; **estar ~** être faux (fausse); **fazer ~** (a pessoa) faire du mal; (a coisa) abîmer; **não faz ~** ça n'est pas grave; **cheirar ~** sentir mauvais; **ouvir/ver ~** entendre/voir mal; **saber ~** avoir un mauvais goût; **o ~** le mal.

mala ['małɐ] f (de mão) sac m; (de roupa) valise f; **~ do carro** coffre m; **~ de viagem** valise f; **~ frigorífica** glacière f; **fazer as ~s** faire ses bagages.

malabarismo [mɐlɐbɐ'riʒmu] m : **fazer ~s** jongler.

malabarista [mɐlɐbɐ'riʃtɐ] mf jongleur m (-euse f).

mal-acabado, da [ˌmauakɐ'badu, -dɐ] adj (Br) bâclé(-e); (pessoa) mal fait(-e).

malagueta [mɐlɐ'ɡetɐ] f piment m.

malandro, dra [mɐ'lẽndru, -drɐ] adj (preguiçoso) paresseux(-euse); (matreiro) fripon(-onne). ♦ m, f canaille f.

malária [mɐ'larjɐ] f malaria f.

malcriado, da [małkri'adu, -dɐ] adj mal élevé(-e).

maldade [mał'dadɐ] f méchanceté f.

maldição [małdi'sẽu] (pl **-ões** [-õiʃ]) f malédiction f.

maldito, ta [mał'ditu, -tɐ] adj maudit(-e).

maldizer [małdi'zer] vt (amaldiçoar) maudire; (dizer mal de) dire du mal de.

maldoso, osa [mał'dozu, -ɔzɐ] adj méchant(-e).

mal-educado, da [ˌmaliɖu'kaɖu, -dɐ] adj mal élevé(-e).

maleficío [mɐlə'fisju] *m* malé-
fice *m*.

mal-entendido [ˌmalĩntẽn'di-
ɖu] (*pl* **mal-entendidos** [ˌmal-
ĩntẽn'diɖuʃ]) *m* malentendu *m*.

males → **mal**.

mal-estar [maləʃ'tar] (*pl* **mal-
estares** [maləʃ'tarəʃ]) *m* malaise *m*.

maleta [mɐ'letɐ] *f* mallette *f*.

malfeitor, ra [maɫfɐi'tor, -rɐ]
(*mpl* **-es** [-əʃ], *fpl* **-s** [-ʃ]) *m, f* malfaiteur *m*.

malha ['maʎɐ] *f (tecido)* jersey *m*;
(em meia, camisola, rede) maille *f*;
(mancha em animal) tache *f*; **cair
uma ~** filer un collant; **fazer ~** tricoter.

malhado, da [mɐ'ʎaɖu, -ɖɐ]
adj tacheté(-e).

malhar [mɐ'ʎar] *vt* battre. ◆ *vi*
(fam) se casser la figure.

mal-humorado, da [malu-
mu'raɖu, -ɖɐ] *adj* de mauvaise
humeur.

malícia [mɐ'lisjɐ] *f* malice *f*.

maligno, gna [mɐ'lignu, -gnɐ]
adj malin(-igne).

malmequer [maɫmə'kɛr] (*pl*
-es [-əʃ]) *m* marguerite *f*.

mal-passado, da [maɫpɐ'saɖu, -ɖɐ] *adj (bife, carne)* saig-
nant(-e).

malta ['maɫtɐ] *f (fam)* bande *f*
(de copains).

maltratar [maɫtrɐ'tar] *vt (bater
em)* maltraiter; *(descuidar, estragar)* abîmer.

maluco, ca [mɐ'luku, -kɐ] *adj &
m, f* fou (folle).

malva ['maɫvɐ] *f* mauve *f*.

malvadez [maɫvɐ'deʃ] *f* cruauté
f.

malvado, da [maɫ'vaɖu, -ɖɐ]
adj méchant(-e).

mama ['mɐmɐ] *f* sein *m*.

mamadeira [mama'deirɐ] *f (Br)*
biberon *m*.

mamão [ma'mɐ̃u] (*pl* **-ões** [-õiʃ])
m papaye *f*.

mamar [mɐ'mar] *vi* téter; **dar de
~** *(amamentar)* donner à téter;
(com biberão) donner le biberon.

mamífero [mɐ'mifəru] *m* mammifère *m*.

mamilo [mɐ'milu] *m* mamelon
m.

maminha [ma'miɲɐ] *f (Br)* ≃
filet *m*.

mamões → **mamão**.

manada [mɐ'naɖɐ] *f* troupeau
m.

mancar [mẽŋ'kar] *vi* boiter.

mancha ['mẽʃɐ] *f* tache *f*.

Mancha ['mẽʃɐ] *f* : **o canal da ~**
la Manche.

manchar [mẽ'ʃar] *vt* tacher.

manchete [mẽ'ʃetʃi] *f (Br)* manchette *f (d'un journal)*.

manco, ca ['mẽŋku, -kɐ] *adj*
boiteux(-euse).

mandar [mẽn'dar] *vi* commander. ◆ *vt* envoyer; **~ alguém fazer
algo** envoyer qqn faire qqch; **~
fazer algo** faire faire qqch; **~ alguém passear** *(fam)* envoyer qqn
promener; **~ vir** *(encomendar)*
commander; *(fam : refilar)* rous-
péter; **~ à merda** *(vulg)* envoyer
chier; **~ em** *(empresa)* diriger;
(casa) commander, faire la loi.

mandioca [mẽn'djɔkɐ] *f* manioc
m; **(farinha de) ~** tapioca *m*.

maneira [mɐ'neirɐ] *f* manière *f*;
de uma ~ geral d'une manière
générale; **à ~ de** comme; **de ~ alguma** OU **nenhuma** pas du tout;
de ~ que si bien que; **de qualquer ~** de toute façon; **desta ~**
comme ça; **de todas as ~s** sous
toutes ses formes; **de tal ~... que**
tellement... que; **de uma ~ ou de
outra** d'une manière ou d'une
autre.

❏ **maneiras** *fpl* : **ter ~s** savoir se
tenir.

manejar [mɛnə'ʒar] *vt* manier.
manejável [mɛnə'ʒavɛt] *(pl* **-eis** [-ɐiʃ]) *adj* maniable.
manequim [mɛnə'kĩ] *(pl* **-ns** [-ʃ]) *m (em montra)* mannequin *m.* ◆ *mf (pessoa)* mannequin *m.*
maneta [mɐ'netɐ] *adj* manchot(-e).
manga ['mɐ̃gɐ] *f (de peça de vestuário)* manche *f*; *(fruto)* mangue *f*; **em ~s de camisa** en manches de chemise.
mangueira [mɛ̃'geirɐ] *f (para regar, lavar)* tuyau *m* d'arrosage; *(árvore)* manguier *m.*
manha ['mɐɲɐ] *f* ruse *f.*
manhã [mɐ'ɲɛ̃] *f* matin *m*; *(período)* matinée *f*; **de ~** de bonne heure; **toda a ~** toute la matinée.
mania [mɐ'niɐ] *f* manie *f.*
manicómio [mɐni'kɔmju] *m (Port)* asile *m.*
manicômio [mani'komju] *m (Br)* = **manicómio.**
manicura [mani'kurɐ] *f (Port)* manucure *f.*
manicure [mani'kuri] *f (Br)* = **manicura.**
manifestação [mɛnifɐʃtɐ'sɛ̃u] *(pl* **-ões** [-õiʃ]) *f* manifestation *f.*
manifestar [mɛnifɐʃ'tar] *vt* manifester.
❑ **manifestar-se** *vp (protestar)* manifester; *(pronunciar-se)* s'exprimer.
manipular [mɛnipu'lar] *vt* manipuler.
manivela [mɛni'vɛlɐ] *f* manivelle *f.*
manjericão [mɛ̃ʒɐri'kɐ̃u] *m* basilic *m.*
manobra [mɐ'nɔbrɐ] *f* manœuvre *f.*
mansão [mɐ̃'sɛ̃u] *(pl* **-ões** [-õiʃ]) *f* villa *f.*
mansidão [mɐ̃si'dɛ̃u] *f* douceur *f.*

manso, **sa** ['mɐ̃su, -sɐ] *adj (animal)* docile; *(mar)* calme; *(pinheiro)* parasol.
mansões → **mansão.**
manta ['mɐ̃tɐ] *f* couverture *f (de lit).*
manteiga [mɐ̃'teigɐ] *f* beurre *m*; **~ de cacau** beurre de cacao.
manteigueira [mɐ̃tei'geirɐ] *f* beurrier *m.*
manter [mɐ̃'ter] *vt* entretenir; *(conservar)* conserver; *(palavra)* tenir.
❑ **manter-se em** *vp + prep (em local)* rester à; *(em forma)* rester en.
manual [mɐ'nwat] *(pl* **-ais** [-aiʃ]) *adj* manuel(-elle). ◆ *m* manuel *m*; **~ (escolar)** manuel scolaire.
manuelino, **na** [mɐ'nwɛlinu, -nɐ] *adj* manuélin(-e); **o (estilo) Manuelino** l'art manuélin.

---

i MANUELINO

À la fin de l'époque du gothique portugais, sous le règne de Manuel Ier (1495-1521), s'est développé un style architectural appelé ultérieurement manuélin. Il marque un moment historique de l'expansion du Portugal à travers les océans et se caractérise surtout par l'ornementation des portails et des fenêtres et par la dentelle de ses cloîtres. Il multiplie les courbes capricieuses taillées dans la pierre, représentant des motifs marins et un naturalisme exotique. L'un de ses principaux joyaux est la fenêtre du couvent du Christ à Tomar.

---

manuscrito, **ta** [mɛnuʃ'kritu, -tɐ] *adj* manuscrit(-e). ◆ *m* manuscrit *m.*

manusear [mɐnu'zjar] *vt* manier.

manutenção [mɐnutẽ'sẽu] *f* entretien *m (de la maison).*

mão ['mẽu] *f (ANAT)* main *f; (de estrada)* sens *m;* **apertar a ~** serrer la main; **dar a ~ a alguém** donner la main à qqn; *(fig)* aider qqn; **de ~s dadas** main dans la main; **à ~** à la main; **dar uma ~ a alguém** donner un coup de main à qqn; **estar à ~** être tout près; **ter algo à ~** avoir qqch sous la main.

mão-de-obra [mẽun'dɔbrɐ] *f* main-d'œuvre *f.*

mapa ['mapɐ] *m* carte *f; ~* **das estradas** carte routière.

mapa-múndi [,mapɐ'mũndi] *(pl* **mapas-múndi** [,mapɐʒ'mũndi]) *m* mappemonde *f.*

maquete [ma'kɛtɐ] *f* maquette *f.*

maquiar [ma'kjax] *vt (Br)* = **maquilhar.**

maquilhagem [mɐki'ʎaʒẽi] *(pl* **-ns** [-ʃ]) *f (Port)* maquillage *m.*

maquilhar [mɐki'ʎar] *vt (Port)* maquiller.
❏ **maquilhar-se** *vp (Port)* se maquiller.

máquina ['makinɐ] *f* machine *f; ~* **de barbear** rasoir *m* électrique; *~* **de costura** machine à coudre; *~* **de escrever** machine à écrire; *~* **de filmar** caméra *f; ~* **fotográfica** appareil *m* photo; *~* **de lavar** *(roupa)* lave-linge *m inv; (louça)* lave-vaisselle *m inv; ~* **de secar** sèche-linge *m inv.*

maquinaria [mɐkinɐ'riɐ] *f* machinerie *f.*

mar ['mar] *(pl* **-es** [-ɐʃ]) *m* mer *f; ~* **alto, alto ~** haute mer; **por ~** par bateau.

maracujá [mɐrɐku'ʒa] *m* fruit *m* de la passion.

maravilha [mɐrɐ'viʎɐ] *f* mer-

veille *f;* **que ~!** quelle merveille!; **fazer ~s** faire des merveilles; **dizer ~s de** dire des merveilles de; **correr às mil ~s** se dérouler à merveille.

maravilhoso, osa [mɐrɐvi'ʎozu, -ɔzɐ] *adj* merveilleux(-euse).

marca ['markɐ] *f* marque *f; (vestígio)* trace *f; ~* **registada** nom *m* déposé; **de ~** de marque.

marcação [mɐrkɐ'sẽu] *(pl* **-ões** [-õiʃ]) *f (de consulta)* rendez-vous *m; (de lugar)* réservation *f.*

marcar [mɐr'kar] *vt (consulta)* prendre; *(lugar)* réserver; *(hora)* fixer; *(DESP)* marquer; *~* **encontro** fixer un rendez-vous; *~* **uma hora** prendre rendez-vous; *~* **o número** composer le numéro.

marcha ['marʃɐ] *f (desfile)* marche *f; (de trânsito)* circulation *f; ~s* **populares** *défilés organisés pendant les fêtes de juin; ~* **à ré** *(Br)* marche arrière.

marcha-atrás [,marʃa'traʃ] *f inv (Port)* marche *f* arrière.

marchar [mɐr'ʃar] *vi (pessoa)* marcher; *(tropa)* marcher au pas.

marcial [mɐr'sjał] *(pl* **-ais** [-aiʃ]) *adj* martial(-e).

marco ['marku] *m (em estrada, caminho)* borne *f; (moeda)* mark *m; ~* **do correio** boîte *f* aux lettres.

março ['maxsu] *m (Br)* = **Março.**

Março ['marsu] *m (Port)* mars *m;* → **Setembro.**

maré [mɐ'rɛ] *f* marée *f;* **estar em ~ de sorte** avoir la chance avec soi.

maré-alta [mɐrɛ'ałtɐ] *(pl* **marés-altas** [mɐrɛʒ'załtɐʃ]) *f* marée *f* haute.

maré-baixa [mɐrɛ'baiʃɐ] *(pl* **marés-baixas** [mɐrɛʒ'baiʃɐʃ]) *f* marée *f* basse.

maremoto [mɛrə'mɔtu] *m* raz-de-marée *m*.

mares → **mar**.

marfim [mɛr'fĩ] *m* ivoire *m*.

margarida [mɛrgɐ'riðɐ] *f* marguerite *f*.

margarina [mɛrgɐ'rinɐ] *f* margarine *f*.

margem ['marʒẽi] (*pl* **-ns** [-ʃ]) *f* (*de rio*) rive *f*; (*em texto, livro, documento*) marge *f*; **à ~** en marge; **pôr à ~** (*fig*) mettre à l'écart; **pôr-se à ~** se tenir à l'écart.

marginal [mɛrʒi'naɫ] (*pl* **-ais** [-ajʃ]) *mf* marginal *m* (-e *f*). ◆ *f* (*estrada*) bord *m* de mer; (*para passear*) promenade *f*.

marido [mɐ'riðu] *m* mari *m*.

marimbondo [marĩm'bõndu] *m* (*Br*) guêpe *f*.

marina [mɐ'rinɐ] *f* marina *f*.

marinada [mɐri'naðɐ] *f* marinade *f*.

marinha [mɐ'riɲɐ] *f* marine *f*.

marinheiro, ra [mɐri'ɲɐiru, -rɐ] *m, f* marin *m*.

marionete [marjɔ'nɛtɐ] *f* marionnette *f*.

mariposa [mɐri'pozɐ] *f* papillon *m* (*nage*).

marisco [mɐ'riʃku] *m* fruits *mpl* de mer.

marisqueira [mɐriʃ'kɐirɐ] *f* restaurant *m* de fruits de mer.

marítimo, ma [mɐ'ritimu, -mɐ] *adj* maritime.

marketing ['markətĩŋ] *m* marketing *m*.

marmelada [mɛrmɐ'laðɐ] *f* pâte *f* de coing.

marmeleiro [mɛrmɐ'lɐiru] *m* cognassier *m*.

marmelo [mɛr'mɛlu] *m* coing *m*.

mármore ['marmurɐ] *m* marbre *m*.

marquise [mar'kizɐ] *f* véranda *f*.

marreco, ca [mɐ'ʀɛku, -kɐ] *adj* bossu(-e).

Marrocos [mɐ'ʀɔkuʃ] *s* Maroc *m*.

marrom [ma'xõ] (*pl* **-ns** [-ʃ]) *adj* (*Br*) marron.

marroquinaria [mɛrukinɐ'riɐ] *f* maroquinerie *f*.

martelar [mɛrtɐ'lar] *vt* marteler.

martelo [mɛr'tɛlu] *m* marteau *m*; **a ~** (*vinho*) frelaté.

mártir ['martir] (*pl* **-es** [-əʃ]) *mf* martyr *m* (-e *f*).

mas¹ [mɐʃ] = **me** + **as**; → **me**.

mas² [mɐʃ] *conj* mais.
◆ *m* : **nem ~ nem meio ~!** il n'y a pas de mais qui tienne!

mascar [mɐʃ'kar] *vt* mâcher.

máscara ['maʃkɐrɐ] *f* masque *m*.

mascarar-se [mɐʃkɐ'rarsɐ] *vp* se déguiser.

mascavo [mɐʃ'kavu] *adj m* → **açúcar**.

mascote [mɐʃ'kɔtɐ] *f* mascotte *f*.

masculino, na [mɐʃku'linu, -nɐ] *adj* masculin(-e).

masoquista [mɐzu'kiʃtɐ] *adj & mf* masochiste.

massa ['masɐ] *f* (*esparguete, lasanha*) pâtes *fpl*; (*de bolo, pão*) pâte *f*; (*fam : dinheiro*) fric *m*; **~ folhada** (*Port*) pâte feuilletée; **~ folheada** (*Br*) pâte feuilletée; **em ~** (*fig*) en masse; **ter ~** (*fam*) avoir du fric.

massacre [mɐ'sakrɐ] *m* massacre *m*.

massagear [masa'ʒiax] *vt* (*Br*) = **massajar**.

massagem [mɐ'saʒẽi] (*pl* **-ns** [-ʃ]) *f* massage *m*.

massagista [mɐsɐ'ʒiʃtɐ] *mf* masseur *m* (-euse *f*).

massajar [mɐsɐ'ʒar] *vt* (*Port*) masser.

mastigar [meʃti'gar] *vt* mâcher.
mastro ['maʃtru] *m* mât *m*.
masturbar-se [meʃtur'barsə] *vp* se masturber.
mata ['matɐ] *f* bois *m*.
mata-borrão [,matɐbu'ʀẽu] (*pl* **mata-borrões** [,matɐbu'ʀõiʃ]) *m* buvard *m*.
matadouro [matɐ'ɗoru] *m* abattoir *m*.
matar [me'tar] *vt (pessoa, animal)* tuer; *(sede, fome)* couper; **estar** OU **ficar a ~** *(fig)* aller comme un gant.
❑ **matar-se** *vp* se tuer; **~-se a fazer algo** se démener pour faire qqch; **~-se a trabalhar** se tuer au travail.
mata-ratos [,matɐ'ʀatuʃ] *m inv* mort-aux-rats *f inv*.
mate ['matʃi] *m (Br)* maté *m (sorte de thé).* ♦ *adj* mat(-e).
matemática [metə'matikɐ] *f* mathématiques *fpl*.
matéria [me'tɛrjɐ] *f* matière *f*; **em ~ de** pour ce qui est de.
material [metə'rjaɫ] (*pl* **-ais** [-aiʃ]) *adj (bens)* matériel(-elle). ♦ *m* matériel *m*; **~ escolar** fournitures *fpl* scolaires.
matéria-prima [me,tɛrjɐ'primɐ] (*pl* **matérias-primas** [me,tɛrjeʃ'primeʃ]) *f* matière *f* première.
maternidade [metɐrni'ɗaɗɐ] *f (hospital)* maternité *f*.
matinê [matʃi'ne] *f (Br)* = **matinée.**
matinée [meti'ne] *f (Port)* matinée *f (de spectacle).*
matizado, da [meti'zaɗu, -ɗɐ] *adj* nuancé(-e).
mato ['matu] *m (tipo de vegetação)* lande *f; (Br: bosque)* bois *m*.
matraquilhos [metrɐ'kiʎuʃ] *mpl* baby-foot *m inv;* **jogar ~** faire un baby-foot.
matrícula [me'trikulɐ] *f (de carro)* immatriculation *f; (em escola, universidade)* inscription *f*.

matrimónio [metri'mɔnju] *m (Port)* mariage *m*.
matrimônio [matri'monju] *m (Br)* = **matrimónio.**
matriz [me'triʃ] (*pl* **-es** [-zeʃ]) *f (igreja)* église *f* paroissiale; *(de foto, tipografia)* film *m*.
maturidade [meturi'ɗaɗɐ] *f* maturité *f*.
matuto, ta [ma'tutu, -tɐ] *adj (Br)* provincial(-e).
mau, má ['mau, 'ma] *adj* mauvais(-e); *(malvado)* méchant(-e); **nada ~!** pas mal!
mausoléu [mauzu'lɛu] *m* mausolée *m*.
maus-tratos [mauʃ'tratuʃ] *mpl* mauvais traitements *mpl*.
maxilar [maksi'lar] (*pl* **-es** [-əʃ]) *m* maxillaire *m*.
máximo, ma ['masimu, -mɐ] *adj (velocidade, pena, pontuação)* maximum; *(temperatura)* maximal(-e). ♦ *m* : **o ~** le maximum; **no ~** tout au plus; **ao ~** à fond.
❑ **máximos** *mpl* phares *mpl*.
maxi-single [,maksi'sĩŋgeɫ] (*pl* **maxi-singles** [,maksi'sĩŋgleʃ]) *m (Port)* maxi-single *m*.
me [mə] *pron (complemento directo)* me; *(complemento indirecto)* moi, me; **dá-~ o livro** donne-moi le livre; **não ~ fales** ne me parle pas; *(reflexo)* me; **você ~ enganou!** *(Br)* tu m'as trompé!; **eu chamo-~ ...** *(Port)* je m'appelle...; **eu ~ chamo...** *(Br)* je m'appelle...; **ele deu-mo** *(Port)* il me l'a donné; **a folha, já ma deste** la feuille, tu me l'as déjà donnée; **o livro, já mo deste** le livre, tu me l'as déjà donné; **este livro, dás-mo?** ce livre, tu me le donnes?; **estes livros, deste-mos?** ces livres, tu me les a donnés?; **os teus pais, já mos apresentaste** tes parents, tu me les a déjà présentés.

meados [ˈmjaðuʃ] *mpl* : **em ~ de Dezembro** à la mi-décembre.

mecânica [məˈkɐnikɐ] *f* mécanique *f*; → **mecânico**.

mecânico, ca [məˈkɐniku, -kɐ] *adj* mécanique. ◆ *m, f* mécanicien *m* (-enne *f*).

mecanismo [məkɐˈniʒmu] *m* mécanisme *m*.

mecha [ˈmɛʃɐ] *f* mèche *f (de bougie)*; **na ~ *(fam)*** à fond.

medalha [məˈdaʎɐ] *f* médaille *f*.

média [ˈmɛdjɐ] *f* moyenne *f*; **andar à ~ de 150 km/h** faire du 150 km/h en moyenne; **em ~** en moyenne; **ter ~ de** avoir une moyenne de.

mediano, na [məˈdjɐnu, -nɐ] *adj* moyen(-enne).

mediante [məˈdjɐ̃tə] *prep (a troco de)* moyennant; *(consoante)* selon.

medicação [mədikɐˈsɐ̃u] *(pl -ões* [-ɔ̃iʃ]) *f* traitement *m*.

medicamento [mədikɐˈmẽtu] *m* médicament *m*.

medicina [mədəˈsinɐ] *f* médecine *f*.

médico, ca [ˈmɛdiku, -kɐ] *m, f* médecin *m*; **~ de clínica geral** médecin généraliste.

medida [məˈdidɐ] *f* mesure *f*; **à ~** sur mesure; **em certa ~** en quelque sorte; **mesmo à ~** juste; **na ~ do possível** dans la mesure du possible; **à ~ que** au fur et à mesure que; **tomar ~s** prendre des mesures.

medieval [mədjeˈvał] *(pl -ais* [-aiʃ]) *adj* médiéval(-e).

médio, dia [ˈmɛdju, -djɐ] *adj* moyen(-enne). ◆ *m (dedo)* moyenne *f*; *(EDUC)* mention *f* passable.
❏ **médios** *mpl* feux *mpl* de croisement.

medíocre [məˈdjukrə] *adj* médiocre.

medir [məˈdir] *vt* mesurer; *(temperatura)* prendre; **quanto é que medes?** combien est-ce que tu mesures?

meditar [məˈditar] *vi* méditer; **~ sobre algo** méditer sur qqch.

Mediterrâneo [mədit̪əˈrɐnju] *m* : **o (mar) ~** la (mer) Méditerranée.

medo [ˈmedu] *m* peur *f*; **ter ~** avoir peur; **ter ~ de** avoir peur de; **a ~** avec crainte; **sem ~** sans crainte.

medonho, nha [məˈdoɲu, -ɲɐ] *adj* épouvantable.

medronho [məˈdroɲu] *m* arbouse *f*.

medroso, osa [məˈdrozu, -ɔzɐ] *adj* peureux(-euse).

medula [məˈdulɐ] *f* moelle *f*.

medusa [məˈduzɐ] *f* méduse *f*.

megabyte [mɛɡɐˈbaitə] *m* mégaoctet *m*.

meia [ˈmejɐ] *f (Br)* six; **~ de leite** café au lait servi dans une tasse.

meia-calça [ˌmejɐˈkałsɐ] *(pl* **meias-calças** [ˌmejɐʃˈkałsɐʃ]) *f* collants *mpl (en laine)*.

meia-desfeita [ˌmejɐdəʃˈfeitɐ] *f* salade de morue aux pois chiches.

meia-hora [ˌmejɐˈɔrɐ] *(pl* **meias-horas** [ˌmejɐˈzɔrɐʃ]) *f* demi-heure *f*.

meia-idade [ˌmejɐiˈdaðɐ] *f* : **de ~** d'âge mûr.

meia-noite [ˌmejɐˈnoitɐ] *f* minuit *m*.

meias [ˈmejɐʃ] *fpl* chaussettes *fpl*; *(de mulher)* collants *mpl*; *(com ligas)* bas *mpl*; **~ de lycra** collants en Lycra; **~ de mousse** collants mousse; **~ de vidro** collants en nylon.

meias-medidas [ˌmejɐʒməˈdiðɐʃ] *fpl* : **não estar com ~** ne pas y aller par quatre chemins.

meias-palavras [ˌmejɐʃpɐˈlavrɐʃ] *fpl* : **não estar com ~** ne pas mâcher ses mots.

meigo, ga ['meigu, -gɐ] *adj (pessoa)* doux (douce); *(animal)* affectueux(-euse).

meio, meia ['meju, 'mejɐ] *adj* demi-, mi-. ◆ *m (modo, recurso)* moyen *m*; *(social, profissional)* milieu *m*; ~ **ambiente** environnement *m*; ~ **bilhete** billet *m* demi-tarif; ~ **cheio** à moitié plein; **a meias** moitié-moitié; **estar ~ a dormir** dormir à moitié; **fiz o trabalho a meias com ele** j'ai partagé le travail avec lui; **meia pensão** demi-pension *f*; **a meia voz** à mi-voix; ~ **por** ~ du pareil au même; **no ~ de** *(de duas coisas)* entre; *(de várias coisas)* parmi; *(de rua, mesa, multidão)* au milieu de.

meio-dia [,meju'diɐ] *m* midi *m*.

meio-quilo [,meju'kilu] *(pl* **meios-quilos** [,mejuʃ'kiluʃ]) *m* livre *f*.

meio-seco [,meju'seku] *adj m (vinho)* demi-sec.

mel ['mɛl] *m* miel *m*.

melaço [mə'lasu] *m* mélasse *f*.

melado, da [me'ladu, -dɐ] *adj (Br)* poisseux(-euse).

melancia [məlẽ'siɐ] *f* pastèque *f*.

melancolia [məlẽŋku'liɐ] *f* mélancolie *f*.

melancólico, ca [məlẽŋ-'kɔliku, -kɐ] *adj* mélancolique.

melão [mə'lẽu] *(pl* -**ões** [-õiʃ]) *m* melon *m* d'Espagne.

melga ['mɛɫgɐ] *f (Port: insecto)* moustique *m*; *(fam : pessoa chata)* casse-pieds *mf inv*.

melhor [mə'ʎɔr] *(pl* -**es** [-əʃ]) *adj* meilleur(-e). ◆ *adv* mieux. ◆ *mf* : **o ~** le mieux; **o/a ~** le meilleur/la meilleure; **ou** ~ ou plutôt; **tanto ~!** tant mieux!; **estar ~** aller mieux; **ser do ~ que há** être ce qu'il y a de mieux; **cada vez ~** de mieux en mieux; **correr pelo ~** se passer pour le mieux; **ir desta**

para ~ *(fam)* passer l'arme à gauche; **quem é que escreve ~?** qui écrit le mieux?

melhorar [məʎu'rar] *vt (comportamento)* améliorer; *(conhecimentos)* perfectionner. ◆ *vi (doente)* aller mieux; *(tempo, clima)* s'améliorer.

melhores → **melhor**.

melindrar [məlĩ'drar] *vt* offenser.

melindroso, osa [məlĩ-'drozu, -ɔzɐ] *adj (pessoa)* susceptible; *(assunto, questão, problema)* délicat(-e); *(saúde)* fragile.

meloa [mə'loɐ] *f* melon *m*.

melodia [məlu'diɐ] *f* mélodie *f*.

melodrama [mɛlɔ'drɛmɐ] *m* mélodrame *m*.

melodramático, ca [mɛlɔ-dre'matiku, -kɐ] *adj* mélodramatique.

melões → **melão**.

melro ['mɛɫʀu] *m* merle *m*.

membro ['mẽmbru] *m* membre *m*.

memorando [məmu'rẽndu] *m* note *f*.

memória [mə'mɔrjɐ] *f* mémoire *f*; **de ~** par cœur.

memorizar [məmuri'zar] *vt* mémoriser.

mencionar [mẽsju'nar] *vt* mentionner.

mendigar [mẽndi'gar] *vi* mendier.

mendigo, ga [mẽn'digu, -gɐ] *m, f* mendiant *m* (-e *f*).

meningite [mənĩ'ʒitɐ] *f* méningite *f*.

menino, na [mə'ninu, -nɐ] *m, f* petit garçon *m* (-e fille *f*).

menopausa [mɛnɔ'pauzɐ] *f* ménopause *f*.

menor [mə'nɔr] *(pl* -**es** [-əʃ]) *adj (em tamanho)* plus petit(-e); *(em número)* inférieur(-e); *(mínimo, em*

importância) moindre. ◆ *mf*
mineur *m* (-e *f*); **ser ~ de idade**
être mineur; **não faço** OU **tenho a**
menor ideia je n'en ai pas la
moindre idée; **o/a ~** le plus
petit/la plus petite; *(em quanti-*
dade) le/la moins; *(em importân-*
cia) le/la moindre.

menos ['menuʃ] *adv* **1.** *(ger)*
moins; **estás ~ gordo** tu es moins
gros; **~... do que...** moins... que...;
a ~ de moins; **deram-me di-**
nheiro a ~ ils m'ont donné de
l'argent en moins; **são dez ~ um**
quarto il est dix heures moins le
quart.
2. *(como superlativo)*: **o/a ~** le/la
moins; **o ~ interessante/caro** le
moins intéressant/cher.
3. *(em locuções)*: **a ~ que** à moins
que; **ao ~, pelo ~** au moins; **isso é**
o ~ c'est le moins grave; **pouco ~**
de un peu moins de.
◆ *adj inv* **1.** *(em comparações)*
moins de; **eles têm ~ posses** ils
ont moins de moyens; **está ~ frio**
do que ontem il fait moins froid
qu'hier.
2. *(como superlativo)* le moins de;
as que ~ bolos comeram celles
qui ont mangé le moins de gâteaux; **os que ~ dinheiro têm**
ceux qui ont le moins d'argent.
◆ *prep* **1.** *(excepto)* sauf; **gosta-**
ram todos ~ ele ils ont tous
aimé, sauf lui; **tudo ~ isso** tout
sauf ça.
2. *(indica subtracção)* moins; **três**
~ dois é igual a um trois moins
deux égale un.
menosprezar [mənuʃprə'zar]
vt mépriser.
mensageiro, ra [mẽsɐ'ʒeiru,
-rɐ] *m, f* messager *m* (-ère *f*).
mensagem [mẽsa'ʒẽi] *(pl* **-ns**
[-ʃ]) *f* message *m*.
mensal [mẽ'saɫ] *(pl* **-ais** [-aiʃ])
adj mensuel(-elle).
mensalmente [mẽsaɫ'mẽtɐ]
adv par mois.

menstruação [mẽʃtruɐ'sẽu] *f*
règles *fpl*.
mentalidade [mẽntɐli'dadɐ] *f*
mentalité *f*.
mente ['mẽntɐ] *f* esprit *m*; **ter**
em ~ fazer algo avoir l'intention
de faire qqch.
mentir [mẽn'tir] *vi* mentir.
mentira [mẽn'tirɐ] *f* mensonge
m. ◆ *interj* c'est faux!; **parece ~!**
c'est incroyable!
mentiroso, osa [mẽnti'rozu,
-ɔzɐ] *m, f* menteur *m* (-euse *f*).
mentol [mẽn'tɔɫ] *m* menthol *m*.
menu [mə'nu] *m* menu *m*.
mercado [mər'kadu] *m* marché
m; **~ municipal** marché municipal; **~ negro** marché noir.
❏ **Mercado** *m* : **o Mercado**
Único le Marché unique.
mercadoria [mərkɐdu'riɐ] *f*
marchandise *f*.
mercearia [mərsjɐ'riɐ] *f* épicerie *f*.
mercúrio [mər'kurju] *m* mercure *m*.
mercurocromo [mərkurɔ'-
kromu] *m* Mercurochrome®
m.
merecer [mərə'ser] *vt* mériter.
merecido, da [mərə'sidu, -dɐ]
adj mérité(-e).
merenda [mə'rẽndɐ] *f* goûter *m*.
merengue [mə'rẽŋgɐ] *m*
meringue *f*.
mergulhador, ra [mərguʎɐ'-
dor, -rɐ] *(mpl* **-es** [-əʃ], *fpl* **-s** [-ʃ])
m, f plongeur *m* (-euse *f*).
mergulhar [mərgu'ʎar] *vi*
plonger. ◆ *vt* : **~ algo em algo**
plonger qqch dans qqch.
mergulho [mər'guʎu] *m* plongeon *m*; **dar um ~** plonger.
meridiano [məri'djɐnu] *m*
méridien *m*.
meridional [məridju'naɫ] *(pl*
-ais [-aiʃ]) *adj* méridional(-e).

mérito ['mɛritu] *m* mérite *m*;
por ~ próprio au mérite.

mês ['meʃ] (*pl* **meses** ['mezəʃ]) *m*
mois *m*; **todos os meses** tous les
mois; **(de) ~ a ~** tous les mois;
por ~ par mois.

mesa ['meze] *f* table *f*; **estar à ~**
être à table.

mesada [mə'zaðɐ] *f* argent *m* de
poche *(du mois)*.

mesa-de-cabeceira [,mezɐ-
ðəkɐbɐ'seirɐ] (*pl* **mesas-de-
cabeceira** [,mezɐʒdɐkɐbɐ'seirɐ]) *f*
table *f* de nuit.

mescla ['mɛʃklɐ] *f* mélange *m*.

mesclar [məʃ'klar] *vt* mélanger.

meses → **mês**.

meseta [mə'zetɐ] *f* plateau *m* (en
géographie).

mesmo, ma ['meʒmu, -mɐ] *adj*
même. ◆ *adv (até, exactamente)*
même; *(para enfatizar)* tout à fait.
◆ *pron* : **o ~/a mesma** le/la
même; **foi ele ~ que o disse** il l'a
dit lui-même; **esta mesma pessoa** cette personne là; **isso ~!** tout
à fait!; **valer o ~ que** valoir autant
que; **~ assim** quand même; **~ que**
même si; **~ se** même si; **nem ~**
même pas; **nem ~ ele conseguiu**
même lui, il n'a pas réussi; **ser o**
~ que revenir à; **só ~** il n'y a que.

mesquinho, nha [məʃ'kiɲu,
-ɲɐ] *adj* mesquin(-e).

mesquita [məʃ'kitɐ] *f* mosquée
f.

mestiço, ça [məʃ'tisu, -sɐ] *adj*
& *m, f* métis(-isse).

mestre ['mɛʃtrɐ] *m (perito)*
maître *m*; *(EDUC: com mestrado)*
diplômé universitaire qui a soutenu
un mémoire.

mestre-de-cerimónias
[,mɛʃtrɐðəsəri'mɔnjeʃ] (*pl* **mestres-
de-cerimónias** [,mɛʃtrɐʒdə-
səri'mɔnjeʃ]) *m (em espectáculos)*
animateur *m*; *(em festa)* maître *m*
de cérémonie; *(em recepções oficiais)* chef *m* du protocole.

mestre-sala [,mɛʃtri'salɐ] (*pl*
mestres-sala [,mɛʃtriʃ'salɐ]) *m (Br)*
homme qui porte le drapeau de
l'école de samba à laquelle elle
appartient lors du défilé du carnaval.

meta ['mɛtɐ] *f (em corrida)* ligne *f*
d'arrivée; *(objectivo)* but *m*.

metabolismo [mɐtɐβu'liʒmu]
m métabolisme *m*.

metade [mə'taðə] *f* moitié *f*; **~**
do preço moitié prix; **fazer algo**
em ~ do tempo mettre moitié
moins de temps pour faire qqch;
fazer as coisas pela ~ faire les
choses à moitié.

metáfora [mə'tafurɐ] *f* métaphore *f*.

metal [mə'taɫ] (*pl* **-ais** [-aiʃ]) *m*
métal *m*.

metálico, ca [mə'taliku, -kɐ]
adj métallique.

metalurgia [mɐtɐlur'ʒiɐ] *f*
métallurgie *f*.

meteorito [mɐtju'ritu] *m*
météorite *m*.

meteoro [mə'tjɔru] *m* météore
m.

meteorologia [mɐtjurulu'ʒiɐ]
f (ciência) météorologie *f*; *(em televisão)* météo *f*.

meter [mə'ter] *vt* mettre; **~ algo/**
alguém em algo mettre qqch/
qqn dans qqch; **~ medo** faire
peur; **~ pena** faire de la peine; **~**
raiva énerver.

❏ **meter-se** *vp* se mêler de; **~-se**
na vida dos outros se mêler des
affaires des autres; **~-se onde não**
se é chamado se mêler de ce qui
ne nous regarde pas; **~-se com**
alguém embêter qqn; **~-se em**
algo *(envolver-se em)* se lancer
dans qqch; *(intrometer-se em)* se
mêler de qqch.

meticuloso, osa [mɐtiku'lozu,
-ɔzɐ] *adj* méticuleux(-euse).

metódico, ca [mə'tɔðiku, -kɐ]
adj (pessoa) méthodique; *(descrição)* rigoureux(-euse).

método ['mɛtuðu] m méthode f; **com/sem** ~ avec/sans méthode.

metralhadora [mɘtɾɐʎɐ'ðoɾɐ] f mitrailleuse f.

métrico, ca ['mɛtɾiku, -kɐ] adj métrique.

metro ['mɛtɾu] m mètre m; (Port) (abrev de **metropolitano**) métro m.

metrô [me'tɾo] m (Br) = **metropolitano**.

metropolitano [mɐtɾupuli'tɐnu] m métro m.

meu, minha ['meu, 'miɲɐ] adj mon (ma). ◆ pron : **o ~/a minha** le mien/la mienne; **isto é ~** c'est à moi; **um amigo ~** un de mes amis; **os ~s** (a minha família) les miens.

mexer [mɘ'ʃeɾ] vt (corpo) bouger; (CULIN) remuer. ◆ vi bouger; ~ **em algo** fouiller dans qqch; **pôr-se a ~** (fam) décamper. ❑ **mexer-se** vp (despachar-se) s'activer; (mover-se) bouger; **mexa-se!** dépêchez-vous!

mexerica [meʃe'ɾikɐ] f (Br) clémentine f.

mexerico [mɘʃɘ'ɾiku] m commérages mpl.

México ['mɛʃiku] m : **o ~** le Mexique.

mexido, da [mɘ'ʃiðu, -ðɐ] adj (pessoa) actif(-ive); (música) entraînant(-e); (ovo) brouillé(-e).

mexilhão [mɘʃi'ʎɐ̃u] (pl -ões [-õiʃ]) m moule f.

mg (abrev de **miligrama**) mg.

miar ['mjaɾ] vi miauler.

micróbio [mi'kɾɔbju] m microbe m.

microfone [mikɾɔ'fɔnɐ] m micro m.

microondas [mikɾɔ'õndɐʃ] m inv micro-ondes m inv.

microscópio [mikɾuʃ'kɔpju] m microscope m.

migalha [mi'gaʎɐ] f miette f.

migas ['migɐʃ] fpl morceaux de pain trempés dans de la graisse ou du lait sucré; ~ **à alentejana** viande de porc accompagnée de pain aillé frit dans la graisse.

migração [migɾɐ'sɐ̃u] (pl -ões [-õiʃ]) f migration f.

mijar [mi'ʒaɾ] vi (fam) pisser.

mil ['miɫ] num mille; ~ **folhas** mille-feuille m; **três** ~ trois mille; ~ **novecentos e noventa e sete** mille neuf cent quatre-vingt-dix-sept; → **seis**.

milagre [mi'lagɾɐ] m miracle m.

milénio [mi'lɛnju] m millénaire m.

milha ['miʎɐ] f (terrestre) mile m; (marítima) mille m.

milhafre [mi'ʎafɾɐ] m milan m.

milhão [mi'ʎɐ̃u] (pl -ões [-õiʃ]) num million m; **um** ~ **de pessoas** un million de personnes; → **seis**.

milhar [mi'ʎaɾ] (pl -es [-əʃ]) num millier m; **um** ~ **de pessoas** un millier de personnes; → **seis**.

milho ['miʎu] m maïs m; ~ **doce** maïs doux.

milhões → **milhão**.

miligrama [mili'gɾɐmɐ] m milligramme m.

mililitro [mili'litɾu] m millilitre m.

milímetro [mi'limɐtɾu] m millimètre m.

milionário, ria [milju'naɾju, -ɾjɐ] m, f millionnaire mf.

militante [mɘli'tẽntɐ] mf militant m (-e f).

mim ['mĩ] pron (complemento indirecto) moi, me; **ele não fala para** ~ il ne me parle pas; **a** ~, **não me mentes** moi, tu ne me mens pas; (reflexo) moi; **para** ~ d'après moi; **por** ~ quant à moi.

mimado, da [mi'maðu, -ðɐ] adj gâté(-e).

mimar [mi'maɾ] vt (criança) gâter; (por gestos) mimer.

mímica ['mimikɐ] f (arte) mime m; (expressão) mimique f.

mimo ['mimu] m câlin m; **dar ~s a alguém** gâter qqn; **ser um ~** être adorable.

mina ['minɐ] f mine f.

mindinho [mĩn'diɲu] m auriculaire m.

mineiro, ra [mi'nɐiru, -rɐ] m, f mineur m.

mineral [minɐ'raɫ] (pl **-ais** [-aiʃ]) m minéral m.

minério [mi'nɛrju] m minerai m.

minha → meu.

Minho ['miɲu] m : **o ~** le Minho.

ⓘ MINHO

Cette province est située au nord-ouest du Portugal, à la frontière de l'Espagne. Son charme tient notamment à ses treilles, d'où est tiré le délicieux vin vert. C'est une région humide et pluvieuse, aux paysages verdoyants. On y a construit au fil des siècles de beaux manoirs dont beaucoup servent aujourd'hui à héberger les touristes. La richesse et les traditions de la province se reflètent dans son folklore, caractérisé par des chants et des danses pleins de gaieté ainsi que par son artisanat, avec notamment de magnifiques pièces d'orfèvrerie.

---

minhoca [mi'ɲɔkɐ] f ver m de terre, asticot m.

miniatura [minjɐ'turɐ] f miniature f; **em ~** en miniature.

mini-mercado [ˌminimɐr'kaðu] m supérette f.

mínimo, ma ['minimu, -mɐ] adj (velocidade, pena) minimum; (temperatura) minimal(-e). ◆ m : **o ~** le minimum; **não fazer a mínima ideia** ne pas avoir la moindre idée; **no ~** au minimum; **pôr no ~** mettre au minimum.

mini-saia [ˌmini'sajɐ] f (Port) minijupe f.

minissaia [ˌmini'sajɐ] f (Br) = mini-saia.

ministério [mɨniʃ'tɛrju] m ministère m.

ministro, tra [mɐ'niʃtru, -trɐ] m, f ministre m.

minoria [minu'riɐ] f minorité f; **estar em ~** être en minorité.

minúscula [mi'nuʃkulɐ] f minuscule f; **em ~s** en minuscules.

minúsculo, la [mi'nuʃkulu, -lɐ] adj minuscule.

minuto [mi'nutu] m minute f; **só um ~!** une (petite) minute!; **contar os ~s** chronométrer; (fig) trouver le temps long; **dentro de poucos ~s** dans quelques minutes; **em poucos ~s** en quelques minutes.

miolo ['mjolu] m mie f.

❑ **miolos** mpl cervelle f; **dar voltas aos ~s** (fam) se torturer les méninges; **derreter os ~s a alguém** (fam) faire tourner qqn en bourrique; **puxar pelos ~s** (fam) se creuser la cervelle; **ter ~s** (fam) en avoir dans le crâne.

míope ['mjupə] adj myope.

miopia [mju'piɐ] f myopie f.

miosótis [mjɔ'zɔtiʃ] m inv myosotis m.

miradouro [mirɐ'ðoru] m belvédère m.

miragem [mi'raʒẽi] (pl **-ns** [-ʃ]) f mirage m.

mirar [mi'rar] vt regarder.

❑ **mirar-se** vp : **~-se em** se regarder dans.

miscelânea [miʃsɐ'lɐnjɐ] f mélange m; (fig) désordre m.

mise ['mizə] f mise f en plis; **fazer uma ~** se faire faire une mise en plis.

miserável [mizə'ravɛɫ] (pl **-eis** [-ɐiʃ]) adj misérable.

miséria [mi'zɛrjɐ] f (pobreza) misère f; (desgraça) malheur m.

misericórdia [mizɐri'kɔrdjɐ] f pitié f; **pedir ~** demander miséricorde.

❏ **Misericórdias** fpl œuvres fpl de charité.

missa ['misɐ] f messe f.

missão [mi'sɐ̃u] (pl **-ões** [-õiʃ]) f mission f.

míssil ['misiɫ] (pl **-eis** [-ɐiʃ]) m missile m.

missionário, ria [misju'narju, -rjɐ] m, f missionnaire mf.

missões → **missão**.

mistério [miʃ'tɛrju] m mystère m.

misterioso, osa [miʃtə'rjozu, -ɔzɐ] adj mystérieux(-euse).

misto, ta ['miʃtu, -tɐ] adj mixte.

mistura [miʃ'turɐ] f mélange m; **à ~** dans le lot.

misturar [miʃtu'rar] vt mélanger; (fig) confondre.

mito ['mitu] m mythe m.

miúdo, da ['mjuðu, -ðɐ] adj petit(-e). ♦ m, f gamin m (-e f).

❏ **miúdos** mpl: **~s de galinha** abats mpl de poulet; **trocar algo por ~s** expliquer en détail.

ml (abrev de **mililitro**) ml.

mm (abrev de **milímetro**) mm.

mo [mu] = **me + o**; → **me**.

móbil ['mɔbiɫ] (pl **-beis** [-bɐiʃ]) m (de crime, acção) mobile m.

mobília [mu'biljɐ] f meubles mpl.

mobiliário [mubə'ljarju] m mobilier m.

moçambicano, na [musɐ̃m-bi'kɐnu, -nɐ] adj mozambicain(-e). ♦ m, f Mozambicain m (-e f).

Moçambique [musɐ̃m'bikɐ] s Mozambique m.

mocassins [mukɐ'sĩʃ] mpl mocassins mpl.

mochila [mu'ʃilɐ] f sac m à dos.

mocho ['moʃu] m hibou m.

mocidade [musi'ðaðɐ] f jeunesse f.

moço, ça ['mosu, -sɐ] adj & m, f jeune; **~ de recados** coursier m.

mocotó [moko'tɔ] m (Br) pied m de veau.

moda ['mɔðɐ] f mode f; **à ~ de** à la (mode de); **estar fora de ~** être démodé(-e); **estar na ~** être à la mode; **passar de ~** ne plus être à la mode.

modalidade [muðeli'ðaðɐ] f (de desporto) discipline f; (de pagamento) modalité f.

modelo [mu'ðelu] m (fotográfico) mannequin m; (para pintor, de carro) modèle m; (de roupa) patron m; **servir de ~** servir de modèle; **tomar por ~** prendre pour modèle.

modem ['mɔðɛm] m modem m.

moderado, da [muðə'raðu, -ðɐ] adj modéré(-e).

moderar [muðə'rar] vt modérer.

modernizar [muðərni'zar] vt moderniser.

moderno, na [mu'ðɛrnu, -nɐ] adj moderne; (roupa) à la mode.

modéstia [mu'ðɛʃtjɐ] f modestie f; **~ à parte** sans vouloir me vanter.

modesto, ta [mu'ðɛʃtu, -tɐ] adj modeste.

modificar [muðəfi'kar] vt modifier.

❏ **modificar-se** vp changer.

modo ['mɔðu] m manière f; (de verbo) mode m; **com bons/maus ~s** avec de bonnes/de mauvaises manières; **de certo ~** d'une certaine manière; **de ~ nenhum!**

sûrement pas!; **de ~ que** si bien que; **de qualquer ~** de toute façon; **de tal ~ que** tellement...que; '**~ de usar**' 'mode d'emploi'.

módulo ['mɔðulu] *m (de autocarro, eléctrico)* ticket *m*.

moeda ['mwɛðɐ] *f (de metal)* pièce *f; (em geral)* monnaie *f; ~* **estrangeira** monnaie étrangère.

moelas ['mwɛleʃ] *fpl* gésiers *mpl*.

moer ['mwer] *vt* moudre.

mofo ['mofu] *m* moisi *m (odeur)*.

mogno ['mɔgnu] *m* acajou *m*.

moído, da ['mwiðu, -ðɐ] *adj* moulu(-e); **estar ~** *(fam)* être crevé; **ter o corpo ~** être plein de courbatures.

moinho ['mwiɲu] *m* moulin *m; ~* **de café** moulin à café; *~* **de vento** moulin à vent.

mola ['mɔlɐ] *f (em colchão, sofá)* ressort *m; (Port: de abotoar)* pression *f; ~* **de roupa** pince *f* à linge.

molar [mu'lar] *(pl* **-es** [-əʃ]*) m* molaire *f*.

moldar [moɫ'dar] *vt* mouler.

moldura [moɫ'durɐ] *f* cadre *m*.

mole ['mɔlə] *adj* mou (molle).

molécula [mu'lɛkulɐ] *f* molécule *f*.

molestar [muləʃ'tar] *vt* malmener.

molhar [mu'ʎar] *vt* mouiller. ❑ **molhar-se** *vp* se mouiller.

molheira [mu'ʎɐirɐ] *f* saucière *f*.

molho¹ ['moʎu] *m* sauce *f; ~* **de tomate** sauce tomate; **pôr de ~** *(bacalhau)* dessaler; *(roupa)* faire tremper.

molho² ['mɔʎu] *m (de palha)* botte *f; (de lenha)* fagot *m; ~* **de chaves** trousseau *m* de clés.

moliceiro [muli'sɐiru] *m barque peinte servant à la récolte des algues*.

molinete [muli'netɐ] *m (de cana de pesca)* moulinet *m*.

momentaneamente [mumẽn̪tɐnjɐ'mẽntɐ] *adv* pendant un moment.

momento [mu'mẽntu] *m* moment *m;* **um ~!** un moment!; **a qualquer ~** à n'importe quel moment, à tout moment; **até ao ~** jusqu'à présent; **de ~ pour le** moment; **dentro de ~s** dans quelques instants; **de um ~ para o outro** d'un moment à l'autre; **em dado ~** à un moment donné; **há ~s** il y a quelques instants; **neste ~** en ce moment; **por ~s** par moments; *(momentaneamente)* un moment.

monarca [mu'narkɐ] *mf* monarque *m*.

monarquia [munɐr'kiɐ] *f* monarchie *f*.

monge ['mõʒɐ] *m* moine *m*.

monitor, ra [muni'tor, -rɐ] *(mpl* **-es** [-əʃ]*, fpl* **-s** [-ʃ]*) m, f* moniteur *m* (-trice *f*). ◆ *m (de televisão)* écran *m; (de computador)* moniteur *m*.

monopólio [munu'pɔlju] *m (de venda, negócio)* monopole *m; (jogo)* Monopoly® *m*.

monossílabo [mɔnɔ'silɐbu] *m* monosyllabe *m*.

monotonia [munutu'niɐ] *f* monotonie *f*.

monótono, na [mu'nɔtunu, -nɐ] *adj (pessoa)* ennuyeux(-euse); *(vida, trabalho)* monotone.

monstro ['mõʃtru] *m* monstre *m*.

montagem [mõn'taʒẽi] *(pl* **-ns** [-ʃ]*) f* montage *m*.

montanha [mõn'tɐɲɐ] *f* montagne *f; ~* **russa** montagnes *fpl* russes.

montanhismo [mõntɐ'ɲiʒmu] *m* alpinisme *m*.

montanhoso, osa [mõntɐ'ɲozu, -ɔzɐ] *adj* montagneux (-euse).

montante [mõn'tẽntə] *m* montant *m*. ◆ *f* amont *m*.

montar [mõn'tar] *vt* monter. ◆ *vi* faire du cheval; ~ **a cavalo** monter à cheval.

monte ['mõntə] *m* mont *m*; ~**s de** *(fam)* des tas de; **a** ~ **de** pêle-mêle; **aos** ~**s** *(fam)* en pagaille; **um** ~ **de coisas** *(fam)* un tas de choses.

montra ['mõntrə] *f* vitrine *f*.

monumental [munumẽn'tał] *(pl* **-ais** [-aiʃ]) *adj* monumental(-e).

monumento [munu'mẽntu] *m* monument *m*; ~ **comemorativo** monument commémoratif.

moqueca [mu'kɛkɐ] *f* mijoté de poisson ou de fruits de mer au lait de coco.

morada [mu'raðɐ] *f* adresse *f*.

moradia [murɐ'ðiɐ] *f* villa *f*.

morador, ra [murɐ'dor, -ra] *(mpl* **-es** [-əʃ], *fpl* **-s** [-ʃ]) *m, f* habitant *m* (-e *f*).

moral [mu'raɫ] *(pl* **-ais** [-aiʃ]) *adj* moral(-e). ◆ *m* moral *m*. ◆ *f* morale *f*.

morango [mu'rẽŋgu] *m* fraise *f*.

morar [mu'rar] *vi* habiter.

mórbido, da ['mɔrβiðu, -ðɐ] *adj (pessoa)* maladif(-ive); *(história, atmosfera)* morbide.

morcego [mur'segu] *m* chauve-souris *f inv*.

morcela [mur'sɛlɐ] *f* boudin *m* noir.

mordaça [mur'ðasɐ] *f (em pessoa)* bâillon *m*; *(em animal)* muselière *f*.

morder [mur'ðer] *vt* mordre.

mordida [mur'ðiðɐ] *f (de insecto)* piqûre *f*; *(de cão, gato)* morsure *f*.

mordomo [mɔr'ðomu] *m* majordome *m*.

moreno, na [mu'renu, -nɐ] *adj (tez)* mat(-e); *(pele)* bronzé(-e); *(pessoa)* brun(-e).

morfina [mur'finɐ] *f* morphine *f*.

moribundo, da [muri'βũndu, -ðɐ] *adj* moribond(-e).

morno, morna ['mornu, 'mɔrnɐ] *adj* tiède.

morrer [mu'rɛr] *vi (pessoa, animal, planta)* mourir; *(fogo, luz)* s'éteindre; *(Br: motor)* être mort(-e); **estou a** ~ **de fome** je meurs de faim; **ser de** ~ *(fam)* être à mourir de rire.

morro ['moru] *m (monte)* butte *f*; *(Br: favela)* bidonville *m*.

mortadela [murtɐ'ðɛlɐ] *f* mortadelle *f*.

mortal [mur'taɫ] *(pl* **-ais** [-aiʃ]) *adj & mf* mortel(-elle).

mortalha [mur'taʎɐ] *f (de cadáver)* linceul *m*; *(papel para cigarro)* papier *m* à cigarette.

mortalidade [murtɐli'ðaðə] *f* mortalité *f*; ~ **infantil** mortalité infantile.

morte ['mɔrtə] *f* mort *f*; **estar a pensar na** ~ **da bezerra** bayer aux corneilles; **ser de** ~ *(fam)* être à mourir de rire.

mortífero, ra [mur'tiferu, -rɐ] *adj* mortel(-elle).

morto, morta ['mortu, 'mɔrtɐ] *pp* → **matar**. ◆ *adj & m, f* mort(-e); **estar** ~ être mort; **estar** ~ **por fazer algo** mourir d'envie de faire qqch; **ser** ~ être tué; **estar** ~ **de cansaço/de fome/de sono** être mort de fatigue/de faim/de sommeil.

mos [muʃ] = **me** + **os**; → **me**.

mosaico [mu'zaiku] *m* mosaïque *f*.

mosca ['moʃkɐ] *f* mouche *f*; **acertar na** ~ mettre dans le mille; **estar com a** ~ *(fam)* être de mauvais poil.

moscatel [muʃkɐ'tɛł] *(pl* **-éis** [-ɛiʃ]) *m* muscat *m*.

mosquiteiro [muʃki'teiru] *m* moustiquaire *f*.

mosquito [muʃˈkitu] *m* moustique *m*; *(Br)* mouche *f*.
mostarda [muʃˈtarðɐ] *f* moutarde *f*.
mosteiro [muʃˈteiru] *m* monastère *m*; **Mosteiro da Batalha**
monastère de Batalha.

MOSTEIRO DA BATALHA

Ce monastère est sans
doute le monument le
plus important du Portu-
gal. Classé patrimoine mondial,
il est également connu sous le
nom de Santa Maria da Vitória,
un nom à la signification patriotique puisqu'il symbolise l'indépendance nationale. Sa construction a été commandée par
le roi Jean Ier pour commémorer la victoire remportée sur les
Espagnols à Aljubarrota en 1385.
On peut notamment y admirer
les chapelles inachevées, le
cloître d'Alphonse V, la chapelle
du fondateur et l'église, remarquable pour ses vitraux.

---

mostrador [muʃtreˈðor] *(pl* **-es**
[-əʃ]) *m* cadran *m*.
mostrar [muʃˈtrar] *vt* montrer;
(indicar) indiquer; *(provar,
demonstrar)* faire preuve de; *(exibir)* exposer; **~ algo a alguém**
montrer qqch à qqn; **~ interesse
em fazer algo** être intéressé par
qqch; **~ interesse por algo** montrer de l'intérêt pour qqch.
mostruário [muʃtruˈarju] *m (de
vendedor)* présentoir *m*; *(de cores)*
nuancier *m*.
mota [ˈmɔtɐ] *f* moto *f*.
mote [ˈmɔtə] *m* devise *f*.
motel [mɔˈtɛɫ] *(pl* **-éis** [-ɛiʃ]) *m*
motel *m*.
motim [muˈtĩ] *(pl* **-ns** [-ʃ]) *m*

(rebelião) émeute *f*; *(MIL)* mutinerie *f*.
motivar [mutiˈvar] *vt (interesse)*
susciter; *(confusão, mudança)* provoquer; *(aluno)* motiver.
motivo [muˈtivu] *m* motif *m*;
por ~ de en raison de; **por ~ de
doença** pour raison de santé;
sem ~s sans raison.
moto [ˈmɔtu] *f* = **mota**.
motocicleta [ˌmɔtɔsiˈklɛtɐ] *f*
motocyclette *f*.
motocross [ˌmɔtɔˈkrɔsə] *m*
motocross *m*.
motor [muˈtor] *(pl* **-es** [-əʃ]) *m*
moteur *m*; **~ de arranque** démarreur *m*.
motorista [mutuˈriʃtɐ] *mf (privado)* chauffeur *m*; *(de autocarro,
camioneta)* conducteur *m* (-trice
f).
motorizada [muturiˈzaðɐ] *f*
moto *f*.
motoserra [mɔtɔˈsɛrɐ] *f* tronçonneuse *f*.
mourisco, ca [moˈriʃku, -kɐ]
adj mauresque.
Mouros [ˈmoruʃ] *mpl* : **os ~** les
Maures *mpl*.

MOUROS

Les Maures ont occupé pendant de nombreuses
années la plus grande partie du territoire qui constitue
aujourd'hui le Portugal. Leur
influence est très sensible sur la
culture, notamment la langue et
l'art, de même que sur l'agriculture et l'architecture du pays.
Les Maures libres restés dans le
Portugal chrétien vivaient dans
des quartiers qui leur étaient
réservés, les « mourarias », mais
participaient à la vie sociale et
aux fêtes populaires et aristocra-
tiques.

---

mousse ['musə] *f* mousse *f*; ~ **de chocolate** *(Port)* mousse au chocolat.

movediço, ça [muvə'ðisu, -sɐ] *adj* mouvant(-e).

móvel ['mɔvɛɫ] *(pl* **-eis** [-ɐiʃ]) *adj* mobile. ◆ *m (mesa, armário, cama)* meuble *m*.
❑ **móveis** *mpl* meubles *mpl*.

mover [mu'ver] *vt* bouger; *(campanha)* lancer.
❑ **mover-se** *vp* bouger.

movimentado, da [muvimēn'taðu, -ðɐ] *adj (local, estrada)* fréquenté(-e); *(rua)* animé(-e).

movimento [muvi'mēntu] *m (gesto)* mouvement *m*; *(em rua)* animation *f*; *(em estabelecimento)* fréquentation *f*; **o ~ da loja hoje foi excelente** il y a eu beaucoup de monde aujourd'hui au magasin; **em ~** en mouvement.

MPB *f (Br) (abrev de* **Música Popular Brasileira)** *genre musical regroupant toutes les musiques populaires du Brésil.*

muco ['muku] *m* mucus *m*.

mudança [mu'ðɐ̃sɐ] *f (modificação)* changement *m*; *(de casa)* déménagement *m*; *(de veículo)* vitesse *f*.

mudar [mu'ðar] *vt & vi* changer.
❑ **mudar de** *v + prep* changer de.
❑ **mudar-se** *vp* déménager; ~ **de casa** déménager; ~ **de roupa** se changer; ~**-se para** aller habiter à.

mudez [mu'ðeʃ] *f* mutité *f*.

mudo, da ['muðu, -ðɐ] *adj* muet(-ette); **ficar ~** *(fig)* rester muet.

muito, ta ['muĩntu, -tɐ] *adj* beaucoup de. ◆ *pron & adv* beaucoup; **tenho ~ sono!** j'ai très sommeil!; ~ **bem!** très bien!; ~ **antes** bien avant; **por ~ que** avoir beau; **por ~ que lho repita, ele não**

compreende j'ai beau le lui répéter, il ne comprend pas; **quando ~** tout au plus; **querer ~ a alguém** aimer beaucoup qqn.

mula ['mulɐ] *f* mule *f*.

mulato, ta [mu'latu, -tɐ] *adj & m, f* mulâtre.

muleta [mu'letɐ] *f* béquille *f*.

mulher [mu'ʎer] *(pl* **-es** [-əʃ]) *f* femme *f*; ~ **a dias** femme de ménage.

multa ['muɫtɐ] *f* amende *f*; *(a um condutor)* contravention *f*; **apanhar uma** ~ avoir une amende; *(um condutor)* avoir une contravention.

multar [muɫ'tar] *vt* condamner à une amende.

multibanco [ˌmuɫti'bēŋku] *m* distributeur *m* automatique.

multidão [muɫti'ðɐ̃u] *(pl* **-ões** [-õiʃ]) *f (de pessoas)* foule *f*; *(de coisas)* multitude *f*.

multinacional [ˌmuɫtinɐsju'naɫ] *(pl* **-ais** [-aiʃ]) *f* multinationale *f*.

multiplicar [muɫtipli'kar] *vt & vi* multiplier; ~ **por** multiplier par.
❑ **multiplicar-se** *vp* se multiplier.

múltiplo, pla ['muɫtiplu, -plɐ] *adj* multiple. ◆ *m* multiple *m*.

múmia ['mumjɐ] *f* momie *f*.

mundial [mũn'djaɫ] *(pl* **-ais** [-aiʃ]) *adj* mondial(-e). ◆ *m* coupe *f* du monde.

mundo ['mũndu] *m* monde *m*; **não é nada do outro ~** ça n'a rien d'extraordinaire; **o outro ~** l'autre monde; **por nada deste ~** pour rien au monde; **é o fim do ~** c'est la fin des haricots; **todo (o) ~** *(Br)* tout le monde; **viver no ~ da lua** être dans la lune.

munição [muni'sɐ̃u] *(pl* **-ões** [-õiʃ]) *f* munition *f*.

municipal [munəsi'paɫ] *(pl* **-ais** [-aiʃ]) *adj* municipal(-e).

município [munə'sipju] *m* municipalité *f*.

munições → munição.

munir [mu'nir] *vt* : ~ alguém de algo munir qqn de qqch.

❑ **munir-se de** *vp* + *prep* : ~-se de algo se munir de qqch.

mural [mu'raɫ] (*pl* -ais [-aiʃ]) *m* peinture *f* murale.

muralha [mu'raʎɐ] *f* muraille *f*.

murchar [mur'ʃar] *vi* se faner.

murcho, cha ['murʃu, -ʃɐ] *adj* fané(-e); *(fig)* mort(-e).

murmurar [murmu'rar] *vt* murmurer.

murmúrio [mur'murju] *m* murmure *m*.

muro ['muru] *m* mur *m* *(extérieur)*.

murro ['muʀu] *m* coup *m* de poing; **dar um ~ a alguém** donner un coup de poing à qqn; **ele deu um ~ na mesa** il a tapé du poing sur la table.

murta ['murtɐ] *f* myrte *m*.

musa ['muzɐ] *f* muse *f*.

musculação [muʃkulɐ'sẽu] *f* musculation *f*.

músculo ['muʃkulu] *m* muscle *m*.

musculoso, osa [muʃku'lozu, -ɔzɐ] *adj* musclé(-e).

museu [mu'zeu] *m* musée *m*.

musgo ['muʒgu] *m* mousse *f* *(plante)*.

música ['muzikɐ] *f* musique *f*; ~ **clássica** musique classique; ~ **de câmara** musique de chambre; ~ **folclórica** musique folklorique; ~ **ligeira** musique légère; ~ **pop** musique pop; ~ **sinfónica** musique symphonique; **dar ~ a alguém** *(fig)* mener qqn en bateau.

músico ['muziku] *m* musicien *m* (-enne *f*).

musse ['musi] *f (Br)* = mousse.

mútuo, tua ['mutwu, -twɐ] *adj (sentimentos)* mutuel(-elle); *(gostos)* commun(-e); **de ~ acordo** d'un commun accord.

N

n° *(abrev de* **número***)* n°.

N *(abrev de* **Norte***)* N.

na [nɐ] = **em** + **a**; → **em**.

-na [nɐ] *pron (ela)* la; *(você)* vous.

nabiças [nɐˈbisɐʃ] *fpl* fanes *fpl* de navet.

nabo [ˈnabu] *m* navet *m*; *(fig)* balourd *m*.

nação [nɐˈsɐ̃u] *(pl* **-ões** [-õiʃ]*) f* nation *f*.

nacional [nɐsjuˈnał] *(pl* **-ais** [-aiʃ]*) adj* national(-e).

nacionalidade [nɐsjunɐliˈdadɐ] *f* nationalité *f*.

nacionalismo [nɐsjunɐˈliʒmu] *m* nationalisme *m*.

nações → **nação**.

nada [ˈnadɐ] *pron* rien. ♦ *adv* du tout; **não gosto ~ disto** ça ne me plaît pas du tout; **de ~!** de rien!; **~ de novo** rien de neuf; **~ disso!** pas question!; **não dar por ~** ne pas se rendre compte; **ou tudo ou ~** tout ou rien; **antes de mais ~** tout d'abord; **é uma coisa de ~** ce n'est rien; **daqui a ~** d'ici peu; **não prestar** OU **servir para ~** ne servir à rien; **não servir de ~ fazer algo** ne servir à rien de faire qqch.

nadador, ra [nɐdɐˈdor, -rɐ] *(mpl* **-es** [-əʃ]*, fpl* **-s** [-ʃ]*) m, f* nageur *m* (-euse *f*); **~ salvador** maître *m* nageur.

nadar [nɐˈdar] *vi* nager; **~ em** *(fig)* nager dans.

nádegas [ˈnadəgɐʃ] *fpl* fesses *fpl*.

nagô [naˈgo] *m* sauce à base de piments, de crevettes sèches et de jus de citron.

naipe [ˈnaipɐ] *m* couleur *f (des cartes à jouer)*.

não [nɐ̃u] *adv* non; **~ é?** n'est-ce pas?; **pois ~?** n'est-ce pas?; **~ só... como também...** non seulement... mais aussi...; **pelo sim, pelo ~** au cas où.

não-fumador, ra [ˌnɐ̃ufumɐˈdor, -rɐ] *(mpl* **-es** [-əʃ]*, fpl* **-s** [-ʃ]*) m, f (Port)* non-fumeur *m* (-euse *f*).

não-fumante [ˌnɐ̃ufuˈmɐ̃tʃi] *mf (Br)* = **não-fumador**.

napa [ˈnapɐ] *f* skaï *m*.

naquela [nɐˈkɛlɐ] = **em** + **aquela**; → **em**.

naquele [nɐˈkelɐ] = **em** + **aquele**; → **em**.

naquilo [nɐˈkilu] = **em** + **aquilo**; → **em**.

narciso [nɐrˈsizu] *m* narcisse *m*.

narcótico [nɐrˈkɔtiku] *m* narcotique *m*.

narina [nɐˈrinɐ] *f* narine *f*.

nariz [nɐ'riʃ] (*pl* -**es** [-zəʃ]) *m* nez *m*; **meter o ~ em tudo** fourrer son nez partout; **torcer o ~ (a algo)** *(fig)* faire la fine bouche (devant qqch).

narração [nɐʀɐ'sɐ̃u] (*pl* -**ões** [-õiʃ]) *f (acto)* narration *f*; *(conto, história)* récit *m*.

narrar [nɐ'ʀar] *vt* raconter.

narrativa [nɐʀɐ'tivɐ] *f* récit *m*.

nas [nɐʃ] = **em + as**; → **em**.

-nas [nɐʃ] *pron pl (elas)* les; *(vocês)* vous.

nascença [nɐʃ'sẽsɐ] *f* naissance *f*; **de ~** de naissance.

nascente [nɐʃ'sẽtɐ] *f* source *f*.

nascer [nɐʃ'ser] *vi (pessoa, animal)* naître; *(planta)* pousser; *(sol)* se lever. ◆ *m* lever *m*; **~ para ser algo** être fait pour qqch.

nascimento [nɐʃsi'mẽtu] *m* naissance *f*.

nata ['natɐ] *f* crème *f*.
❑ **natas** *fpl* crème *f* fraîche.

natação [nɐtɐ'sɐ̃u] *f* natation *f*.

natal [nɐ'tal] (*pl* -**ais** [-aiʃ]) *adj* natal(-e).
❑ **Natal** *m* Noël *m*; **Feliz Natal!** joyeux Noël!

nativo, va [nɐ'tivu, -vɐ] *adj & m, f* natif(-ive); **~ de** originaire de.

NATO ['natu] *f* OTAN *f*.

natural [nɐtu'ral] (*pl* -**ais** [-aiʃ]) *adj* naturel(-elle); **ao ~** au naturel; **como é ~** naturellement; **é ~ que** c'est normal que; **nada mais ~ que** rien d'étonnant à ce que; **ser ~ de** être né à.

naturalidade [nɐturɐli'dadɐ] *f (simplicidade)* naturel *m*; *(origem)* origine *f*.

naturalmente [nɐtural'mẽtɐ] *adv* naturellement. ◆ *interj* évidemment!

natureza [nɐtu'rezɐ] *f* nature *f*; **da mesma ~** de même nature; **~ morta** nature morte; **por ~** par nature.

❑ **Natureza** *f*: **a Natureza** la nature.

nau ['nau] *f* vaisseau *m*.

naufragar [naufrɐ'gar] *vi* faire naufrage.

naufrágio [nau'fraʒju] *m* naufrage *m*.

náusea ['nauzjɐ] *f* nausée *f*; **dar ~s** donner la nausée.

náutico, ca ['nautiku, -kɐ] *adj* nautique.

navalha [nɐ'vaʎɐ] *f* couteau *m*.

navalheira [nɐvɐ'ʎeirɐ] *f* couteau *m (mollusque)*.

nave ['navɐ] *f* nef *f*; **~ espacial** vaisseau *m* spatial.

navegação [nɐvɐgɐ'sɐ̃u] *f* navigation *f*.

navegar [nɐvɐ'gar] *vi* naviguer; **~ na Internet** surfer sur Internet.

navio [nɐ'viu] *m* navire *m*.

NB *(abrev de Note Bem)* NB.

NE *(abrev de Nordeste)* N-E.

neblina [nə'blinɐ] *f* brume *f*.

necessário, ria [nəsə'sarju, -rjɐ] *adj* nécessaire. ◆ *m*: **o ~** le nécessaire; **é ~...** il faut...; **quando ~** s'il le faut; **se ~** si nécessaire.

necessidade [nəsəsi'dadɐ] *f* besoin *m*; **de primeira ~** de première nécessité; **sem ~** pour rien; **ter ~ de fazer algo** avoir besoin de faire qqch; **fazer uma ~** *(fam)* faire ses besoins.

necessitar [nəsəsi'tar] *vt* avoir besoin de.
❑ **necessitar de** *v + prep* avoir besoin de; **~ de fazer algo** devoir faire qqch.

necrotério [nəkru'tɛrju] *m* morgue *f*.

néctar ['nɛktar] (*pl* -**es** [-əʃ]) *m* nectar *m*.

neerlandês, esa [nɛrlẽ'deʃ, -ezɐ] (*mpl* -**eses** [-ezəʃ], *fpl* -**s** [-ʃ]) *adj* néerlandais(-e). ◆ *m, f* Néerlandais *m* (-e *f*). ◆ *m (língua)* néerlandais *m*.

nefasto, ta [nə'faʃtu, -tɐ] *adj* néfaste.

negalhos [nə'gaʎuʃ] *mpl* tripes farcies au lard et au saucisson.

negar [nə'gar] *vt* nier; *(acesso)* refuser.

❑ **negar-se** *vp* : ~-se algo se refuser qqch; ~-se a fazer algo se refuser à faire qqch.

negativa [nəgɐ'tivɐ] *f* note en dessous de 10; **ter** ~ ne pas avoir la moyenne.

negativo, va [nəgɐ'tivu, -vɐ] *adj* négatif(-ive); *(nota)* en dessous de 10; *(temperatura)* en dessous de zéro; *(resultado, teste)* mauvais(-e). ♦ *m* négatif *m*.

negligência [nəgli'ʒẽsjɐ] *f* négligence *f*.

negligente [nəgli'ʒẽntə] *adj* négligent(-e).

negociação [nəgusjɐ'sɐ̃u] *(pl* -ões [-õiʃ]) *f* négociation *f*.

negociar [nəgu'sjar] *vt* négocier. ♦ *vi* négocier; *(COM)* faire des affaires.

negócio [nə'gɔsju] *m* affaire *f*; **fazer** ~s com alguém faire des affaires avec qqn; ~ **da China** affaire en or; ~ **escuro** affaire véreuse.

negro, gra ['negru, -grɐ] *adj* noir(-e); *(nublado, difícil)* sombre. ♦ *m, f* Noir *m* (-e *f*); **ver-se** ~ **para fazer algo** *(fam)* en baver pour faire qqch.

nela ['nɛlɐ] = em + ela; → em.

nele ['nelə] = em + ele; → em.

nem [nẽi] *conj* non plus. ♦ *adv* même pas; ~ **ele sabe** il ne le sait pas non plus; **ele estava tão doente que** ~ **veio** il était tellement malade qu'il n'est même pas venu; ~ **por isso** pas tellement; ~ **que** même si; ~ **sempre** pas toujours; ~ **tudo está incluído** tout n'est pas compris; ~ **mais!** tout à fait!; nem... nem...

ni... ni...; ~ **um** ~ **outro** ni l'un ni l'autre; ~ **penses!** *(fam)* tu peux toujours courir!

nenhum, ma [nə'ɲũ, -mɐ] *(mpl* -ns [-ʃ], *fpl* -s [-ʃ]) *adj & pron* aucun (aucune); **não tive problema** ~ je n'ai eu aucun problème; **não quero nenhuma bebida** je ne veux rien boire; ~ **de** aucun de; ~ **dos dois** aucun des deux.

neozelandês, esa [nɛuzɐlẽn'deʃ, -ezɐ] *(mpl* -eses [-ezəʃ], *fpl* -s [-ʃ]) *adj* néo-zélandais(-e). ♦ *m, f* Néo-Zélandais *m* (-e *f*).

nervo ['nervu] *m* nerf *m*.

❑ **nervos** *mpl (fam)* nerfs *mpl*.

nervosismo [nərvu'ziʒmu] *m* nervosité *f*.

nêspera ['neʃpɐrɐ] *f* nèfle *f*.

nessa ['nɛsɐ] = em + essa; → em.

nesse ['nesə] = em + esse; → em.

nesta ['nɛʃtɐ] = em + esta; → em.

neste ['neʃtə] = em + este; → em.

neto, ta ['nɛtu, -tɐ] *m, f* petit-fils *m* (petite-fille *f*).

neurose [neu'rɔzə] *f* névrose *f*.

neutralidade [neutrɐli'ðaðɐ] *f* neutralité *f*.

neutralizar [neutrɐli'zar] *vt* neutraliser.

neutro, tra ['neutru, -trɐ] *adj* neutre.

nevar [nə'var] *v impess* neiger; **está a** ~ il neige.

neve ['nɛvə] *f* neige *f*.

névoa ['nɛvwɐ] *f* brume *f*.

nevoeiro [nə'vwɐiru] *m* brouillard *m*.

Nicarágua [nikɐ'ragwɐ] *f*: **a** ~ le Nicaragua.

nicotina [niku'tinɐ] *f* nicotine *f*.

ninguém [nĩŋ'gẽi] *pron* personne; ~ **sabe** personne ne le sait; **não está ~ (em casa)** il n'y a personne (à la maison); **não vi ~** je n'ai vu personne.

ninho ['niɲu] *m* nid *m*.

níquel ['nikɛɫ] (*pl* **-eis** [-ɐiʃ]) *m* nickel *m*.

nissei [ni'sɐi] *mf* (*Br*) Brésilien *m* (-enne *f*) de parents japonais.

nisso ['nisu] = **em + isso**; → **em**.

nisto ['niʃtu] = **em + isto**; → **em**.

nitidez [niti'ðeʃ] *f* (*de imagem, visão*) netteté *f*; (*de ideias, raciocínio*) clarté *f*.

nítido, da ['nitiðu, -ðɐ] *adj* (*imagem, visão*) net (nette); (*ideia*) clair(-e).

nitrato [ni'tratu] *m* nitrate *m*; ~ **de prata** nitrate d'argent.

nível ['nivɛɫ] (*pl* **-eis** [-ɐiʃ]) *m* niveau *m*; (*qualidade*) gamme *f*; **ao ~ de** au niveau de; **de alto/baixo ~** haut/bas de gamme; ~ **de vida** niveau de vie.

no [nu] = **em + o**; → **em**.

nó ['nɔ] *m* nœud *m*; (*em dedo*) articulation *f*; **dar um ~** faire un nœud; **dar o ~** se marier.

-no [nu] *pron* (*ele*) le; (*você*) vous.

NO (*abrev de* **Noroeste**) N-O.

nobre ['nɔbrɐ] *adj* noble.

noção [nu'sɐ̃u] (*pl* **-ões** [-õiʃ]) *f* notion *f*.

nocivo, va [nu'sivu, -vɐ] *adj* nocif(-ive).

noções → **noção**.

nocturno, na [no'turnu, -nɐ] *adj* (*Port: actividade*) de nuit; (*animal*) nocturne.

nódoa ['nɔðwɐ] *f* tache *f*; ~ **negra** bleu *m*.

nogueira [nu'gɐirɐ] *f* noyer *m*.

noite ['noitɐ] *f* nuit *f*; (*início da noite*) soir *m*; **à ~** le soir; **boa ~!** bonsoir!; (*antes de ir dormir*)

bonne nuit!; **esta ~** cette nuit; (*no início da noite*) ce soir; **dia e ~** jour et nuit; **por ~** la nuit; **uma ~ por outra** de temps en temps; **da ~ para o dia** du jour au lendemain.

noivado [noi'vaðu] *m* fiançailles *fpl*.

noivo, va ['noivu, -vɐ] *m, f* fiancé *m* (-e *f*); **estar ~ de alguém** être fiancé à qqn. ☐ **noivos** *mpl* mariés *mpl*; **eles estão ~s** ils sont fiancés.

nojento, ta [nu'ʒẽtu, -tɐ] *adj* dégoûtant(-e).

nojo ['noʒu] *m* dégoût *m*; **dar ~** dégoûter; **ter** OU **sentir ~ de** être dégoûté par.

nome ['nomɐ] *m* nom *m*; ~ **completo** nom et prénoms; ~ **de baptismo** prénom *m*; ~ **próprio** nom propre; **em ~ de** au nom de; **chamar ~s a alguém** traiter qqn de tous les noms.

nomeação [numjɐ'sɐ̃u] (*pl* **-ões** [-õiʃ]) *f* nomination *f*.

nomeadamente [nu,mjaðɐ'mẽtɐ] *adv* notamment.

nomear [nu'mjar] *vt* nommer; (*para prémio*) sélectionner.

nonagésimo, ma [nonɐ'ʒɛzimu, -mɐ] *num* quatre-vingt-dixième; → **sexto**.

nono, na ['nonu, -nɐ] *num* neuvième; → **sexto**.

nora ['nɔrɐ] *f* (*familiar*) belle-fille *f*; (*para água*) noria *f*; **andar à ~** (*fig*) être déboussolé.

nordeste [nɔr'dɛʃtɐ] *m* nord-est *m*; **no ~** au nord-est.

norma ['nɔrmɐ] *f* norme *f*; **por ~** en règle générale.

normal [nɔr'maɫ] (*pl* **-ais** [-aiʃ]) *adj* normal(-e).

normalmente [nɔrmaɫ'mẽtɐ] *adv* normalement.

noroeste [nɔ'rwɛʃtɐ] *m* nord-ouest *m*; **no ~** au nord-ouest.

norte ['nɔrtɐ] *adj* du nord. ◆ *m*

nord *m*; **a ~** au nord; **a ~ de** au nord de; **no ~** au nord.

norte-americano, na [ˌnɔrtəməri'kɐnu, -nɐ] *adj* américain (-e). ◆ *m, f* Américain *m* (-e *f*).

Noruega [nɔ'rwɛgɐ] *f* : **a ~ la** Norvège.

norueguês, esa [nɔrwɛ'geʃ, -ezɐ] (*mpl* **-eses** [-ezəʃ], *fpl* **-s** [-ʃ]) *adj* norvégien(-enne). ◆ *m, f* Norvégien *m* (-enne *f*). ◆ *m* (*língua*) norvégien *m*.

nos[1] [nuʃ] = **em + os**; → **em**.

nos[2] [nuʃ] *pron pl* nous; **ele pagou-~** (*Port*) il nous a payés; **ela ~ falou que...** (*Br*) elle nous a dit que...; **deu-~ muito que fazer** (*Port*) il nous a donné beaucoup de travail; **ele ~ chateou muito** (*Br*) il nous a beaucoup embêtés; **odiamo-~** nous nous détestons; **beijámo-~** (*Port*) nous nous sommes embrassés; **~ beijamos** (*Br*) nous nous sommes embrassés; **assim não ~ roubam o carro** ainsi on ne nous volera pas la voiture.

-nos [nuʃ] *pron pl* (*eles*) les; (*vocês*) vous.

nós ['nɔʃ] *pron* nous; **somos ~** c'est nous; **e ~?** et nous?; **~ mesmos** OU **próprios** nous-mêmes; **para ~** d'après nous; **por ~** quant à nous.

nosso, a ['nɔsu, -ɐ] *adj* notre. ◆ *pron* : **o ~/a nossa** le/la nôtre; **isto é ~** c'est à nous; **um amigo ~** un de nos amis; **os ~s** (*a nossa família*) les nôtres.

nostalgia [nuʃtaɬ'ʒiɐ] *f* nostalgie *f*.

nostálgico, ca [nuʃtaɬʒiku, -kɐ] *adj* nostalgique.

nota ['nɔtɐ] *f* note *f*; (*moeda*) billet *m*; **tomar ~ de algo** prendre note de qqch.

notário, ria [nu'tarju, -rjɐ] *m, f* notaire *m*.

notável [nu'tavɛɬ] (*pl* **-eis** [-ɐiʃ]) *adj* notable.

notebook ['nɔtɐbukɐ] *m* (*INFORM*) notebook *m*.

notícia [nu'tisjɐ] *f* nouvelle *f*. ❑ **notícias** *fpl* informations *fpl*.

noticiário [nutɐ'sjarju] *m* journal *m*.

notificar [nutɐfi'kar] *vt* notifier.

notório, ria [nu'tɔrju, -rjɐ] *adj* notoire.

nova ['nɔvɐ] *f* nouvelle *f*.

Nova Iorque [ˌnɔvɐ'jɔrkɐ] *s* New-York.

novamente [ˌnɔvɐ'mẽntɐ] *adv* de nouveau.

novato, ta [nu'vatu, -tɐ] *m, f* novice *mf*.

Nova Zelândia [ˌnɔvɐzɐ'lẽndjɐ] *f* : **a ~ la** Nouvelle-Zélande.

nove ['nɔvɐ] *num* neuf; → **seis**.

novecentos, tas [ˌnɔvɐ'sẽntuʃ, -tɐʃ] *num* neuf cents; → **seis**.

novela [nɔ'vɛla] *f* (*Br*: em televisão*) feuilleton *m*; (*livro*) nouvelle *f*.

novelo [nu'velu] *m* pelote *f*.

novembro [nɔ'vẽmbru] *m* (*Br*) = **Novembro**.

Novembro [nu'vẽmbru] *m* (*Port*) novembre *m*; → **Setembro**.

noventa [nu'vẽntɐ] *num* quatre-vingt-dix; → **seis**.

novidade [nuvi'ðaðɐ] *f* nouveauté *f*; (*notícia*) nouvelle *f*.

novilho [nu'viʎu] *m* veau *m*.

novo, nova ['novu, 'nɔvɐ] *adj* (*jovem*) jeune; (*recente*) nouveau(-elle); (*não estreado*) neuf(-ve); **~ em folha** tout neuf.

noz ['nɔʃ] (*pl* **-es** [-zəʃ]) *f* noix *f*.

noz-moscada [ˌnɔʒmuʃ'kaðɐ] *f* noix *f* muscade.

nu, nua ['nu, 'nuɐ] *adj* nu(-e); **~ em pêlo** tout nu.

nublado, da [nu'blaðu, -ðɐ] *adj* nuageux(-euse).

nuca ['nukɐ] f nuque f.

nuclear [nukli'ar] (pl -es [-əʃ]) adj nucléaire.

núcleo ['nukliu] m noyau m.

nudez [nu'deʃ] f nudité f.

nudista [nu'ɖiʃtɐ] mf nudiste mf.

nulo, la ['nulu, -lɐ] adj nul (nulle).

num [nũ] = em + um; → em.

numa ['numɐ] = em + uma; → em.

numeral [numə'raɫ] (pl -ais [-aiʃ]) m numéral m.

numerar [numə'rar] vt numéroter.

numerário [numə'rarju] m numéraire m.

número ['numəru] m numéro m; (de sapatos) pointure f; (peça de vestuário) taille f; (quantidade) nombre m; ~ **de código** numéro de code; ~ **de contribuinte** numéro d'identification fiscale; ~ **de passaporte** numéro de passeport; ~ **de telefone** numéro de téléphone.

numeroso, osa [numə'rozu, -ɔzɐ] adj nombreux(-euse).

numismática [numiʒ'matikɐ] f numismatique f.

nunca ['nũŋkɐ] adv jamais; **mais do que** ~ plus que jamais; ~ **mais** plus jamais; ~ **se sabe** on ne sait jamais; ~ **na vida** jamais de la vie.

nuns [nũʃ] = em + uns; → em.

núpcias ['nupsjɐʃ] fpl noces fpl.

nutrição [nutri'sẽu] f nutrition f.

nutrir [nu'trir] vt (fig) nourrir.

nutritivo, va [nutri'tivu, -vɐ] adj nutritif(-ive).

nuvem ['nuvẽi] (pl -ns [-ʃ]) f nuage m.

N.W. (abrev de Noroeste) N-O.

o, a [u, ɐ] *(mpl* **os** [uʃ], *fpl* **as** [ɐʃ]) *artigo definido* **1.** *(ger)* le (la); **o hotel** l'hôtel; **os alunos** les élèves; **a aluna** l'élève; **a casa** la maison; **o amor** l'amour; **os nervos** les nerfs; **a vida** la vie; **o belo** le beau; **o melhor/pior** le meilleur/pire; **o possível** le possible; **o Brasil** le Brésil; **a Inglaterra** l'Angleterre; **os Pirenéus** les Pyrénées; **partiu o nariz** il s'est cassé le nez; **tenho os pés frios** j'ai les pieds gelés; **os ovos são a 200 Esc. a dúzia** les œufs sont à 200 escudos la douzaine; **o 25 de Abril** le 25 avril. **2.** *(com nome de pessoa)*: **o Paulo** Paulo; **a Helena** Helena; **o Sr.Costa** M. Costa.

♦ *pron* **1.** *(ger)* le (la); **deixei-a ali** je l'ai laissée là; **ela amava-o muito** elle l'aimait beaucoup; **não os vi** je ne les ai pas vus; **o quarto, reservei-o com antecedência** la chambre, je l'ai réservée d'avance; **os papéis, não consigo achá-los** les papiers, je n'arrive pas à les trouver; **as minhas botas, vais estragá-las** mes bottes, tu les abîmer. **2.** *(você, vocês)* vous; **eu chamei-o, mas você não ouviu** je vous ai appelé, mais vous n'avez pas entendu; **prazer em vê-los, meninos** je suis ravi de vous voir, les enfants.

3. *(em locuções)*: **o/a de** celui/celle de; **é o carro do Paulo** c'est la voiture de Paulo; **o dele** le sien; **a dela** la sienne; **são os dele** ce sont les siens; **quero o de azul** je veux celui en bleu; **o/a que vejo** celui/celle que je vois; **os/as que comeram** ceux/celles qui ont mangé; **o que é que estás a fazer?** qu'est-ce que tu fais?; **o que é que se passa?** qu'est-ce qui se passe; **o quê?** quoi?; **era o que eu pensava** c'est bien ce que je pensais.

oásis [ˈɔaziʃ] *m inv* oasis *f*.

ob. *(abrev de* **observação)** obs.

oba [ˈobɐ] *interj (Br : fam)* super!; *(saudação)* salut!

obedecer [obɐdɐˈser] *vi* obéir; **~ a** obéir à.

obediente [obɐˈdjẽntɐ] *adj* obéissant(-e).

obesidade [ubɐziˈdaðɐ] *f* obésité *f*.

obeso, sa [uˈbezu, -zɐ] *adj* obèse.

obg. *(abrev de* **obrigado)** merci.

óbito [ˈɔbitu] *m* décès *m*.

obituário [obiˈtwarju] *m* notice *f* nécrologique.

objeção [obʒeˈsẽu] *(pl* **-ões** [-õiʃ]) *f (Br)* = **objecção.**

objecção [obʒɛˈsẽu] *(pl* **-ões** [-õiʃ]) *f (Port)* objection *f*.

objectiva [obʒɛ'tivɐ] f objectif m.

objectivo, va [obʒɛ'tivu, -vɐ] adj objectif(-ive). ◆ m objectif m.

objecto [ob'ʒɛtu] m (Port) objet m.

objector [obʒɛ'tor] (pl -es [-əʃ]) m (Port): ~ de consciência objecteur m de conscience.

objeto [ob'ʒɛtu] m (Br) = objecto.

oboé [o'bwɛ] m hautbois m.

obra ['ɔbrɐ] f œuvre; ~ de arte œuvre d'art; ser ~ ne pas être une mince affaire. ❑ **obras** fpl travaux mpl; 'em obras' 'en travaux'.

obra-prima [ˌɔbre'primɐ] (pl obras-primas [ˌɔbreʃ'primeʃ]) f chef m d'œuvre.

obrar [o'brar] vi aller à la selle.

obrigação [obrige'sɐ̃u] (pl -ões [-õiʃ]) f obligation f.

obrigado [obri'gaðu] interj merci!; **muito ~!** merci beaucoup!

obrigar [obri'gar] vt : ~ alguém a fazer algo obliger qqn à faire qqch.

obrigatório, ria [obrige'tɔrju, -rjɐ] adj obligatoire.

obs. (abrev de observações) obs.

obsceno, na [obʃ'senu, -nɐ] adj obscène.

observação [obsərve'sɐ̃u] (pl -ões [-õiʃ]) f (de pessoa, animal, evento) observation f; (reparo) remarque f; (de lei, regra) respect m. ❑ **observações** fpl remarques fpl.

observador, ra [obsərve'ðor, -rɐ] (mpl -es [-əʃ], fpl -s [-ʃ]) m, f observateur m (-trice f).

observar [obsər'var] vt observer; (dizer) faire remarquer.

observatório [obsərve'tɔrju] m observatoire m.

obsessão [obsə'sɐ̃u] (pl -ões [-õiʃ]) f obsession f.

obsoleto, ta [obsu'letu, -tɐ] adj obsolète.

obstáculo [obʃ'takulu] m obstacle m.

obstetra [obʃ'tɛtrɐ] mf obstétricien m (-enne f).

obstinado, da [obʃti'naðu, -ðɐ] adj obstiné(-e).

obstrução [obʃtru'sɐ̃u] (pl -ões [-õiʃ]) f obstruction f.

obter [ob'ter] vt obtenir.

obturação [obture'sɐ̃u] (pl -ões [-õiʃ]) f obturation f.

obturador [obture'ðor] (pl -es [-əʃ]) m obturateur m.

óbvio, via ['ɔbvju, -vjɐ] adj évident(-e); **como é ~** évidemment.

ocasião [oke'zjɐ̃u] (pl -ões [-õiʃ]) f (momento determinado) fois f; (oportunidade) occasion f; **nessa ~** à cette occasion; **por ~ de** au moment de.

Oceânia [o'sjɐnjɐ] f : **a ~** l'Océanie f.

oceano [o'sjɐnu] m océan m.

ocidental [osiðẽn'tał] (pl -ais [-aiʃ]) adj occidental(-e). ❑ **ocidentais** mpl : **os ocidentais** les Occidentaux mpl.

ocidente [osi'ðẽntɐ] m occident m. ❑ **Ocidente** m : **o Ocidente** l'Occident.

ócio ['ɔsju] m loisir m.

oco, oca ['oku, 'okɐ] adj creux (creuse).

ocorrência [oku'ʀɛsjɐ] f (acontecimento) événement m; (incidente) incident m; **constatar a ~ de factos estranhos** constater que des choses bizarres se produisent.

ocorrer [oku'ʀer] vi arriver.

octogésimo, ma [ɔktɔ'ʒɛzimu, -mɐ] num quatre-vingtième; → **sexto**.

oculista [okuˈliʃtɐ] *mf (médico)* oculiste *mf; (fabricante)* opticien *m* (-enne *f*).

óculos [ˈɔkuluʃ] *mpl* lunettes *fpl;* ~ **de sol** lunettes de soleil.

ocultar [okułˈtar] *vt* cacher. ❏ **ocultar-se** *vp* se cacher.

oculto, ta [oˈkułtu, -tɐ] *pp* → **ocultar**.

ocupação [okupɐˈsẽu] *(pl* **-ões** [-õiʃ]*) f* occupation *f.*

ocupado, da [okuˈpaðu, -ðɐ] *adj* occupé(-e); **'ocupado'** 'occupé'.

ocupar [okuˈpar] *vt* occuper; *(tempo, espaço)* prendre. ❏ **ocupar-se** *vp* s'occuper; **~-se a fazer algo** s'occuper en faisant qqch; **~-se de** s'occuper de.

odiar [oˈdjar] *vt* haïr.

ódio [ˈɔðju] *m* haine *f.*

odor [oˈðor] *(pl* **-es** [-əʃ]*) m* odeur *f;* ~ **corporal** odeur corporelle.

oeste [ˈwɛʃtɐ] *m* ouest *m;* **a** ~ à l'ouest; **a** ~ **de** à l'ouest de; **no** ~ à l'ouest.

ofegante [ofɐˈgẽtɐ] *adj* haletant(-e).

ofegar [ofɐˈgar] *vi* haleter.

ofender [ofẽˈder] *vt* blesser, offenser. ❏ **ofender-se** *vp* se vexer; **~-se com algo** se vexer de qqch.

oferecer [ofɐrəˈser] *vt* offrir; ~ **algo a alguém** offrir qqch à qqn. ❏ **oferecer-se** *vp* : **~-se para fazer algo** se proposer de faire qqch.

oferta [oˈfɛrtɐ] *f* offre *f; (presente)* cadeau *m.*

oficial [ofɐˈsjał] *(pl* **-ais** [-aiʃ]*) adj* officiel(-elle). ◆ *mf* officier *m.*

oficina [ofɐˈsinɐ] *f* garage *m.*

ofício [oˈfisju] *m (profissão)* métier *m; (carta oficial)* dépêche *f.*

oftalmologista [ɔftałmuluˈʒiʃtɐ] *mf* ophtalmologiste *mf.*

ofuscar [ofuʃˈkar] *vt* éblouir.

oi [ˈoi] *interj (Br)* salut!

oitavo, va [oiˈtavu, -vɐ] *num* huitième; → **sexto**.

oitenta [oiˈtẽtɐ] *num* quatre-vingt; → **seis**.

oito [ˈoitu] *num* huit; **estar feito num** ~ *(fam)* être fichu; **nem** ~ **nem oitenta!** il ne faut pas exagérer!; → **seis**.

oitocentos, tas [oituˈsẽtuʃ, -tɐʃ] *num* huit cents; → **seis**.

OK [ɔˈkɐi] *interj* OK!

olá [ɔˈla] *interj* salut!

olaria [olɐˈriɐ] *f* poterie *f.*

oleado [oˈljaðu] *m* linoléum *m.*

olear [oˈljar] *vt* huiler.

óleo [ˈɔlju] *m* huile *f;* ~ **de bronzear** huile solaire; ~ **de girassol** huile de tournesol; ~ **de soja** huile de soja; ~ **vegetal** huile végétale.

oleoduto [oljɔˈðutu] *m* oléoduc *m.*

oleoso, osa [oˈljozu, -ɔzɐ] *adj* gras (grasse).

olfacto [ołˈfatu] *m (Port)* odorat *m.*

olfato [ouˈfatu] *m (Br)* = **olfacto**.

olhadela [oʎɐˈðɛlɐ] *f* coup *m* d'œil; **dar uma** ~ **a algo** jeter un coup d'œil à qqch.

olhar [oˈʎar] *vt & vi* regarder. ◆ *m* regard *m;* ~ **para** regarder vers; ~ **por** s'occuper de.

olheiras [oˈʎɐireʃ] *fpl* cernes *mpl.*

olho [ˈoʎu] *(pl* **olhos** [ˈɔʎuʃ]*) m* œil *m;* ~ **de couve** cœur *m* de chou; ~ **mágico** œilleton *m;* **a** ~ **nu** à l'œil nu; **a** ~**s vistos** à vue d'œil; **aos** ~**s de** aux yeux de; **cravar os** ~**s em** fixer les yeux sur; **custar os** ~**s da cara** coûter les yeux de la tête; **não pregar** ~ ne pas fermer l'œil *(de la nuit)*; **ver com bons/maus** ~**s** voir d'un bon/mauvais œil.

olho-de-sogra [ˌoʎuđə'sɔgrɐ] (*pl* **olhos-de-sogra** [ˌɔʎuʒđə'sɔgrɐ]) *m* *pruneau fourré au lait concentré et à la noix de coco.*

olímpico, ca [o'līmpiku, -kɐ] *adj* olympique.

oliveira [oli'veirɐ] *f* olivier *m*.

ombro [ōmbru] *m* épaule *f*; **encolher os ~s** hausser les épaules.

omelete [omə'lɛtɐ] *f* omelette *f*.

omissão [omi'sēu] (*pl* **-ões** [-õiʃ]) *f* omission *f*.

omitir [omi'tir] *vt* omettre.

omnipotente [ˌɔmnipu'tēntɐ] *adj* omnipotent(-e).

omoplata [ɔmɔ'platɐ] *f* omoplate *f*.

onça ['ōsɐ] *f* (*animal*) jaguar *m*; (*medida*) once *f*.

onda ['ōndɐ] *f* vague *f*; (*de rádio*) onde *f*; (*de cabelo*) ondulation *f*; **~ média** ondes moyennes; **~ longa/curta** grandes/petites ondes; **fazer ~s** (*fam*) faire des histoires; **ir na ~** se faire avoir.

onde ['ōndɐ] *adv* où; **por ~** par où.

ondulado, da [ōndu'lađu, -đɐ] *adj* ondulé(-e).

oneroso, osa [onə'rozu, -ɔzɐ] *adj* onéreux(-euse).

ONG *f* (*abrev de* **Organização Não Governamental**) ONG *f*.

ônibus ['onibuʃ] *m inv* (*Br*) autobus *m*.

ónix ['ɔniks] *m* onyx *m*.

ontem ['ōntēi] *adv* hier; **antes de ~** avant-hier; **sem mais nem ~** sans plus attendre.

ONU ['ɔnu] *f* (*abrev de* **Organização das Nações Unidas**) ONU *f*.

onze ['ōzɐ] *num* onze; **→ seis**.

opaco, ca [o'paku, -kɐ] *adj* opaque.

opala [o'palɐ] *f* opale *f*.

opção [op'sēu] (*pl* **-ões** [-õiʃ]) *f* option *f*.

ópera ['ɔpɐrɐ] *f* opéra *m*.

operação [opɐrɐ'sēu] (*pl* **-ões** [-õiʃ]) *f* opération *f*.

operador, ra [opɐrɐ'đor, -rɐ] (*mpl* **-es** [-əʃ], *fpl* **-s** [-ʃ]) *m, f*: **~ de computadores** *personne qui maîtrise des logiciels informatiques.*

operar [opə'rar] *vt & vi* opérer. ❏ **operar-se** *vp* se produire.

operário, ria [opə'rarju, -rjɐ] *m, f* ouvrier *m* (-ère *f*).

opereta [opə'retɐ] *f* opérette *f*.

opinar [opi'nar] *vt* estimer. ◆ *vi* donner son avis.

opinião [opə'njēu] (*pl* **-ões** [-õiʃ]) *f* opinion *f*; **na minha ~** à mon avis; **na ~ de** selon; **ser da ~ de que** être d'avis que; **a ~ pública** l'opinion publique.

ópio ['ɔpju] *m* opium *m*.

oponente [opu'nēntɐ] *mf* opposant *m* (-e *f*).

opor-se [o'porsɐ] *vp* s'opposer; **~ a** s'opposer à.

oportunidade [opurtuni'đađɐ] *f* occasion *f*.

oportuno, na [opur'tunu, -nɐ] *adj* opportun(-e).

oposição [opuzi'sēu] *f* opposition *f*; **a ~** l'opposition.

oposto, osta [o'poʃtu, -ɔʃtɐ] *adj* opposé(-e). ◆ *m*: **o ~** l'opposé; **~ a** opposé à.

opressão [oprə'sēu] (*pl* **-ões** [-õiʃ]) *f* oppression *f*.

opressivo, va [oprə'sivu, -vɐ] *adj* (*atmosfera*) oppressant(-e); (*sistema, regime*) oppressif(-ive).

opressões → **opressão**.

oprimir [opri'mir] *vt* opprimer.

optar [op'tar] *vi* opter; **~ por algo** opter pour qqch; **~ por fazer algo** choisir de faire qqch.

optimismo [oti'miʒmu] *m* (*Port*) optimisme *m*.

óptimo, ma ['ɔtimu, -mɐ] *adj* (*Port*) très bon (bonne). ◆ *m interj* super!

ora ['ɔrɐ] *interj* voyons! ◆ *conj* bon. ◆ *adv* : **por ~** pour l'instant; **de ~ avante** OU **em diante** dorénavant; **~ essa!** ça alors!; **~ sim...**, **~ não...** un coup oui..., un coup non...

oração [orɐ'sɐu] (*pl* **-ões** [-õiʃ]) *f* prière *f*.

orador, ra [orɐ'đor, -rɐ] (*mpl* **-es** [-əʃ], *fpl* **-s** [-ʃ]) *m, f* orateur *m* (-trice *f*).

oral [o'raɫ] (*pl* **-ais** [-aiʃ]) *adj* oral(-e). ◆ *f* oral *m*.

orangotango [orẽ ŋgu'tẽ ŋgu] *m* orang-outan *m*.

orar [o'rar] *vi (discursar)* faire un discours; *(rezar)* prier.

órbita ['ɔrbitɐ] *f* orbite *f*.

orçamento [orsɐ'mẽntu] *m* budget *m*.

ordem ['ɔrđẽi] (*pl* **-ns** [-ʃ]) *f* ordre *m*; **sempre às ordens!** à votre service!; **até nova ~** jusqu'à nouvel ordre; **de tal ~ que** si important que; **pôr algo em ~** mettre qqch en ordre; **por ~** par ordre; **por ~ de alguém** sur ordre de qqn.

ordenado [orđə'nađu] *m* salaire *m*.

ordenhar [orđə'ɲar] *vt* traire.

ordens → ordem.

ordinário, ria [orđi'narju, -rjɐ] *adj (grosseiro)* vulgaire.

orégão [o'rɛgɐu] *m* origan *m*.

orelha [o'reʎɐ] *f (ANAT)* oreille *f*; *(de calçado)* languette *f*.

orelheira [orɐ'ʎɐirɐ] *f* oreilles *fpl* de porc.

orfanato [orfɐ'natu] *m* orphelinat *m*.

órfão, ã ['ɔrfɐu, -ɐ̃] *m, f* orphelin *m* (-e *f*).

orfeão [or'fjɐw] (*pl* **-ões** [-õiʃ]) *m* chorale *f*.

orgânico, ca [or'gɐniku, -kɐ] *adj* organique.

organismo [orgɐ'niʒmu] *m* organisme *m*.

organização [orgɐnize'sɐu] (*pl* **-ões** [-õiʃ]) *f* organisation *f*.

órgão ['ɔrgɐu] *m* organe *m*; *(instrumento musical)* orgue *m*; **~s genitais** OU **sexuais** organes génitaux OU sexuels.

orgasmo [or'gaʒmu] *m* orgasme *m*.

orgia [or'ʒiɐ] *f* orgie *f*.

orgulhar-se [orgu'ʎarsə]: **orgulhar-se de** *vp + prep* être fier(-ère) de.

orgulho [or'guʎu] *m (soberba)* orgueil *m*; *(satisfação)* fierté *f*.

orientação [orjẽntɐ'sɐu] (*pl* **-ões** [-õiʃ]) *f* orientation *f*; **~ escolar** orientation; **~ profissional** orientation professionnelle.

oriental [orjẽn'taɫ] (*pl* **-ais** [-aiʃ]) *adj* oriental(-e).
❏ **orientais** *mpl* : **os orientais** les Orientaux *mpl*.

orientar [orjẽn'tar] *vt* orienter.
❏ **orientar-se por** *vp + prep* suivre.

oriente [o'rjẽntɐ] *m* orient *m*.
❏ **Oriente** *m* : **o Oriente** l'Orient *m*.

orifício [ori'fisju] *m* orifice *m*.

origem [o'riʒẽi] (*pl* **-ns** [-ʃ]) *f* origine *f*.

original [oriʒi'naɫ] (*pl* **-ais** [-aiʃ]) *adj* original(-e); *(inicial)* originel(-elle). ◆ *m* original *m*.

originar [oriʒi'nar] *vt* être à l'origine de.
❏ **originar-se** *vp* survenir.

oriundo, da [o'rjũndu, -dɐ] *adj* : **~ de** originaire de.

orixá [ori'ʃa] *mf (Br)* divinité du culte afro-brésilien du candomblé.

ornamentar [ornɐmẽn'tar] *vt* orner.

ornamento [ornɐ'mẽntu] *m* ornement *m*.

ornitologia [ɔrnitulu'ʒiɐ] *f* ornithologie *f*.

orquestra [or'kɛʃtrɐ] *f* orchestre *m*.

orquídea [orˈkiɖjɐ] f orchidée f.

ortografia [ortuɡrɐˈfiɐ] f orthographe f.

ortopedia [ɔrtɔpɐˈɖiɐ] f orthopédie f.

ortopédico, ca [ɔrtɔˈpɛɖiku, -kɐ] adj orthopédique.

ortopedista [ɔrtɔpɐˈɖiʃtɐ] mf orthopédiste mf.

orvalho [orˈvaʎu] m rosée f.

os → **o**.

oscilação [oʃsilɐˈsɐu] (pl **-ões** [-õiʃ]) f oscillation f.

oscilar [oʃsiˈlar] vi osciller; ~ **entre** osciller entre.

osso [ˈosu] (pl **ossos** [ˈɔsuʃ]) m os m.

ostensivamente [oʃtẽsiveˈmẽtɐ] adv ostensiblement.

ostensivo, va [oʃtẽˈsivu, -vɐ] adj ostentatoire.

ostentar [oʃtẽˈtar] vt arborer.

ostra [ˈoʃtrɐ] f huitre f.

otimismo [otʃiˈmiʒmu] m (Br) = optimismo.

ótimo, ma [ˈɔtʃimu, -mɐ] adj (Br) = óptimo.

otorrinolaringologista [ˌɔtɔˌʀinɔlɐˌrĩŋuluˈʒiʃtɐ] mf otorinho-laryngologiste mf, ORL mf.

ou [o] conj ou; ~... ~... ou... ou...

ouço [ˈosu] → **ouvir**.

ouriço [oˈrisu] m bogue f.

ouriço-cacheiro [oˌrisukɐˈʃeiru] (pl **ouriços-cacheiros** [oˌrisukɐˈʃeiruʃ]) m hérisson m.

ouriço-do-mar [oˌrisuɖuˈmar] (pl **ouriços-do-mar** [oˌrisuʒduˈmar]) m oursin m.

ourives [oˈrivɐʃ] mf inv bijoutier m (-ère f).

ourivesaria [orivɐzɐˈriɐ] f bijouterie f.

ouro [ˈoru] m or m; **de** ~ en or; ~ **de lei** or dont le titre est garanti par la loi.

❏ **ouros** mpl (naipe de cartas) carreau m.

Ouro Preto [ˌoruˈpretu] s Ouro Preto, ville du Minas Gerais au Brésil.

𝒊 OURO PRETO

O uro Preto a connu ses heures de gloire au XVIIIᵉ siècle, l'exploitation de l'or du Minas Gerais ayant fait d'elle l'agglomération la plus riche du Brésil. Considérée par l'UNESCO comme faisant partie du patrimoine mondial, la ville a gardé ses demeures, ses églises, et son dallage de pierre d'origine. C'est le berceau du style appelé baroque mineiro, dont le principal représentant fut Aleijadinho, génial sculpteur et architecte métis.

---

ousadia [ozɐˈɖiɐ] f audace f.

ousar [oˈzar] vt oser.

outdoor [autˈdɔr] m (Br: propaganda) panneau m publicitaire; (cartaz) affiche f.

outono [oˈtɔnu] m (Br) = **Outono**.

Outono [oˈtonu] m (Port) automne m.

outro, tra [ˈotru, -trɐ] adj & pron un autre (une autre); **dá-me** ~ donne-m'en un autre; **o** ~/**a outra** l'autre; ~ **dia** un autre jour; **no** ~ **dia** (no dia seguinte) le lendemain; (relativo a dia passado) l'autre jour; **um ou** ~ l'un ou l'autre; **um após o** ~ l'un après l'autre.

outubro [oˈtubru] m (Br) = **Outubro**.

Outubro [oˈtubru] m (Port) octobre m; → **Setembro**.

ouve [ˈovɐ] → **ouvir**.

ouvido [oˈviɖu] m oreille f; **dar**

~**s a alguém** écouter qqn; **ser duro de** ~ être dur d'oreille; **ser todo ~s** être tout ouïe; **ter bom** ~ avoir l'ouïe fine; **tocar de** ~ jouer d'oreille.

ouvinte [oˈvĩntə] *mf* auditeur *m* (-trice *f*).

ouvir [oˈvir] *vt & vi* entendre; **estar a** ~ écouter.

ovação [oveˈsẽu] (*pl* -**ões** [-õiʃ]) *f* ovation *f*.

oval [oˈvał] (*pl* -**ais** [-aiʃ]) *adj* oval(-e).

ovário [oˈvarju] *m* ovaire *m*.

ovelha [oˈveʎɐ] *f* brebis *f*; ~ **negra** brebis galeuse.

OVNI [ˈɔvni] *m (abrev de* **Objecto Voador Não Identificado***)* OVNI *m*.

ovo [ˈovu] (*pl* **ovos** [ˈɔvuʃ]) *m* œuf *m*; ~ **cozido** œuf dur; ~ **escalfado** œuf poché; ~ **estrelado** œuf sur le plat; ~**s mexidos** œufs brouillés; ~**s de Páscoa** œufs de Pâques; ~**s verdes** *œufs durs en beignets.*

ovos-moles [ˌɔvuʒˈmɔləʃ] *mpl jaunes d'œufs cuits dans du sucre.*

óvulo [ˈɔvulu] *m* ovule *m*.

oxigénio [ɔksiˈʒɛnju] *m (Port)* oxygène *m*.

oxigênio [oksiˈʒɛnju] *m (Br) =* **oxigénio**.

ozônio [oˈzonju] *m (Br) =* **ozono**.

ozono [oˈzonu] *m (Port)* ozone *m*.

P

p. *(abrev de* **página***)* p.

P. *(abrev de* **Praça***)* Pl, pl.

pá ['pa] *f* pelle *f.* ◆ *m (Port: fam)* mon vieux.

pacato, ta [pɐ'katu, -tɐ] *adj (pessoa)* calme; *(lugar)* paisible.

paciência [pɐ'sjẽsjɐ] *f* patience *f*; **perder a ~** perdre patience; **ter ~** être patient.

paciente [pɐ'sjẽntə] *adj & mf* patient(-e).

pacífico, ca [pɐ'sifiku, -kɐ] *adj* pacifique.
❑ **Pacífico** *m* : **o Pacífico** le Pacifique.

pacifista [pɐsi'fiʃtɐ] *mf* pacifiste *mf*.

paço ['pasu] *m* palais *m*; **~s do concelho** mairie *f.*

paçoca [pɐ'sɔkɐ] *f (prato)* mélange de viande et de farine de manioc en friture; *(doce)* gâteau à base de cacahouète pilée.

pacote [pɐ'kɔtə] *m* paquet *m*; *(em turismo)* forfait *m*; **~ de açúcar** paquet de sucre.

padaria [padɐ'riɐ] *f* boulangerie *f.*

padecer [pɐdɐ'ser]: **padecer de** *v + prep* souffrir de.

padeiro, ra [pa'dɐiru, -rɐ] *m,f* boulanger *m* (-ère *f*).

padrão [pɐ'drẽu] *(pl* **-ões** [-õiʃ]*)* *m (de produto)* norme *f*; *(de tecido)* patron *m.*

padrasto [pɐ'draʃtu] *m* beau-père *m.*

padre ['padrɐ] *m* prêtre *m.*

padrinho [pɐ'driɲu] *m* parrain *m.*

padrões → **padrão**.

pães → **pão**.

pág. *(abrev de* **página***)* p.

pagamento [pɐgɐ'mẽntu] *m* paiement *m*; **~ em dinheiro/ numerário** paiement en espèces/ numéraire; **~ a prestações** paiement à crédit; **~ a pronto** OU **à vista** paiement comptant.

pagar [pɐ'gar] *vt* payer.
❑ **pagar a** *v + prep* : **~ algo a alguém** payer qqch à qqn; **~ por** payer pour.

página ['paʒinɐ] *f* page *f*; **as Páginas Amarelas** les pages jaunes; **a ~s tantas** à un moment donné.

pago, ga ['pagu, -gɐ] *pp* → **pagar**.

pagode [pɐ'gɔdɐ] *m (fam)* foire *f.*

págs. *(abrev de* **páginas***)* pp.

pai ['pai] *m* père *m.*
❑ **pais** *mpl* parents *mpl.*

pai-de-santo [,paidɐ'sẽntu] *(pl* **pais-de-santo** [,paiʒdɐ'sẽntu]*)* *m* prêtre du culte afro-brésilien du candomblé.

painel [pai'nɛł] *(pl* **-éis** [-ɛiʃ]*)* *m* tableau *m*; *(de veículo)* tableau *m* de bord; ~ **solar** panneau *m* solaire.

paio ['paju] *m* saucisson *m*.

pais ['paiʃ] → **pai**.

país [pɐ'iʃ] (*pl* **-es** [-zəʃ]) *m* pays *m*.

paisagem [pai'zaʒẽi] (*pl* **-ns** [-ʃ]) *f* paysage *m*.

País de Gales [pɐˌiʒdə'galəʃ] *m* : **o** ~ le pays de Galles.

países → **país**.

paixão [pai'ʃẽu] (*pl* **-ões** [-õiʃ]) *f* passion *f*.

pajé [pa'ʒɛ] *m* (Br) chef spirituel indien à la fois prêtre, guérisseur, prophète et sorcier.

palacete [pɐlɐ'setə] *m* petit palais *m*.

palácio [pɐ'lasju] *m* palais *m*; **Palácio da Justiça** palais de justice.

paladar [pɐlɐ'dar] (*pl* **-es** [-əʃ]) *m* (sabor) goût *m*.

palafita [pɐlɐ'fitɐ] *f* maison *f* sur pilotis.

palavra [pɐ'lavrɐ] *f* (vocábulo) mot *m*; (promessa) parole *f*. ◆ *interj* je te le jure!; **dar a ~ a alguém** donner la parole à qqn.

palavrão [pɐlɐ'vrẽu] (*pl* **-ões** [-õiʃ]) *m* gros mot *m*.

palavras-cruzadas [pɐˌlavrɐʃkru'zadɐʃ] *fpl* mots *mpl* croisés.

palavrões → **palavrão**.

palco ['paɫku] *m* scène *f*.

palerma [pɐ'lɛrmɐ] *mf* abruti *m* (-e *f*).

palestra [pɐ'lɛʃtrɐ] *f* discours *m*.

paleta [pa'letɐ] *f* palette *f*.

paletó [pɐlə'tɔ] *m* veste *f*.

palha ['paʎɐ] *f* paille *f*.

palhaço [pɐ'ʎasu] *m* clown *m*.

palhinha [pɐ'ʎiɲɐ] *f* (para beber) paille *f*; (palha) brin *m* de paille.

pálido, da ['paliðu, -ðɐ] *adj* pâle.

paliteiro [pɐli'teiru] *m* porte-cure-dents *m*.

palito [pɐ'litu] *m* cure-dents *m* *inv*; **~s de champanhe** boudoirs *mpl*.

palma ['paɫmɐ] *f* paume *f*. ❏ **palmas** *fpl* applaudissements *mpl*; **bater ~s** applaudir; **uma salva de ~s** une salve d'applaudissements.

palmeira [paɫ'meirɐ] *f* palmier *m*.

palmito [paɫ'mitu] *m* cœur *m* de palmier.

palmo ['paɫmu] *m* empan *m*; **~ a ~** (Br) peu à peu.

PALOP ['palɔp] *mpl* (abrev de **Países Africanos de Língua Oficial Portuguesa**) pays africains dont la langue officielle est le portugais.

pálpebra ['paɫpəbrɐ] *f* paupière *f*.

palpitação [paɫpitɐ'sẽu] (*pl* **-ões** [-õiʃ]) *f* palpitation *f*.

palpitar [paɫpi'tar] *vi* palpiter. ◆ *vt* sentir; **palpita-me que ele não vem** j'ai l'impression qu'il ne va pas venir.

palpite [paɫ'pitə] *m* intuition *f*.

paludismo [pɐlu'ðiʒmu] *m* paludisme *m*.

pamonha [pɐ'moɲɐ] *f* gâteau de maïs au lait de coco cuit dans des feuilles de maïs.

panado, da [pɐ'naðu, -ðɐ] *adj* pané(-e). ◆ *m* viande panée.

Panamá [pɐnɐ'ma] *m* : **o** ~ le Panama.

pancada [pẽŋ'kaðɐ] *f* coup *m*; **andar à ~** (fam) se bagarrer; **~ de água** averse *f*; **às três ~s** à la vavite; **ter ~** (fam) avoir un grain.

pâncreas ['pẽŋkrieʃ] *m* *inv* pancréas *m*.

panda ['pẽndɐ] *m* panda *m*.

pandeiro [pẽn'deiru] *m* tambourin *m*.

pandemónio [pẽndə'mɔnju] *m* (Port) cohue *f*.

pandemônio [pɐ̃ndeˈmonju] *m*
(Br) = **pandemónio**.
pane [ˈpɐnə] *f* panne *f*.
panela [pɐˈnɛlɐ] *f* casserole *f*; ~
de pressão Cocote-Minute® *f*.
panfleto [pɐ̃ˈfletu] *m* tract *m*.
pânico [ˈpɐniku] *m* panique *f*;
entrar em ~ paniquer.
pano [ˈpɐnu] *m (de cozinha)* torchon *m*; *(para o pó)* chiffon *m*;
(em teatro) rideau *m*; ~ **de fundo**
toile *f* de fond.
panorama [pɐnuˈrɐmɐ] *m*
panorama *m*.
panqueca [pɐ̃ŋˈkɛkɐ] *f* pancake
m.
pantanal [pɐ̃ntɐˈnaɫ] *(pl* **-ais**
[-aiʃ]) *m* marécages *mpl*.
❑ **Pantanal** *m* : **o Pantanal** *zone
marécageuse du Mato Grosso au
Brésil*.

[i] **PANTANAL**

Les crocodiles, toutes sortes
de tapirs, (les « pacas », les
« capivaras », les « antas »)
et des centaines d'espèces de
poissons et d'oiseaux exotiques
sont les principaux habitants du
Pantanal, dans le Mato Grosso.
Cette zone marécageuse s'étend
sur 230 kilomètres carrés, au
centre-ouest du Brésil. Elle
attire surtout les adeptes du
tourisme écologique qui
peuvent entrer directement en
contact avec la vie sauvage. La
meilleure période pour visiter la
région se situe entre mai et septembre, quand les eaux sont les
plus basses.

pântano [ˈpɐ̃ntɐnu] *m* marécage *m*.
pantera [pɐ̃ˈtɛrɐ] *f* panthère *f*.
pantomima [pɐ̃ntuˈmimɐ] *f*
pantomine *f*.

pantufas [pɐ̃nˈtufɐʃ] *fpl* pan-
toufles *fpl*.
pão [ˈpɐ̃u] *(pl* **pães** [ˈpɐ̃iʃ]) *m* pain
m; ~ **de centeio** pain de seigle; ~
de Deus *pain sucré recouvert de
jaune d'œuf et de noix de coco*; ~ **de
forma** pain de mie; ~ **integral**
pain complet; ~ **de leite** pain au
lait; ~ **ralado** *(Port)* chapelure *f*; ~
de segunda pain de blé et de seigle; **o Pão de Açúcar** le Pain de
sucre.

[i] **PÃO DE AÇÚCAR**

La colline du Pain de sucre
est la première merveille
naturelle de Rio de Janeiro.
Elle se situe près de l'entrée de
la baie de Guanabara, non loin
de la colline d'Urca. Un téléphérique permet de monter au sommet de ses 395 mètres d'où la
vue est imprenable. D'un côté
on voit la baie, la crique de
Botafogo et le parc de Flamengo, de l'autre, la plage de
Leme et la mer. Sa forme rappelle le pain de sucre ou cône de
sucre qui se formait à l'intérieur
du moulin dans les anciennes
sucreries.

pão-de-ló [ˌpɐ̃udəˈlɔ] *(pl* **pães-
de-ló** [ˌpɐ̃izdəˈlɔ]) *m gâteau fait
d'une génoise très légère*.
papa [ˈpapɐ] *f* bouillie *f*. ♦ *m*
pape *m*; ~**s de sarrabulho** *abats
parfumés au cumin, servis en entrée*.
papagaio [pɐpɐˈgaju] *m (ave)*
perroquet *m*; *(brinquedo)* cerf-
volant *m*.
papeira [pɐˈpɐirɐ] *f* oreillons
mpl.
papel [pɐˈpɛɫ] *(pl* **-éis** [-ɛiʃ]) *m*
papier *m*; ~ **A4** papier (format)
A4; ~ **de alumínio** papier aluminium; ~ **de carta** papier à lettres;

~ **cavalinho** papier canson; ~ **de embrulho** papier kraft; ~ **higiénico** papier hygiénique; ~ **de máquina** papier machine; ~ **de parede** papier peint; ~ **químico** *(Port)* papier carbone; ~ **reciclado** papier recyclé; ~ **vegetal** papier-calque.

papelão [pɐpəˈlɐ̃u] *m* carton *m*.

papelaria [pɐpələˈriɐ] *f* papeterie *f*.

papel-carbono [paˌpɛukaxˈbɔnu] *m (Br)* = **papel químico**; → **papel**.

papo [ˈpapu] *m (de ave)* jabot *m*; *(Br: conversa)* conversation *f*; **levar** OU **bater um** ~ *(Br)* discuter; ~**s de anjo** *petits gâteaux recouverts de sucre.*

papo-furado [ˌpapufuˈradu] *m (Br: fam)* bobards *mpl*.

papoila [pɐˈpoilɐ] *f* coquelicot *m*.

papo-seco [ˌpapuˈseku] *(pl* **papos-secos** [ˌpapuʃˈsekuʃ]) *m (pão)* petit pain *m*.

paquerar [pakeˈrax] *vt & vi (Br)* draguer.

paquete [pɐˈketə] *m* paquebot *m*.

par [ˈpar] *(pl* **-es** [-əʃ]) *adj* pair(-e). ◆ *m (de sapatos, calças, luvas, meias)* paire *f*; *(casal)* couple *m*; **aberto de** ~ **em** ~ grand ouvert; **estar a** ~ **de algo** être au courant de qqch; ~**es masculinos/femininos/mistos** *(Port)* double messieurs/dames/mixte; **a** ~ ensemble; **a** ~ **e passo** de très près; **ao** ~ par deux.

para [ˈpɐrɐ] *prep* **1.** *(ger)* pour; **esta água não é boa** ~ **beber** cette eau n'est pas potable; **isto é** ~ **comer esta noite** ceci est à manger ce soir; ~ **que serve isto?** à quoi ça sert?; **um telefonema** ~ **o senhor** on vous demande au téléphone; **cheguei mais cedo** ~ **ar-**ranjar **lugar** je suis arrivé plus tôt pour trouver une place; **era só** ~ **te agradar** c'était seulement pour te faire plaisir; **é caro demais** ~ **as minhas posses** c'est trop cher pour moi; ~ **o que come, está magro** pour ce qu'il mange, il est maigre; ~ **ele, estás errado** pour lui, tu as tort; ~ **mim, está muito bom** pour moi, c'est très bon. **2.** *(indica direcção)*: **ele apontou** ~ **cima** il a pointé son doigt vers le haut; **ele seguiu** ~ **o aeroporto** il a continué vers l'aéroport; **vá** ~ **casa** allez à la maison; **olhei** ~ **ele** je l'ai regardé; **chega-te** ~ **o lado** mets-toi sur le côté. **3.** *(relativo a tempo)*: ~ **amanhã** pour demain; **de uma hora** ~ **a outra** d'une heure à l'autre; **estará pronto** ~ **a semana/o ano** ce sera prêt la semaine/l'année prochaine; **são quinze** ~ **as três** il est trois heures moins le quart. **4.** *(exprime a iminência)*: **estar** ~ **fazer algo** être sur le point de faire qqch; **o comboio está** ~ **sair** le train est sur le point de partir; **a comida está** ~ **ser servida** le repas est prêt; **ele está** ~ **chegar** il est sur le point d'arriver. **5.** *(em locuções)*: ~ **com** envers; ~ **mais de** plus de; ~ **que** pour que; **é** ~ **já!** tout de suite!

parabéns [pɐrɐˈbɐ̃iʃ] *mpl* félicitations *fpl*. ◆ *interj* félicitations!; **dar os** ~ **a alguém** féliciter qqn; **estar de** ~ mériter les félicitations.

parabólica [pɐrɐˈbɔlikɐ] *f* antenne *f* parabolique.

pára-brisas [ˌpɐrɐˈbrizəʃ] *m inv* pare-brise *m inv*.

pára-choques [ˌpɐrɐˈʃɔkəʃ] *m inv* pare-chocs *m inv*.

parada [pɐˈradɐ] *f (de jogo)* mise *f*; *(militar)* parade *f*; *(Br: de ônibus)* arrêt *m* de bus.

paradeiro [pɐrɐˈdeiru] *m* : **não**

sei do ~ dele j'ignore où il se trouve.

parado, da [pɐˈraðu, -ðɐ] *adj* *(imóvel)* arrêté(-e); *(sem vida)* mort(-e).

paradoxo [pɐrɐˈðɔksu] *m* paradoxe *m*.

parafina [pɐrɐˈfinɐ] *f* paraffine *f*.

parafrasear [pɐrɐfrɐˈzjar] *vt* paraphraser.

parafuso [pɐrɐˈfuzu] *m* vis *f*.

paragem [pɐˈraʒẽi] *(pl* **-ns** [-ʃ]*) f* arrêt *m*; ~ **(de autocarro)** *(Port)* arrêt (de bus).

parágrafo [pɐˈragrɐfu] *m* paragraphe *m*.

Paraguai [pɐrɐˈgwai] *m* : **o** ~ le Paraguay.

paraíso [pɐrɐˈizu] *m* paradis *m*.

pára-lamas [ˌparɐˈlɐmɐʃ] *m inv* garde-boue *m inv*.

paralelo, la [pɐrɐˈlɛlu, -lɐ] *adj* parallèle. ◆ *m* parallèle *m*; **sem** ~ sans pareil.

paralisar [pɐrɐliˈzar] *vt* paralyser.

paralisia [pɐrɐlɐˈziɐ] *f* paralysie *f*.

paralítico, ca [pɐrɐˈlitiku, -kɐ] *m, f* paralysé *m* (-e *f*), paralytique *mf*.

paranóico, ca [pɐrɐˈnɔiku, -kɐ] *m, f* paranoïaque *mf*.

parapeito [pɐrɐˈpeitu] *m* rebord *m* de fenêtre.

parapente [parɐˈpẽtɐ] *m* parapente *m*.

pára-quedas [ˌparɐˈkɛðɐʃ] *m inv* parachute *m*.

pára-quedista [ˌparɐkɐˈðiʃtɐ] *mf* parachutiste *mf*.

parar [pɐˈrar] *vt* arrêter. ◆ *vi* s'arrêter; **'pare, escute, olhe'** 'un train peut en cacher un autre'; **onde pára...?** où se trouve...?; ~ **de fazer algo** arrêter de faire

qqch; **ir ~ a** aller atterrir à; **não poder ~ com** ne pas supporter; **sem** ~ sans arrêt.

pára-raios [ˌparɐˈʀajuʃ] *m inv* paratonnerre *m*.

parasita [pɐrɐˈzitɐ] *m* parasite *m*.

parceiro, ra [pɐrˈseiru, -rɐ] *m, f* partenaire *mf*; *(em negócio)* associé *m* (-e *f*).

parcela [pɐrˈsɛlɐ] *f (de soma)* nombre *m*; *(fragmento)* parcelle *f*.

parceria [pɐrsɐˈriɐ] *f* partenariat *m*.

parcial [pɐrˈsjaɫ] *(pl* **-ais** [-aiʃ]*) adj (não completo)* partiel(-elle); *(faccioso)* partial(-e).

parcómetro [pɐrˈkɔmɐtru] *m* = **parquímetro**.

pardal [pɐrˈðaɫ] *(pl* **-ais** [-aiʃ]*) m* moineau *m*.

pardo, da [ˈparðu, -ðɐ] *adj* gris(-e).

parecer [pɐrɐˈser] *vi* ressembler à. ◆ *m* avis *m*. ◆ *v impess* : **parece que** on dirait que; **ao que parece** à ce qu'il paraît; **parece-me que** il me semble que; **o que te parece?** qu'en penses-tu?; **parecer-se com** ressembler à; ~**-se com alguém** ressembler à qqn.

parecido, da [pɐrɐˈsiðu, -ðɐ] *adj* ressemblant(-e).

paredão [pɐrɐˈðẽu] *(pl* **-ões** [-õiʃ]*) m* grand mur *m*.

parede [pɐˈreðɐ] *f* mur *m*; **ele mora ~s meias comigo** il habite la maison mitoyenne de la mienne.

parente, ta [pɐˈrẽtɐ, -tɐ] *m, f* parent *m* (-e *f*); ~ **próximo** proche parent.

parêntese [pɐˈrẽtɐzɐ] *m* parenthèse *f*.

pares → **par**.

pargo [ˈpargu] *m* pagre *m*.

parir [pɐˈrir] *vt & vi* mettre bas.

parlamento [pɐrlɐˈmẽtu] *m* parlement *m*.

paróquia [pɐˈrɔkjɐ] f paroisse f.
parque [ˈparkə] m parc m; ~ **de campismo** camping m; ~ **de diversões** parc d'attractions; ~ **de estacionamento** parking m; ~ **industrial** parc industriel; ~ **infantil** *(Port)* square m; ~ **de merendas** *aire de repos aménagée pour pique-niquer;* ~ **nacional** parc national; ~ **natural** parc naturel.

ⓘ PARQUES NACIONAIS OU NATURAIS

L e Brésil compte des dizaines de réserves forestières et de zones de protection de l'environnement. Elles sont appelées parcs nationaux ou parcs naturels. Leur faune et leur flore sont soustraites à toute exploitation économique. Les réserves les plus importantes sont celles d'Itatiaia et de Bocaina, au sud-est, ou celles du Pantanal et de l'Amazonie. Il faut également signaler les parcs marins de Fernando Noronha et d'Abrolhos, au nord-est.
Au Portugal, les parcs plus connus sont ceux du Gerês, d'Arrábida, de Montesinho, de Serra d'Aire et de Candeeiros sans oublier les Dunes de São Jacinto.

---

parquímetro [pɐrˈkimətru] m parcmètre m.
parte [ˈpartə] f partie f; *(fracção, quinhão)* part f; **dar** ~ **de** informer de; **fazer** ~ **de** faire partie de; **pôr de** ~ délaisser; **tomar** ~ **de** prendre part à; **noutra** ~ ailleurs; **por toda a** ~ partout; **da** ~ **de** de la part de; **de** ~ **a** ~ des deux côtés; **em** ~ en partie.
parteira [pɐrˈteirɐ] f sage-femme f.

participação [pɐrtəsipɐˈsɐ̃u] *(pl* -ões [-õiʃ]) f participation f; *(comunicado, aviso)* faire-part m.
participante [pɐrtəsiˈpɐ̃tə] mf participant m (-e f).
participar [pɐrtəsiˈpar] vt : ~ **algo a alguém** *(informar)* faire part de qqch à qqn; *(comunicar)* informer qqn de qqch; ~ **em algo** participer à qqch.
particípio [pɐrtəˈsipju] m participe m; ~ **passado/presente** participe passé/présent.
particular [pɐrtikuˈlar] *(pl* -es [-əʃ]) adj *(individual)* particulier(-ère); *(privado)* privé(-e).
partida [pɐrˈtidɐ] f *(saída)* départ m; *(em desporto)* partie f; *(brincadeira)* tour m; **estou de** ~ je vais partir.
partidário, ria [pɐrtiˈdarju, -rjɐ] m, f partisan m.
partido, da [pɐrˈtidu, -dɐ] adj cassé(-e). ◆ m parti m; ~ **(político)** parti (politique).
partilhar [pɐrtiˈʎar] vt partager.
partir [pɐrˈtir] vt *(quebrar)* casser. ◆ vi partir; ~ **de** partir de; ~ **para** partir pour; **a** ~ **de** à partir de.
❏ **partir-se** vp se casser.
parto [ˈpartu] m accouchement m.
parvo, va [ˈparvu, -vɐ] m, f imbécile mf.
Páscoa [ˈpaʃkwɐ] f Pâques f; ~ **feliz!** joyeuses Pâques!
pasmado, da [pɐʒˈmadu, -dɐ] adj ébahi(-e).
passa [ˈpasɐ] f raisin m sec.
passadeira [pɐsɐˈdeirɐ] f *(Port: para peões)* passage m piétons; *(tapete)* tapis m.
passado, da [pɐˈsadu, -dɐ] adj *(tempo, época, etc)* passé(-e); *(ano, mês)* dernier(-ère). ◆ m passé m; **mal/bem** ~ saignant/bien cuit.
passageiro, ra [pɐsɐˈʒeiru, -rɐ] adj & m, f passager(-ère).

passagem [pɛˈsaʒẽi] (*pl* **-ns** [-ʃ]) *f* passage *m*; *(de avião, comboio, etc)* billet *m*; ~ **de ano** nouvel an *m*; ~ **de ida** *(Br)* aller *m*; ~ **de ida e volta** *(Br)* aller-retour *m*; ~ **de modelos** défilé *m* de mode; ~ **de nível** passage à niveau; ~ **subterrânea** passage souterrain.

passaporte [pɛsɐˈpɔrtə] *m* passeport *m*.

passar [pɛˈsar] *vt* **1.** *(ger)* passer; ~ **algo por água** passer qqch sous l'eau; **ele passou a mão pelo pêlo do cão** il a passé la main sur le poil du chien; **ela passou o creme bronzeador pelos braços** elle a passé de la crème solaire sur ses bras; **passas tudo pelo coador** tu passes tout à la passoire; **passas-me o sal?** tu me passes le sel?; **passei um ano em Portugal** j'ai passé un an au Portugal; **deixar** ~ laisser passer.
2. *(a ferro)*: ~ **algo (a ferro)**, ~ **(a ferro) algo** repasser qqch; **já passaste a roupa?** as-tu déjà repassé le linge?
3. *(mudar)*: ~ **algo para o outro lado** mettre qqch de l'autre côté.
4. *(ultrapassar)* dépasser.
5. *(em escola, universidade)* réussir.
♦ *vi* **1.** *(ger)* passer; **o (autocarro) 7 não passa por aqui** le 7 ne passe pas par ici; **já passam dez minutos da hora** il a déjà dix minutes de retard; **o tempo passa muito depressa** le temps passe très vite; **o Verão já passou** l'été est déjà fini; **a dor já passou** la douleur est passée; **ele passou para a segunda classe** il est passé en CE1; **passa para a primeira** passe en première; ~ **a** passer à; **passemos a outra coisa** passons à autre chose.
2. *(em locuções)*: ~ **bem/mal** aller bien/mal; ~ **bem/mal a noite** passer une bonne/mauvaise nuit;

como tem passado? comment allez-vous?; ~ **(bem) sem** se passer de; **passe bem!** bonne continuation!; **não** ~ **de** n'être que; **não** ~ **sem** ne pas se passer de; **o que passou, passou** ce qui est fait est fait.
❑ **passar-se** *vp (acontecer)* se passer; *(esquecer)* oublier; *(fam : ficar furioso)* rendre malade; **o que é que se passa?** qu'est-ce qui se passe?; **desculpa, passou-se-me** pardon, ça m'est sorti de la tête; **eu passo-me com estas coisas** *(fam)* je craque.
❑ **passar por** *v + prep (ser considerado como)* passer pour; *(fig: atravessar)* passer par; **fazer-se** ~ **por** se faire passer pour.

passarela [pasaˈrɛlɛ] *f (Br: de rua, estrada)* passerelle *f*; *(para desfile de moda)* podium *m*.

pássaro [ˈpasɐru] *m* oiseau *m*.

passatempo [ˌpasɛˈtẽmpu] *m* passe-temps *m inv*.

passe [ˈpasə] *m* ≃ carte *f* orange.

passear [pɛˈsjar] *vt* promener. ♦ *vi* se promener.

passeata [pɛˈsjatɛ] *f (passeio)* balade *f*; *(Br: marcha de protesto)* manifestation *f*.

passeio [pɛˈsɐju] *m (em rua)* trottoir *m*; *(caminhada)* promenade *f*.

passe-vite [ˌpasɐˈvitə] (*pl* **passe-vites** [ˌpasɐˈvitəʃ]) *m* moulin *m* à légumes.

passional [pɛsjuˈnał] (*pl* **-ais** [-aiʃ]) *adj* passionnel(-elle).

passista [paˈsiʃtɛ] *mf (Br)* danseur d'une école de samba.

passível [pɛˈsivɛł] (*pl* **-eis** [-ɐiʃ]) *adj* : ~ **de** passible de.

passivo, va [pɛˈsivu, -vɐ] *adj* passif(-ive). ♦ *m* passif *m*.

passo [ˈpasu] *m* pas *m*; *(de obra literária)* passage *m*; **ceder o** ~ **a alguém** laisser passer qqn; **dar o**

primeiro ~ faire le premier pas; **a dois ~s (de)** à deux pas (de); **a ~** au pas; **ao ~ que** tandis que; **~ a ~** pas à pas.

pasta ['paʃtɐ] f *(bolsa)* serviette f; *(de executivo)* mallette f; *(escolar)* cartable m; *(capa para papéis)* chemise f; *(de ministro)* portefeuille m; *(massa)* pâte f; **~ dentí-frica** OU **de dentes** dentifrice m.

pastar [pɐʃ'tar] vi paître.

pastel [pɐʃ'tɛɫ] *(pl* **-éis** [-ɛiʃ]*)* m *(bolo)* gâteau m; *(de peixe)* croquette f; *(em pintura)* pastel m; **~ de bacalhau** *croquette de morue;* **~ de carne** *chausson à la viande;* **~ de feijão** *chausson aux haricots;* **~ de nata** OU **de Belém** *tartelette à la crème;* **~ de Santa Clara** *gâteau aux amandes;* **~ de Tentúgal** *petit gâteau fourré en pâte feuilletée.*

pastelaria [pɐʃtɐlɐ'riɐ] f pâtisserie f.

PASTELARIA

Ce terme désigne l'un des types les plus courants de pâtisserie portugaise, faite à base d'œufs, sur le modèle des anciennes recettes monastiques. Parmi les petits gâteaux les plus connus, on compte les "pastéis de Belém", sorte de tartelettes à la crème, les gâteaux de Tentúgal et de Santa Clara, les "queijadas" (tartelettes au fromage) et les "tigeladas" (crème aux œufs cuite dans des petits moules en terre). Ce terme désigne aussi l'établissement où l'on peut acheter des pâtisseries, des gâteaux et toutes sortes de pains pour les emporter ou les manger sur place.

---

pasteurizado, da [pɐʃteuri'za-ðu, -ðɐ] *adj* pasteurisé(-e).

pastilha [pɐʃ'tiʎɐ] f pastille f; **~ (elástica)** chewing-gum m; **~ para a garganta** pastille pour la gorge; **~ para a tosse** pastille pour la toux.

pasto ['paʃtu] m herbe f.

pastor, ra [pɐʃ'tor, -rɐ] *(mpl* **-es** [-ɐʃ]*, fpl* **-s** [-ʃ]*)* m, f berger m (-ère f). ◆ m pasteur m.

pata ['patɐ] f patte f; **meter a ~ na poça** *(fam)* mettre les pieds dans le plat.

patamar [pɐtɐ'mar] *(pl* **-es** [-ɐʃ]*)* m palier m.

pataniscas [pɐtɐ'niʃkɐʃ] *fpl* : **~ (de bacalhau)** beignets *mpl* (de morue).

paté [pa'te] m pâté m.

patente [pɐ'tẽntɐ] *adj (visível)* patent(-e). ◆ f *(de máquina, invento)* brevet m; *(de militar)* grade m.

paternal [pɐtɐr'naɫ] *(pl* **-ais** [-aiʃ]*) adj* paternel(-elle).

pateta [pa'tɛtɐ] *mf* niais m (-e f).

patético, ca [pa'tɛtiku, -kɐ] *adj* pathétique.

patife [pɐ'tifɐ] m fripouille f.

patim [pɐ'tĩ] *(pl* **-ns** [-ʃ]*)* m patin m.

patinação [patʃinɐ'sẽu] f *(Br)* = **patinagem**.

patinagem [pɐti'naʒẽi] f *(Port)* patinage m; **~ artística** patinage artistique; **~ no gelo** patin m à glace.

patinar [pɐti'nar] vi patiner.

patins → **patim**.

pátio ['patju] m cour f.

pato ['patu] m canard m.

patologia [pɐtulu'ʒiɐ] f pathologie f.

patológico, ca [pɐtu'lɔʒiku, -kɐ] *adj* pathologique.

patrão, troa [pɐ'trẽu, -'troɐ] *(mpl* **-ões** [-õiʃ]*, fpl* **-s** [-ʃ]*)* m, f patron m (-onne f).

pátria ['patriɐ] f patrie f.

património [pɐtri'mɔnju] m *(Port)* patrimoine m.

patrimônio [patri'monju] m *(Br)* = **património**.

patriota [pɐtri'ɔtɐ] mf patriote m.

patroa → **patrão**.

patrocinador, ra [pɐtrusinɐ'dor, -rɐ] *(mpl* **-es** [-əʃ]*, fpl* **-s** [-ʃ]*)* m, f sponsor m.

patrocinar [pɐtrusi'nar] vt sponsoriser.

patrões → **patrão**.

patrulha [pɐ'truʎɐ] f patrouille f.

pau ['pau] m bâton m.
❏ **paus** mpl *(naipe de cartas)* trèfle m; *(fam : escudos)* escudos mpl, ≃ balles fpl.

paulista [pau'liʃtɐ] mf Pauliste mf.

pausa ['pauzɐ] f pause f.

pauta ['pautɐ] f *(de alunos)* liste f; *(de música)* portée f.

pavão [pɐ'vɐ̃u] *(pl* **-ões** [-õiʃ]*)* m paon m.

pavê [pɐ've] m ≃ charlotte f au chocolat.

pavilhão [pɐvi'ʎɐ̃u] *(pl* **-ões** [-õiʃ]*)* m pavillon m; ~ **gimnodesportivo** gymnase m.

pavimentar [pɐvimẽn'tar] vt paver.

pavimento [pɐvi'mẽntu] m *(de estrada, rua)* revêtement m; *(andar de edifício)* étage m.

pavões → **pavão**.

pavor [pɐ'vor] m épouvante f; **ter ~ de** être terrifié par.

paz ['paʃ] *(pl* **-es** [-zəʃ]*)* f paix f; **deixar alguém/algo em ~** laisser qqn/qqch tranquille; **fazer as ~es** faire la paix; **que descanse em ~** qu'il repose en paix.

PC m *(abr de* **Personal Computer***)* PC m.

Pça. *(abr de* **praça***)* pl.

pé ['pɛ] m pied m; *(em vinho)* dépôt m; **andar em bicos de ~** marcher sur la pointe des pieds; **pôr-se em ~** se lever; **ter/não ter ~** avoir/ne pas avoir pied; **~ de porco** pied de porc; **a ~** à pied; **ao ~ de** près de; **em** ou **de ~** debout; **em ~ de igualdade** à égalité.

peão ['pjɐ̃u] *(pl* **-ões** [-õiʃ]*)* m *(Port: indivíduo a pé)* piéton m; *(em xadrez)* pion m.

peça ['pɛsɐ] f pièce f.

pecado [pə'kaðu] m péché m.

pechincha [pə'ʃiʃɐ] f (bonne) affaire f.

peço ['pɛsu] → **pedir**.

peculiar [pəku'ljar] *(pl* **-es** [-əʃ]*)* adj spécial(-e).

pedaço [pə'ðasu] m morceau m; *(de tempo)* bout m; **há ~** il y a un moment.

pedágio [pe'daʒju] m *(Br)* péage m.

pedal [pə'ðaɫ] *(pl* **-ais** [-aiʃ]*)* m pédale f.

pede ['pɛðə] → **pedir**.

pé-de-cabra [ˌpɛðɐ'kabrɐ] *(pl* **pés-de-cabra** [ˌpɛʒðɐ'kabrɐ]*)* m pied-de-biche m.

pé-de-moleque [ˌpɛðəmu'lɛkə] *(pl* **pés-de-moleque** [ˌpɛʒðəmu'lɛkə]*)* m sorte de nougat avec des cacahouètes entières.

pedestal [pəðəʃ'taɫ] *(pl* **-ais** [-aiʃ]*)* m piédestal m.

pedestre [pe'dɛʃtri] m *(Br)* piéton m. ◆ adj piéton(-onne).

pediatra [pə'djatrɐ] mf pédiatre mf.

pediatria [pəðjɐ'triɐ] f pédiatrie f.

pedido [pə'ðiðu] m *(solicitação)* demande f; *(em restaurante)* commande f; **a ~ de alguém** à la demande de qqn.

pedinte [pə'ðĩntə] mf mendiant m (-e f).

pedir [pə'ðir] *vt (em restaurante, bar)* commander; *(preço)* demander. ◆ *vi* mendier; ~ **algo a alguém** demander qqch à qqn; ~ **a alguém que faça algo** demander à qqn de faire qqch; ~ **algo emprestado (a alguém)** emprunter qqch (à qqn).

pedra ['peðrɐ] *f (calhau)* pierre *f; (de dominó)* domino *m; (em rim, bexiga, fígado)* calcul *m; (lápide)* pierre *f* tombale; *(granizo)* grêlon *m; (de isqueiro)* pierre *f*; ~ **(preciosa)** pierre (précieuse).

pedra-pomes [‚peðrɐ'pɔməʃ] *(pl* **pedras-pomes** [‚peðrɐʃ'pɔməʃ]) *f* pierre *f* ponce.

pedra-sabão [‚peðrɐsa'bɐ̃u] *(pl* **pedras-sabão** [‚peðrɐʃsa'bɐ̃u]) *f (Br)* pierre-savon *f*.

pedreiro [pə'ðreiru] *m* maçon *m*.

p.e.f. *(abr de* **por especial favor)** *forme utilisée pour demander un service.*

pega[1] ['pɛgɐ] *f (para panela, tacho)* manique *f; (de objecto)* poignée *f; (em tourada)* prise *f*.

pega[2] ['pɛgɐ] *f* pie *f*.

pegada [pɛ'gaðɐ] *f* trace *f* de pas.

pegado, da [pə'gaðu, -ðɐ] *adj (colado)* collé(-e); *(contíguo)* attenant(-e).

pegajoso, osa [pəgɐ'ʒozu, -ɔzɐ] *adj* collant(-e).

pegar [pə'gar] *vi (motor)* démarrer; *(ideia, moda)* prendre. ◆ *vt (Br)* prendre; **é ~ ou largar!** c'est à prendre ou à laisser!; ~ **uma doença a alguém** passer une maladie à qqn; ~ **em algo** prendre qqch; ~ **fogo a algo** mettre le feu à qqch; ~ **no sono** s'endormir.
❑ **pegar-se** *vp (agarrar-se)* attacher; *(brigar)* se battre.

peito ['peitu] *m (seio)* sein *m; (zona do tronco)* poitrine *f; (de camisa, blusa)* devant *m*.

peitoril [peitu'riɫ] *(pl* **-is** [-iʃ]) *m* rebord *m (de fenêtre)*.

peixaria [peiʃɐ'riɐ] *f* poissonnerie *f*.

peixe ['peiʃə] *m* poisson *m*; ~ **congelado** poisson surgelé.
❑ **Peixes** *m inv* Poissons *mpl*.

peixe-agulha [‚peiʃə'guʎɐ] *m* aiguille *f* de mer.

peixe-espada [‚peiʃəʃ'paðɐ] *m* coutelas *m (poisson); (prateado)* sabre *m* d'argent *(poisson)*.

peixe-vermelho [‚peiʃəvər'meʎu] *m* carassin *m*.

peixinhos [pei'ʃiɲuʃ] *mpl* : ~ **da horta** beignets de haricots verts.

pejorativo, va [pəʒurɐ'tivu, -vɐ] *adj* péjoratif(-ive).

pela ['pɛlɐ] = **por + a**; → **por**.

pelado, da [pe'laðu, -ðɐ] *adj (Br: fam : nu)* tout nu (toute nue).

pele ['pɛlə] *f* peau *f; (couro)* cuir *m*.

pelica [pə'likɐ] *f* chevreau *m (cuir)*.

pelicano [pəli'kɐnu] *m* pélican *m*.

película [pə'likulɐ] *f* pellicule *f (film)*; ~ **aderente** film *m* adhésif.

pelo ['pelu] = **por + o**; → **por**.

pêlo ['pelu] *m* poil *m*.

Pelourinho [pəlo'riɲu] *m* : **o ~ (de Salvador)** le *Pilori de Salvador*.

PELOURINHO

A
utrefois, le "pelourinho" était au Brésil, la place publique où les maîtres châtiaient leurs esclaves. Aujourd'hui ce quartier de Salvador est le cœur de la vie culturelle, politique et religieuse de l'État de Bahia. Classé patrimoine mondial, le Pelourinho de Salvador se caractérise par un ensemble architectural co-

loré qui date de l'époque colo-
niale. C'est également au "Pelô"
que tout se passe: présentations
de sociétés carnavalesques afro-
brésiliennes comme l'Olodum
et l'Ilê Aiê, réunions électorales
et manifestations populaires.

---

peluche [pə'luʃə] *m* peluche *f*.
pelúcia [pə'lusjɐ] *f* = peluche.
peludo, da [pə'luðu, -ðɐ] *adj*
poilu(-e).
pélvis ['pɛɫviʃ] *m inv* OU *f inv*
bassin *m*.
pena ['penɐ] *f (de ave, escrever)*
plume *f*; *(dó, castigo)* peine *f*; **que
~!** quel dommage!; **cumprir** ~
purger une peine; **dar** ~ faire de
la peine; **ter** ~ **de alguém** avoir
pitié de qqn; **ter** ~ **de fazer algo**
regretter de faire qqch; **valer a** ~
valoir la peine; ~ **capital** peine
capitale; ~ **de morte** peine de
mort.
penalidade [pənɐli'ðaðɐ] *f* pé-
nalité *f*.
pênalti [pe'nautʃi] *m (Br)* =
penalty.
penalty [pɛ'nałti] *m (Port)* penalty *m*.
penca ['pẽŋkɐ] *f (couve)* variété de
chou; *(fam : nariz)* pif *m*.
pendente [pẽn'dẽntɐ] *adj* pen-
dant(-e). ◆ *m* pendentif *m*.
pendurar [pẽndu'rar] *vt* accrocher; ~ **algo em algo** accrocher
qqch à qqch.
❏ **pendurar-se em** *vp + prep* se
pendre à.
penedo [pə'neðu] *m* rocher *m*.
peneira [pə'neirɐ] *f* tamis *m*.
penetrante [pənɐ'trẽntɐ] *adj*
(fig) pénétrant(-e).
penetrar [pənɐ'trar]: **penetrar
em** *v + prep* pénétrer dans.
penhasco [pə'ɲaʃku] *m* rocher
m.
penicilina [pɛnisi'linɐ] *f* pénicilline *f*.

penico [pə'niku] *m* pot *m* de
chambre.
península [pə'nĩsulɐ] *f* péninsule *f*.
pénis ['pɛniʃ] *m inv (Port)* pénis
m.
pênis ['peniʃ] *m inv (Br)* = **pénis**.
penitência [pəni'tẽsjɐ] *f* pénitence *f*.
penitenciária [pənitẽ'sjarjɐ] *f*
prison *f*.
penoso, osa [pə'nozu, -ɔzɐ] *adj*
pénible.
pensamento [pẽsɐ'mẽntu] *m*
pensée *f*.
pensão [pẽ'sɐ̃u] *(pl -ões* [-õiʃ]*)* *f*
pension *f*; ~ **alimentícia** *(Br)* pension alimentaire; ~ **completa**
pension complète; ~ **residencial**
pension de famille.
pensar [pẽ'sar] *vt & vi* penser; ~
em penser à; ~ **que** penser que;
nem ~! pas question!
pensionista [pẽsju'niʃtɐ] *mf* retraité *m* (-e *f*).
penso ['pẽsu] *m* pansement *m*; ~
higiénico serviette *f* hygiénique;
~ **rápido** pansement adhésif.
pensões → **pensão**.
pente ['pẽntɐ] *m* peigne *m*.
penteado [pẽn'tjaðu] *m* coiffure *f*.
Pentecostes [pẽntɐ'kɔʃtɐʃ] *m*
Pentecôte *f*.
penugem [pə'nuʒei] *f* duvet *m*.
penúltimo, ma [pə'nuttimu,
-mɐ] *adj* avant-dernier(-ère).
penumbra [pe'nũmbrɐ] *f* pénombre *f*.
penúria [pə'nurjɐ] *f* misère *f*.
peões → **peão**.
pepino [pə'pinu] *m* concombre
m.
pequeno, na [pə'kenu, -nɐ] *adj*
petit(-e).
pequeno-almoço [pə,kenu-
ał'mosu] *(pl* **pequenos-almoços**

[pəˌkenuzaɫˈmɔsuʃ]) *m (Port)* petit déjeuner *m*.

pêra [ˈpere] *f* poire *f*; *(barba)* bouc *m*; ~ **abacate** avocat *m*.

perante [pəˈrɐ̃ntə] *prep* devant.

perceber [pərsəˈβer] *vt* comprendre.
❏ **perceber de** *v* + *prep* s'y connaître en.

percentagem [pərsɛ̃nˈtaʒɐ̃i] *(pl* **-ns** [-ʃ]) *f* pourcentage *m*.

percevejo [pərsəˈveiʒu] *m* punaise *f (animal)*.

perco [ˈpɛrku] → **perder**.

percorrer [pərkuˈʀer] *vt* parcourir; ~ **algo com os olhos** parcourir qqch des yeux.

percurso [pərˈkursu] *m* parcours *m*.

percussão [pərkuˈsɐ̃u] *f* percussion *f*.

perda [ˈperðɐ] *f* perte *f*.

perdão [pərˈðɐ̃u] *m* pardon *m*.
◆ *interj* pardon!; **pedir** ~ demander pardon.

perde [ˈperðə] → **perder**.

perder [pərˈðer] *vt* perdre; *(comboio, autocarro)* rater. ◆ *vi (em competição)* perdre; ~ **a cabeça** perdre la tête; ~ **os sentidos** perdre connaissance; ~ **alguém de vista** perdre qqn de vue.
❏ **perder-se** *vp* se perdre.

perdição [pərðiˈsɐ̃u] *f (ruína)* perte *f*; *(desonra)* perdition *f*.

perdido, da [pərˈðiðu, -ðɐ] *adj* perdu(-e); '~**s e achados**' 'objets trouvés'; **ser** ~ **por** *(fam)* être fou de.

perdiz [pərˈðiʃ] *(pl* **-es** [-zəʃ]) *f* perdrix *f*.

perdoar [pərˈðwar] *vt* pardonner.

perdurar [pərðuˈrar] *vi* perdurer.

perecível [pərəˈsiveɫ] *(pl* **-eis** [-eiʃ]) *adj* périssable.

peregrinação [pərəgrinɐˈsɐ̃u] *(pl* **-ões** [-õiʃ]) *f* pèlerinage *m*.

peregrino, na [pərəˈgrinu, -nɐ] *m, f* pèlerin *m*.

pereira [pəˈreirɐ] *f* poirier *m*.

peremptório, ria [pərɛ̃mpˈtɔrju, -rjɐ] *adj* péremptoire.

perene [pəˈrɛnə] *adj (perpétuo)* perpétuel(-elle); *(folhagem)* persistant(-e).

perfeição [pərfeiˈsɐ̃u] *f* perfection *f*.

perfeitamente [pərˌfeitɐˈmɐ̃ntə] *adv* parfaitement. ◆ *interj* parfaitement!

perfeito, ta [pərˈfeitu, -tɐ] *adj* parfait(-e).

pérfido, da [ˈpɛrfiðu, -ðɐ] *adj* perfide.

perfil [pərˈfiɫ] *(pl* **-is** [-iʃ]) *m* profil *m*; **de** ~ de profil.

perfumaria [pərfuməˈriɐ] *f* parfumerie *f*.

perfume [pərˈfumə] *m* parfum *m*.

perfurar [pərfuˈrar] *vt* perforer.

pergaminho [pərgɐˈmiɲu] *m* parchemin *m*.

pergunta [pərˈgũntɐ] *f* question *f*.

perguntar [pərgũnˈtar] *vt* demander. ◆ *vi* : ~ **por alguém** demander qqn; *(informar-se)* demander des nouvelles de qqn; ~ **sobre algo** s'informer de qqch; ~ **algo a alguém** demander qqch à qqn.

periferia [pərifəˈriɐ] *f* périphérie *f*.

perigo [pəˈrigu] *m* danger *m*; '~ **de incêndio**' 'risque d'incendie'; '~ **de morte**' 'danger de mort'; '~ **de queda de materiais**' 'risque de chute de matériaux'.

perigoso, osa [pəriˈgozu, -ɔzɐ] *adj* dangereux(-euse).

perímetro [pəˈrimɐtru] *m* périmètre *m*.

periódico, ca [pəˈrjɔðiku, -kɐ] *adj* périodique.

período [pə'riuðu] *m (espaço de tempo)* période *f; (de ano escolar)* trimestre *m; (fam : menstruação)* règles *fpl;* '~ **de funcionamento**' 'heures d'ouverture'.

periquito [pəri'kitu] *m* perruche *f*.

perito, ta [pə'ritu, -tɐ] *m, f* expert *m.* ♦ *adj* expert(-e); **ser ~ em algo** être expert en qqch.

permanecer [pərmɐnɐ'ser] *vi* rester.

❑ **permanecer em** *v + prep* rester à.

❑ **permanecer por** *v + prep* rester à.

permanência [pərmɐ'nēsjɐ] *f (estadia)* séjour *m; (de problema, situação)* permanence *f*.

permanente [pərmɐ'nēntɐ] *adj* permanent(-e). ♦ *f* permanente *f*.

permissão [pərmi'sɐ̃u] *f* permission *f;* **pedir ~ para fazer algo** demander la permission de faire qqch.

permitir [pərmi'tir] *vt* permettre.

perna ['pɛrnɐ] *f (de pessoa)* jambe *f; (de animal, ave)* patte *f; (CULIN: de cordeiro)* gigot *m; (de cadeira, mesa)* pied *m; (de letra)* jambage *m*.

pernil [pər'nił] *(pl* **-is** [-iʃ]) *m* jambonneau *m;* **esticar o ~** *(fig)* passer l'arme à gauche.

pernilongo [pərni'lõŋgu] *m (Port: ave)* échassier *m; (Br: mosquito)* moustique *m*.

pernis → pernil.

pêro ['peru] *m (variedade de maçã)* pomme *f; (fam : murro)* beigne *f*.

pérola ['pɛrulɐ] *f* perle *f*.

perpendicular [pərpẽndi-ku'lar] *(pl* **-es** [-əʃ]) *adj* perpendiculaire.

perpetrar [pərpə'trar] *vt* perpétrer.

perpetuar [pərpe'twar] *vt* perpétuer.

❑ **perpetuar-se** *vp* se perpétuer.

perplexidade [pərplɛksi'ðaðɐ] *f* perplexité *f*.

perplexo, xa [pər'plɛksu, -sɐ] *adj* perplexe.

perro, a ['pɛru, -ɐ] *adj* coincé(-e).

perseguição [pərsəgi'sɐ̃u] *(pl* **-ões** [-õiʃ]) *f* persécution *f; (de polícia)* poursuite *f*.

perseguir [pərsə'gir] *vt* poursuivre.

perseverante [pərsəvɐ'rēntɐ] *adj* persévérant(-e).

perseverar [pərsəvɐ'rar] *vi* persévérer.

persiana [pər'sjɐnɐ] *f* volet *m* roulant.

persistente [pərsiʃ'tēntɐ] *adj (perseverante)* persévérant(-e); *(duradouro)* persistant(-e).

personagem [pərsu'naʒẽi] *(pl* **-ns** [-ʃ]) *m & f* personnage *m*.

personalidade [pərsunɐli'ðaðɐ] *f* personnalité *f*.

perspectiva [pərʃpɛ'tivɐ] *f* perspective *f*.

perspicácia [pərʃpi'kasjɐ] *f* perspicacité *f*.

perspicaz [pərʃpi'kaʃ] *(pl* **-es** [-zəʃ]) *adj* perspicace.

persuadir [pərswɐ'ðir] *vt :* ~ **alguém de algo** persuader qqn de qqch; ~ **alguém a fazer algo** persuader qqn de faire qqch.

❑ **persuadir-se** *vp* se persuader.

persuasão [pərswɐ'zɐ̃u] *f* persuasion *f*.

persuasivo, va [pərswɐ'zivu, -vɐ] *adj* persuasif(-ive).

pertencente [pərtẽ'sēntɐ] *adj :* ~ **a** *(que pertence a)* appartenant à; *(relativo a)* relevant de.

pertencer [pərtẽ'ser]: **pertencer a** *v + prep (ser propriedade de)* appartenir à; *(clube, partido)* faire partie de; ~ a alguém fazer algo appartenir à qqn de faire qqch.

perto ['pɛrtu] adj & adv près; ~ de (relativo a tempo) vers; (relativo a espaço) près de; (relativo a quantidade) environ; **ao** OU **de** ~ de près.

perturbar [pərtur'bar] vt perturber.

peru [pə'ru] m dindon m; (CULIN) dinde f.

Peru [pə'ru] m : **o** ~ le Pérou.

peruca [pə'rukɐ] f perruque f.

perverso, sa [pər'vɛrsu, -sɐ] adj pervers(-e) (cruel).

perverter [pərvər'ter] vt pervertir.

pervertido, da [pərvər'tiðu, -ðɐ] adj pervers(-e) (malade).

pesadelo [pəzɐ'ðelu] m cauchemar m.

pesado, da [pə'zaðu, -ðɐ] adj lourd(-e); (trabalho) dur(-e).

pêsames ['pezɐmɐʃ] mpl condoléances fpl; **os meus** ~ toutes mes condoléances.

pesar [pə'zar] vt & vi peser.

pesca ['pɛʃkɐ] f pêche f; ~ à linha pêche à la ligne.

pescada [pəʃ'kaðɐ] f colin m.

pescadinha [pəʃkɐ'ðiɲɐ] f merlu m.

pescador, ra [pəʃkɐ'ðor, -rɐ] (mpl -es [-əʃ], fpl -s [-ʃ]) m, f pêcheur m.

pescar [pəʃ'kar] vt & vi pêcher.

pescoço [pəʃ'kosu] m cou m.

peso ['pezu] m poids m; ~ bruto poids brut; ~ líquido poids net.

pesquisa [pəʃ'kizɐ] f recherche f.

pêssego ['pesəgu] m pêche f.

pessegueiro [pəsə'geiru] m pêcher m.

pessimista [pɛsi'miʃtɐ] mf pessimiste mf.

péssimo, ma ['pɛsimu, -mɐ] adj très mauvais(-e).

pessoa [pə'soɐ] f personne f; **em** ~ en personne.

pessoal [pə'swał] (pl -ais [-aiʃ]) adj personnel(-elle). ◆ m personnel m.

pestana [pəʃ'tɐnɐ] f cil m.

pestanejar [pəʃtɐnə'ʒar] vi cligner des yeux.

peste ['pɛʃtɐ] f peste f.

pesticida [pɛʃti'siðɐ] m pesticide m.

pétala ['pɛtɐlɐ] f pétale m.

peteca [pe'tɛkɐ] f (Br) volant m (de badminton).

petição [pəti'sɐ̃u] (pl -ões [-õiʃ]) f pétition f.

petinga [pə'tĩgɐ] f sardine f.

petiscar [pətiʃ'kar] vt goûter. ◆ vi grignoter; **quem não arrisca não petisca** qui ne tente rien n'a rien.

petisco [pə'tiʃku] m (iguaria) délice m; (acepipe) amuse-gueule m.

petit-pois [pətʃi'pwa] mpl (Br) petits pois mpl.

petrificar [pətrifi'kar] vt pétrifier.

petroleiro [pətru'leiru] m pétrolier m.

petróleo [pə'trɔlju] m pétrole m.

petulância [pətu'lẽsjɐ] f (insolência) effronterie f; (vaidade) arrogance f.

petulante [pətu'lẽtɐ] adj (insolente) effronté(-e); (vaidoso) arrogant(-e).

peúgas ['pjugɐʃ] fpl chaussettes fpl.

pevide [pə'viðɐ] f graine f.

pia ['piɐ] f évier m; ~ **baptismal** fonts mpl baptismaux.

piada ['pjaðɐ] f plaisanterie f.

pianista [pjɐ'niʃtɐ] mf pianiste mf.

piano ['pjɐnu] m piano m.

pião ['pjɐ̃u] (pl -ões [-õiʃ]) m toupie f.

piar ['pjar] *vi* piailler.

picada [pi'kaðɐ] *f (de ave)* coup *m* de bec; *(de insecto)* piqûre *f*.

picadinho [pika'dʒiɲu] *m (Br) plat de viande hachée.*

picado, da [pi'kaðu, -ðɐ] *adj (carne, cebola, salsa)* haché(-e); *(furado)* percé(-e). ◆ *m (guisado) hachis de viande ou de poisson.*

picanha [pi'kɐɲɐ] *f (Br)* rumsteck *m*.

picante [pi'kɐ̃tɐ] *adj (apimentado)* piquant(-e); *(fig: malicioso)* grivois(-e).

pica-pau [,pikɐ'pau] *(pl* **pica-paus** [,pikɐ'pauʃ]) *m* pivert *m*.

picar [pi'kar] *vt (com alfinete, agulha)* piquer; *(carne, cebola)* hacher; *(fam : provocar)* lancer des piques à. ◆ *vi (peixe)* mordre. ❏ **picar-se** *vp* se piquer.

picareta [pikɐ'retɐ] *f* pioche *f*.

pico ['piku] *m (montanha)* pic *m*; *(espinho)* piquant *m*.

picolé [piko'lɛ] *m (Br)* bâtonnet *m* de glace.

picotado, da [piku'taðu, -ðɐ] *adj* prédécoupé(-e). ◆ *m* pointillé *m*.

piedade [pje'ðaðɐ] *f* pitié *f*; **ter ~ de alguém** avoir pitié de qqn.

pifar [pi'far] *vt (fam : roubar)* piquer. ◆ *vi (fam : estragar-se)* péter.

pigmento [pig'mẽntu] *m* pigment *m*.

pijama [pi'ʒemɐ] *m* pyjama *m*.

pikles ['piklɐʃ] *mpl* pickles *mpl*.

pilantra [pi'lẽntrɐ] *mf* crapule *f*.

pilar [pi'lar] *(pl* **-es** [-əʃ]) *m* pilier *m*.

pilha ['piʎɐ] *f* pile *f*; **uma ~ de nervos** une boule de nerfs; **~s de** *(fam)* des tas de.

pilhar [pi'ʎar] *vt* piller.

pilotar [pilu'tar] *vt* piloter.

piloto [pi'lotu] *m* pilote *m*.

pílula ['pilulɐ] *f* pilule *f*.

pimenta [pi'mẽntɐ] *f* poivre *m*.

pimenta-do-reino [pi,mẽntɐdu'ʀeinu] *f* poivre *m*.

pimentão-doce [pimẽntɐ̃u'dosə] *m* piment *m* doux.

pimento [pi'mẽntu] *m* poivron *m*.

pin ['pinə] *m* pin's *m inv.*

pinça ['pĩsɐ] *f* pince *f*.

píncaro ['pĩŋkɐru] *m (de fruto)* queue *f*; *(de montanha)* sommet *m*.

pincel [pĩ'sɛɫ] *(pl* **-éis** [-ɛiʃ]) *m* pinceau *m*.

pinga ['pĩŋgɐ] *f (gota)* goutte *f*; *(fam : vinho)* pinard *m*; *(fam : aguardente)* gnôle *f*; **estar com a ~** *(fam)* avoir un verre dans le nez.

pingado, da [pĩ'gadu, -ðɐ] *adj (Br) (café)* au lait; *(arroz)* aux haricots.

pingar [pĩ'gar] *vi* goutter.

pingente [pĩ'ʒẽntɐ] *m* pendentif *m*.

pingo ['pĩŋgu] *m (gota)* goutte *f*; *(café com leite)* café allongé avec de l'eau et du lait.

pingue-pongue [,pĩŋgɐ'põŋgɐ] *m* ping-pong *m*.

pinguim [pĩ'gwĩ] *(pl* **-ns** [-ʃ]) *m (Port)* pingouin *m*.

pingüim [pĩɲ'gwĩ] *(pl* **-ns** [-ʃ]) *m (Br)* = **pinguim**.

pinhal [pi'ɲaɫ] *(pl* **-ais** [-aiʃ]) *m* pinède *f*.

pinhão [pi'ɲɐ̃u] *(pl* **-ões** [-õiʃ]) *m* pignon *m*.

pinheiro [pi'ɲeiru] *m* pin *m*.

pinho ['piɲu] *m* pin *m (bois)*.

pinhoada [pi'ɲwaðɐ] *f confiserie à base de pignons et de miel.*

pinhões → **pinhão**.

pinta ['pĩntɐ] *f (mancha)* tache *f*; *(fam : aparência)* air *m*; **ter ~ de** *(fam)* avoir l'air de.

pintado, da [pĩn'taðu, -ðɐ] *adj* peint(-e); '~ **de fresco**' 'peinture fraîche'; '~ **à mão**' 'peint à la main'.

pintar [pĩn'tar] *vt (quadro, parede)* peindre; *(olhos, rosto)* se maquiller; *(desenho, boneco)* colorier. ◆ *vi (artista, pintor)* peindre; *(criança)* colorier; *(Br: fam : problema, oportunidade)* se présenter; *(Br: fam : pessoa)* se pointer.
❏ **pintar-se** *vp* se maquiller.

pintarroxo [pĩntɐ'roʃu] *m* rouge-gorge *m*.

pintassilgo [pĩntɐ'siłgu] *m* chardonneret *m*.

pinto ['pĩntu] *m* poussin *m*.

pintor, ra [pĩn'tor, -rɐ] *(mpl* **-es** [-əʃ], *fpl* **-s** [-ʃ]) *m, f* peintre *m*.

pintura [pĩn'turɐ] *f (arte)* peinture *f*; *(quadro)* tableau *m*.

piões → **pião**.

piolho ['pjoʎu] *m* pou *m*.

pionés [pjɔ'nɛʃ] *(pl* **-eses** [-ɛzəʃ]) *m (Port)* punaise *f (en métal)*.

pior ['pjɔr] *(pl* **-es** [-əʃ]) *adj* pire. ◆ *adv* plus mal. ◆ *m* : **o** ~ le pire; **o/a** ~ le/la pire; **ser do** ~ **que há** être ce qu'il y a de pire; **cada vez** ~ de pire en pire.

piorar [pju'rar] *vi (doente, situação)* empirer; *(clima, tempo)* se détériorer. ◆ *vt* aggraver.

piores → **pior**.

pipa ['pipɐ] *f (de vinho)* tonneau *m*; *(Br: papagaio de papel)* cerf-volant *m*.

pipocas [pi'pɔkɐʃ] *fpl* pop-corn *m*.

pipoqueiro, ra [pipo'keiru, -rɐ] *m, f (Br)* vendeur *m* (-euse *f*) de pop-corn.

piquenique [,pikɐ'nikə] *m* pique-nique *m*.

pirâmide [pi'remiðɐ] *f* pyramide *f*.

piranha [pi'reɲɐ] *f* piranha *f*.

pirão [pi'rẽu] *m* bouillie *f* de manioc.

pirata [pi'ratɐ] *m* pirate *m*.

Pirenéus [pirɐ'nɛuʃ] *mpl* : **os** ~ les Pyrénées *fpl*.

pires ['pirəʃ] *m inv* soucoupe *f*.

pírex® ['pirɛkʃ] *m* Pyrex® *m*.

pirilampo [piri'lẽmpu] *m* ver *m* luisant.

piripiri [,piri'piri] *m (condimento) sauce au piment*; *(malagueta)* piment *m* rouge.

pirueta [pi'rwetɐ] *f* pirouette *f*.

pisar [pi'zar] *vt (com pé)* marcher sur; *(contundir)* meurtrir.

pisca-pisca [,piʃkɐ'piʃkɐ] *(pl* **pisca-piscas** [,piʃkɐ'piʃkɐʃ]) *m* clignotant *m*.

piscar [piʃ'kar] *vt* cligner. ◆ *vi* clignoter.

piscina [pəʃ'sinɐ] *f* piscine *f*; ~ **ao ar livre** piscine découverte; ~ **coberta** piscine couverte.

pisco ['piʃku] *m* bouvreuil *m*.

piso ['pizu] *m* chaussée *f*; ~ **escorregadio** chaussée glissante; ~ **irregular** chaussée déformée.

pista ['piʃtɐ] *f* piste *f*; ~ **de rodagem** *(Br)* = **faixa de rodagem**, → **faixa**.

pistácio [piʃ'taʃju] *m* pistache *f*.

pistão [piʃ'tẽu] *(pl* **-ões** [-õiʃ]) *m* piston *m*.

pistola [piʃ'tɔlɐ] *f* pistolet *m*.

pitada [pi'taðɐ] *f* pincée *f*.

pitanga [pi'tẽngɐ] *f* cerise *f* de Cayenne.

pitoresco, ca [pitu'reʃku, -kɐ] *adj* pittoresque.

pivete [pi'vetɐ] *m (mau cheiro)* puanteur *f*; *(criança atrevida)* vaurien *m*.

pizza ['pidzɐ] *f* pizza *f*; ~ **de alice** *pizza aux anchois*.

pizzaria [pidze'riɐ] *f* pizzeria *f*.

PJ *f (abrev de* **Polícia Judiciária)** PJ *f*.

placa ['plakɐ] *f* plaque *f; (dentadura postiça)* dentier *m.*

plágio ['plaʒju] *m* plagiat *m.*

planador [plɐnɐ'ɗor] *(pl* -es [-əʃ]) *m* planeur *m.*

planalto [plɐ'naɫtu] *m* plateau *m.*

planeamento [plɐnjɐ'mẽntu] *m* planning *m;* ~ **familiar** planning familial.

planear [plɐ'njar] *vt (Port)* planifier; ~ **fazer algo** projeter de faire qqch.

planejar [planeˈʒax] *vt (Br)* = planear.

planeta [plɐ'netɐ] *m* planète *f.*

planetário [plɐnəˈtarju] *m* planétarium *m.*

planície [plɐ'nisjə] *f* plaine *f.*

plano, na ['plenu, -nɐ] *adj* plat(-e). ◆ *m* plan *m.*

planta ['plẽntɐ] *f* plante *f; (de cidade, casa)* plan *m.*

plantão [plẽn'tɐ̃u] *m* garde *f;* **estar de** ~ être de garde.

plantar [plẽn'tar] *vt* planter.

plástica ['plaʃtikɐ] *f* chirurgie *f* esthétique.

plasticina [plɐʃti'sinɐ] *f (Port)* pâte *f* à modeler.

plástico ['plaʃtiku] *m* plastique *m.*

plastilina [plaʃtʃi'linɐ] *f (Br)* = plasticina.

plataforma [plɐtɐ'fɔrmɐ] *f (estrado)* plate-forme *f; (de estação de comboio, metro)* quai *m.*

plátano ['platɐnu] *m* platane *m.*

plateia [plɐ'tɐjɐ] *f (Port)* parterre *m.*

platéia [pla'tɐjɐ] *f (Br)* = plateia.

platina [plɐ'tinɐ] *f* platine *m.*

platinados [plɐti'naɗuʃ] *mpl* vis *fpl* platinées.

plausível [plau'zivɛɫ] *(pl* -eis [-ɐiʃ]) *adj (possível)* probable; *(credível)* plausible.

plebiscito [plebiʃ'situ] *m (Br)* référendum *m.*

plenamente [ˌplenɐ'mẽntə] *adv* totalement.

pleno, na ['plenu, -nɐ] *adj* total(-e); ~ **de** plein de; **em** ~ **dia** en plein jour; **em** ~ **Inverno** en plein hiver.

plural [plu'raɫ] *(pl* -ais [-aiʃ]) *m* pluriel *m.*

plutónio [plu'tɔnju] *m (Port)* plutonium *m.*

plutônio [plu'tonju] *m (Br)* = plutónio.

pneu ['pneu] *m* pneu *m;* ~ **sobresselente** roue *f* de secours.

pneumonia [pneumu'niɐ] *f* pneumonie *f.*

pó ['pɔ] *m (poeira)* poussière *f; (substância pulverizada)* poudre *f;* ~ **de talco** talc *m.*

pobre ['pɔbrɐ] *adj & mf* pauvre.

pobreza [pu'brezɐ] *f* pauvreté *f.*

poça¹ ['pɔsɐ] *f* flaque *f.*

poça² ['pɔsɐ] *interj (fam)* et bien dis donc!

poção [pu'sɐ̃u] *(pl* -ões [-õiʃ]) *f* potion *f.*

pocilga [pu'siɫgɐ] *f* porcherie *f.*

poço ['posu] *m* puits *m.*

poções → poção.

podar [pu'ɗar] *vt* tailler.

pode ['pɔɗɐ] → poder.

pó-de-arroz [ˌpɔɗjɐ'ʁoʃ] *m* poudre *f* de riz.

pôde ['poɗɐ] → poder.

poder [pu'ɗer] *(pl* -es [-əʃ]) *m* pouvoir; **o** ~ le pouvoir; **estar no** ~ être au pouvoir; ~ **de compra** pouvoir d'achat; **está em meu** ~ il est en mon pouvoir; **ter em seu** ~ **algo** avoir qqch en sa possession.

◆ *v aux* : ~ **fazer algo** pouvoir faire qqch; **podias tê-lo feito antes** tu aurais pu le faire avant; **posso ajudar?** je peux vous aider?; **posso fazê-lo** je peux le faire; **não posso mais!** je n'en peux plus!; **não posso fazer nada!** je ne peux rien faire!; **posso fumar?** je peux fumer?; **não pode estacionar aqui** vous ne pouvez pas stationner ici; **não pude sair ontem** je n'ai pas pu sortir hier; **não podemos abandoná-lo** nous ne pouvons pas l'abandonner; **podes fazer várias coisas** tu peux faire plusieurs choses; **podias ter vindo de comboio** tu aurais pu venir en train; **não pode ser!** ce n'est pas possible!; **podias ter-nos avisado!** tu aurais pu nous prévenir!; **pudera!** évidemment! ♦ *v impess (ser possível)*: **pode ser que chova** il se peut qu'il pleuve; **pode não ser verdade** il se peut que ce ne soit pas vrai; **pode acontecer a qualquer um** ça peut arriver à n'importe qui. ❏ **poder com** *v + prep (suportar)* supporter; *(rival, adversário)* venir à bout de; **não podes com tanto peso** tu ne peux pas porter ça.

poderoso, osa [puđə'rozu, -ɔzɐ] *adj* puissant(-e).

podre [podrɐ] *adj* pourri(-e).

põe ['põi] → **pôr**.

poeira ['pweirɐ] *f* poussière *f*.

poema ['pwemɐ] *m* poème *m*.

poesia [pwi'ziɐ] *f* poésie *f*.

poeta ['pwɛtɐ] *m* poète *m*.

poetisa ['pwɛtizɐ] *f* poétesse *f*.

pois ['poiʃ] *conj (porque)* car; *(então)* alors. ♦ *interj* oui!; ~ **sim!** soit!; ~ **não?** oui?; ~ **bem** bon.

polegar [pulə'gar] *(pl* **-es** [-əʃ]) *m* pouce *m*.

polémica [pu'lɛmikɐ] *f (Port)* polémique *f*.

polêmica [po'lemikɐ] *f (Br)* = **polémica**.

pólen ['pɔlɛn] *m* pollen *m*.

polícia [pu'lisjɐ] *f* police *f*. ♦ *mf* policier *m*.

❏ **Polícia** *f*: **Polícia Judiciária** police judiciaire; **Polícia de Segurança Pública** police.

policial [poli'sjau] *(pl* **-ais** [-aiʃ]) *mf (Br)* policier *m*.

polido, da [pu'liđu, -đɐ] *adj* poli(-e).

polir [pu'lir] *vt* polir.

politécnico, ca [pɔli'tɛkniku, -kɐ] *adj* d'enseignement technique supérieur.

política [pu'litikɐ] *f* politique *f*; ~ **externa** *(Port)* politique extérieure; ~ **exterior** *(Br)* politique extérieure.

político, ca [pu'litiku, -kɐ] *m, f* homme *m* politique. ♦ *adj* politique.

pólo ['pɔlu] *m* pôle *m*; *(desporto)* polo *m*; ~ **aquático** water-polo *m*.

polpa ['poɫpɐ] *f* pulpe *f*.

poltrona [poɫ'tronɐ] *f* fauteuil *m*.

poluição [pulwi'sɐ̃u] *f* pollution *f*.

poluído, da [pu'lwiđu, -đɐ] *adj* pollué(-e).

poluir [pu'lwir] *vt* polluer.

polvo ['poɫvu] *m* poulpe *m*; ~ **guisado** *poulpe mijoté au vin blanc*.

pólvora ['poɫvurɐ] *f* poudre *f*.

pomada [pu'mađɐ] *f* pommade *f*; ~ **anti-séptica** pommade antiseptique; ~ **para calçado** cirage *m*.

pomar [pu'mar] *(pl* **-es** [-əʃ]) *m* verger *m*.

pombo, ba ['põmbu, -bɐ] *m, f* pigeon *m* (colombe *f*); **pomba da paz** colombe de la paix.

pomo-de-adão [ˌpomuđɐ'-đɐ̃u] *(pl* **pomos-de-adão** [ˌpɔmuʒđɐ'đɐ̃u]) *m* pomme *f* d'Adam.

pomposo, osa [põm'pozu, -ɔzɐ] *adj* pompeux(-euse).

ponderação [põndɐrɐ'sɐ̃u] *f* pondération *f*.

ponderado, da [pōndə'raðu, -ðɐ] *adj* pondéré(-e).

ponderar [pōndə'rar] *vt* pondérer.

pónei ['pɔnɐi] *m (Port)* poney *m*.

pônei ['ponei] *m (Br)* = **pónei**.

ponho ['poɲu] → **pôr**.

ponta ['pōntɐ] *f* bout *m*; *(de vara, lápis)* pointe *f*; *(de superfície)* extrémité *f*; **tomar alguém de ~** prendre qqn en grippe; **ter algo na ~ da língua** avoir qqch sur le bout de la langue.

pontada [pōn'taðɐ] *f* point *m* de côté.

pontapé [pōntɐ'pɛ] *m* coup *m* de pied; **~ livre** coup *m* franc; **~ de saída** coup *m* d'envoi.

pontaria [pōntɐ'riɐ] *f*: **fazer ~** viser; **ter ~** bien viser.

ponte ['pōntə] *f* pont *m*.

ponteiro [pōn'tɐiru] *m (de relógio)* aiguille *f*.

pontiagudo, da [pōntjɐ'guðu, -ðɐ] *adj* pointu(-e).

ponto ['pōntu] *m* point *m*; *(teste, exame)* contrôle *m*; *(Br: paragem de transporte colectivo)* arrêt *m*; *(de açúcar)* caramélisation *f*; **às 9 em ~** à neuf heures pile; **estar a ~ de fazer algo** être sur le point de faire qqch; **em ~ grande/pequeno** en grand/petit format; **até certo ~** dans une certaine mesure; **~ por ~** point par point; **dois ~s** deux points; **~ cardeal** point cardinal; **~ de encontro** point de rencontre; **~ de exclamação** point d'exclamation; **~ final** point final; **~ de interrogação** point d'interrogation; **~ morto** point mort; **~ negro** point noir; **~ de ônibus** *(Br)* arrêt d'autobus; **~ de partida** point de départ; **~ de táxi** *(Br)* station *f* de taxi; **~ e vírgula** point-virgule *m*; **~ de vista** point de vue.

pontuação [pōntwɐ'sēu] *(pl*

-ões [-ōiʃ]) *f (em gramática)* ponctuation *f*; *(em competição)* nombre *m* de points; *(em teste, exame)* barème *m*.

pontual [pōn'twał] *(pl* **-ais** [-aiʃ]) *adj (pessoa)* ponctuel(-elle); *(comboio, autocarro)* à l'heure.

pontuar [pōn'twar] *vt (texto)* ponctuer; *(exame, teste)* noter. ♦ *vi* noter.

popa ['popɐ] *f* poupe *f*.

popelina [pɔpə'linɐ] *f* popeline *f*.

população [pupulɐ'sēu] *f* population *f*.

popular [pupu'lar] *(pl* **-es** [-əʃ]) *adj* populaire.

póquer ['pɔkɛr] *m* poker *m*.

por [pur] *prep* **1.** *(indica causa)* à cause de; **foi ~ tua causa** c'était à cause de toi; **~ falta de meios** faute de moyens; **~ hábito/rotina** par habitude/routine; **ele partiu ~ não ser forte** il est parti parce qu'il n'était pas assez fort. **2.** *(indica meio, modo, agente)* par; **foi feito ~ mim** ça a été fait par moi; **~ correio/avião/fax** par courrier/avion/fax; **~ escrito** par écrit. **3.** *(relativo a lugar)* par; **entrámos em Portugal ~ Vilar Formoso** nous sommes entrés au Portugal par Vilar Formoso; **ele está ~ aí** il est par là; **~ onde vais?** par où passes-tu?; **vamos ~ aqui** passons par ici. **4.** *(indica objectivo)* pour; **lutar ~ algo** lutter pour qqch. **5.** *(relativo a tempo)* pour; **ele partiu ~ duas semanas** il est parti pour deux semaines; **partiu pela manhã** il est parti le matin. **6.** *(relativo a troca)* contre; **troquei o carro velho ~ um novo** j'ai échangé la vieille voiture contre une neuve; *(relativo a preço)* pour; **paguei ~ este casaco apenas 5 contos** je n'ai payé que 5000 escudos pour cette veste.

7. *(indica distribuição)*: **são 1000 Esc.** ~ **dia/mês** ça fait 1000 escudos par jour/mois; ~ **pessoa** par personne; ~ **cento** pour cent; ~ **hora** à l'heure.
8. *(em locuções)*: ~ **que (é que)...?** pourquoi (est-ce que)...?; ~ **mim, tudo bem!** pour ma part, c'est d'accord!

pôr ['por] *vt* mettre; *(problema, dúvida, questão)* poser; *(defeitos)* trouver; *(suj: ave)* pondre. ◆ *vi* pondre. ◆ *m*: **o** ~ **do Sol** le coucher du soleil; ~ **algo em funcionamento** mettre qqch en marche; ~ **algo mais baixo/alto** baisser/monter le son de qqch; ~ **algo em algo** mettre qqch dans qqch; ~ **a mesa** mettre la table.
❏ **pôr-se** *vp (ficar)* se mettre; *(sol)* se coucher; ~-**se a fazer algo** se mettre à faire qqch; ~-**se bom** se rétablir; ~-**se de pé** se mettre debout.

porca ['pɔrkɐ] *f (peça)* écrou *m*; *(animal)* truie *f*.

porção [pur'sɐ̃w] *(pl* -ões [-õiʃ]*) f* portion *f*.

porcaria [purkɐ'riɐ] *f (sujidade)* saleté *f*; *(algo mal feito)* cochonnerie *f*; *(algo sem valor)* camelote *f*; *(pus)* pus *m*. ◆ *interj* : **que** ~! mince!

porcelana [pursɐ'lɐnɐ] *f* porcelaine *f*.

porco ['porku] *m (animal)* cochon *m*; *(carne)* porc *m*.

porções → **porção**.

porco-espinho [,porkuʃ'piɲu] *(pl* **porcos-espinhos** [,pɔrkuzɐʃ'piɲuʃ]*) m* porc-épic *m*.

porém [pu'rɐ̃i] *conj* cependant.

pormenor [purmɐ'nɔr] *(pl* -es [-əʃ]*) m* détail *m*; **em** ~ en détail.

pornografia [purnugrɐ'fiɐ] *f* pornographie *f*.

poro ['pɔru] *m* pore *m*.

porque [purkə] *conj* parce que, car.

◆ *adv (Port)* pourquoi.

porquê [pur'ke] *adv (Port)* pourquoi.
◆ *m* : **o** ~ **de** le pourquoi de.

porquinho-da-índia [pur,kiɲudɐ'ĩndjɐ] *(pl* **porquinhos-da-índia** [pur,kiɲuʒdɐ'ĩndjɐ]*) m* cochon *m* d'Inde.

porra ['pɔʀɐ] *interj (fam)* mince alors!

porreiro, ra [pu'ʀɐiru, -ʀɐ] *adj (Port: fam)* super.

porta ['pɔrtɐ] *f (de casa, armário, etc)* porte *f*; *(de carro)* portière *f*; ~ **automática** porte automatique; ~ **corrediça** porte coulissante; ~ **giratória** porte à tambour; ~ **telecomandada** porte à ouverture automatique.

porta-aviões [,pɔrtɐ'vjõiʃ] *m inv* porte-avions *m inv*.

porta-bagagem [,pɔrtɐbɐ'gaʒɐ̃i] *(pl* **porta-bagagens** [,pɔrtɐbɐ'gaʒɐ̃iʃ]*) m* porte-bagages *m inv*.

porta-bandeira [,pɔrtɐbɐ̃n'dɐirɐ] *(pl* **porta-bandeiras** [,pɔrtɐbɐ̃n'dɐirɐʃ]*) mf* porte-drapeau *m*.

porta-chaves [,pɔrtɐ'ʃavɐʃ] *m inv* porte-clés *m inv*.

portador, ra [purtɐ'dor, -ʀɐ] *(mpl* -es [-əʃ], *fpl* -s [-ʃ]*) m, f* porteur *m*; **ao** ~ au porteur.

portagem [pur'taʒɐ̃i] *(pl* -ns [-ʃ]*) f (Port)* péage *m*.

porta-lápis [,pɔrtɐ'lapiʃ] *m inv* trousse *f*.

porta-luvas [,pɔrtɐ'luvɐʃ] *m inv* boîte *f* à gants.

porta-minas [,pɔrtɐ'minɐʃ] *m inv (Port)* portemine *m*.

porta-moedas [,pɔrtɐ'mwɛdɐʃ] *m inv* porte-monnaie *m inv*.

portanto [pur'tɐ̃ntu] *conj* donc.

portão [pur'tɐ̃w] *(pl* -ões [-õiʃ]*) m* portail *m*.

portaria [purtɐ'riɐ] *f (de edifício)* accueil *m*; *(diploma legal)* arrêté *m*.

portátil [pur'tatił] (*pl* **-eis** [-ɐiʃ]) *adj* portable.

porta-voz [ˌpɔrtɐ'vɔʃ] (*pl* **porta-vozes** [ˌpɔrtɐ'vɔzəʃ]) *mf* porte-parole *m inv*.

porte ['pɔrtə] *m* port *m*; '~ **pago**' 'port payé'.

porteiro, ra [pur'teiru, -rɐ] *m, f* (*de edifício*) gardien *m* (-enne *f*); (*de hotel*) portier *m*.

pórtico ['pɔrtiku] *m* (*em edifício*) porche *m*.

porto ['portu] *m* port *m*.
❑ **Porto** *m* : **o Porto** Porto.

portões → portão.

portuense [pur'twẽsə] *adj* de Porto. ◆ *mf* habitant *m* (-e *f*) de Porto.

Portugal [purtu'gał] *s* Portugal *m*; **o ~ dos Pequenitos** le Portugal miniature.

Situé dans la ville de Coimbra, sur la rive gauche du Mondego, et construit sous le régime de Salazar, le Portugal dos Pequenitos illustre certains aspects de l'histoire et de la culture portugaises. On peut y voir les modèles réduits des principaux monuments nationaux, les maisons typiques des diverses régions du pays avec leurs dépendances (granges, étables, poulaillers, etc.), ainsi que des maisons coloniales. Tout cela est représenté à l'échelle d'un enfant de trois ans.

---

português, esa [purtu'geʃ, -ezɐ] (*mpl* **-eses** [-ezəʃ], *fpl* **-s** [-ʃ]) *adj* portugais(-e). ◆ *m, f* Portugais *m* (-e *f*). ◆ *m* (*língua*) portugais *m*; **à portuguesa** *à la portugaise*.

porventura [purvẽ'turə] *adv* par hasard; **se ~** si par hasard.

pôs ['poʃ] → pôr.

posar [pu'zar] *vi* poser.

posição [puzi'sẽu] (*pl* **-ões** [-õiʃ]) *f* position *f*; (*em emprego*) poste *m*.

positiva [puzi'tivɐ] *f* : **ter ~** avoir une note au-dessus de la moyenne.

positivo, va [puzi'tivu, -vɐ] *adj* positif(-ive). ◆ *m* positif *m*.

posologia [puzulu'ʒiɐ] *f* posologie *f*.

posse ['pɔsə] *f* possession *f*; **estar em ~ de** être en possession de.
❑ **posses** *fpl* : **ter ~s** avoir de la fortune.

possessão [pusə'sẽu] (*pl* **-ões** [-õiʃ]) *f* possession *f*.

possessivo, va [pusə'sivu, -vɐ] *adj* possessif(-ive).

possessões → possessão.

possibilidade [pusibəli'dadə] *f* possibilité *f*.

possibilitar [pusibəli'tar] *vt* rendre possible.

possível [pu'sivɛł] (*pl* **-eis** [-ɐiʃ]) *adj* possible. ◆ *m* : **fazer o ~ (por fazer algo)** faire son possible (pour faire qqch); **não é ~!** c'est pas vrai!; **logo que ~** dès que possible; **o mais cedo ~** le plus tôt possible; **o máximo ~** le plus possible; **se ~** si possible.

posso ['pɔsu] → poder.

possuir [pu'swir] *vt* posséder.

posta ['pɔstɐ] *f* tranche *f*.

postal [puʃ'tał] (*pl* **-ais** [-aiʃ]) *m* carte *f* postale; **~ ilustrado** carte postale illustrée.

posta-restante [ˌpɔʃtɐrəʃ'tẽtə] (*pl* **postas-restantes** [ˌpɔʃtɐʒRəʃ'tẽtəʃ]) *f* poste *f* restante.

poste ['pɔʃtə] *m* poteau *m*.

poster ['pɔʃtɛr] (*pl* **-es** [-əʃ]) *m* (*Port*) poster *m*.

pôster ['poʃtex] (pl -es [-iʃ]) m (Br) = poster.

posteridade [puʃtəri'dađə] f postérité f.

posterior [puʃtə'rjor] (pl -es [-əʃ]) adj postérieur(-e).

posteriormente [puʃtərjor'mẽntə] adv (mais tarde) postérieurement.

postiço, ça [puʃ'tisu, -sɐ] adj faux (fausse).

postigo [puʃ'tigu] m judas m (de porte).

posto ['poʃtu] m poste m; (de saúde) centre m; '~ de venda autorizado' signale la vente de tickets de bus; ~ de gasolina station-service f; ~ médico (Port) infirmerie f.

póstumo, ma ['pɔʃtumu, -mɐ] adj posthume.

postura [puʃ'turɐ] f position f.

potável [pu'tavɛɫ] adj → água.

pote ['pɔtə] m pot m (en terre).

potência [pu'tẽsjɐ] f puissance f.

potencial [putẽ'sjaɫ] (pl -ais [-aiʃ]) adj potentiel(-elle). ◆ m potentiel m.

potente [pu'tẽntə] adj puissant(-e).

potro ['potru] m poulain m.

pouco, ca ['poku, -kɐ] adj peu de. ◆ adv & pron peu. ◆ m : um ~ un peu; um ~ de un peu de; um ~ mais de un peu plus de; custar ~ ne pas coûter cher; custar ~ a fazer être facile à faire; ficar a ~s passos de être à quelques pas de; ~ amável/inteligente peu aimable/intelligent; daí a ~ peu après; daqui a ~ sous peu; falta ~ para c'est bientôt; há ~ il y a peu de temps; a ~ e ~, ~ a ~ peu à peu; por ~ de peu; fazer ~ de se moquer de.

poupa ['popɐ] f houpe f.

poupança [po'pẽsɐ] f épargne f.

poupanças fpl économies fpl.

poupar [po'par] vt économiser; (dinheiro) épargner; (esforço) ménager. ◆ vi économiser.

pouquinho [po'kiɲu] m petit peu m; só um ~ juste un petit peu; um ~ de un petit peu de.

pousada [po'zađɐ] f auberge f; ~ da juventude auberge de jeunesse.

pousar [po'zar] vt poser. ◆ vi (avião) atterrir; (ave) se poser.

povo ['povu] m peuple m.

povoação [puvwe'sẽu] (pl -ões [-õiʃ]) f hameau m.

povoar [pu'vwar] vt peupler.

p.p. (abrev de páginas) pp.

PR (abrev de Presidente da República) président m de la République.

praça ['prasɐ] f place f; (mercado) marché m; ~ de táxis (Port) station f de taxis; ~ de touros arènes fpl.

prado ['prađu] m pré m.

praga ['pragɐ] f (doença) épidémie f; (de insectos) invasion f; (palavrão) juron m; (maldição) sort m.

pragmático, ca [prɐg'matiku, -kɐ] adj pragmatique.

praia ['prajɐ] f plage f; ~ para nudistas plage de nudistes.

prancha ['prẽʃɐ] f planche f; ~ de saltos plongeoir m; ~ de surf surf m.

pranto ['prẽntu] m chagrin m.

prata ['pratɐ] f argent m; de OU em ~ en argent.

prateado, da [prɐ'tjađu, -đɐ] adj argenté(-e).

prateleira [prɐtə'leirɐ] f étagère f.

prática ['pratikɐ] f pratique f; na ~ en OU dans la pratique; pôr algo em ~ mettre qqch en pratique; ter ~ avoir de l'expérience.

praticante [prɐti'kẽntə] *adj* pratiquant(-e). ◆ *mf*: **é um ~ de judo** il pratique le judo.

praticar [prɐti'kar] *vt* pratiquer. ◆ *vi* s'exercer.

praticável [prɐti'kavɛɫ] (*pl* **-eis** [-ɐiʃ]) *adj* (*acção*) réalisable; (*estrada*) praticable.

prático, ca ['pratiku, -kɐ] *adj* pratique.

prato ['pratu] *m* (*louça*) assiette *f*; (*refeição*) plat *m*; **~ de sopa** (*utensílio*) assiette à soupe; (*comida*) soupe *f*; **~ fundo** assiette creuse; **~ raso** OU **chato** assiette plate; **~ da casa** spécialité de la maison; **~ do dia** plat du jour; **pôr tudo em ~s limpos** tirer les choses au clair.

❑ **pratos** *mpl* (*MÚS*) cymbales *fpl*.

praxe ['praʃə] *f* (*costume*) coutume *f*; (*académica*) traditions *fpl*; **ser da ~** être d'usage.

prazer [prɐ'zer] (*pl* **-es** [-əʃ]) *m* plaisir *m*; **muito ~!** enchanté!; **~ em conhecê-lo!** enchanté de faire votre connaissance!; **o ~ é (todo) meu!** moi de même!; **com ~** avec plaisir; **por ~** pour le plaisir.

prazo ['prazu] *m* délai *m*; **~ de validade** date limite de validité; **a curto/longo/médio ~** à court/long/moyen terme.

pré-aviso [prɛɐ'vizu] (*pl* **pré-avisos** [prɛɐ'vizuʃ]) *m* préavis *m*.

precário, ria [prɐ'karju, -rjɐ] *adj* précaire.

preçário [prɐ'sarju] *m* tarif *m*.

precaução [prɐkau'sẽu] (*pl* **-ões** [-õiʃ]) *f* précaution *f*; **por ~** par précaution.

precaver-se [prɐkɐ'versə] *vp* se prémunir; **~ contra** OU **de** se prémunir contre.

precavido, da [prɐkɐ'viðu, -ðɐ] *adj* prévoyant(-e).

prece ['prɛsə] *f* prière *f*.

precedência [prɐsə'ðẽsjɐ] *f* avance *f*; **ter ~ sobre** précéder.

preceder [prɐsə'ðer] *vt* précéder.

precioso, osa [prɐ'sjozu, -ɔzɐ] *adj* précieux(-euse).

precipício [prɐsə'pisju] *m* précipice *m*.

precipitação [prɐsəpitɐ'sẽu] (*pl* **-ões** [-õiʃ]) *f* (*pressa*) précipitation *f*; (*chuva*) précipitations *fpl*.

precipitar-se [prɐsəpi'tarsə] *vp* se précipiter.

precisamente [prɐsizɐ'mẽntə] *adv* précisément.

precisão [prɐsi'zẽu] *f* précision *f*; **com ~** avec précision.

precisar [prɐsi'zar] *vt* préciser. ❑ **precisar de** *v* + *prep* avoir besoin de; **~ de fazer algo** avoir besoin de faire qqch.

preciso, sa [prɐ'sizu, -zɐ] *adj* précis(-e); **ser ~** être précis; **é ~ fazer algo** il faut faire qqch.

preço ['presu] *m* prix *m*; **~ de ocasião** prix promotionnel; **~ reduzido** prix réduit; **a ~ de saldo** soldé.

precoce [prɐ'kɔsə] *adj* (*criança*) précoce; (*decisão*) prématuré(-e).

preconcebido, da [prɛkõsə' bi ðu, -ðɐ] *adj* préconçu(-e).

preconceito [prɛkõ'seitu] *m* préjugé *m*.

precursor, ra [prɐkur'sor, -rɐ] (*mpl* **-es** [-əʃ], *fpl* **-s** [-ʃ]) *m, f* précurseur *m*. ◆ *adj* précurseur.

predador, ra [prɐðɐ'ðor, -rɐ] (*mpl* **-es** [-əʃ], *fpl* **-s** [-ʃ]) *adj* prédateur(-trice).

predecessor, ra [prɐðəsə'sor, -rɐ] (*mpl* **-es** [-əʃ], *fpl* **-s** [-ʃ]) *m, f* prédécesseur *m*.

predileção [predʒile'sẽu] (*pl* **-ões** [-õiʃ]) *f* (*Br*) = **predilecção**.

predilecção [prɐðile'sẽu] (*pl* **-ões** [-õiʃ]) *f* (*Port*) prédilection *f*; **ter ~ por** avoir une prédilection pour.

predileções → **predileção**.

predilecto, ta [prəđi'lɛtu, -tɐ] *adj (Port)* préféré(-e).

predileto, ta [predʒi'lɛtu, -tɐ] *adj (Br)* = **predilecto**.

prédio ['prɛdju] *m* bâtiment *m*; ~ **de andares** OU **de apartamentos** immeuble *m*.

predominante [prəđumi-'nɛ̃ntə] *adj* prédominant(-e).

predominar [prəđumi'nar] *vi* prédominer.

preencher [priẽ'ʃer] *vt* remplir.

pré-fabricado, da [ˌprɛfɐ-bri'kaɖu, -đɐ] *adj* préfabriqué(-e).

prefácio [prə'fasju] *m* préface *f*.

prefeito, ta [pre'fɐitu, -tɐ] *m, f (Br)* maire *m*. ♦ *m (em colégio)* surveillant *m*.

prefeitura [prefɐi'turɐ] *f (Br)* mairie *f*.

preferência [prəfə'rẽsjɐ] *f* préférence *f*; **dar ~ a** donner la préférence à; **ter ~ por** préférer; **de ~** de préférence.

preferido, da [prəfə'riđu, -đɐ] *adj* préféré(-e).

preferir [prəfə'rir] *vt* préférer; ~ **fazer algo** préférer faire qqch; ~ **que** préférer que.

prefixo [prə'fiksu] *m* préfixe *m*.

prega ['prɛgɐ] *f* pli *m*.

pregar[1] [prə'gar] *vt (prego)* clouer; *(botões)* coudre.

pregar[2] [prɛ'gar] *vt* prêcher.

prego ['prɛgu] *m* clou *m*; ~ **no pão** *sandwich au bifteck*; ~ **no prato** *steak m frites*.

preguiça [prə'gisɐ] *f* paresse *f*.

pré-histórico, ca [ˌprɛiʃ'tɔriku, -kɐ] *adj* préhistorique.

prejudicar [prəʒuđi'kar] *vt (pessoa)* porter préjudice à; *(carreira, relação, saúde)* nuire à.

prejudicial [prəʒuđi'sjaɫ] *(pl -ais* [-aiʃ]*) adj* : ~ **para** nuisible.

prejuízo [prə'ʒwizu] *m (dano)* dégât *m*; *(em negócio)* préjudice *m*;

em ~ de au détriment de; **sem ~ de** sans préjudice de.

prematuro, ra [prəmɐ'turu, -rɐ] *adj* prématuré(-e).

premiado, da [prə'mjaɖu, -đɐ] *adj* primé(-e).

premiar [prə'mjar] *vt* primer.

prémio ['prɛmju] *m (Port)* prix *m*; *(em seguros)* prime *f*; **grande ~** *(em Fórmula 1)* grand prix.

prêmio ['premju] *m (Br)* = **prémio**.

premonição [prəmuni'sɐ̃u] *(pl -ões* [-õiʃ]*) f* prémonition *f*.

pré-natal [ˌprɛnɛ'taɫ] *(pl -ais* [-aiʃ]*) adj* pour femme enceinte.

prenda ['prẽndɐ] *f* cadeau *m*.

prendado, da [prẽn'daɖu, -đɐ] *adj* qui a toutes les qualités.

prender [prẽn'der] *vt (pessoa)* arrêter; *(meter na prisão)* emprisonner; *(atar)* attacher.

❑ **prender-se** *vp* se prendre.

prenome [prə'nome] *m* prénom *m*.

prenunciar [prənũ'sjar] *vt (laisser)* présager.

preocupação [priukupɐ'sɐ̃u] *(pl -ões* [-õiʃ]*) f* souci *m*.

preocupado, da [priuku'paɖu, -đɐ] *adj* préoccupé(-e).

preocupar [priuku'par] *vt* préoccuper.

❑ **preocupar-se** *vp* se faire du souci; ~-**se com** se préoccuper de.

pré-pagamento [ˌprɛpɐ-gɐ'mẽntu] *m* paiement à la caisse avant consommation dans certains cafés ou certains bars.

preparação [prəpɐrɐ'sɐ̃u] *(pl -ões* [-õiʃ]*) f* préparation *f*.

preparado, da [prəpɐ'raɖu, -đɐ] *adj* prêt(-e). ♦ *m* préparation *f*.

preparar [prəpɐ'rar] *vt* préparer.

❑ **preparar-se** *vp* se préparer;

~-se para algo se préparer à qqch.

preposição [prəpuzi'sēu] (*pl* **-ões** [-õiʃ]) *f* préposition *f*.

prepotente [prepu'tēntə] *adj* autoritaire.

presença [prə'zēsə] *f* présence *f*; **na ~ de** en présence de; **~ de espírito** présence d'esprit.

presenciar [prəzē'sjar] *vt* (*acontecimento*) assister à; (*crime*) être témoin de.

presente [prə'zēntə] *adj* présent(-e). ◆ *m* (*prenda*) cadeau *m*; (*GRAM*) présent *m*.

preservação [prəzərve'sēu] (*pl* **-ões** [-õiʃ]) *f* préservation *f*.

preservar [prəzər'var] *vt* préserver.

preservativo [prəzərve'tivu] *m* préservatif *m*.

presidência [prəzi'dēsjə] *f* présidence *f*.

presidente [prəzi'dēntə] *mf* (*de associação*) président *m*; (*de empresa*) P-DG *m*; **Presidente da Câmara** (*Port*) maire *m*; **Presidente da República** président de la République.

presidir [prəzi'dir] *vi* : **~ a algo** présider à qqch.

presilha [prə'ziʎə] *f* passant *m* (*de ceinture*).

preso, sa ['prezu, -zə] *pp* → **prender**. ◆ *adj* (*atado*) attaché(-e); (*capturado*) prisonnier(-ère); (*que não se move*) coincé(-e). ◆ *m, f* prisonnier *m* (-ère *f*).

pressa ['presə] *f* hâte *f*; **estar com ~** être pressé; **estar sem ~** ne pas être pressé; **ter ~** être pressé; **às ~s** en vitesse.

presságio [prə'saʒju] *m* présage *m*.

pressão [prə'sēu] (*pl* **-ões** [-õiʃ]) *f* pression *f*; **~ arterial alta/baixa** (*Br*) hypertension *f* /hypotension

f; **~ atmosférica** pression atmosphérique; **~ dos pneus** pression des pneus; **estar sob ~** être sous pression.

pressentimento [prəsēnti'mēntu] *m* pressentiment *m*.

pressentir [prəsēn'tir] *vt* pressentir.

pressionar [prəsju'nar] *vt* (*botão*) presser; (*pessoa*) faire pression sur.

pressões → **pressão**.

pressupor [prəsu'por] *vt* présupposer.

prestação [prəſte'sēu] (*pl* **-ões** [-õiʃ]) *f* (*de serviço*) prestation *f*; (*de pagamento*) versement *m*; **pagar a prestações** payer à crédit.

prestar [prəſ'tar] *vt* (*ajuda*) donner; (*serviço, contas*) rendre; (*atenção*) prêter. ◆ *vi* servir; **não ~ para nada** ne servir à rien; **não ~** (*comida*) ne pas être bon. ❑ **prestar-se a** *vp* + *prep* se prêter à.

prestativo, va [prəſte'tivu, -və] *adj* serviable.

prestes ['prɛſtəʃ] *adj* : **estar ~ a fazer algo** être sur le point de faire qqch.

prestidigitador, ra [prəſtidəʒite'dor, -rə] (*mpl* **-es** [-əʃ], *fpl* **-s** [-ʃ]) *m, f* prestidigitateur *m* (-trice *f*).

prestígio [prəſ'tiʒju] *m* prestige *m*.

presumir [prəzu'mir] *vt* présumer.

presunçoso, osa [prəzū'sozu, -ɔzə] *adj* présomptueux(-euse).

presunto [prə'zūntu] *m* jambon *m* cru.

pretender [prətēn'der] *vt* avoir l'intention de; **~ fazer algo** avoir l'intention de faire qqch.

pretensão [prətēn'sēu] (*pl* **-ões** [-õiʃ]) *f* souhait *m*. ❑ **pretensões** *fpl* prétention *f*.

pretérito [prə'tɛritu] *m* passé *m*; ~ **perfeito (simples)** passé simple; ~ **imperfeito (simples)** imparfait *m*.

pretexto [prə'teiʃtu] *m* prétexte *m*; **sob** ~ **algum** sous aucun prétexte; **a** OU **com o** ~ **de** sous prétexte de.

preto, ta ['pretu, -tɐ] *adj (cor)* noir(-e); *(pej: de raça negra)* nègre. ◆ *m* noir *m*. ◆ *m, f (pej)* nègre *m* (négresse *f*); **pôr o** ~ **no branco** mettre noir sur blanc.

prevalecer [prəvɐlə'ser] *vi* prévaloir.

prevenção [prəvẽ'sɐ̃u] *(pl* -ões [-õiʃ]) *f (de doença, acidente)* prévention *f*; *(aviso)* avertissement *m*; **estar de** ~ être sur ses gardes; ~ **rodoviária** prévention routière; **por** ~ à titre préventif.

prevenido, da [prəvə'niðu, -ðɐ] *adj* prévoyant(-e); **estar** ~ être prévoyant.

prevenir [prəvə'nir] *vt* prévenir; ~ **alguém de algo** prévenir qqn de qqch.

preventivo, va [prəvẽ'tivu, -vɐ] *adj* préventif(-ive).

prever [prə'ver] *vt* prévoir.

previamente [,prəvjɐ'mẽtɐ] *adv* préalablement.

prévio, via ['prɛvju, -vjɐ] *adj* préalable.

previsão [prəvi'zɐ̃u] *(pl* -ões [-õiʃ]) *f (de futuro)* prédiction *f*; *(conjectura)* prévision *f*; ~ **do tempo** prévision du temps.

previsível [prəvi'zivɛł] *(pl* -eis [-ɐiʃ]) *adj* prévisible.

previsões → **previsão**.

previsto, ta [prə'viʃtu, -tɐ] *adj* prévu(-e); **como** ~ comme prévu.

prezado, da [prə'zaðu, -ðɐ] *adj* cher (chère); ~... *(em carta)* cher...

prima → **primo**.

primária [pri'marjɐ] *f* primaire *m*.

primário, ria [pri'marju, -rjɐ] *adj* primaire.

primavera [primɐ'vɛrɐ] *f* primevère *f*; *(Br)* = **Primavera**.

Primavera [primɐ'vɛrɐ] *f (Port)* printemps *m*.

primeira [pri'meirɐ] *f* première *f*; → **primeiro**.

primeiro, ra [pri'meiru, -rɐ] *adj & num* premier(-ère); *(chegar)* en premier. ◆ *adv* d'abord. ◆ *m, f*: **o** ~/**a primeira da turma** le premier/la première de la classe; **à primeira** du premier coup; **à primeira vista** à première vue; **de primeira** de premier ordre; **em** ~ **lugar** d'abord; **primeira classe** ≃ cours *m* préparatoire; ~**s socorros** premiers secours; ~ **que tudo** avant tout; → **sexto**.

primeiro-ministro, primeira-ministra [pri,meirumɐ'niʃtru, pri,meirəmɐ'niʃtrɐ] *(mpl* **primeiros-ministros** [pri,meiru3mɐ'niʃtruʃ], *fpl* **primeiras-ministras** [pri,meire3mɐ'niʃtrɐʃ]) *m, f* Premier Ministre *m*.

primitivo, va [primi'tivu, -vɐ] *adj* primitif(-ive).

primo, ma ['primu, -mɐ] *m, f* cousin *m* (-e *f*).

primogénito, ta [primu'ʒɛnitu, -tɐ] *m, f (Port)* aîné *m* (-e *f*).

primogênito, ta [primo'ʒenitu, -tɐ] *m, f (Br)* = **primogénito**.

princesa [pri'sezɐ] *f* princesse *f*.

principal [prĩsi'pał] *(pl* -ais [-aiʃ]) *adj* principal(-e).

principalmente [prĩsipał'mẽtɐ] *adv* principalement.

príncipe ['prĩsipə] *m* prince *m*.

principiante [prĩsə'pjẽtɐ] *mf* débutant *m* (-e *f*).

principiar [prĩsə'pjar] *vt* commencer. ◆ *vi* débuter.

princípio [prĩ'sipju] *m* début *m*; *(moral)* principe *m*; **partir do** ~

partir du principe; **a ~** au début; **desde o ~** depuis le début; **em ~** en principe; **por ~** par principe.

prioridade [priuri'ɖaɖə] f priorité f; **~ de passagem** priorité.

prisão [pri'zɐ̃u] (pl **-ões** [-õiʃ]) f (acto) emprisonnement m; (local) prison f; **~ de ventre** constipation f.

privação [prive'sɐ̃u] (pl **-ões** [-õiʃ]) f privation f. □ **privações** fpl privations fpl.

privacidade [privesi'ɖaɖə] f vie f privée.

privações → privação.

privada [pri'vaɖɐ] f (Br) toilettes mpl.

privado, da [pri'vaɖu, -ɖɐ] adj privé(-e).

privar [pri'var] vt : **~ alguém de algo** priver qqn de qqch. □ **privar-se de** vp + prep : **~-se de algo** se priver de qqch.

privativo, va [prive'tivu, -vɐ] adj privatif(-ive).

privilegiado, da [privəli'ʒjaɖu, -ɖɐ] adj privilégié(-é).

privilegiar [privəli'ʒjar] vt privilégier.

privilégio [prəvi'lɛʒju] m privilège m.

proa ['proɐ] f proue f.

probabilidade [prubɐbəli'ɖaɖə] f probabilité f.

problema [pru'blemɐ] m problème m; **ter ~s com** avoir des problèmes avec.

procedente [prusə'ɖẽtɐ] adj : **~ de** en provenance de.

proceder [prusə'ɖer] vi procéder; **~ com** procéder avec.

processador [prusəsɐ'ɖor] (pl **-es** [-əʃ]) m : **~ de texto** traitement m de texte.

processamento [prusəsɐ'mẽtu] m traitement m.

processar [prusə'sar] vt (JUR)

faire un procès à; (INFORM) traiter.

processo [pru'sɛsu] m (sistema) processus m; (método) procédé m; (JUR) procès m.

procissão [prusi'sɐ̃u] (pl **-ões** [-õiʃ]) f procession f.

proclamar [prukle'mar] vt proclamer.

procura [pro'kurɐ] f (busca) recherche f; (COM) demande f; **andar à ~ de** chercher.

procurador, ra [prokurɐ'ɖor, -rɐ] (mpl **-es** [-əʃ], fpl **-s** [-ʃ]) m, f fondé m de pouvoir; **~ da República** procureur m de la République.

procurar [proku'rar] vt chercher; **~ fazer algo** s'efforcer de faire qqch.

prodígio [pru'ɖiʒju] m prodige m.

produção [pruɖu'sɐ̃u] (pl **-ões** [-õiʃ]) f production f.

produtividade [pruɖutɐvi'ɖaɖə] f productivité f.

produtivo, va [pruɖu'tivu, -vɐ] adj productif(-ive).

produto [pru'ɖutu] m produit m; **~ alimentar** produit alimentaire; **~ de limpeza** produit ménager; **~ natural** produit naturel.

produtor, ra [pruɖu'tor, -rɐ] (mpl **-es** [-əʃ], fpl **-s** [-ʃ]) m, f producteur m (-trice f).

produzir [pruɖu'zir] vt produire.

proeminente [pruimi'nẽtɐ] adj (saliente) proéminent(-e); (figura) éminent(-e); (aspecto) important(-e); (papel) de premier plan.

proeza [pru'ezɐ] f prouesse f.

profanar [prufɐ'nar] vt profaner.

profecia [prufɐ'siɐ] f prophétie f.

proferir [prufɐ'rir] vt proférer; (sentença) rendre.

professor, ra [prufə'sor, -rɐ] *(mpl* **-es** [-əʃ]*, fpl* **-s** [-ʃ]) *m, f* professeur *m*.

profeta [pru'fɛtɐ] *m* prophète *m*.

profetisa [pru'fə'tizɐ] *f* prophétesse *f*.

profiláctico, ca [prɔfi'latiku, -kɐ] *adj* prophylactique.

profissão [prufi'sɐ̃u] *(pl* **-ões** [-õiʃ]) *f* profession *f*.

profissional [prufəsju'naɫ] *(pl* **-ais** [-aiʃ]) *adj & mf* professionnel(-elle).

profissões → **profissão**.

profundidade [prufũdi'ɗaɗɐ] *f* profondeur *f*; **ter três metros de** ~ avoir trois mètres de profondeur.

profundo, da [pru'fũdu, -dɐ] *adj* profond(-e).

prognóstico [prɔg'nɔʃtiku] *m* pronostic *m*.

programa [pru'grɐmɐ] *m* programme *m*; *(de televisão, rádio)* émission *f*.

programação [prugrɐmɐ'sɐ̃u] *(pl* **-ões** [-õiʃ]) *f (em televisão, rádio)* programme *m*; *(INFORM)* programmation *f*.

progredir [prugrə'ɗir] *vi* progresser; ~ **em** progresser en.

progresso [pru'grɛsu] *m* progrès *m*; **fazer ~s** faire des progrès.

proibição [pruibi'sɐ̃u] *(pl* **-ões** [-õiʃ]) *f* interdiction *f*.

proibido, da [prui'biɗu, -dɐ] *adj* interdit(-e); **'proibida a entrada'** 'entrée interdite'; **'é afixar anúncios'** 'défense d'afficher'; **'~ estacionar'** 'stationnement interdit'; **'~ fumar'** 'interdit de fumer'; **'~ a menores de 18'** 'interdit aux moins de 18 ans'.

proibir [prui'bir] *vt* interdire; ~ **alguém de fazer algo** interdire OU défendre à qqn de faire qqch.

projeção [prɔʒe'sɐ̃u] *(pl* **-ões** [-õiʃ]) *f (Br)* = **projecção**.

projecção [pru'ʒɛsɐ̃u] *(pl* **-ões** [-õiʃ]) *f (Port)* projection *f*.

projeções → **projeção**.

projéctil [pru'ʒɛtiɫ] *(pl* **-teis** [-tɐiʃ]) *m (Port)* projectile *m*.

projecto [pru'ʒɛtu] *m (Port)* projet *m*.

projector [pruʒɛ'tor] *(pl* **-es** [-əʃ]) *m* projecteur *m*.

projétil [prɔ'ʒɛtʃiu] *(pl* **-teis** [-teiʃ]) *m (Br)* = **projéctil**.

projeto [prɔ'ʒɛtu] *m (Br)* = **projecto**.

projetor [prɔʒe'tox] *(pl* **-es** [-iʃ]) *m (Br)* = **projector**.

proliferar [prulifə'rar] *vi* proliférer.

prólogo ['prɔlugu] *m* prologue *m*.

prolongado, da [prulõŋ'gaɗu, -dɐ] *adj* prolongé(-e).

prolongar [prulõŋ'gar] *vt* prolonger.

❑ **prolongar-se** *vp* se prolonger.

promessa [pru'mɛsɐ] *f* promesse *f*.

prometer [prumə'ter] *vt* promettre; ~ **algo a alguém** promettre qqch à qqn; ~ **fazer algo** promettre de faire qqch; ~ **que** promettre que.

promíscuo, cua [pru'miʃkwu, -kwɐ] *adj* aux mœurs légères.

promissor, ra [prumi'sor, -rɐ] *(mpl* **-es** [-əʃ]*, fpl* **-s** [-ʃ]) *adj (pessoa)* qui promet; *(futuro)* prometteur(-euse).

promoção [prumu'sɐ̃u] *(pl* **-ões** [-õiʃ]) *f* promotion *f*; **em** ~ en promotion.

promontório [prumõn'tɔrju] *m* promontoire *m*.

promover [prumu'ver] *vt* promouvoir.

pronome [pru'nomə] *m* pronom *m*.

pronto, ta ['prõntu, -tɐ] *adj*

prêt(-e). ◆ *interj* ça y est!; **a ~ (pagamento)** au comptant; **estar ~** être prêt; **estar ~ a fazer algo** être prêt à faire qqch *(disposé à)*; **estar ~ para fazer algo** être prêt à faire qqch; **~, ~!** bon! bon!

pronto-a-vestir [ˌprõntwɛvəˈʃtir] *m inv (vestuário)* prêt-à-porter *m*; *(loja)* magasin *m* de prêt-à-porter.

pronto-socorro [ˌprõntusuˈkoʀu] *m* ≃ SAMU *m*.

pronúncia [pruˈnũsjɐ] *f* prononciation *f*.

pronunciar [prunũˈsjar] *vt* prononcer.

❏ **pronunciar-se** *vp* se prononcer.

propaganda [prupɐˈgẽndɐ] *f (de produto)* publicité *f*; *(POL)* propagande *f*.

propensão [prupẽˈsɐ̃u] *(pl -ões* [-õiʃ]) *f* propension *f*.

propinas [pruˈpinɐʃ] *fpl* droits *mpl* d'inscription.

propor [pruˈpor] *vt* proposer.

proporção [prupurˈsɐ̃u] *(pl -ões* [-õiʃ]) *f* proportion *f*; **em ~** en proportion.

❏ **proporções** *fpl (dimensões)* proportions *fpl*.

proporcional [prupursjuˈnał] *(pl -ais* [-aiʃ]) *adj* proportionnel(-elle); **~ a** proportionnel à.

propósito [pruˈpɔzitu] *m* propos *m*; **com o ~ de** dans le but de; **a ~** à propos; **de ~** exprès.

❏ **propósitos** *mpl* : **ter ~s** savoir se tenir.

propriedade [pruprieˈdadɐ] *f* propriété *f*; **'~ privada'** 'propriété privée'.

proprietário, ria [pruprieˈtarju, -rjɐ] *m, f* propriétaire *mf*.

próprio, pria [ˈprɔpriu, -priɐ] *adj (viatura, casa)* person-

nel(-elle); *(hora, momento)* bon (bonne); *(característico)* propre. ◆ *m, f*: **em presença do ~** en présence de l'intéressé; **~ para** adapté à; **eu ~** moi-même; **o ~ presidente** le président lui-même; **é o ~** c'est lui-même.

prosa [ˈprɔzɐ] *f* prose *f*.

prospecto [pruʃˈpɛ(k)tu] *m* prospectus *m*.

prosperar [pruʃpɐˈrar] *vi* prospérer.

prosperidade [pruʃpɐriˈdadɐ] *f* prospérité *f*.

prosseguir [pruseˈgir] *vt* poursuivre. ◆ *vi* continuer; **~ com algo** poursuivre qqch.

prostituta [pruʃtiˈtutɐ] *f* prostituée *f*.

protagonista [prutɐguˈniʃtɐ] *mf (em filme, livro)* héros *m* (héroïne *f*); *(em acontecimento)* protagoniste *mf*.

proteção [proteˈsɐ̃u] *(pl -ões* [-õiʃ]) *f (Br)* = **protecção**.

protecção [prutɛˈsɐ̃u] *(pl -ões* [-õiʃ]) *f (Port)* protection *f*.

protector, ra [prutɛˈtor, -rɐ] *(mpl -es* [-əʃ], *fpl -s* [-ʃ]) *m, f (Port)* protecteur *m* (-trice *f*). ◆ *m (de sapato)* fer *m*; **~ (solar)** crème *f* solaire.

proteger [prutəˈʒer] *vt* protéger.

proteínas [protɛˈinɐʃ] *fpl* protéines *fpl*.

prótese [ˈprɔtɐzə] *f* prothèse *f*; **~ dentária** prothèse dentaire.

protestante [prutɐʃˈtẽntɐ] *adj & mf* protestant(-e).

protestar [prutɐʃˈtar] *vi* protester; **~ contra** protester contre.

protesto [pruˈtɛʃtu] *m* protestation *f*.

protetor, ra [proteˈtox, -rɐ] *(mpl -es* [-iʃ], *fpl -s* [-ʃ]) *m, f & m (Br)* = **protector**.

protocolo [prɔtɔˈkɔlu] *m* protocole *m*.

protuberância [prutuβə'rēsjɐ] f protubérance f.

prova ['prɔvɐ] f preuve f; ~ **global** examen m de fin d'année; **à ~ de** à l'épreuve de; **dar ~s de** faire preuve de; **pôr à ~** mettre à l'épreuve; **prestar ~s** passer des examens.

provar [pru'var] vt (facto) prouver; (comida) goûter; (roupa) essayer.

provável [pru'vavɛł] (pl **-eis** [-ɐiʃ]) adj probable; **pouco ~** peu probable.

proveito [pru'vɐitu] m profit m; **bom ~!** bon appétit!; **em ~ de** au profit de; **tirar ~ de algo** tirer profit de qqch.

proveniente [pruvə'njētə] adj : **~ de** provenant de.

provérbio [pru'vɛrβju] m proverbe m.

prover-se [pru'versə]: **prover-se de** vp + prep (abastecer-se de) s'approvisionner en; (munir-se de) se munir de.

proveta [pru'vɛtɐ] f éprouvette f.

providência [pruvi'ðēsjɐ] f disposition f; **tomar ~s** prendre des dispositions.

providenciar [pruviðē'sjar] vt trouver. ◆ vi : **~ (para) que** prendre des dispositions pour que.

província [pru'vīsjɐ] f province f.

provisório, **ria** [pruvi'zɔrju, -rjɐ] adj provisoire.

provocador, **ra** [pruvuke'ðor, -rɐ] (mpl **-es** [-əʃ], fpl **-s** [-ʃ]) adj provocateur(-trice).

provocante [pruvu'kētɐ] adj provocant(-e).

provocar [pruvu'kar] vt provoquer.

provolone [prɔvɔ'lɔnɐ] m provolone m, fromage italien au lait de vache.

proximidade [prɔsəmi'ðaðə] f proximité f.
❑ **proximidades** fpl : **nas ~s de** près de.

próximo, **ma** ['prɔsimu, -mɐ] adj (em espaço, tempo, intimidade) proche; (seguinte) prochain(-e). ◆ pron : **o ~/a próxima** le prochain/la prochaine; **até à próxima!** à la prochaine!; **nos ~s dias/meses** les jours/les mois prochains; **~ de** proche de.

prudência [pru'ðēsjɐ] f prudence f.

prudente [pru'ðētɐ] adj prudent(-e).

prurido [pru'riðu] m démangeaison f.

P.S. (abrev de Post Scriptum) PS m.

pseudónimo [pseu'ðɔnimu] m (Port) pseudonyme m.

pseudônimo [pseu'donimu] m (Br) = **pseudónimo**.

psicanálise [psikɐ'nalizə] f psychanalyse f.

psicanalista [psikɐnɐ'liʃtɐ] mf psychanalyste mf.

psicologia [psikulu'ʒiɐ] f psychologie f.

psicológico, **ca** [psiku'lɔʒiku, -kɐ] adj psychologique.

psicólogo, **ga** [psi'kɔlugu, -gɐ] m, f psychologue mf.

psiquiatra [psi'kjatrɐ] mf psychiatre mf.

PSP f (abrev de Polícia de Segurança Pública) police f.

puberdade [pubɐr'ðaðə] f puberté f.

publicação [publikɐ'sēu] (pl **-ões** [-õiʃ]) f publication f.

publicar [publi'kar] vt publier.

publicidade [publisi'ðaðə] f publicité f.

público, **ca** ['publiku, -kɐ] adj public(-ique). ◆ m public m; **o ~ em geral** le grand public; **tornar**

~ algo rendre qqch public; **em ~** en public.

pude ['puðə] → **poder**.

pudim [pu'ðĩ] (*pl* **-ns** [-ʃ]) *m* flan *m*; **~ de leite** ~ crème *f* renversée; **~ flan** flan; **~ molotov** *blancs battus en neige mélangés avec du sucre caramélisé.*

puf ['pufə] *interj* pff!

pugilismo [puʒi'liʒmu] *m* boxe *f*.

puído, da ['pwiðu, -ðɐ] *adj* usé(-e).

pular [pu'lar] *vt & vi* sauter.

pulga ['puɫgɐ] *f* puce *f*; **estar em ~s** ne pas tenir en place.

pulmão [puɫ'mɐ̃w] (*pl* **-ões** [-õiʃ]) *m* poumon *m*.

pulo ['pulu] *m* saut *m*; **dar ~s** sauter; **dar um ~ a** OU **até** faire un saut à; **vou a casa num ~** je passe chez moi.

pulôver [pu'lɔvɛr] (*pl* **-es** [-əʃ]) *m* pull-over *m*.

pulsação [puɫsɐ'sɐ̃w] (*pl* **-ões** [-õiʃ]) *f* pulsation *f*.

pulseira [puɫ'seirɐ] *f* bracelet *m*.

pulso ['puɫsu] *m* pouls *m*; (*punho*) poignet *m*; **medir** OU **tirar o ~ a alguém** prendre le pouls à qqn.

pulverizar [puɫvəri'zar] *vt* pulvériser.

punha ['puɲɐ] → **pôr**.

punhado [pu'ɲaðu] *m* : **um ~ de** une poignée de.

punhal [pu'ɲaɫ] (*pl* **-ais** [-aiʃ]) *m* poignard *m*.

punho ['puɲu] *m* poignet *m*; (*mão fechada*) poing *m*; (*de arma, faca*) manche *m*.

punição [puni'sɐ̃w] (*pl* **-ões** [-õiʃ]) *f* punition *f*.

punir [pu'nir] *vt* punir.

pupila [pu'pilɐ] *f* pupille *f*.

puré [pu'rɛ] *m* (*Port*) purée *f*; **~**

(de batata) purée (de pommes de terre).

purê [pu're] *m* (*Br*) = **puré**.

pureza [pu'rezɐ] *f* pureté *f*.

purgante [pur'gɐ̃tə] *m* purgatif *m*.

purificador, ra [purifike'ðor, -rɐ] (*mpl* **-es** [-əʃ], *fpl* **-s** [-ʃ]) *adj* purificateur(-trice). ◆ *m* : **~ do ar** désodorisant *m*.

purificar [purifi'kar] *vt* purifier.

puritano, na [puri'tɐnu, -nɐ] *adj* puritain(-e).

puro, ra ['puru, -rɐ] *adj* pur(-e); **pura lã** pure laine; **a pura verdade** la pure vérité; **pura e simplesmente** purement et simplement.

puro-sangue [ˌpuru'sɐ̃gɐ] *m inv* pur-sang *m inv*.

púrpura ['purpurɐ] *f* (*tecido*) pourpre *f*; (*cor*) pourpre *m*.

pus¹ ['puʃ] *m* pus *m*.

pus² ['puʃ] → **pôr**.

puta ['putɐ] *f* (*vulg*) putain *f*.

puto ['putu] *m* (*Port: fam*) gamin *m*.

puxador [puʃe'ðor] (*pl* **-es** [-əʃ]) *m* poignée *f*; **~ de samba-enredo** (*Br*) *chanteur qui rappelle aux danseurs de son école de samba, les paroles de la samba-thème chantée tout au long du carnaval.*

puxão [pu'ʃɐ̃w] (*pl* **-ões** [-õiʃ]) *m* : **dar um ~ a algo** tirer qqch.

puxar [pu'ʃar] *vt* (*cabelo, cordel*) tirer; (*banco, cadeira*) prendre. ◆ *vi* : **~ de algo** sortir qqch; **'puxe'** 'tirez'; **~ o autoclismo** (*Port*) tirer la chasse; **~ o saco de alguém** (*Br: fam*) lécher les bottes à qqn.

puxões → **puxão**.

Q

q.b. *(abrev de* **quanto baste***)* suffisamment.

Q.I. *m (abrev de* **quociente de inteligência***)* QI *m*.

quadra ['kwaðɾɐ] *f (em poesia)* quatrain *m*; *(estação, temporada)* époque *f*; ~ **de tênis/squash** *(Br)* terrain *m* de tennis/squash.

quadrado, da [kwɐ'ðɾaðu, -ðɐ] *adj* carré(-e). ◆ *m* carré *m*.

quadragésimo, ma [kwɐ-ðɾɐ'ʒɛzimu, -mɐ] *num* quarantième; → **sexto**.

quadril [kwɐ'ðɾił] *(pl* **-is** [-iʃ]*) m* hanche *f*.

quadro ['kwaðɾu] *m* tableau *m*.

quadro-negro [ˌkwadɾu'ne-gɾu] *(pl* **quadros-negros** [ˌkwa-dɾuʒ'negɾuʃ]*) m (Br)* tableau *m (à l'école)*.

quaisquer → **qualquer**.

qual ['kwał] *(pl* **-ais** [-aiʃ]*) adj* quel (quelle).
◆ *conj (fml: como)* comme.
◆ *interj (Br)* comment?
◆ *pron (em interrogativa)* quel (quelle); **o/a ~** *(sujeito)* lequel (laquelle); **comprou um carro, o ~ é muito rápido** il a acheté une voiture qui va très vite; *(complemento)*: **é o livro do ~ te falei** c'est le livre dont je t'ai parlé; **o amigo com o ~ falava** l'ami auquel je parlais; **cada ~** chacun

(chacune); **cada ~ por si** chacun pour soi; **~ deles?** lequel?; **~ nada** OU **quê!** mais non!

qualidade [kwɐli'ðaðɐ] *f* qualité *f*; *(espécie)* type *m*; **na ~ de** en qualité de, en tant que.

qualificação [kwɐlɐfikɐ'sẽu] *(pl* **-ões** [-õiʃ]*) f* qualification *f*.

qualificado, da [kwɐlɐfi'kaðu, -ðɐ] *adj* qualifié(-e).

qualquer [kwał'kɛr] *(pl* **quaisquer** [kwaiʃ'kɛr]*) adj* n'importe quel (n'importe quelle).
◆ *pron* n'importe lequel (n'importe laquelle); **está em ~ lugar** c'est quelque part; **~ um deles** n'importe lequel d'entre eux; **~ um** OU **pessoa** n'importe qui; **a ~ momento** n'importe quand.

quando ['kwẽndu] *adv* quand.
◆ *conj (no momento, época em que)* quand; *(apesar de que)* alors que; *(ao passo que)* tandis que; **de ~ em ~** de temps en temps; **desde ~** depuis quand; **~ quer que** quand; **~ mais não seja** au moins; **~ muito** tout au plus.

quantia [kwẽn'tiɐ] *f* montant *m*.

quantidade [kwẽnti'ðaðɐ] *f* quantité *f*; **em ~** en quantité.

quanto, ta ['kwẽntu, -tɐ] *adj*
1. *(em interrogativas)* combien de; **~ tempo temos?** combien de temps avons-nous?; **~ tempo te-**

mos de esperar? combien de temps devons-nous attendre?; **quantas vezes aqui vieste?** combien de fois es-tu venu ici?

2. *(em exclamações)* que de; ~ **dinheiro!** que d'argent!; **~s erros!** que d'erreurs!

3. *(compara quantidades)*: **tanto... ~...** autant... que...

4. *(em locuções)*: **uns ~s/umas quantas** quelques; **umas quantas pessoas** quelques personnes.

♦ *pron* **1.** *(em interrogativas)* combien; ~ **custam?** combien coûtent-ils?; ~ **quer?** combien voulez-vous?; **~s quer?** combien en voulez-vous?

2. *(relativo a pessoas)*: **agradeceu a todos ~s o ajudaram** il a remercié tous ceux qui l'ont aidé.

3. *(tudo o que)* tout ce que; **come ~/~s quiseres** mange tout ce/tous ceux que tu veux; **tudo ~ ele disse é verdade** tout ce qu'il a dit est vrai.

4. *(compara quantidades)*: ~ **mais se tem, mais se quer** plus on en a, plus on en veut.

5. *(em locuções)*: ~ **a** quant à; **o ~ antes** dès que possible; ~ **mais** encore moins; **~s mais melhor** plus on est, mieux c'est; **mais não seja** au moins; **uns ~s** quelques-uns.

quarenta [kwɐˈrẽtɐ] *num* quarante; → **seis.**

quarentena [kwɐrẽˈtenɐ] *f* quarantaine *f.*

Quaresma [kwɐˈrɛʒmɐ] *f* carême *m.*

quarta [ˈkwartɐ] *f* quatrième *f.*
♦ *num* → **quarto.**

quarta-feira [ˌkwartɐˈfɐirɐ] *(pl* **quartas-feiras** [ˌkwartɐʃˈfɐirɐʃ]*) f* mercredi *m;* → **sexta-feira.**

quarteirão [kwɐrtɐiˈrɐ̃u] *(pl* **-ões** [-õiʃ]*) m (quantidade)* quart *m* de livre; *(área)* pâté *m* de maison.

quartel [kwɐrˈtɛł] *(pl* **-éis** [-ɛiʃ]*) m* caserne *f.*

quarteto [kwɐrˈtetu] *m (em música)* quatuor *m; (de jazz)* quartette *m.*

quarto, ta [ˈkwartu, -tɐ] *num* quatrième. ♦ *m (divisão de casa)* chambre *f; (parte)* quart *m;* '~ **para alugar'** 'chambre à louer'; ~ **de banho** salle de bain; *(em restaurante)* toilettes *fpl;* ~ **de casal** chambre double; ~ **com duas camas** chambre à deux lits; ~ **de hora** quart d'heure; ~ **de quilo** demie-livre *f;* → **sexto.**

quartzo [ˈkwartsu] *m* quartz *m.*

quase [ˈkwazɐ] *adv* presque; ~ **nada** presque rien; ~ **nunca** presque jamais; ~ ~ presque; **ele ~ que caía** il a failli tomber; ~ **sempre** presque toujours.

quatro [ˈkwatru] *num* quatre; → **seis.**

quatrocentos, tas [ˌkwatruˈsẽtuʃ, -tɐʃ] *num* quatre cents; → **seis.**

que [kə] *adj inv* quel (quelle); ~ **dia é hoje?** quel jour sommes-nous?; ~ **horas são?** quelle heure est-il?; **mas ~ belo dia!** mais quelle belle journée!; ~ **fome!** quelle faim!; ~ **maravilha!** quelle merveille!; ~ **bonito!** que c'est beau!

♦ *pron* **1.** *(ger)* que; ~ **é isso?** qu'est-ce que c'est que ça?; ~ **queres?** que veux-tu?; ~ **vais comer?** que vas-tu manger?; ~ **dizes a isto?** qu'est-ce que tu en dis?; **o bolo ~ comi era óptimo** le gâteau que j'ai mangé était très bon; **o homem ~ conheci** l'homme que j'ai connu.

2. *(uso relativo: sujeito)* qui; **o homem ~ corre** l'homme qui court.

♦ *conj* **1.** *(ger)* que; **confessou ~ me tinha enganado** il a avoué qu'il m'avait trompé; **pediu-me tanto ~ acabei por lho dar** il me l'a tellement demandé que j'ai fini par le lui donner; **há horas ~**

estou à espera ça fait des heures que j'attends; **há muito ~ lá não vou** ça fait longtemps que je n'y vais pas; **espero ~ te divirtas** j'espère que tu t'amuses; **quero ~ tu o faças** je veux que tu le fasses; **~ sejas feliz!** tous mes vœux de bonheur!

2. *(em comparações)*: **(do) ~ que; é mais caro (do) ~ o outro** c'est plus cher que l'autre.

3. *(exprime causa)*: **leva chapéu ~ está a chover** prends ton parapluie, il pleut; **vai depressa ~ estás atrasado** fais vite, tu es en retard.

4. *(em locuções)*: **~ nem** comme.

quê [ke] *interj* quoi!

♦ *pron (interrogativo)* quoi.

♦ *m (algo)*: **um ~** quelque chose; **um ~ de** un soupçon de; **um não sei ~** quelque chose; **sem ~ nem para ~** sans raison; **não tem de ~!** il n'y a pas de quoi!

quebra-cabeças [ˌkɛbɾekɐ'besɐʃ] *m inv* casse-tête *m inv*.

quebrado, **da** [kə'bɾaðu, -ðɐ] *adj* cassé(-e).

quebra-mar [ˌkɛbɾɐ'maɾ] *(pl* **quebra-mares** [ˌkɛbɾɐ'maɾəʃ]*) m* jetée *f*.

quebra-nozes [ˌkɛbɾɐ'nɔzəʃ] *m inv* casse-noix *m inv*.

quebrar [kə'bɾaɾ] *vt* casser; '**~ em caso de emergência**' 'briser en cas d'urgence'; **~ a cara** *(Br: fig)* casser la figure.

❑ **quebrar-se** *vp* se casser.

queda ['kɛðɐ] *f* chute *f*; **ter ~ para** *(fig)* avoir le sens de.

queijada [kei'ʒaðɐ] *f* tartelette sucrée au fromage frais.

queijo ['keiʒu] *m* fromage *m*; **~ curado** fromage affiné; **~ de cabra** fromage de chèvre; **~ estepe** fromage au lait de vache légèrement piquant; **~ flamengo** fromage de Hollande; **~ fresco** fromage frais; **~ da Ilha** fromage des Açores; **~ meia-cura** fromage semi-affiné; **~ de ovelha** fromage de brebis; **~ prato** fromage à pâte cuite; **~ ralado** fromage râpé; **~ saloio** crottin *m*; **~ da Serra** fromage de brebis.

---

i QUEIJO

Le fromage est l'un des produits les plus anciens, les plus traditionnels et les plus typiques du Portugal, même s'il n'a jamais été produit à grande échelle. Les fromages du Rabaçal, de la Serra (c'est à dire de la Serra da Estrela), de Castelo Branco, de Serpa, d'Évora et d'Azeitão sont considérés comme étant d'une qualité exceptionnelle. La majeure partie des fromages est fabriquée artisanalement à partir du lait de chèvre ou de brebis, pur ou mélangé.

Le fromage le plus typiquement brésilien est le queijo-de-minas. Provenant de l'État du Minas Gerais, il est produit et consommé dans tout le pays. Moelleux et doux, il se marie bien avec le dessert de lait (lait concentré caramélisé) ou la confiture de goyave. Le fromage caillé, plus âpre, est très répandu dans le nord-est où il est servi frit en entrée.

---

queijo-de-minas [ˌkeiʒudə'minɐʃ] *m fromage maigre typique du Brésil*.

Queima ['keimɐ] *f*: **~ das Fitas** *fête de fin d'étude célébrée en particulier à Coimbra*.

ⓘ QUEIMA DAS FITAS

L e brûlage des rubans est le temps fort des rites auxquels doivent se soumettre les étudiants portugais admis à l'université. Ces rites, dont les principes et les règles sont établis dans le « Código da Praxe » commencent par des épreuves telles que la « Recepção ao Caloiro » (accueil du bizut) qui se traduit par des humiliations, tonsures, peinture du visage et la « Latada » (défilé et baptême des bizuts).
Le brûlage des rubans donne lieu à une grande fête. Les étudiants d'avant-dernière année brûlent le « grelo » (fin ruban) dans un énorme pot de chambre et obtiennent ainsi le droit d'orner leur porte-documents de huit longs rubans aux couleurs de leur faculté, preuve qu'ils ont réussi leur passage en dernière année de licence. Ce rite a lieu début mai et se prolonge en principe d'un jeudi à l'autre. La semaine est marquée par une intense activité culturelle, musicale et sportive, et des nuits de folie noyées dans la bière. La fête atteint son apogée avec le défilé des chars allégoriques, créés et montés par les élèves des différentes facultés.

queimado, da [kɐi'maðu, -ðɐ] *adj* brûlé(-e); *(pelo sol)* bronzé(-e).
queimadura [kɐimɐ'ðurɐ] *f* brûlure *f*; ~ **solar** coup *m* de soleil.
queimar [kɐi'mar] *vt* brûler; *(pele)* bronzer.
❏ **queimar-se** *vp* se brûler; *(com sol)* bronzer.
queima-roupa [ˌkɐimɐ'ʀopɐ] *f*: **à** ~ à bout portant.

queixa [ˈkɐiʃɐ] *f* plainte *f*; **apresentar** ~ déposer une plainte; **fazer** ~ **de alguém a alguém** se plaindre de qqn à qqn.
queixar-se [kɐi'ʃarsɐ] *vp* se plaindre; ~ **a alguém** se plaindre à qqn; ~ **de** se plaindre de.
queixo [ˈkɐiʃu] *m* menton *m*; **bater o** ~ claquer des dents.
queixoso, osa [kɐi'ʃozu, -ɔzɐ] *m, f* plaignant *m* (-e *f*).
quem [kɐĩ] *pron* qui; ~ **diria!** qui l'aurait dit!; ~ **é?** qui est-ce?; ~ **fala?** qui est à l'appareil?; ~ **me dera...** si seulement...; ~ **quer que** quiconque; **seja** ~ **for** qui que ce soit.
quentão [kẽn'tẽu] *m (Br)* eau-de-vie de canne à sucre, servie chaude avec de la cannelle et du gingembre, notamment pendant les fêtes de juin.
quente [ˈkẽntɐ] *adj* chaud(-e).
queque [ˈkɛkɐ] *m* cake *m*.
quer [kɛr] *conj*: ~... ~... que... que...; **quem** ~ **que seja** qui que ce soit; **onde** ~ **que seja** où que ce soit; **o que** ~ **que seja** quoi que ce soit.
querer [kə'rer] *vt* vouloir; **como quiser!** comme vous voudrez!; **por favor, queria...** s'il vous plaît, je voudrais...; **sem** ~ sans le faire exprès; ~ **muito a alguém** aimer beaucoup qqn; ~ **bem a alguém** aimer bien qqn; ~ **mal a alguém** en vouloir à qqn; ~ **dizer** vouloir dire.
❏ **querer-se** *vp* s'aimer; ~**-se muito** s'adorer.
querido, da [kə'riðu, -ðɐ] *adj* chéri(-e); *(em carta)* cher (chère).
querosene [kɛrɔ'zɛnɐ] *m* kérozène *m*.
questão [kəʃ'tẽu] *(pl* -ões [-õiʃ]) *f* question *f*; *(conflito)* histoire *f*; **há** ~ **de 2 minutos** il y a tout juste 2 minutes; **fazer** ~ **de (fazer**

algo) tenir (à faire qqch); **pôr algo em** ~ mettre qqch en question; **ser uma** ~ **de** être question de; **em** ~ en question.

quiabo [ˈkjaβu] *m* gombo *m (plante potagère tropicale).*

quibe [ˈkiβə] *m* boulette de viande.

quiçá [kiˈsa] *adv* peut-être.

quieto, ta [ˈkjɛtu, -tɐ] *adj* tranquille; **ficar** ~ ne pas bouger.

quietude [kjɛˈtuðə] *f* quiétude *f.*

quilate [kiˈlatə] *m* carat *m.*

quilo [ˈkilu] *m* kilo *m*; **ao** ~ au kilo.

quilometragem [kilɔmɐˈtraʒɐ̃i] *(pl* **-ns** [-ʃ]) *f* kilométrage *m.*

quilómetro [kiˈlɔmɐtru] *m (Port)* kilomètre *m.*

quilômetro [kiˈlometru] *m (Br)* = quilómetro.

química [ˈkimikɐ] *f* chimie *f;* → químico.

químico, ca [ˈkimiku, -kɐ] *m, f* chimiste *mf.*

quindim [kĩˈdĩ] *(pl* **-ns** [-ʃ]) *m* gâteau à la noix de coco.

quinhão [kiˈɲɐ̃u] *(pl* **-ões** [-õiʃ]) *m* part *f.*

quinhentos, tas [kiˈɲẽtuʃ, -tɐʃ] *num* cinq cents; → seis.

quinhões → quinhão.

quinquagésimo, ma [kwĩ-kwɐˈʒɛzimu, -mɐ] *num* cinquantième; → sexto.

quinquilharias [kĩŋkiʎɐˈriɐʃ] *fpl* quincaillerie *f.*

quinta [ˈkĩtɐ] *f* ferme *f.* ◆ *num* → quinto.

quinta-feira [ˌkĩtɐˈfeirɐ] *(pl* **quintas-feiras** [ˌkĩtɐʃˈfeirɐʃ]) *f* jeudi *m;* → sexta-feira.

quintal [kĩˈtał] *(pl* **-ais** [-aiʃ]) *m (terreno)* jardin *m* potager; *(medida)* quintal *m.*

quinteto [kĩˈtetu] *m* quintette *m; (de jazz)* quintet *m.*

quinto, ta [ˈkĩtu, -tɐ] *num* cinquième; → sexto.

quinze [ˈkĩzə] *num* quinze; ~ **dias** quinze jours.

quinzena [kĩˈzenɐ] *f* quinzaine *f.*

quiosque [ˈkjɔʃkə] *m* kiosque *m.*

quis [kiʃ] → querer.

quisto [ˈkiʃtu] *m* kyste *m.*

quitanda [kiˈtɐ̃dɐ] *f (Br)* épicerie *f.*

quites [ˈkitɐʃ] *adj* : **estar** ~ **(com alguém)** être quitte (avec qqn).

quociente [kwɔˈsjẽtɐ] *m* quotient *m.*

quota [ˈkwɔtɐ] *f (parte)* quota *m; (de clube)* cotisation *f.*

quotidiano, na [kutiˈðjɐnu, -nɐ] *adj* quotidien(-enne). ◆ *m* quotidien *m.*

R

R. *(abrev de* **rua***)* R.

R$ *(abrev de* **real***)* real *m*.

rã [ˈʀɐ̃] *f* grenouille *f*.

rabanadas [ʀɐbɐˈnaðɐʃ] *fpl* ≃ pain *m* perdu.

rabanete [ʀɐbɐˈnetə] *m* radis *m*.

rabeca [ʀɐˈbɛkɐ] *f* rebec *m*.

rabicho [ʀɐˈbiʃu] *m* catogan *m*.

rabino, na [ʀɐˈbinu, -nɐ] *adj* espiègle. ◆ *m* rabbin *m*.

rabiscar [ʀɐbiʃˈkar] *vt & vi* griffonner.

rabisco [ʀɐˈbiʃku] *m* griffonnage *m*.

rabo [ˈʀabu] *m* queue *f*; *(fam)* derrière *m*.

rabugento, ta [ʀɐbuˈʒẽntu, -tɐ] *adj* bougon(-onne).

raça [ˈʀasɐ] *f* race *f*; **de ~** de race.

ração [ʀɐˈsɐ̃u] *(pl* **-ões** [-õiʃ]*) f* ration *f*.

racha [ˈʀaʃɐ] *f* fente *f*; *(em parede, muro)* fissure *f*.

rachar [ʀɐˈʃar] *vt* couper.

raciocínio [ʀɐsjuˈsinju] *m* raisonnement *m*.

racional [ʀɐsjuˈnał] *(pl* **-ais** [-aiʃ]*) adj* rationnel(-elle).

racismo [ʀɐˈsiʒmu] *m* racisme *m*.

rações → **ração**.

radar [ʀɐˈdar] *(pl* **-es** [-əʃ]*) m* radar *m*.

radiação [ʀɐðjɐˈsɐ̃u] *(pl* **-ões** [-õiʃ]*) f* radiation *f*.

radiador [ʀɐðjɐˈdor] *(pl* **-es** [-əʃ]*) m* radiateur *m*.

radiante [ʀɐˈðjɐ̃ntə] *adj* radieux(-euse).

radical [ʀɐðiˈkał] *(pl* **-ais** [-aiʃ]*) adj* radical(-e).

rádio [ˈʀaðju] *m (telefonia)* radio *f*. ◆ *f (emissora)* radio *f*.

radioactivo, va [ˌʀaðjuaˈtivu, -vɐ] *adj (Port)* radioactif(-ive).

radioativo, va [ˌʀadʒjuaˈtʃivu, -vɐ] *adj (Br)* = **radioactivo**.

rádio-despertador [ˌʀaðjuðəʃpɐrtɐˈdor] *(pl* **rádio-despertadores** [ˌʀaðjuðəʃpɐrtɐˈðoɾəʃ]*) m* radio-réveil *m*.

radiodifusão [ˌʀaðjuðifuˈzɐ̃u] *f* : **a Radiodifusão Portuguesa** *organisme public de radiodiffusion du Portugal*.

radiografia [ˌʀaðjugɾɐˈfiɐ] *f* radiographie *f*.

radiotáxi [ˌʀaðjuˈtaksi] *m* radiotaxi *m*.

radiotelevisão [ˌʀaðjutələviˈzɐ̃u] *f* : **a Radiotelevisão Portuguesa** *organisme public de télévision du Portugal*.

rafeiro, ra [ʀɐˈfeiru, -rɐ] *adj (Port)* bâtard(-e).

ráfia [ˈʀafjɐ] *f* raphia *m*.

rafting [ˈʀaftĩŋ] *m* rafting *m*.

ráguebi [ˈʀɛgbi] *m (Port)* rugby *m*.

raia [ˈʀajɐ] *f* raie *f (poisson)*.

rainha [ʀɐˈiɲɐ] *f* reine *f*.

raio [ˈʀaju] *m* rayon *m*; *(relâmpago)* foudre *f*; **~s X** rayons X.

raiva [ˈʀaivɐ] *f* rage *f*; **ter ~ de alguém** haïr qqn.

raivoso, **osa** [ʀaiˈvozu, -ɔzɐ] *adj* enragé(-e).

raiz [ʀɐˈiʃ] *(pl* **-es** [-zɐʃ]) *f* racine *f*.

rajada [ʀɐˈʒadɐ] *f* rafale *f*.

ralador [ʀɐlɐˈdoʀ] *(pl* **-es** [-ɐʃ]) *m* râpe *f*.

ralar [ʀɐˈlar] *vt* râper.
❑ **ralar-se** *vp (fig)* s'en faire; **não me ralo com isso** je ne m'en fais pas.

ralhar [ʀɐˈʎar] *vi* râler; **~ com alguém** gronder qqn.

rali [ʀaˈli] *m* rallye *m*.

ralo, **la** [ˈʀalu, -lɐ] *adj (café)* léger(-ère); *(sopa)* liquide. ◆ *m (de banheira, lavatório)* bonde *f*; **ter o cabelo ~** ne pas avoir beaucoup de cheveux.

rama [ˈʀɐmɐ] *f* branche *f*.

ramificar [ʀɐmɐfiˈkar] *vt* développer.
❑ **ramificar-se** *vp* se développer.

raminho [ʀɐˈmiɲu] *m* bouquet *m*.

ramo [ˈʀɐmu] *m* branche *f*; **mudar de ~** se reconvertir.

rampa [ˈʀɐmpɐ] *f* rampe *f*.

rancho [ˈʀɐ̃ʃu] *m (prato)* plat de pois chiches mélangés avec des pâtes et de la viande; *(de pessoas)* tas *m*; **~ folclórico** groupe *m* folklorique.

ranço [ˈʀɐ̃su] *m* rance *m*.

rancor [ʀɐ̃ŋˈkor] *(pl* **-es** [-ɐʃ]) *m* rancœur *f*.

rancoroso, **osa** [ʀɐ̃ŋkuˈrozu, -ɔzɐ] *adj* rancunier(-ère).

rançoso, **osa** [ʀɐ̃ˈsozu, -ɔzɐ] *adj* rance.

ranhura [ʀɐˈɲurɐ] *f (em madeira, parede)* rainure *f*; *(em telefone público)* fente *f (pour insérer la monnaie)*.

rapar [ʀɐˈpar] *vt* raser; *(raspar)* racler; **~ fome/frio** *(fam)* crever de faim/de froid.

rapariga [ʀɐpɐˈrigɐ] *f* fille *f*.

rapaz [ʀɐˈpaʃ] *(pl* **-es** [-zɐʃ]) *m* garçon *m*.

rapé [ʀɐˈpɛ] *m* tabac *m* à priser.

rapidez [ʀɐpiˈdeʃ] *f* rapidité *f*.

rápido, **da** [ˈʀapiðu, -ðɐ] *adj* rapide. ◆ *m* rapide *m*. ◆ *adv* vite.

raposa [ʀɐˈpozɐ] *f* renard *m*; **apanhar uma ~** *(fam)* être recalé *(à un examen)*.

rapsódia [ʀɐpˈsɔdjɐ] *f* rapsodie *f*.

raptar [ʀɐpˈtar] *vt* enlever.

rapto [ˈʀaptu] *m* enlèvement *m*.

raquete [ʀaˈkɛtɐ] *f* raquette *f*.

raquítico, **ca** [ʀɐˈkitiku, -kɐ] *adj & m, f* rachitique.

raramente [ˌʀaʀɐˈmẽtɐ] *adv* rarement.

rarefeito, **ta** [ʀɐʀɐˈfeitu, -tɐ] *adj* raréfié(-e).

raridade [ʀɐriˈðaðɐ] *f* rareté *f*.

raro, **ra** [ˈʀaru, -rɐ] *adj* rare; *(pouco espesso)* liquide; **raras vezes** rarement.

rascunhar [ʀɐʃkuˈɲar] *vt* griffonner.

rascunho [ʀɐʃˈkuɲu] *m* brouillon *m*.

rasgado, **da** [ʀɐʒˈgaðu, -ðɐ] *adj (tecido, folha)* déchiré(-e); *(sorriso)* grand(-e).

rasgão [ʀɐʒˈgɐ̃u] *(pl* **-ões** [-õiʃ]) *m (em tecido, folha)* déchirure *f*; *(em pele)* entaille *f*.

rasgar [ʀɐʒˈgar] *vt* déchirer.
❑ **rasgar-se** *vp* se déchirer.

rasgões → **rasgão**.

raso, **sa** [ˈʀazu, -zɐ] *adj* plat(-e); *(cheio até à borda)* ras(-e); *(superfície)* plan(-e).

raspa [ˈʀaʃpɐ] *f* zeste *m*.

raspar [ʀeʃˈpar] *vt* râper.

rasteira [ʀeʃˈteiɾɐ] *f* croche-pied *m*; **passar uma ~ a alguém** *(Port)* faire un croche-pied à qqn.

rasteiro, ra [ʀeʃˈteiɾu, -ɾɐ] *adj* rampant(-e).

rastejante [ʀeʃtɐˈʒẽntɐ] *adj* rampant(-e).

rastejar [ʀeʃtɐˈʒar] *vi* ramper.

rasto [ˈʀaʃtu] *m* trace *f*.

ratazana [ʀetɐˈzenɐ] *f* rat *m*.

rato [ˈʀatu] *m* souris *f*.

ravina [ʀɐˈvinɐ] *f* ravin *m*.

razão [ʀɐˈzɐ̃u] *(pl* **-ões** [-õiʃ]*) f* raison *f*; **dar ~ a alguém** donner raison à qqn; **não ter ~ de ser** n'avoir aucune raison d'être; **ter ~** avoir raison; **com ~** à raison; **sem ~** sans raison.

r/c *(abrev de* **rés-do-chão)** RdC.

RDP *f (abrev de* **Radiodifusão Portuguesa)** *organisme public de radiodiffusion du Portugal.*

ré [ˈʀɛ] *f* poupe *f*; → **réu.**

reabastecer [ʀjɐbɐʃtɐˈser] *vt* ravitailler.

reação [ʀeaˈsɐ̃u] *(pl* **-ões** [-õiʃ]*) f (Br)* = **reacção.**

reacção [ʀjaˈsɐ̃u] *(pl* **-ões** [-õiʃ]*) f (Port)* réaction *f*.

reaccionário, ria [ʀjasjuˈnarju, -rjɐ] *adj (Port)* réactionnaire.

reacções → **reacção.**

reacionário, ria [ʀeasjoˈnarju, -rjɐ] *adj (Br)* = **reaccionário.**

reações → **reação.**

reagir [ʀjɐˈʒir] *vi* réagir; **~ a algo** réagir à qqch.

real [ˈʀjaɫ] *(pl* **-ais** [-aiʃ]*) adj (verdadeiro)* réel(-elle); *(relativo a rei, realeza)* royal(-e). ◆ *m* réal *m*.

REAL E CRUZEIRO

Depuis 1994, la monnaie en cours au Brésil est le real. Le vieux cruzeiro et ses descendants, le cruzeiro nouveau, le cruzado, le cruzado nouveau, etc. ont été dévorés par le monstre de l'inflation. À la fin des années 80, la monnaie brésilienne a parfois été dévaluée de 90 % en un mois. Le real fait en outre partie d'un ensemble de mesures économiques adoptées par le gouvernement brésilien pour maîtriser la spirale inflationniste. Tous les billets de banque et toutes les pièces de monnaie en cours dans le pays sont donc émis en réaux.

realçar [ʀjaɫˈsar] *vt (cor, traço)* rehausser; *(facto, ideia)* souligner.

realejo [ʀjɐˈleiʒu] *m* orgue *m* de Barbarie.

realeza [ʀjɐˈlezɐ] *f* royauté *f*.

realidade [ʀjɐliˈdaðɐ] *f* réalité *f*; **na ~** en réalité; **~ virtual** réalité virtuelle.

realista [ʀjɐˈliʃtɐ] *mf* réaliste *mf*.

realização [ʀjɐlizɐˈsɐ̃u] *(pl* **-ões** [-õiʃ]*) f* réalisation *f*.

realizador, ra [ʀjɐlizɐˈðor, -ɾɐ] *(mpl* **-es** [-əʃ], *fpl* **-s** [-ʃ]*) m, f* réalisateur *m* (-trice *f*).

realizar [ʀjɐliˈzar] *vt* réaliser. ❏ **realizar-se** *vp (espectáculo)* avoir lieu; *(sonho, desejo)* se réaliser.

realmente [ʀjaɫˈmẽntɐ] *adv* réellement; **ele é ~ estúpido!** il est vraiment bête!

reanimar [ʀjɐniˈmar] *vt (MED)* réanimer; *(depois de desmaio)* ranimer.

reatar [ʀjɐˈtar] *vt (conversa)* reprendre; *(amizade)* renouer.

reaver [ʀjɐ'ver] vt récupérer.

reavivar [ʀjɐvi'var] vt (memória) rafraîchir; (lume) raviver.

rebaixar [ʀəbai'ʃar] vt rabaisser. ❏ **rebaixar-se** vp se rabaisser.

rebanho [ʀə'bɐɲu] m troupeau m.

rebelde [ʀə'bɛłðə] mf rebelle mf.

rebentar [ʀəbẽn'tar] vi (bomba) sauter; (balão) éclater. ◆ vt faire sauter; ~ **com algo** détruire qqch.

rebocador [ʀəbukɐ'ðor] (pl -es [-əʃ]) m remorqueur m.

rebocar [ʀəbu'kar] vt remorquer.

rebolar [ʀəbu'lar] vi rouler. ❏ **rebolar-se** vp se rouler par terre; **~-se a rir** se tordre de rire; **~-se na lama** se rouler dans la boue.

rebuçado [ʀəbu'saðu] m bonbon m.

rebuliço [ʀəbu'lisu] m pagaille f.

recado [ʀə'kaðu] m message m; **dar um ~ a alguém** transmettre un message à qqn; **deixar ~** laisser un message.

recaída [ʀəkɐ'iðɐ] f rechute f; **ter uma ~** faire une rechute.

recair [ʀəkɐ'ir] vi : ~ **em algo** retomber dans qqch; ~ **sobre** retomber sur.

recanto [ʀə'kẽntu] m recoin m.

recapitular [ʀəkɐpitu'lar] vt récapituler; (aula) réviser.

recatado, da [ʀəkɐ'taðu, -ðɐ] adj discret(-ète).

recauchutar [ʀəkauʃu'tar] vt rechaper.

recear [ʀə'sjar] vt craindre.

receber [ʀəsə'ber] vt & vi recevoir.

receio [ʀə'seju] m crainte f.

receita [ʀə'sɐitɐ] f recette f; (de médico) ordonnance f.

receitar [ʀəsɐi'tar] vt prescrire.

recém-casado, da [ʀə,sɐike'zaðu, -ðɐ] m, f jeune marié m (-e f).

recém-chegado, da [ʀə,sɐiʃə'gaðu, -ðɐ] adj qui vient d'arriver.

recém-nascido, da [ʀə,sɐineʃ'siðu, -ðɐ] adj & m, f nouveau-né(-e).

recente [ʀə'sẽntə] adj récent(-e).

receoso, osa [ʀə'sjozu, -ɔzɐ] adj craintif(-ive).

recepção [ʀəsɛ'sẽu] (pl -ões [-õiʃ]) f réception f.

recepcionista [ʀəsɛsju'niʃtə] mf réceptionniste mf.

recepções → recepção.

receptivo, va [ʀəsɛ'tivu, -vɐ] adj réceptif(-ive); **mostrar-se ~ a** se montrer réceptif à.

receptor [ʀəsɛ'tor] (pl -es [-əʃ]) m récepteur m.

recessão [ʀəsə'sẽu] (pl -ões [-õiʃ]) f récession f.

recheado, da [ʀə'ʃjaðu, -ðɐ] adj (bolo, bombom) fourré(-e); (peru) farci(-e).

rechear [ʀə'ʃjar] vt (bolo) fourrer; (peru) farcir; (casa) équiper.

recheio [ʀə'ʃeju] m (de bolo, pastel) garniture f; (de peru, vegetal, etc) farce f; (de casa) équipement m; (para seguros) biens mpl mobiliers.

rechonchudo, da [ʀəʃõ'ʃuðu, -ðɐ] adj potelé(-e).

recibo [ʀə'siβu] m reçu m.

reciclagem [ʀəsi'klaʒẽi] f recyclage m.

reciclar [ʀəsi'klar] vt recycler.

reciclável [ʀəsi'klavɛł] (pl -eis [-ɐiʃ]) adj recyclable.

recife [ʀə'sifə] m récif m.

recinto [ʀə'sĩntu] m enceinte f.

recipiente [ʀəsi'pjẽntə] m récipient m.

recíproco, ca [Rɐ'sipruku, -kɐ] adj réciproque.

recital [Rɐsi'taɫ] (pl **-ais** [-aiʃ]) m récital m.

recitar [Rɐsi'tar] vt réciter. ◆ vi réciter un poème.

reclamação [Rɐklɐmɐ'sɐ̃u] (pl **-ões** [-õiʃ]) f réclamation f; **'há livro de reclamações'** signale qu'un livre est à la disposition des clients pour toute réclamation dans un hôtel, un restaurant ou autre.

reclamar [Rɐklɐ'mar] vi faire une réclamation.

reclame [Rɛ'klɐmɐ] m publicité f.

recobrar [Rɐku'brar] vt (forças) reprendre; (razão) recouvrer.

recolha [Rɐ'koʎɐ] f récolte f; (de lixo, passageiros) ramassage m.

recolher [Rɐku'ʎer] vt ramasser; (informações, dados, dinheiro) recueillir; (abrigar) rentrer.

recomeçar [Rɐkumɐ'sar] vt recommencer.

recomendação [Rɐkumɛ̃ndɐ'sɐ̃u] (pl **-ões** [-õiʃ]) f recommandation f.

❏ **recomendações** fpl : recomendações à sua mãe! mes respects à votre mère!

recomendar [Rɐkumɛ̃n'dar] vt recommander (conseiller).

recomendável [Rɐkumɛ̃n'davɛɫ] (pl **-eis** [-ɐiʃ]) adj conseillé(-e); **pouco ~** déconseillé.

recompensa [Rɐkõm'pɛ̃sɐ] f récompense f.

recompor [Rɐkõm'por] vt arranger.

❏ **recompor-se** vp se remettre.

reconciliação [Rɐkõsiljɐ'sɐ̃u] (pl **-ões** [-õiʃ]) f réconciliation f.

reconhecer [Rɐkuɲɐ'ser] vt reconnaître; (documento, assinatura) certifier.

reconhecimento [Rɐkuɲɐsi'mɛ̃ntu] m reconnaissance f;

(de documento, assinatura) certification f.

reconstituir [Rɐkõʃti'twir] vt reconstituer.

recordação [Rɐkurdɐ'sɐ̃u] (pl **-ões** [-õiʃ]) f souvenir m.

recordar [Rɐkur'dar] vt rappeler.

❏ **recordar-se** vp se rappeler, se souvenir; **~-se de algo** se rappeler qqch, se souvenir de qqch.

recorrer [Rɐku'Rer] vi faire appel; **~ a** avoir recours à.

recortar [Rɐkur'tar] vt découper.

recreio [Rɐ'kreju] m (tempo) récréation f; (local) cour f de récréation.

recriar [Rɐkri'ar] vt reconstituer.

recriminar [Rɐkrimi'nar] vt reprocher.

recruta [Rɐ'krutɐ] m appelé m. ◆ f classes fpl.

recta ['Rɛtɐ] f (Port: linha) droite f; (em estrada) ligne f droite; **à ~** (Port) pile.

rectângulo [Rɛ'tɛ̃ŋgulu] m (Port) rectangle m.

recto, ta ['Rɛtu, -tɐ] adj (Port) droit(-e). ◆ m rectum m.

recuar [Rɐ'kwar] vt & vi reculer.

recuperação [Rɐkupɐrɐ'sɐ̃u] f récupération f.

recuperar [Rɐkupɐ'rar] vt récupérer.

❏ **recuperar-se** vp (de choque) se remettre; (de doença) récupérer.

recurso [Rɐ'kursu] m (JUR) appel m; (meio) moyen m; **em último ~** en dernier recours.

❏ **recursos** mpl ressources fpl.

recusa [Rɐ'kuze] f refus m.

redactor, ra [Rɐðaˈtor, -rɐ] (mpl **-es** [-əʃ], fpl **-s** [-ʃ]) m, f (Port) rédacteur m (-trice f).

redator, ra [Redaˈtox, -rɐ] (mpl **-es** [-iʃ], fpl **-s** [-ʃ]) m, f (Br) = **redactor**.

rede [ˈʀɛɖə] f réseau m; *(de pesca, cabelo)* filet m; *(de vedação)* grillage m; *(para dormir)* hamac m; ~ **de estradas** réseau routier.

rédea [ˈʀɛɖjɐ] f rêne f.

redigir [ʀəɖiˈʒir] vt rédiger.

redobrar [ʀəɖuˈbrar] vt *(esforço, atenção)* redoubler.

redondamente [ʀəˌɖõndə-ˈmẽntɐ] adv *(enganar-se)* carrément.

redondo, da [ʀəˈɖõndu, -dɐ] adj rond(-e).

redor [ʀəˈɖɔr] m : **em** OU **ao ~ (de)** autour (de).

redução [ʀəɖuˈsẽu] *(pl -ões* [-õiʃ])* f réduction f.

redundância [ʀəɖũnˈdẽsjɐ] f redondance f.

reduzido, da [ʀəɖuˈziɖu, -dɐ] adj réduit(-e).

reduzir [ʀəɖuˈzir] vt réduire.

reembolsar [ʀjẽmboɫˈsar] vt rembourser.

reembolso [ʀjẽmˈboɫsu] m remboursement m.

reencontro [ʀjẽŋˈkõntru] m retrouvailles fpl.

refazer [ʀəfɐˈzer] vt refaire.

❏ **refazer-se** vp *(de susto, acidente)* se remettre; *(recuperar forças)* récupérer.

refeição [ʀəfɐiˈsẽu] *(pl -ões* [-õiʃ])* f repas m; **às refeições** pendant les repas; ~ **ligeira** repas léger.

refeitório [ʀəfɐiˈtɔrju] m réfectoire m.

refém [ʀəˈfẽi] *(pl -ns* [-ʃ])* mf otage m.

referência [ʀəfɐˈʀẽsjɐ] f référence f; **fazer ~ a** faire référence à.

❏ **referências** fpl références fpl.

referendo [ʀəfɐˈʀẽndu] m *(Port)* référendum m.

referente [ʀəfɐˈʀẽntɐ] adj : ~ **a** concernant.

referir [ʀəfɐˈrir] vt faire référence à.

❏ **referir-se a** vp + prep se référer à; **no que se refere a** en ce qui concerne.

refinado, da [ʀəfiˈnaɖu, -dɐ] adj raffiné(-e).

refinaria [ʀəfinɐˈriɐ] f raffinerie f.

reflectir [ʀəflɛˈtir] vt *(Port)* réfléchir, refléter. ◆ vi réfléchir; ~ **sobre algo** réfléchir à qqch.

❏ **reflectir-se em** vp + prep se refléter dans.

reflector [ʀəflɛˈtor] *(pl -es* [-əʃ])* m catadioptre m.

refletir [ʀəflɛˈtʃix] vt & vi *(Br)* = **reflectir**.

reflexão [ʀəflɛ(k)ˈsẽu] *(pl -ões* [-õiʃ])* f réflexion f.

reflexo [ʀəˈflɛksu] m reflet m; *(reacção)* réflexe m.

refogado, da [ʀəfuˈgaɖu, -dɐ] adj mijoté(-e). ◆ m *(molho)* sauce à l'oignon et à la tomate; *(guisado)* ragoût m.

refogar [ʀəfuˈgar] vt faire mijoter; *(cebola)* faire revenir.

reforçado, da [ʀəfurˈsaɖu, -dɐ] adj *(esforço, energia)* accru(-e); *(objecto, substância)* renforcé(-e).

reforçar [ʀəfurˈsar] vt renforcer.

reforma [ʀəˈfɔrmɐ] f *(de pessoa)* retraite f; *(de sistema)* réforme f; *(de casa, edifício)* rénovation f.

reformado, da [ʀəfurˈmaɖu, -dɐ] m, f retraité m (-e f).

refractário, ria [ʀəfraˈtarju, -rjɐ] adj *(Port)* réfractaire.

refrão [ʀəˈfrẽu] *(pl -ões* [-õiʃ])* m refrain m.

refratário, ria [ʀɛfraˈtarju, -rjɐ] adj *(Br)* = **refractário**.

refrear [ʀəfriˈar] vt refréner.

❏ **refrear-se** vp se refréner.

refrescante [ʀəfrɐʃˈkẽntɐ] adj rafraîchissant(-e).

refrescar [ʀəfɾəʃˈkaɾ] vt rafraîchir.

❑ **refrescar-se** vp se rafraîchir; ~ **as ideias** reprendre ses esprits; ~ **a memória a alguém** rafraîchir les idées à qqn.

refresco [ʀəˈfɾeʃku] m rafraîchissement m (boisson).

refrigerante [ʀəfɾiʒəˈʀẽntə] m boisson f non alcoolisée.

refrões → refrão.

refugiado, da [ʀəfuˈʒjaðu, -ðɐ] m, f réfugié m (-e f).

refugiar-se [ʀəfuˈʒjaɾsə]: **refugiar-se em** vp + prep (asilar-se em) se réfugier à; (abrigar-se, esconder-se em) se réfugier dans.

refúgio [ʀəˈfuʒju] m refuge m.

refugo [ʀəˈfugu] m rebut m.

refutar [ʀəfuˈtaɾ] vt réfuter.

rega [ˈʀegɐ] f arrosage m.

regaço [ʀəˈgasu] m giron m.

regador [ʀəgɐˈðoɾ] (pl -es [-əʃ]) m arrosoir m.

regalias [ʀəgɐˈliɐʃ] fpl privilège m.

regar [ʀəˈgaɾ] vt arroser. ◆ vi (fam) broder.

regata [ʀəˈgatɐ] f régate f.

regenerar-se [ʀəʒənəˈʀaɾsə] vp s'améliorer.

reger [ʀəˈʒeɾ] vt (orquestra, banda) diriger.

região [ʀəˈʒjɐ̃u] (pl -ões [-õiʃ]) f région f; ~ **demarcada** ≃ vin m de pays.

regime [ʀəˈʒimə] m régime m.

regiões → região.

regional [ʀəʒjuˈnaɫ] (pl -ais [-aiʃ]) adj régional(-e).

registado, da [ʀəʒiʃˈtaðu, -ðɐ] adj recommandé(-e).

registar [ʀəʒiʃˈtaɾ] vt (Port) enregistrer; (escrever) noter; (criança, morte, casamento) déclarer; (carta, encomenda) envoyer en recommandé.

❑ **registar-se** vp (casar-se) s'inscrire à l'état civil; (acontecimento, mudança) se produire.

registo [ʀəˈʒiʃtu] m (Port) registre m; (de nascimento, casamento, morte) déclaration f; (repartição) bureau m; (de carta, encomenda) envoi m en recommandé; **Registo Civil** bureau m de l'état civil; **Registo Predial** ≃ conservation f des hypothèques.

registrar [ʀɛʒiʃˈtɾax] vt & vp (Br) = registar.

registro [ʀeˈʒiʃtɾu] m (Br) = registo.

regra [ˈʀɛgɾɐ] f règle f; **não fugir à** ~ ne pas échapper à la règle; ~ **geral** en règle générale; **em** ~ en règle générale; **por** ~ par principe.

regressar [ʀəgɾəˈsaɾ] vi rentrer; ~ **a** rentrer à.

regresso [ʀəˈgɾesu] m retour m; **estar de** ~ être de retour.

régua [ˈʀɛgwɐ] f règle f (pour mesurer).

regulamento [ʀəgulɐˈmẽntu] m règlement m.

regular [ʀəguˈlaɾ] (pl -es [-əʃ]) adj régulier(-ère); (tamanho, qualidade) moyen(-enne); (habitual) habituel(-elle). ◆ vt (regulamentar) réglementer; (mecanismo) régler.

rei [ʀɐi] m roi m.

reinado [ʀɐiˈnaðu] m règne m.

reinar [ʀɐiˈnaɾ] vi régner; (fam) blaguer.

Reino-Unido [ʀɐinuˈniðu] m : **o** ~ le Royaume-Uni.

reivindicação [ʀɐivĩndikɐˈsɐ̃u] (pl -ões [-õiʃ]) f revendication f.

reivindicar [ʀɐivĩndiˈkaɾ] vt revendiquer.

rejeição [ʀəʒɐiˈsɐ̃u] (pl -ões [-õiʃ]) f rejet m.

rejeitar [ʀəʒɐiˈtaɾ] vt rejeter.

relação [ʀəlɐˈsɐ̃u] (pl -ões [-õiʃ]) f relation f, rapport m; **com** ou **em** ~ **a** en ce qui concerne.

❏ **relações** *fpl (acto sexual)* relations *fpl* sexuelles; **ter relações com alguém** fréquenter qqn; **relações públicas** relations *fpl* publiques.

relâmpago [Rə'lẽmpɐgu] *m* éclair *m*.

relatar [Rələ'tar] *vt (jogo de futebol)* commenter; *(acontecimento)* raconter.

relativo, va [Rələ'tivu, -vɐ] *adj* relatif(-ive); **~ a** concernant.

relatório [Rələ'tɔrju] *m* rapport *m*.

relaxado, da [Rəla'ʃaðu, -ðɐ] *adj* détendu(-e).

relaxante [Rəla'ʃẽntɐ] *adj* relaxant(-e). ◆ *m* tranquillisant *m*.

relaxar [Rəla'ʃar] *vt* décontracter.

❏ **relaxar-se** *vp* se détendre.

relembrar [Rəlẽm'brar] *vt* rappeler; **~-se de algo** se rappeler qqch.

relevo [Rə'levu] *m* relief *m*; *(realce)* importance *f*; **dar ~ a algo** mettre qqch en relief.

religião [Rəli'ʒjẽu] *(pl* **-ões** [-õiʃ]) *f* religion *f*.

relíquia [Rə'likjɐ] *f (coisa preciosa)* relique *f*.

relógio [Rə'lɔʒju] *m (de parede)* horloge *f*; *(de mesa)* pendule *f*; *(de pulso)* montre *f*; **~ de cuco** coucou *m*; **~ de sol** cadran *m* solaire.

relojoaria [Rəluʒwɐ'riɐ] *f* horlogerie *f*.

relutância [Rəlu'tẽsjɐ] *f (reticência)* réticence *f*; *(oposição)* résistance *f*.

reluzente [Rəlu'zẽntɐ] *adj* reluisant(-e).

relva ['Rɛlvɐ] *f* gazon *m*.

relvado [Rɛl'vaðu] *m* pelouse *f*.

remar [Rə'mar] *vi* ramer.

rematar [Rəmɐ'tar] *vt* conclure. ◆ *vi (em futebol)* tirer au but.

remediar [Rəmə'djar] *vt* remédier à.

remédio [Rə'mɛdju] *m* médicament *m*; **não ter ~** *(fig)* ne pas avoir de solution.

remendar [Rəmẽn'dar] *vt (pneu)* réparer; *(peça de vestuário)* raccommoder; *(com remendo)* rapiécer.

remendo [Rə'mẽndu] *m (em pneu)* Rustine® *f*; *(de peça de vestuário)* pièce *f*.

remessa [Rə'mɛsɐ] *f* envoi *m*.

remetente [Rəmə'tẽntɐ] *mf* expéditeur *m* (-trice *f*).

remeter [Rəmə'ter] *vt (expedir)* envoyer; *(dirigir)* adresser; *(fazer referência a)* renvoyer.

remexer [Rəmə'ʃer] *vt* fouiller dans.

remo ['Rɛmu] *m* rame *f*.

remoção [Rəmu'sẽu] *(pl* **-ões** [-õiʃ]) *f* retrait *m*; *(de feridos)* transport *m*; *(de lixo)* enlèvement *m*; **~ de nódoas** détachage *m*.

remorso [Rə'mɔrsu] *m* remords *m*.

remoto [Rə'mɔtu] *adj* lointain(-e).

remover [Rəmu'ver] *vt (lixo)* enlever; *(feridos)* transporter; *(quisto, pedra)* retirer; *(obstáculo)* surmonter; **~ nódoas** détacher.

remuneração [Rəmunɐrɐ'sẽu] *(pl* **-ões** [-õiʃ]) *f (salário)* rémunération *f*; *(paga)* récompense *f*.

renascer [Rənɐʃ'ser] *vi* renaître.

Renascimento [Rənɐʃsi'mẽntu] *m* : **o ~** la Renaissance.

renda ['Rẽndɐ] *f (Port: de casa, apartamento)* loyer *m*; *(croché)* crochet *m*; *(de vestido, blusa, etc)* dentelle *f*; *(Br: rendimento)* revenu *m*; **fazer ~** faire du crochet; **~ nacional** *(Br)* revenus *mpl* de l'État.

renegar [Rənə'gar] *vt* renier.

renovação [Rənuvɐ'sẽu] *(pl* **-ões** [-õiʃ]) *f (substituição)* renouvellement *m*; *(reforma)* rénovation *f*.

renovar [ʀənu'var] vt *(consertar)* rénover; *(substituir)* renouveler; *(fortalecer)* se renouveler.

rentabilidade [ʀẽntɐbli'ðaðə] f rentabilité f.

rentável [ʀẽn'tavɛɫ] *(pl* -**eis** [-ɐiʃ]) *adj (lucrativo)* rentable.

renúncia [ʀə'nũsjɐ] f *(rejeição)* renoncement m; *(a cargo, pretensão)* renonciation f.

renunciar [ʀənũ'sjar] vt renoncer à.

reparação [ʀəpɐre'sẽu] *(pl* -**ões** [-õiʃ]) f réparation f.

reparar [ʀəpɐ'rar] vt réparer.
❑ **reparar em** v + prep remarquer.

repartição [ʀəpɐrti'sẽu] *(pl* -**ões** [-õiʃ]) f répartition f; *(local)* service m; **Repartição de Finanças** centre m des impôts.

repartir [ʀəpɐr'tir] vt répartir; ~ **algo com alguém** partager qqch avec qqn; ~ **algo em algo** répartir qqch en qqch.

repelente [ʀəpə'lẽntə] *adj* repoussant(-e). ◆ m : ~ **(de insectos)** anti-moustiques m *inv*.

repente [ʀə'pẽntə] m accès m; **de** ~ soudain.

repentino, na [ʀəpẽn'tinu, -nɐ] *adj* soudain(-e); *(momentâneo)* bref (brève).

repercussão [ʀəpɐrku'sẽu] *(pl* -**ões** [-õiʃ]) f répercussion f.

repertório [ʀəpɐr'tɔrju] m répertoire m.

repetição [ʀəpəti'sẽu] *(pl* -**ões** [-õiʃ]) f répétition f.

repetidamente [ʀəpɐ,tiðɐ'ɐ'mẽntə] *adv* à plusieurs reprises.

repetido, da [ʀəpə'tiðu, -ðɐ] *adj* répété(-e).

repetir [ʀəpə'tir] vt répéter; *(ano escolar, disciplina)* redoubler; *(prato, refeição)* reprendre de.
❑ **repetir-se** vp se répéter.

replay [ʀi'plɐi] m reprise f d'une séquence.

replicar [ʀəpli'kar] vt : ~ **que** répliquer que.

repolho [ʀə'poʎu] m chou m pommé.

repor [ʀə'por] vt *(verdade)* rétablir; *(dinheiro)* restituer; ~ **algo no lugar** remettre qqch en place.

reportagem [ʀəpur'taʒẽi] *(pl* -**ns** [-ʃ]) f reportage m.

repórter [ʀə'pɔrtɛr] *(pl* -**es** [-əʃ]) mf reporter m.

reposteiro [ʀəpuʃ'tɐiru] m rideau m.

repousar [ʀəpo'zar] vt & vi se reposer.

repreender [ʀəpriẽn'der] vt rappeler à l'ordre.

represa [ʀə'prezɐ] f écluse f.

represália [ʀəprə'zaljɐ] f représailles fpl.

representação [ʀəprəzẽn-tɐ'sẽu] *(pl* -**ões** [-õiʃ]) f représentation f.

representante [ʀəprəzẽn-'tẽntɐ] mf représentant m (-e f); ~ **oficial** représentant officiel.

representar [ʀəprəzẽn'tar] vt représenter; *(espectáculo)* jouer. ◆ vi jouer.

repressão [ʀəprə'sẽu] *(pl* -**ões** [-õiʃ]) f répression f.

reprimir [ʀəpri'mir] vt réprimer.

reprise [ʀə'prizɐ] f reprise f.

reprodução [ʀəpruðu'sẽu] *(pl* -**ões** [-õiʃ]) f reproduction f.

reproduzir [ʀəpruðu'zir] vt *(evento)* restituer; *(quadro, escultura)* reproduire.
❑ **reproduzir-se** vp se reproduire.

reprovar [ʀəpru'var] vt *(atitude, comportamento)* réprouver; *(lei, projecto)* rejeter; *(aluno)* refuser.

réptil ['ʀɛptiɫ] *(pl* -**teis** [-tɐiʃ]) m reptile m.

república [ʀɛ'puβlikɐ] f *(sistema*

político) république f; *(de estudantes)* résidence f.

repudiar [ʀəpuˈdjar] vt rejeter.

repugnância [ʀəpugˈnẽsjɐ] f répugnance f.

repugnante [ʀəpugˈnẽntə] adj *(asqueroso)* répugnant(-e); *(indigno)* odieux(-euse).

repulsa [ʀəˈpułsɐ] f répulsion f.

repulsivo, va [ʀəpułˈsivu, -vɐ] adj repoussant(-e).

reputação [ʀəputɐˈsẽu] *(pl -ões* [-õiʃ]) f réputation f.

requeijão [ʀəkɐiˈʒẽu] *(pl -ões* [-õiʃ]) m fromage m frais.

requerer [ʀəkəˈrer] vt *(precisar de)* requérir; *(por requerimento)* solliciter.

requerimento [ʀəkəriˈmẽntu] m requête f.

requintado, da [ʀəkĩnˈtaðu, -ðɐ] adj raffiné(-e).

requinte [ʀəˈkĩntə] m raffinement m.

requisito [ʀəkəˈzitu] m condition f requise.
❑ **requisitos** mpl qualités fpl.

rescindir [ʀəʃsĩnˈdir] vt *(contrato)* résilier.

rés-do-chão [ʀɛʒduˈʃẽu] m inv rez-de-chaussée m inv.

resenha [ʀəˈzɐɲɐ] f *(televisiva, de rádio)* compte m rendu; **fazer uma ~ de algo** passer qqch en revue.

reserva [ʀəˈzɛrvɐ] f réserve f; *(de quarto, lugar, bilhete)* réservation f; *(de vinho)* millésime m; **~ de caça** réserve de chasse; **~ natural** réserve naturelle.

reservado, da [ʀəzərˈvaðu, -ðɐ] adj réservé(-e); *(íntimo)* tranquille.

reservar [ʀəzərˈvar] vt réserver.

resfriado [ʀəʃfriˈadu] m *(Br)* rhume m.

resgate [ʀəʒˈgatɐ] m rançon f.

resguardar [ʀəʒgwɐrˈdar] vt protéger.
❑ **resguardar-se** vp se protéger.

residência [ʀəziˈðẽsjɐ] f *(particular)* résidence f; *(académica)* ≃ résidence f universitaire.

residencial [ʀəziðẽˈsjał] *(pl -ais* [-aiʃ]) f pension f de famille.

residir [ʀəziˈðir]: **residir em** v + prep *(morar em)* résider à OU en; *(consistir em)* résider dans.

resíduo [ʀəˈziðwu] m résidu m.

resignação [ʀəzigˈnɐˈsẽu] f *(paciência)* résignation f.

resignar-se [ʀəzigˈnarsɐ] vp se résigner.

resina [ʀəˈzinɐ] f résine f.

resistência [ʀəziʃˈtẽsjɐ] f résistance f.

resistente [ʀəziʃˈtẽntə] adj résistant(-e).

resistir [ʀəziʃˈtir] vi résister; **~ a algo** résister à qqch.

resmungar [ʀəʒmũˈŋgar] vt & vi marmonner.

resolução [ʀəzuluˈsẽu] *(pl -ões* [-õiʃ]) f résolution f.

resolver [ʀəzołˈver] vt résoudre; **~ fazer algo** résoudre de faire qqch.
❑ **resolver-se** vp: **~-se a** se résoudre à.

respectivo, va [ʀəʃpeˈtivu, -vɐ] adj *(Port)* respectif(-ive).

respeitar [ʀəʃpɐiˈtar] vt respecter.
❑ **respeitar a** v + prep: **no que respeita a** en ce qui concerne.

respeitável [ʀəʃpɐiˈtavɛł] *(pl -eis* [-ɐiʃ]) adj respectable.

respeito [ʀəʃˈpɐitu] m respect m; **tudo o que diz ~ a** tout ce qui concerne; **ter ~ por** avoir du respect pour; **a ~ de** OU **com ~ a** en ce qui concerne, au sujet de.

respetivo, va [ʀəʃpeˈtʃivu, -vɐ] adj *(Br)* = **respectivo**.

respiração [ʀəʃpirɐˈsẽu] f respiration f.

respirar [Rəʃpi'rar] *vt & vi* respirer.

resplandecente [Rəʃplēndə'sēntə] *adj* resplendissant(-e).

responder [Rəʃpōn'der] *vt* répondre. ♦ *vi* répondre; *(ir a tribunal)* comparaître; ~ **a** répondre à; ~ **torto** répondre avec insolence.
☐ **responder por** *v + prep* répondre de.

responsabilidade [Rəʃpōsəbli'dadə] *f* responsabilité *f*.

responsabilizar [Rəʃpōsəbli'zar] *vt* : ~ **alguém/algo por algo** rendre qqn/qqch responsable de qqch.
☐ **responsabilizar-se por** *vp + prep* assumer la responsabilité de.

responsável [Rəʃpō'savɛɫ] *(pl -eis* [-ɐiʃ]*) adj & mf* responsable; ~ **por** responsable de.

resposta [Rəʃ'pɔʃtə] *f* réponse *f*.

resquício [Rəʃ'kisju] *m* fond *m*.

ressabiado, da [Rəsɐ'bjadu, -dɐ] *adj (Br) (desconfiado)* méfiant(-e); *(ressentido)* déçu(-e).

ressaca [Rə'sakɐ] *f (de bebedeira)* gueule *f* de bois.

ressaltar [Rəsaɫ'tar] *vt* faire ressortir. ♦ *vi* ressortir.

ressentimento [Rəsēnti'mēntu] *m* ressentiment *m*.

ressentir-se [Rəsēn'tirsə] *vp* se vexer; ~ **de algo** se ressentir de qqch.

ressurgimento [Rəsurʒi'mēntu] *m* résurgence *f*.

ressuscitar [Rəsusi'tar] *vt & vi* ressusciter.

restabelecer [Rəʃtɐblə'ser] *vt* rétablir.
☐ **restabelecer-se** *vp (recuperar saúde)* se rétablir; *(de susto)* se remettre.

restar [Rəʃ'tar] *vi* rester.

restauração [Rəʃtaure'sɐ̃u] *(pl -ões* [-õiʃ]*) f (de edifício)* restaura-

tion *f*; *(de forças, energia)* reprise *f*.

restaurante [Rəʃtau'rēntə] *m* restaurant *m*; ~ **panorâmico** restaurant panoramique.

restaurar [Rəʃtau'rar] *vt (edifício, regime político)* restaurer; *(ordem)* rétablir.

restinga [Rəʃ'tīŋgə] *f* banc *m* de sable.

restituir [Rəʃti'twir] *vt* restituer.

resto ['Rɛʃtu] *m* reste *m*.
☐ **restos** *mpl* restes *mpl*; ~**s mortais** dépouille *f* mortelle.

resultado [Rəzuɫ'tadu] *m* résultat *m*.

resultar [Rəzuɫ'tar] *vi* marcher; ~ **de algo** venir de qqch; ~ **em algo** aboutir à qqch.

resumir [Rəzu'mir] *vt* résumer.
☐ **resumir-se a** *vp + prep* se résumer à.

resumo [Rə'zumu] *m* résumé *m*; **em** ~ en résumé.

reta ['Rɛtɐ] *f (Br)* = recta.

retaguarda [ˌRɛtɐ'gwardɐ] *f* arrière *m*; **na** ~ à l'arrière.

retalho [Rə'taʎu] *m* coupon *m*; **a** ~ au détail.

retaliação [Rətɐljɐ'sɐ̃u] *(pl -ões* [-õiʃ]*) f* riposte *f*.

retaliar [Rətɐ'ljar] *vt* faire payer. ♦ *vi* riposter.

retângulo [Rɛ'tēŋgulu] *m (Br)* = rectângulo.

retardar [Rətɐr'dar] *vt* retarder.

reter [Rə'ter] *vt* retenir; *(suspeito, criminoso)* arrêter.

reticente [Rəti'sēntə] *adj* réticent(-e).

retina [Rə'tinɐ] *f* rétine *f*.

retirada [Rəti'radɐ] *f (debandada)* débandade *f*; *(MIL)* retraite *f*.

retirar [Rəti'rar] *vt* retirer.
☐ **retirar-se** *vp* se retirer; ~**-se de algo** se retirer de qqch.

reto, ta [ˈʀɛtu, -tɐ] *adj & m (Br)* = recto.

retorcido, da [ʀɐtuʀˈsiðu, -ðɐ] *adj* tordu(-e).

retórica [ʀɛˈtɔrikɐ] *f* rhétorique *f.*

retornar [ʀɐtuʀˈnaʀ] *vi* revenir; ~ **a** retourner à.

retraído, da [ʀɐtʀɐˈiðu, -ðɐ] *adj* réservé(-e).

retrato [ʀɐˈtʀatu] *m (fotografia)* photographie *f; (pintura, desenho)* portrait *m.*

retrete [ʀɐˈtʀɛtɐ] *f* toilettes *fpl.*

retribuir [ʀɐtʀiˈbwir] *vt* rendre.

retroceder [ʀɐtʀusɐˈdeʀ] *vi* reculer.

retrógrado, da [ʀɐˈtʀɔgɾɐðu, -ðɐ] *adj* rétrograde.

retrosaria [ʀɐtʀuzɐˈɾiɐ] *f* mercerie *f.*

retrovisor [ʀɛtʀɔviˈzoʀ] *(pl -es* [-əʃ]) *m* rétroviseur *m.*

réu, ré [ˈʀɛu, ˈʀɛ] *m, f* accusé *m (-e f).*

reumatismo [ʀeumɐˈtiʒmu] *m* rhumatisme *m.*

reunião [ʀjuˈnjẽu] *(pl -ões* [-õiʃ]) *f* réunion *f.*

reunir [ʀjuˈniʀ] *vt* réunir. ❑ **reunir-se** *vp* se réunir.

réveillon [ʀɛvɛˈjõ] *m* réveillon *m.*

revelação [ʀɐvɐlɐˈsẽu] *(pl -ões* [-õiʃ]) *f* révélation *f; (de fotografia)* développement *m.*

revelar [ʀɐvɐˈlaʀ] *vt* révéler; *(fotografia)* développer. ❑ **revelar-se** *vp* se révéler.

revendedor, ra [ʀɐvẽndɐˈdoʀ, -ʀɐ] *(mpl -es* [-əʃ]*, fpl -s* [-ʃ]) *m, f* revendeur *m (-euse f).*

rever [ʀɐˈveʀ] *vt* revoir.

reverso [ʀɐˈveʀsu] *m* revers *m.*

revés [ʀɐˈvɛʃ] *(pl -eses* [-ɛzəʃ]) *m* revers *m.*

revestir [ʀɐvɐʃˈtiʀ] *vt* recouvrir.

revezar-se [ʀɐvɐˈzaʀsɐ] *vp* se relayer.

revirado, da [ʀɐviˈʀaðu, -ðɐ] *adj* retourné(-e); *(casa, gaveta)* sens dessus dessous.

reviravolta [ʀɐ̩viʀɐˈvɔltɐ] *f (com carro, mota)* demi-tour *m; (pirueta)* tour *m; (fig: em situação)* revirement *m.*

revisão [ʀɐviˈzẽu] *(pl -ões* [-õiʃ]) *f* révision *f.*

revisor, ra [ʀɐviˈzoʀ, -ʀɐ] *(mpl -es* [-əʃ]*, fpl -s* [-ʃ]) *m, f (em transporte público)* contrôleur *m; (de texto, provas tipográficas)* réviseur *m (-euse f).*

revista [ʀɐˈviʃtɐ] *f* revue *f;* ~ **feminina** magazine *m* féminin; ~ **em quadrinhos** *(Br)* bande *f* dessinée.

revolta [ʀɐˈvɔltɐ] *f* révolte *f.*

revoltar-se [ʀɐvɔlˈtaʀsɐ] *vp* se révolter; ~ **com algo** se révolter contre qqch.

revolução [ʀɐvuluˈsẽu] *(pl -ões* [-õiʃ]) *f* révolution *f.*

revolver [ʀɐvɔlˈveʀ] *vt* remuer.

revólver [ʀɐˈvɔlveʀ] *(pl -es* [-əʃ]) *m* revolver *m.*

rezar [ʀɐˈzaʀ] *vi* prier. ◆ *vt (missa, oração)* dire.

ri [ˈʀi] → **rir.**

ria [ˈʀiɐ] *f* ria *f.*

riacho [ˈʀjaʃu] *m* ruisseau *m.*

ribeira [ʀiˈbeiɾɐ] *f* rivière *f.*

ribeirão [ʀibɐiˈʀẽu] *(pl -ões* [-õiʃ]) *m* ruisseau *m.*

ribeirinho, nha [ʀibɐiˈʀiɲu, -ɲɐ] *adj* de rivière.

ribeiro [ʀiˈbeiɾu] *m* = **ribeira.**

ribeirões → **ribeirão.**

rico, ca [ˈʀiku, -kɐ] *adj* riche; ~ **em** riche en.

ricota [ʀiˈkɔtɐ] *f* ricotta *f.*

ridicularizar [ʀɐðikulɐɾiˈzaʀ] *vt* ridiculiser.

ridículo, la [ʀɐˈðikulu, -lɐ] *adj* ridicule. ◆ *m* ridicule *m.*

rido [ˈʀiðu] *pp* → **rir**.

rifa [ˈʀifɐ] *f (sorteio)* tombola *f; (bilhete)* billet *m* de tombola.

rigidez [ʀiʒiˈðeʃ] *f* rigidité *f; (de músculos)* raideur *f*.

rigor [ʀiˈgor] *(pl* **-es** [-əʃ]) *m* rigueur *f*.

rijo, ja [ˈʀiʒu, -ʒɐ] *adj* dur(-e); *(forte)* vigoureux(-euse); *(material)* rigide.

rim [ʀĩ] *(pl* **-ns** [-ʃ]) *m* rein *m*.
❏ **rins** *mpl (parte do corpo)* reins *mpl*.

rima [ˈʀimɐ] *f (de verso)* rime *f; (de papéis, revistas)* pile *f*.
❏ **rimas** *fpl* vers *mpl*.

rímel® [ˈʀimɛɫ] *(pl* **-eis** [-ɐiʃ]) *m* mascara *m*.

ringue [ˈʀĩŋgɐ] *m* ring *m*.

rinoceronte [ʀinɔsəˈʀõntə] *m* rhinocéros *m*.

rinque [ˈʀĩŋkɐ] *m* patinoire *f*.

rins → **rim**.

rio [ˈʀju] *m (que desagua no mar)* fleuve *m; (que desagua em rio)* rivière *f*; ~ **abaixo/acima** en aval/amont.

rio² [ˈʀju] → **rir**.

Rio de Janeiro [ʀiuðəʒɐˈnɐiru] *m* : **o** ~ Rio de Janeiro.

riqueza [ʀiˈkezɐ] *f* richesse *f*.

rir [ʀir] *vi* rire; **desatar a** ~ éclater de rire; ~ **a bandeiras despregadas** rire à gorge déployée.

ris [ʀiʃ] → **rir**.

risada [ʀiˈzaðɐ] *f* éclat *m* de rire.

risca [ˈʀiʃkɐ] *f* rayure *f*; **às** ~**s** à rayures, rayé; **à** ~ à la lettre.

riscar [ʀiʃˈkar] *vt (frase, folha)* barrer; *(parede, carro, móvel)* rayer.

risco [ˈʀiʃku] *m (traço)* trait *m; (em cabelo)* raie *f; (perigo)* risque *m*; **correr o** ~ **de** courir le risque de; **pôr em** ~ mettre en danger; *(projecto)* compromettre; ~ **ao meio/ao lado** raie au milieu/sur

le côté; ~ **de vida** danger *m* de mort.

riso [ˈʀizu] *m* rire *m*; ~ **amarelo** rire jaune.

risoto [ʀiˈzotu] *m* risotto *m*.

ríspido, da [ˈʀiʃpiðu, -ðɐ] *adj* revêche.

rissol [ʀiˈsɔɫ] *(pl* **-óis** [-ɔiʃ]) *m* beignet à la viande ou au poisson.

ritmo [ˈʀitmu] *m* rythme *m*.

ritual [ʀiˈtwaɫ] *(pl* **-ais** [-aiʃ]) *m* rituel *m*.

riu [ˈʀiu] → **rir**.

rival [ʀiˈvaɫ] *(pl* **-ais** [-aiʃ]) *mf* rival *m* (-e *f*).

rivalidade [ʀivɐliˈðaðə] *f* rivalité *f*.

R.N. = **Rodoviária Nacional**.

robalo [ruˈɓalu] *m* bar *m*.

robertos [ruˈɓertuʃ] *mpl* marionnettes *fpl*.

robô [ʀɔˈɓo] *m* robot *m*.

robusto, ta [ʀuˈɓuʃtu, -tɐ] *adj* robuste.

roça [ˈʀɔsɐ] *f (Br)* champ *m*.

rocambole [ʀɔkẽmˈɓɔli] *m (Br)* gâteau roulé salé ou sucré.

roçar [ʀuˈsar] *vt* effleurer.

rocha [ˈʀɔʃɐ] *f* roche *f*.

rochedo [ruˈʃeðu] *m* rocher *m*.

rock [ˈʀɔkə] *m* rock *m*.

roda [ˈʀɔðɐ] *f (de carro, bicicleta)* roue *f; (de saia, vestido)* ampleur *f; (de pessoas)* ronde *f*; **andar à** ~ **com algo** tourner qqch; **à** ~ **de** environ; **tenho a cabeça a andar à** ~ j'ai la tête qui tourne.

rodada [ʀuˈðaðɐ] *f (de bebidas)* tournée *f*.

rodagem [ʀuˈðaʒẽi] *f* → **faixa**.

rodar [ʀuˈðar] *vt* faire tourner.
♦ *vi* tourner.

rodear [ʀuˈðjar] *vt* entourer.
❏ **rodear-se de** *vp* + *prep* s'entourer de.

rodela [ʀuˈðɛlɐ] *f* rondelle *f*.

rodízio [ʀɔˈdizju] *m restaurant*

brésilien où les grillades sont servies à volonté.

 RODÍZIO

P our les gourmands, les restaurants rodízio sont au Brésil le paradis sur terre. Pour un prix fixe, on peut y manger à satiété. Le client entre, s'assied à une table et assiste au défilé interminable des garçons qui distribuent toutes sortes de plats. Il s'agit en général de rôtisseries proposant des viandes grillées à la braise comme la « picanha », le filet mignon, la « maminha fatiada » et la « fraldinha » parmi les morceaux de viande de bœuf les plus prisés. Et pour les végétariens, des salades sont à disposition sur un buffet où l'on peut se servir en abondance.

---

rododendro [ʀuðu'ðẽndru] *m* rhododendron *m*.

rodopiar [ʀuðu'pjar] *vi* tournoyer.

rodovalho [ʀuðu'vaʎu] *m* barbue *f (poisson)*.

rodovia [ʀodo'viɐ] *f (Br)* autoroute *f*; ~ **com pedágio** autoroute à péage.

rodoviária [ʀɔðɔ'vjarjɐ] *f* gare *f* routière; **Rodoviária Nacional** *société nationale portugaise de transport en autocar.*

roer ['ʀwer] *vt (com dentes)* ronger; *(com atrito)* user.

rojões [ʀu'ʒõiʃ] *mpl* ≃ rillons *mpl*.

rola ['ʀɔlɐ] *f* tourterelle *f*.

rolar [ʀu'lar] *vi* rouler.

roleta [ʀu'letɐ] *f* roulette *f*; ~ **russa** roulette russe.

rolha ['ʀoʎɐ] *f* bouchon *m*; ~ **de**

cortiça bouchon en liège; **ficar em cascos de** ~ être au diable.

rolo [ʀolu] *m (fotográfico)* pellicule *f*; *(de cabelo)* bigoudi *m*; *(de pintar)* rouleau *m*; ~ **da massa** rouleau à pâtisserie.

romã [ʀu'mẽ] *f* grenade *f (fruit)*.

romance [ʀu'mẽsɐ] *m* roman *m*; ~ **cor-de-rosa** roman à l'eau de rose; ~ **policial** roman policier.

romântico, ca [ʀu'mẽtiku, -kɐ] *adj* romantique.

romaria [ʀumɐ'riɐ] *f* pèlerinage *m*.

romper [ʀõm'per] *vt* trouer.
❑ **romper-se** *vp* se déchirer.
❑ **romper com** *v + prep* rompre avec.

ronda ['ʀõndɐ] *f* ronde *f*; **fazer a** ~ faire la ronde.

rosa ['ʀɔzɐ] *f* rose *f*; **a vida não é um mar de** ~**s** tout n'est pas rose.

rosário [ʀu'zarju] *m* rosaire *m*.

rosbife [ʀɔʒ'bifɐ] *m* rosbif *m*.

rosca ['ʀoʃkɐ] *f (de garrafa, tampa, parafuso)* filet *m*; *(CULIN)* brioche en forme de couronne.

rosé [ʀɔ'zɛ] *m* rosé *m*.

roseira [ʀu'zeirɐ] *f* rosier *m*.

rosmaninho [ʀuʒmɐ'niɲu] *m* romarin *m*.

rosnar [ʀuʒ'nar] *vi* grogner.

rosto ['ʀoʃtu] *m* visage *m*.

rota ['ʀɔtɐ] *f* route *f*.

rotativo, va [ʀutɐ'tivu, -vɐ] *adj* rotatif(-ive).

roteiro [ʀu'teiru] *m* circuit *m*.

rotina [ʀu'tinɐ] *f* routine *f*.

roto, ta ['ʀotu, -tɐ] *pp* → **romper**. ◆ *adj (sapato, roupa)* troué(-e); *(cano)* percé(-e).

rótula ['ʀɔtulɐ] *f* rotule *f*.

rotular [ʀutu'lar] *vt* étiqueter.

rótulo ['ʀɔtulu] *m* étiquette *f*.

rotunda [ʀu'tũndɐ] *f* rond-point *m*.

roubar [ʀoˈbar] *vt & vi* voler; ~ **algo a alguém** voler qqch à qqn.

roubo [ˈʀobu] *m* vol *m*.

rouco, ca [ˈʀoku, -kɐ] *adj* rauque; **estar** ~ être enroué.

roupa [ˈʀopɐ] *f (vestuário)* vêtement *m*; *(de cama)* linge *m*; ~ **interior** sous-vêtements *mpl*.

roupão [ʀoˈpɐ̃u] *(pl -ões* [-õiʃ]) *m* robe *f* de chambre.

rouxinol [ʀoʃiˈnɔł] *(pl -óis* [-ɔiʃ]) *m* rossignol *m*.

roxo, xa [ˈʀoʃu, -ʃɐ] *adj* violet(-ette).

R.P. *(abrev de República Portuguesa)* République *f* portugaise, ≃ RF *f*.

RTP *f (abrev de Radiotelevisão Portuguesa) organisme public de télévision du Portugal.*

rua [ˈʀuɐ] *f* rue *f*. ♦ *interj* dehors!; ~ **abaixo/acima** en descendant/en montant la rue.

rubéola [ʀuˈbɛulɐ] *f* rubéole *f*.

rubi [ʀuˈbi] *m* rubis *m*.

rubor [ʀuˈbor] *(pl -es* [-əʃ]) *m* rougeur *f*.

ruborizar-se [ʀuburiˈzarsə] *vp* rougir.

rubrica [ʀuˈbrikɐ] *f* signature *f*.

ruço, ça [ˈʀusu, -sɐ] *adj* gris(-e).

rude [ˈʀuðə] *adj* grossier(-ère).

ruela [ˈʀwɛlɐ] *f* ruelle *f*.

ruga [ˈʀugɐ] *f (em pele)* ride *f*; *(em tecido)* pli *m*.

rúgbi [ˈʀugbi] *m (Br)* = **râguebi**.

rugby [ˈʀɛgbi] *m* = **râguebi**.

rugido [ʀuˈʒiðu] *m* rugissement *m*.

rugir [ʀuˈʒir] *vi* rugir.

ruído [ʀwiðu] *m* bruit *m*.

ruim [ˈʀũi] *(pl -ns* [-ʃ]) *adj* mauvais(-e).

ruínas [ˈʀwinɐʃ] *fpl* ruines *fpl*.

ruins → **ruim**.

ruivo, va [ˈʀuivu, -vɐ] *adj* roux (rousse).

rum [ˈʀũ] *m* rhum *m*.

rumar [ʀuˈmar]: **rumar a** *v + prep* mettre le cap sur.

rumba [ˈʀũmbɐ] *f* rumba *f*.

rumo [ˈʀumu] *m (direcção)* direction *f*; *(de coisas)* tournure *f*.

rumor [ʀuˈmor] *(pl -es* [-əʃ]) *m (boato)* rumeur *f*.

ruptura [ʀupˈturɐ] *f* rupture *f*.

rural [ʀuˈraɫ] *(pl -ais* [-aiʃ]) *adj* rural(-e).

rush [ˈʀɛʃ] *m (Br)* heure *f* de pointe.

Rússia [ˈʀusjɐ] *f*: **a** ~ la Russie.

russo, a [ˈʀusu, -sɐ] *adj* russe. ♦ *m, f* Russe *mf*. ♦ *m (língua)* russe *m*.

rústico, ca [ˈʀuʃtiku, -kɐ] *adj* rustique.

S

S.A. *(abrev de Sociedade Anó-nima)* SA *f.*

sábado ['saβeđu] *m* samedi *m*; → **sexta-feira.**

sabão [se'βɐ̃u] *(pl -ões* [-õiʃ]*) m* savon *m.*

sabedoria [seβeđu'riɐ] *f* savoir *m.*

saber [se'βer] *m* savoir *m.* ◆ *vt & vi* savoir; ~ **fazer algo** savoir faire qqch; **fazer** ~ faire savoir; **não quero** ~ je ne veux pas le savoir; **não** ~ **nada** ne rien savoir; **sem** ~ sans le savoir; ~ **a** avoir un goût de; ~ **bem/mal** avoir bon/mauvais goût.
❏ **saber de** *v + prep (entender de)* s'y connaître en; *(ter conhecimento de)* connaître; **vir a** ~ **de algo** apprendre qqch.

sabiá [sa'bja] *f* grive *f.*

sabões → **sabão.**

sabonete [seβu'netə] *m* savonnette *f.*

saboneteira [seβunə'teirɐ] *f* porte-savon *m.*

sabor [se'βor] *(pl -es* [-əʃ]*) m (gosto)* goût *m; (aroma)* parfum *m.*

saborear [seβu'rjar] *vt* savourer; *(provar)* déguster.

sabotagem [seβu'taʒẽi] *(pl -ns* [-ʃ]*) f* sabotage *m.*

sabotar [seβu'tar] *vt* saboter.

sabugueiro [seβu'geiru] *m* sureau *m.*

saca ['sakɐ] *f* sac *m.*

sacar [sa'kar] *vt (Br: fam)* piger.

sacarina [seke'rinɐ] *f* saccharine *f.*

saca-rolhas [ˌsake'ʀoʎɐʃ] *m inv* tire-bouchon *m.*

sacarose [seke'rɔzə] *f* saccharose *m.*

sacerdote [sesɐr'đɔtə] *m* prêtre *m.*

sacho ['saʃu] *m* sarcloir *m.*

saciar [se'sjar] *vt (fome)* assouvir; *(sede)* étancher.
❏ **saciar-se** *vp* se rassasier.

saco ['saku] *m* sac *m;* ~ **de água quente** bouillotte *f;* ~ **de lixo** sac poubelle; ~ **de plástico** sac en plastique; ~ **de viagem** sac de voyage.

saco-cama [ˌsaku'kɐmɐ] *(pl sacos-cama* [ˌsakuʃ'kɐmɐ]*) m* sac *m* de couchage.

sacola [se'kɔlɐ] *f* sac *m.*

sacramento [sekre'mẽntu] *m* sacrement *m.*
❏ **sacramentos** *mpl* sacrements *mpl.*

sacrificar [sekrefi'kar] *vt* sacrifier.
❏ **sacrificar-se** *vp :* ~**-se por alguém** se sacrifier pour qqn.

sacrilégio [sekri'lɛʒju] *m* sacrilège *m.*

sacristia [sakrəʃ'tiɐ] *f* sacristie *f.*

sacro, cra ['sakru, -krɐ] *adj* sacré(-e).

sacudir [sɐku'ðir] *vt* secouer; *(rabo, cabeça)* remuer.

sádico, ca ['saðiku, -kɐ] *m, f* sadique *mf*.

sadio, dia [sa'ðiu, -'ðiɐ] *adj* sain(-e).

saem ['sajɐ̃i] → **sair**.

safio [sɐ'fiu] *m* congre *m*.

safira [sɐ'firɐ] *f* saphir *m*.

Sagitário [sɐʒi'tarju] *m* Sagittaire *m*.

sagrado, da [sɐ'graðu, -ðɐ] *adj* sacré(-e).

saguão [sɐ'gwɐ̃u] *(pl* **-ões** [-õiʃ]) *m* cour *f*.

sai ['sai] → **sair**.

saí [sɐ'i] → **sair**.

saia ['sajɐ] *f* jupe *f*.

saia-calça [.sajɐ'kaɫsɐ] *(pl* **saias-calça** [.sajɐʃ'kaɫsɐ]) *f* jupe-culotte *f*.

saída [sɐ'iðɐ] *f (de lugar)* sortie *f*; *(de autocarro, comboio)* départ *m*; *(de problema, situação)* issue *f*; *(profissional)* débouché *m*; '~ **de emergência**' 'sortie de secours', 'issue de secours'; **dar uma** ~ sortir; **estar de** ~ être sur le point de partir; **ter** ~ se vendre bien.

saio ['saju] → **sair**.

sair [sɐ'ir] *vi* sortir; *(partir)* partir; *(custar)* revenir; ~ **de** sortir de.
❑ **sair-se** *vp* : ~-**se bem/mal** bien/mal s'en sortir.

sais → **sal**.

saiu [sɐ'iu] → **sair**.

sal ['saɫ] *(pl* **sais** ['saiʃ]) *m* sel *m*; **sem** ~ sans sel; ~ **comum** OU **marinho** sel de mer; ~ **grosso** gros sel.
❑ **sais** *mpl (de cheirar, banho)* sels *mpl*; *(de fruta)* bicarbonate *m*.

sala ['salɐ] *f (de casa)* salon *m*; *(qualquer divisão)* salle *f*; ~ **de bingo** salle de bingo; ~ **de espera** salle d'attente; ~ **de estar** salon; ~ **de jantar** salle à manger; ~ **de jogos** salle de jeux.

salada [sɐ'laðɐ] *f* salade *f*; ~ **de alface** salade verte; ~ **de feijão-frade** *haricots blancs en salade*; ~ **de frutas** salade de fruits; ~ **mista** *salade mixte*; ~ **russa** salade russe; ~ **de tomate** salade de tomates.

saladeira [sɐlɐ'ðeirɐ] *f* saladier *m*.

salamandra [sɐlɐ'mɐ̃drɐ] *f* salamandre *f*.

salame [sɐ'lɐmə] *m* salami *m*.

salão [sɐ'lɐ̃u] *(pl* **-ões** [-õiʃ]) *m* salon *m*; *(de bailes)* salle *f*; ~ **de beleza** salon de beauté; ~ **de chá** salon de thé; ~ **de convívio** foyer *m*; ~ **de festas** salle des fêtes.

salário [sɐ'larju] *m* salaire *m*; ~ **mínimo** salaire minimum.

salário-família [sa.larjufa'miljɐ] *(pl* **salários-família** [sa.larjuʃfa'miljɐ]) *m (Br)* allocations *fpl* familiales.

saldar [saɫ'dar] *vt* solder.

saldo ['saɫðu] *m* solde *m*; **em** ~ en solde.
❑ **saldos** *mpl* soldes *mpl*.

salgadinhos [saɫgɐ'ðiɲuʃ] *mpl* petits gâteaux salés servis en apéritif.

salgado, da [saɫ'gaðu, -ðɐ] *adj* salé(-e).

salgueiro [saɫ'geiru] *m* saule *m*.

salientar [sɐljẽ'tar] *vt* souligner.
❑ **salientar-se** *vp* ressortir.

saliente [sɐ'ljẽtɐ] *adj* saillant(-e).

saliva [sɐ'livɐ] *f* salive *f*.

salmão [saɫ'mɐ̃u] *m* saumon *m*; ~ **fumado** saumon fumé.

salmonela [saɫmu'nɛlɐ] *f* salmonelle *f*.

salmonete [saɫmu'netɐ] *m* rouget *m*.

salmoura [saɫ'morɐ] *f* saumure *f*.

salões → salão.

saloio [sɐˈloju] *adj m* → **queijo.**

salpicão [saɫpiˈkɐ̃u] (*pl* **-ões** [-õiʃ]) *m (enchido) saucisson maigre, de couleur rouge; (prato) plat froid à base de poulet, de porc et de jambon coupés en fines lamelles macérées dans la sauce.*

salpicar [saɫpiˈkar] *vt (com água)* éclabousser; *(com açúcar)* saupoudrer.

salpicões → salpicão.

salsicha [saɫˈsiʃɐ] *f* saucisse *f.*

salsicharia [saɫsiʃɐˈriɐ] *f* charcuterie *f.*

saltar [saɫˈtar] *vt & vi* sauter; ~ **à vista** OU **aos olhos** sauter aux yeux.

salteado, da [saɫˈtjaðu, -ðɐ] *adj (interpolado)* dans le désordre; *(CULIN)* sauté(-e).

salto [ˈsaɫtu] *m* saut *m; (de calçado)* talon *m;* **dar um ~ a** faire un saut à; ~ **alto** talon haut; ~ **baixo** OU **raso** talon plat; ~ **em altura** saut en hauteur; ~ **em comprimento** *(Port)* saut en longueur; ~ **mortal** saut périlleux; ~ **à vara** *(Port)* saut à la perche.

salutar [sɐluˈtar] (*pl* **-es** [-əʃ]) *adj* salutaire.

salva [ˈsaɫvɐ] *f (planta)* sauge *f; (bandeja)* plateau *m;* ~ **de palmas** salve *f* d'applaudissements.

salvação [saɫvɐˈsɐ̃u] *f* salut *m.*

salvaguardar [ˌsaɫvɐɡwerˈðar] *vt* sauvegarder.

salvamento [saɫvɐˈmẽtu] *m* sauvetage *m.*

salvar [saɫˈvar] *vt* sauver; ~ **as aparências** sauver les apparences.

❏ **salvar-se** *vp* : ~**-se de** réchapper de.

salva-vidas [ˌsaɫvɐˈviðɐʃ] *m inv (Port)* canot *m* de sauvetage; *(Br)* maître-nageur *m.*

salvo, va [ˈsaɫvu, -vɐ] *pp* → **sal-**
var. ◆ *adj* sauf (sauve). ◆ *prep* sauf; **estar a** ~ être en sûreté; **pôr-se a** ~ se sauver; ~ **erro** sauf erreur; ~ **se** sauf si.

samba [ˈsɐ̃mbɐ] *m* samba *f.*

$\boxed{i}$ SAMBA

L a samba est dérivée du « batuque » des Africains et de leurs chorégraphies hardies. A la fois mélancolique et gaie, elle fait danser jusqu'aux plus rétifs. De ses origines à nos jours, on a vu apparaître toutes sortes de variétés de sambas comme la samba-canção (romantique), la samba-de-breque (satirique), le pagode (ronde), etc. La samba-enredo, des écoles de samba de Rio, raconte une histoire et anime le défilé du carnaval.

---

samba-canção [ˌsɐ̃mbɐkɐ̃ˈsɐ̃u] (*pl* **sambas-canções** [ˌsɐ̃mbɐʃkɐ̃ˈsõiʃ]) *m (tipo de samba) samba lente et sentimentale; (Br: fam : cueca)* caleçon *m.*

sambar [sɐ̃mˈbar] *vi* danser la samba.

sambista [sɐ̃mˈbiʃtɐ] *mf* danseur *m* (-euse *f*) de samba.

sambódromo [sɐ̃mˈbɔdrumu] *m* enceinte dans laquelle défilent les écoles de samba pendant le carnaval au Brésil.

sanatório [sɐnɐˈtɔrju] *m* sanatorium *m.*

sanção [sɐ̃ˈsɐ̃u] (*pl* **-ões** [-õiʃ]) *f* sanction *f.*

sandálias [sɐ̃ˈdaljɐʃ] *fpl* sandales *fpl.*

sande [ˈsɐ̃də] *f* = **sandes.**

sandes [ˈsɐ̃dəʃ] *f inv (Port)* sandwich *m;* ~ **mista** sandwich mixte.

sanduíche [sẽn'dwiʃǝ] *f (Port)* = **sande**. ◆ *m (Br)* = **sande**.

sanfona [sẽ'fonɐ] *f (Br)* accordéon *m*.

sangrar [sẽŋ'grar] *vi* saigner.

sangria [sẽŋ'griɐ] *f* sangria *f*.

sangue ['sẽŋgǝ] *m* sang *m*.

sangue-frio [ˌsẽŋgǝ'friu] *m* sang-froid *m*.

sanguessuga [ˌsẽŋgǝ'sugɐ] *f* sangsue *f*.

sanguíneo [sẽŋ'g(w)inju] *adj m* → **vaso**.

sanidade [sɐni'ðaðǝ] *f (higiene)* hygiène *f*; *(mental)* santé *f*.

sanita [sɐ'nitɐ] *f* cuvette *f (des W-C)*.

sanitários [sɐni'tarjuʃ] *mpl* W-C *mpl*.

Santo, ta ['sẽntu, -tɐ] *m, f* saint *m* (-e *f*); **o ~ Padre** le Saint-Père.

santola [sẽn'tɔlɐ] *f* araignée *f* de mer.

santuário [sẽn'twarju] *m* sanctuaire *m*.

são[1] ['sɐ̃u] → **ser**.

são[2]**, sã** ['sɐ̃u, 'sẽ] *adj* sain(-e); **~ e salvo** sain et sauf.

São [sɐ̃u] *m* = **Santo**.

São João do Porto [sɐ̃uˌʒwẽudu'portu] *m fête de la Saint-Jean à Porto.*

SÃO JOÃO DO PORTO

Le 24 juin, jour de la Saint-Jean, on fête le deuxième des trois saints populaires (saint Antoine, saint Jean et saint Pierre). Les fêtes des « Santos Populares » sont célébrées dans tout le pays et commencent la veille au soir pour se prolonger toute la journée du saint. Toutefois, dans certaines régions, on attache plus d'importance à l'un des saints, notamment à Porto où l'on fête plus particulièrement la Saint-Jean. Toute la ville y participe: les gens, munis de poireaux ou de marteaux de caoutchouc, avec lesquels ils frappent la tête des passants en signe d'affection, d'amitié et de loyauté - se dirigent en masse vers le quartier de la Ribeira. En chemin, la coutume veut que l'on chante, l'on mange des sardines, l'on boive du vin rouge et que l'on fraternise.

São Paulo [sɐ̃u'paulu] *s* São Paulo.

São Tomé e Príncipe [sɐ̃utuˌmɛi'prĩsipǝ] *s* São Tomé et Príncipe.

são-tomense [sɐ̃utu'mẽsǝ] *(pl* **são-tomenses** [sɐ̃utu'mẽsǝʃ]*) adj* de São Tomé et Príncipe. ◆ *mf* habitant *m* (-e *f*) de São Tomé et Príncipe.

sapataria [sɐpɐtɐ'riɐ] *f* magasin *m* de chaussures.

sapateado [sɐpɐ'tjaðu] *m* claquettes *fpl*.

sapateira [sɐpɐ'teirɐ] *f* tourteau *m*; → **sapateiro**.

sapateiro, ra [sɐpɐ'teiru, -rɐ] *m, f* cordonnier *m*.

sapatilhas [sɐpɐ'tiʎɐʃ] *fpl (Port:* ténis*)* tennis *mpl*; *(Br: de bailarinos)* chaussons *mpl*.

sapato [sɐ'patu] *m* chaussure *f*; **~s de salto alto** chaussures à talon.

sapé [sa'pɛ] *m (Br)* ≃ chaume *m*.

sapo ['sapu] *m* crapaud *m*.

saquinho [sɐ'kiɲu] *m* : **~ de chá** sachet *m* de thé.

sarampo [sɐ'rẽmpu] *m* rougeole *f*.

sarapatel [sɐrɐpɐ'tɛɫ] *(pl* **-éis** [-ɛiʃ]*) m* plat à base de sang et de

foie de porc frits mélangés avec des fruits secs.
sarar [se'rar] *vt & vi* guérir.
sarcasmo [ser'kaʒmu] *m* sarcasme *m*.
sarda ['sarðɐ] *f* tâche *f* de rousseur.
sardinha [ser'ðiɲɐ] *f (peixe)* sardine *f*; *(jogo)* jeu qui consiste à taper sur les mains de son adversaire avant qu'il ne les retire; ~ **assada** sardine grillée.

ℹ️ SARDINHA

Poisson que l'on trouve en abondance au large de la côte portugaise, il occupe depuis toujours une place d'honneur dans l'alimentation des Portugais. Autrefois considérée comme le mets des pauvres, la sardine est aujourd'hui appréciée de tous. On peut l'apprêter de diverses manières, mais la plus appréciée est la « sardinhada » (sardine grillée). En été, que ce soit lors des pèlerinages, des fêtes populaires ou au bord de la mer, on mange très fréquemment des sardines grillées accompagnées de pommes de terre, de poivrons grillés, de pain de maïs et de vin rouge. C'est d'ailleurs l'un des rares poissons qui se marie bien avec le vin rouge, la sardine ayant un goût très fort.

---

sardinhada [serði'naðɐ] *f* sardines *fpl* grillées.
sardinheira [serði'ɲeirɐ] *f* géranium *m*.
sargento [ser'ʒẽntu] *m* sergent *m*.
sarilho [se'riʎu] *m (situação difícil)* gros ennui *m*; *(confusão)* agitation *f*; **armar** ~ provoquer la ba-

garre; **estar metido num** ~ être dans de beaux draps; **meter-se em** ~**s** s'attirer des ennuis.
sarja ['sarʒɐ] *f* serge *m*.
sarjeta [ser'ʒetɐ] *f* caniveau *m*.
SARL *(abrev de* **Sociedade Anónima de Responsabilidade Limitada)** SARL *f*.
sarro ['saʀu] *m* tartre *m*.
satélite [se'tɛlitɐ] *m* satellite *m*.
sátira ['satirɐ] *f* satire *f*.
satisfação [setiʃfe'sɐ̃u] *(pl* -**ões** [-õiʃ]) *f (contentamento)* satisfaction *f*; **não dar satisfações a ninguém** ne rendre de comptes à personne; **pedir satisfações a alguém** demander des comptes à qqn.
satisfatório, ria [setiʃfe'tɔrju, -rjɐ] *adj* satisfaisant(-e).
satisfazer [setiʃfe'zer] *vt & vi* satisfaire.
❑ **satisfazer-se com** *vp* + *prep* se satisfaire de.
satisfeito, ta [setiʃfeitu, -tɐ] *adj* satisfait(-e); **dar-se por** ~ s'estimer heureux.
saudação [saudɐ'sɐ̃u] *(pl* -**ões** [-õiʃ]) *f* salutation *f*.
saudade [seu'daðɐ] *f* vague *m* à l'âme; **tenho** ~**s da família** la famille me manque; **deixar** ~**s** regretter; **matar** ~**s** se rattraper; **morro de** ~**s da comida da minha mãe** la cuisine de ma mère me manque terriblement.
saudar [sau'ðar] *vt* saluer.
saudável [sau'ðavɛɫ] *(pl* -**eis** [-ɐiʃ]) *adj* sain(-e).
saúde [se'uðɐ] *f* santé *f*. ◆ *interj* tchin(-tchin)!
sauna ['saunɐ] *f* sauna *m*.
saveiro [sa'veiru] *m* bateau *m* de pêche.
sável ['savɛɫ] *m* alose *f (poisson)*.
saxofone [saksɔ'fɔnɐ] *m* saxophone *m*.
scanner ['skɛnɛr] *(pl* -**es** [-əʃ]) *m* scanner *m*.

scooter ['skutɛr] (*pl* **-es** [-əʃ]) *f* scooter *m*.

s.d. *(abrev de* **sem data)** sans date.

se [sə] *pron* **1.** *(uso reflexo referindo-se a ele, ela, eles, elas)* se; *(você)* vous; *(vocês)* vous; **ele não ~ enganou** il ne s'est pas trompé; **eles perderam-~** ils se sont perdus; **vocês perderam-~** vous vous êtes perdus.

2. *(uso recíproco referindo-se a eles, elas)* se; *(vocês)* vous; **amam-~ ils s'aiment; escrevem-~ regularmente** ils s'écrivent régulièrement; **não ~ gramam** *(fam)* ils ne peuvent pas se sentir.

3. *(com sujeito indeterminado)* on; **vive-se melhor no campo** on vit mieux à la campagne; **'aluga-~ quarto'** 'chambre à louer'; **'trespassa-~'** 'bail à céder'.

♦ *conj* **1.** *(ger)* si; **~ tiver tempo, escrevo** si j'ai du temps, j'écrirai; **~ estás com fome, come alguma coisa** si tu as faim, mange qqch; **~ um é feio, o outro ainda é pior** si l'un est affreux, l'autre est encore pire; **que tal ~ tirássemos umas férias?** et si nous prenions des vacances?; **~ pelo menos não chovesse** si au moins il ne pleuvait pas; **avisem-me ~ vierem** prévenez-moi si vous venez; **perguntei-lhe ~ gostou** je lui ai demandé si ça lui a plu.

2. *(em locuções)*: **~ bem que** bien que.

sé ['sɛ] *f* cathédrale *f*.

sebe ['sɛbə] *f* haie *f*; **~ viva** haie vive.

sebenta [sə'bẽtɐ] *f (Port: em universidade)* ≃ polycopiés *mpl*; *(caderno)* cahier *m* de brouillon.

sebento, ta [sə'bẽtu, -tɐ] *adj* crasseux(-euse).

sebo ['sebu] *m* sébum *m*.

seca ['sɛkɐ] *f* sécheresse *f*; **ser uma ~** *(fam)* être rasoir. ♦ *mf*

(fam) : **ele é uma ~** il est rasoir; **que ~!** la barbe!

secador [səkɐ'ðor] (*pl* **-es** [-əʃ]) *m (de cabelo)* sèche-cheveux *m inv*.

seção [se'sẽu] (*pl* **-ões** [-õiʃ]) *f (Br)* = **secção**.

secar [sə'kar] *vt* faire sécher. ♦ *vi* sécher; *(rio, poço, lago)* assécher; **ficar horas a ~** *(Port: fam)* poireauter pendant des heures; **vou ~ o cabelo** je vais me sécher les cheveux.

secção [sɛk'sẽu] (*pl* **-ões** [-õiʃ]) *f (Port: repartição pública)* service *m*; *(de loja)* rayon *m*; **a ~ de perdidos e achados** les objets trouvés.

seco, ca ['seku, -kɐ] *pp* → **secar**. ♦ *adj* sec (sèche).

secretaria [səkrɐtɐ'riɐ] *f* secrétariat *m*; **~ de Estado** secrétariat d'État.

secretária [səkrɐ'tarjɐ] *f* bureau *m*; **~ eletrônica** *(Br)* répondeur *m* automatique, → **secretário**.

secretário, ria [səkrɐ'tarju, -rjɐ] *m, f* secrétaire *mf*; **~ de Estado** secrétaire d'État.

secreto, ta [sə'krɛtu, -tɐ] *adj* secret(-ète).

sectário, ria [sɛk'tarju, -rjɐ] *adj* sectaire.

sector [sɛ'tor] (*pl* **-es** [-əʃ]) *m (Port: ramo de actividade)* secteur *m*; *(secção de empresa)* service *m*.

secular [səku'lar] (*pl* **-es** [-əʃ]) *adj* séculaire.

século ['sɛkulu] *m* siècle *m*.

secundário, ria [səkũ'darju, -rjɐ] *adj* secondaire.

seda ['seðɐ] *f* soie *f*.

sedativo [səðɐ'tivu] *m* sédatif *m*.

sede¹ ['seðɐ] *f (de empresa)* siège *m* social; *(de organização)* siège *m*.

sede² ['sɛðɐ] *f* soif *f*; **matar a ~** étancher sa soif; **ter ~ de** avoir soif de.

sedimento [sǝđi'mẽntu] *m* sédiment *m*.

sedoso, osa [sǝ'đozu, -ɔzɐ] *adj* soyeux(-euse).

sedução [sǝđu'sɐu] (*pl* **-ões** [-õiʃ]) *f* séduction *f*.

sedutor, ra [sǝđu'tor, -rɐ] (*mpl* **-es** [-ǝʃ], *fpl* **-s** [-ʃ]) *adj* séduisant(-e).

seduzir [sǝđu'zir] *vt* séduire.

segmento [sɛg'mẽntu] *m* segment *m*.

segredo [sǝ'gređu] *m* secret *m*.

segregar [sǝgrǝ'gar] *vt* (*pôr de lado*) mettre à l'écart, isoler; (*secreção*) sécréter.
❑ **segregar-se** *vp* s'isoler.

seguida [sǝ'giđɐ] *f*: **em** OU **de** ~ ensuite.

seguidamente [sǝ̦giđɐ'mẽntǝ] *adv* (*sem interrupção*) d'affilée; (*de seguida*) ensuite.

seguido, da [sǝ'giđu, -đɐ] *adj* suivi(-e); ~ **de** suivi de.

seguinte [sǝ'gĩntǝ] *adj* suivant(-e). ◆ *mf*: **o/a** ~ le suivant/la suivante; **o dia** ~ le lendemain; **o mês** ~ le mois d'après.

seguir [sǝ'gir] *vt* suivre; (*carreira, profissão*) faire. ◆ *vi* continuer; ~ **com algo para a frente** mener qqch à bien; ~ **para** continuer vers; **siga pela esquerda/direita** prenez à gauche/à droite; **a** ~ ensuite.

segunda-feira [sǝ̦gũndɐ'feirɐ] (*pl* **segundas-feiras** [sǝ̦gũndɐʃ'feirɐʃ]) *f* lundi *m*; → **sexta-feira**.

segunda [sǝ'gũndɐ] *f* deuxième *f* (*vitesse*).

segundo, da [sǝ'gũndu, -đɐ] *num* second(-e). ◆ *m* seconde *f*. ◆ *prep* d'après. ◆ *adv* deuxièmement; **em segunda mão** d'occasion; → **sexto**.

seguramente [sǝ̦gurɐ'mẽntǝ] *adv* sûrement.

segurança [sǝgu'rɐ̃sɐ] *f* sécurité *f*; (*certeza*) assurance *f*; **a Segurança Social** la sécurité sociale; **com** ~ avec assurance; **em** ~ en sécurité.

segurar [sǝgu'rar] *vt* (*coisa*) tenir; (*pessoa*) retenir.

seguro, ra [sǝ'guru, -rɐ] *adj* (*sem riscos, firme*) sûr(-e); (*preso*) attaché(-e); (*a salvo*) en sûreté; (*garantido*) assuré(-e). ◆ *m* assurance *f*; **estar** ~ (*estar a salvo*) être en sécurité; (*ter certeza*) être sûr; **pôr no** ~ assurer; **ser** ~ **de si** être sûr de soi; ~ **de doença** (*Port*) assurance maladie; ~ **contra terceiros** assurance au tiers; ~ **contra todos os riscos** assurance tous risques; ~ **de responsabilidade civil** responsabilité civile; ~ **de viagem** assurance voyage.

seguro-saúde [sɛ̦gurusa'uđʒi] (*pl* **seguros-saúde** [sɛ̦guruʃsa'uđʒi]) *m* (*Br*) assurance *f* maladie.

sei ['sɐi] → **saber**.

seio ['sɐju] *m* sein *m*.

seis ['sɐiʃ] *adj num, pron num* & *m* six; (*dia*) le six. ◆ *mpl* six. ◆ *fpl*: **às** ~ à six heures; **ele tem** ~ **anos** il a six ans; **eles eram** ~ ils étaient six; **são** ~ **horas** il est six heures; ~ **de Janeiro** le six janvier; **página** ~ page six; **trinta e** ~ trente-six; **o** ~ **de copas** le six de cœur; **de** ~ **em** ~ **dias** tous les six jours; **empataram a** ~ (ils ont fait) six partout; ~ **a zero** six à zéro.

seiscentos, tas [sɐiʃ'sẽntuʃ, -tɐʃ] *num* six cents; → **seis**.

seita ['sɐitɐ] *f* secte *f*.

seiva ['sɐivɐ] *f* sève *f*.

seixo ['sɐiʃu] *m* caillou *m*.

sela ['sɛlɐ] *f* selle *f*.

selar [sǝ'lar] *vt* seller; (*carta, subscrito*) cacheter.

seleção [sele'sɐu] *f* (*Br*) = **selecção**.

selecção [sǝlɛ'sɐu] *f* (*Port*)

(escolha) sélection f; *(em desporto)* équipe f nationale.

seleccionar [sələsju'nar] *vt (Port)* sélectionner.

selecionar [selesjo'nax] *vt (Br)* = **seleccionar**.

selecto, ta [sə'lɛtu, -tɐ] *adj (Port)* chic *(inv)*.

seleto, ta [se'lɛtu, -tɐ] *adj (Br)* = **selecto**.

self-service [sɛlf'sɛrvis] *(pl* **self-services** [sɛlf'sɛrvisəʃ]) *m* self-service *m*.

selim [sə'lĩ] *(pl* **-ns** [-ʃ]) *m* selle f.

selo ['selu] *m* timbre *m*; ~ **de garantia** label *m* (de qualité).

selva ['sɛlvɐ] f jungle f.

selvagem [sɛl'vaʒẽi] *(pl* **-ns** [-ʃ]) *adj & mf* sauvage.

sem [sẽi] *prep* sans; **estar** ~ **água/gasolina** ne plus avoir d'eau/d'essence; **estar** ~ **fazer nada** ne rien avoir à faire; ~ **que** sans que; ~ **mais nem menos** comme ça, sans raison.

sem-abrigo [sẽjɐ'brigu] *mf inv* sans-abri *mf inv*.

semáforos [sə'mafuruʃ] *mpl* feu *m* rouge.

semana [sə'mɐnɐ] f semaine f; ~ **a** ~ de semaine en semaine; **por** ~ par semaine; **a Semana Santa** la semaine sainte.

semanada [səmɐ'nadɐ] f argent *m* de poche.

semanal [səmɐ'naɫ] *(pl* **-ais** [-aiʃ]) *adj* hebdomadaire.

semblante [sẽm'blɐ̃ntɐ] *m* air *m (apparence)*.

semear [sə'mjar] *vt* semer.

semelhança [səmə'ʎɐ̃sɐ] f ressemblance f; **à** ~ **de** de la même manière que.

semelhante [səmə'ʎɐ̃ntɐ] *adj* semblable; ~ **a** semblable à.

sémen ['sɛmɛn] *m* sperme *m*.

semente [sə'mẽntɐ] f graine f, semence f.

semestral [səmə'traɫ] *(pl* **-ais** [-aiʃ]) *adj* semestriel(-elle).

semestre [sə'mɛʃtrə] *m* semestre *m*.

seminário [səmi'narju] *m* séminaire *m*.

sêmola ['semulɐ] f semoule f.

semolina [səmu'linɐ] f farine f de semoule.

sempre ['sẽmprɐ] *adv (o tempo todo)* toujours; *(afinal)* finalement; **o mesmo de** ~ comme d'habitude; **como** ~ comme toujours; **para** ~ pour toujours; ~ **que** chaque fois que.

sempre-viva [ˌsẽmprɐ'vivɐ] *(pl* **sempre-vivas** [ˌsẽmprɐ'vivɐʃ]) f immortelle f.

sem-vergonha [sẽivɐr'goɲɐ] *mf inv* sans-gêne *mf inv*.

sena ['senɐ] f six *m (de carreau, trèfle, pique, cœur)*.

senado [sə'nadu] *m (no Brasil)* sénat *m*.

senão [sə'nɐ̃u] *conj* sinon.

senha ['sɐɲɐ] f ticket *m*; ~ **de autocarro** ticket de bus; ~ **de cantina** ticket de cantine; ~ **de saída** contremarque f.

senhor, ra [sə'ɲor, -rɐ] *(mpl* **-es** [-əʃ], *fpl* **-s** [-ʃ]) *m, f* monsieur *m* (madame f); **'senhoras'** 'dames'.

senhorio, ria [səɲu'riu, -'riɐ] *m, f* propriétaire *mf*.

senil [sə'niɫ] *(pl* **-is** [-iʃ]) *adj* sénile.

sensação [sẽsɐ'sẽu] *(pl* **-ões** [-õiʃ]) f sensation f; **causar** ~ faire sensation.

sensacional [sẽsɐsju'naɫ] *(pl* **-ais** [-aiʃ]) *adj* sensationnel(-elle).

sensações → **sensação**.

sensato, ta [sẽ'satu, -tɐ] *adj* sensé(-e).

sensível [sẽ'sivɛɫ] *(pl* **-eis** [-ɐiʃ]) *adj* sensible.

senso ['sẽsu] *m* sens *m*; **bom** ~

bon sens; ~ **comum** sens commun; ~ **prático** sens pratique.

sensual [sē'swał] (*pl* **-ais** [-aiʃ]) *adj* sensuel(-elle).

sentado, **da** [sēn'tađu, -đɐ] *adj* assis(-e).

sentar-se [sēn'tarsə] *vp* s'asseoir.

sentença [sēn'tēsə] *f* sentence *f*.

sentido, **da** [sēn'tiđu, -đɐ] *adj* (*melindrado*) froissé(-e); (*magoado*) blessé(-e). ◆ *m* sens *m*; **fazer** ~ avoir un sens; **em certo** ~ dans un sens; ~ **proibido** (*Port*) sens interdit; ~ **único** sens unique.

sentimental [sēntimēn'tał] (*pl* **-ais** [-aiʃ]) *adj* sentimental(-e).

sentimento [sēnti'mēntu] *m* sentiment *m*; **os meus ~s!** toutes mes condoléances!

sentinela [sēnti'nɛlɐ] *mf* sentinelle *f*; **estar de** ~ faire le guet.

sentir [sēn'tir] *vt* : **sinto frio** j'ai froid; ~ **raiva** être en colère; **sinto muito!** je suis désolé!; **sinto falta dele** il me manque; ~ **vontade de fazer algo** avoir envie de faire qqch.

❏ **sentir-se** *vp* se sentir; **sinto-me mal** je me sens mal.

separação [sɐpɐrɐ'sēu] (*pl* **-ões** [-õiʃ]) *f* séparation *f*.

separado, **da** [sɐpɐ'rađu, -đɐ] *adj* séparé(-e); **em** ~ séparément.

separar [sɐpɐ'rar] *vt* séparer.

❏ **separar-se** *vp* se séparer.

septuagésimo, **ma** [sɛptwɐ-'ʒɛzimu, -mɐ] *num* soixante-dixième; → **sexto**.

sepultar [sɐpuł'tar] *vt* enterrer.

sepultura [sɐpuł'turɐ] *f* (*cova*) sépulture *f*; (*túmulo*) tombe *f*.

sequência [sə'kwēsjɐ] *f* (*Port*) suite *f*; **na** ~ **de** à la suite de.

seqüência [se'kwēsjɐ] *f* (*Br*) = sequência.

sequer [sə'kɛr] *adv* : **nem** ~

même pas; **ele nem** ~ **protestou** il n'a même pas protesté.

sequestrador, **ra** [səkəʃtrɐ'-đor, -rɐ] (*mpl* **-es** [-əʃ], *fpl* **-s** [-ʃ]) *m*, *f* (*Port*) ravisseur *m* (-euse *f*).

sequestrar [səkəʃ'trar] *vt* (*Port*) (*raptar*) enlever; (*fechar*) séquestrer.

seqüestrar [sekweʃ'trax] *vt* (*Br*) = sequestrar.

sequestro [sə'kwɛʃtru] *m* (*Port*) (*rapto*) enlèvement *m*; (*clausura*) séquestration *f*.

seqüóia [sə'kwɔjɐ] *f* séquoia *m*.

ser ['ser] (*pl* **-es** [-əʃ]) *m* (*criatura*) être *m*; **o** ~ **humano** l'être humain.

◆ *vi* **1.** (*ger*) être; **é demasiado longo** c'est trop long; **são bonitos** ils sont beaux; **sou médico** je suis médecin; **ele é do Brasil** il est du Brésil; **é no Porto** c'est à Porto; **sou portuguesa** je suis portugaise; **quanto é?** c'est combien?; **são mil escudos** mille escudos; **hoje é sexta** aujourd'hui, on est vendredi; **que horas são?** quelle heure est-il?; **são seis horas** il est six heures; **é do Paulo** c'est à Paulo; **este carro é seu?** cette voiture est à vous?; **os livros eram meus** les livres étaient à moi.

2. (*em locuções*): **a não** ~ **que** à moins que; **que foi?** qu'y a-t-il?; **ou seja** c'est-à-dire; **será que...?** est-ce que...?

◆ *v aux* être; **foi visto à saída do cinema** il a été vu à la sortie du cinéma.

◆ *v impess* être; **é de dia/noite** il fait jour/nuit; **é tarde/cedo** il est tard/tôt; **é difícil de dizer** c'est difficile à dire; **é fácil de ver** c'est facile à voir.

❏ **ser de** *v + prep* (*matéria*) être en; (*ser adepto de*) être pour.

❏ **ser para** *v + prep* (*servir para, ser adequado para*) servir à; **isto**

não é para comer agora ce n'est pas pour manger maintenant.
serão [sə'rɐ̃u] (pl -ões [-õiʃ]) m veillée f; **fazer ~** veiller.
sereia [sə'rɐjɐ] f sirène f.
serenar [sərə'nar] vt apaiser. ◆ vi s'apaiser; (vento) se calmer.
serenata [sərə'natɐ] f sérénade f.
seres → ser.
seresta [se'rɛʃtɐ] f (Br) = serenata.
seriado [se'rjadu] m (Br) série f télévisée.
série ['sɛrjə] f série f; (de bilhetes de metro) carnet m; **uma ~ de** une série de.
seriedade [sərje'ðaðə] f sérieux m.
seringa [sə'rĩŋgə] f seringue f.
seringueira [sərĩŋ'geirə] f hévéa m.
sério, ria ['sɛrju, -rjɐ] adj sérieux(-euse). ◆ adv : **a ~?** sérieusement?; **a ~!** sérieusement!; **levar** OU **tomar a ~** prendre au sérieux.
sermão [sər'mɐ̃u] (pl -ões [-õiʃ]) m sermon m.
serões → serão.
seronegativo, va [sɛrɔnəgɐ'tivu, -vɐ] adj (Port) séronégatif(-tive).
seropositivo, va [sɛrɔpu'zi'tivu, -vɐ] adj (Port) séropositif(-tive).
serpente [sər'pɛ̃tɐ] f serpent m.
serpentina [sɐrpɛ̃'tinɐ] f serpentin m.
serra ['sɛrɐ] f (instrumento) scie f; (em geografia) montagne f.
serrabulho [sɐrɐ'buʎu] m plat à base de sang et de viande de porc frits.
serralheiro [sɐrɐ'ʎeiru] m serrurier m.
serrar [sə'rar] vt scier.

sertã [sər'tɐ̃] f (Port) poêle f.
sertanejo, ja [sərtɐ'neiʒu, -ʒɐ] adj du sertão.
sertão [sər'tɐ̃u] m sertão m.
servente [sər'vɛ̃tɐ] m apprenti m maçon.
serventia [sərvɛ̃'tiɐ] f (préstimo) utilité f; (de casa, edifício, terreno) chemin m d'accès.
serviço [sər'visu] m service m; (trabalho) travail m; **'fora de ~'** 'hors service'; **'~ incluído'** 'service compris'; **~ cívico** service civil; **os ~s** les services (secteur tertiaire).
servil [sər'vił] (pl -is [-iʃ]) adj servile.
servir [sər'vir] vt servir. ◆ vi servir; (roupa, calçado) aller; **em que posso servi-lo?** en quoi puis-je vous être utile?; **~ de algo** servir de qqch.
❏ **servir-se** vp se servir.
❏ **servir-se de** vp + prep se servir de.
servis → servil.
sessão [sə'sɐ̃u] (pl -ões [-õiʃ]) f séance f; (de debate político, científico) session f.
sessenta [sə'sẽtɐ] num soixante; → seis.
sessões → sessão.
sesta ['sɛʃtɐ] f sieste f.
seta ['sɛtɐ] f flèche f.
sete ['sɛtɐ] num sept; → seis.
setecentos, tas [sɛtɐ'sẽtuʃ, -tɐʃ] num sept cents; → seis.
setembro [se'tẽbru] m (Br) = Setembro.
Setembro [sə'tẽbru] m (Port) septembre m; **durante o mês de ~** au mois de septembre; **em ~** en septembre; **em meados de ~** à la mi-septembre; **este mês de ~** le mois de septembre; **no passado/próximo mês de ~** en septembre dernier/prochain; **no princípio/final de ~** début/fin septembre; **o um de ~** le 1er septembre.

setenta [sə'tẽntɐ] *num* soixante-dix; → **seis**.

sétimo, ma ['sɛtimu, -mɐ] *num* septième; → **sexto**.

setor [se'tox] (*pl* **-es** [-iʃ]) *m* (*Br*) = **sector**.

seu, sua ['seu, 'suɐ] *adj* **1.** (*dele, dela, de coisa, animal*) son (sa). **2.** (*deles, delas*) leur. **3.** (*de você*) votre.

◆ *pron* : **o ~/a sua** (*dele, dela*) le sien (la sienne); (*deles, delas*) le leur (la leur); **isto é ~?** (*dele*) c'est à lui?; (*dela*) c'est à elle?; (*deles, delas*) c'est à eux/à elles?; (*de você*) c'est à vous?; **um amigo ~** (*dele, dela*) un de ses amis; (*deles, delas*) un de leurs amis; (*de você*) un de vos amis; **os ~s** (*a família de cada um*) les siens.

◆ *m, f* **1.** (*pej: forma de tratamento*) espèce *f* de; **~ estúpido!** espèce d'imbécile!; **~s irresponsáveis!** bande d'irresponsables! **2.** (*com malícia*): **~ malandreco!** petit vaurien!; **sua danadinha!** petite coquine!

severidade [səvəri'ðaðə] *f* sévérité *f*.

severo, ra [sə'vɛru, -rɐ] *adj* sévère.

sexagésimo, ma [sɛksɛ-'ʒɛzimu, -mɐ] *num* soixantième; → **sexto**.

sexo ['sɛksu] *m* sexe *m*.

sexta-feira [,sɐiʃtɐ'fɐirɐ] (*pl* **sextas-feiras** [,sɐiʃtɐʃ'fɐirɐʃ]) *f* vendredi *m*; **às sextas-feiras** le vendredi; **até ~** à vendredi; **ela vem ~** elle vient vendredi; **esta ~** vendredi; **hoje é ~** aujourd'hui nous sommes vendredi; **todas as sextas-feiras** tous les vendredis; **~ de manhã/à tarde/à noite** vendredi matin/après-midi/soir; **~ 13 de Junho** (le) vendredi 13 juin; **~ passada** vendredi dernier; **~ que vem** vendredi prochain; **a Sexta-Feira Santa** le vendredi saint.

sexto, ta ['sɐiʃtu, -tɐ] *adj num & pron* sixième. ◆ *m* sixième *m*. ◆ *m, f*: **o ~/a sexta** le/la sixième; **chegar em ~** arriver sixième; **capítulo ~** chapitre six; **em ~ lugar** en sixième; **no ~ dia** le sixième jour; **a sexta parte** le sixième.

sexual [sɛk'swaɫ] (*pl* **-ais** [-aiʃ]) *adj* sexuel(-elle).

sexualidade [sɛksweli'ðaðə] *f* sexualité *f*.

sexy ['sɛksi] *adj* sexy.

s.f.f. (*abrev de* **se faz favor**) SVP.

shopping ['ʃɔpĩ] *m* centre *m* commercial.

short ['ʃɔrtʃi] *m* (*Br*) short *m*.

show ['ʃou] *m* spectacle *m*.

si ['si] *pron* (*ele, coisa, animal*) lui; (*ela*) elle; (*Port: fml: você*) vous; (*eles, elas*) eux (elles); (*impessoal*) soi; (*Br: fam: você*) vous; **falar para ~** parler tout seul; **estar fora de ~** être hors de soi; **voltar a ~** revenir à soi; **cheio de ~** imbu de sa personne; **em ~** en soi; **entre ~** entre eux/elles; **para ~** pour lui/elle/eux/elles; **por ~ só** (*sem ajuda*) tout seul (toute seule); (*isoladamente*) en soi; **~ mesmo** OU **próprio** lui-même; **~ mesma** elle-même; **~ mesmos** eux-mêmes.

SIDA ['siðɐ] *f* (*Port*) SIDA *m*.

siderurgia [si'ðərur'ʒiɐ] *f* sidérurgie *f*.

sido ['siðu] *pp* → **ser**.

sidra ['siðrɐ] *f* cidre *m*.

sífilis ['sifəliʃ] *f* syphilis *f*.

sigilo [si'ʒilu] *m* secret *m*.

sigla ['siglɐ] *f* sigle *m*.

significado [signəfi'kaðu] *m* signification *f*.

significar [signəfi'kar] *vt* signifier.

significativo, va [signəfi-kɐ'tivu, -vɐ] *adj* significatif(-ive); (*quantidade*) important(-e).

signo ['signu] *m* signe *m*.
sigo ['sigu] → **seguir**.
sílaba ['silɐbɐ] *f* syllabe *f*.
silenciar [silẽ'sjar] *vt (pessoa)* faire taire; *(detalhe, assunto)* passer sous silence.
silêncio [si'lẽsju] *m* silence *m*. ◆ *interj* silence!
silencioso, osa [silẽ'sjozu, -ɔzɐ] *adj* silencieux(-euse).
silhueta [si'ʎwetɐ] *f* silhouette *f*.
silicone [sili'kɔnə] *m* silicone *m*.
silva ['siɫvɐ] *f* ronce *f*.
silvestre [siɫ'vɛʃtrə] *adj* sauvage.
sim ['sĩ] *adv* oui; **penso que ~** oui, je pense; **pelo ~ pelo não** au cas où.
símbolo ['sĩmbulu] *m* symbole *m*.
simetria [simə'triɐ] *f* symétrie *f*.
similar [simi'lar] (*pl* **-es** [-əʃ]) *adj* similaire.
simpatia [sĩmpɐ'tiɐ] *f* sympathie *f*.
simpático, ca [sĩm'patiku, -kɐ] *adj* sympathique.
simpatizante [sĩmpɐti'zẽntə] *adj* sympathisant(-e).
simpatizar [sĩmpɐti'zar]: **simpatizar com** *v + prep* trouver sympathique.
simples ['sĩmpləʃ] *adj inv* simple; *(bebida)* nature; **~ masculina/feminina** *(Br)* simple messieurs/dames.
simplicidade [sĩmpləsi'đađə] *f* simplicité *f*.
simplificar [sĩmpləfi'kar] *vt* simplifier.
simular [simu'lar] *vt* simuler.
simultaneamente [simuɫˌtɐnjɐ'mẽntə] *adv* simultanément.
simultâneo, nea [simuɫ'tɐnju, -njɐ] *adj* simultané(-e); **em ~** en simultané.
sinagoga [sinɐ'gɔgɐ] *f* synagogue *f*.
sinal [si'naɫ] (*pl* **-ais** [-aiʃ]) *m (símbolo, marca)* signe *m*; *(indicação)* signal *m*; *(em pele)* grain *m* de beauté; *(dinheiro)* acompte *m*; *(de trânsito)* panneau *m*; **dar ~ de si** reprendre connaissance; *(dar notícias)* donner signe de vie; **em ~ de** en signe de; **nem ~** aucune nouvelle; **~ de alarme** signal d'alarme; **~ horário** carillon *m*; **estar a dar ~ de interrompido** OU **de ocupado** sonner occupé.
sinalização [sinɐlizɐ'sɐ̃u] *f* signalisation *f*.
sinceridade [sĩsəri'đađə] *f* sincérité *f*.
sincero, ra [sĩ'sɛru, -rɐ] *adj* sincère.
sindicato [sĩndi'katu] *m* syndicat *m*.
síndico ['sĩndʒiku] *m (Br)* syndic *m*.
síndrome ['sĩdrumə] *f* syndrome *m*.
sinfonia [sĩfu'niɐ] *f* symphonie *f*.
sinfónica [sĩ'fɔnikɐ] *adj f* → **música**.
singelo, la [sĩ'ʒɛlu, -lɐ] *adj* simple *(modeste)*.
single ['sĩŋgəɫ] *m (Port)* 45 tours *m*.
singular [sĩŋgu'lar] (*pl* **-es** [-əʃ]) *adj (único)* particulier(-ère); *(extraordinário)* singulier(-ère); *(GRAM)* singulier. ◆ *m* singulier *m*; **~es homens/mulheres** *(Port)* simple messieurs/dames.
sino ['sinu] *m* cloche *f*.
sinónimo [si'nɔnimu] *m (Port)* synonyme *m*.
sinônimo [si'nonimu] *m (Br)* = **sinónimo**.
sintaxe [sĩn'tasə] *f* syntaxe *f*.
síntese ['sĩntəzə] *f (resumo)* synthèse *f*.

sintético, ca [sĩn'tɛtiku, -kɐ] *adj* synthétique.

sintoma [sĩn'tomɐ] *m* symptôme *m*.

sintonizar [sĩntuni'zar] *vt* régler.

Sintra ['sĩntrɐ] *s* Sintra.

ℹ SINTRA

Située à 40 kilomètres de Lisbonne, au pied du massif de Sintra, cette ville se trouve dans une zone aux paysages d'une beauté rare, pleine de bois aux essences exotiques. Dans un décor d'une grande richesse naturelle, Sintra a été classée patrimoine mondial car elle regorge de monuments importants, comme le palais royal, fantastique palais da Pena, le monastère des Capucins et le palais de Monserrat. La construction du palais royal a été entreprise à la demande de Jean Iᵉʳ et on y trouve la plus importante collection d'azulejos mudéjars, art né de la rencontre de l'islam et du christianisme.

---

sinuca [si'nukɐ] *f (Br)* snooker *m*, billard *m* américain.

sinuoso, osa [si'nwozu, -ɔzɐ] *adj* sinueux(-euse).

sirene [si'rɛnɐ] *f* sirène *f (alarme)*.

siri [si'ri] *m* petit crabe *m*.

sirvo ['sirvu] → **servir**.

sísmico ['siʒmiku] *adj m* → **abalo**.

siso ['sizu] *m* sagesse *f*.

sistema [siʃ'temɐ] *m* système *m*; ~ **métrico** système métrique; ~ **nervoso** système nerveux; **por** ~ par principe.

sistemático, ca [siʃtɐ'matiku, -kɐ] *adj* systématique.

sisudo, da [si'zuðu, -ðɐ] *adj* sérieux(-euse).

sítio ['sitju] *m* endroit *m*; *(Br: chácara)* ferme *f*; **arranjar** ~ trouver de la place.

situação [sitwɐ'sɐu] *(pl* -**ões** [- õiʃ]) *f* situation *f*.

situado, da [si'twaðu, -ðɐ] *adj* : **bem/mal** ~ bien/mal situé; ~ **em** situé dans; ~ **em Lisboa** situé à Lisbonne; ~ **a norte/oeste** situé au nord/à l'ouest.

situar [si'twar] *vt* situer.
❑ **situar-se** *vp* se situer.

s/l = **sobreloja**.

slide [s'laidɐ] *m* diapositive *f*.

slip ['slipɐ] *m (Port)* slip *m*.

slogan ['slougɐ̃n] *m* slogan *m*.

smoking ['smokĩŋ] *m* smoking *m*.

snack-bar [snɛk'bar] *(pl* **snack-bares** [snɛk'barɐʃ]) *m* snack-bar *m*.

snooker ['snukɛr] *m (Port)* snooker *m*, billard *m* américain.

SO *(abrev de* **Sudoeste)** S-O.

só ['sɔ] *adj* seul(-e). ♦ *adv* seulement; **é** ~ **pedir!** il suffit de demander!; **um** ~ un seul; **a** ~**s** en tête à tête; **não** ~... **como também...** non seulement... mais aussi...; ~ **que** seulement.

soalheiro, ra [swɐ'ʎeiru, -rɐ] *adj* ensoleillé(-e).

soalho ['swaʎu] *m* plancher *m*.

soar ['swar] *vt & vi* sonner; ~ **bem/mal** sonner juste/faux.

sob ['soβɐ] *prep* sous.

sobe ['sɔβɐ] → **subir**.

soberania [suβɐrɐ'niɐ] *f* souveraineté *f*.

soberano, na [suβɐ'renu, -nɐ] *adj* souverain(-e).

soberbo, ba [su'βerbu, -βɐ] *adj (sumptuoso)* superbe; *(fam : avaro)* mesquin(-e).

sobrado [su'braðu] *m* plancher *m*.

sobrancelha [suˌbrẽ'seʎɐ] f sourcil m.

sobrar [su'brar] vi rester.

sobre ['sobrə] prep (em cima de, acerca de) sur; (por cima de) au-dessus de.

sobreaviso [suˌbrie'vizu] m : **estar** OU **ficar de** ~ être sur le qui-vive.

sobrecarga [suˌbrə'kargɐ] f sur-charge f.

sobrecarregar [suˌbrəkɐrɐ'gar] vt : ~ **alguém com algo** sur-charger qqn de qqch.

sobreloja [suˌbrɐ'lɔʒɐ] f entresol m.

sobremesa [suˌbrɐ'mezɐ] f des-sert m.

sobrenatural [ˌsobrɐnɐtu'rał] (pl -ais [-ajʃ]) adj surnaturel(-elle).

sobrenome [sobri'nomi] m (Br) nom m de famille.

sobrepor [suˌbrɐ'por] vt : ~ **algo a algo** superposer qqch à qqch; (fig: preferir) faire passer qqch avant qqch.
□ **sobrepor-se** vp se superposer.

sobrescrito [suˌbrɐʃ'kritu] m enveloppe f.

sobressair [suˌbrɐsɐ'ir] vi res-sortir.

sobressaltar [suˌbrɐsał'tar] vt faire peur.
□ **sobressaltar-se** vp sursauter.

sobressalto [suˌbrɐ'sałtu] m (susto) sursaut m; (inquietação) inquiétude f.

sobretaxa [ˌsobrɐ'taʃɐ] f sur-taxe f.

sobretudo [suˌbrɐ'tuðu] m par-dessus m. ◆ adv surtout.

sobrevivência [suˌbrɐvi'vẽsjɐ] f survie f; (de tradição) survivance f.

sobrevivente [suˌbrɐvi'vẽtɐ] mf survivant m (-e f).

sobreviver [suˌbrɐvi'ver] vi sur-vivre.

sobriedade [suˌbrie'ðaðɐ] f sobriété f.

sobrinho, nha [su'briɲu, -ɲɐ] m, f neveu m (nièce f).

sóbrio, bria ['sɔbriu, -briɐ] adj sobre.

social [su'sjał] (pl -ais [-ajʃ]) adj social(-e).

socialismo [susjɐ'liʒmu] m socialisme m.

socialista [susjɐ'liʃtɐ] adj & mf socialiste.

sociedade [susjɐ'ðaðɐ] f société f.

sócio, cia ['sɔsju, -sjɐ] m, f asso-cié m (-e f).

sociologia [susjulu'ʒiɐ] f socio-logie f.

sociólogo, ga [su'sjɔlugu, -gɐ] m, f sociologue mf.

soco ['soku] m coup m de poing.

socorrer [suku'rer] vt secourir.
□ **socorrer-se de** vp + prep (re-correr a) recourir à.

socorrismo [suku'riʒmu] m secourisme m.

socorro [su'koru] m secours m. ◆ interj au secours!; **pedir** ~ appe-ler à l'aide.

socos ['sɔkuʃ] mpl sabots mpl.

soda ['sɔdɐ] f (bicarbonato de soda) soude f; (bebida) soda m.

sofá [su'fa] m canapé m; ~ **cama** canapé-lit m.

sofisticado, da [sufiʃti'kaðu, -ðɐ] adj sophistiqué(-e).

sofrer [su'frer] vt (acidente) être victime de; (revés) essuyer; (abalo, susto, decepção) avoir; (perda, humilhação) subir. ◆ vi souffrir.

sofrimento [sufri'mẽtu] m souffrance f.

software ['sɔftwɛrɐ] m logiciel m.

sogro, sogra ['sogru, 'sɔgrɐ] m, f beau-père m (belle-mère f).

soirée [swa're] f soirée f.

sóis → sol.

soja ['sɔʒɐ] f soja m.

sol ['sɔł] (pl **sóis** ['sɔiʃ]) m (astro)
soleil m; (em praça de touros) place
située du côté de l'arène exposé au
soleil.

sola ['sɔlɐ] f semelle f.

solar [su'lar] (pl **-es** [-əʃ]) adj solaire. ♦ m manoir m.

soldado [soł'ðaðu] m soldat m.

soleira [su'leirɐ] f seuil m.

solene [su'lɛnɐ] adj solen-
nel(-elle).

soletrar [sulə'trar] vt épeler.

solha ['soʎɐ] f limande f.

solicitar [sulisi'tar] vt solliciter.

solícito, ta [su'lisitu, -tɐ] adj
prévenant(-e).

solidão [suli'ðɐ̃u] f solitude f.

solidariedade [suliðərje'ðaðə]
f solidarité f.

solidário, ria [suli'ðarju, -rjɐ]
adj solidaire; **ser ~ com** être solidaire de.

sólido, da ['sɔliðu, -ðɐ] adj solide.

solista [su'liʃtɐ] mf soliste mf.

solitário, ria [suli'tarju, -rjɐ]
adj solitaire. ♦ m (Port: para
flores) soliflore m; (jóia) solitaire
m.

solo ['sɔlu] m sol m; (MÚS) solo
m.

soltar [soł'tar] vt (desprender,
desatar) détacher; (grito, gargalhada) pousser; (de prisão) relâcher; (de gaiola) lâcher.
❑ **soltar-se** vp se détacher.

solteiro, ra [soł'teiru, -rɐ] adj
célibataire.

solto, ta ['sołtu, -tɐ] pp → **soltar**. ♦ adj (livre) détaché(-e); (animal) en liberté; (sozinho) à l'unité.

solução [sulu'sɐ̃u] (pl **-ões** [-õiʃ])
f solution f.

soluçar [sulu'sar] vi (ter soluços)
avoir le hoquet; (chorar) sangloter.

solucionar [sulusju'nar] vt (problema) résoudre.

soluço [su'lusu] m (contracção)
hoquet m; (choro) sanglot m.

soluções → solução.

solúvel [su'luvɛł] (pl **-eis** [-ɐiʃ])
adj soluble.

som ['sõ] (pl **-ns** [-ʃ]) m son m; **ao
~ de** au son de.

soma ['somɐ] f somme f, addition f.

somar [su'mar] vt additionner.

sombra ['sõmbrɐ] f (de pessoa,
árvore) ombre f; (cosmético)
ombre f (à paupières); **à** ou **na ~** à
l'ombre; **sem ~ de dúvida** sans
l'ombre d'un doute.

sombrio, bria [sõm'briu, -'briɐ]
adj sombre.

somente [sɔ'mẽntɐ] adv seulement.

sonâmbulo, la [su'nẽmbulu,
-lɐ] m, f somnambule mf.

sonda ['sõndɐ] f (MED) sonde f; **~
espacial** sonde spatiale.

sondagem [sõn'daʒɐ̃i] (pl **-ns**
[-ʃ]) f sondage m.

soneca [su'nɛkɐ] f somme m.

soneto [su'netu] m sonnet m.

sonhador, ra [suɲɐ'ðor, -rɐ]
(mpl **-es** [-əʃ], fpl **-s** [-ʃ]) m, f
rêveur m (-euse f).

sonhar [su'ɲar] vi rêver; **~ acor-
dado** rêver debout; **~ com** rêver
de.

sonho ['soɲu] m rêve m; **de ~** de
rêve.
❑ **sonhos** mpl (em Portugal) beignets servis avec un sirop parfumé
au citron et à la cannelle; (no Brasil)
≃ pets-de-nonne mpl.

sonífero [su'nifəru] m somnifère m.

sono ['sonu] m sommeil m; **estar
perdido de ~** tomber de sommeil; **pegar no ~** s'endormir; **ter
~** avoir sommeil; **~ pesado** sommeil profond.

sonolento, ta [sunu'lẽntu, -tɐ] *adj* somnolent(-e).

sonoro, ra [su'nɔru, -rɐ] *adj* sonore.

sons → **som**.

sonso, sa ['sõsu, -sɐ] *adj* sournois(-e).

sopa ['sopɐ] *f* soupe *f*; ~ **de hortaliça** *soupe au chou*; ~ **de legumes** *soupe de légumes*; ~ **de marisco** *velouté de fruits de mer*; ~ **de pedra** *soupe à la « pierre », soupe de haricots, de lard et d'oreille de porc cuite dans une cocotte dans laquelle on a placé une pierre*; **ou sim ou ~s** de deux choses l'une.

soporífero [supu'rifɐru] *m* soporifique *m*.

soprar [su'prar] *vt & vi* souffler.

sórdido, da ['sɔrðiðu, -ðɐ] *adj* sordide.

soro ['soru] *m (MED)* sérum *m*; *(de leite)* petit-lait *m*; ~ **fisiológico** sérum physiologique.

soronegativo, va [soronegaʹtʃivu, -vɐ] *adj (Br)* = **seronegativo**.

soropositivo, va [soropoziʹtʃivu, -vɐ] *adj (Br)* = **seropositivo**.

sorridente [suriʹðẽntɐ] *adj* souriant(-e).

sorrir [su'rir] *vi* sourire.

sorriso [su'rizu] *m* sourire *m*.

sorte ['sɔrtɐ] *f (acaso, destino)* sort *m*; *(fortuna)* chance *f*; *(em tourada)* feinte *f*; **boa ~!** bonne chance!; **dar ~** porter chance; **estar com ~** avoir de la chance; **ter ~** avoir de la chance; **tirar a ~** gagner; **a ~ grande** le gros lot; **à ~** au sort; **com ~** avec de la chance; **por ~** par chance.

sortear [sur'tjar] *vt* tirer au sort.

sorteio [sur'teju] *m* tirage *m* au sort.

sortido, da [sur'tiðu, -ðɐ] *adj* assorti(-e). ◆ *m* assortiment *m*.

sortudo, da [sur'tuðu, -ðɐ] *m, f (fam)* veinard *m* (-e *f*).

sorvete [sor'vetʃi] *m (Br)* glace *f*.

sorveteria [sorveteʹriɐ] *f (Br)*: **ir à ~** aller chez le marchand de glaces.

SOS *m (abrev de **Save our Souls**)* SOS *m*.

sossegado, da [susəʹgaðu, -ðɐ] *adj* calme.

sossego [su'segu] *m* calme *m*; **deixar em ~** laisser tranquille.

sótão ['sɔtɐ̃u] *m* grenier *m*.

sotaque [su'takə] *m* accent *m*.

sotavento [sɔtɐ'vẽntu] *m* côté *m* sous le vent.

soterrar [sutəʹrar] *vt* ensevelir.

sou ['so] → **ser**.

soube ['sobə] → **saber**.

soufflé [su'flɛ] *m* soufflé *m*.

soutien [su'tjẽ] *m (Port)* soutien-gorge *m*.

sova ['sɔvɐ] *f*: **dar uma ~** rouer de coups.

sovaco [su'vaku] *m* aisselle *f*.

sovina [su'vinɐ] *adj* pingre.

sozinho, nha [sɔ'ziɲu, -ɲɐ] *adj (sem companhia, ajuda)* seul(-e); *(falar, rir)* tout seul (toute seule).

spray ['sprei] *m* spray *m*.

squash ['skwaʃ] *m* squash *m*.

Sr. *(abrev de **senhor**)* M.

Sra. *(abrev de **senhora**)* Mme.

stand [ʃtẽndə] *(pl* **-es** [-əʃ]*)* *m (Port: de automóveis)* concessionnaire *m*; *(em exposições)* stand *m*.

stock [ʃtɔkə] *m (Port)* stock *m*.

stress ['strɛs] *m* stress *m*.

sua → **seu**.

suar ['swar] *vi* suer.

suástica ['swaʃtikə] *f* croix *f* gammée.

suave ['swavə] *adj* doux (douce); *(vento, sabor, cheiro, dor)* léger(-ère); *(voz)* suave.

suavidade [swɐviʹðaðɐ] *f* douceur *f*.

suavizar [swɐvi'zar] *vt (pele, sabor)* adoucir; *(dor)* soulager. ◆ *vi (vento, chuva)* se calmer.

subalimentação [subɐli-mẽntɐ'sẽu] *f* sous-alimentation *f*.

subalimentado, da [subɐli-mẽn'taðu, -ðɐ] *adj* sous-alimenté(-e).

subalterno, na [subaɫ'tɛrnu, -nɐ] *adj & m, f* subalterne.

subalugar [subɐlu'gar] *vt* sous-louer.

subconsciente [subkõʃ'sjẽntɐ] *m* subconscient *m*.

subdesenvolvido, da [subdɐzẽvoɫ'viðu, -ðɐ] *adj* sous-développé(-e).

subdesenvolvimento [subdɐzẽvoɫvi'mẽntu] *m* sous-développement *m*.

súbdito, ta ['subditu, -tɐ] *m, f (Port)* sujet *m*.

subentendido, da [subẽntẽn'diðu, -ðɐ] *adj* sous-entendu(-e). ◆ *m* sous-entendu *m*.

subida [su'biðɐ] *f* montée *f*; *(de preços)* hausse *f*.

subir [su'bir] *vt* monter; *(rochedo)* escalader; *(montanha)* faire l'ascension de; *(preços, salários)* augmenter; *(estore, persiana)* remonter. ◆ *vi* monter; ~ **a** monter à; ~ **de categoria** passer à l'échelon supérieur; ~ **em** *(Br: em ônibus, avião, trem)* monter dans; *(Port: em Lisboa, Porto, etc)* monter à; ~ **para** *(Port: autocarro, avião)* monter dans; *(Port: bicicleta, cavalo)* monter sur; ~ **por** *(ir por)* prendre par.

súbito, ta ['subitu, -tɐ] *adj* subit(-e); **de** ~ subitement.

subjectivo, va [subʒɛ'tivu, -vɐ] *adj* subjectif(-ive).

subjugar [subʒu'gar] *vt* subjuguer; *(inimigo)* dominer.

❏ **subjugar-se a** *vp* + *prep* se soumettre à.

subjuntivo [subʒon'tʃivu] *m (Br)* subjonctif *m*.

sublime [su'blimə] *adj* sublime.

sublinhar [subli'ɲar] *vt* souligner.

submarino [submɐ'rinu] *m* sous-marin *m*.

submergir [submɐr'ʒir] *vt* submerger.

submeter [submɐ'ter] *vt* : ~ **algo/alguém a** soumettre qqch/qqn à.

❏ **submeter-se a** *vp* + *prep* se soumettre à.

submisso, a [sub'misu, -ɐ] *adj* soumis(-e).

subnutrido, da [subnu'triðu, -ðɐ] *adj* sous-alimenté(-e).

subornar [subur'nar] *vt* soudoyer.

subsídio [sub'siðju] *m* subvention *f*; *(de desemprego)* allocation *f*.

subsistência [subsiʃ'tẽsjɐ] *f* subsistance *f*.

subsistir [subsiʃ'tir] *vi* subsister.

subsolo [sub'sɔlu] *m* sous-sol *m*.

substância [subʃ'tẽsjɐ] *f* substance *f*.

substantivo [subʃtẽ'tivu] *m* substantif *m*.

substituir [subʃti'twir] *vt* remplacer.

substituto, ta [subʃti'tutu, -tɐ] *m, f* remplaçant *m* (-e *f*).

subterrâneo, nea [subtɐ'ʀɐnju, -njɐ] *adj* souterrain(-e).

subtil [sub'tiɫ] *(pl* **-is** [-iʃ]) *adj (Port)* subtil(-e).

subtrair [subtrɐ'ir] *vt* soustraire.

suburbano, na [subur'bɐnu, -nɐ] *adj* de banlieue.

subúrbio [su'burbju] *m* banlieue *f*.

subversivo, va [subvɐr'sivu, -vɐ] *adj* subversif(-ive).

sucata [su'katɐ] f ferraille f.

sucção [suk'sēu] f succion f.

suceder [susə'đer] vi arriver.
❑ **suceder-se** vp se succéder.
❑ **suceder a** v + prep (em cargo)
succéder à.

sucedido, da [susə'điđu, -đɐ]
adj survenu(-e). ◆ m : **o** ~ ce qui
s'est passé; **ser bem/mal** ~ bien/
mal se passer.

sucessão [susə'sēu] (pl **-ões**
[-õiʃ]) f (de acontecimentos) suite f;
(em cargo) succession f.

sucessivo, va [susə'sivu, -vɐ]
adj successif(-ive).

sucesso [su'sɛsu] m succès m; **fazer** ~ avoir du succès.

sucinto, ta [su'sĩntu, -tɐ] adj
succinct(-e).

suco ['suku] m (Br) jus m.

suculento, ta [suku'lēntu, -tɐ]
adj succulent(-e).

sucumbir [sukũm'bir] vi (morrer) succomber; (desmoronar) céder; ~ **a** (ceder) succomber à.

sucursal [sukur'saɫ] (pl **-ais**
[-aiʃ]) f succursale f.

sudeste [su'đɛʃtɐ] m sud-est m;
no ~ dans le sud-est.

Sud-express [suđəʃ'prɛʃ] m : **o**
~ le Sud-express, nom donné au
train Paris-Lisbonne.

sudoeste [su'đwɛʃtɐ] m sud-
ouest m; **no** ~ dans le sud-ouest.

sueca ['swɛkɐ] f ≃ belote f;
→ **sueco**.

Suécia ['swɛsjɐ] f : **a** ~ la Suède.

sueco, ca ['swɛku, -kɐ] adj sué-
dois(-e). ◆ m, f Suédois m (-e f).
◆ m (língua) suédois m.

suéter ['swɛtex] (pl **-es** [-iʃ]) m
OU f (Br) pull m.

suficiente [sufə'sjēntɐ] adj suf-
fisant(-e). ◆ m mention f passable; **tenho água** ~ j'ai assez
d'eau.

sufixo [su'fiksu] m suffixe m.

suflé [su'flɛ] m (Port) soufflé m.

suflê [su'fle] m (Br) = **suflé**.

sufocante [sufu'kēntɐ] adj suf-
focant(-e).

sufocar [sufu'kar] vt & vi suffoquer.

sugar [su'gar] vt sucer.

sugerir [suʒə'rir] vt suggérer.

sugestão [suʒəʃ'tēu] (pl **-ões**
[-õiʃ]) f suggestion f.

sugestivo, va [suʒəʃ'tivu, -vɐ]
adj suggestif(-ive).

sugestões → **sugestão**.

Sugos® ['suguʃ] mpl ≃ Sugus mpl
(bonbons).

Suíça ['swisɐ] f : **a** ~ la Suisse.

suíças ['swisɐʃ] fpl favoris mpl,
pattes fpl.

suicidar-se [swisi'đarsə] vp se
suicider.

suicídio [swi'siđju] m suicide m.

suíço, ça ['swisu, -sɐ] adj suisse.
◆ m, f Suisse mf.

suíte ['switɐ] f suite f.

sujar [su'ʒar] vt salir.
❑ **sujar-se** vp se salir.

sujeitar [suʒei'tar] vt : ~ **algo/
alguém a algo** soumettre qqch/
qqn à qqch.
❑ **sujeitar-se a** vp + prep se soumettre à.

sujeito, ta [su'ʒeitu, -tɐ] m, f
(fam) type m (bonne femme f).
◆ m sujet m; **'~ a reboque'** 'passible d'enlèvement'; ~ **a** sujet à;
se continuas assim, estás ~ **a levar uma bofetada** si tu continues
comme ça, tu vas recevoir une gifle.

sujo, ja ['suʒu, -ʒɐ] adj sale;
(negócio) malhonnête.

sul ['suɫ] m sud m; **a** ~ au sud; **a**
~ **de** au sud de; **no** ~ dans le sud.

sulfamida [suɫfɐ'miđɐ] f sulfa-
mide m.

suma ['sumɐ] f : **em** ~ en
somme.

sumário, ria [su'marju, -rjɐ] *adj* sommaire. ◆ *m* sommaire *m*.

sumo ['sumu] *m (Port)* jus *m*; ~ **de frutas** jus de fruits.

Sumol® [su'mɔɫ] *(pl* **-óis** [-ɔiʃ]) *f* ≃ Fanta *m*.

sundae ['sēndei] *m (Br)* coupe *f* glacée.

sunga ['sūŋgɐ] *f (Br)* slip *m* de bain.

suor ['swɔr] *(pl* **-es** [-əʃ]) *m* sueur *f*; ~**es frios** sueurs froides.

superar [supə'rar] *vt (obstáculo, dificuldade)* surmonter; *(inimigo, rival)* surpasser.

superficial [supərfə'sjaɫ] *(pl* **-ais** [-aiʃ]) *adj* superficiel(-elle).

superfície [supər'fisjɐ] *f* surface *f*; *(extensão)* superficie *f*; **à ~** à la surface.

supérfluo, flua [su'pɛrflu, -fluɐ] *adj* superflu(-e).

superior [supə'rjor] *(pl* **-es** [-əʃ]) *adj* supérieur(-e). ◆ *m* supérieur *m*; **piso** OU **andar ~** étage du dessus; **mostrar-se ~** se donner des airs.

superioridade [supərjuri'ðaðə] *f* supériorité *f*.

superlativo [supərlɐ'tivu] *m* superlatif *m*.

superlotado, da [ˌsupɛrlu'taðu, -ðɐ] *adj (sala)* comble; *(metro)* bondé(-e).

supermercado [ˌsupɛrmər'kaðu] *m* supermarché *m*.

superstição [supərʃti'sēu] *(pl* **-ões** [-õiʃ]) *f* superstition *f*.

supersticioso, osa [supərʃti'sjozu, -ɔzɐ] *adj* superstitieux (-euse).

superstições → **superstição**.

supervisão [supərvi'zēu] *f* supervision *f*.

supervisionar [supərvizju'nar] *vt (pessoa)* diriger; *(trabalho)* superviser.

suplemento [suplə'mēntu] *m* supplément *m*.

suplente [su'plēntɐ] *adj (peça)* de rechange; *(pessoa)* suppléant(-e). ◆ *mf* remplaçant *m* (-e *f*).

súplica ['suplikɐ] *f* supplication *f*.

suplicar [supli'kar] *vt* supplier; ~ **a alguém que faça algo** supplier qqn de faire qqch.

suplício [su'plisju] *m* supplice *m*.

supor [su'por] *vt* supposer.
❑ **supor-se** *vp* s'imaginer.

suportar [supur'tar] *vt* supporter.

suporte [su'pɔrtɐ] *m* support *m*.

suposição [supuzi'sēu] *(pl* **-ões** [-õiʃ]) *f* supposition *f*.

supositório [supuzi'tɔrju] *m* suppositoire *m*.

suposto, osta [su'poʃtu, -ɔʃtɐ] *adj (hipotético)* supposé(-e); *(alegado)* présumé(-e); *(falso)* prétendu(-e); **é ~ (que)** on suppose (que).

supremo, ma [su'premu, -mɐ] *adj* suprême.
❑ **Supremo** *m* : **o Supremo (Tribunal de Justiça)** ≃ la Cour de cassation.

supressão [suprə'sēu] *(pl* **-ões** [-õiʃ]) *f* suppression *f*.

suprimir [su'primir] *vt* supprimer.

surdez [sur'ðeʃ] *f* surdité *f*.

surdina [sur'ðinɐ] *f* : **em ~** en sourdine.

surdo, da ['surðu, -ðɐ] *adj* sourd(-e). ◆ *m, f* sourd *m* (-e *f*); **fazer-se de ~** faire la sourde oreille.

surf ['sɛrfɐ] *m (Port)* surf *m*; **fazer ~** faire du surf.

surfe ['suxfi] *m (Br)* = **surf**.

surfista [sur'fiʃtɐ] *mf* surfeur *m* (-euse *f*).

surgir [sur'ʒir] *vi* surgir.

surpreendente [surpriēn'dēntɐ] *adj* surprenant(-e).

surpreender [surpriẽn'der] vt surprendre.

❑ **surpreender-se** vp être surpris(-e).

surpresa [sur'preze] f surprise f; **fazer uma ~ a alguém** faire une surprise à qqn; **de ~** par surprise.

surpreso, sa [sur'prezu, -ze] adj surpris(-e).

surto ['surtu] m déclaration f.

susceptível [suʃse'tiveł] (pl **-eis** [-eiʃ]) adj (Port) susceptible; **~ de** susceptible de.

suscetível [suʃse'tʃiveu] (pl **-eis** [-eiʃ]) adj (Br) = **susceptível**.

suscitar [suʃsi'tar] vt susciter.

suspeita [suʃ'peite] f soupçon m; **lançar ~s sobre alguém** faire peser des soupçons sur qqn; → **suspeito**.

suspeito, ta [suʃ'peitu, -te] adj & m, f suspect(-e).

suspender [suʃpẽn'der] vt suspendre; (aluno, trabalhador) renvoyer.

suspensão [suʃpẽn'sẽu] (pl **-ões** [-õiʃ]) f (de veículo) suspension f; (de escola) renvoi m.

suspense [suʃ'pẽse] m suspense m.

suspensórios [suʃpẽ'sɔrjuʃ] mpl bretelles fpl.

suspirar [suʃpi'rar] vi soupirer; **~ por** se languir de.

suspiro [suʃ'piru] m (de cansaço, prazer) soupir m; (doce) meringue f.

sussurrar [susu'ʀar] vt & vi chuchoter.

sussurro [su'suʀu] m chuchotement m.

sustentar [suʃtẽn'tar] vt soutenir; (manter) entretenir; (alimentar) nourrir.

suster [suʃ'ter] vt retenir.

susto ['suʃtu] m peur f; **apanhar um ~** avoir peur; **pregar um ~ a alguém** faire peur à qqn.

sutiã [su'tʃjẽ] m (Br) = **soutien**.

sutil [su'tʃiu] (pl **-is** [-iʃ]) adj (Br) = **subtil**.

SW (abrev de **Sudoeste**) S-O.

T

ta [tɐ] = te + a; → te.

-ta [tɐ] → te.

tabacaria [tɐbɐkɐ'riɐ] f bureau m de tabac.

tabaco [tɐ'baku] m tabac m.

tabela [tɐ'bɛlɐ] f tableau m; (de horários) panneau m horaire; (de preços) tarif m; **à ~** pile à l'heure.

taberna [tɐ'bɛrnɐ] f bistrot m.

tablete [ta'blɛtɐ] m OU f: **~ (de chocolate)** tablette f (de chocolat).

tabu [ta'bu] adj tabou(-e). ♦ m tabou m.

tábua ['tabwɐ] f planche f; **~ de passar a ferro** (Port) planche à repasser; **~ (de passar roupa)** (Br) planche à repasser.

tabuleiro [tɐbu'leiru] m (para comida) plateau m; (de damas) damier m; (de xadrez) échiquier m; (de ponte) tablier m.

tabuleta [tɐbu'letɐ] f (em porta) plaque f; (em estabelecimento) enseigne f; (em estrada) panneau m.

tac ['takə] m (abrev de **Tomografia Axial Computadorizada**) scanner m.

taça ['tasɐ] f coupe f; (de chá) tasse f.

tacada [tɐ'kaðɐ] f coup m.

tacão [tɐ'kɐu] (pl **-ões** [-õiʃ]) m talon m.

tacho ['taʃu] m fait-tout m inv.

taco ['taku] m (de bilhar) queue f; (de golfe) club m; (de chão) latte f.

tacões → tacão.

táctica ['tatikɐ] f (Port) tactique f.

táctico, ca ['tatiku, -kɐ] adj (Port) tactique.

tacto ['tatu] m (Port: sentido) toucher m; (fig: cuidado, habilidade) tact m; **ter ~** (fig) avoir du tact.

tagarela [tɐgɐ'rɛlɐ] adj & mf bavard(-e).

tainha [tɐ'iɲɐ] f mulet m (poisson).

tal ['tal] (pl **tais** ['taiʃ]) adj tel (telle).
♦ pron : **o/a ~** celui-là/celle-là; **que ~?** alors?; **um ~ senhor...** un certain OU dénommé...; **que ~ um passeio?** que dirais-tu d'une promenade?; **na rua ~** dans telle rue; **como ~** alors; **para ~** pour cela; **~ coisa** une chose pareille; **~ como** comme; **~ e qual** comme.

tala ['talɐ] f attelle f.

talão [tɐ'lɐu] (pl **-ões** [-õiʃ]) m talon m; **~ de cheques** (Br) carnet m de chèques.

talco ['talku] m talc m.

talento [tɐ'lẽtu] m talent m.

talhar [tɐ'ʎar] vt tailler.

❏ **talhar-se** *vp* cailler.

talharim [tɐʎɐ'rĩ] (*pl* **-ns** [-ʃ]) *m* tagliatelle *f*.

talher [tɐ'ʎɛr] (*pl* **-es** [-əʃ]) *m* couverts *mpl*.

talho [ta'ʎu] *m* (Port: *açougue*) boucherie *f*.

talo ['talu] *m* (de flor) tige *f*; (de legume) trognon *m*.

talões → **talão**.

talvez [taɫ'veʃ] *adv* peut-être; ~ **sim**, ~ **não** peut-être bien que oui, peut-être bien que non.

tamancos [ta'mẽŋkuʃ] *mpl* sabots *mpl*.

tamanho, nha [tɐ'mɐɲu, -ɲɐ] *adj* pareil(-eille). ◆ *m* taille *f*.

tamanho-família [ta,mɐɲufa'miljɐ] *adj inv* (Br) familial(-e).

tâmara ['tɐmɐrɐ] *f* datte *f*.

tamarindo [tɐmɐ'rĩndu] *m* (árvore) tamarinier *m*; (fruto) tamarin *m*.

também [tɐ̃m'bẽi] *adv* aussi; **eu ~ não gosto disso** je n'aime pas ça non plus.

tambor [tɐ̃m'bor] (*pl* **-es** [-əʃ]) *m* tambour *m*.

tamboril [tɐ̃mbu'riɫ] (*pl* **-is** [-iʃ]) *m* (peixe) baudroie *f*; (MÚS) tambourin *m*.

tamborim [tɐ̃mbu'rĩ] (*pl* **-ns** [-ʃ]) *m* tambourin *m*.

tamboris → **tamboril**.

Tamisa ['tɐmizɐ] *m* : **o ~** la Tamise.

tampa ['tɐ̃mpɐ] *f* couvercle *m*.

tampão [tɐ̃m'pɐ̃u] (*pl* **-ões** [-õiʃ]) *m* tampon *m*.

tampo ['tɐ̃mpu] *m* (de mesa) plateau *m*; (de sanita) abattant *m*.

tampões → **tampão**.

tampouco ['tɐ̃mpoku] *adv* = **tão-pouco**.

tanga ['tɐ̃ŋgɐ] *f* string *m*.

tangerina [tɐ̃ʒə'rinɐ] *f* mandarine *f*.

tanque ['tɐ̃ŋkə] *m* réservoir *m*; (para lavar roupa) lavoir *m*; (para peixes) bassin *m*; (veículo militar) tank *m*.

tanto, ta ['tɐ̃ntu, -tɐ] *adj* **1.** (exprime grande quantidade) tant de; ~ **dinheiro** tant d'argent; **tanta gente** tant de monde; **esperei ~ tempo** j'ai attendu si longtemps; **~... que...** tellement... que...
2. (indica quantidade indeterminada) tant; **de ~s em ~s dias** tous les tels jours; **~s outros** tant d'autres; **é ~ por dia** c'est tant par jour; **são umas tantas vezes ao dia** ce sera tant de fois par jour.
3. (em comparações): ~... **como...** autant de... que...; **eles têm tanta sorte como tu** ils ont autant de chance que toi; ~ **um como o outro** l'un comme l'autre.
◆ *adv* **1.** (exprime grande quantidade) autant, tant; **quero-te ~** je t'aime tant; **não quero ~** je n'en veux pas autant.
2. (em locuções): **é um ~ caro** c'est un peu cher; **de ~ fazer algo** à force de faire qqch; ~ **faz!** c'est du pareil au même!; ~ **pior/melhor** tant pis/tant mieux; ~ **quanto** autant que; **um ~** un peu; **um ~ quanto** un tant soit peu; ~ **que** tant et si bien que; **comi ~ que fiquei mal-disposto** j'ai tellement mangé que ça m'a rendu malade.
◆ *pron* **1.** (indica grande quantidade) autant; **ele não tem ~s** il n'en a pas autant.
2. (indica igual quantidade) autant; **havia muita gente ali, aqui não era tanta** là-bas, il y avait du monde, ici il n'y en avait pas autant.
3. (indica quantidade indeterminada): **quero pêssegos, uns ~s verdes e uns ~s maduros** je veux des pêches, quelques vertes et quelques mûres; **uns ~s aqui, uns**

~s ali quelques-uns ici, quelques-uns là-bas; **a ~s do passado mês** le tant du mois dernier; **suponhamos que vêm ~s** supposons qu'il en vienne tant.
4. *(em locuções)*: **às tantas** tout d'un coup; **às tantas da noite** tard dans la nuit; **para ~** pour cela.

tão [tɐ̃u] *adv* si; **~... como...** aussi... que...; **~... que...** si... que...

tão-pouco ['tɐ̃upoku] *adv* non plus.

TAP ['tapə] *f (abrev de* **Transportes Aéreos Portugueses)** TAP *f, compagnie nationale de transports aériens portugaise.*

tapa ['tapə] *m (Br)* claque *f*.

tapar [tɐ'par] *vt* couvrir; *(garrafa, frasco, caixa)* fermer; *(buraco)* boucher; *(boca, ouvidos, nariz)* se boucher.

tapeçaria [tɐpəsɐ'riə] *f* tapisserie *f*.

tapete [tɐ'petə] *m* tapis *m*; *(de estrada)* revêtement *m*; **~ rolante** tapis roulant; **~ de Arraiolos** *tapis de la région d'Arraiolos.*

tardar [tɐr'ðar] *vi* tarder; **~ a** OU **em fazer algo** tarder à faire qqch; **não ~** ne pas tarder; **o mais ~** au plus tard.

tarde ['tarðə] *f (até às sete)* après-midi *f* OU *m*; *(depois das sete)* soir *m*. ◆ *adv* tard; **à ~** l'après-midi; **boa ~!** *(até às sete)* bonjour!; *(depois das sete)* bonsoir!; **fazer-se ~** se faire tard; **ser ~** être tard; **mais ~** plus tard; **nunca é ~ demais** il n'est jamais trop tard; **~ e a más horas** à une heure indue.

tardio, dia [tɐr'ðiu, -ðiə] *adj* tardif(-ive).

tarefa [tɐ'rɛfə] *f* tâche *f*.

tarifa [tɐ'rifə] *f* tarif *m*.

tartaruga [tɐrtɐ'ruɡə] *f* tortue *f*.

tarte ['tartə] *f* tarte *f*.

tas [tɐʃ] = **te** + **as**; → **te**.

-tas [tɐʃ] → **te**.

tasca ['taʃkə] *f* bistrot *m*.

tática ['tatʃikə] *f (Br)* = **táctica**.

tático, ca ['tatʃiku, -kə] *adj (Br)* = **táctico**.

tato ['tatu] *m (Br)* = **tacto**.

tatuagem [tɐ'twaʒẽi] *(pl* **-ns** [-ʃ]) *f* tatouage *m*.

tauromaquia [tauromɐ'kiə] *f* tauromachie *f*.

taxa ['taʃə] *f (imposto)* taxe *f*; *(percentagem)* taux *m*; **~ de câmbio** taux de change; **~ de juros** taux d'intérêt.

táxi ['taksi] *m* taxi *m*.

taxímetro [tak'simətru] *m* compteur *m (de taxi)*.

tchau ['tʃau] *interj* tchao!

te [tə] *pron* te; **lembra-~!** rappelle-toi!; **a folha? já ta deu?** la feuille? il te l'a déjà donnée?; **o livro? já to deu?** le livre? il te l'a déjà donné?; **os óculos? já tos dei ou não?** les lunettes? je te les ai déjà données ou pas?; **ela deu-to/deu-ta** *(Port)* il te l'a donné/donnée; **eu ofereço-tos** *(Port)* je te les offre.

tear ['tjar] *(pl* **-es** [-əʃ]) *m* métier *m* à tisser.

teatral [tjɐ'traɫ] *(pl* **-ais** [-aiʃ]) *adj* théâtral(-e).

teatro ['tjatru] *m* théâtre *m*; **~ de fantoches** théâtre de marionnettes, guignol *m*; **~ de variedades** music-hall *m*.

tecelagem [təsə'laʒẽi] *(pl* **-ns** [-ʃ]) *f* tissage *m*.

tecer [tə'ser] *vt* tisser.

tecido [tə'siðu] *m* tissu *m*.

tecla ['tɛklə] *f* touche *f*.

teclado [tɛ'klaðu] *m* clavier *m*.

técnica ['tɛknikə] *f* technique *f*; → **técnico**.

técnico, ca ['tɛkniku, -kə] *adj*

technique. ◆ *m, f* technicien *m* (-enne *f*).

tecnologia [tɛknulu'ʒiɐ] *f* technologie *f*; **Tecnologias Informáticas** technologies *fpl* de l'information.

tecnológico, ca [tɛknu'lɔʒiku, -kɐ] *adj* technologique.

tecto ['tɛtu] *m (Port)* plafond *m*.

tédio ['tɛdju] *m* ennui *m*.

teia ['tɐjɐ] *f (de aranha)* toile *f*.

teimar ['tɐimar] *vi* s'entêter; ~ **em** s'entêter à.

teimosia [tɐimu'ziɐ] *f* entêtement *m*.

teimoso, osa [tɐi'mozu, -ɔzɐ] *adj* têtu(-e).

teixo ['tɐiʃu] *m* if *m*.

tejadilho [tɐʒɐ'diʎu] *m* toit *m (d'une voiture)*.

Tejo ['tɛʒu] *m* : **o (rio)** ~ le Tage.

tel. *(abrev de telefone)* tél.

tela ['tɛlɐ] *f* toile *f*.

Telecom [tɛlɛ'kɔmɐ] *f compagnie nationale portugaise des télécommunications,* ≃ France Télécom.

telecomandado, da [tɐləkumẽn'daðu, -ðɐ] *adj* télécommandé(-e).

teleférico [tɐlɐ'fɛriku] *m* téléphérique *m*.

telefonar [tɐlɐfu'nar] *vi* téléphoner; ~ **a alguém** téléphoner à qqn; ~ **para Portugal** téléphoner au Portugal.

telefone [tɐlɐ'fɔnɐ] *m* téléphone *m*; ~ **público** téléphone public.

telefonema [tɐlɐfu'nemɐ] *m* coup *m* de téléphone; **fazer um** ~ passer un coup de téléphone.

telefónico, ca [tɐlɐ'fɔniku, -kɐ] *adj (Port)* téléphonique.

telefônico, ca [tele'foniku, -kɐ] *adj (Br)* = **telefónico**.

telefonista [tɐlɐfu'niʃtɐ] *mf* standardiste *mf*.

telegrafar [tɐlɐgrɐ'far] *vt* télégraphier.

telegrama [tɐlɐ'gremɐ] *m* télégramme *m*; ~ **fonado** *(Br)* télégramme téléphoné.

telejornal [tɛlɛʒur'naɫ] *(pl* **-ais** [-aiʃ]*) m* journal *m* télévisé.

telemóvel [tɛlɛ'mɔvɛɫ] *(pl* **-eis** [-ɐiʃ]*) m* téléphone *m* mobile.

telenovela [tɛlɛnu'vɛlɐ] *f* feuilleton *m* télévisé.

---

i TELENOVELA

L es feuilletons télévisés brésiliens sont devenus un produit d'exportation rentable. Grâce aux aventures sentimentales des héroïnes qu'elles incarnent à l'écran, les actrices brésiliennes ont des clubs de fans jusqu'en Chine. Au Brésil, ces feuilletons occupent largement les heures de grande écoute. En général, diverses histoires s'entremêlent, s'étalant sur deux ou trois mois au rythme d'un chapitre par jour. Bien qu'il ait commencé à créer ses propres séries, le Portugal est sans doute le plus grand consommateur de feuilletons brésiliens. Ils constituent l'essentiel des programmes proposés sur les quatre chaînes de télévision portugaises, s'agissant parfois même de rediffusions.

---

teleobjectiva [tɛlɛoßʒɛ'tivɐ] *f (Port)* téléobjectif *m*.

telepatia [tɐlɐpɐ'tiɐ] *f* télépathie *f*.

telescópio [tɐlɐʃ'kɔpju] *m* télescope *m*.

telesqui [ˌtɛlɛʃ'ki] *m* téléski *m*.

televisão [tɐlɐvi'zẽu] *(pl* **-ões** [-õiʃ]*) f* télévision *f*; ~ **a cores** télévision couleur; ~ **a preto e branco** télévision noir et blanc; ~

por cabo télévision par câble; ~ **por satélite** télévision par satellite.

televisor [tələvi'zor] (pl **-es** [-əʃ]) m téléviseur m.

telex [tɛ'lɛks] (pl **-es** [-əʃ]) m télex m inv.

telha ['teʎe] f tuile f.

telhado [tə'ʎaðu] m toit m.

tem ['tẽm] → **ter**.

têm ['tẽẽm] → **ter**.

tema ['teme] m (de poesia, texto) thème m; (de discussão) sujet m.

temer [tə'mer] vt craindre; ~ **que** craindre que.

temido, da [tə'miðu, -ðe] adj redouté(-e).

temível [tə'mivɛł] (pl **-eis** [-eiʃ]) adj redoutable.

temor [tə'mor] (pl **-es** [-əʃ]) m crainte f.

temperado, da [tẽmpə'raðu, -ðe] adj (comida) assaisonné(-e); (clima) tempéré(-e).

temperamento [tẽmpəre'mẽntu] m tempérament m.

temperar [tẽmpə'rar] vt assaisonner.

temperatura [tẽmpəre'ture] f température f.

tempero [tẽm'peru] m assaisonnement m.

tempestade [tẽmpəʃ'taðe] f tempête f; **fazer uma ~ num copo de água** faire une montagne de qqch.

templo ['tẽmplu] m temple m.

tempo ['tẽmpu] m temps m; **chegar a ~ de** arriver à temps pour; **ganhar ~** gagner du temps; **não ter ~ para** ne pas avoir le temps de; **passar o ~ a fazer algo** passer son temps à faire qqch; **por ~ indefinido** OU **indeterminado** pour une durée indéterminée; **poupar ~** gagner du temps; **recuperar o ~ perdido** rattraper le temps perdu; **é ~ de** il est temps de; **a ~ inteiro** à plein temps; **~s livres** loisirs mpl; **antes do ~** avant terme; **ao mesmo ~** en même temps; **dentro de pouco ~** dans peu de temps; **de ~s a ~s** de temps en temps; **nos últimos ~s** ces derniers temps; **por algum ~** pendant un certain temps; **ao ~ que...** depuis le temps que...

têmpora ['tẽmpure] f tempe f.

temporada [tẽmpu'raðe] f saison f; **passar uma ~ em** passer quelque temps à.

temporal [tẽmpu'rał] (pl **-ais** [-aiʃ]) m tempête f.

temporário, ria [tẽmpu'rarju, -rje] adj temporaire.

tencionar [tẽsju'nar] vt : ~ **fazer algo** avoir l'intention de faire qqch.

tenda ['tẽnde] f (para acampar) tente f; (em mercado) étal m.

tendão [tẽn'dẽu] (pl **-ões** [-õiʃ]) m tendon m.

tendência [tẽn'dẽsje] f tendance f; **ter ~ para** avoir tendance à.

tendões → **tendão**.

tenente [tə'nẽnte] mf lieutenant m.

tenho ['teɲu] → **ter**.

ténis ['tɛniʃ] m inv (Port) tennis m. ◆ mpl (Port: sapatos) tennis mpl; **~ de mesa** tennis de table.

tênis ['teniʃ] m inv (Br) = **ténis**.

tenro, ra ['tẽʀu, -ʀe] adj tendre; **de tenra idade** en bas âge.

tensão [tẽ'sẽu] (pl **-ões** [-õiʃ]) f tension f; ~ **arterial alta/baixa** (Port) hypertension f /hypotension f artérielle.

tenso, sa ['tẽsu, -se] adj tendu(-e).

tensões → **tensão**.

tentação [tẽnte'sẽu] (pl **-ões** [-õiʃ]) f tentation f.

tentáculo [tẽn'takulu] m tentacule f.

tentador, ra [tẽntɐ'dor, -rɐ] (mpl **-es** [-əʃ], fpl **-s** [-ʃ]) adj (comida, objecto) tentant(-e); (pessoa) tentateur(-trice).

tentar [tẽn'tar] vt tenter. ◆ vi essayer; ~ **fazer algo** essayer de faire qqch.

tentativa [tẽntɐ'tivɐ] f tentative f; **à primeira ~** du premier coup; **na ~ de fazer algo** dans le but de faire qqch.

ténue [tɛnwɐ] adj (Port) (cheiro, sabor) léger(-ère); (cor) pâle.

tênue ['tenwi] adj (Br) = **ténue**.

teologia [tjulu'ʒiɐ] f théologie f.

teor ['tjor] m (de álcool, gordura, etc) teneur f; (de conversa, filme, livro) sujet m.

teoria [tju'riɐ] f théorie f; **em ~** en théorie.

teoricamente [ˌtjɔrikɐ'mẽntɐ] adv théoriquement.

tépido, da ['tɛpiðu, -ðɐ] adj tiède.

ter ['ter] vt **1.** (ger) avoir; **a casa tem dois quartos** la maison a deux chambres; **ela tem os olhos verdes** elle a les yeux verts; **tenho muito dinheiro** j'ai beaucoup d'argent; ~ **saúde/juízo** être en bonne santé/être prudent; **a sala tem quatro metros de largo** la salle a quatre mètres de large; **que idade tens?** quel âge as-tu?; **tenho dez anos** j'ai dix ans; **tenho dor de dentes/cabeça** j'ai mal aux dents/à la tête; ~ **febre** j'ai de la fièvre; ~ **sarampo/varicela** avoir la rougeole/la varicelle; **tenho frio/calor** j'ai froid/chaud; **tenho sede/fome** j'ai soif/faim; ~ **medo** j'ai peur; ~ **amor/ódio a alguém** avoir de l'amour/de la haine pour qqn; ~ **carinho/afeição por alguém** avoir de la tendresse/de l'affection pour qqn; **esta caixa tem apenas três bolos** il n'y a que trois gâteaux dans cette boîte; **esta garrafa tem um** litro de água il y a un litre d'eau dans cette bouteille; **eles têm muitos problemas económicos** ils ont beaucoup de problèmes financiers; **tivemos uma grande discussão** nous avons eu une grande discussion; **não tenho aulas hoje** je n'ai pas cours aujourd'hui; **tenho um encontro** j'ai un rendez-vous; **ele tinha uma reunião, mas não foi** il avait une réunion, mais il n'y est pas allé; **tenho a certeza de que está certo** je suis certain que c'est bien; **tenho a impressão de que vai chover** j'ai l'impression qu'il va pleuvoir; **podes ter a certeza de que vou** tu peux être sûr que j'y vais; **tens o Samuel à espera** il y a un Samuel qui t'attend; **têm o carro mal estacionado** votre voiture est mal garée; **tens alguém à porta** il y a un qqn à la porte; **ela teve uma menina** elle a eu une petite fille.
2. (para desejar): **tenha umas boas férias!** bonnes vacances!; **tenham um bom dia!** bonne journée!
3. (em locuções): **ir ~ a** (desembocar) aller à; **ir ~ com alguém** aller rejoindre qqn.
◆ v aux **1.** (haver) avoir; **eles tinham partido o vidro** ils avaient brisé la vitre; **tinha alugado a casa** il avait loué la maison; **tinha chovido e a estrada estava molhada** il avait plu et la route était mouillée.
2. (exprime obrigação) devoir; ~ **de fazer algo** devoir faire qqch; **temos de lá estar às oito** nous devons y être à huit heures; **tenho muito que fazer** j'ai beaucoup à faire.

terapeuta [tɐrɐ'peutɐ] mf thérapeute mf.

terapêutico, ca [tɐrɐ'peutiku, -kɐ] adj thérapeutique.

terapia [tərɐ'piɐ] *f* thérapie *f*.
terça-feira [tersɐ'feirɐ] (*pl* **ter-
ças-feiras** [ˌtersɐʃ'feirɐʃ]) *f* mardi *m*;
Terça-feira de Carnaval mardi
gras; → **sexta-feira**.
terceira [tər'seirɐ] *f* troisième *f*
(vitesse).
terceiro, ra [tər'seiru, -rɐ] *num*
troisième; **a terceira idade** le
troisième âge; → **sexto**.
terço ['tersu] *m* (*parte*) tiers *m*;
(*rosário*) chapelet *m*; **rezar o ~**
dire le chapelet.
terebintina [tərɐbĩ'tinɐ] *f*
térébenthine *f*.
termas ['termɐʃ] *fpl* thermes
mpl.
terminal [tərmi'naɫ] (*pl* **-ais**
[-aiʃ]) *adj* terminal(-e). ♦ *m* (*de
transportes*) terminus *m*; (*INFORM*)
terminal *m*; **~ rodoviário** gare *f*
routière; **~ ferroviário** gare *f* ferroviaire; **~ aéreo** aérogare *f*.
terminar [tərmi'nar] *vt & vi*
terminer; **~ por fazer algo** finir
par faire qqch; **~ em algo** se terminer en qqch.
termo ['termu] *m* terme *m*; (*recipiente*) Thermos® *f*; **pôr ~ a**
mettre un terme à.
❑ **termos** *mpl* : **ter ~s** savoir se
tenir.
termómetro [tər'mɔmətru] *m*
(*Port*) thermomètre *m*.
termômetro [ter'mometru] *m*
(*Br*) = **termómetro**.
termostato [termɔʃ'tatu] *m*
thermostat *m*.
terno, na ['ternu, -nɐ] *adj* tendre.
ternura [tər'nurɐ] *f* tendresse *f*.
terra ['terɐ] *f* terre *f*, pays *m*;
(*localidade*) endroit *m*; **a Terra** la
Terre; **~ a ~** terre à terre; **cair por
~** tomber à l'eau; **ficar em ~** rater
(*son train, son avion, etc*); **por ~**
par voie terrestre.
terraço [tə'rasu] *m* terrasse *f*.

terramoto [tərɐ'mɔtu] *m*
tremblement *m* de terre.
terreiro [tə'reiru] *m* terrain *m*.
terreno, na [tə'renu, -nɐ] *adj*
terrestre. ♦ *m* terrain *m*.
térreo, ea ['terju, -jɐ] *adj* (*andar, piso*) au rez-de-chaussée;
(*casa*) de plain-pied.
terrestre [tə'reʃtrə] *adj* terrestre. ♦ *mf* terrien *m* (-enne *f*).
terrina [tə'rinɐ] *f* soupière *f*.
território [təri'tɔrju] *m* territoire *m*.
terrível [tə'rivɛɫ] (*pl* **-eis** [-ɐiʃ])
adj terrible.
terror [tə'ror] (*pl* **-es** [-əʃ]) *m*
terreur *f*.
tese ['tɛzə] *f* thèse *f*.
tesoura [tə'zorɐ] *f* ciseaux *mpl*;
~ das unhas ciseaux à ongles.
tesouro [tə'zoru] *m* trésor *m*.
testa ['tɛʃtɐ] *f* front *m*.
testamento [təʃtɐ'mẽtu] *m*
testament *m*.
testar [təʃ'tar] *vt* (*experimentar*)
essayer; (*pôr à prova*) tester.
teste ['tɛʃtə] *m* (*de máquina,
carro*) essai *m*; (*de gravidez, selecção*) test *m*; (*EDUC*) contrôle *m*; **~
de alcoolemia** (*Port*) Alcotest® *m*;
~ de dosagem alcoólica (*Br*)
Alcotest® *m*.
testemunha [təʃtə'muɲɐ] *f*
témoin *m*; **~ ocular** témoin oculaire.
testemunho [təʃtə'muɲu] *m*
(*JUR*) témoignage *m*; (*DESP*)
témoin *m*.
testículo [təʃ'tikulu] *m* testicule
m.
testo ['tɛʃtu] *m* couvercle *m*.
tétano ['tɛtɐnu] *m* tétanos *m*.
tetina [tə'tinɐ] *f* tétine *f*.
teto ['tɛtu] *m* (*Br*) = **tecto**.
tétrico, ca ['tɛtriku, -kɐ] *adj* lugubre.
teu, tua ['teu, 'tuɐ] *adj* ton (ta).

◆ *pron* : **o ~/a tua** le tien/la tienne; **isto é ~** c'est à toi; **um amigo ~** un de tes amis; **os ~s** (*a tua família*) les tiens.

teve ['te, va] → **ter**.

têxtil ['tɐiʃtit] (*pl* -**teis** [-tɐiʃ]) *m* textile *m*.

texto ['tɐiʃtu] *m* texte *m*.

textura [təʃ'turɐ] *f* texture *f*.

texugo [tə'ʃugu] *m* blaireau *m* (*animal*).

tez ['teʃ] *f* teint *m*.

ti ['ti] *pron* toi; **~ mesmo** OU **próprio** toi-même.

tia → **tio**.

tigela [ti'ʒɛlɐ] *f* bol *m*; **de meia ~** (*fig*) minable.

tigelada [tiʒɐ'laðɐ] *f* (*de sopa, doce, etc*) bol *m*; (*doce*) ≈ œufs *mpl* au lait.

tigre ['tigrɐ] *m* tigre *m*.

tijolo [ti'ʒolu] *m* brique *f*.

til ['tit] (*pl* **tis** ['tiʃ]) *m* tilde *m*.

tília ['tiljɐ] *f* tilleul *m*.

time ['tʃimi] *m* (*Br*) équipe *f*.

timidez [timi'deʃ] *f* timidité *f*.

tímido, da ['timiðu, -ðɐ] *adj* timide.

timoneiro [timu'nɐiru] *m* (*em barco*) timonier *m*; (*em expedição*) capitaine *m*.

Timor [ti'mor] *s* Timor *m*.

tímpano ['tĩmpɐnu] *m* tympan *m*.

tina ['tinɐ] *f* baquet *m*.

tingido, da [tĩ'ʒiðu, -ðɐ] *adj* déteint(-e).

tingir [tĩ'ʒir] *vt* teindre.

tinha ['tiɲɐ] → **ter**.

tinir [ti'nir] *vi* (*sino, campainha*) tinter; (*ouvidos*) bourdonner.

tinta ['tĩntɐ] *f* (*para escrever*) encre *f*; (*para pintar*) peinture *f*; (*para tingir*) teinture *f*; **estar-se nas ~s para** (*fam*) se fiche pas mal de.

tinteiro [tĩn'tɐiru] *m* encrier *m*.

tinto ['tĩntu] *adj* *m* → **vinho**.

tintura [tĩn'turɐ] *f* : **~ de iodo** teinture *f* d'iode.

tinturaria [tĩnturɐ'riɐ] *f* teinturerie *f*.

tio, tia ['tiu, 'tiɐ] *m*, *f* oncle *m* (tante *f*).

típico, ca ['tipiku, -kɐ] *adj* typique; **ser ~ de** être typique de.

tipo, pa ['tipu, -pɐ] *m*, *f* (*fam* : *pessoa*) type *m* (bonne femme *f*). ◆ *m* type *m*.

tipografia [tipugrɐ'fiɐ] *f* imprimerie *f*.

tíquete-refeição [tʃi,ketʃiʀɐfei'sɐu] (*pl* **tíquetes-refeição** [tʃi,ketʃiʒʀefei'sɐu]) *m* (*Br*) ticket-restaurant *m*.

T.I.R. ['tir] *m* (*abrev de* **Transportes Internacionais Rodoviários**) TIR.

tiracolo [tirɐ'kɔlu] *m* : **a ~** en bandoulière.

tiragem [ti'raʒɐi] (*pl* -**ns** [-ʃ]) *f* (*de jornal, livro, revista*) tirage *m*.

tira-manchas [,tʃira'mɐ̃ʃɐʃ] *m* *inv* (*Br*) = **tira-nódoas**.

tirania [tirɐ'niɐ] *f* tyrannie *f*.

tira-nódoas [,tirɐ'nɔðwɐʃ] *m* *inv* (*Port*) détachant *m*.

tirar [ti'rar] *vt* enlever; (*férias, fotografia*) prendre; **~ algo a alguém** prendre qqch à qqn; **~ um curso** faire des études; **~ nódoas de uma camisa** détacher une chemise; **~ à sorte** tirer au sort; **~ a mesa** (*Br*) débarrasser la table.

tirinhas [ti'riɲɐʃ] *fpl* petites bandes *fpl*; **cortar papel às** OU **em ~s** découper des bandes de papier.

tiritar [tiri'tar] *vi* grelotter.

tiro ['tiru] *m* (*de arma*) tir *m*; (*disparo*) coup *m* de feu; **~ ao alvo** tir à la cible; **~ aos pratos e pombos** ball-trap *m*.

tiroteio [tiru'tɐju] *m* fusillade *f*.

tis → **til**.
título ['titulu] *m* titre *m*.
tive ['tivə] → **ter**.
to [tu] = **te** + **o**; → **te**.
-to [tu] → **te**.
toalete [twa'lɛtʃi] *m (Br: banheiro)* toilettes *fpl; (roupa)* tenue *f.* ◆ *f*: **fazer a ~** faire sa toilette.
toalha ['twaʎɐ] *f* serviette *f; ~* **de banho** serviette de bain; **~ de mesa** nappe *f.*
toalheiro [twe'ʎeiru] *m* porte-serviette *m*.
toalhete [twe'ʎetɐ] *m* serviette *f.*
tobogã [tɔbɔ'gɐ̃] *m* luge *f.*
toca ['tɔkɐ] *f (de coelho, raposa)* terrier *m*.
toca-discos [ˌtɔka'dʒiʃkuʃ] *m inv (Br)* tourne-disque *m*.
toca-fitas [ˌtɔka'fitɐʃ] *m inv (Br)* magnétophone *m*.
tocar [tu'kar] *vt* jouer. ◆ *vi (campainha, sino, telefone)* sonner; *(MÚS)* jouer; **~ a: toca a comer!** allez, mange!; **toca a trabalhar!** au travail!; **quando ~ a minha vez** quand ce sera mon tour; **~ a rebate** sonner l'alarme.
❑ **tocar em** *v + prep (em pessoa, objecto)* toucher; *(em assunto)* aborder; **no que me toca** en ce qui me concerne.
tocha ['tɔʃɐ] *f* torche *f.*
toda → **todo**.
todavia [tuðɐ'viɐ] *adv & conj* cependant.
todo, da ['toðu, -ðɐ] *adj* tout (toute). ◆ *m* tout *m*; **em toda a parte** partout; **todas as coisas que** tout ce qui; **toda a gente** *(Port)* tout le monde; **~ o dia/mês** toute la journée/tout le mois; **~s os dias/meses** tous les jours/les mois; **~ (o) mundo** *(Br)* tout le monde; **~s nós** nous tous; **ao ~** en tout; **de ~** pas du tout; **no ~** dans l'ensemble.

❑ **todos, das** *pron pl* tous (toutes).
Todos-os-Santos [ˌtoðuzuʃ'sɐ̃tuʃ] *s* → **dia**.
toldo ['toɫdu] *m* bâche *f; (de loja, varanda)* store *m*.
tolerância [tulə'rɐ̃sjɐ] *f* tolérance *f.*
tolerar [tulə'rar] *vt* tolérer.
tolice [tu'lisɐ] *f* bêtise *f.*
tolo, la ['tolu, -lɐ] *adj* bête.
tom ['tõ] *(pl -ns [-ʃ]) m* ton *m*; **em ~ de** sur le ton de; **ser de bom ~** être de bon ton.
tomada [tu'maðɐ] *f* prise *f; ~* **de posse** investiture *f.*
tomar [tu'mar] *vt* prendre; **toma!** tiens!; **vamos ~ um café!** allons prendre un café!; **vamos ~ um copo!** allons prendre un verre!; **~ ar** prendre l'air; **~ o pequeno-almoço** prendre le petit déjeuner; **~ posse** entrer en fonction.
tomara [tu'marɐ] *interj* : **~ eu!** j'aimerais bien!
tomate [tu'matɐ] *m* tomate *f; ~* **pelado** tomate pelée.
tombar [tõ'bar] *vt* renverser. ◆ *vi* tomber.
tombo [tõ'bu] *m* chute *f*; **dar um ~** faire une chute.
tomilho [tu'miʎu] *m* thym *m*.
tonalidade [tuneli'ðaðə] *f* tonalité *f.*
tonel [tu'nɛɫ] *(pl -éis [-ɛiʃ]) m* tonneau *m*.
tonelada [tunə'laðɐ] *f* tonne *f.*
tónica ['tɔnikɐ] *f (Port):* **pôr a ~ em** mettre l'accent sur.
tônica ['tonikɐ] *f (Br)* = **tónica**.
tónico, ca ['tɔniku, -kɐ] *adj (Port) (GRAM)* tonique, accentué(-e); *(fortificante)* tonique. ◆ *m (medicamento)* tonifiant *m*.
tônico, ca ['toniku, -kɐ] *adj & m (Br)* = **tónico**.

toninha [tu'niɲɐ] f marsouin m.

tons → tom.

tonto, ta ['tõntu, -tɐ] adj (com tonturas) étourdi(-e); (tolo) bête.

tontura [tõn'turɐ] f vertige m.

topázio [tu'pazju] m topaze f.

tópico ['tɔpiku] m (assunto) sujet m; (aspectos) point m.

topless [tɔp'lɛs] adj topless; fazer ~ faire du monokini.

topo ['topu] m (de montanha) sommet m; (de rua, pilha) haut m; ~ de gama haut de gamme.

toque ['tɔkɐ] m (contacto) coup m; (som) coup m de sonnette; o ~ (da campainha) la sonnette.

toranja [tu'rɐ̃ʒɐ] f pamplemousse m.

tórax ['tɔraks] m thorax m.

torcedor, ra [torse'dox, -rɐ] (mpl -es [-iʃ], fpl -s [-ʃ]) m, f (Br) supporter m.

torcer [tur'ser] vt (entortar) tordre; (pé, tornozelo) se tordre; (espremer) essorer.
❑ **torcer-se** vp se tordre.
❑ **torcer por** v + prep soutenir.

torcicolo [tursi'kɔlu] m torticolis m.

torcida [tur'sidɐ] f (pavio) mèche f; (Br: de futebol) supporters mpl.

torcido, da [tur'sidu, -dɐ] adj (torto) tordu(-e); (mau) retors(-e).

tordo ['tordu] m grive f.

tormenta [tur'mẽntɐ] f tourmente f.

tormento [tur'mẽntu] m (sofrimento, dor) supplice m; (desgosto) tourment m.

tornado [tur'nadu] m tornade f.

tornar [tur'nar] vt rendre.
❑ **tornar-se** vp devenir.
❑ **tornar a** v + prep: ~ a fazer algo refaire qqch; ~ a ver revoir; ~ a sair ressortir; ~ algo em algo transformer qqch en qqch.

torneio [tur'neju] m tournoi m.

torneira [tur'neirɐ] f robinet m.

torno ['tornu] m : em ~ de autour de.

tornozelo [turnu'zelu] m cheville f.

torpedo [tur'peðu] m torpille f.

torrada [tu'raðɐ] f toast m.

torradeira [turɐ'ðeirɐ] f grille-pain m.

torrão [tu'rɐ̃u] (pl -ões [-õiʃ]) motte f; ~ de açúcar morceau m de sucre.

torrar [tu'rar] vt griller.

torre ['torɐ] f tour f; ~ dos Clérigos la tour dos Clérigos, à Porto.

ℹ️ TORRE DOS CLÉRIGOS

Emblème de Porto, deuxième ville du Portugal, la tour dos Clérigos se situe à l'extrémité ouest de l'église dos Clérigos. En granite, haute de 75,6 mètres, elle est à la fois austère et audacieuse. Elle comporte un escalier intérieur de 225 marches et constitue l'un des principaux symboles de l'art baroque au Portugal.

---

torrente [tu'rẽntɐ] f torrent m.

torresmos [tu'reʒmuʃ] mpl morceaux de lard frits.

tórrido, da ['tɔriðu, -ðɐ] adj torride.

torrões → torrão.

torta ['tɔrtɐ] f (doce) gâteau m roulé.

torto, torta ['tortu, 'tɔrtɐ] adj tordu(-e); a ~ e a direito à tort et à travers.

tortura [tur'turɐ] f torture f.

tos [tuʃ] = te + os; → te.

-tos [tuʃ] → te.

tosse ['tɔsə] *f* toux *f*; ~ **convulsa** coqueluche *f*.

tossir [tu'sir] *vi* tousser.

tosta ['tɔʃtɐ] *f* biscotte *f*; ~ **mista** ≃ croque-monsieur *m*.

tostado, da [tuʃ'taðu, -ðɐ] *adj* grillé(-e).

tostão [tuʃ'tɐ̃u] (*pl* **-ões** [-õiʃ]) *m* pièce de 10 centavos; **não valer um** ~ **furado** ne pas valoir un sou.

total [tu'taɫ] (*pl* **-ais** [-aiʃ]) *adj* total(-e). ◆ *m* total *m*; **no** ~ au total.

totalidade [tuteli'ðaðə] *f* totalité *f*; **na** ~ en entier.

totalmente [tutaɫ'mẽtə] *adv* totalement.

Totobola [ˌtɔtɔ'bɔlɐ] *m* (*Port*) ≃ loto *m* sportif.

Totoloto [ˌtɔtɔ'lotu] *m* (*Port*) ≃ loto *m*.

touca ['toke] *f* bonnet *m*; ~ **de banho** bonnet de bain.

toucador [toke'ðor] (*pl* **-es** [-əʃ]) *m* coiffeuse *f*.

toucinho [to'siɲu] *m* lard *m*; ~ **fumado** poitrine fumée.

toucinho-do-céu [toˌsiɲu-ðu'sɛu] (*pl* **toucinhos-do-céu** [toˌsiɲuʒdu'sɛu]) *m* crème riche en jaunes d'œufs.

toupeira [to'peirɐ] *f* taupe *f*.

tourada [to'raðɐ] *f* corrida *f*.

ⓘ TOURADA

Sport ou art, la corrida est l'un des aspects les plus enracinés de la culture et de la tradition ibériques. Dans la corrida portugaise dite « tourada », on combat le taureau à cheval. On peut aussi le combattre à pied. Elle s'achève par une « pega » (prise) dans laquelle celui qui est à la tête des « forcados » saisit le taureau par les cornes (« pega de caras ») ou par la queue (« pega de cernelha »). Au Portugal, il est interdit de tuer le taureau dans l'arène, c'est pourquoi il n'existe pas de matador comme en Espagne.

toureiro [to'reiru] *m* torero *m*.

touro ['toru] *m* taureau *m*.
❑ **Touro** *m* Taureau *m*.

tóxico, ca ['tɔksiku, -kɐ] *adj* toxique.

Tr. = travessa.

trabalhador, ra [trɐβɐʎɐ'ðor, -rɐ] (*mpl* **-es** [-əʃ], *fpl* **-s** [-ʃ]) *adj* & *m, f* travailleur(-euse).

trabalhar [trɐβɐ'ʎar] *vt* & *vi* travailler.

trabalho [trɐ'βaʎu] *m* travail *m*; '~s na estrada' 'travaux'; ~ **de casa** devoirs *mpl*; ~s **manuais** travaux manuels; ~ **de parto** travail.

traça ['trasɐ] *f* mite *f*.

tração [tra'sɐ̃u] *f* (*Br*) = **tracção**.

traçar [trɐ'sar] *vt* tracer.

tracção [tra'sɐ̃u] *f* (*Port*) traction *f*.

traço ['trasu] *m* trait *m*; (*vestígio*) trace *f*.

tractor [tra'tor] (*pl* **-es** [-əʃ]) *m* (*Port*) tracteur *m*.

tradição [trɐði'sɐ̃u] (*pl* **-ões** [-õiʃ]) *f* tradition *f*.

tradicional [trɐðəsju'naɫ] (*pl* **-ais** [-aiʃ]) *adj* traditionnel(-elle).

tradições → **tradição**.

tradução [trɐðu'sɐ̃u] (*pl* **-ões** [-õiʃ]) *f* traduction *f*.

tradutor, ra [trɐðu'tor, -rɐ] (*mpl* **-es** [-əʃ], *fpl* **-s** [-ʃ]) *m, f* traducteur *m* (-trice *f*).

traduzir [trɐðu'zir] *vt* & *vi* traduire.

tráfego ['trafəgu] *m* trafic *m*.

traficante [trɐfi'kẽtə] *mf* trafiquant *m* (-e *f*).

traficar [trefi'kar] *vt* faire du trafic de.

tráfico ['trafiku] *m* trafic *m*.

tragédia [tre'ʒɛdje] *f* tragédie *f*.

trágico, ca ['traʒiku, -ke] *adj* tragique.

trago ['tragu] → **trazer**.

traição [trai'sɐu] (*pl* -ões [-õiʃ]) *f* trahison *f*; **à ~** en traître.

traidor, ra [trai'đor, -re] (*mpl* -es [-əʃ], *fpl* -s [-ʃ]) *m, f* traître *m* (-esse *f*).

traineira [trai'neire] *f* chalutier *m*.

traje ['traʒe] *m* costume *m*; **~ de luzes** habit *m* de lumière; **~ de noite** tenue *f* de soirée; **~ típico** costume traditionnel; **~s menores** dessous *mpl*.

trajecto [tre'ʒɛtu] *m* (*Port*) trajet *m*.

trajectória [treʒɛ'tɔrje] *f* (*Port*) trajectoire *f*.

trajeto [tra'ʒɛtu] *m* (*Br*) = **trajecto**.

trajetória [traʒe'tɔrje] *f* (*Br*) = **trajectória**.

tralha ['traʎe] *f* (*fam*) bazar *m*.

trama ['treme] *f* (*de fios*) trame *f*; (*de livro, filme*) intrigue *f*.

tramar [tre'mar] *vt*: **~ algo** (*fam*) manigancer qqch; **~ alguém** (*fam*) rouler qqn.

trâmite ['tremite] *m* voie *f*; **os ~s legais** la procédure.

trampolim [trɐ̃mpu'lĩ] (*pl* -ns [-ʃ]) *m* tremplin *m*.

tranca ['trɐ̃ke] *f* verrou *m*.

trança ['trɐ̃se] *f* tresse *f*, natte *f*.

trancar [trɐ̃'kar] *vt* bien fermer.

tranquilidade [trɐ̃kwili'đađe] *f* (*Port*) tranquillité *f*.

tranqüilidade [trɐ̃kwili'dadʒi] *f* (*Br*) = **tranquilidade**.

tranquilizante [trɐ̃kwili'zɐ̃te] *adj* (*Port*) rassurant(-e). ◆ *m* (*Port*) tranquillisant *m*.

tranquilo, la [trɐ̃'kwilu, -le] *adj* (*Port*) tranquille.

transação [trɐ̃za'sɐu] (*pl* -ões [-õiʃ]) *f* (*Br*) = **transacção**.

transacção [trɐ̃za'sɐu] (*pl* -ões [-õiʃ]) *f* (*Port*) transaction *f*.

transar [trɐ̃'zax] *vt* (*Br: fam*) manigancer.

❑ **transar com** *v* + *prep* (*Br: fam*) coucher avec.

transatlântico, ca [trɐ̃zet'lɐ̃tiku, -ke] *adj* transatlantique. ◆ *m* transatlantique *m*.

transbordar [trɐ̃ʒbur'đar] *vi* déborder; **estar a ~** déborder.

transbordo [trɐ̃ʒ'borđu] *m* correspondance *f*; **fazer ~** changer.

transe ['trɐ̃ze] *m* transe *f*.

transeunte [trɐ̃'zjũnte] *mf* passant *m* (-e *f*).

transferência [trɐ̃ʃfe'rẽsje] *f* (*de escola, país*) changement *m*; (*de dinheiro*) virement *m*.

transferir [trɐ̃ʃfe'rir] *vt* (*pessoa*) muter; (*dinheiro*) virer.

transformador [trɐ̃ʃfurme'đor] (*pl* -es [-əʃ]) *m* transformateur *m*.

transformar [trɐ̃ʃfur'mar] *vt* transformer.

transfusão [trɐ̃ʃfu'zɐu] (*pl* -ões [-õiʃ]) *f*: **~ de sangue** transfusion *f* sanguine.

transgredir [trɐ̃ʒgre'đir] *vt* transgresser.

transgressão [trɐ̃ʒgre'sɐu] (*pl* -ões [-õiʃ]) *f* transgression *f*.

transição [trɐ̃zi'sɐu] (*pl* -ões [-õiʃ]) *f* transition *f*.

transístor [trɐ̃'ziʃtor] (*pl* -es [-əʃ]) *m* transistor *m*.

transitar [trɐ̃zi'tar] *vi* circuler; **~ para** passer par; **~ (de ano)** passer (dans la classe supérieure).

transitivo, va [trɐ̃zi'tivu, -ve] *adj* transitif(-ive).

trânsito ['trɐ̃zitu] *m* circulation

f; ~ **condicionado** circulation réglementée; ~ **congestionado** ralentissements; ~ **proibido** circulation interdite; ~ **nos dois sentidos** circulation à double sens.

transmissão [trēʒmiˈsēu] *(pl -ões* [-õiʃ]) *f* transmission *f.*

transmitir [trēʒmiˈtir] *vt* transmettre; *(suj: rádio, TV)* diffuser. ◆ *vi (rádio, TV)* émettre.

transmontano, na [trēʒmõnˈtɐnu, -nɐ] *adj* de (la région de) Trás-os-Montes. ◆ *m, f* habitant *m (-e f)* de Trás-os-Montes.

transparência [trēʃpɐˈrēsjɐ] *f* transparence *f.*

transparente [trēʃpɐˈrēntɐ] *adj* transparent(-e).

transpiração [trēʃpireˈsēu] *f* transpiration *f.*

transpirar [trēʃpiˈrar] *vi* transpirer.

transplantar [trēʃplēnˈtar] *vt* transplanter.

transplante [trēʃˈplēntə] *m (de planta, árvore)* transplantation *f; (de órgão)* greffe *f.*

transportar [trēʃpurˈtar] *vt* transporter.

transporte [trēʃˈpɔrtə] *m* transport *m;* ~ **colectivo** transports en commun; ~**s públicos** transports publics.

transtornar [trēʃturˈnar] *vt (chocar)* bouleverser; *(incomodar)* déranger; *(reunião, rotina)* perturber.

transtorno [trēʃˈtornu] *m* dérangement *m;* **causar** ~ déranger.

trapalhão, lhona [trɐpɐˈʎēu, -ʎonɐ] *(mpl -ões* [-õiʃ]*, fpl -s* [-ʃ]*) m, f* souillon *m.*

trapézio [trɐˈpɛzju] *m* trapèze *m.*

trapezista [trɐpɐˈziʃtɐ] *mf* trapéziste *mf.*

trapo [ˈtrapu] *m (pano velho)* chiffon *m; (roupa velha)* fripe *f.*

trarei [trɐˈrei] → **trazer**.

trás [ˈtraʃ] *interj* patatras! ◆ *prep & adv :* **andar para** ~ reculer; **deixar para** ~ *(local)* quitter; *(pessoa)* dépasser; **por** ~ **de** derrière; **de** ~ derrière; **para** ~ en arrière.

traseira [trɐˈzeirɐ] *f* arrière *m.* ❏ **traseiras** *fpl (de casa)* arrière *m.*

traseiro, ra [trɐˈzeiru, -rɐ] *adj* arrière. ◆ *m* derrière *m (fesses).*

Trás-os-Montes [ˌtrazuʒˈmõntəʃ] *s* Trás-os-Montes.

tratado, da [trɐˈtaðu, -ðɐ] *adj* traité(-e); *(terreno)* entretenu(-e). ◆ *m* traité *m.*

tratamento [trɐtɐˈmēntu] *m* traitement *m; (de terreno)* entretien *m.*

tratar [trɐˈtar] *vt (curar)* traiter, soigner; *(desinfectar)* traiter. ❏ **tratar de** *v + prep (encarregar-se de)* s'occuper de; *(assunto, negócio, tarefa)* traiter. ❏ **tratar-se de** *vp + prep* s'agir de; **trata-se de** il s'agit de; ~ **alguém bem/mal** bien/mal traiter qqn.

trator [traˈtox] *(pl -es* [-iʃ]*) m (Br)* = **tractor**.

trauma [ˈtraumɐ] *m* traumatisme *m.*

Trav. = **travessa**.

travão [trɐˈvēu] *(pl -ões* [-õiʃ]*) m* frein *m;* ~ **de mão** frein à main.

travar [trɐˈvar] *vt (combate, luta)* livrer. ◆ *vi* freiner; ~ **o carro/a bicicleta** freiner; ~ **conhecimento** faire connaissance.

trave [ˈtravɐ] *f* poutre *f.*

travessa [trɐˈvɛsɐ] *f (rua)* passage *m; (peça de louça)* plat *m; (para cabelo)* peigne *m.*

travessão [trɐvɐˈsēu] *(pl -ões* [-õiʃ]*) m (para cabelo)* barrette *f; (sinal gráfico)* tiret *m.*

travesseiro [trɐvə'sɐiru] *m* (*almofada*) traversin *m*.

travessia [trɐvə'siɐ] *f* traversée *f*.

travesso, a [trɐ'vesu, -ɐ] *adj* (*criança*) espiègle; (*comportamento*) turbulent(-e).

travessões → **travessão**.

travões → **travão**.

traz [traʃ] → **trazer**.

trazer [trɐ'zer] *vt* (*vir acompanhado de*) amener; (*carregar*) apporter; (*vestir*) porter; (*problemas*) causer; (*consequências*) avoir; ~ **à memória** rappeler.

trégua ['trɛgwɐ] *f* trêve *f*.

treinador, ra [trɐinɐ'dor, -rɐ] (*mpl* **-es** [-əʃ], *fpl* **-s** [-ʃ]) *m, f* entraîneur *m* (-euse *f*).

treinar [trɐi'nar] *vt* (*desportista*) entraîner; (*língua*) pratiquer. ❏ **treinar-se** *vp* s'entraîner.

treino ['trɐinu] *m* entraînement *m*.

trela ['trɛlɐ] *f* laisse *f*.

trem ['trẽi] (*pl* **-ns** [-ʃ]) *m* (*Br*) train *m*; ~ **de aterragem** (*Port*) train d'atterrissage; ~ **de cozinha** batterie *f* de cuisine; **de** ~ (*Br*) en train.

tremendo, da [trɐ'mẽndu, -dɐ] *adj* (*horrível*) terrible; (*enorme*) épouvantable; (*formidável*) formidable.

tremer [trɐ'mer] *vi* trembler.

tremoços [trɐ'mɔsuʃ] *mpl* graines *fpl* de lupin.

tremor [trɐ'mor] (*pl* **-es** [-əʃ]) *m* tremblement *m*; ~ **de terra** tremblement de terre.

trémulo, la ['trɛmulu, -lɐ] *adj* (*Port: mãos, pernas, voz*) tremblant(-e); (*luz*) vacillant(-e).

trêmulo, la ['trẽmulu, -lɐ] *adj* (*Br*) = **trémulo**.

trenó [trɛ'nɔ] *m* (*grande*) traîneau *m*; (*pequeno*) luge *f*.

trens → **trem**.

trepadeira [trɐpɐ'dɐirɐ] *f* plante *f* grimpante.

trepar [trɐ'par] *vt* gravir. ◆ *vi* grimper; ~ **a** grimper à; ~ **para** grimper sur.

três ['treʃ] *num* trois; → **seis**.

trespassar [trɐʃpɐ'sar] *vt* (*loja, estabelecimento*) céder; (*transgredir*) enfreindre; **'trespassa-se'** 'bail à céder'.

tretas ['tretɐʃ] *fpl* balivernes *fpl*.

trevas ['trevɐʃ] *fpl* ténèbres *fpl*.

trevo ['trevu] *m* trèfle *m*.

treze ['treze] *num* treize; → **seis**.

trezentos, tas [trɐ'zẽntuʃ, -tɐʃ] *num* trois cents; → **seis**.

triângulo [tri'ẽngulu] *m* triangle *m*.

tribo ['tribu] *f* tribu *f*.

tribuna [tri'bunɐ] *f* (*de estádio*) tribune *f*.

tribunal [tribu'nał] (*pl* **-ais** [-aiʃ]) *m* tribunal *m*; **o Supremo Tribunal** la Cour de cassation.

triciclo [tri'siklu] *m* tricycle *m*.

tricô [tri'ko] *m* tricot *m*.

tricotar [triku'tar] *vt* tricoter.

trigésimo, ma [tri'ʒɛzimu, -mɐ] *num* trentième; → **sexto**.

trigo ['trigu] *m* blé *m*.

trilha ['triʎɐ] *f* (*caminho*) piste *f*; ~ **sonora** (*Br*) bande *f* sonore.

trilho ['triʎu] *m* (*carril*) rail *m*; (*caminho*) sentier *m*.

trimestral [trimɐʃ'trał] (*pl* **-ais** [-aiʃ]) *adj* trimestriel(-elle).

trimestre [tri'mɛʃtrɐ] *m* trimestre *m*.

trincar [trĩŋ'kar] *vt* (*com dentes*) croquer; ~ **a língua** se mordre la langue.

trincha ['trĩʃɐ] *f* (*pincel*) pinceau *m*.

trincheira [trĩ'ʃɐirɐ] *f* (*em praça de touros*) barrière *f*; (*escavação*) tranchée *f*.

trinco ['trĩŋku] *m* loquet *m*; **fechar ao** ~ fermer.

trinta ['trĩntɐ] *num* trente; **fazer ~ por uma linha** faire les quatre cents coups; → **seis**.

trio ['triu] *m* trio *m*; **~ elétrico** *(Br)* véhicule équipé d'une sono qui diffuse de la musique dans les rues pendant le carnaval.

tripa [tri'pɐ] *f* boyaux *mpl*. ❑ **tripas** *fpl* tripes *fpl*; **tripas à moda do Porto** plat à base de tripes et de haricots blancs.

tripé [tri'pɛ] *m* trépied *m*.

tripeiro, ra [tri'pɐiru, -rɐ] *m, f* *(fam)* surnom donné aux habitants de Porto.

triplicar [tripli'kar] *vt* tripler.

tripulação [tripulɐ'sɐ̃u] *(pl* **-ões** [-õiʃ]) *f* équipage *m*.

tripular [tripu'lar] *vt* piloter.

triste ['triʃtɐ] *adj* triste.

tristeza [triʃ'tezɐ] *f* tristesse *f*; **que ~!** c'est triste!

triunfar [triũ'far] *vi* triompher.

triunfo [tri'ũfu] *m* triomphe *m*.

trivial [tri'vjaɫ] *(pl* **-ais** [-aiʃ]) *adj* banal(-e).

triz ['triʃ] *m* : **por um ~** de justesse.

troca ['trɔkɐ] *f* échange *m*; **à ~ en échange; em ~ de** en échange de.

trocado, da [tru'kaðu, -ðɐ] *adj* mauvais(-e). ❑ **trocados** *mpl* monnaie *f*; **temos os lugares ~s** nous avons inversé nos places; **os livros estão ~s** les livres sont classés dans le désordre.

trocar [tru'kar] *vt* *(objecto, produto)* échanger; *(dinheiro)* faire la monnaie de; *(ideias)* échanger; *(confundir)* mélanger. ❑ **trocar de** *v + prep* changer de. ❑ **trocar-se** *vp* se changer; **~ dinheiro** faire de la monnaie.

troco ['troku] *m* monnaie *f*; *(fig: resposta)* réponse *f*; **dar o ~ *(responder)*** relever; **a ~ de** en échange de.

troço ['trosu] *m* *(de estrada)* tronçon *m*; *(de lenha)* rondin *m*; *(de couve)* trognon *m*.

troféu [tru'fɛu] *m* trophée *m*.

tromba ['trõmbɐ] *f* *(de elefante)* trompe *f*; *(de água)* trombe *f*; **estar de ~s** *(Port: fam)* faire la gueule.

trombeta [trõm'betɐ] *f* clairon *m*.

trombone [trõm'bɔnə] *m* trombone *m*; **~ de varas** trombone à coulisse.

trompa ['trõmpɐ] *f* cor *m*.

trompete [trõm'pɛtə] *m* trompette *f*.

tronco ['trõŋku] *m* tronc *m*.

trono ['tronu] *m* trône *m*.

tropa ['trɔpɐ] *f* armée *f*. ◆ *m* *(Port)* militaire *m*; **ir à ~** partir à l'armée.

tropeçar [trupə'sar] *vi* trébucher; **~ em algo** trébucher sur qqch.

tropical [trupi'kaɫ] *(pl* **-ais** [-aiʃ]) *adj* tropical(-e).

trópico ['trɔpiku] *m* tropique *m*.

trotar [tru'tar] *vi* trotter.

trotinete [trɔti'nɛtɐ] *f* *(de criança)* trottinette *f*; *(pequeno tractor)* motoculteur *m*.

trouxa ['troʃɐ] *f* balluchon *m*.

trouxas-de-ovos [ˌtroʃɐʒ-'dɔvuʃ] *fpl* petits gâteaux fourrés à la crème aux œufs.

trouxe ['trosə] → **trazer**.

trovão [tru'vɐ̃u] *(pl* **-ões** [-õiʃ]) *m* tonnerre *m*.

trovejar [truvə'ʒar] *v impess* : **está a ~** il tonne.

trovoada [tru'vwaðɐ] *f* orage *m*.

trovões → **trovão**.

trucidar [trusi'ðar] *vt* massacrer.

trufas ['trufɐʃ] *fpl* truffes *fpl*.

trunfo ['trũfu] *m* atout *m*.

truque ['truk] *m* tour *m*.

trusses ['trusəʃ] *mpl* (*Port*) slip *m*.

truta ['trutɐ] *f* truite *f*.

T-shirt [tiʃertə] *f* tee-shirt *m*.

tu ['tu] *pron* (*Port: fam*) tu; ~ **mesmo** OU **próprio** toi-même.

tua → **teu**.

tuba ['tubɐ] *f* tuba *m*.

tubarão [tubɐ'rɐ̃u] (*pl* **-ões** [-õiʃ]) *m* requin *m*.

tuberculose [tubɛrku'lɔzə] *f* tuberculose *f*.

tubo ['tubu] *m* (*cano*) tuyau *m*; (*de comprimidos*) tube *m*; ~ **de ensaio** tube à essai; ~ **de escape** (*Port*) pot *m* d'échappement.

tudo ['tuðu] *pron inv* tout; **estar por** ~ être prêt à tout; **antes de** ~ avant tout; **apesar de** ~ malgré tout; **por** ~ **e por nada** pour un oui ou pour un non; **dar** ~ **por** ~ donner le tout pour le tout.

tulipa [tu'lipɐ] *f* (*Br*) = **túlipa**.

túlipa ['tulipɐ] *f* (*Port*) tulipe *f*.

tumba ['tũmbɐ] *f* tombe *f*.

tumor [tu'mor] (*pl* **-es** [-əʃ]) *m* tumeur *f*; ~ **maligno/benigno** tumeur maligne/bénigne.

túmulo ['tumulu] *m* tombeau *m*.

tumulto [tu'muɫtu] *m* (*alvoroço*) tumulte *m*; (*revolta*) trouble *m*.

tuna ['tunɐ] *f*: ~ **(académica)** *petit orchestre d'étudiants.*

túnel ['tunɛɫ] (*pl* **-eis** [-ɐiʃ]) *m* tunnel *m*.

túnica ['tunikɐ] *f* tunique *f*.

turbina [tur'ƀinɐ] *f* turbine *f*.

turbulência [turɓu'lẽsiɐ] *f* (*em voo*) turbulences *fpl*.

turco, ca ['turku, -kɐ] *adj* turc (turque). ◆ *m, f* Turc *m* (Turque *f*). ◆ *m* (*língua*) turc *m*; (*tecido*) éponge *f*.

turfe ['tuxfi] *m* (*Br: hipódromo*) hippodrome *m*; (*hipismo*) courses *fpl* hippiques.

turismo [tu'riʒmu] *m* tourisme *m*; ~ **de habitação** (*Port*) *tourisme pratiqué chez l'habitant dans des maisons traditionnelles.*

---

i TURISMO DE HABITAÇÃO

L es propriétaires des maisons anciennes du nord du Portugal ont été les premiers à ouvrir leur porte aux touristes. Ponte de Lima, dans le Minho, est considéré comme la capitale de cette forme de tourisme, même si des logements de ce type sont aujourd'hui proposés un peu partout dans le pays. L'objectif étant de restaurer le patrimoine national, de nombreuses maisons anciennes ont pu être remises en état grâce à un programme public de financement. Beaucoup d'entre elles datent des XVIe et XVIIe siècles et regorgent d'antiquités.

---

turista [tu'riʃtɐ] *mf* touriste *mf*.

turístico, ca [tu'riʃtiku, -kɐ] *adj* (*local, ementa*) touristique; (*classe*) loisirs.

turma ['turmɐ] *f* (*em escola*) classe *f*; (*Br: fam : amigos*) bande *f* (de copains).

turné ['turne] *f* tournée *f*.

turno ['turnu] *m* équipe *f*; **trabalhar por** ~**s** faire un roulement; **por seu** ~ à son tour.

turquesa [tur'kezɐ] *f* turquoise *f*.

Turquia [tur'kiɐ] *f*: **a** ~ la Turquie.

tutano [tu'tɐnu] *m* moelle *f*.

tutela [tu'tɛlɐ] *f* tutelle *f*.

tutor, ra [tu'tor, -rɐ] (*mpl* **-es** [-əʃ], *fpl* **-s** [-ʃ]) *m, f* tuteur *m* (-trice *f*).

tutu [tu'tu] *m* : ~ **à mineira** *pâte*

de haricots épaissie à la farine de manioc mélangée à de la viande de porc.

TV *f (abrev de* **televisão***)* TV.

TVI *f (abrev de* **Televisão Independente***) chaîne de télévision catholique privée au Portugal.*

tweed ['twið] *m* tweed *m.*

U

Ucal® [u'kał] *(pl* **-ais** [-aiʃ]) *f lait chocolaté.*

UE *f (abrev de* **União Europeia***)* UE *f.*

uísque ['wiskə] *m* whisky *m.*

uivar [ui'var] *vi* hurler *(chien).*

úlcera ['uɫsəɾɐ] *f* ulcère *m.*

ulmeiro [uɫ'meiru] *m* orme *m.*

ultimamente [ˌuɫtimɐ'mẽntɐ] *adv* dernièrement.

ultimato [uɫti'matu] *m* ultimatum *m.*

último, ma ['uɫtimu, -mɐ] *adj* dernier(-ère). ◆ *m, f :* **o ~/a última** le dernier/la dernière; **por ~** enfin.

ultraleve [ˌuɫtrɐ'lɛvɐ] *m* ULM *m.*

ultramar [ˌuɫtrɐ'mar] *m :* **o ~** les pays *mpl* d'outre-mer.

ultramarino, na [ˌuɫtrɐme'rinu, -nɐ] *adj* d'outre-mer.

ultrapassado, da [ˌuɫtrɐpe'saðu, -ðɐ] *adj* dépassé(-e).

ultrapassagem [ˌuɫtrɐpe'saʒẽi] *(pl* **-ns** [-ʃ]) *f* dépassement *m.*

ultrapassar [ˌuɫtrɐpe'sar] *vt* dépasser; *(carro)* doubler.

ultravioleta [ˌuɫtrɐvju'lɛtɐ] *adj inv* ultraviolet(-ette).

um, uma [ũ, 'umɐ] *(mpl* **uns** [ũʃ], *fpl* **umas** ['umɐʃ]) *artigo indefinido* un (une); **~ homem** un homme; **uma mulher** une femme; **uma mala** une valise.

◆ *adj* **1.** *(ger)* un (une); **~ dia voltarei** un jour, je reviendrai; **comprei uns livros** j'ai acheté quelques livres; **vou uns dias de férias** je pars quelques jours en vacances; **~ destes dias** un de ces jours; **trinta e ~ dias** trente et un jours; **~ litro/metro/quilo** un litre/mètre/kilo.
2. *(aproximadamente)* environ; **estavam lá umas cinquenta pessoas** il y avait environ cinquante personnes; **esperei uns dez minutos** j'ai attendu une dizaine de minutes.
3. *(para enfatizar)* un/une de ces; **está cá ~ frio/calor!** il fait un de ces froids/une de ces chaleurs!; **estou com uma sede!** j'ai une de ces soifs!

◆ *pron (indefinido)* un (une); **só não gosto dum/duma** il n'y en a qu'un/qu'une que je n'aime pas; **dá-me ~** donne-m'en un; **quero mais uma** j'en veux encore une; **~ a ~, ~ por ~** un à un, un par un; **um deles** l'un d'entre eux; **uns e outros** les uns et les autres; **→ seis.**

umbanda [ũm'bãndɐ] *f culte afro-brésilien dérivé du candomblé.*

umbigo [ũm'bigu] *m* nombril *m.*

umbral [ũm'braɫ] *(pl* **-ais** [-aiʃ]) *m (ombreira)* montant *m*; *(soleira)* seuil *m.*

umidade [umi'dadʒi] f (Br) = humidade.

úmido, da ['umidu, -dɐ] adj (Br) = húmido.

unanimidade [unɐnɐmi'dadɐ] f unanimité f; **por ~** à l'unanimité.

UNE ['uni] f (Br) (abrev de **União Nacional de Estudantes**) syndicat étudiant brésilien.

Unesco [u'nɛʃku] f Unesco f.

unha ['uɲɐ] f ongle m; **por uma ~ negra** de justesse.

união [u'njɐ̃u] (pl **-ões** [-õiʃ]) f union f; **a União Europeia** l'Union Européenne.

unicamente [unikɐ'mẽntɐ] adv uniquement; **'~ para adultos'** 'réservé aux adultes'.

único, ca ['uniku, -kɐ] adj unique; (um só) seul(-e). ◆ m, f: **o ~/a única** le seul/la seule.

unidade [uni'dadɐ] f unité f.

unido, da [u'nidu, -dɐ] adj uni(-e); **eles são muito ~s** ils sont très liés.

unificar [unifi'kar] vt unifier.

uniforme [uni'fɔrmɐ] adj & m uniforme.

uniões → união.

unir [u'nir] vt unir; (colar) joindre.
❑ **unir-se** vp s'unir; **~-se contra** s'allier contre.

unissex [uni'sɛks] adj inv (Br) = unissexo.

unissexo [uni'sɛksu] adj inv (Port) unisexe.

unitário, ria [uni'tarju, -rjɐ] adj unitaire.

universal [univɐr'sat] (pl **-ais** [-aiʃ]) adj universel(-elle).

universidade [univɐrsi'dadɐ] f université f.

universo [uni'vɛrsu] m univers m.

uns → um.

untar [ũn'tar] vt: **~ com óleo** huiler; **~ com manteiga** beurrer.

urânio [u'rɐnju] m uranium m.

urbano, na [ur'bɐnu, -nɐ] adj urbain(-e).

urgência [ur'ʒẽsjɐ] f urgence f; **com ~** d'urgence.
❑ **Urgências** fpl urgences fpl.

urgente [ur'ʒẽntɐ] adj urgent(-e).

urgentemente [ur,ʒẽntɐ'mẽntɐ] adv d'urgence.

urina [u'rinɐ] f urine f.

urinol [uri'nɔt] (pl **-óis** [-ɔiʃ]) m urinoir m.

urna ['urnɐ] f (de voto) urne f.

urrar [u'rar] vi hurler.

urso ['ursu] m ours m; **~ pardo** ours brun; **~ de peluche** OU **pelúcia** ours en peluche; **~ polar** ours polaire.

urticária [urti'karjɐ] f urticaire f.

urtiga [ur'tigɐ] f ortie f.

Uruguai [uru'gwai] m: **o ~** l'Uruguay m.

urze ['urzɐ] f bruyère f.

usado, da [u'zadu, -dɐ] adj (em segunda mão) d'occasion; (método, sistema) utilisé(-e); (gasto) usé(-e).

usar [u'zar] vt (utilizar) utiliser, se servir de; (vestir, calçar) porter.
❑ **usar de** v + prep faire preuve de.
❑ **usar-se** vp se porter.

usina [u'zinɐ] f (Br) usine f; **~ de açúcar** sucrerie f; **~ hidroelétrica** centrale f hydroélectrique; **~ nuclear** centrale f nucléaire.

uso ['uzu] m usage m; **'para ~ externo'** 'usage externe'; **fazer ~ de** utiliser; (de influência, talento) faire usage de; **para ~ próprio** à usage personnel.

usual [u'zwat] (pl **-ais** [-aiʃ]) adj usuel(-elle).

usufruir [uzufru'ir]: **usufruir**

de *v* + *prep (possuir)* jouir de; *(tirar proveito de)* profiter de.
usurpar [uzur'par] *vt* usurper.
úteis → **útil**.
utensílio [utẽ'silju] *m* ustensile *m*.
utente [u'tẽntɐ] *mf* usager *m*.
útero ['utɐru] *m* utérus *m*.
útil ['utił] *(pl* **úteis** ['utɐiʃ]) *adj* utile; *(dia)* ouvrable.

utilidade [utɐli'dađɐ] *f* utilité *f*;
qual é a ~ disso? à quoi ça sert?
utilização [utɐlize'sẽu] *(pl* **-ões** [-õiʃ]) *f* utilisation *f*.
utilizar [utɐli'zar] *vt* utiliser.
utopia [utu'piɐ] *f* utopie *f*.
U.V. *(abrev de* **ultravioleta***)* UV *mpl*.
uva ['uvɐ] *f* grain *m* de raisin; **~s** raisin *m*.

V. *(abrev de* **vide***)* voir.
vá ['va] → **ir**.
vã → **vão**.
vaca ['vakɐ] *f (animal)* vache *f*;
(carne) bœuf *m*.
vacilar [vɐsi'lar] *vi (hesitar)* hésiter.
vacina [vɐ'sinɐ] *f* vaccin *m*.
vacinação [vɐsinɐ'sẽu] *f* vaccination *f*.
vácuo ['vakwu] *m* vide *m*.
vadio, dia [vɐ'điu, -'điɐ] *adj (pessoa)* vagabond(-e); *(cão)* errant(-e).
vaga ['vagɐ] *f (em emprego)* poste *m* vacant; *(onda)* vague *f*; **uma ~ de** une vague de.
vagabundo, da [vɐgɐ'bũndu, -dɐ] *m, f* vagabond *m* (-e *f*).
vaga-lume [,vagɐ'lumɐ] *(pl* **vaga-lumes** [,vagɐ'luməʃ]) *m* ver *m* luisant.
vagão [vɐ'gẽu] *(pl* **-ões** [-õiʃ]) *m* wagon *m*.
vagão-cama [vagẽu'kɐmɐ] *(pl* **vagões-cama** [vagõiʃ'kɐmɐ]) *m* *(Port)* wagon-lit *m*.

vagão-leito [vagẽu'leitu] *(pl* **vagões-leito** [vagõiʒ'leitu]) *m (Br)* = **vagão-cama**.
vagão-restaurante [va,gẽuRɐʃtau'rẽntɐ] *(pl* **vagões-restaurante** [va,gõiʒRɐʃtau'rẽntɐ]) *m* wagon-restaurant *m*.
vagar [vɐ'gar] *vi* se libérer. ♦ *m* : **ter ~** avoir le temps.
vagaroso, osa [vagɐ'rozu, -ozɐ] *adj* lent(-e).
vagem ['vaʒẽi] *(pl* **-ns** [-ʃ]) *f* cosse *f*.
❏ **vagens** *fpl* pois *mpl* gourmands.
vagina [vɐ'ʒinɐ] *f* vagin *m*.
vago, ga ['vagu, -gɐ] *adj (desocupado)* libre; *(indefinido)* vague.
vagões → **vagão**.
vai ['vai] → **ir**.
vaidade [vai'đađɐ] *f* vanité *f*.
vaidoso, osa [vai'đozu, -ɔzɐ] *adj* vaniteux(-euse).
vais ['vaiʃ] → **ir**.
vaivém [vai'vẽi] *(pl* **-ns** [-ʃ]) *m* va-et-vient *m inv*; **~ espacial** navette *f* spatiale.

vala [ˈvalɐ] f (de rega) rigole f; (fosso) fossé m; ~ **comum** fosse f commune.

vale[1] [ˈvalə] m vallée f; ~ **postal** mandat m postal.

vale[2] [ˈvalə] → **valer**.

valente [vɐˈlẽtɐ] adj (corajoso) courageux(-euse); (forte) fort(-e).

valer [vɐˈler] vt valoir. ♦ vi être valable; **vale mais...** il vaut mieux...; **a** ~ vraiment; **para** ~ pour de bon.
❏ **valer-se de** vp + prep se servir de.

valeta [vɐˈletɐ] f (de estrada) fossé m; (de rua) caniveau m.

valete [vaˈlɛtɐ] m valet m.

valeu [vɐˈleu] → **valer**.

valho [ˈvaʎu] → **valer**.

validação [vɐliðɐˈsẽu] f (de bilhete) validation f.

validade [vɐliˈðaðə] f validité f.

validar [vɐliˈðar] vt (bilhete) valider.

válido, da [ˈvaliðu, -ðɐ] adj valable; ~ **até...** valable jusqu'à...

valioso, osa [vɐˈljozu, -ɔzɐ] adj : **ser** ~ avoir de la valeur.

valor [vɐˈlor] (pl -es [-əʃ]) m valeur f; (em exame, teste) point m; **dar** ~ **a** apprécier.
❏ **valores** mpl (bens, acções, etc) valeurs fpl; (de sociedade) titres mpl.

valsa [ˈvalsɐ] f valse f.

válvula [ˈvalvulɐ] f (de coração) valvule f; (de motor) soupape f; ~ **de segurança** soupape de sécurité.

vampiro [vẽˈpiru] m vampire m.

vandalismo [vɐ̃dɐˈliʒmu] m vandalisme m.

vândalo, la [ˈvɐ̃dɐlu, -lɐ] m, f vandale mf.

vangloriar-se [vẽŋgluˈrjarsə] vp se vanter; **~-se de** se vanter de.

vanguarda [vẽŋˈgwarðɐ] f avant-garde f; **estar na** ~ **de** être en tête de.

vantagem [vẽˈtaʒẽi] (pl -ns [-ʃ]) f avantage m; **que** ~ **é que tiras disso?** qu'est-ce que tu y gagnes?

vantajoso, osa [vẽtɐˈʒozu, -ɔzɐ] adj (útil) bénéfique; (lucrativo) avantageux(-euse); **não é** ~ **para mim** ça ne m'arrange pas.

vão[1] [ˈvẽu] → **ir**.

vão[2], **vã** [ˈvẽu, ˈvẽ] adj vain(-e). ♦ m : ~ **de escadas** dessous m d'escalier; **em** ~ en vain.

vapor [vɐˈpor] (pl -es [-əʃ]) m (de líquido) vapeur f; (tóxico) émanation f.

vaporizador [vɐpurizɐˈðor] (pl -es [-əʃ]) m vaporisateur m.

vara [ˈvarɐ] f (pau) bâton m; ~ **de pescar** (Br) canne f à pêche.

varal [vaˈrau] (pl -ais [-aiʃ]) m (Br) étendoir f (à linge).

varanda [vɐˈrẽdɐ] f balcon m.

varejeira [vɐrəˈʒeirɐ] f mouche f bleue.

varejo [vaˈreiʒu] m (Br) vente f au détail.

variação [vɐrjɐˈsẽu] (pl -ões [-õiʃ]) f (alteração) variation f; (de preços) différence f.

variado, da [vɐˈrjaðu, -ðɐ] adj varié(-e).

variar [vɐˈrjar] vt & vi varier; **para** ~ pour changer.

varicela [vɐriˈsɛlɐ] f varicelle f.

variedade [vɐrjeˈðaðə] f variété f.

varinha [vɐˈriɲɐ] f : ~ **de condão** baguette f magique; ~ **mágica** (Port) mixer m.

varíola [vɐˈriulɐ] f variole f.

vários, rias [ˈvarjuʃ, -rjɐʃ] adj pl plusieurs.

variz [vɐˈriʃ] (pl -es [-zəʃ]) f varice f.

varredor, **ra** [vɐʀɐ'ðor, -ʀɐ] (*mpl* **-es** [-əʃ], *fpl* **-s** [-ʃ]) *m*, *f* balayeur *m* (-euse *f*).

varrer [vɐ'ʀer] *vt* balayer; ~ **algo da memória** chasser qqch de sa mémoire.

vascular [vɐʃku'lar] (*pl* **-es** [-əʃ]) *adj* vasculaire.

vasculhar [vɐʃku'ʎar] *vt* : ~ **(em)** fouiller (dans).

vaselina [vɐzə'linɐ] *f* vaseline *f*.

vasilha [vɐ'ziʎɐ] *f* pot *m*.

vaso ['vazu] *m* (*para plantas*) pot *m* (de fleurs); (*Br: jarra*) cruche *f*; (*ANAT*) vaisseau *m*; ~ **sanitário** (*Br*) cuvette *f* des W-C; ~ **sanguí- neo** vaisseau sanguin.

vassoura [vɐ'soʀɐ] *f* balai *m*.

vasto, **ta** ['vaʃtu, -tɐ] *adj* vaste.

vatapá [vata'pa] *m* crevettes pilées et morceaux de poisson cuits dans de l'huile de palme et du lait de coco.

Vaticano [veti'kɐnu] *m* : **o** ~ le Vatican.

vazio, **zia** [vɐ'ziu, -ziɐ] *adj* vide. ◆ *m* vide *m*; ~ **de** (*sentido*) vide de; (*interesse*) sans.

Vd. (*abrev de vide*) voir.

vê [ve] → **ver**.

veado ['vjaðu] *m* cerf *m*.

vedado, **da** [və'ðaðu, -ðɐ] *adj* (*edifício*) fermé(-e); (*campo, local*) clôturé(-e); (*recipiente*) étanche; (*interdito*) interdit(-e); '~ **ao trân- sito**' 'interdit à la circulation'.

vedar [və'ðar] *vt* (*edifício*) fer- mer; (*local*) clôturer; (*buraco*) boucher; (*recipiente*) fermer her- métiquement; (*acesso, passagem*) interdire.

vêem ['veɐm] → **ver**.

vegetação [vəʒɐtɐ'sɐ̃u] *f* végé- tation *f*.

vegetal [vəʒə'tat] (*pl* **-ais** [-aiʃ]) *m* végétal *m*.

vegetariano, **na** [vəʒɐtɐ-

'rjɐnu, -nɐ] *adj & m*, *f* végéta- rien(-enne).

veia ['vɐjɐ] *f* veine *f*.

veículo [vɐ'ikulu] *m* véhicule *m*; '~ **longo**' 'véhicule long'.

veio ['vɐju] → **ver**.

vejo ['vɐiʒu] → **ver**.

vela ['vɛlɐ] *f* bougie *f*; (*de barco*) voile *f*.

veleiro [və'lɐiru] *m* voilier *m*.

velejar [vələ'ʒar] *vi* naviguer.

velhice [vɛ'ʎisɐ] *f* vieillesse *f*.

velho, **lha** [vɛʎu, -ʎɐ] *adj & m*, *f* vieux (vieille).

velocidade [vəlusi'ðaðə] *f* vitesse *f*.

velocímetro [vəlu'simɐtru] *m* compteur *m* de vitesse.

velocípede [vəlu'sipɐðə] *m* cycle *m*; ~ **com motor** vélomo- teur *m*.

velório [və'lɔrju] *m* veillée *f* fu- nèbre.

veloz [və'lɔʃ] (*pl* **-es** [-zəʃ]) *adj* ra- pide.

veludo [və'luðu] *m* velours *m*.

vem ['vɐ̃m] → **vir**.

vêm ['vɐ̃m] → **vir**.

vencedor, **ra** [vẽsə'ðor, -ʀɐ] (*mpl* **-es** [-əʃ], *fpl* **-s** [-ʃ]) *m*, *f* vain- queur *m*. ◆ *adj* gagnant(-e).

vencer [vẽ'ser] *vt* (*adversário*) vaincre; (*corrida, competição*) rem- porter; (*fig: obstáculo, timidez, problema*) surmonter. ◆ *vi* (*em competição*) gagner; (*prazo de pagamento*) arriver à échéance; (*contrato, documento*) expirer; **dei- xar-se** ~ **por** céder à.

vencido, **da** [vẽ'siðu, -ðɐ] *adj* vaincu(-e); **dar-se por** ~ s'avouer vaincu.

vencimento [vẽsi'mẽtu] *m* (*ordenado*) salaire *m*; (*de prazo de pagamento*) échéance *f*; **não dar** ~ **a** ne pas suivre le rythme.

venda ['vẽdɐ] *f* (*de mercadorias*)

vente *f; (mercearia)* épicerie *f; (para olhos)* bandeau *m;* **pôr à ~** mettre en vente; **~ pelo correio** vente par correspondance; **~ por grosso/a retalho** vente en gros/au détail; **~ pelo telefone** télévente *f.*

vendaval [vɛ̃dɐ'vał] *(pl* **-ais** [-aiʃ]) *m* vent *m* violent.

vendedor, ra [vɛ̃dɐ'dor, -rɐ] *(mpl* **-es** [-əʃ], *fpl* **-s** [-ʃ]) *m, f* vendeur *m* (-euse *f);* **~ de jornais** *(Port)* vendeur de journaux.

vender [vɛ̃'der] *vt* vendre.

❏ **vender-se** *vp:* **'vende-se'** 'à vendre'; **~ a prestações** vendre à crédit; **~ a pronto** vendre au comptant.

veneno [vɐ'nenu] *m* poison *m.*

venenoso, osa [vɐnə'nozu, -ɔzɐ] *adj (cogumelo)* vénéneux(-euse); *(serpente)* venimeux(-euse).

venéreo, rea [vɐ'nɛrju, -rjɐ] *adj* vénérien(-enne).

venezianas [vɐnə'zjɐneʃ] *fpl* persiennes *fpl.*

Venezuela [vɐnə'zwɛlɐ] *f:* **a ~** le Venezuela.

venho [vɐɲu] → **vir.**

vénia ['vɛnjɐ] *f* révérence *f.*

vens ['vɛ̃ʃ] → **vir.**

ventania [vɛ̃tɐ'niɐ] *f* gros vent *m.*

ventilação [vɛ̃tilɐ'sɐ̃u] *f* ventilation *f; (saída)* aération *f.*

ventilador [vɛ̃tilɐ'dor] *(pl* **-es** [-əʃ]) *m* ventilateur *m.*

ventilar [vɛ̃ti'lar] *vt* ventiler.

vento ['vɛ̃tu] *m* vent *m.*

ventoinha [vɛ̃'twiɲɐ] *f (de ventilação)* ventilateur *m.*

ventre ['vɛ̃trɐ] *m* ventre *m.*

ventrículo [vɛ̃'trikulu] *m* ventricule *m.*

ventríloquo, qua [vɛ̃'triluku, -kɐ] *m, f* ventriloque *mf.*

ver ['ver] *vt* voir; *(televisão, filme)* regarder. ◆ *vi* voir. ◆ *m:* **a meu ~** à mon avis; **até mais ~!** à la prochaine!; **a ~ vamos** on verra bien; **estar a ~** voir; **não estou a ~ o que queres dizer** je ne vois pas ce que tu veux dire; **deixa-me ~...** fais-moi voir...; **fazer ~ a alguém que...** faire comprendre à qqn que...; **não ter nada a ~ com** n'avoir rien à voir avec.

veracidade [vɐrɐsi'dadɐ] *f* véracité *f.*

veranista [vɐrɐ'niʃtɐ] *mf* estivant *m* (-e *f).*

verão [vɐ'rɐ̃u] *(pl* **-ões** [-õiʃ]) *m (Br)* = **Verão.**

Verão [vɐ'rɐ̃u] *(pl* **-ões** [-õiʃ]) *m (Port)* été *m.*

verba ['vɛrbɐ] *f* montant *m,* somme *f.*

verbal [vɐr'bał] *(pl* **-ais** [-aiʃ]) *adj* verbal(-e).

verbo ['vɛrbu] *m* verbe *m.*

verdade [vɐr'dadɐ] *f* vérité *f;* **dizer a ~** dire la vérité; **a ~ é que** à vrai dire; **de** OU **na ~** à vrai dire.

verdadeiro, ra [vɐrdɐ'dɐiru, -rɐ] *adj (verídico)* vrai(-e); *(genuíno)* véritable.

verde ['verdɐ] *adj* vert(-e). ◆ *m* vert *m.*

verdura [vɐr'durɐ] *f (vegetação)* verdure *f; (hortaliça)* légumes *mpl* verts.

vereda [vɐ'redɐ] *f* sentier *m.*

veredicto [vɐrɐ'diktu] *m* verdict *m.*

verga ['vergɐ] *f* osier *m.*

vergonha [vɐr'goɲɐ] *f (timidez)* timidité *f; (desonra)* honte *f;* **ter ~** avoir honte; *(ser tímido)* être gêné; **ter ~ de alguém** avoir honte de qqn; **não ter ~ na cara** être sans gêne.

verificação [vɐrɐfikɐ'sɐ̃u] *(pl* **-ões** [-õiʃ]) *f* vérification *f.*

verificar [vɐrɐfi'kar] *vt* vérifier; *(constatar)* constater.

❑ **verificar-se** *vp (realizar-se)* arriver; *(acontecer)* y avoir; **verificou-se um acidente** il y a eu un accident.

verme [ˈvɛrmə] *m* ver *m*.

vermelho, lha [vərˈmeʎu, -ʎɐ] *adj* rouge. ◆ *m* rouge *m*.

vermute [vɛrˈmutə] *m* vermouth *m*.

verniz [vərˈniʃ] *(pl -es* [-zəʃ]*) m (para madeira)* vernis *m*; *(para unhas)* vernis *m* à ongles.

verões → verão.

Verões → Verão.

verosímil [vəruˈzimił] *(pl -meis* [-mɐiʃ]*) adj (Port)* vraisemblable.

verossímil [veroˈsimiu] *(pl -meis* [-mɐiʃ]*) adj (Br)* = verosímil.

verruga [vəˈʀugə] *f* verrue *f*.

versão [vərˈsɐ̃u] *(pl -ões* [-õiʃ]*) f (de história, acontecimento)* version *f*.

versátil [vərˈsatił] *(pl -teis* [-tɐiʃ]*) adj* polyvalent(-e).

verso [ˈvɛrsu] *m (de poema)* vers *m*; *(de folha de papel)* verso *m*.

versões → versão.

vértebra [ˈvɛrtəbrə] *f* vertèbre *f*.

vertical [vərtiˈkał] *(pl -ais* [-aiʃ]*) adj* vertical(-e). ◆ *f* verticale *f*; **na ~** à la verticale.

vértice [ˈvɛrtisə] *m (de ângulo)* sommet *m*.

vertigem [vərˈtiʒɐ̃i] *(pl -ns* [-ʃ]*) f* vertige *m*.

vesgo, ga [ˈveʒgu, -gɐ] *adj* : **ser ~** loucher.

vesícula [vəˈzikulə] *f* : **~ (biliar)** vésicule *f* (biliaire).

vespa [ˈveʃpɐ] *f (insecto)* guêpe *f*; *(motociclo)* scooter *m*.

véspera [ˈvɛʃpərɐ] *f* veille *f*; **na ~** la veille; **em ~s de** à la veille de.

vestiário [vəʃˈtjarju] *m* vestiaire *m*.

vestibular [veʃtibuˈlax] *m (Br)* concours d'entrée en faculté.

ⓘ VESTIBULAR

L e célèbre « vestibular », terreur des étudiants brésiliens, est une série d'examens d'admission à l'université que les candidats passent à la fin de leurs études secondaires. Trois ou quatre épreuves sont organisées pour tenter de vérifier en une seule fois toutes les connaissances acquises en 11 ans d'études. A partir de 1996, un nouveau système entre en vigueur, en vertu duquel les épreuves d'admission s'accompagnent d'une évaluation de la scolarité des candidats.

---

vestíbulo [vəʃˈtibulu] *m* hall *m*.

vestido, da [vəʃˈtiðu, -ðɐ] *adj* habillé(-e). ◆ *m* robe *f*; **~ de** habillé en.

vestígio [vəʃˈtiʒju] *m* trace *f*.

vestir [vəʃˈtir] *vt (boneco, bebé, criança)* habiller; *(roupa)* porter; *(enfiar)* mettre.

❑ **vestir-se** *vp* s'habiller; **~-se de** s'habiller en.

vestuário [vəʃˈtwarju] *m* vêtement *m*.

veterano, na [vətəˈrenu, -nɐ] *m, f* vétéran *m*.

veterinário, ria [vətəriˈnarju, -rjɐ] *m, f* vétérinaire *mf*.

véu [ˈvɛu] *m* voile *m*.

V.Exª *(abrev de* Vossa Excelência*)* Monsieur, Madame *(formule de politesse).*

vexame [vɛˈʃemə] *m* honte *f*.

vez [veʃ] *(pl -es* [-zəʃ]*) f (ocasião)* fois *f*; *(turno)* tour *m*; **perder a ~** passer son tour; **à ~** à tour de rôle; **às ~es** parfois; **alguma ~ hás-de aprender** tu finiras par apprendre; **de uma só ~** en même temps; *(beber)* d'un trait; **de ~** une fois pour toutes; **de ~ em quando** de temps en temps; **mais de uma ~** plusieurs fois; **muitas ~es** souvent; **na** OU **em ~ de** au lieu de; *(de pessoa)* à la place de; **outra ~** encore; **por ~es** parfois; **poucas ~es** rarement; **era uma ~...** il était une fois...

vi ['vi] → **ver**.

via ['viɐ] f voie f; *(documento)* copie f; **a Via Láctea** la Voie lactée; **por ~ aérea** par avion; **por ~ das dúvidas** au cas où; **por ~ de regra** normalement; **por ~ nasal** par voie nasale; **por ~ oral** par voie orale; **segunda ~** duplicata m; **~ pública** voie publique; **~ rápida** *(em auto-estrada)* file f de gauche; *(estrada)* voie express; **~ verde** ≃ télépéage m.

viaduto [viɐ'ðutu] m viaduc m.

via-férrea [viɐ'fɛʀjɐ] *(pl* **vias-férreas** [viɐʃ'fɛʀjɐʃ]) *f (Port)* voie f ferrée.

viagem ['vjaʒɐ̃i] *(pl* **-ns** [-ʃ])* f voyage m; **boa ~!** bon voyage!; **~ de negócios** voyage d'affaires.

viajante [vjɐ'ʒɐ̃ntɐ] mf voyageur m (-euse f).

viajar [vjɐ'ʒar] vi voyager; **~ de** voyager en; **~ pela França/pelo Japão** voyager en France/au Japon.

viatura [vjɐ'turɐ] f véhicule m.

viável [vjavɛɫ] *(pl* **-eis** [-ɐiʃ]) adj *(transitável)* praticable; *(exequível)* faisable.

víbora ['viburɐ] f vipère f.

vibração [vibrɐ'sɐ̃u] *(pl* **-ões** [-õiʃ])* f vibration f.

vibrar [vi'brar] vi vibrer.

viciado, da [vi'sjaðu, -ðɐ] adj dépendant(-e).

viciar [vi'sjar] vt *(adulterar)* falsifier; *(comunicar vício)* corrompre.

❑ **viciar-se em** vp + prep être dépendant(-e).

vício ['visju] m vice m.

vida ['viðɐ] f vie f; **ganhar a ~** gagner sa vie; **perder a ~** perdre la vie; **tirar a ~ a alguém** tuer qqn.

videira [vi'ðeirɐ] f vigne f.

vídeo ['viðju] m *(aparelho)* magnétoscope m; *(filme)* film m vidéo.

videocassete [ˌviðjuka'sɛtɐ] f *(Port)* cassette f vidéo.

videoclipe [ˌviðju'klipɐ] m vidéo-clip m.

videoclube [ˌviðju'kluβɐ] m vidéoclub m.

videodisco [ˌviðju'ðiʃku] m vidéodisque m.

videogame [viðju'geimɐ] m jeu m vidéo.

videogravador [ˌviðjugreve'-ðor] *(pl* **-es** [-əʃ])* m magnétoscope m.

vidraça [vi'ðrasɐ] f vitre f; **com ~** vitré(-e).

vidrão [vi'ðrɐ̃u] *(pl* **-ões** [-õiʃ])* m *(Port)* container m *(à verre)*.

vidro ['viðru] m *(substância)* verre m; *(vidraça)* carreau m; *(de carro)* vitre f.

vidrões → **vidrão**.

viela ['vjɛlɐ] f ruelle f.

vieste [vi'ɛʃtɐ] → **vir**.

viga ['vigɐ] f poutre f.

vigário [vi'garju] m vicaire m.

vigésimo, ma [vi'ʒɛzimu, -mɐ] num vingtième; → **sexto**.

vigia [vi'ʒiɐ] f *(vigilância)* surveillance f; *(janela)* hublot m. ♦ mf vigile m.

vigilância [viʒi'lɐ̃sjɐ] f *(guarda)* surveillance f; *(atenção)* vigilance f.

vigor [vi'gor] m vigueur f; **em ~** en vigueur.

vil [viɫ] *(pl* **vis** [viʃ]) adj *(infame)*

abominable; *(desprezível)* ignoble.

vila ['vilɐ] *f (povoação)* petite ville *f*; *(habitação)* villa *f*.

vilarejo [vilɐ'rɐiʒu] *m* hameau *m*.

vim [vĩ] → **vir**.

vime ['vimɐ] *m* osier *m*.

vinagre [vi'nagrɐ] *m* vinaigre *m*.

vinagreta [vinɐ'gretɐ] *f* vinaigrette *f*.

vinco ['vĩku] *m* pli *m*.

vinda ['vĩdɐ] *f (regresso)* retour *m*; *(chegada)* venue *f*; **à ~** au retour.

vindima [vĩ'dimɐ] *f* vendange *f*.

vindo, da ['vĩdu, -dɐ] *pp* → **vir**.

vingança [vĩ'gɐ̃sɐ] *f* vengeance *f*.

vingar [vĩ'gar] *vt* venger. ◆ *vi (planta)* pousser.

❑ **vingar-se** *vp* se venger; **~-se de** se venger de.

vingativo, va [vĩgɐ'tivu, -vɐ] *adj* rancunier(-ère).

vinha[1] ['viɲɐ] *f* vigne *f*.

vinha[2] ['viɲɐ] → **vir**.

vinha-d'alhos [viɲɐ'daʎuʃ] *f* marinade *f*.

vinheta [vi'ɲetɐ] *f* vignette *f*.

vinho ['viɲu] *m* vin *m*; **~ branco/ tinto** vin blanc/rouge; **~ da casa** vin de la maison; **~ espumante** OU **espumoso** vin mousseux; **~ a martelo** vin frelaté; **~ de mesa** vin de table; **~ moscatel** muscat *m*; **~ do Porto** porto *m*; **~ rosé** vin rosé; **~ verde** *vin blanc ou rouge légèrement pétillant fait alors que le raisin n'a pas atteint sa maturité*.

ⓘ VINHO

Le vin est la boisson alcoolisée la plus traditionnelle et la plus consommée au Portugal. On y trouve divers types de vin: le vin vert de la région du Minho, le vin du Dão, de la Bairrada, de l'Alentejo, de Madère, etc. Le plus célèbre à l'étranger est sans doute le vin de la région du Douro, connu sous le nom de porto. C'est le premier vin au monde dont la production a été rattachée à une région, par une loi datant de 1761.

---

vinicultor, ra [vinikuɫ'tor, -rɐ] *(mpl* **-es** [-əʃ]*, fpl* **-s** [-ʃ]*) m, f* viticulteur *m* (-trice *f*).

vinil [vi'niɫ] *m* vinyle *m*.

vintage [vĩ'tedʒɐ] *m* millésime *m*.

vinte ['vĩtɐ] *num* vingt; → **seis**.

viola ['vjɔlɐ] *f* guitare *f*.

violação [vjulɐ'sɐ̃u] *(pl* **-ões** [-õiʃ]*) f* violation *f*; *(estupro)* viol *m*.

violão [vju'lɐ̃u] *(pl* **-ões** [-õiʃ]*) m* guitare *f*.

violar [vju'lar] *vt* violer.

violência [vju'lẽsjɐ] *f* violence *f*.

violento, ta [vju'lẽtu, -tɐ] *adj* violent(-e).

violeta [vju'letɐ] *f* violette *f*. ◆ *adj inv* violet(-ette).

violino [vju'linu] *m* violon *m*.

violões → **violão**.

violoncelo [vjulõ'sɛlu] *m* violoncelle *m*.

vir [vir] *vi* **1.** *(ger)* venir; **veio ver-me** il est venu me voir; **venho amanhã** je viendrai demain; **~ de** venir de; **venho agora mesmo de lá** j'en viens à l'instant même; **~ de fazer algo** venir de faire qqch.

2. *(chegar)* arriver; **veio atrasado/adiantado** il est arrivé en retard/en avance; **veio no comboio das onze** il est arrivé par le train de onze heures.

3. *(surgir)* arriver, venir; **o carro veio não sei de onde** la voiture est arrivée de je ne sais où; **veio-me uma ideia** il m'est venu une idée.

4. *(a seguir no tempo)*: **a semana que vem** la semaine prochaine; **o ano/mês que vem** l'année prochaine/le mois prochain.

5. *(estar)* être; **vem escrito em português** c'est écrit en portugais; **vinha embalado** c'était emballé.

6. revenir; **ele vem amanhã** il revient demain; **hoje, venho mais tarde** aujourd'hui, je rentre plus tard; **venho de férias na próxima semana** je reviens de vacances la semaine prochaine.

7. *(em locuções)*: **que vem a ser isto?** qu'est-ce que c'est que ça?; ~ **a ser** devenir; ~ **abaixo** s'écrouler; ~ **ao mundo** venir au monde; ~ **a saber (de algo)** apprendre (qqch); ~ **sobre** *(arremeter contra)* venir sur; ~ **a tempo de** arriver à temps pour.

virado, da [vi'raðu, -ðɐ] *adj* retourné(-e); *(casa)* orienté(-e). ◆ *m*: ~ **à Paulista** *plat de São Paulo à base de haricots et de viande de porc*; ~ **para** tourné vers.

vira-lata [,vira'latɐ] *(pl* **vira-latas** [,vira'latɐʃ]) *m (Br)* bâtard *m (chien)*.

virar [vi'rar] *vt* renverser; *(cabeça)* tourner; *(objecto)* retourner; *(Br: transformar-se em)* devenir. ◆ *vi (mudar de direcção)* tourner; *(Br: mudar)* changer; ~ **à direita/esquerda** tourner à droite/gauche; ~ **o carro** faire demi-tour.

❏ **virar-se** *vp* se retourner; ~**-se**

contra alguém se retourner contre qqn; ~**-se para** se tourner vers.

virgem ['virʒẽi] *(pl* **-ns** [-ʃ]) *f* vierge *f*. ◆ *adj* vierge.
❏ **Virgem** *f* Vierge *f*.

vírgula [virgulɐ] *f* virgule *f*.

viril [vi'rił] *(pl* **-is** [-iʃ]) *adj* viril(-e).

virilha [və'riʎɐ] *f* aine *f*.

viris → **viril**.

virose [vi'rɔzə] *f* maladie *f* virale.

virtual [vir'twał] *(pl* **-ais** [-aiʃ]) *adj* virtuel(-elle).

virtude [vir'tuðə] *f* vertu *f*; **em ~ de** en vertu de.

vírus ['viruʃ] *m inv* virus *m*.

vis → **vil**.

visão [vi'zɐ̃u] *(pl* **-ões** [-õiʃ]) *f (capacidade de ver)* vue *f*; *(ilusão)* vision *f*.

visar [vi'zar] *vt* viser; *(ter em vista)* avoir l'intention de.

vísceras [viʃsərəʃ] *fpl* viscères *fpl*.

viscoso, osa [viʃ'kozu, -ɔzɐ] *adj* visqueux(-euse).

viseira [vi'zɐirɐ] *f* visière *f*.

visibilidade [vəzibli'ðaðə] *f* visibilité *f*.

visita [və'zitɐ] *f* visite *f*; **fazer uma ~ a alguém** rendre visite à qqn; ~ **pascal** *visite du prêtre à ses paroissiens pour leur donner la bénédiction pascale*.

visitante [vəzi'tɐ̃ntə] *mf* visiteur *m* (-euse *f*).

visitar [vəzi'tar] *vt (pessoa)* rendre visite à; *(local, país)* visiter.

visível [vi'zivεł] *(pl* **-eis** [-ɐiʃ]) *adj* visible.

vislumbrar [viʒlũm'brar] *vt* apercevoir.

visões → **visão**.

visor [vi'zor] *(pl* **-es** [-əʃ]) *m* viseur *m*; *(INFORM)* écran *m*.

vista [ˈviʃtɐ] f vue f; (olho) œil m; **até à ~!** au revoir!; **dar nas ~s** se faire remarquer; **ter algo em ~** avoir qqch en vue.

visto, ta [ˈviʃtu, -tɐ] pp → **ver**. ◆ adj vu(-e). ◆ m visa m; **bem ~!** bien vu!; **só ~!** il fallait voir ça!; **pelos ~s** apparemment; **~ que** vu que.

vistoso, osa [viʃˈtozu, -ɔzɐ] adj voyant(-e).

visual [viˈzwaɫ] (pl **-ais** [-aiʃ]) adj visuel(-elle).

vital [viˈtaɫ] (pl **-ais** [-aiʃ]) adj vital(-e).

vitamina [vitɐˈminɐ] f vitamine f.

vitela [viˈtɛlɐ] f (animal) génisse f; (carne) veau m.

vítima [ˈvitimɐ] f victime f.

vitória [viˈtɔrjɐ] f victoire f.

vitória-régia [vi,tɔrjɐˈRɛʒjɐ] (pl **vitórias-régias** [vi,tɔrjɐʒˈRɛʒjɐ]) f nénuphar m géant.

vitral [viˈtraɫ] (pl **-ais** [-aiʃ]) m vitrail m.

vitrina [viˈtrinɐ] f vitrine f.

viu [viu] → **ver**.

viúvo, va [ˈvjuvu, -vɐ] m, f veuf m (veuve f).

vivacidade [vivɐsiˈdaðɐ] f vivacité f.

viveiro [viˈveiru] m (de plantas) pépinière f; (de trutas) vivier m.

vivência [viˈvẽsjɐ] f expérience f.

vivenda [viˈvẽdɐ] f maison f.

viver [viˈver] vi (ter vida) vivre; (habitar) habiter. ◆ vt vivre; **~ com alguém** vivre avec qqn; **~ de algo** vivre de qqch; **~ em** vivre à.

víveres [ˈvivɐrɐʃ] mpl vivres mpl.

vivo, va [ˈvivu, -vɐ] adj vif (vive); (com vida) vivant(-e); **ao ~** live.

vizinhança [vɐziˈɲẽsɐ] f voisinage m.

vizinho, nha [vɐˈziɲu, -ɲɐ] adj & m, f voisin(-e).

voar [ˈvwar] vi voler.

vocabulário [vukɐbuˈlarju] m vocabulaire m.

vocação [vukɐˈsẽu] (pl **-ões** [-õiʃ]) f vocation f; **ter ~ para** avoir la vocation de.

vocalista [vukɐˈliʃtɐ] mf chanteur m (-euse f) (d'un groupe).

você [vɔˈse] pron (Br: fam) tu; (Port: fml) vous.
❏ **vocês** pron pl vous.

voga [ˈvɔgɐ] f: **estar em ~** être en vogue.

vogal [vuˈgaɫ] (pl **-ais** [-aiʃ]) f voyelle f. ◆ mf membre m.

volante [vuˈlẽtɐ] m volant m (de véhicule).

volátil [vuˈlatiɫ] (pl **-teis** [-tɐiʃ]) adj volatil(-e); (fig) versatile.

vôlei [ˈvolei] m (Br) = **voleibol**.

voleibol [ˌvɔlei̯ˈbɔɫ] m volley-ball m.

volta [ˈvɔɫtɐ] f tour m; (regresso) retour m; (mudança) tournant m; **dar uma ~** faire un tour; **dar a ~ a alguém** faire changer qqn d'avis; **dar a ~ a algo** faire le tour de qqch; **estar de ~** être de retour; **~ e meia** (fig) sans arrêt; **a toda a ~** tout autour; **à ~ de** à peu près; **por ~ de** vers.

voltagem [voɫˈtaʒẽi] f voltage m.

voltar [voɫˈtar] vt retourner; (cabeça, olhos, costas) tourner. ◆ vi (regressar) revenir; (ir de novo) retourner; **~ a fazer algo** refaire qqch; **~ a chover** recommencer à pleuvoir; **~ atrás** (retroceder) revenir sur ses pas; (no tempo) revenir en arrière; **~ para** revenir à; **~ para casa** rentrer à la maison.
❏ **voltar-se** vp se retourner; **~-se para** se tourner vers.

volume [vuˈlumɐ] m volume m; (embrulho) paquet m.

voluntário, ria [vulũn'tarju, -rjɐ] *m, f* volontaire *mf*.

volúpia [vu'lupjɐ] *f* volupté *f*.

vomitado [vumi'taðu] *m* vomi *m*.

vomitar [vumi'tar] *vt & vi* vomir.

vómito [ˈvɔmitu] *m (contracção)* vomissement *m*; **sentir ~s** avoir envie de vomir.

vontade [võn'taðə] *f (desejo)* envie *f*; *(determinação)* volonté *f*; **pôr-se à ~** se mettre à l'aise; **ter ~ de fazer algo** avoir envie de faire qqch; **fazer as ~s a alguém** faire les quatre volontés de qqn; **com ~ ou sem ela** que tu le veuilles ou non; **contra a ~** à contre cœur; **de livre ~** de plein gré.

voo [ˈvou] *m (Port)* vol *m*; **~ charter** vol charter; **~ directo** vol direct; **~ doméstico** vol intérieur; **~ fretado** vol affrété; **~ livre** vol libre.

vôo [ˈvou] *m (Br)* = **voo**.

voraz [vu'raʃ] *(pl* **-es** [-zəʃ]) *adj* vorace.

vos [vuʃ] *pron (vocês)* vous.

vós [vɔʃ] *pron (fml: você, vocês)* vous; **~ mesmos** OU **próprios** vous-mêmes.

vosso, a [ˈvɔsu, -ɐ] *adj* votre.
♦ *pron* : **o ~/a vossa** le/la vôtre; **isto é ~** c'est à vous; **um amigo ~** un de vos amis; **os ~s** *(a vossa família)* les vôtres.

votação [vutɐ'sɐ̃u] *(pl* **-ões** [-õiʃ]) *f (acto)* vote *m*; *(resultado)* scrutin *m*; **por ~ secreta** à bulletin secret.

votar [vu'tar] *vi* voter; **~ em alguém** voter pour qqn.

voto [ˈvɔtu] *m (eleição)* vote *m*; *(resultado)* voix *f*.
❏ **votos** *mpl* : **~s de felicidade** tous mes vœux de bonheur; **fazer ~s que** souhaiter que.

vou [ˈvo] → **ir**.

voz [vɔʃ] *(pl* **-es** [-zəʃ]) *f* voix *f*; **ter ~ activa em algo** avoir son mot à dire sur qqch; **em ~ alta/baixa** à voix haute/basse.

v.s.f.f. *(abrev de* **vire se faz favor***)* TSVP.

vulcão [vuł'kɐ̃u] *(pl* **-ões** [-õiʃ]) *m* volcan *m*.

vulgar [vuł'gar] *(pl* **-es** [-əʃ]) *adj (frequente)* courant(-e); *(comum)* banal(-e); *(grosseiro)* vulgaire.

vulgaridade [vułgɐri'ðaðə] *f (banalidade)* banalité *f*; *(grosseria)* vulgarité *f*.

vulnerável [vułnɐ'ravɛł] *(pl* **-eis** [-ɐiʃ]) *adj* vulnérable.

vulto [ˈvułtu] *m (figura indistinta)* silhouette *f*; *(pessoa importante)* figure *f*.

W

walkie-talkie [ˌwɔki'tɔki] (pl **walkie-talkies** [ˌwɔki'tɔkiʃ]) m talkie-walkie m.

WC m (abrev de **water closet**) W-C m.

windsurf [wɪnd'sɛrfə] m planche f à voile; **fazer ~** faire de la planche à voile.

X

xadrez [ʃɐ'ɖreʃ] m (jogo) échecs mpl; (fam : cadeia) taule f; **de ~ à** carreaux.

xaile ['ʃailə] m châle m.

xale ['ʃalə] m = **xaile.**

xampu [ʃẽm'pu] m (Br) = **champô.**

xarope [ʃɐ'rɔpə] m sirop m; **~ para a tosse** sirop pour la toux.

xenofobia [ʃɛnɔfu'ƀiɐ] f xénophobie f.

xenófobo, ba [ʃɐ'nɔfuƀu, -ƀɐ] m, f xénophobe mf.

xeque-mate [ˌʃɛkɐ'matɐ] (pl **xeque-mates** [ˌʃɛkɐ'matɐʃ]) m échec m et mat.

xerez [ʃɐ'reʃ] m xérès m.

xerocar [ʃero'kax] vt (Br) photocopier.

xérox® ['ʃɛrɔks] m inv (Br: fotocópia) photocopie f; (máquina) photocopieuse f.

xícara ['ʃikɐrɐ] f tasse f.

xilofone [ʃilɔ'fɔnɐ] m xylophone m.

xilografia [ʃilɔgrɐ'fiɐ] f xylographie f.

xingar [ʃĩ'gax] vt (Br) insulter.

xinxim [ʃĩ'ʃĩ] (pl **-ns** [-ʃ]) m poulet à l'huile de palme et à la noix de cajou pilée.

xisto ['ʃiʃtu] m schiste m.

Z

zagueiro [za'geiru] *m (Br: em futebol)* arrière *m*.

Zaire ['zairə] *m* : **o ~** le Zaïre.

zanga ['zɐ̃ɡɐ] *f* brouille *f*.

zangado, da [zɐ̃'ɡaðu, -ðɐ] *adj* fâché(-e).

zângão ['zɐ̃ɡɐ̃u] *(pl -ões* [-õiʃ]) *m* bourdon *m*.

zangar [zɐ̃'ɡar] *vt* énerver.
☐ **zangar-se** *vp* se fâcher.

zângões → **zângão**.

zaragata [zɐre'ɡatɐ] *f* bagarre *f*.

zaragatoa [zɐreɡɐ'toɐ] *f* stick *m*.

zarpar [zer'par] *vi* lever l'ancre.

zebra ['zeɓrɐ] *f* zèbre *m*.

zelador, ra [zela'dox, -rɐ] *(pl -es* [-iʃ], *fpl -s* [-ʃ]) *m, f (Br: de edifício)* concierge *mf*.

zelar [zə'lar]: **zelar por** *v + prep* veiller à.

zelo ['zelu] *m (dedicação)* soin *m*; *(com pessoa)* égard *m*.

zeloso, osa [zə'lozu, -ɔze] *adj* appliqué(-e).

zero ['zɛru] *num* zéro; **partir do ~** recommencer à zéro; **ser um ~ à esquerda** *(fam)* être nul; **estão seis graus abaixo de ~** il fait moins six; → **seis**.

ziguezague [ziɡ'zaɡə] *m* zigzag *m*; **andar aos ~s** zigzaguer.

zinco ['zĩku] *m* zinc *m*.

zíper ['zipex] *(pl -es* [-iʃ]) *m (Br)* fermeture *f* Éclair®.

Zodíaco [zu'ðiɐku] *m* zodiaque *m*.

zoeira ['zweirɐ] *f* bourdonnement *m*.

zombar [zõm'bar] *vi* se moquer; **~ de** se moquer de.

zona ['zonɐ] *f* zone *f*; *(MED)* zona *m*; **~ comercial** zone commerçante; **~ pedestre** zone piétonne.

zonzo, za ['zõzu, -zɐ] *adj* étourdi(-e).

zoo ['zu] *m (Port)* zoo *m*.

zôo ['zu] *m (Br)* = **zoo**.

zoologia [zulu'ʒiɐ] *f* zoologie *f*.

zoológico [zu'lɔʒiku] *adj m* → **jardim**.

zumbido [zũm'biðu] *m* bourdonnement *m*.

zumbir [zũm'bir] *vi* bourdonner.

zunzum [zũ'zũ] *(pl -ns* [-ʃ]) *m (fig)* cancan *m*.

zurrar [zu'rar] *vi* braire.

CONJUGAISONS

Verbes auxiliaires

Ter

INDICATIF

Présent	Imparfait	Parfait simple
tenho	tinha	tive
tens	tinhas	tiveste
tem	tinha	teve
temos	tínhamos	tivemos
têm	tinham	tiveram

Parfait composé	Plus-que-parfait	Futur simple
tenho tido	tinha tido	terei
tens tido	tinhas tido	terás
tem tido	tinha tido	terá
temos tido	tínhamos tido	teremos
têm tido	tinham tido	terão

Futur composé	CONDITIONNEL	
	simple	composé
terei tido	teria	teria tido
terás tido	terias	terias tido
terá tido	teria	teria tido
teremos tido	teríamos	teríamos tido
terão tido	teriam	teriam tido

IMPÉRATIF / SUBJONCTIF

IMPÉRATIF	SUBJONCTIF	
	Présent	Imparfait
tem (tu)/não tenhas	tenha	tivesse
(não) tenha (você)	tenhas	tivesses
(não) tenhamos (nós)	tenha	tivesse
(não) tenham (vocês)	tenhamos	tivéssemos
	tenham	tivessem

Parfait	Plus-que-parfait	Futur
tenha tido	tivesse tido	tiver
tenhas tido	tivesses tido	tiveres
tenha tido	tivesse tido	tiver
tenhamos tido	tivéssemos tido	tivermos
tenham tido	tivessem tido	tiverem

INFINITIF

Impersonnel composé	Personnel simple	Personnel composé
	ter	ter tido
	teres	teres tido
ter tido	ter	ter tido
	termos	termos tido
	terem	terem tido

GÉRONDIF / PARTICIPE

GÉRONDIF		PARTICIPE
Simple	Composé	tido
tendo	tendo tido	

* La forme verbale de la 2ᵉ personne du pluriel de tous les verbes, utilisée seulement dans le nord du Portugal, n'est pas présentée dans ces tableaux de conjugaisons.

Ser

INDICATIF

Présent	Imparfait	Parfait simple
sou	era	fui
és	eras	foste
é	era	foi
somos	éramos	fomos
são	eram	foram

Parfait composé	Plus-que-parfait	Futur simple
tenho sido	tinha sido	serei
tens sido	tinhas sido	serás
tem sido	tinha sido	será
temos sido	tínhamos sido	seremos
têm sido	tinham sido	serão

Futur composé	CONDITIONNEL	
	simple	composé
terei sido	seria	teria sido
terás sido	serias	terias sido
terá sido	seria	teria sido
teremos sido	seríamos	teríamos sido
terão sido	seriam	teriam sido

IMPÉRATIF / SUBJONCTIF

IMPÉRATIF	Présent	Imparfait
sê(tu)/não sejas	seja	fosse
seja(você)/não seja	sejas	fosses
(não) sejamos (nós)	seja	fosse
(não) sejam (vocês)	sejamos	fôssemos
	sejam	fossem

Parfait	Plus-que-parfait	Futur
tenha sido	tivesse sido	for
tenhas sido	tivesses sido	fores
tenha sido	tivesse sido	for
tenhamos sido	tivéssemos sido	formos
tenham sido	tivessem sido	forem

INFINITIF

Impersonnel composé	Personnel simple	Personnel composé
	ser	ter sido
	seres	teres sido
ter sido	ser	ter sido
	sermos	termos sido
	serem	terem sido

GÉRONDIF / PARTICIPE

Simple	Composé	PARTICIPE
sendo	tendo sido	sido

• La voyelle en gras est la voyelle tonique. Voir aussi pages suivantes.

Verbes réguliers

1° conjugaison en **ar**	2° conjugaison en **er**	3° conjugaison en **ir**
Modèle de andar	*Modèle de viver*	*Modèle de partir*
INDICATIF		
	Présent	
ando	vivo	parto
andas	vives	partes
anda	vive	parte
andamos	vivemos	partimos
andam	vivem	partem
	Prétérit imparfait	
andava	vivia	partia
andavas	vivias	partias
andava	vivia	partia
andávamos	vivíamos	partíamos
andavam	viviam	partiam
	Prétérit parfait simple	
andei	vivi	parti
andaste	viveste	partiste
andou	viveu	partiu
andámos	vivemos	partimos
andaram	viveram	partiram
	Prétérit parfait composé	
tenho andado	tenho vivido	tenho partido
etc.	etc.	etc.
	Prétérit plus-que-parfait	
tinha andado	tinha vivido	tinha partido
etc.	etc.	etc.
	Futur simple	
andarei	viverei	partirei
andarás	viverás	partirás
andará	viverá	partirá
andaremos	viveremos	partiremos
andarão	viverão	partirão
	Futur composé	
terei andado	terei vivido	terei partido
etc.	etc.	etc.
CONDITIONNEL		
	simple	
andaria	viveria	partiria
andarias	viverias	partirias
andaria	viveria	partiria
andaríamos	viveríamos	partiríamos
andariam	viveriam	partiriam
	composé	
teria andado	teria vivido	teria partido
etc.	etc.	etc.

IMPÉRATIF

affirmatif / négatif

anda (tu)/ não **and**es	**viv**e (tu)/ não **viv**as	**part**e (tu)/ não **part**as
(não) **and**e (você)	(não) **viv**a (você)	(não) **part**a (você)
(não) **and**emos (nós)	(não) **viv**amos (nós)	(não) **part**amos (nós)
(não) **and**em (vocês)	(não) **viv**am (vocês)	(não) **part**am (vocês)

SUBJONCTIF

Présent

ande	viva	parta
andes	vivas	partas
ande	viva	parta
andemos	vivamos	partamos
andem	vivam	partam

Prétérit imparfait

andasse	vivesse	partisse
andasses	vivesses	partisses
andasse	vivesse	partisse
andássemos	vivêssemos	partíssemos
andassem	vivessem	partissem

Prétérit parfait

tenha andado	tenha vivido	tenha partido
etc.	etc.	etc.

Prétérit plus-que-parfait

tivesse andado	tivesse vivido	tivesse partido
etc.	etc.	etc.

Futur

andar	viver	partir
andares	viveres	partires
andar	viver	partir
andarmos	vivermos	partirmos
andarem	viverem	partirem

INFINITIF

Impersonnel composé

ter andado	ter vivido	ter partido

Personnel

andar	viver	partir
andares	viveres	partires
andar	viver	partir
andarmos	vivermos	partirmos
andarem	viverem	partirem

GÉRONDIF

simple

andando	vivendo	partindo

composé

tendo andado	tendo vivido	tendo partido

PARTICIPE

andado	vivido	partido

Verbes à alternance vocalique (phonétique et graphique)

	INDICATIF	IMPÉRATIF	SUBJONCTIF
	Présent		Présent
Prevenir	previno	previne/não previnas	previna
	prevines	(não) previna	previnas
	previne	(inusité)	previna
	prevenimos	(não) previnam	previnamos
	previnem		previnam

 * Ainsi se conjuguent : *agredir, progredir, transgredir.*

	INDICATIF	IMPÉRATIF	SUBJONCTIF
Dormir	durmo		durma
	dormes	dorme/não durmas	durmas
	dorme	durma/não durma	durma
	dormimos	(não) durmamos	durmamos
	dormem	(não) durmam	durmam

 * Ainsi se conjuguent : *cobrir, engolir, tossir.* Les **o** toniques sont ouverts.

	INDICATIF	IMPÉRATIF	SUBJONCTIF
Seguir	sigo		siga
	segues	segue/não sigas	sigas
	segue	(não) siga	siga
	segimos	(não) sigamos	sigamos
	seguem	(não) sigam	sigam

 * Ainsi se conjuguent : *conseguir* et *prosseguir.*

	INDICATIF	IMPÉRATIF	SUBJONCTIF
Servir	sirvo		sirva
	serves	serve/não sirvas	sirvas
	serve	(não) sirva	sirva
	servimos	(não) sirvamos	sirvamos
	servem	(não) sirvam	sirvam

 * Ainsi se conjuguent: *sentir, mentir, vestir, repetir, sugerir.*
 Les **e** toniques sont ouverts.

	INDICATIF	IMPÉRATIF	SUBJONCTIF
Subir	subo		suba
	sobes	sobe/não subas	subas
	sobe	(não) suba	suba
	subimos	(não) subamos	subamos
	sobem	(não) subam	subam

 * Ainsi se conjuguent: *fugir, acudir, sacudir.*
 Les **o** toniques sont ouverts.

• Toutes les formes régulières des verbes irréguliers ne sont
pas données dans ces tableaux de conjugaisons.

Verbes en -ear, -iar, -air, -uir

passear

INDICATIF		SUBJONCTIF	
Présent	**Parfait**	**Présent**	**Imparfait**
passeio	passeei	passeie	passeasse
passeias	passeaste	passeies	passeasses
passeia	passeou	passeie	passeasse
passeamos	passeámos	passeemos	passeássemos
passeiam	passearam	passeiem	passeassem

* Quand le **e** qui précède la teminaison est tonique on ajoute un **i** entre les deux.

odiar

INDICATIF		SUBJONCTIF	
Présent	**Parfait**	**Présent**	**Imparfait**
odeio	odiei	odeie	odiasse
odeias	odiaste	odeies	odiasses
odeia	odiou	odeie	odiasse
odiamos	odiámos	odiemos	odiássemos
odeiam	odiaram	odeiem	odiassem

* Les verbes en -iar sont généralement réguliers, mais **odiar, incendiar, ansiar** et **remediar** suivent le modèle de **passear**.

sair

INDICATIF			IMPÉRATIF
Présent	**Imparfait**	**Parfait**	
saio	saía	saí	sai/não saias
sais	saías	saíste	(não) saia
sai	saía	saiu	(não) saiamos
saímos	saíamos	saímos	(não) saiam
saem	saíam	saíram	

SUBJONCTIF		
Présent	**Imparfait**	**Futur**
saia	saísse	sair
saias	saísses	saíres
saia	saísse	sair
saiamos	saíssemos	sairmos
saiam	saíssem	saírem

* Ainsi se conjuguent: *cair, distrair, contrair*.
* Le **i** de la terminaison est maintenu dans toute la conjugaison, sauf à la 3e personne du pluriel du présent de l'indicatif.

diluir

INDICATIF	IMPÉRATIF	SUBJONCTIF
Présent		**Présent**
diluo	dilui/não diluas	dilua
diluis	(não) dilua	diluas
dilui	(não) diluamos	dilua
diluímos	(não) diluam	diluamos
diluem		diluam

* Ainsi se conjuguent: *concluir, inflluir, distribuir, retribuir*
* Le **i** de la terminaison est maintenu à la 2e et 3e personnes du présent de l'indicatif et à la 2e personne de l'impératif.

Verbes irréguliers

Dar

INDICATIF			IMPÉRATIF
Présent	**Imparfait**	**Parfait**	
dou	dava	dei	dá/não dês
dás	davas	deste	(não) dê
dá	dava	deu	(não) demos
damos	dávamos	demos	(ão) dêem
dão	davam	deram	

SUBJONCTIF			PARTICIPE
Présent	**Imparfait**	**Futur**	
dê	desse	der	
dês	desses	deres	
dê	desse	der	dado
demos	déssemos	dermos	
dêem	dessem	derem	

Estar

INDICATIF			IMPÉRATIF
Présent	**Imparfait**	**Parfait**	
estou	estava	estive	está/não estejas
estás	estavas	estiveste	(não) esteja
está	estava	esteve	(não) estejamos
estamos	estávamos	estivemos	(não) estejam
estão	estavam	estiveram	

SUBJONCTIF			PARTICIPE
Présent	**Imparfait**	**Futur**	
esteja	estivesse	estiver	
estejas	estivesses	estiveres	
esteja	estivesse	estiver	estado
estejamos	estivéssemos	estivermos	
estejam	estivessem	estiverem	

Ganhar / Gastar / Pagar ▬ p. 13

Ganhar / Gastar / Pagar   ▬   **p. 13**

Caber

INDICATIF			IMPÉRATIF
Présent	**Imparfait**	**Parfait**	inusité
caibo	cabia	coube	
cabes	cabias	coubeste	**PARTICIPE**
cabe	cabia	coube	
cabemos	cabíamos	coubemos	cabido
cabem	cabiam	couberam	

SUBJONCTIF			INFINITIF
Présent	**Imparfait**	**Futur**	**personnel**
caiba	coubesse	couber	caber
caibas	coubesses	couberes	caberes
caiba	coubesse	couber	caber
caibamos	coubéssemos	coubermos	cabermos
caibam	coubessem	couberem	caberem

izer

INDICATIF			CONDITIONNEL
Présent	Parfait	Futur	
digo	disse	direi	diria
dizes	disseste	dirás	dirias
diz	disse	dirá	diria
dizemos	dissemos	diremos	diríamos
dizem	disseram	dirão	diriam

IMPÉRATIF	SUBJONCTIF		
	Présent	Imparfait	Futur
diz/não digas	diga	dissesse	disser
(não) digamos	digas	dissesses	disseres
(não) digam	diga	dissesse	disser
PARTICIPE	digamos	disséssemos	dissermos
dito	digam	dissessem	disserem

screver ▶ **p. 13**

azer

INDICATIF			CONDITIONNEL
Présent	Parfait	Futur	
faço	fiz	farei	faria
fazes	fizeste	farás	farias
faz	fez	fará	faria
fazemos	fizemos	faremos	faríamos
fazem	fizeram	farão	fariam

IMPÉRATIF	SUBJONCTIF		
	Présent	Imparfait	Futur
faz/não faças	faça	fizesse	fizer
(não) faça	faças	fizesses	fizeres
(não) façamos	faça	fizesse	fizer
(não) façam			
PARTICIPE	façamos	fizéssemos	fizermos
feito	façam	fizessem	fizerem

aver

INDICATIF			
Présent	Imparfait	Parfait	Parfait composé
hei	havia		
hás	havias		
há	havia	houve	tem havido
havemos	havíamos		
hão	haviam		

SUBJONCTIF			
Présent	Imparfait	Plus que parfait	Futur
haja	houvesse	tivesse havido	houver

- Le verbe **haver** au sens de **existir** est impersonnel et ne s'emploie qu'à la 3ᵉ personne du singulier
- **Haver-de + infinitif** s'emploie presque exclusivement au présent et à l'imparfait de l'indicatif, et se conjugue à toutes les personnes.

Ler

INDICATIF			IMPÉRATIF
Présent	Imparfait	Parfait	
leio	lia	li	lê/não leias
lês	lias	leste	(não) leia
lê	lia	leu	(não) leiamos
lemos	líamos	lemos	(não) leiam
lêem	liam	leram	

SUBJONCTIF			INFINITIF
Présent	Imparfait	Futur	Personnel
leia	lesse	ler	ler
leias	lesses	leres	leres
leia	lesse	ler	ler
leiamos	lêssemos	lermos	lermos
leiam	lessem	lerem	lerem

Perder

INDICATIF	IMPÉRATIF	SUBJONCTIF	INFINITIF
Présent		Présent	Personnel
perco	perde/não perca	perca	perder
perdes	(não) perca	percas	perderes
perde	(não) percamos	perca	perder
perdemos	(não) percam	percamos	perdermos
perdem		percam	perderem

Poder

INDICATIF			IMPÉRATIF
Présent	Imparfait	Parfait	
posso	podia	pude	
podes	podías	pudeste	inusité
pode	podia	pôde	
podemos	podíamos	pudemos	
podem	podiam	puderam	

SUBJONCTIF			INFINITIF
Présent	Imparfait	Futur	Personnel
possa	pudesse	puder	poder
possas	pudesses	puderes	poderes
possa	pudesse	puder	poder
possamos	pudéssemos	pudermos	podermos
possam	pudessem	puderem	poderem

Pôr

INDICATIF			IMPÉRATIF
Présent	Imparfait	Parfait	
ponho	punha	pus	põe/não ponhas
pões	punhas	puseste	(não) ponha
põe	punha	pôs	(não) ponhamos
pomos	púnhamos	pusemos	(não) ponham
põem	punham	puseram	

SUBJONCTIF			PARTICIPE
Présent	Imparfait	Futur	
ponha	pusesse	puser	
ponhas	pusesses	puseres	posto
ponha	pusesse	puser	
ponhamos	puséssemos	pusermos	
ponham	pusessem	puserem	

Querer

INDICATIF			IMPÉRATIF
Présent	**Imparfait**	**Parfait**	
quero	queria	quis	inusité
queres	querias	quiseste	
quer	queria	quis	
queremos	queríamos	quisemos	
querem	queriam	quiseram	

SUBJONCTIF			INFINITIF
Présent	**Imparfait**	**Futur**	**personnel**
queira	quisesse	quiser	querer
queiras	quisesses	quiseres	quereres
queira	quisesse	quiser	querer
queiramos	quiséssemos	quisermos	querermos
queiram	quisessem	quiserem	quererem

* La 3ᵉ personne du singulier du présent de l'indicatif suivie des pronoms personnels compléments o/a s'écrit quere-o/a

Saber

INDICATIF			IMPÉRATIF
Présent	**Imparfait**	**Parfait**	
sei	sabia	soube	sabe
sabes	sabias	soubeste	saiba
sabe	sabia	soube	saibamos
sabemos	sabíamos	soubemos	saibam
sabem	sabiam	souberam	

SUBJONCTIF			INFINITIF
Présent	**Imparfait**	**Futur**	**personnel**
saiba	soubesse	souber	saber
saibas	soubesses	souberes	saberes
saiba	soubesse	souber	saber
saibamos	soubéssemos	soubermos	sabermos
saibam	soubessem	souberem	saberem

Trazer

INDICATIF			CONDITIONNEL
Présent	**Parfait**	**Futur**	
trago	trouxe	trarei	traria
trazes	trouxeste	trarás	trarias
traz	trouxe	trará	traria
trazemos	trouxemos	traremos	traríamos
trazem	trouxeram	trarão	trariam

IMPÉRATIF	SUBJONCTIF		
	Présent	**Imparfait**	**Futur**
traz/não tragas	traga	trouxesse	trouxer
(não) traga	tragas	trouxesses	trouxeres
(não) tragam	traga	trouxesse	trouxer
tragamos	tragamos	trouxéssemos	trouxermos
tragam	tragam	trouxessem	trouxerem

Ver

INDICATIF			IMPÉRATIF
Présent	Imparfait	Parfait	
vejo	via	vi	vê/não vejas
vês	vias	viste	(não) veja
vê	via	viu	(não) vejamos
vemos	víamos	vimos	(não) vejam
vêem	viam	viram	

SUBJONCTIF			PARTICIPE
Présent	Imparfait	Futur	
veja	visse	vir	
vejas	visses	vires	
veja	visse	vir	visto
vejamos	víssemos	virmos	
vejam	vissem	virem	

Abrir/cobrir ▶ p. 13

Ir

INDICATIF			IMPÉRATIF
Présent	Imparfait	Parfait	
vou	ia	fui	vai/não vás
vais	ias	foste	(não) vá
vai	ia	foi	(não) vamos
vamos	íamos	fomos	(não) vão
vão	iam	foram	

SUBJONCTIF			PARTICIPE
Présent	Imparfait	Futur	
vá	fosse	for	
vás	fosses	fores	
vá	fosse	for	ido
vamos	fôssemos	formos	
vão	fossem	forem	

Ouvir

INDICATIF	IMPÉRATIF	SUBJONCTIF	PARTICIPE
Présent		Présent	
ouço	ouve/não ouças	ouça	
ouves	(não) ouça	ouças	
ouve	(não) ouçamos	ouça	ouvido
ouvimos	(não) ouçam	ouçamos	
ouvem		ouçam	

Pedir

INDICATIF	IMPÉRATIF	SUBJONCTIF	PARTICIPE
Présent		Présent	
peço	pede/não peças	peça	
pedes	(não) peça	peças	
pede	(não) peçamos	peça	pedido
pedimos	(não) peçam	peçamos	
pedem		peçam	

Rir

INDICATIF	IMPÉRATIF	SUBJONCTIF	PARTICIPE
Présent		Présent	
rio	ri/não rias	ria	
ris	(não) ria	rias	
ri	(não) riamos	ria	rido
rimos	(não) riam	riamos	
riem		riam	

Vir

INDICATIF			IMPÉRATIF
Présent	**Imparfait**	**Parfait**	
venho ve**ns** **vem** v**i**mos v**ê**m	v**i**nha v**i**nhas v**i**nha v**í**nhamos v**i**nham	v**im** v**ie**ste v**eio** v**ie**mos v**ie**ram	v**em**/não v**e**nhas (não) v**e**nha (não) venh**a**mos (não) v**e**nham
SUBJONCTIF			**PARTICIPE**
Présent	**Imparfait**	**Futur**	
venha venhas venha venh**a**mos venham	v**ie**sse v**ie**sses v**ie**sse v**ié**ssemos v**ie**ssem	v**ie**r v**ie**res v**ie**r v**ie**rmos v**ie**rem	v**i**ndo

Ganhar/ Gastar/ Pagar/ Escrever/ Abrir/ Cobrir.

- **Ces verbes ne sont irréguliers qu'au participe :** ***ganho, gasto, pago, escrito, aberto, coberto.***

Verbe conjugué avec le pronom O

Levar + o

INDICATIF			
Présent		**Futur**	
levo-o **leva-lo** leva-o **levamo-lo** levam-**no**	o levo o levas o leva o levamos o levam	**levá-lo-ei** **levá-lo-ás** **levá-lo-á** **levá-lo-emos** **levá-lo-ão**	o levarei o levarás o levará o levaremos o levarão
Parfait composé		**CONDITIONNEL**	
tenho-o levado **tem-lo** levado tem-**no** levado **temo-lo** levado têm-**no** levado	o tenho levado o tens levado o tem levado o temos levado o têm levado	**levá-lo-ia** **levá-lo-ias** **levá-lo-ia** **levá-lo-íamos** **levá-lo-iam**	o levaria o levarias o levaria o levaríamos o levariam
IMPÉRATIF		**INFINITIF**	
affirmatif	**négatif**	**Personnel**	
leva-o leve-o **levemo-lo** **levem-no**	não o leves não o leve não o levemos não o levem	**levá-lo** **levare**-lo **levá-lo** **levarmo**-lo levarem-**no**	o levar o levares o levar o levarmos o levarem
INFINITIF IMPERSONNEL		**GÉRONDIF**	
simple	**composé**	**simple**	**composé**
levá-lo o levar	**tê-lo** levado o ter levado	levando-o o levando	tendo-o levado o tendo levado

- Les formes en gras signalent les transformations morpho-phonétiques subies par le verbe et par le pronom.

Verbe pronominal réfléchi

Lavar-se

INDICATIF			
Présent		**Futur**	
lavo-me	me lavo	**lavar-me-ei**	me lavarei
lavas-te	te lavas	**lavar-te-ás**	te lavarás
lava-se	se lava	**lavar-se-á**	se lavará
lavamo-nos	nos lavamos	**lavar-nos-emos**	nos lavaremos
lavam-se	se lavam	**lavar-se-ão**	se lavarão
Parfait composé		**INFINITIF**	
tenho-me lavado	me tenho lavado	**personnel**	
tens-te lavado	te tens lavado	lavar-me	me lavar
tem-se lavado	se tem lavado	lavares-te	te lavares
temo-nos lavado	nos temos lavado	lavar-se	se lavar
têm-se lavado	se têm lavado	**lavarmo**-nos	nos lavarmos
		lavarem-se	se lavarem

• Les formes en gras signalent les transformations morpho-phonétiques subies par
le verbe et par le pronom.

Verbe à la voix passive

Ser pago

INDICATIF		
Présent	Imparfait	parfait composé
sou pago/a	era pago/a	tenho sido pago/a
és pago/a	eras pago/a	tens sido pago/a
é pago/a	era pago/a	tem sido pago/a
somos pagos/as	éramos pagos/as	temos sido pagos/as
são pagos/as	eram pagos/as	têm sido pagos/as

• Le participe s'accorde en genre et en nombre avec le sujet du verbe.

Certains verbes ne se conjuguent

1. **qu'à la 3ᵉ personne du singulier**
   - **haver** au sens de « exister » : **Na festa havia pessoas simpáticas.**
     À la fête, il y avait des gens sympathiques.
   - **fazer** ou **haver** quand ils indiquent un temps écoulé ou une action située
     dans le passé : **Faz dez anos que não a vejo.** Je ne l'ai pas vue depuis
     dix ans. **Há dois anos o João foi ao Brasil.** Il y a deux ans, Jean est allé
     au Brésil.

2. **qu'aux 3ᵉ personnes du singulier et du pluriel**
   - **apetecer** (avoir envie), **acontecer** (arriver), **doer** (avoir mal) :
     Apetece-me ir passear. J'ai envie d'aller me promener. **Apetecem-te
     estes bolos ?** Est-ce que tu as envie de ces gâteaux ? **Aconteceu uma
     desgraça. Aconteceram coisas desagradáveis.** Il est arrivé un malheur.
     Il est arrivé des choses désagréables. **Doem-me as pernas. Dói-me a
     cabeça.** J'ai mal aux jambes. J'ai mal à la tête.

Achevé d'imprimer par l'Imprimerie
Maury-Eurolivres à Manchecourt
N° de projet 10100733
Dépôt légal : février 2002 - N° d'imprimeur : 98561

Imprimé en France - (Printed in France)